5th EDITION

성과기반 지역사회간호학

II VOLUME

COMMUNITY HEALTH NURSING

Pacific Book

COMMUNITY HEALTH NURSING

집 · 필 · 진

대표저자

- **강경숙** 남부대학교

집 필 진

- **조명숙** 동강대학교
- **류화라** 송원대학교
- **장윤경** 호남대학교
- **송명경** 경동대학교
- **김형선** 부천대학교
- **정미라** 한영대학교
- **이원유** 여주대학교
- **김미정** 두원공과대학교
- **김경숙** 강서대학교
- **이영희** 충북보건과학대학교
- **오수현** 남부대학교
- **김성민** 동강대학교
- **홍시명** 청암대학교
- **김유리** 여주대학교

제5판 머·리·말

바야흐로 2023년 2월, 세계는 COVID-19 팬데믹에서 서서히 벗어나고 있다. 사회, 경제, 문화 등 다양한 측면에서 예측이 어려웠던 이 시기 동안 질병과 건강관리를 위한 생명공학과 IT기술은 더욱 빠른 진보를 보였다. 반면에 세계는 팬데믹 이전의 국경 없는 글로벌 파트너십에서 미국 등 강대국들에 의한 자국 중심의 무한 경쟁사회로 빠르게 변화해 가고 있다.

그럼에도 불구하고 건강은 어떤 조건하에서도 보호받고 존중받아야 할 인간의 기본권이다. 최근 변화하는 보건의료정책은 건강수명 연장과 건강형평성을 제고하여 지역사회의 통합적인 건강증진사업을 강조하고 있으며, 인구집단별로 예방중심의 건강생활 실천을 확산하고 건강한 환경조성을 위해 간호사의 강화된 역량을 요구하고 있다.

본 서는 한국간호과학회와 지역사회간호학회의 간호사 국가시험 지침에 따라 4개 분야 11개 영역의 세부학습목표를 근간으로 학습내용의 계열성과 통합성을 고려하여 편성하였다. 특히 제5판 개정의 가장 큰 의의는 최근 보건의료환경의 변화에 따라 한국간호교육평가원의 4주기 프로그램학습성과(PO)가 12개에서 8개로 통합 또는 확대, 신설됨에 따라 집필진이 여러 차례 논의를 통해 이의 연관성 정도를 반영하였고, 이를 위해 그동안 단행본이었던 교재를 지역사회간호학 1, 2권으로 확대 개편하였다는 점이다. 또한 학생들이 실습현장에서 인구집단 건강관리 수행 시 용이하게 활용할 수 있도록 보건사업 기획과 지역사회 간호과정분야를 대폭 수정·개편하였고, 최신 보건의료체계 내에서 활용되고 있는 간호정보화 분야로 웨어러블 기기 등을 활용한 모바일 헬스케어 활용과 사례를 제시하였다. 그리고 새롭게 추가되는 통계자료나 개정된 법률 및 시행령 등을 최대한 업데이트하는 등 최근 이슈가 되고 있는 변화들을 반영하려고 노력하였다.

지역사회간호학1은 총론영역으로 제1장 지역사회간호와 건강, 제2장 국내외 보건정책의 이해는 지역사회간호의 기본개념, 보건의료체계 및 정책에 대한 이해를 높이고자 하였다. 제3장 보건사업 기획과 지역사회 간호과정, 제4장 지역사회 간호활동 및 자원활용은 지역사회간호사가 직무활동을 수행하는데 필요한 방법과 전략을 제시하였다. 제5장 건강증진사업 운영은 건강증진과 보건교육에 대한 지역사회간호 중재 시 적용할 방법론을 설명하고 있다.

지역사회간호학2는 각론영역으로 제6장 생활터별 일차보건의료 제공, 제7장 생애주기별 일차보건의료 제공은 지역사회 인구집단과 다양한 지역사회 기반 실무현장을 관리하는데 요구되는 건강관리에 대해 이해를 높이고자 하였다. 제8장 역학지식 및 통계기술 실무적용, 제9장 감염성질환과 만성질환 관리는 현재 진행 중인 감염성·만성질환의 예방, 관리 및 이의 역학적 접근과 그 의의를 소개하고 있다. 제10장 환경보건관리, 제11장 재난관리는 다양한 지역사회 내 환경과 재난관리 전반 및 실무에 대한 이해를 도모하고자 하였다.

본 서는 2년마다 개정하고 있다. 그러나 급변하는 보건의료 환경에 대한 지역사회간호교육 요구를 반영하기 위해 집필진이 이론부터 실무까지 다양한 내용을 담아내고자 노력하였음에도 불구하고 여전히 미흡한 부분이 있으리라 생각한다. 지역사회간호학 교수님들과 지역사회간호실무자 분들의 성원과 조언을 기대하며, 본 교재가 출판될 수 있도록 아낌없는 지원을 해주신 퍼시픽북 임직원께 감사를 표한다.

2023년 2월

저자 일동

단원별 학습성과 연관성

PO1. 간호학문과 다양한 학문 분야의 지식을 응용한다.

PO2. 임상추론을 통해 간호상황에 적합한 간호를 제공한다.

PO3. 보건의료체계 내에서 인구집단 건강을 관리한다.

PO4. 법과 윤리에 따라 간호를 수행한다.

PO5. 안전과 질 향상 원리를 적용한다.

PO6. 건강증진과 건강문제 해결을 위해 보건의료팀과 협력한다.

PO7. 개인과 전문직 발전을 위한 리더십을 개발한다.

PO8. 정보통신과 최신 보건의료기술을 활용한다.

	PO1	PO2	PO3	PO4	PO5	PO6	PO7	PO8
1장. 지역사회간호와 건강	●							
2장. 국내외 보건정책의 이해			●	◑			○	
3장. 보건사업 기획과 지역사회 간호과정		●	◑		◑	◑	◑	●
4장. 지역사회 간호활동 및 자원활용		◑	◑			●		◑
5장. 건강증진사업 운영	◑		●			◑		
6장. 생활터별 일차보건의료 제공	◑	●	●	◑				
7장. 생애주기별 일차보건의료 제공	◑		●					◑
8장. 역학지식 및 통계기술 실무적용	◑	◑	●					○
9장. 감염성질환과 만성질환 관리			●	◑				
10장. 환경보건 관리			◑	◑				
11장. 재난관리			●	○	◑	◑	○	○
[학습성과와의 연관성]	● : 강한 연관성 ◑ : 중간정도 연관성 ○ : 약한 연관성							

주) 한국간호교육평가원의 학습성과를 기준하여 단원별 연관성을 제시한 것으로 대학의 상황에 따라 차이가 있을 수 있음

분야별 영역구분

분 야	영 역
Ⅰ. 지역사회 간호요구사정	1장. 지역사회간호와 건강
	2장. 국내외 보건정책의 이해
Ⅱ. 보건사업 기획 및 자원활용	3장. 보건사업 기획과 지역사회 간호과정
	4장. 지역사회 간호활동 및 자원활용
Ⅲ. 인구집단별 건강증진 및 유지	5장. 건강증진사업 운영
	6장. 생활터별 일차보건의료 제공
	7장. 생애주기별 일차보건의료 제공
	8장. 역학지식 및 통계기술 실무적용
	9장. 감염성질환과 만성질환 관리
Ⅳ. 안전과 환경관리	10장. 환경보건 관리
	11장. 재난관리

CONTENTS

제 I 권

CONTENTS

제 Ⅱ 권

CONTENTS

제6장 생활터별 일차보건의료 제공

I 가족간호

CONTENTS

CONTENTS

CONTENTS

CONTENTS

CONTENTS

CONTENTS

CONTENTS

부 록

COMMUNITY HEALTH NURSING

제 06 장

생활터별 일차보건의료 제공

COMMUNITY HEALTH NURSING

학습목표

Community Health Nursing

Ⅰ. 가족간호

제1절 가족의 이해

1. 가족의 개념을 설명한다.
2. 가족의 유형을 설명한다.
3. 가족생활주기와 발달과업을 설명한다.
4. 가족간호의 개념을 설명한다.
5. 가족간호사의 역할을 설명한다.

제2절 가족간호 관련 이론

1. 체계이론을 설명한다.
2. 구조기능주의 이론을 설명한다.
3. 상징적 상호주의 이론을 설명한다.
4. 발달이론을 설명한다.

제3절 가족간호과정

1. 가족건강사정도구를 활용하여 사정한다.
2. 가족간호 진단을 도출한다.
3. 가족간호 목표를 기술한다.
4. 가족간호 방법 및 수단을 선택한다.
5. 가족간호를 수행한다.
6. 가족간호결과를 평가한다.

제4절 우리나라의 가족

1. 우리나라 가족의 변화를 설명한다.
2. 우리나라의 가족정책을 설명한다.
3. 다문화가족에 대해 설명한다.
4. 다문화가족을 대상으로 간호를 수행한다.

제5절 취약가족과 간호

1. 취약가족 간호의 중요성 및 특성을 이해한다.
2. 취약가족을 사정한다.
3. 취약가족별 간호중재를 설명한다.

Ⅱ. 학교보건

제1절 학교보건의 이해

1. 학교보건의 개념을 설명한다.
2. 학교보건의 역사를 기술한다.
3. 학교보건인력을 설명한다.
4. 학교보건관련법을 설명한다.
5. 학교간호과정을 적용한다.
6. 학교보건교육과 건강증진을 설명한다.

제2절 학생건강관리

1. 학생건강검사에 대해 설명한다.
2. 학교감염병 특징과 관리를 설명한다.
3. 학교 응급환자 관리를 설명한다.
4. 학교환경관리에 대해 설명한다.

제3절 학교보건실 운영

1. 학교보건조직 운영을 설명한다.
2. 보건실의 시설 및 설비를 설명한다.
3. 물품 및 약품관리를 설명한다.
4. 보건예산관리를 설명한다.
5. 보건실 문서관리를 설명한다.

Ⅲ. 산업간호

제1절 산업간호의 이해

1. 산업보건과 산업간호를 설명한다.
2. 산업보건체계 및 인력에 대해 설명한다.
3. 산업간호과정을 설명한다.

제2절 산업재해

1. 산업재해를 설명한다.
2. 산업재해의 원인에 따른 분류를 설명한다.
3. 산업재해 통계지수를 설명한다.
4. 산업재해 현황과 예방대책, 재해보상을 설명한다.

제3절 작업환경관리

1. 작업환경관리를 설명한다.
2. MSDS/GHS 제도를 설명한다.
3. 작업환경 측정을 설명한다.
4. 작업환경 개선방안을 설명한다.

제4절 근로자 건강관리

1. 근로자 건강진단을 설명한다.
2. 유해환경과 직업병 관리를 설명한다.
3. 유해인자별 작업관련성 질환관리를 설명한다.
4. 건강관리실 운영을 설명한다.

Ⅰ. 가족간호

제1절 + 가족의 이해

Keywords

• 가족 개념 • 가족간호 • 가족유형 • 가족주기와 발달과업

1 가족의 개념

1) 가족의 정의

가족이란 전통적으로 혼인관계로 맺어진 남녀 부부와 이들 사이에서 출생한 자녀 또는 양자로 이루어진 혈연집단을 말한다.

인류학자 Murdock은 '가족이란 공동의 주거, 경제적 협력 그리고 생식이란 특성을 가지는 사회집단이다. 가족이란 성관계를 허용 받은 최소한의 성인 남녀와 그들에게서 출생하였거나 양자로 된 자녀로서 이루어진다'고 정의하였다. 국내 가족학자인 유영주(1988)는 가족이란 부부와 그들 자녀로 구성된 기본적인 사회집단으로 이해관계를 떠난 애정적인 혈연집단으로 그들만의 고유한 가풍을 갖는 문화집단이라고 말한다.

가족에 대한 개념은 시대·사회·문화배경에 따라 복잡하고 학문과 학자에 따라 매우 다양하다.

가족에게 무엇보다 중요한 요건은 가족구성원이다. 가족에 대한 Murdock의 정의에서 가족을 구성하는 요건의 하나가 결혼관계이다. 일반적으로 부부는 결혼식을 거행함으로써 가족구성원으로 성생활의 독점을 사회적으로 인정받는다. 부부가 출산한 자녀는 자동적으로 그 가족의 구성원이 되므로 부모와 자녀 사이에는 혈연관계가 있다. 따라서 가족은 결혼과 혈연으로 결부된 사람들로 구성된 사회집단이다. 사회에 따라서는 생물학적 혈연관계보다 사회적 유대관계를 더 중요시하기도 하는데, 이것은 특히 양자일 때 두드러진다.

Murdock의 정의는 부부와 자녀만을 중시하는 이른바 핵가족에 치중하는데, 인도나 중국 등의 대가족을 주로 연구하는 학자들은 이와 반대되는 주장을 한다. 가족구성원 이외의 구성원을 포함하는 가족이 제도적으로 존재할 때, 그 단위는 핵가족의 집합체가 모인 것이 아니라 가족단위 전체가 하나의 구성단위를 이루는 기본집단으로 간주되어야 한다는 것이다. 즉, 대가족이란 구성원의 수가 많기는 하지만, 거주와 취사의 단위가 소가족과 동일하므로 개개 구성원의 입장에서 볼 때 대가족 그 자체가 일차적 집단이라고 할 수 있다.

Levi-Strauss(1956)는 "가족은 결혼에 의해 출발한다. 이것은 부부와 그들의 결혼에 의해 출생한 자녀로서 구성되지만 이러한 핵집단에 다른 근친자가 포함될 수 있다. 가족구성원은 법적유대, 경제적·종교적 권리와 의무, 성적 권리와 금기, 애정, 존경 등의 다양한 심리적 정서로 결합되어 있다."고 하였다.

Levi-Strauss와 Murdock의 정의는 대조적이다. Murdock이 공동의 주거를 가족의 가장 중요한 요소로 생각한데 비하여, Levi-Strauss는 가족원의 유대, 관계, 결합을 중요한 요소로 생각하고 있다. Murdock의 경우가 현실적인 것을 중시하는 통계적 모형을 파악하는 데 유리한 정의라면, Levi-Strauss의 정의는 기능집단과 운명공동체적 성격을 중시하는 역학적 모형을 위한 정의이다.

가족에 대한 우리나라의 사전적 정의는 '부부, 부모, 자녀, 형제 등 혈연에 의해 맺어지며, 생활을 함께하는 공동체, 또는 그 성원'이다. 이와 같은 가족은 혈연을 중심으로 한 하나의 사회단위로 가족구성원들의 관계 형성에 중요한 의미를 부여하고 있다.

한편 이효재(1983)는 "가족은 일상적인 생활을 공동으로 영위하는 부부와 자녀들, 그들의 친척, 그리고 입양이나 기타 관계로 연대의식을 지닌 공동체 집단으로서, 반드시 동거하는 데 한정되지 않는다."고 하여 가족의 형성을 결혼과 혈연 외에 입양에 의한 것까지를 포함시켜 반드시 혈연 위주의 가족개념만을 고수하지 않았으며, 일정한 동일 장소에서 거주해야 한다는 생활공동체 개념이 아니라 공동체적 상호 유대와 정서적 융합의 성격을 강조하기도 하였다.

간호학에서는 다양한 학문과 학자에 따라 정의하고 있는 다양한 가족개념을 역동적이고 전체적인 견해 속에서 가족을 하나의 대상으로 보았을 때 간호학적 지식과 실무 적용에 적절한, 유연한 입장을 취하는 것이 바람직하다.

2) 가족의 특성

가족을 하나의 사회집단이라고 하였을 때 다른 사회집단과의 차이점과 특성은 다음과 같다.

(1) 일차집단

일차집단(primary group)은 구성원 상호간의 친밀한 관계로서 그 내부에서 성격(personality)이나 태도(attitude)가 형성되는 기본적인 역할을 수행한다. '우리'라는 감정이 발생하여 강한 일체감을 유지하고 있으며, 대면적 결합관계(face-to-face association)에 있는 것 또한 특징이다.

이에 비해 이차집단(secondary group)은 간접적인 거리를 두고 접촉하는 결합관계를 갖는 것으로 사회, 조합, 국가 등을 들 수 있다.

이와 같이 친밀함의 정도나 결합관계의 강도로 보았을 때 가족은 각 구성원과 떼어서 생각할 수 없으므로, 간호에서 가족을 하나의 단위로 다루는 것은 당연한 일이고, 감정적인 유대가 깊은 사람들의 연합이라 보는 일차집단적 특징을 갖는다.

(2) 정서집단(공동사회집단)

가족은 남녀의 사랑이 기초가 되어 결혼관계로 시작된 집단으로, 가족구성원 간에는 정서적이며 비영리적·비타산적이고 때로는 무조건적이며 비합리적인 애정의 결합체 성격이 강하다.

이러한 정서집단(gemeinschaft)은 구성원 상호간의 애정과 이해로 결합하여 외부적인 장애나 분리에도 결코 분열하지 않는 본질적인 결합관계를 가진다.

이에 대한 대립개념인 이익집단(gesellschaft)은 '어떠한 결합에도 불구하고 본질적으로 분리되어 있는 사회', 즉 정당, 사회, 조합 등이라고 정의한다.

(3) 폐쇄집단

폐쇄집단(closed group)이란 구성원이 되기 위한 자격의 획득이나 포기가 용이하지 않은 집단을 뜻한다. 즉 가족은 결혼관계로 맺어진 부부의 공동생활에서 시작되지만 곧 자녀의 출산으로 혈연관계를 이루게 되므로, 가족관계는 성과 혈연의 공동체이면서 필연적인 공동운명체의 성격을 가진다.

이에 반하여 개방집단(open group)이란 집단의 소속성이 자유롭고, 원하는 대로 그 집단 구성원의 자격을 획득하거나 포기할 수 있는 집단을 말한다.

(4) 형식적집단

형식적집단(formal group)이란 객관적 조직과 특정의 습관적 절차가 존재하는 체계를 갖고, 그것에 의하여 행동이 통제되는 집단이다. 즉 집단 내의 어떤 지위에 있느냐에 따라서 개인의 특성에는 관계없이 그 지위에 대한 역할행동이 요구된다. 그러나 가족 상호간의 관계에서는 가족구성원 모두가 각각 인간적인 감정으로 연결되어 대인관계도 어느 사회보다도 자유롭고 솔직하며 순수하여 형식이나 예의에 얽매이지 않는 비형식적인 자유로운 사회집단이다.

간호대상자인 환자가 가족 내에서 어떤 역할을 점유하고 있느냐에 따라서 그의 질병행위가 영향을 받기도 하고, 질병과 치유의 과정에 대한 적응양상이 달라지기도 한다. 그러므로 간호사는 간호진단, 계획, 수행, 평가 시에 이러한 제반사항을 모두 고려해야 한다.

3) 가족의 기능

가족은 가족의 존속 유지와 사회적 임무를 다하기 위한 대내외적 기능을 한다. 가족기능이란 가족이 수행하는 역할과 행위로서 가족행동을 의미하는 대내적 기능과 그 행동의 결과가 사회의 유지, 존속과 가족구성원의 욕구충족에 영향하는 대외적 기능으로 볼 수 있다.

가족기능에 대한 정의와 분류 등은 학문, 학자, 시대적 변천 및 사회체제에 따라 다양하지만 다섯 가지의 대내외적 기능으로 구분할 수 있다[표 6-1].

표 6-1 가족의 기능

구 분	대내적 기능	대외적 기능
애정의 기능	성적요구 충족	성적요구 통제
생식 기능	자녀출산과 교육	종족보존, 사회구성원 제공
경제적 기능	생산과 소비, 경제적 협동과정	노동력 제공, 경제 질서 유지
사회화 기능	자녀의 교육과 사회화	문화 전달 및 사회적 역할과 지위창출
휴식·보호 기능	신체 정신적 보호와 지지 및 건강관리	사회의 안정화

(1) 애정의 기능

애정은 가족생활의 중요한 요소로서 남녀의 결혼은 애정을 바탕으로 이루어지며, 자녀 또한 그들의 애정 표현이다. 자녀들은 부모의 사랑을 받고 자라야 하며, 가족이 함께 사는 것은 의무에서가 아니라 애정 때문으로 가족 간의 애정 도모는 가족의 중요한 기능이다.

가족은 경쟁적 관계가 아닌 상호 보충적 관계로서 가족구성원에게 만족감과 목적의식을 부여한다. 인간은 가정 밖에서 지치고, 갈등하고, 힘들어도 언제나 애정으로 자신을 받아줄 가족이 있기를 기대하고, 가족의 사랑은 인간을 보다 존엄성 있고 가치 있는 삶을 살 수 있도록 도와준다.

(2) 생식 기능

자녀를 출산하는 생식 기능은 가족만이 갖는 유일하고 중요한 기능이다. 생식 기능은 가문의 전통을 잇고, 국가사회의 인구를 형성하며 사회구성원을 충족시키는 사회의 보존·발전을 위한 기본 기능이다.

(3) 경제적 기능

가족은 재산을 공동으로 소유하는 집단으로 생산과 소비 기능을 갖고 있다. 과거에는 식량이나 생활필수품의 조달이 주로 자급자족의 형태로 이루어져 생산의 기능이 중요했으나 현대 가족은 점차 생산 기능은 약화되고 소비 기능이 강화되고 있다. 즉, 가족구성원은 노동력을 제공하고 그 대가로 임금을 받으며, 임금으로 필요한 물품을 구매한다. 특히 도시가족은 소비공동체라 불릴 만큼 소비 기능의 비중이 높다.

(4) 사회화 기능

가족 안에서 개인은 사회생활에 필요한 규범, 권리, 의무 및 책임감을 가장 잘 배울 수 있다. 가정에서 어릴 때 경험한 칭찬과 벌은 성인기의 도덕관과 가치관에 대한 개념을 형성한다. 즉, 개인이 평생 지니는 행동, 가치관, 목표의식 등은 부모의 자녀 양육법과 가족 생활방식과 긴밀한 관계가 있다. 그러나 최근에는 맞벌이 부부가 늘어나면서 아이들을 일찍부터 어린이집에 맡기는 경우가 많아졌다. 따라서 자녀교육 및 사회화 기능이 상당 부분 가정에서 사회집단으로 이전됨으로써 사회집단의 역할이 중요하게 되었다.

(5) 휴식·보호 기능

가족은 가족원을 외부의 위험과 공격으로부터 보호하는 기능이 있다. 가족은 함께 기거하면서 서로를 보호하고, 질병에 걸렸거나 노쇠하여 다른 사람의 도움이 필요할 때 대가 없이 도움을 준다. 가족은 휴식 기능도 있는데, 지친 심신을 가정에서 충분히 휴식함으로써 내일의 노동력을 재생산할 수 있도록 한다. 또한 가족은 현대사회에서 겪는 복잡한 업무와 인간관계로부터 오는 스트레스나 긴장을 해소할 수 있는 안식처로서의 기능을 제공함으로써 가족구성원은 정서적 안정을 취할 수 있다.

2 가족의 유형

가족의 유형을 분류하는 가장 기본적인 방법은 가족구성원의 범위를 고려하여 대가족(large family)과 소가족(small family), 또는 핵가족(nuclear family)과 확대가족(extended family)으로 구분하는 것이다. 이는 가족구성원의 수와 혈연관계를 고려하여 사용되기도 하는데 일반적으로 확대가족이 대가족을 형성하고 핵가족이 소가족을 형성하기도 하나 그렇지 않은 경우도 있다. 일반적으로 혈연관계를 중심으로 가족을 분류할 때 널리 사용되는 개념이 핵가족과 확대가족이다.

1) 핵가족

핵가족이란 부부와 그들의 결혼하지 않은 자녀로 이루어진 가족이다. 2세대로 한정되며 현대 산업사회의 가장 보편적인 형태이다. 핵가족의 가족지위는 남편－아버지, 아내－어머니, 자녀－형제자매로 구분된다.

이들 세 가지 가족지위 이상의 지위가 포함될 경우 확대가족이 된다.

핵가족에서 자녀들이 성장하여 결혼과 동시에 자신들이 태어나고 자란 부모의 가족인 방위가족(family of origin)을 떠나 새로운 가족인 생식가족(family of procreation)을 형성하게 된다. 대부분의 인간은 일생을 통하여 두 번의 가족을 경험하게 된다.

변형된 핵가족으로 2인 핵가족, 한부모가족, 혼합가족 등을 들 수 있다. 2인 핵가족(nuclear dyad family)은 부부로만 구성된 가족형태로, 이들은 자녀를 출산하지 않았거나 자녀들이 모두 성장하여 부모를 떠난 경우이다. 한부모가족(single-parent family)은 별거·이혼·사별 등으로 인해 부모 중 한 사람과 자녀들이 동거하는 형태이다. 혼합가족(blended family)은 부부와 자녀로 구성되나, 재혼한 부부와 그들의 자녀와 더불어 전남편과 전처의 자녀들이 함께 구성된 가족이다.

2) 확대가족

확대가족은 결혼한 자녀가 부모와 동거하는 경우로, 전통적인 농업사회의 형태이며 핵가족의 형태에 조부모와 사촌, 고모, 삼촌 등이 포함된다. 즉 핵가족이 종적·횡적으로 연결되어 있는 형태이다.

확대가족은 직계가족(stem family)과 방계가족(joint family)으로 나뉜다. 직계가족이란 핵가족이 종적으로 연결되어 형성되며 보통 장남 가족이 부모와 동거하는 형태이다. 직계가족은 근원가족이라고도 하며 우리나라와 일본의 전통적인 가족 형태이다. 방계가족은 핵가족이 종적으로 확대된 것으로, 결혼한 둘 이상의 아들 가족이 부모와 동거하는 경우이다. 대표적인 나라는 중국과 인도이다.

3) 기타 가족형태

최근에는 사회구조의 변화와 함께 과거보다 훨씬 다양한 형태의 가족이 나타나고 있다. 이는 과거의 핵가족이나 대가족이 더 이상 유일하고 이상적인 가족형태의 정형이 아님을 의미한다. 가족의 안정성만을 중요시하던 과거와는 달리 개인적인 만족과 행복을 추구하면서 개인의 가치관이나 기호에 따라 다양한 결혼형태와 가족생활양식을 선택하는 시대가 되었다. 예를 들면 독신 성인이 혼자 사는 독신가족, 기숙사 등과 같이 집단이 한 장소에 모여 사는 공동체 가족, 동성애 가족, 미혼남녀의 동거가족, 결혼은 하였으나 경제적 이유로 자녀를 낳지 않는 딩크족(Double Income No Kid; DINK), 결손가정의 가족해체로 아동 및 청소년끼리 함께 사는 새싹가족, 조손가족 등 다양한 형태가 있다.

3 가족생활주기와 발달과업

1) 가족생활주기

개인의 삶이 연령 증가에 따라 일정한 단계를 거쳐 형성되는 것처럼 남녀가 결혼을 통해 부부가 되어 한 가족이 변화되어 가는 모습도 또한 일련의 특정한 발달 유형을 나타낸다. 이러한 가족의 발달적 단계를 가족생활주기(family life cycle)라고 한다. 가족생활주기의 단계를 구분하는 관점은 학자에 따라 다양하게 나타나고 있다. 가장 일반적인 구분의 기준은 자녀의 출산, 첫 자녀와 막내 자녀의 연령, 첫 자녀와 막내 자녀의 출가나 결혼, 은퇴 시기 그리고 배우자 사망 등이다.

(1) Duvall의 가족생활주기

Duvall(1977)은 핵가족을 중심으로 8단계를 제시하였다.

- 1단계 : 신혼기가족(Married couples)
- 2단계 : 자녀출산기의 가족(Childbearing families)
- 3단계 : 학령전기 가족(Families with preschool children)
- 4단계 : 학령기 가족(Families with school age children)
- 5단계 : 청소년기 가족(Families with teenagers)
- 6단계 : 진수기 가족(Families launching young adults)
- 7단계 : 중년기 가족(Middle aged parents)
- 8단계 : 노년기 가족(Aging family members)

(2) 유영주의 가족생활주기

유영주(1990)는 우리나라의 가족실태를 검토하여 가족생활주기를 6단계로 제시하였다.

- 1단계(형성기) : 결혼으로부터 첫 자녀 출산 전까지
- 2단계(자녀출산 및 양육기) : 자녀출산에서 첫 자녀가 초등학교에 입학할 때까지
- 3단계(자녀교육기) : 첫 자녀의 초등학교·중학교·고등학교 교육시기
- 4단계(자녀성년기) : 첫 자녀가 대학에 다니거나 취업, 군복무, 가사에 협조하는 시기
- 5단계(자녀결혼기) : 첫 자녀 결혼에서 막내 자녀 결혼까지
- 6단계(노년기) : 막내 자녀 결혼에서 배우자가 사망하고 본인이 사망할 때까지

2) 가족발달과업

가족이 원만한 발달을 이루기 위해서는 가족 역시 각 단계별 발달과업이 성취되고 다음 주기의 발달과업이 진행되는 것이 요구된다. 만약 가족구성원이 가족발달과업을 제대로 이행하지 않으면, 가족구성원 본인의 발달적 지체뿐만 아니라 가족 전체의 지체도 초래하며 이로 인해 가족은 스트레스를 겪거나 가족위기에 처할 수도 있다.

가족발달과업이란 가족생활주기의 발달단계에 구체적으로 주어진 기본적인 가족의 과업이다. 가족발달과업은 특정 시기에 있는 가족의 안녕과 연속성을 충족시키는 방향을 취한다. 가족발달과업은 가족구성원의 발달과업과 유사하다.

가족생활주기에 건강과 관련지어 이행해야 할 과업을 Duvall의 가족생활주기 기준에 따라 살펴보면 다음과 같다[표 6-2].

(1) 신혼기가족(Married couples)

결혼한 부부가족은 결혼에서 첫 자녀 출생 전까지의 기간이다. 이 단계에서는 결혼이라는 것에 적응하고 밀접한 부부관계의 수립, 가족계획, 성적 양립성, 독립성과 의존성의 조화가 필요한 시기이다. 또한 친척에 대한 이해와 관계가 수립되고 자녀 출산에 대비하게 된다. 그리고 결혼으로 인한 전반적인 생활수준의 향상을

표 6-2 가족발달단계와 발달과업(Duvall, 1977)

발달단계	구 분	과 업	발달단계	구 분	과 업
1단계 신혼기	결혼 ~ 첫 자녀 출생 전	• 결혼적응 • 가족계획 • 독립성과 의존성의 조화 • 밀접한 부부관계수립 • 친척에 대한 이해의 관계수립 • 자녀출산 대비	5단계 청소년기	첫 자녀 13세 ~ 첫 자녀 19세	• 안정된 결혼관계 유지 • 수입의 안정화 • 자녀출가 대처 • 10대의 자유와 책임의 균형 • 자녀들의 성문제 대처 • 세대 간의 충돌대처
2단계 출산기	첫 자녀 출생 ~ 30개월	• 부모 역할과 기능 • 가족구성원간 역할갈등조정 • 임신, 양육문제에 대한 배우자 간 동의 • 모자보건서비스 요구증가	6단계 진수기	첫 자녀 결혼 ~ 막내자녀 결혼	• 부부관계의 재조정 • 늙어가는 부모부양 • 자녀출가에 부모역할 적응 • 자녀배우자와의 관계확립 및 재배열
3단계 학령전기	첫 자녀 30개월 ~ 첫 자녀 6세	• 안정된 부부관계 유지 • 자녀들의 경쟁 • 자녀사회화교육 및 영양관리 • 불균형적인 자녀와의 관계 대처	7단계 중년기	막내자녀 결혼 ~ 부부 은퇴	• 새로운 흥미의 개발과 참여 • 부부관계의 재확립 • 경제적 풍요 • 출가자녀가족과 유대관계 유지
4단계 학령기	첫 자녀 6세 ~ 첫 자녀 13세	• 자녀들의 사회화 • 학업성취의 증진 • 가정의 전통과 관습전승 • 만족스런 부부관계유지 • 가족 내 규칙과 규범의 확립	8단계 노년기	은퇴~사망	• 은퇴에 대한 대처 • 만족스러운 생활유지 • 건강문제에 대한 대처 • 사회적 지위 및 경제적 감소의 대처 • 배우자상실, 권위의 이양, 의존과 독립의 전환

기대하게 된다.

이 단계의 위험요인은 가족계획과 관련된 지식의 부족이 일반적이다. 때로 10대의 결혼도 위험요인이며, 부부의 역할과 성적 역할에 대한 지식부족과 부적응이 문제가 되기도 한다.

주요 건강문제로는 조산아와 성공적이지 못한 결혼으로 인한 신체적·정신적 건강문제 등이 있다.

(2) 자녀출산기의 가족(Childbearing families)

자녀출산기의 가족은 첫 자녀의 출생에서 30개월까지의 기간이다. 이 단계에서는 부모의 역할과 기능, 각 가족구성원의 갈등이 되는 역할의 조정이 필요한 시기이다. 그리고 산아 제한, 임신, 자녀 양육 문제에 대한 배우자 간의 동의가 필요하다.

이 단계의 위험요인으로는 산전간호의 결여, 부적절한 영양, 저체중 또는 과체중, 나쁜 식습관, 흡연, 음주, 약물남용, 고혈압이나 임심 중의 감염병력, 풍진·매독·임질, 유전적 요인, 낮은 사회경제적 위치 및 가정의 안전부족 등이 있다.

주요 건강문제로는 저체중아, 기형아, 출산 시의 상해 및 사고, 갑작스러운 영아 사망, 16세 이전이나 35세 이후의 첫 임신 등이 있다.

(3) 학령전기 가족(Families with preschool children)

학령전기 가족은 첫 자녀가 30개월이 된 시기부터 6세까지의 기간이다. 이 단계에서는 자녀들의 사회화

교육 및 영양관리, 안정된 결혼(부부) 관계의 유지가 중요한 시기이다. 그리고 자녀들의 경쟁 및 불균형된 자녀와의 관계 대처가 필요하다.

이 단계의 위험요인으로는 가정의 안전부족, 자극이 없는 가정생활, 아이를 돌보기 어려운 맞벌이 부부, 가난한 환경, 자녀의 학대와 무관심, 사회기관 이용, 여러 사람과 좁은 곳에서 생활하는 것 등이다.

주요 건강문제로는 기형아, 행동장애, 말과 시력의 문제, 감염병, 치과적 문제, 사고 및 중독 등이 있다.

(4) 학령기 가족(Families with school age children)

학령기 가족은 첫 자녀가 6~13세인 기간이다. 이 단계에서는 자녀들의 사회화, 가정의 전통과 관습의 전승, 학업성취의 증진이 중요하다. 또한 만족스러운 부부관계의 유지, 가족 내 규칙과 규범의 확립이 필요한 시기이다.

이 단계의 위험요인으로는 가족의 가치 저하, 반복되는 감염·입원·사고, 미성숙하여 의존하려는 책임감 없는 부모, 무지하여 돌보지 않는 건강문제, 체벌과 복종에 관한 강한 신념, 가정 내의 독성 물질, 부적절한 영양 등이 있다. 주요 건강문제로는 학습의 어려움, 과잉행동장애, 사고, 호흡기계 감염 및 비만 등이 있다.

이 시기는 일반적으로 건강상태가 양호하다. 하지만 자녀의 학업 성취와 부모의 성인병 예방에 주의를 기울여야 한다.

(5) 청소년기 가족(Families with teenagers)

청소년기 가족은 첫 자녀가 13~19세인 기간이다. 이 단계에서는 안정된 결혼관계 유지, 10대의 자유와 책임의 균형, 자녀들의 성문제 대처, 직업(수입)의 안정화가 중요하다. 또한 자녀들의 독립성 증가에 따른 자유와 책임의 조화, 세대 간의 충돌 대처, 자녀의 출가에 대한 대처가 필요하다.

이 단계의 위험요인으로는 만성질환을 유발하는 생활방식, 문제해결능력의 부족, 경쟁적이고 공격적인 가족, 또래의 관계에 영향을 주는 가치, 사회경제적 요인, 엄격한 가족가치, 위협을 주는 태도 남용, 부정하는 태도, 부모와 자녀의 충돌, 가족의 기대에 부응해야 한다는 부담 등이 있다.

주요 건강문제로는 폭력적 상해 및 사망, 알코올과 약물의 남용, 원하지 않는 임신, 성병, 자살 등이 있다.

(6) 진수기 가족(Families launching young adults)

진수기 가족은 첫 자녀의 결혼에서 막내 자녀의 결혼까지의 기간이다. 이 단계에서는 부부관계에 대한 재조명, 늙어가는 부모들의 지지, 자녀들의 출가에 따른 부모의 역할 적응이 필요하며, 새로운 흥미의 개발과 참여도 중요하다.

이 단계의 위험요인으로는 고혈압, 흡연, 고지방 식이, 당뇨, 과체중·비만, 신체활동의 부족, 스트레스 대처 양상, 유전적인 문제 등이 있다.

주요 건강문제로는 심장질환, 뇌졸중, 고혈압 및 암 등이 있다.

(7) 중년기 가족(Middle aged parents)

중년기 가족은 자녀들이 집을 떠난 후부터 은퇴할 때까지의 기간이다. 이 단계에서는 경제적 풍요, 출가한 자녀의 가족과의 유대관계 유지 및 부부관계의 재확립이 중요하다.

이 단계의 위험요인으로는 성·인종 등의 유전적 요인, 실직, 생활습관, 음주와 흡연, 특정물질의 노출, 사회적 위치, 거주, 우울, 치주염 등 구강건강 등이 있다.

주요 건강문제로는 정신병, 치과적 문제, 당뇨 등 만성질환 등이 있다.

(8) **노년기 가족**(Aging family members)

노년기 가족은 은퇴 후부터 사망까지의 기간이다. 이 단계에서는 만족스러운 생활 유지, 건강문제에 대한 대처, 사회적 지위 및 경제적 감소의 대처가 중요하고, 배우자 상실, 권위의 이양, 의존과 독립의 전환이 필요하다.

이 단계의 위험요인으로는 나이가 들어가는 것 자체, 약물의 상호작용, 우울, 대사 이상, 갑상선 기능장애, 만성질환, 은퇴, 배우자의 사망, 수입의 감소, 영양 부족, 운동 부족, 과거의 환경과 생활 방식, 죽음에 대한 준비 부족 등이 있다.

주요 건강문제로는 정신혼란, 치매, 시력감퇴, 청력감퇴, 고혈압, 급성 질병, 감염병, 인플루엔자, 폐렴, 화상, 낙상, 우울, 죽음에 대한 불안 등이 있다.

4 가족간호의 개념

1) 가족간호의 정의

가족은 사회의 기본단위로서 특성이 분명한 개인으로 구성된 최소의 인간사회체계이다. 가족간호는 간호가 실시된 이후 전통적으로 행해져 왔는데, 가족을 개인이 성장하고 발달하거나 질병회복에 영향을 주는 중요한 요인으로 인식하여 가족 내 구성원에 대한 간호를 실시하여 왔다.

가족간호란 간호실무 영역 내에서 가족의 건강요구를 해결하기 위한 과정이다. 전통적으로 간호사는 다른 전문가들은 접근하지 못하는 가정에 접근해왔다. 또한 간호사는 간호교육과정에서 인간 생애에 대한 가장 중요한 사건인 출생, 죽음, 모든 발달단계, 건강과 질병의 상태, 기쁨, 분노, 슬픔과 같은 인간의 기본적인 정서를 모두 경험하였다는 점에서 타 전문가들에 비해 강점을 갖는다. 이러한 다양한 인간사에 대한 간접적인 경험으로 인해 간호사들은 인간에 대한 이해의 폭을 넓히고 따라서 가족전문가가 되는 것이 용이하다. 가족간호 현장은 정상적으로 발달·변화하는 가족, 각종 질병, 가족문제와 위기를 경험하는 취약가족 등 모두가 대상이 된다.

가족을 한 단위로서, 대상자로서 인식하는 가족간호는 간호의 새로운 영역이라 할 수 있다. Gillis(1991)는 구성원으로서의 가족(family-as-context)과 대상자로서의 가족(family-as-client)으로 구분하며, 두 개념의 차이를 명확히 해야 한다고 주장하였다. 지금까지 전통적으로 행해졌던 가족중심간호는 가족구성원에 대한 간호로서, 여기에는 대상자로서의 가족을 보는 접근이 체계화되어 있지 않으므로 가족간호를 포괄하기 어렵다. 따라서 가족간호에 대한 정의를 내리는 작업이 선행되어야 한다.

Whall(1986)은 간호와 관련된 가족의 개념을 다음과 같은 4가지로 보고 있다.

- 개인을 둘러싼 환경으로서의 가족
- 둘이나 셋 또는 그 이상의 구성원이 상호작용하는 집단으로서의 가족
- 경계를 가지는 단위조직으로서의 가족
- 환경과 전이작용하는 단위로서의 가족

이러한 개념은 실제 가족간호의 개념 정립에 적용할 수 있다. 가족을 하나의 체계로 볼 때 가족간호의 개념은 가족 내 개인, 둘이나 셋 또는 그 이상의 구성원이 상호작용하는 집단, 전체로 보는 가족 등 3가지를 포함한다. 개인이나 대인관계로서의 구성원을 전체 가족체계의 하부체계로 보는 것이다[그림 6-1].

그림 6-1 가족간호의 범위

2) 가족간호의 개념틀

가족간호학은 가족과 가족구성원 및 이들 간의 관계를 대상으로 가족에 관련된 내용을 이해하고, 이를 바탕으로 가족간호과정을 적용하여, 가족과 가족구성원이 적정한 기능수준에 도달하도록 하는 것을 목표로 과학적인 실천을 하는 학문으로 정의할 수 있다[그림 6-2].

대 상	접근 틀	방 법	목 표
• 가족 • 대인관계 • 가족 구성원	• 가족사회이론 • 간호이론	• 사정 • 중재 • 진단 • 평가 • 계획	• 적정 기능수준 향상

그림 6-2 가족간호학의 개념틀

(1) 대상

전통적으로 보건의료에서의 관심은 개인에게 있었으며, 주로 건강의 부정적 측면에 관심을 가지고 질병관리에 치중했다. 그러나 건강 유지 및 보존에서 가족의 영향이 크게 인식되면서 간호학에서는 특히 대상자로서의 가족과 구성원으로서의 개인, 이들 간의 관계를 포괄하는 간호에 관심을 갖게 되었다. 또한 가족을 중심으로 한 이론적 기초의 발달과 사회문화적인 진전, 그리고 보건의료부문에서 건강과 질병에 대한 개념 변화 등은 복잡하고 역동적인 가족단위 이해에 더욱 많은 관심을 갖게 만들었다.

가족은 늘 간호의 관심분야였으나 일차적인 관심이 아니었고, 가정에서의 환자간호는 전체로 보기보다는 가족의 부분으로서 환자를 대하는 데 익숙하였다. 그러나 가족이 사회의 기본조직으로서의 기능과 역할, 즉 비인격화와 비인간화를 중재하고 완충하는 역할을 다하기 위해서는 가족에 대한 도움과 지지가 요구되며, 대상자로서 가족 전체를 보는 접근이 강조되어야 한다.

(2) 접근 틀

가족간호학은 두 개의 이론적 틀로부터 전개되는데, 하나는 가족관련 사회과학이론이고 다른 하나는 간호이론이다. 이러한 이론적 접근을 통해 가족체계, 가족구조 및 기능, 가족관계, 가족역할, 가족발달 등에 관한 주요 개념을 파악할 수 있다.

먼저 가족관련 사회과학이론은 구조기능론적 접근, 발달론적 접근, 체계론적 접근, 상호작용론적 접근이 주류를 이룬다. 구조기능론적 접근은 가족의 관계와 기능에 관심을 두며, 발달론적 접근은 가족의 질적·양적 변화와 그에 다른 안정 추구에 관심을 둔다. 체계론적 접근은 가족을 전체로 보고 구성요인을 하부체계로 보는 견해이다.

두 번째로 간호이론은 간호학에서 가족이 어떻게 다루어지는지, 가족 내 구성원의 건강과 질병 등에 대한 이해에 도움이 될 수 있다. 이들 이론은 어느 한 가지로 가족을 설명할 수 없으며, 상호연관된 맥락에서 가족을 조금 더 포괄적으로 이해하는 데 도움을 준다.

(3) 방법

가족간호를 수행하는 방법으로서 가족간호과정을 적용한다. 가족간호과정은 가족이 가지고 있는 건강문제와 건강요구를 수행하는 과정이다. 가족간호사정을 첫 번째 단계로 하여 진단, 계획, 중재, 평가에 이르는 일련의 간호과정을 적용하여 수행한다.

(4) 목표

가족간호의 목표는 개인중심 가족간호, 대인관계 가족간호, 전체로서의 가족간호로 구분한다. 개인중심 가족간호의 목표는 가족구성원 개인의 신체적·정신적·심리적 안녕이다. 대인관계 가족간호의 목표는 가족구성원의 상호이해와 지지이다. 그리고 전체로서의 가족간호의 목표는 가족과 환경 간 조화로움의 증진과 행위변화이다.

결론적으로 가족간호의 궁극적인 목표는 가족과 가족구성원의 적정한 건강기능수준 향상, 즉 건강증진과 유지를 위한 과학적 실천이라고 할 수 있다.

5 가족간호사의 역할

가족간호사는 가족이 존재하는 어떤 환경에서도 가족간호행위를 수행할 수 있다. 병원, 가정, 가정간호센터, 학교, 의원, 건강교육센터, 개인사업장, 복지센터, 호스피스 시설 등 장소 제한은 없다. 가족간호사가 전문적으로 일할 수 있는 영역은 다음과 같다.

- 임신, 갱년기, 이혼 같은 주요 삶의 사건을 예견 지도하는 그룹
- 지역사회 건강교육센터
- 어린이와 노인을 위한 주간보호센터
- 당뇨교육집단

- 가족과 부부상담소
- 수유상담집단
- 가족구성원의 만성질환 간호를 경험하는 가족의 지지집단
- 대학진료소

가족간호사의 일반적인 역할은 다음과 같이 크게 8가지로 구분된다.

(1) 보건교육자

가족간호사는 공식적·비공식적으로 가족에게 교육을 해야 한다. 가르치기 위해서는 지식을 어디에서 얻어야 하는지를 알아야 하며, 학습자·교수－학습과정에 대한 지식이 필요하다. 학습의 목적은 건강한 행위를 유지하거나 행위를 변화시키는 것이다. 이러한 보건교육의 목적은 건강증진과 질병예방에 대하여 가르치고, 현재 가지고 있는 가족의 건강문제와 그 처치에 대응할 수 있는 기술을 갖도록 가족을 돕는 것이다.

공식적으로 교육을 할 때 교수－학습과정에서 어떤 목적을 설정하고, 그 목적이 달성되었는지, 어떻게 측정해야 하는지의 설계가 기본적으로 요구된다. 이때 보건교육을 하는 사람과 대상자가 공통으로 목적을 가지는 것이 중요하다.

보건교육을 통해 기대되는 중요한 측면은 그 가족에게 발생할 수 있는 사건에 대하여 논의하고, 같이 느끼고, 불안을 감소시켜 주고, 앞으로의 역할 변화에 대하여 적응력을 키워주는 것이다. 앞으로 일어날 사건에 대한 기대와 준비는 가족에게 손상을 덜 주게 되고, 가족이 받을 스트레스를 잘 이겨 나가게 해 줄 것이다. 대표적인 예가 라마즈법 교육을 받은 가족이다. 진통이 시작되면 예비부모는 충분히 준비된 대로 긍정적인 느낌으로 분만과정을 받아들이게 된다. 이러한 좋은 경험이 장차 부모가 되어 해야 할 과업을 더 잘 꾸려 나가게 하는 것이다.

(2) 조정자

지역사회간호사는 포괄적이며 지속적인 가족보건의료 제공의 핵심요원이다. 조정이 없으면 가족은 다른 기관으로부터 중복된 서비스를 받을 수 있다. 가족간호사는 가족이 이용가능한 지역사회자원에 대하여 익숙해지고 지속적인 간호를 받고, 대상자가 받을 수 있는 간호를 조정해 주는 가교로서의 역할을 담당해야 한다.

(3) 신체간호의 전달자 및 감독자

가정이나 임상에서 일하는 간호사는 신체간호 제공에 직접적인 책임을 지거나 다른 사람이 제공한 간호를 감독하고 지도할 책임을 진다.

(4) 상담자

가르치는 역할과 가까운 것으로 상담 역할이 있다. 가르침(teaching)과 상담(counseling)은 연속선상의 양 끝이라 할 수 있는데, 가르침은 의존적인 가족에게 실시하며, 상담은 성숙하고 독립적인 가족에게 실시한다. 즉 상담은 최소한의 방향을 제시해 주며, 가족이 자신의 문제해결을 위하여 기술을 사용할 수 있도록 도와주는 것이다.

가르침은 대상자에게 준 기술과 정보를 통해 교사가 정한 목표와 방법에 도달하도록 방향을 지시해주는(instructor directed) 역할을 하는 것이다. 상담 역할은 자신의 의사결정을 독립적으로 할 수 있도록 참고인이나 촉진자로서 활동하고, 대처할 수 있도록 격려하는 것이 최우선 목표이다. 지지와 보살핌의 역할은 위기를 당한 가족이 적응하는 데 중요하다.

(5) 조언가

가족간호사는 종종 대상자와 연관을 가지고 도우려 하는 간호사나 다른 보건전문가에게 조언자로서의 역할을 한다. 지역사회간호를 주로 하는 가족간호사 중 일부가 가족계획, 1차 보건의료, 결핵, 성병, 약물중독, 만성질환, 위기중재, 영양상담, 성장발달에 대한 조언, 호스피스, 재활분야 등에서 전문가를 키우기도 한다.

(6) 사례발견자

간호사의 질병관리 책임 중에서 초기에 질병을 확인하는 사례발견이 중심 역할이 된다. 최초의 가정방문이 문제나 위험요인을 확인하는 일반적인 방법이다. 특히 지역사회간호사로서 공공기관에서 일할 경우 간호사는 감염병환자를 다루는 활동적인 역학자가 된다.

(7) 대상자 옹호자

옹호자는 어떤 사람이나 집단의 편에서 이야기하는 사람을 말한다. 대상자 옹호자는 가족에 관심을 가지며 포괄적인 간호제공을 기본으로 한다. 대상자 옹호자의 목표는 대상자가 독립적으로 되게 하는 것이지만, 일시적·의존적이 되도록 할 수 있다.

간호사는 체계로부터 얻은 것을 획득할 수 있도록 도와주고, 대상자의 요구에 더욱 책임 있는 기관으로 만들어 줌으로써 대상자 옹호자가 될 수 있다.

(8) 협동가/팀요원

간호사는 다른 보건의료팀과 함께 포괄적인 가족중심간호를 계획하고 협력해야 한다. 보건의료팀의 구성은 가족의 요구와 이용 가능한 자원에 따라 다양하며, 가족과 구성원이 팀의 일원으로 구성되는 것이 이상적이다.

1차 보건의료팀은 의사, 전문간호사, 일반간호사, 간호조무사, 사회사업가 등이 포함되며, 가족의 건강, 안녕, 교육적 요구에 따라 규모가 결정된다.

제2절 + 가족간호 관련 이론

Keywords

• 구조기능주의 • 발달이론 • 상징적 상호주의 • 체계이론

지역사회 간호사가 가족 구성원 간의 상호작용 현상을 연관지어 생각하고, 알고 있는 지식을 바탕으로 접근하게 되면, 가족이 가진 문제를 올바로 해결할 수 있다. 이러한 문제를 발견하기 위한 시각과 능력을 갖기 위해서는 안내 역할로서 이론적 틀이 중요하다.

가족간호에 적용할 수 있는 이론은 가족사회이론 영역과 간호이론 영역으로 나누어 볼 수 있다. 가족사회이론은 가족기능, 환경과 가족의 상호작용, 스트레스에 대한 가족의 반응 등 가족관련 상황을 가장 잘 설명하고 있으며, 구조이론, 기능이론, 발달이론, 스트레스이론 등이 있다.

한편, 가족간호이론 영역에는 체계론적 접근에 근간을 둔 Johnson의 행위체계모형과 Betty Neuman의 건강관리체계모형이 있으며, 발달론적 접근에 근거를 둔 Orem의 자가간호모형, 체계 및 상호작용론적 접근을 한 Roy의 적응모형, King의 목표달성이론, Margaret Newman의 건강모형이 있고, 체계 및 발달론적 접근을 한 Rogers의 생의 과정모형이 있다.

가족간호에 널리 사용되는 가족간호 관련이론 중 가족사회학 분야에서의 주요이론인 체계이론, 구조기능주의 이론, 상징적 상호주의 이론, 발달이론을 살펴보고자 한다[표 6-3].

표 6-3 가족 관련 이론

이 론	내 용	
체계이론	개념	• 가족은 가족구성원들의 상호작용으로 개인적 특성을 단순히 합친 것 이상의 체계 • 가족체계에는 여러 위계가 존재 • 안정된 양상을 유지하기 위해 개방체계로 항상성을 유지 • 가족체계는 외부환경뿐 아니라 내부의 스트레스에 반응하여 계속으로 변화 • 가족체계 일부분이 받은 영향은 다른 부분과 전체체계에 영향 미침. • 원인이 결과이며, 결과가 원인이 될 수 있는 순환적 관계
	장점	• 다른 체계와 가족, 가족 내 개인의 상호의존성과 상호작용이해에 적합
구조기능주의 이론	개념	• 가족은 하나의 사회 구조로 사회체계와 상호작용, 사회구조가 개인의 행위를 결정 • 사회의 요구에 가족구조 기능이 어느 정도 적합한지에 초점 • 가족건강은 '가족의 기능(애정, 생식, 경제적, 사회화, 보호기능)을 제대로 수행하도록 조직 되었는지'와 관련 • 사정도구 : 가계도(가족구조도), 사회지지도
	장점	• 가족건강사정 시에 가족구조도와 사회지지도가 개발되어 있어 편리
	정상 가족의 기능	• 가족 체계의 견고함 • 강한 부모를 중심으로 하는 위계질서 • 체계의 융통성 • 자율성과 상호의존 • 명확하고 안정된 경계선이 있음

표 6-3 가족 관련 이론 (계속)

이 론		내 용
상징적 상호주의 (상호작용이론)	개념	• 가족구성원 개인 간의 관계를 고찰, 가족을 상호작용하는 인격체로 봄 • 내적 가족역동에 초점 • 개인의 행위는 상호작용을 통해 형성 • 가족분석에서 가장 많이 이용 • 사정도구 : 가족밀착도
	장점	• 가족의 내적 역동을 이해하기에 적합(청소년 약물 중독, 알코올 중독, 가정폭력) • 가족 역할위치 등 역할 기대에 대한 이해에 적합
	단점	• 가족의 상황을 고려하지 않고 가족을 비교적 폐쇄된 단위로 생각 • 가족 내 역동에 외부세계가 적은 영향을 미치는 것으로 생각
발달이론	개념	• 가족의 성장 발달기에 따른 발달과업 성취정도를 중심으로 가족건강 평가 • 사정도구 : 가족발달 단계
	장점	• 다른 이론에 비해 단순하고 성장발달 과정에 따라 가족에 대한 예측이 가능 • 짧은 시간에 사정 요구되는 경우, 많은 가족을 관리해야 하는 보건간호사에게 유용
	단점	• 핵가족중심 가족발달단계에 중점, 확대가족에 적용 어려움

1 체계이론

체계이론은 '체계는 구성하고 있는 부분보다는 전체로 이해되어야 하고, 인간체계는 독특하게 자기성찰적인 체계'라는 가정에 입각한 것이다. 이 이론의 입장은 전체는 부분의 합과는 다르고 그 이상으로 보기 때문에 가족인 경우 가족 개개인에 대해서 아는 것으로 가족의 특성을 예측할 수 없다고 본다. 체계이론에서의 체계는 일련의 상호작용하는 구성요소로 이루어지고, 각각의 체계는 그 체계가 존재하는 환경과 명확히 구별되며, 이들 체계와 환경을 분리하는 경계가 있는데 이 경계는 체계 내에 있는 단위들 스스로 고도의 상호작용을 하도록 한다.

가족에게 적용되는 체계론적 관점은 가족학 분야에서 일반적으로 가장 흔히 사용되는 이론적 틀이다. 가족은 형제–자매체계, 부부체계, 부모체계 같은 많은 하위체계를 가지며, 그러한 부분이나 하위체계는 상호관련되고, 한 부분이 체계의 나머지와 독립되어 이해될 수 없다.

가족은 경계와 자기조절기전, 상하위체계를 가진 개방사회체계로 여겨진다. 체계와 환경은 체계의 위계질서 내에 있다. 가족과 연관 지어 나타내면 지역사회가 더 높은 체계이며, 가족은 하위체계가 된다. 예를 들어 지역사회 → 가족과 상호작용체계 → 부모와 다른 하위체계 → 개인 생체기관 → 조직 → 세포 등과 같이 하나의 체계는 무수히 많은 체계를 포함하고 있다.

가족을 하나의 체계로 보고 이를 사정하려 할 때는 가족과 상호작용하는 내적·외적 환경에 대하여 먼저 파악하고, 그 이하의 하위체계에 관해 사정한다. 한편 가족을 하나의 중심체계로 본다면 가족에 영향을 주는 문화준거집단은 상호작용체계가 되며, 일련의 가족관계는 하위체계가 된다.

외적 환경요인과 가족의 관계를 살펴보면 복지체계, 교육체계, 보건의료체계, 종교체계 등과 같은 가족의 준거집단인 상호작용체계가 있으며, 지역사회나 국가 등은 가족의 상위체계가 된다. 체계에 영향을 주는 요인이 즉각적이고 가까울수록 가족에게 미치는 영향력은 더 커진다. 반대로 가족에게 영향을 주는 외적 요인이 멀수록 영향력은 작아진다.

한편, 가족관계를 중심으로 한 가족의 하위체계는 배우자체계, 부모－자식체계, 형제－자매체계, 기타 체계 등으로 구분할 수 있다. 가족은 지위, 역할, 규범 등으로 밀접하게 연관되어 있으며, 나아가 가족 내 하위체계를 구성한다. 이 가족체계에서 대인관계 하위체계는 두 가족 이상 간의 관계를 나타내며, 인간관계 하위체계는 가족 내에서 가장 작은 하위체계를 의미하는 가족 내 개인 간 관계를 나타낸다. 이러한 가족체계는 경계를 가지며, 하위체계도 경계를 가진다. 각각의 하위체계에는 구성원의 요구에 부응하는 고유 기능이 있다.

배우자체계는 가족의 하위체계로서 가장 중요하며, 결혼한 두 남녀가 기본이고, 남편과 아내의 역할이 중심이 된다. 그리고 아이를 기르는 기능이 포함된다. 부모－자식체계는 부모와 아이들로 구성되며, 아버지와 어머니의 역할 및 자녀의 역할이 있고, 사회화를 배운다. 형제－자매체계는 아이들로 구성되며, 아이들 간 관계가 형성된다. 기타 하위체계는 조부모－손자체계나 삼촌－조카체계 등 확대가족에서 보이는 가족구성원 간의 관계이다.

이 이론은 확장기의 가족, 축소기의 가족, 위기에 처한 가족, 특별한 문제가 있는 가족 등을 연구하는 데 이용된다. 가정 중에서 특히 의미 있는 것은 스트레스에 반응하는 가족의 변화, 개인의 변화는 가족 전체에 영향을 미친다는 것이다. 또한 인과관계는 환류(feedback)에 의해 변형되며, 가족구성원은 상호의존적이며 항상성을 유지하기 위해 일련의 상호작용 패턴과 규칙을 갖는다.

체계이론은 가족 내부 구성원들로 이루어진 하위체계의 상호작용과 가족체계와 외부체계와의 관련에 중점을 두는 접근법이므로 가족구성원 간의 상호작용, 가족 내 하위체계와의 관계, 더 나아가 외부환경체계와의 교류에 의한 가족의 성장과 발달에 초점을 둔다. 이러한 측면에서의 가족간호의 목표는 부모－자녀 간의 만족, 부부간의 관계 만족, 자녀의 성공적 사회화, 가족구성원의 건강증진과 질병예방 등 다양한 목표가 있을 수 있다[그림 6-3, 6-4].

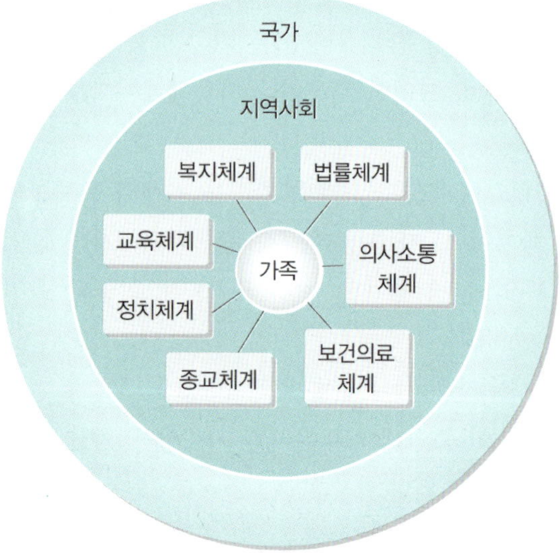

그림 6-3 가족의 상위체계

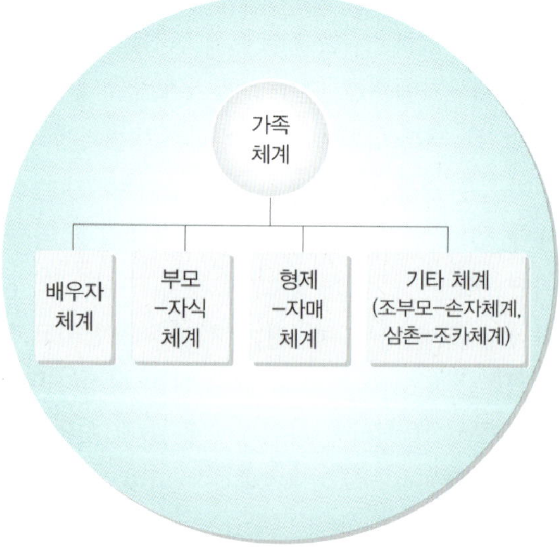

그림 6-4 가족의 하위체계

2 구조기능주의 이론

구조기능주의 이론은 가족은 사회체계와 상호작용하는 체계로 보며, 사회체계, 사회구조가 개인의 행위를 결정하고 만든다고 보는 입장이다. 분석의 단위는 사회 환경과 관련된 개인보다는 구조나 집단이며, 사회화와 학습과정을 강조한다.

구조기능주의 이론은 가족원 간의 다양한 내적인 관계뿐만 아니라 가족과 더 큰 사회와의 관계를 강조하는데, 특히 거시적인 차원에서는 가족이 사회통합에 어떻게 기여하는가에 초점을 둔다.

구조기능주의 이론 틀에서 볼 때 가족은 사회구조의 하나이며, 가족구조의 기능이 어느 정도 사회 전체의 요구에 맞는지가 중요시된다.

구조적인 측면에서는 가족의 구조적 형태, 가족 내의 권력구조, 역할구조, 대화 또는 상호작용 구조 등에 중점을 두며 이러한 구조들이 가족 전체의 기능을 적절하게 수행하는가에 따라 그 구조의 적합성 여부가 판단되는 것이다.

가족기능의 예는 가족의 애정기능, 생식기능, 경제적 기능, 사회화기능, 보호기능 등이 있으며, 가족구조가 이러한 기능을 수행하도록 조직되어 있는지가 주요 관심이 된다. 구조기능주의 이론에서 가족을 하나의 체계로 인식하고, 사회체계의 하위체계로 보는 것은 체계이론과 유사하다. 그러나 체계이론이 가족 내 상호작용 과정과 가족체계의 성장을 중시하는 데 비해 구조기능주의 이론에서는 성장과 변화, 불균형 상태 등에는 관심을 덜 둔다.

3 상징적 상호주의 이론

상징적 상호주의에서 자아는 다른 사람과의 상호작용으로부터 형성된다고 본다. 이 이론에서는 가족을 상호작용하는 단위로 보며, 가족 상호작용은 외부 관찰만으로 설명될 수 없으며 반드시 가족구성원이 그 상황을 지각하는 방식으로 이해되어야 한다는 점을 강조한다.

개인들은 창조적인 존재로서 역할이 어떻게 수행되는가는 자기에 대한 개념 정의, 주어진 상황, 다른 사람들의 반응에 달려 있다. 즉, 각 가족구성원은 자신에게 요구되는 역할을 인지함으로써 자신의 역할기대를 구성하고 다른 사람으로부터 회환을 얻어 자신의 행위를 판단한다. 다른 가족구성원의 반응으로부터 자신의 역할 수행을 강화하거나 역할 수행에 도전하는 것이다.

이 이론에서 보는 가족 현상은 역할, 역할 갈등, 위치, 의사소통, 스트레스에 대한 반응, 의사결정, 사회화 같은 가족의 내적인 과정에 초점을 둔다. 이러한 내적인 과정에 대한 연구로는 엄마가 재혼한 가족의 경우 새아버지와 친밀해지는 방안을 기술한 연구, 새 부모의 역할 이행, 분만 후 일 년 동안 모성의 역할 획득과정, 부모기의 변화와 영아의 행위에 관한 연구 등이 있다.

이 접근법의 강점은 가족 내에 존재하는 특수한 내적 과정에 초점을 두는 것이다. 그러나 가족의 상황(환경, 사회경제 상태)을 고려하지 않는 점에서 제한점이 있다.

4 발달이론

발달이론은 상징적 상호주의, 체계이론, 구조기능주의, 정신분석 인지이론에서 도출되었으며, 가족이 처음 형성되고 성장하고 쇠퇴하여 해체될 때까지 겪게 되는 변화과정에 초점을 둔 이론으로 가족이나 개인을 총체적으로 볼 수 있도록 도와준다. 가족은 가족생활주기에 따라 특정한 기간에 특정한 과업이 있으며 과업을 성공적으로 성취하면 행복을 주며 다음 단계의 과업을 성공적으로 마치도록 한다. 그러나 과업의 성취가 안 되면 불행하게 되고 다음 단계의 과업의 성취를 어렵게 한다.

가족발달이론은 핵가족을 기본 구조로 하여 자녀 양육을 전제로 하며, 결혼에서 배우자 모두 사망까지의 시기를 단계별로 구분하여 각 단계에서의 발달과업을 성공적으로 성취함으로써 다음 단계의 과업 성취가 가능하다고 가정한다. 즉, 개인의 경우와 마찬가지로 가족의 경우에도 성장, 발달단계가 있어서 그 시기에 따라 요구와 역할 및 목표가 다르므로 발달기에 따른 과업을 어느 정도 성취하는가를 중심으로 가족건강을 접근하는 것이다.

먼저 가족의 발달단계를 사정한 후, 그 시기의 발달과업을 어느 정도 수행하고 있는지 확인한다. 이 접근법은 비교적 단순하여 성장 및 발달과정을 예측할 수 있고 짧은 시간에 사정할 수 있다는 장점이 있으나, 가족발달단계가 핵가족 중심의 분류로서 확대가족에 적용하기가 어렵다.

제3절 + 가족간호과정

Keywords

- 가계도
- 가족사정지침서
- 간호진단 분류체계
- 가족간호과정
- 외부체계도

가족간호의 목적은 적정한 가족기능화를 촉진하기 위함이다(Clemen, Eigsti & MaGuire, 1981). 가족을 대상으로 하는 간호과정은 역동적이며 순환적인 일련의 과정으로서 과학적인 문제해결을 위한 체계적인 접근이다.

순환적이며 역동적이라 함은 간호과정의 각 단계가 건전한 의사결정과 효과적인 간호중재가 이루어지도록 하며 필요 시 평가결과에 따라 간호계획이 수정되고 그에 따라 중재와 평가가 이루어짐을 뜻한다.

과학적인 문제해결이란 가족의 요구와 그에 따른 간호중재에 대한 결정은 과학적 원칙에 근거하여 건강과 질병, 그리고 질병예방과 관련하여 자료를 수집·분석하며, 가족능력을 최대화하는 간호중재를 확대하는 데 최근의 과학적인 지식을 활용한다는 뜻이다.

체계적인 접근이란 가족에 대한 사정·진단·계획·중재·평가 단계를 말한다. 가족간호와 관련된 문헌에서는 가족기능화와 가족건강을 동의어로 다루어 왔다.

간호실무에서 간호사는 가족구성원 개인 또는 가족 하부체계와 가족을 대상으로 일을 한다. 이는 간호과정을 두 수준으로 적용한다는 의미이다. 가족 전체에 대한 사정을 하기 위해 가족구성원 개인에 대해 자료수집을 하게 되는데 가족간호실무의 일차적인 대상은 가족이다. 가족을 대상으로 간호실무를 하는 간호사는 가족사정이나 중재 시 체계적인 틀을 이용할 뿐 아니라 가족이론과 연구에 관한 지식을 갖추는 것이 개인 초점이 아니라 가족접근을 하도록 전환하는 데 큰 도움이 된다[그림 6-5].

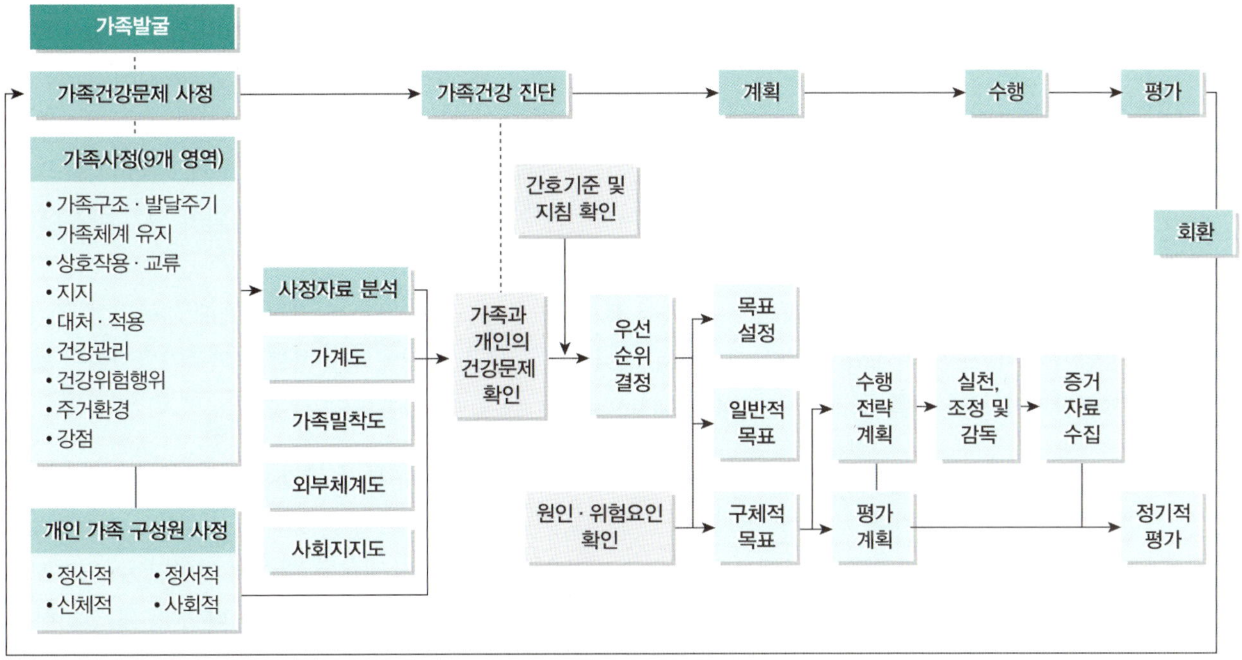

그림 6-5 가족간호과정의 틀

1 가족간호사정

사정단계 가족의 건강을 측정하여 문제를 파악하기 위해 기초가 되는 자료를 수집하는 단계이다. 이 단계의 목적은 가족의 건강, 기능, 과업 수준을 파악하는 것으로, 가족구성원 간 상호작용하는 방법을 이해함으로써 중재가 더 구체적이며 효과적으로 실시될 수 있도록 하며 가족으로 하여금 기능 상태를 알게 함으로써 부정적인 면을 변화시키고 긍정적인 측면을 강화해 나가도록 돕기 위함이다.

사정단계에서 간호사의 일차적인 책임은 신뢰관계를 수립하며, 모든 가능한 자료원으로부터 가족에 대한 자료를 얻도록 다양한 방법을 이용하고, 가족 건강에 관한 모든 내용을 수집하고 검토하는 것이다.

1) 가족건강 사정도구

가족구조, 기능, 과정에 대한 자료를 얻기 위해 도구가 개발되었으며 이를 통해 가족의 요구, 강점, 관심을 파악할 수 있다. 가족사정을 위한 도구는 심리학, 사회학, 사회사업 분야 등에서 먼저 개발하여 사용되어 왔는데 도구의 내용은 각 학문분야의 관심이나 목적에 따라 다르다.

(1) 가족사정지침서(Family assessment guide)

가족사정지침서는 가족 개개인의 건강상태와 가족기능에 초점을 둔 도구이다. 이 도구는 가족기능의 강화 또는 변화가 필요하거나 예측적인 안내가 필요한 가족의 행위를 신속히 알 수 있도록 시각적으로 요약한 것이다. 이 도구는 환경-가족의 관계, 가족 전체와 가족의 내적인 기능의 관계를 조사하는 데 도움을 준다. 그러나 이 도구를 고안하기 위해서는 간호실무에 대한 철학이 기본이 되고 이론적인 틀이 기초가 되어야 한다. 이 도구는 사용이 용이하고 시간을 최소화한다는 점이 장점이며, 자료를 다룰 수 있는 이론적 배경이 있을 때 더욱 유용하다. 국내에서는 체계론적인 관점으로 우리나라의 사회문화적 특성에 맞는 지표 또는 변수를 이용하여 개발한 가족사정지침서를 사용하고 있다.

(2) 가계도(Genogram)

가계도는 유전학자, 의사, 간호사가 사용하여 온 도구로 3세대 이상에 걸친 가족구성원에 관한 정보와 그들 간의 관계를 도표로 기록하는 방법을 말한다. 가계도에는 가족에 관한 정보가 도식화되어 있기 때문에 복잡한 가족유형 형태를 한눈에 볼 수 있다[그림 6-6].

가계도는 가족구성원이 자신들을 새로운 시점에서 볼 수 있도록 도와줌으로써 간호중재에 가족과 합류하는 중요한 방법이 된다. 또한 가계도를 위한 인터뷰는 체계적인 질문을 하기에 용이하므로 가족간호사에서 좋은 정보를 제공함과 동시에 가족 자신도 문제를 체계적으로 볼 수 있다. 가계도의 작성 순서는 다음과 같다.

① 가족구조를 도식화한다. 부부를 먼저 그리고, 자녀들을 표시한 후 부부의 양가 부모와 형제자매를 그린다. 적어도 3대는 그린다.

② 가족에 관한 정보를 기록한다. 가계도를 통해 질병력을 비롯한 많은 정보를 한눈에 파악할 수 있으므로 가능한 한 많은 세대에 걸쳐 결혼, 이혼, 질병력, 죽음 등과 같은 중요한 사건과 나이 등을 삽입한다.

③ 현재 동거중인 가족원을 점선으로 표시한다.

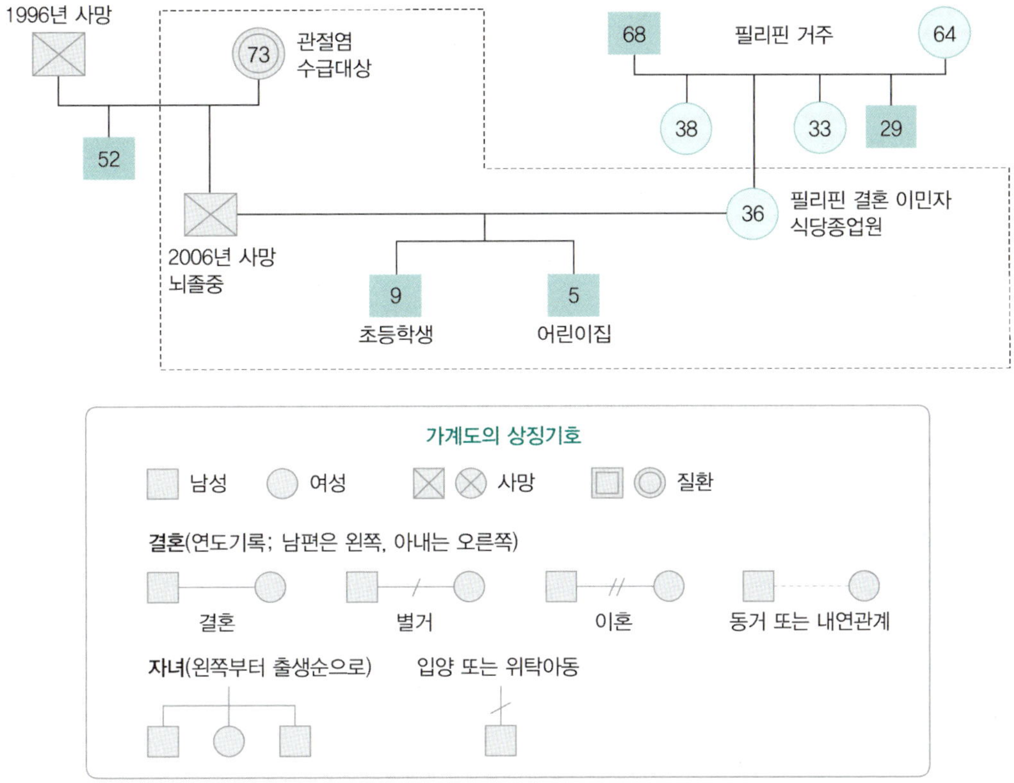

그림 6-6 가계도

(3) 가족밀착도(Family attachment diagram)

가족밀착도는 가족구성원들의 밀착관계와 상호관계를 그림으로 도식화함으로써 평소 가족들이 알지 못하던 관계를 새롭게 조명해 볼 수 있고, 가족의 전체적인 상호작용 및 정서적 지지 정도를 파악할 수 있는 사정 도구이다[그림 6-7].

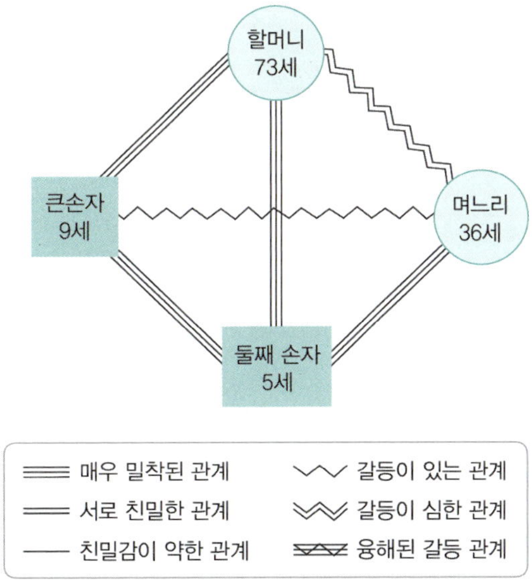

그림 6-7 가족밀착도

가족밀착도 작성방법은 우선 가족구성원을 둥글게 배치하여 남자는 '□', 여자는 '○'로 표시한다. 기호 안에는 간단하게 구성원의 가족 내 위치와 나이를 기록하며, 가족 두 명의 관계를 선으로 나타낸다. 친밀한 관계, 밀착된 관계는 직선으로, 갈등 관계는 톱니선으로 표시한다.

(4) 외부체계도(Eco-map)

외부체계도는 가족관계와 외부체계의 관계를 그림으로 나타내는 도구를 말한다. 외부환경과 가족의 상호작용을 분석하기 위한 시각적인 방법으로 전문보건의료인들이 이용한다. 체계론적 관점으로 도식화하면 에너지의 유출, 유입을 관찰할 수 있다. 보건의료기관이나 복지기관과 접촉하는 구성원이 누구인지, 지지체계가 어떠한지와 가족체계를 유지하는 데 필요한 교류 등을 파악할 수 있다. 또한 가족구성원에게 영향을 미치는 스트레스원을 찾는 데 도움이 된다. 이 도구는 가족체계 밖에 있는 기관들과 개인 구성원의 상호작용 측면에서 관련된 스트레스, 갈등, 가족 강점 등을 한 장에 요약할 수 있어 유용하다. 그렇지만 복합적인 관계가 불분명하거나 구두표현이 어려운 경우에는 사용하기 어렵다는 단점이 있다.

가족밀착도가 가족구성원 간 상호작용을 자세히 볼 수 있는 도구인데 비해 외부체계도는 가족구성원 간 상호작용뿐만 아니라 가족체계 밖의 외부체계와 가족의 유기적 관계도 한눈에 볼 수 있다는 장점이 있다[그림 6-8].

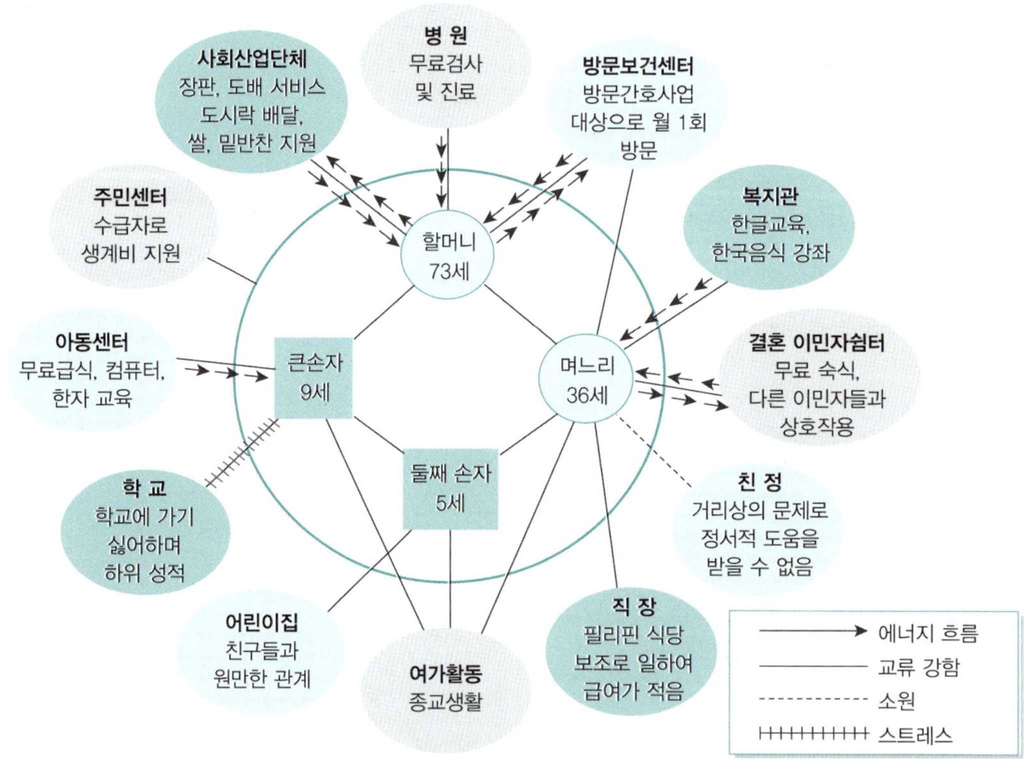

그림 6-8 외부체계도

(5) 사회지지도(Socio-supportgram)

사회지지도는 가족 중 가장 취약한 구성원을 중심으로 가족 내 부모형제, 친척, 친구, 직장 동료와 이웃 및 지역사회의 지지 정도와 상호작용을 파악할 수 있는 도구이다[그림 6-9].

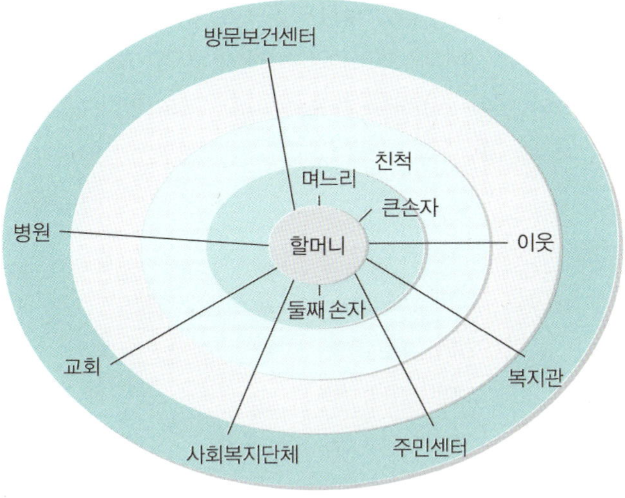

그림 6-9 사회지지도

작성방법은 가족을 면담하여 우선적으로 간호중재가 이루어져야 하는 취약한 가족구성원을 선정한다. 다섯 개의 원을 그린 후 가장 안쪽 원에 선정된 가족구성원을 그리고, 두 번째 원에는 동거가족, 세 번째 원에는 친척, 네 번째 원에는 이웃, 친구 또는 직장동료들, 다섯 번째 원에는 선정된 가족구성원과 관련 있는 지역사회자원(사회기관, 공공기관, 학교 등)을 표시한다. 안쪽 구성원을 중심으로 선을 이용하여 지지 정도를 표시한다. 소원한 경우는 선을 그리지 않으며 보통은 단선을, 관계가 친밀한 경우 이중선으로 지지선을 그려 넣는다. 원 안에 얼마나 많은 선들이 연결되었는지 평가하여, 지지자원의 실태와 개발 가능하거나 간호중재에 활용할 수 있는 지지체계를 파악할 수 있다.

(6) 가족연대기(Family-life chronology)

가족연대기는 가족의 역사 중에서 개인에게 영향을 주었다고 생각되는 중요한 사건을 순서대로 열거한 것이다. 중요한 시기만의 특별한 연대표를 작성하는 경우도 있다. 이 도구는 개인질환과 중요한 사건의 관련성을 살펴볼 때 유용하다. 또한 개인연대표를 만들어 두면 특정 가족구성원의 증상, 역할 등을 가족이라는 맥락 안에서 추적하는 데 유용하다. 가족이 필요한 건강행위나 건강에 대해 집중적인 관심을 쏟지 못하는 가족관계 문제를 다룰 때 도움이 되며, 가족구성원이 가족관계를 어떻게 할 때 성공적이었나를 볼 수 있도록 도와줌으로써 긍정적인 강화가 된다.

(7) 생의변화 질문지(Life change questionnaire)

질병을 일으킬 수 있는 스트레스가 되는 생의 사건 목록에 점수를 부여하여 질병을 앓을 위험에 있는 사람들을 파악하기 위해 이용하는 사정도구로, 가정이나 지역사회, 또는 임상에서 복합적인 스트레스를 경험하는 개인을 신속히 가려내는 데 유용하게 쓰인다. 이 도구는 심리학자인 Holmes와 Rahe(1967)가 질병을 일으킬 수 있는 스트레스가 되는 43개 사건에 대해 상대점수를 부여하여 측정하도록 만든 것으로 성인과 비성인으로 구분하여 지난 1년 간 일어난 사건에 생애 변화 단위(life change unit; LCU) 점수를 합산하도록 하였고, 합산 점수에 따라 질병의 위험도를 평가하도록 하였다. 이후 Miller와 Rahe(1997)가 44개 문항을 추가하여 생의 변화 사건을 건강, 일, 가정과 가족, 개인과 사회, 재정의 5개 영역으로 나누고 6개월 단위로 측정하도록 하였다. 최근 6개월에 발생한 사건에 대한 점수가 300 LCU 이상이거나, 최근 1년에 발생한 사건에 대한 점수가 500 LCU 이상인 경우에는 최근의 생활 스트레스가 높은 것을 의미한다[표 6-4].

표 6-4 생의변화 질문지(Life change questionnaire)

생의변화 사건 (Life change event)	LCU 점수
건강	
상해나 질병 : • 1주 이상 침상생활이나 입원 • 1주 이상 침상생활이나 입원할 만큼의 상황 아니었음	 74 44
중대한 치과 치료	26
식습관의 주된 변화	27
수면습관의 주된 변화	26
일상 유형 / 또는 오락량의 주된 변화	28
직업	
새로운 업무 유형으로 변화	51
작업 시간이나 작업 조건의 변화	35
직무의 변화 : • 책임이 더 많아짐 • 책임이 더 줄어듦 • 승진 • 좌천 • 부서 이동	 29 21 31 42 32
직상에서의 불화 : • 상관과의 통화 • 동료와의 불화 • 감독 하에 있는 사람과 불화 • 기타 업무상의 불화	 29 35 35 28
주요 사업 조정	60
퇴직	52
실직 : • 직장에서 일시 해고 • 직장에서 영구 해고	 68 79
업무에 도움이 되는 과정 수강	18
개인 또는 사회	
개인 습관의 변화	26
학교나 대학 입학 또는 졸업	38
학교나 대학의 진학	35
정치 신념의 변화	24
사회 활동의 변화	29
휴가	27
대인관계의 시작, 종결	24
약혼	37
이성 친구 문제	45
가까운 대인관계의 틀어짐	39
사고	47
가벼운 법률 위반	48
투옥	20
가까운 친구의 사망	75
아주 가까운 미래의 중요한 결정	70
중요한 개인적 성취	36
가정과 가족	
생활조건의 주된 변화	42
거주지 변화 : • 같은 동네나 도시로 이사 • 다른 동네나 도시로 이사	 25 47
함께 사는 가족의 변화	25
가족 구성원의 건강이나 행위의 중요 변화	55
결혼	50
임신	67
사산 또는 유산	65
새 가족 구성원 증가 : • 자녀 출생 • 자녀 입양 • 친척이 이사 옴	 66 65 59
배우자가 일 시작 또는 퇴직	46
부부싸움의 변화	50
자녀가 집을 떠남 : • 대학 입학 • 결혼으로 인해 떠남 • 기타 이유로 떠남	 41 41 45
법률적 문제	38
부모의 결혼 상태 변화 : • 이혼 • 재혼	 59 50
배우자와의 별거 : • 일로 인한 별거 • 결혼생활 문제로 인한 별거	 53 76
이혼	96
손주 출생	43
배우자 사망	119
기타 가족 구성원 사망 : • 자녀 • 자매나 형제 • 부모	 123 102 100
재정	
재정상의 중요한 변화 : • 수입 증가 • 수입 감소 • 투자/신용상의 어려움	 38 60 56
개인 자산의 상실 또는 손해	43
중간정도의 구매	20
중대한 구매	37
저당이나 융자에 대한 압류	58

〈 자료원 : Miller, M.A & Rahe, R.H.(1997). Life change scaling for the 1990's. Journal of Psychosomatic Research, 43(3), 279-292 〉

(8) 가족기능평가도구(Family APGAR, FAPGAR)

Smilkstein(1978)이 개발한 가족 APGAR는 가족기능 사정 도구이다. 이 도구를 이용하여 가족이 문제에 대처하고 해결해 나가는 가족기능수준과 가족의 자가관리 능력을 파악해 볼 수 있다. Smilkstein(1982)는 가족의 적응능력(adaptation), 가족 간의 동료의식 정도(partnership), 가족 간의 성숙도(growth), 가족 간의 애정 정도(affection), 해결(resolve) 등 5가지 가족기능 영역을 평가하였는데 총 7～10점인 경우 가족기능이 좋은 것으로 보았다[표 6-5].

표 6-5 사례가족 가족기능(APGAR) 예시

항목	남편		
	거의 아니다(0)	가끔 그렇다(1)	항상 그렇다(2)
1. 나는 어떤 문제에 부딪혔을 때 큰 어려움 없이 가족에게 도움을 청한다.			
2. 여러 가지 일에 대해 우리(나와 나의 가족)는 서로 의견을 교환하고 함께 해결한다.			
3. 내가 새로운 활동을 시작하려 할 때나 진로를 변경하고자 할 때 가족들이 이를 받아들이고 도와준다.			
4. 나는 나의 가족이 나에게 애정을 나타내거나 나의 감정(희노애락)을 받아들이는 방식에 만족한다.			
5. 나는 나의 가족과 함께 시간을 보내는 방식에 만족한다.			
합 계			

〈 자료원 : 심문숙 외(2022). 지역사회간호학 〉

2) 자료수집

(1) 목적

사정단계에서의 자료수집은 간호진단을 내리기 위해 필요한 자료를 체계적으로 모아 가족건강을 측정할 문제를 파악하기 위한 기초단계이다.

자료수집의 목적인 가족건강, 기능, 과업 수준을 파악하는 것이며, 가족구성원이 상호작용하는 방법을 이해하여 구체적이며 효과적인 간호중재를 수행하고 가족들로 하여금 기능상태를 알게 하고 부정적인 면을 긍정적인 방향으로 강화해 나아가도록 돕기 위함이다.

그리고 가족체계는 현존하는 건강문제에 대비하여 간호사 또는 다른 보건의료인으로부터 예측적인 안내를 받아 대처할 수 있도록 도움을 받게 된다. 또 가족의 건강수준에 대한 객관적인 결과를 볼 수 있도록 가족의 기능이나 건강과 관련된 구체적인 자료를 수집하는 것이 중요하다.

가족 전문간호사는 가족에 대해 전체적인 시각을 갖고 개인과 그 가족 및 환경과의 관계 속에서 간호문제를 파악하고 이해해야 한다. 따라서 간호중재는 개인 수준이나 2명 이상의 가족관계뿐만 아니라 가족체계의 변화에 초점을 둔다. 사정단계에서 간호사가 유의해야 할 사항은 다음과 같다.

- 신뢰적인 관계를 수립한다.
- 가족에 대한 자료를 얻도록 가능한 모든 자료원으로부터 다양한 방법을 이용한다.
- 가족건강에 관한 사정영역별 변수를 모두 수집한다.

(2) 자료수집 방법

사정단계에서 가족이 직면한 스트레스원에 어떻게 대처하고 있는지를 파악하기 위해서 일차 자료와 이차 자료를 수집한다.

① 일차 자료

간호사가 직접 관찰하고 보고, 듣고, 환경에서 나는 냄새를 맡음으로써 얻는 자료를 말한다. 간호사는 가족이 구두로 제공한 정보뿐만 아니라 관찰 내용도 주의 깊게 기록한다. 특히 가족의 기능 수준에 대한 중요한 실마리는 가족이 환경과 어떻게 상호작용 하는지를 관찰함으로써 얻을 수 있다.

가족에 대한 일차 자료수집 방법은 면담, 설문지, 참여관찰법 등이 있다. 면담을 하기 위해 간호사는 이미 작성된 구체적인 질문을 가지고 구조화된 면담을 해야 한다. 비구조화된 면담에서는 깊이 있고 개방적인 질문을 할 수 있으나 적합한 내용에 초점을 둔 면담을 하기 위해서는 숙련된 기술이 필요하다. 설문지는 직접 면담을 할 수 없는 가족의 자료를 수집하는 데 유용하다. 그러나 자가 기록 형식의 설문지를 사용할 때에는 가족구성원들의 문해력과 건강문해력 정도를 파악해야 한다. 참여관찰법은 가족의 역동과 문제해결 능력에 대한 자료를 얻고자 할 때 유용한 방법이다.

② 이차 자료

가족과 관련된 중요한 타인, 보건 및 사회기관의 직원, 가족의 주치의, 성직자, 건강기록지 등 다양한 자료에서 가족에 대한 정보를 얻을 수 있다. 이러한 자료를 이용할 때에는 가족의 구두 또는 서면 동의를 받아야 한다. 이는 간호사가 가족의 비밀을 지킬 의무이며 치료적인 관계에서 신뢰감을 증진하는 방법이기도 하다. 이차 자료는 정확하게 대상자가 지각한 내용이라기보다는 제3자가 가족을 보는 지각 정도를 나타낸다.

(3) 자료수집 내용

가족건강 또는 가족기능을 어떤 관점에서 보는가에 따라 수집해야 할 자료의 내용이 달라진다.

간호문헌 대부분의 자료수집 내용을 보면 어느 특정한 개념틀에 근거하기보다는 이를 포괄하는 체계론적인 관점에서 가족을 다루고 있다. 가족간호는 가족을 개인구성원의 배경 또는 상황으로 보는 것이 아니라 개인처럼 하나의 간호단위로 보는 경향이 있다.

가족 건강을 사정할 때에는 다음의 내용에 유의한다.

- 가족구성원 개인이 아니라 가족을 하나의 단위로서 가족 전체에 초점을 둔다.
- 자료수집에 적절한 시간을 들인다. 가족에 대한 건강사정에서 수집되는 자료는 질적일 뿐만 아니라 수량화될 수 있다.
- 가족이 사정을 포함하여 전 가족간호과정에 참여하도록 한다.
- 가족의 문제점뿐 아니라 강점도 사정한다. 이는 가족건강문제를 해결하는 데 매우 중요한 부분으로 작용한다.
- 가족구성원과 기존 자료를 포함하여 복합적인 정보를 수집한다.

3) 자료분석

수집된 자료를 영역별로 분류하고 문제가 있는 하부 영역별로 근거자료를 제시한다. 이러한 분석을 통해 가족의 문제점을 확인하고, 수집된 영역별 자료의 관계를 분석하고 행위양상을 파악할 수 있도록 자료를 조직화한다[표 6-6].

표 6-6 가족 자료분석의 예

문제 영역		근거 자료	필요한 자료
가족구조/체계	가족 형태	• 독거 여성 노인 • 아들, 딸과 연락두절	
	재정	• 기초생활수급자로 정부보조금 받음 • 월세 거주	
	삶의 만족감	• 자녀들과 연락두절로 삶의 희망 없음 • 자살을 생각해 본 적 있음	
상호작용과 교류	사회참여	• 뇌졸중 이후 거동 불편하여 교회에 다니지 못함 • 경로당이 2층에 위치하여 방문을 거의 못함	보행보조 지원 모색
가족 지지	정서적 지지	• 자녀들의 경제적 어려움 • 연락두절로 돌보지 못함	
건강관리	가족건강력	• (아버지) 고혈압으로 사망	
	건강상태	• 뇌졸중으로 우측 편마비 있어 거동불편 • 고혈압과 골다공증으로 투약 중 • 백내장으로 안약 점적 중	치료방법과 유병기간 확인
주거환경	주거지역 안전	• 옆 건물 건축 중으로 먼지와 소음 • 건문 단열 부족으로 외풍 심함 • 방과 부엌 사이 문지방 턱이 높음 • 가스레인지 뒤에 커튼 있음	

2 가족간호진단

가족에 대한 자료수집 후에 수집된 자료를 가지고 간호진단을 내린다. 간호진단은 수집된 자료에 나타난 가족의 양상에 근거하여 가족의 건강수준을 추론하는 것이다. 〈부록 1 참고〉

간호진단은 현존하거나 잠재적인 가족건강문제를 찾아내고 그 문제를 발생시킨 원인 또는 유발요인을 규명하여 간호중재가 가능하도록 한다. 또한 간호진단은 간호사가 가족을 도울 때 가족이 가지고 있는 능력을 이끌어내어 가족의 강점이 무엇인지를 찾아내기도 한다.

가족을 단위로 한 간호진단은 가족에 대한 자료와 여러 가족구성원의 자료가 통합되어야 하므로 복잡한 과정이다. 그러므로 간호사는 동료나 상급자 또는 다른 전문직의 진단과 비교하여 간호진단을 내리는 능력을 키워나가는 것이 중요하다.

1) 가족간호 진단체계

최근 많이 이용되고 널리 알려진 간호진단 분류체계로는 북미간호진단협회(NANDA)의 간호진단체계(nursing diagnosis taxonomy), 오마하(Omaha) 문제 분류체계, 국제간호실무 분류체계(ICNP) 및 임상간호 분류체계(CCC) 등이 있다. 이와 같은 분류체계는 가족을 간호대상으로 하는 가족간호실무에 이용되고 있다.

2) 우선순위설정

간호진단이나 가족문제가 도출되면 간호사는 문제의 중요도에 따라 우선순위를 결정해야 한다. 우선순위를 결정할 때는 간호제공자는 물론 수혜자인 가족의 측면을 모두 고려해야 한다. 간호제공자 측면에서는 시간, 비용, 이용 가능한 인력과 예산, 자원의 접근 가능성 등이며, 가족의 측면에서는 문제의 특성과 문제에 대한 가족의 생각과 의지 및 중재 효과 등을 고려해야 한다.

3 가족간호계획

계획단계는 간호진단이 내려지면 가족이 구체화된 성과를 이루도록 간호활동을 결정하는 시기로서 간호활동 수립이 가족, 간호사 또는 다른 전문직에 의해 수행되며 가족이 목표를 성취할 수 있도록 돕는 행위이므로 중요하다.

이 단계에서는 단기, 중기, 장기적인 목적과 목표를 정한다. 그리고 문제해결을 위하여 가족과 간호사가 함께 목적을 설정한다. 목적과 목표는 어떠한 간호행위를 택할 것인가를 결정하는 데 기준이 되며 간호중재에 대한 계속적이고 종합적인 평가를 내리기 위한 기준이 된다. 목적은 전반적이고 추상적이며, 목표와 평가의 방향을 제시해 주는 진술이다. 목표는 목적보다는 구체적으로 간호대상자중심의 성취해야 할 내용(what), 성취해야 할 양(extent), 기간(when), 변화가 있어야 할 가족구성원(who)과 장소(where)가 포함된 진술이다. 이러한 목적과 목표진술은 가족의 가치, 목적, 신념과 일치되도록 한다.

1) 가족간호 목표설정

간호목표는 일반적 목표와 구체적 목표로 구분할 수 있으며, 일반적 목표는 가족진단 중 '문제'를 해결하는 것으로, 구체적 목표는 '관련 요인'을 해결할 수 있도록 기술한다. 목표의 구성은 누가(who), 언제(when), 어디서(where), 무엇(what)을 어느 범위(extent)까지로 이루어진다. 또한 목표를 기술할 때는 문제와의 관련성, 실현 가능성, 관찰 가능성, 측정 가능성, 간호대상자 및 다른 전문가들의 이해 가능성 등을 염두에 두고 명확하게 표현해야 한다.

2) 방법 및 수단의 선택

계획단계에서 문제해결과 의사결정을 위한 접근법으로는 총체적 접근, 계약, 검토 등의 방법이 있다.

(1) 총체적 접근

가족의 문화적·사회적 맥락에서 접근하며, 가족 스스로의 건강에 대한 책임, 자기돌봄능력, 보건교육, 건강증진, 질병이나 불구의 예방, 가족구성원 개인의 발달단계와 과업 등을 전체적으로 파악하고, 가족의 독자성에 근거하는 접근이다.

부수적으로는 영양과 관련된 행위, 운동, 스트레스 해소방법, 질병 발생 시 가족이 도움 받는 곳 등에 대한 파악도 필요하다.

(2) 계약

계약(contract)은 가족과 간호사 공동의 분담된 노력으로, 책임과 통제를 목적으로 구두 또는 서면 중 어떤 것으로 할 것인지에 대한 동의이다.

이 방법은 가족이 간호의 목적을 구체적으로 이해하고 가족과 간호사의 관계를 명확하고 구체적으로 이해하도록 도움을 준다. 그리고 가족이 누구보다도 가족건강에 대한 책임이 있음을 인식하도록 돕는 데 기본적인 목적이 있다.

구두로 할 것인지 서면으로 할 것인지에 대한 선택은 기관의 정책에 달려 있다. 가족간호를 적용하는 실무영역별로 차이가 있겠으나 가정간호사업은 병원과는 다른 환경이므로 의사처방이나 시행절차의 변형을 요하는 경우가 발생하므로 이 방법이 필수적이다.

계약은 전통적인 간호행위 또는 치료·처치에서 보면 새로운 접근법이고, 우리나라에서는 생소한 간호계획에서의 접근방법이다. 보건의료 제공자는 수혜자와 상호관계적이며 협력적인 유형을 지향하는 경향이 있고, 이 접근은 일반대중의 지식수준 향상과 자가돌봄에 일치하는 방법이다. 가족이나 가족구성원의 적극적인 참여와 자기결정권을 인정한다는 의미이며, 환자의 권리라는 점에서 미국에서 널리 이용되고 있다.

① 특징

이 접근의 특징은 동반자관계로 간호사와 가족 간 힘의 배분이 개방적이며, 탄력적이고, 협상적으로 이루어진다. 계약의 목적을 이행하기 위해 제공자와 수혜자를 묶는 방법으로 목적에 대한 몰입을 의미한다. 그리고 목적적인 관계, 책임을 문서화함으로써 간호사, 환자, 가족 간의 앞으로 제공할 서비스 내용과 제한점을 구체적으로 명시한다. 누가, 무엇을, 언제 수행할 것인가를 명확히 기술하는 것이다.

또한 이 접근은 서비스를 주고받는 기간, 또는 어떻게 목적에 가장 잘 도달할 수 있는가에 대한 제안을 지속적으로 나눌 수 있는 협상의 기회가 된다.

② 내용

목적 성취를 위한 간호계획을 구체적인 활동과 누가, 무엇을, 언제 할 것인가 하는 내용과 가족과 환자의 기대 및 모든 사람들의 역할과 기대를 명확히 하고 구체적인 절차에 대한 윤곽과 책임을 포함한다. 그리고 방문횟수 및 시간과 간호사와 가족 간의 상호작용의 목적, 간호진단, 바람직한 결과, 간호요구의 우선순위, 중재와 수행방법, 구체적인 활동 등도 포함한다.

③ 장점

가족이 이 과정에 참여하여 측정 가능한 목표를 구체적으로 설정하는 것은 필요한 과업을 수행하도록 동기화하며, 대상가족의 개별적 욕구에 초점을 둠으로써 간호계획이 개별화될 수 있다. 양자 모두 목적을 알기 때문에 목적 성취의 가능성이 높아진다는 장점이 있고, 이로 인해 간호사와 환자 모두의 문제해결능력이 향상된다. 그리고 의사결정과정에서 가족이 능동적인 참여자가 되며, 스스로 자신을 돌볼 수 있는 기술을 배우므로 가족의 자율성과 자긍심이 높아진다. 또한 간호사가 간호서비스를 더욱 효과적으로 수행할 수 있다.

④ 단점

가족이나 건강문제가 있는 가족구성원이 적극적인 참여를 하기보다 간호사나 의료인에게 의존적일 때에는 적용이 어렵다.

3) 수행계획

가족간호의 수행계획은 목표달성을 위해 필요한 자원(인력·예산·기구 등) 배치, 일시 등을 포함한다. 간호사는 적절한 관리가 이뤄지도록 필요한 인력의 지원이 중복되지 않도록 조정하고, 일정표를 계획하고 감독하도록 한다. 또한 문제가 잘 해결되기 위해서는 가족과 대상자가 간호사와 함께 목표를 설정하고 수행하는 과정이 필요하다[표 6-7].

표 6-7 가족의 비효과적인 대처-불능에 대한 간호계획의 예

기대되는 결과	간호중재
가족과 가족 구성원은 하나의 단위로서 현재 건강문제에 대한 반응으로 건강증진행위를 개발할 것이다.	• 가족 구성원간의 건전한 관계를 형성한다. • 가족이 현재의 건강문제를 알도록 조력하고 건강문제를 가족이 다루는 정도를 알도록 조력한다. • 건강문제에 올바로 대처하는 방안을 수용할 준비가 되어 있는가를 파악한다.
가족은 가족의 지지능력을 보존하기 위해 가족 내의 자원과 대민봉사기관을 이용할 것이다.	• 가족 외부에 있는 유용하고 적절한 자원에 대한 정보를 제공한다. • 가족의 즉각적인 관심을 요하는 문제에 초점을 맞추도록 격려한다. • 가족 외부에 있는 자원을 이용한 경험과 기관에 대한 가족 구성원의 인식을 지속적으로 파악한다.
가족 구성원은 지속적인 돌봄과 가족 돌봄 계획의 능력을 구두로 표현할 것이다.	• 가족들의 지지를 도모하고 정보를 교환할 모임을 제공한다. • 가족의 지속적인 돌봄과 질적인 내용에 대한 느낌을 표현할 기회를 제공하여 간호중재를 수정한다. • 건전한 대응기전능력을 확인시킨다.

〈 자료원 : 김춘미 외(2022). 지역사회보건간호학 〉

4) 평가계획

계획단계 동안 평가전략을 전체 계획에 통합하고 적절한지 확인해야 한다. 이미 설정된 목적과 목표가 얼마나 성취되었는지를 측정하기 위한 계획으로, 가족참여 횟수, 중재방법의 효과, 달성된 정도를 파악한다.

평가시기, 횟수, 간격을 정하여 중간평가와 최종평가가 적절히 이루어지도록 계획을 세우며, 수행될 활동에 대하여 언제, 어떤 평가도구로, 어느 범위에서, 누가 평가할지를 구체적으로 계획한다.

4 가족간호중재

북미간호진단협회의 비율적인 가족대처기능에 대한 구체적인 중재는 가족사정, 가족 내외적인 자원으로 의뢰, 가족교육, 계속적 간호, 가족지지능력 강화와 가족의 강점과 능력 증진에 초점을 두고 있다.

가족대처란 복잡한 과정이며 가족 내외적인 자원으로부터 오는 스트레스원에 반응함에 있어 균형을 유지, 성취하기 위한 가족구성원 개개인의 집합체적인 노력을 말한다. 이는 문화적 특성, 의사소통, 가족의 자원, 가족구성원의 결속력과 적응력, 내외적인 지지체계, 애인과 가족의 발달단계에 따라 영향을 받는다.

이 단계에는 가족구성원 또는 가족의 변화에 초점을 둔다. 예를 들어 결혼기에서 자녀출산 후 부모기로, 청년기에서 장년기로, 질환의 급성기에서 만성기로, 가족구성원의 죽음으로 인한 상실, 가족구성원의 불구로 인한 재활 등의 변화를 말한다.

가족은 장차 일어난 문제에 대해 모르기 때문에 불안하게 되므로 간호사는 문제해결에 장애가 되는 행위를 찾아내는 데 도움을 준다. 예를 들어 저염식과 고혈압의 관계에 대한 정보를 제공하고 가족의 식습관을 변화시켜 나가도록 돕는 것 등이다.

간호사는 가족이 현재와 미래의 문제에 대처하는 능력을 가족 스스로 갖출 수 있게 도와주는 것이다[표 6-8].

표 6-8 NANDA 간호진단별 간호계획과 중재

간호진단	간호계획과 중재
비효율적인 가족대처기능	
불 능	가족사정, 가족의 내외적인 자원에 의뢰, 가족교육, 계속적인 간호
위 약	가족사정, 가족의 내외적인 자원에 의뢰, 가족교육, 가족지지능력 강화, 계속적인 간호
성장 잠재성	가족사정, 가족의 강점과 능력 증진, 가족교육, 계속적인 간호
가정유지관리 장애	안전을 위한 가구 재배치, 필요한 기구와 기기 구입, 사용법에 대한 지도, 지역사회의 모임에 참여 지지
건강유지 장애	가정의 물리적 환경 변형, 재배치, 가족자원 활용, 가족교육, 특정 기관에 의뢰, 계속적인 간호
역할수행 장애	개별적인 중재 : 장애의 종류, 환자 특성, 관련 요인에 따라 역할 수행을 강화하거나 역할긴장과 관련된 스트레스 감소

1) 예측적 안내

예측적 안내(anticipatory guidance)는 가족생활주기를 통해 가족이 경험할 수 있는 문제를 예측하여 이에 대처할 수 있는 능력을 키워주는 것이다. 가족생활주기의 각 단계 동안 가족은 상호 인간관계에 영향을 미치는 어떤 예견할 수 있는 문제와 만나게 된다. 많은 가족이 외부의 도움 없이도 심각한 과업들에 대처할 수 있다. 그러나 경우에 따라서는 적절한 안내를 받으면 더 빨리, 그리고 더 쉽게 적응할 수 있다.

예측적 안내는 주로 문제해결의 접근을 통해 이루어진다. 즉 가족이 부딪힐 특별한 문제에 대해서 알고, 그 문제를 어떻게 다룰 수 있을까에 대한 논의가 필요하다. 또한 가족은 문제상황에 대한 효율적인 결정을 하기 위하여 정보를 알고 평가하는 데 도움을 필요로 한다. 그러므로 문제해결의 접근을 통해서 가족은 예상치 못한 문제뿐만 아니라 예상되는 문제를 다루는 법을 배울 수 있다.

2) 건강상담

(1) 상담의 일반적인 규칙

사람들은 상담을 통하여 자신의 문제를 인식할 수 있는 힘을 얻으며, 문제해결의 방안을 스스로 찾을 수 있게 된다. 건강상담은 개인은 물론 가족 스스로 돌보는 능력과 의료자원의 효과적인 이용을 증진시키는 데 유용하다. 해결방안의 선택은 필요한 경우에 상담자로부터 제시되지만 대개는 내담자 스스로 결정한다. 상담은 다음과 같은 기본적인 규칙에 따라 이루어진다.

- 상담자는 내담자에게 관심을 보이며, 보호자와 같은 태도를 취한다. 즉 처음부터 자신의 돕고자 하는 사람과 긴밀한 유대를 맺도록 노력해야 한다.
- 상담자는 내담자 문제를 그 사람의 시각에서 이해하려고 노력해야 한다. 내담자 자신이 자신의 문제를 확실하게 구체화할 수 있도록 상담자가 직접 문제를 명명하지 않는다.
- 상담자는 내담자의 감정에 대해 이해와 수용의 감정이입상태가 필요하며, 동정이나 애도의 태도는 불필요하다. 따라서 내담자로 하여금 자신의 감정상태를 알게 하는 것이 중요하다.
- 상담자는 자신의 충고를 받아들이도록 강요해서는 안 되며 내담자로 하여금 문제에 영향을 끼치는 제반 요소를 인식할 수 있도록 도와주고, 그에게 가장 적합한 해결방안을 선택할 수 있도록 격려해 준다.
- 상담자는 내담자의 특별한 승인 없이는 비밀을 누설해서는 안 된다. 문제당사자의 가장 가까운 사람에게도 알려서는 안 된다.
- 내담자가 적절한 결정을 하는 데 필요한 각종 정보와 자료를 제공한다.

(2) 가족상담 시 고려할 점

가족 전부와 상담을 하는 경우라면 그 구성원이 적어도 둘 이상이므로 문제도 그 이상이며, 따라서 요구도 많고 해결방안도 여러 가지가 있을 수 있다. 즉, 가족 안에서는 각 개인이 다른 역할을 담당하고 있으므로, 해결방안도 여러 가지로 찾을 수 있다.

또한 가족건강과 관련된 상담은 가정에서 하는 것이 더욱 효과적이다. 가정에서 상담을 하면 개인행동에 영향을 미칠 수 있는 환경과 집안 분위기를 관찰할 수 있고, 상담과 아울러 가족이 필요로 하는 정보제공 및 교육을 실시할 수 있다. 또한 사람들은 자기 집에 있으면 안락함을 느껴 이야기를 터놓고 하는 경우가 많고, 더욱 안전하다고 느낀다.

3) 가족건강교육

(1) 가족건강교육을 위한 교육과정의 활용

일반적으로 교육과정은 문제해결에 기초를 두고 있으며, 본질적으로 순환적이라는 점에서 간호과정과 유사하다. 그러나 교육적 중재를 통해 이루어질 수 있는 행동 변화에 따라 해결되는 문제에 초점을 둔다는 점에서 간호과정과 구별된다. 이러한 교육과정을 간략히 살펴보면 다음과 같다.

① 사정

가족에 대한 사정은 가정에서 가장 잘 이루어진다. 초기사정을 위하여 서로 편리한 시간에 면접을 할 수 있도록 계획하는 것이 중요하다. 초기면접은 사정과 계획을 위한 기초자료를 제공해 줄 뿐만 아니라 가족과 간호사가 서로 잘 알게 되고, 교육·학습 과정을 위한 신뢰를 형성하는 데 도움이 된다.

가족의 교육요구를 사정하는 것은 가족구성원으로부터 얻는 정보를 필요로 한다. 가능하면 그 가족의 치료를 담당했던 보건의료인으로부터 정보를 얻는 것도 바람직하다.

가족에 초점은 둔 교육적 사정은 관련된 개별구성원의 학습특성뿐만 아니라 가족구조와 기능유형을 파악하는 것이 중요하다. 교육요구는 가족구성원에 따라 서로 다르며, 사정과정에서 간호사는 그러한 차이를 규명할 수 있어야 한다.

② 교육적 진단

간호사들이 익숙해진 간호진단과 같이 교육적 진단은 건강에 영향을 주는 학습요구에 대한 비판적 결정과 전문적 판단을 요구하며 적절한 학습방법을 통해 변형할 수 있다. 따라서 교육적 진단은 사정에 기초를 두고 있다. 즉, 교육적 진단은 현존하는 건강문제관리에 대한 지식이나 기술 또는 동기의 구체적인 취약점을 규명하는 것이다. 이러한 진단은 가족을 돕고자 하는 수용 가능한 목적과 목표를 설정하기 위한 기초로서 활용된다.

③ 계획

계획단계에서는 가족과 간호사가 함께 학습목표를 설정하고, 각 가족구성원의 요구에 따른 적절한 전략을 개발한다. 학습자중심의 목표는 곧 평가의 근거로 사용할 수 있다. 그러므로 장·단기 목적을 고려하면서 실현할 수 있고 측정 가능한 목표를 개발하기 위해 많은 시간과 노력을 기울이는 것이 중요하다.

④ 수행

간호사와 가족이 학습전략을 수행할 때 관심을 갖고 있는 모든 사람이 무엇이 일어나고 있는가를 인식하는 것이 중요하다. 어떤 가족은 설정된 목표가 수행되는 과정을 서면으로 기록하였을 때 더욱 편안함을 느낀다. 이때 간호사는 일련의 행동과 그에 따른 결과를 설명하는 간단한 서면정보를 제공할 수 있다.

⑤ 평가

평가는 최종 단계이며 결정적인 단계로, 결과와 그러한 결과를 이끌어 낸 과정에 대한 평가를 모두 포함한다. 결과에 대한 평가는 계획된 목표를 실현했는지 여부에 기초를 두는 것이다. 학습목표가 사정과 그에 따른 진단에 근거하여 잘 정의되었다면 결과평가는 매우 간단하다.

과정에 대한 평가는 수행전략이 얼마나 잘 진행되었는가를 보는 것이다. 가족에 초점을 둘 때, 가족구성원 개인을 위한 학습을 평가하는 것과 가족 전체를 위한 학습을 평가하는 것이 중요하다. 가족건강기록부에 학습결과를 기록하는 것은 평가에 필요한 활동의 하나이며, 결과를 정확히 기록하는 것은 기간의 활용에 대한 비용-효과와 가족교육에 소요된 실무자의 시간에 대한 행정적 판단에 도움이 된다. 효과적인 교육기술과 현존하는 학습자료에 관한 기록은 다른 간호사들의 가족교육에 도움이 된다.

(2) 가족건강교육을 위한 학습방법

① 시범

이론과 아울러 시각적으로 볼 수 있는 모든 실물을 사용하거나 실제장면을 만들어 지도하는 교육방법이다. 현실적으로 실천을 가능하게 하는 효과적인 방법이다. 시범의 장점은 눈앞에서 이루어지는 상황을 직접 볼 수 있으므로 명백하다는 것과 그 가족의 요구나 문제에 따라 다양하게 적용할 수 있다는 것이다.

시범하고자 하는 방법은 가장 최신의 방법으로, 명확하고 이해하기 쉬워야 한다. 시범 전에 시범의 목적, 내용 및 절차에 대해 간단히 설명한다. 시범은 계속하고, 단계적으로 설명하며 질문 받는 시간을 갖는다. 강조할 점은 시범 도중에 되풀이해서 보여 주고, 가족구성원 스스로 실시해 보도록 하여 잘못된 점을 고쳐 주고 반복해서 훈련하도록 격려해 준다. 새로 습득한 방법과 기존 방법을 비교해 주는 것이 필요하며, 시범성과에 대한 평가를 하고, 실패했을 경우 그 원인을 분명히 밝힌다.

② 사례연구

사례연구는 실제적 사실과 사건에 근거하여 문제를 해결할 수 있는 능력을 키우는 데 도움이 된다. 다른 가족이 직면한 문제를 읽고 들음으로써 대상가족문제를 스스로 어떻게 해결할 것인가를 생각할 수 있다. 사례연구를 위해서는 가족이 해결을 원하는 문제가 무엇인지 알아야 한다. 그리고 여러 사례 가운데서 성공한 사례와 실패한 사례를 모두 선택한다. 선택된 사례를 기록한 것을 몇 장 복사하여 나누어 주고 읽게 하거나 천천히 읽어 준다. 모든 사람이 내용을 정확히 파악할 수 있을 만큼 충분히 읽은 다음, 참가자들이 서로 토의하도록 격려하거나 몇 가지 질문을 먼저 던진다. 토의를 통해 같은 문제가 발생했을 때 문제해결을 위해 어떻게 할 것인지를 결정하도록 도와준다. 토의 중에 일어나는 이야기를 근거로 역할극을 할 수도 있다.

③ 가족집담회

가족집담회는 한 가족이나 여러 가족의 구성원으로 이루어질 수 있으며, 집단이 작을 때 효과적이다. 참여 가족이 이전에 있었던 문제를 깊이 조사하기 보다는 가능한 문제를 다루기 위한 양자택일의 방법을 배울 수 있도록 고안한 것이다.

간호사는 참여자가 자신의 개인적 견해와 반응보다는 주어진 논제에 대해 토의하도록 격려해야 한다. 토의를 시작해서, 개별구성원이 책임을 상호교환하며 공헌할 수 있도록 하는 역할을 어떻게 수행해야 하는지를 가르치는 것이 간호사의 역할이다. 흔히 만성질환을 가진 환자의 가족모임에서 다른 환자 상태를 보면, 병의 경과 및 진행과정에 대해 환자나 가족이 쉽게 이해하게 되며, 같은 질병에 대한 좌절감 및 사회적 고립감, 가족들의 죄책감 및 실망, 분노 등을 함께 나눌 수 있다.

④ 역할극

역할극은 강의와 토의에 보충적으로 사용할 수 있는 효과적인 교육방법이다. 흉내 내기, 사회극, 극화 등을 통해 행해질 수 있으며 가족들이 참여할 수 있는 경험적 학습이다. 흉내 내기는 과거 행동의 상연과 같은 가족행동적 과정을 그대로 반복하는 것이며, 사회극은 사실적인 생활상황 등의 자발적인 상연을 통해 집단 문제해결을 격려한다. 극화는 간호사와 협력하여 가족구성원에 의해 미리 결절된 각본에 따르는 것이다.

역할극의 또 다른 방법은 가족묘사이다. 이는 가족구성원이 다른 사람과 감정적 관계를 상징화하는 자세로 그들 자신이 몸으로 경험하는 비언어적 연습이라는 점에서 흉내 내기, 사회극, 극화와 다르다. 이러한 가족묘사를 통해서 가족구성원 자신의 상호작용을 관찰하고, 개인보다는 관계 안에서 문제를 알고, 한 세대에서 다음 세대로 이어져 온 가족의 행동양상을 인식하는 방법을 가족에게 가르치는 것이다.

(3) 가족건강교육 시 고려할 점

가족을 대상으로 보건교육을 하고자 하는 간호사들이 직면하는 현실적 문제는 가족과 가정간호기관의 자원에 영향을 주는 것들이다. 가족자원은 주어진 시점에서 매우 제한적이어서 교육과 학습이 상대적으로 덜 중요하게 생각될 수 있다. 이러한 상황에서 간호사는 가족이 다른 문제에 대한 해결책을 찾는 것을 돕고 자원에 대한 지식을 더해줌으로써 학습의 장애요인을 제거할 필요가 있다. 간호사는 새로운 대처기술을 배우는 것이 궁극적으로 현존하는 문제해결에 어떻게 도움이 되는지 가족들이 깨달을 수 있도록 도와야 한다. 가정간호기관이 안고 있는 한계는 가족에게 교육을 제공할 수 있는 시간과 전문성의 제약이다. 특히 간호사에 의해 제공된 교육서비스의 수가책정 문제가 제기된다. 이에 대해서는 간호기록에 가족교육을 위해 수행한 활동내용과 그러한 중재로 인해 얻어진 결과를 명확하게 기록하는 것을 통해 해결할 수 있다.

4) 직접 간호제공

직접적인 간호활동은 드레싱 교환, 도뇨관 삽입, 활력증상 측정 등 간호사가 전문적인 기술로 직접 수행하는 행위를 말한다. 직접적이고 기술적인 간호행위는 가족건강증진을 촉진하는 간호활동보다는 만성질환자의 가정간호에서 더욱 요구된다.

이 중재활동에는 기기나 기구가 필요한 경우가 있다. 우리나라는 아직 이러한 기술적 행위에 대해 의료보험자의 지불수준이 제도화되어 있지 않기 때문에 의료기기나 물품조달과 간호행위를 위한 간호수가 지불제도가 조속히 갖추어져야 한다. 이 밖에 보건교육이나 상담, 의뢰활동도 직접적인 간호활동이다.

5) 의뢰

의뢰는 간호사의 중요한 역할로, 복합적인 가족건강문제나 위기 시에 여러 전문인의 도움이 필요할 때 행한다. 간호사는 여러 기관이나 시설 또는 인력에 대해 정보를 가지고 필요 시 적절히 활용한다. 기관이나 시설의 설립목적, 이용 절차, 수혜대상자, 의뢰 시의 구비서류, 담당자 이름, 주소, 전화번호 등의 정보와 목록을 구비해야 한다. 의뢰서를 요청하는 경우도 있으므로 의뢰서와 구비서류 등을 사전에 준비해 두는 것이 필요하다. 다른 기관이나 시설에 의뢰하고자 할 때는 사전에 가족에게 알려 동의를 구한다. 가족구성원이나 가족이 의뢰하여 서비스를 받을 때는 효과를 평가한다.

6) 가족의 자원 강화

가족자원은 경제적·물리적인 것과 인력을 포함한다. 경제적 자원의 적절성 여부는 가족구성원의 소득 총액과 지출, 가족구성원이 앓고 있는 질병의 종류와 이용 가능한 의료기관의 접근도, 의료비용, 의료보험의 지원 또는 급여 범위에 따라 달라진다. 이러한 가족자원의 적절성 여부는 간호사에 의해 일차적인 사정이 이루어지나, 국가에 따라서는 사회복지사에게 의뢰하여 파악하기도 한다.

물리적 자원은 건강한 가정환경을 유지하며 특히 환자가 있는 가족은 적절한 기구나 물품 조달이 필수적이다. 경우에 따라서 가족이 가지고 있는 가구나 기기를 재구성 또는 재배치하거나 변형하여 사용할 수도 있다. 물리적 시설의 설치나 재배치는 집 안에서 안전하고 자유로운 이동, 개인위생, 안정된 수면, 절족동물 매개로 인한 전염병 예방, 안전한 상수와 음식 공급을 위해 갖추어져야 한다.

인적 자원은 가족이나 가족구성원의 건강을 돌보는 데 중요한 요소이며 가족구성원, 가족구성원 간의 관계, 건강행위와 돌보는 기술에 대한 지식과 기술, 문제해결능력 등도 자원이 된다. 적절한 인적 자원은 간호사가 가족과 함께 건강문제를 해결해 나가는 데 신체적·정서적으로 도움이 된다. 가족구성원 간의 관계가 원만하고 친밀한 경우에는 가족구성원의 건강상태에 대한 인지, 정상적인 지지와 의료 또는 간호 서비스의 빠른 이용 등이 신속히 이루어진다.

7) 스트레스 관리

어떤 가족은 스트레스에 효과적으로 대처하며 어떤 가족은 위기를 겪게 되거나 비조직화 되기도 한다. 그러나 건강한 가족은 스트레스를 취약점으로 보지 않고 정상적인 자극으로 받아들여 스트레스에 잘 적응하여 갈등해결과 창의적인 대처기술을 발전시킨다. 스트레스 관리와 건강증진에 관한 건설적인 변화를 유도하기 위해서는 각각의 가족을 대상으로 총체적인 접근이 필요하다. 스트레스에 효과적으로 대처하기 위해서는 생활양식의 변화가 필요하며 가족의 문화적 배경과 신념, 가치, 지식과 기술, 능력 등을 고려하는 것이 필요하다. 이러한 변화는 결정적이기보다는 살아가는 방법에 대한 접근으로 제시될 수도 있다. 모든 가족은 자아실현의 가능성과 건강을 유지·증진시킬 수 있는 잠재력을 갖고 있으므로 간호사는 정보를 제공하고 바람직한 방향으로 행동수정과 생활양식의 변화를 촉진시킴으로써 안녕상태를 이르도록 도울 수 있다.

스트레스 관리에서 첫 단계는 스트레스를 인식하고 예방하며 미리 예측하고 피할 수 있는 스트레스원을 제거하는 것이다. 개인 및 가족의 스트레스를 효과적으로 감소시키는 방법으로는 이완요법, 회상요법, 음악요법, 적절한 영양, 약물과 알코올의 최소한의 이용, 바이오피드백(bio-feedback) 등이 있다.

5 가족간호평가

1) 평가의 방법과 시기

계획수립 시 설정한 목적과 목표가 간호중재를 통해 얼마만큼 성취되었는가를 측정하는 단계로 가족참여 효과, 중재방법 효과, 목표달성 정도 등을 측정한다. 평가는 간호과정의 각 단계에 대한 계속적인 비판이기도 하다. 평가가 중요한 단계임에도 불구하고 간호과정에서는 소홀히 다루어져 왔다. 그러므로 간호계획 수립 단계에서 평가시기와 횟수, 간격이 정해져야 한다. 사업을 제공하는 기관에 따라서 정책적으로 평가시기를 정하기도 한다. 기관의 정해진 규정이 없다 해도 정기적인 평가시기를 정하여 제공된 사업의 결과를 측정하고 요약·정리하는 것이 중요하다. 만일 평가가 없다면 치료적인 또는 문제해결을 위한 간호과정이 불필요하게 지연되며 가족건강 향상의 역효과를 초대할 수도 있다. 가족건강문제가 해결되지 않으면 상황을 재사정하여 계획을 수립한다.

평가는 간호사 이외에도 동료, 상급자 또는 다른 보건전문인과의 자문 등을 통해 할 수 있다. 동료, 상급자 또는 다른 보건전문인에게 자문을 받아 평가함으로써 간호과정 진행에서 부족한 부분을 검토하는 데 도움이 된다.

평가는 시기에 따라 중간평가(formative evaluation)와 최종평가(summative evaluation)로 구분하는데, 그 시기는 간호기관에 따라 달라진다. 간호기록지 중 요약지는 가족간호과정을 체계적으로 평가하여 확인하는 하나의 방법이다.

2) 평가내용

평가내용은 설정된 목표와 그것을 이루기 위한 중재방법이 적절하였는지를 대상자로부터 파악하는 것으로 그 결과를 가족체계로 피드백 한다. 목표가 설정될 때부터 어떻게 평가할 것인지를 결정해야 한다. 잘 설정된 목표진술은 그 자체가 평가를 위한 가능성을 가지고 있다. 예를 들어 '김씨는 6월 말에는 인슐린 주사를 스스로 놓을 수 있다.'라는 목표진술은 6월 말에 김씨는 인슐린 주사를 스스로 놓을 수 있는지를 관찰함으로써 평가할 수 있다. 평가를 용이하게 하기 위해서는 목표진술부터 측정 가능한 용어로 진술하는 것이 바람직하다.

가족의 변화된 건강 수준을 측정하는데, 가족구성원 개인의 생물학적 변수인 관절운동 범위나 혈압, 체중 등과 가족 전체로서 외부 자원 이용 정도와 같은 변수는 직접적인 측정이 용이하다. 가족기능 등 가족 전체의 변화인 가족친밀감이나 책임공유, 또는 가족구성원 개인의 불안, 변화된 역할의 만족 등을 구조화된 도구나 질문을 통해 가족의 구술적인 표현을 직접 들어 측정하거나 가족구성원 간의 상호작용을 관찰하여 측정, 평가할 수 있다. 또 이미 개발되어 신뢰도와 타당도가 검증된 도구를 이용한 설문지법을 사용함으로써 객관적 평가를 하는 방법도 있다.

만약 간호대상자 중심으로 설정된 목표가 이루어지지 않았을 때에는 다음과 같은 내용을 검토한다.

- 가족의 현재 간호요구를 파악하기 위한 기초자료는 충분한가?
- 목표설정이 광범위하고 일반적이었는가?
- 목표설정 시에 가족이 참여하고 결정하였는가?
- 목적에 따라 간호 우선순위가 명확하였는가?
- 여러 가지 가족문제를 한꺼번에 다루었는가?
- 상황적인 위기로 인해 가족 에너지가 고갈되었는가?
- 가족의 상황 변화에 따라 간호목표, 계획이 융통성 있게 변화되었는가?
- 목표를 달성하기 위한 간호중재는 적절하였는가?
- 가족의 변화과정에서 생긴 불안이나 염려를 감소시키는 데 필요한 지지가 제공되었는가?
- 간호중재 시 다른 보건전문인과의 관계는 유기적이며 협력적이었는가?
- 다른 보건의료인력들이 가족에게 제공한 사업은 일관성이 있는가?
- 간호에서 장애요인은 무엇이었는가?

우리나라 간호실무에서 가족을 대상으로 하는 실무는 주로 지역사회간호에서 이루어지고 있다. 보건소의 경우 정기적인 중간평가는 월별, 분기별로 이루어지며 종합평가는 연말에 이루어진다. 평가는 가족을 대상으로 하기도 하나, 동료 간의 평가 또는 보건전문인과의 상담을 통한 평가도 활성화되어야 할 부분이다.

제4절 + 우리나라의 가족

Keywords
• 가족정책 • 다문화가족 • 결혼이민자

1 우리나라 가족의 변화

우리나라는 산업화, 도시화, 서구화 등의 영향으로 급격한 사회 변동을 경험하였으며, 이는 가족을 비롯한 사회 모든 영역에 변화를 가져왔다. 특히 경제성장을 통한 현대화는 전통적 가족관, 가족생활주기의 변화, 가족문제의 유형 및 대처방안 등에 많은 변화를 일으켰다. 가족구조의 축소와 분화, 가족 기능의 변화, 가족 해체 증가, 성 역할 변화 및 개인주의적 가치관 확산 등 우리나라 가족이 겪고 있는 급격한 변화는 전통적인 유교적 가치관과 혼재됨으로써 가족 간이나 가족구성원 간의 가치관 차이로 인한 갈등의 원인이 될 수 있다. 따라서 새로운 가족정책과 더불어 변화에 적응력을 기르고, 새로운 가치관의 형성이 요구된다.

1) 우리나라 가족의 발달과 특성

(1) 우리나라 가족의 발달

우리나라의 가족발달의 특성 중 하나는 결혼연령이 높아졌다는 것과 가족 확대기가 감소하였다는 것이다. 이는 만혼현상과 저출산으로 출산완료시기가 앞당겨졌기 때문이다. 더 나아가 가족 축소기 이후 두 부부만 남는 빈 둥지 시기가 급격히 확대되었다. 이는 자녀를 적게 낳기 때문에 독립시키기까지의 기간이 줄었고, 수명이 연장되었기 때문이다.

(2) 우리나라 가족의 특성

우리나라 가족규모는 축소되어 왔다. 가구원수의 변화는 출산율과 가구구성의 변화를 반영한다. 자녀수에 대한 의사결정이나 가구유형의 선택은 가족가치관이나 가족규범의 영향을 받기도 하지만 경제적 여건과 같은 현실적인 제약 요인의 영향도 받는다. 따라서 가구원수는 개인과 가족의 미시적 환경뿐 아니라 이들을 둘러싼 거시적 환경이 함께 작동한 결과라 할 수 있다(통계청, 2019).

전국 가구의 평균 가구원수는 1970년 5.2명에서 1980년 4.5명, 1990년 3.7명, 2000년 3.1명, 2010년 2.7명, 2018년 2.4명, 2021년 2.3명으로 꾸준히 감소하였다. 평균 가구원수의 감소는 출산율 저하, 핵가족화 및 1인가구 증가 등으로 설명된다. 1985년부터 2005년까지는 4인가구가 주된 가구유형이었는데, 2010년에는 2인가구, 2015년부터는 1인가구가 주된 가구유형이 되었다. 4인가구 비율은 1980년 20.3%, 1990년 29.5%에서 2018년 17.0%, 2019년 16.2%, 2021년 14.7%로 감소한 반면, 1인가구 비율은 1980년 4.8%, 1990년 9.0%에서 2018년 29.3%, 2019년 30.2%, 2021년 33.4%로 크게 증가하였다. 최근 평균 가구원수 감소에 1인가구의 증가가 큰 영향을 미쳤음을 알 수 있다[표 6-9].

표 6-9 가구원수별 가구구성과 평균 가구원수 (단위 : 1,000가구, %, 명)

구 분		가구 수 (1,000가구)	가구원수별 가구 구성(%)						평균 가구원수
			1인	2인	3인	4인	5인	6인 이상	
전국	1980	7,969	4.8	10.5	14.5	20.3	20.0	29.8	4.5
	1985	9,571	6.9	12.3	16.5	25.3	19.5	19.5	4.1
	1990	11,355	9.0	13.8	19.1	29.5	18.8	9.8	3.7
	1995	12,958	12.7	16.9	20.3	31.7	12.9	5.5	3.3
	2000	14,312	15.5	19.1	20.9	31.1	10.1	3.3	3.1
	2005	15,887	20.0	22.2	20.9	27.0	7.7	2.3	2.9
	2010	17,339	23.9	24.3	21.3	22.5	6.2	1.8	2.7
	2015	19,111	27.2	26.1	21.5	18.8	4.9	1.5	2.5
	2018	19,979	29.3	27.3	21.0	17.0	4.3	1.2	2.4
	2019	20,343	30.2	27.8	20.7	16.2	3.9	1.0	2.4
	2021	21,448	33.4	28.3	19.4	14.7	3.3	0.8	2.3

1) 일반가구 기준임
2) 평균 가구원수 = 일반가구원수 ÷ 일반가구수
3) 전수부문은 2015년부터 등록센서스 방식으로 집계되며, 2016년부터 1년 주기로 변경됨

〈 자료원 : 통계청(2021). 「인구총조사」 각 연도. http://www.index.go.kr 〉

특히 최근 우리나라는 이혼, 별거, 유기·가출, 가정폭력 등 가족의 불안정성을 나타내는 현상들이 급격히 증가하고 있어 한부모가족, 조부모 및 손자녀 가구, 1인가구 등의 급증을 초래하면서 사회적 안정성을 저해하고 있는 것도 특성이다.

가족문제 가운데 가장 심각한 것은 가족의 존재가 소멸되는 '가족해체'이다. 가족해체의 증가는 자녀유기, 노인부양문제, 청소년 비행 및 범죄 등 관련 사회문제의 발생을 증가시켜 사회 안정 및 통합에 위협요인이 되며 나아가 사회의 생산 및 재생산단위의 붕괴를 야기할 수 있다는 점에서 심각한 문제이기 때문이다.

이 외에도 우리나라는 사회경제적 변화로 인해 비혈연 가구, 기러기가족, 재혼가족, 다문화가정이 증가하는 양상도 보이고 있다.

2) 우리나라 가족의 변화

(1) 가구의 축소와 세대의 단순화

우리나라의 가족 규모는 해방 이후 1960년대에 이르기까지 꾸준히 증가하는 추세를 보였으나 1960년대 경제개발과 더불어 실시한 가족계획정책으로 가구원 수가 감소하기 시작하여, 1980년대 들어서는 더욱 급격히 진행되었다. 이는 산업화와 도시화 시점과 일치하며, 정부의 가족계획정책의 영향으로 이상적 자녀수에 대한 가치관이 변화하고 이것이 출산율의 저하로 연결되었다고 할 수 있다.

평균 가구원 수의 변화는 세대 구성에도 영향을 주어 가족 세대가 단순해지고 핵가족이 증가하고 있다. 핵가족화로 1, 2세대 가구는 증가하였지만 3세대 가구는 감소하였다. 특히 최근에는 2세대 가구의 비율도 감소

추세이며, 이러한 1세대 가구의 증가는 무자녀 가족의 증가, 결혼 후 출산까지의 기간 연장, 성인 자녀들의 독립으로 인한 노인 단독세대의 증가 및 미혼가구의 증가와 동반된 형제자매로 구성된 가족의 증가에 기인한다.

(2) 가족 기능과 가치관의 변화

우리나라 가족 역시 서구와 마찬가지로 그간의 산업화, 도시화, 서구화 등에 따른 가족 기능의 축소 및 약화를 겪고 있다. 이러한 변화를 정리하면 다음과 같다.

- 가족의 경제적 기능은 산업화로 인해 가족과 일터가 분리됨에 따라 생산 기능은 약화 또는 상실되고 대신에 소비 기능은 강화되었다. 이는 가족의 직업 및 수입 정도에 따라 가족이 누릴 수 있는 소비생활 수준이 결정되며, 이러한 소비생활 수준이 가족생활 만족도에 직접적인 영향을 미치게 됨을 의미한다.
- 가족은 과거 전통사회와 마찬가지로 현대사회에서도 정상적인 규범에서 성적 욕구를 해결하고 종족 유지를 가능케 하는 성적·재생산 기능을 한다. 그러나 사회 변화로 인한 임신 및 출산의 자유, 다양한 피임법의 개발 및 보급, 향락산업 및 성과 관련된 각종 서비스 산업의 발달 등은 가족의 성 규제기능을 약화시켰으며, 이는 동시에 성에 대한 규범 및 가치관의 변화를 가져왔다. 또한 가족의 재생산 기능 역시 급격히 약화되고 있는데, 그간의 한국사회가 겪은 출산율 저하 추세는 가족의 재생산 기능의 약화를 잘 보여준다.
- 자녀 양육과 사회화 기능은 자녀의 지적·정서적 측면, 진로, 결혼, 성격 등 자녀의 성장과 인격 형성에 관련된 제반 문제를 지도하는 가족 역할을 말한다. 그러나 근래 산업화와 함께 사회가 다원화, 이질화, 전문화되면서 자녀의 양육 및 사회화 기능은 전문인 또는 전문기관으로 이전되고 부모는 자녀 양육에 있어 제3자적 입장에 처하게 되었다. 오늘날 더욱 심각한 문제는 세대 간 갈등과 세대 차이의 문제로 나타나는 자녀의 사회화 기능 약화이며, 이는 세대 간 통합 및 문화 전승의 저해로 이어진다.
- 정서적 기능의 경우 현대인은 사회·경제적 활동시간 및 직장생활과 학교생활에서 받는 스트레스가 증가함에 따라 그 긴장과 갈등을 완화시켜주는 공간으로서의 가족이 더욱 중요시된다. 한편 가족관계에서도 부부관계의 중요성이 증가하고 있으며, 실제 부부관계가 자녀관계보다 더 중요하다고 생각하는 사람들이, 특히 젊은 연령층에서 증가하고 있다.
- 여가와 휴식의 기능은 에너지를 재충전할 수 있다는 점뿐만 아니라 오늘날 삶의 의미를 중시하게 된 사회에서는 일만큼이나 중요한 기능으로 부각되고 있다. 특히 최근 가족 단위의 여가가 하나의 생활양식으로 등장하면서 부부간의 관계를 더욱 공고히 하고 더 나아가 개인 및 가족의 삶의 질 향상에 기여하고 있다.
- 사회보장적 기능 및 공적인 부조 제도가 미약한 한국 등 유교문화권 국가에서 가족이 수행하는 사회보장 기능은 매우 중요하다. 그러나 사회 변화와 그에 따른 가족 변화로 우리나라 가족의 사회보장기능은 위기를 맞고 있다. 즉 오늘날 가족은 사회보장기능을 담당할 인적·물적 자원 및 시간적 여유가 없다. 가족의 사회보장기능 약화는 최근 중요한 사회문제가 되고 있는 노인부양문제에서 잘 나타난다.

(3) 가족주기의 변화

우리나라 가족주기의 변화를 세계보건기구의 가족주기모형을 중심으로 정리하면 다음과 같다.

- 가족형성기는 점차 짧아지고 있는 추세로, 이는 우리나라 결혼 연령이 높아짐에 따라 결혼 후 첫 자녀의 출산시기와의 간격이 빨라지기 때문이다.
- 첫 자녀와 막내 자녀 출산 시점인 확대기가 점차 짧아지고 있다. 이는 출산력 저하에 따른 자녀수 감소

및 출산 간격의 단축으로 출산 완료시기가 앞당겨졌기 때문이다.

- 자녀 출산 완료에서 자녀의 첫 결혼 시점의 완전 확대기는 점점 길어지고 있다. 이는 출생아 수의 감소 및 출산 간격의 단축으로 막내아 출산이 빨라지는 반면 자녀의 초혼 연령은 높아지기 때문이다.
- 자녀의 첫 결혼부터 자녀를 모두 결혼시킨 시점인 수축기는 점점 짧아지고 있다. 이는 출산율 저하에 따른 자녀수 감소로 최근 한 자녀 가정이 보편화되었기 때문으로 판단된다.
- 노인 부부만 남는 완전 수축기는 최근 길어지고 있다. 이는 보건의료기술이 발달하여 사망수준이 개선되면서 평균수명이 길어졌기 때문이다.
- 남편 사망 이후 부인 혼자 남는 시기인 해체기는 길어지고 있는데, 이는 남녀 간 평균수명의 차이에 따른 결과로 해석된다.

(4) 다문화가족의 증가

통계청 자료에 의한 국제결혼 증감 추이 분석을 보면, 외국인과의 혼인은 2018년 기준 22,698건으로 전년대비 8.9%(1,863건) 증가하였으며, 성별로는 외국인 여자와 혼인은 16,608건으로 2017년대비 11.7% 증가하였으며, 외국인 남자와 혼인은 6,090 건으로 2017년대비 2.1% 증가하였다. 외국인과의 혼인 중 외국 여자와 혼인 비중은 73.2%, 외국 남자와 혼인 비중은 26.8%를 차지하고 있다. 다문화 출생(18,079명)이 전체 출생 중 차지하는 비중은 2008년 2.9%에서 2010년 4.3%로 급증한 이후 2017년 5.3%, 2018년 5.5%로 전년대비 0.3% 증가하였다.

우리나라 국제결혼 건수가 증가함에 따라 결혼이민자가족의 안정적인 정착과 가족관계 증진 지원을 위한 통합적인 가족지원 체계 구축과 강화의 필요성이 증대되고 있다.

2 우리나라의 가족정책

1) 가족정책의 개념

가족은 사회의 기본 단위로서 인간의 문화를 전달하고 인간으로서 성장, 발달에 필요한 모든 것을 가르치고 양육하는 일차적이고 기초적인 집단이다. 그러나 오늘날 급격한 사회 변화 속에서 가족이 직면하고 있는 도전, 그리고 감내해야 하는 스트레스는 수없이 많다. 가족은 그 구성원과 사회의 안녕에 핵심적 기능을 수행하면서 역기능 없이 적응하기도 하지만 완전히 해체되기도 한다. 이러한 변화에 성공적으로 적응하고자 하는 가족의 노력은 가치가 있으므로 사회가 가족정책을 통하여 최대한 배려해야 한다. 즉 가족정책은 역기능적인 가족의 구조와 기능으로 발생하는 가족문제와 이로 인하여 발생하는 사회문제를 예방, 해결하고 더 건강한 가족과 사회를 유지 및 강화하고자 하는 국가와 사회의 노력이라고 할 수 있다.

이러한 측면에서 볼 때 가족정책은 더욱 폭넓은 범위에서 소득 재분배 정책, 인구정책, 의존적인 가족원에 대한 지지적·대리적 서비스, 아동에게 영향을 미치는 공공정책, 여성과 노인을 위한 정책, 실직자를 위한 정책 등이 모두 포함될 수 있다.

2) 우리나라 가족관련법

(1) 우리나라 법으로 본 우리나라 가족의 정의

민법 제1장 총칙

第767조(친족의 정의) 배우자, 혈족 및 인척을 친족으로 한다.

第768조(혈족의 정의) 자기의 직계존속과 직계비속을 직계혈족이라 하고 자기의 형제자매와 형제자매의 직계비속, 직계존속의 형제자매 및 그 형제자매의 직계비속을 방계혈족이라 한다. 〈개정 1990.1.13.〉

第769조(인척의 계원) 혈족의 배우자, 배우자의 혈족, 배우자의 혈족의 배우자를 인척으로 한다. 〈개정 1990.1.13.〉

第770조(혈족의 촌수의 계산)

① 직계혈족은 자기로부터 직계존속에 이르고 자기로부터 직계비속에 이르러 그 세수를 정한다.

② 방계혈족은 자기로부터 동원의 직계존속에 이르는 세수와 그 동원의 직계존속으로부터 그 직계비속에 이르는 세수를 통산하여 그 촌수를 정한다.

第777조(친족의 범위) 친족관계로 인한 법률상 효력은 이 법 또는 다른 법률에 특별한 규정이 없는 한 다음 각호에 해당하는 자에 미친다.

1. 8촌 이내의 혈족
2. 4촌 이내의 인척
3. 배우자

(2) 우리나라 법으로 본 우리나라 가족 범위

민법 제2장

第779조(가족의 범위)

① 다음의 자는 가족으로 한다.

1. 배우자, 직계혈족 및 형제자매
2. 직계혈족의 배우자, 배우자의 직계혈족 및 배우자의 형제자매

② 제1항 제2호의 경우에는 생계를 같이 하는 경우에 한한다. 〈개정 2005.3.31.〉 [시행일 2008.1.1.]

第781조(자의 성과 본)

① 자는 부의 성과 본을 따른다. 다만, 부모가 혼인신고시 모의 성과 본을 따르기로 협의한 경우에는 모의 성과 본을 따른다.

② 부가 외국인인 경우에는 자는 모의 성과 본을 따를 수 있다.

③ 부를 알 수 없는 자는 모의 성과 본을 따른다.

④ 부모를 알 수 없는 자는 법원의 허가를 받아 성과 본을 창설한다. 다만, 성과 본을 창설한 후 부 또는 모를 알게 된 때에는 부 또는 모의 성과 본을 따를 수 있다.

⑤ 혼인 외의 출생자가 인지된 경우 자는 부모의 협의에 따라 종전의 성과 본을 계속 사용할 수 있다. 다만, 부모가 협의할 수 없거나 협의가 이루어지지 아니한 경우에는 자는 법원의 허가를 받아 종전의 성과 본을 계속 사용할 수 있다.

⑥ 자의 복리를 위하여 자의 성과 본을 변경할 필요가 있을 때에는 부, 모 또는 자의 청구에 의하여 법원의 허가를 받아 이를 변경할 수 있다. 다만, 자가 미성년자이고 법정대리인이 청구할 수 없는 경우에는 제777조의 규정에 따른 친족 또는 검사가 청구할 수 있다.

[전문개정 2005.3.31.] [시행일 2008.1.1.]

3) 가족정책 전달체계

우리나라의 가족정책을 추진하는 체계는 공공전달체계와 민간전달체계로 구분한다. 공공전달체계로는 가족정책을 기획 및 수립하는 중앙의 행정부서로 보건복지부와 여성가족부, 노동부가 있으며, 지방자치단체의 행정부는 시·군·구의 문화복지과, 시민복지과, 가족여성과 및 가정복지과 등이다. 민간전달체계로는 건강가정지원센터와 사회복지관 및 가족 관련 상담소 등을 들 수 있다.

(1) 공공전달체계

중앙의 가족복지정책은 2000년까지는 보건복지부가 주관하여 왔으나, 2001년 여성부가 신설되면서 여성 관련 정책이 가족정책에서 분리·이관되었고, 2004년에는 보육정책이, 2005년에는 가족복지정책이 여성부에 이관되어 추진되었다. 2008년에 보건복지부와 여성부가 보건복지여성부로 통합됨에 따라 그동안 보건복지부 사업으로 추진되어 온 모자보건, 출산지원, 인구여성정책 및 아동정책 등의 사업이 통합되어 운영되었다. 이후 2010년 가족 해체 및 다문화 가족 등 현안 사항에 적극 대응하기 위하여 보건복지가족부의 청소년 및 다문화 가족을 포함한 가족 기능을 여성가족부로 이관하는 내용으로 「정부조직법」이 개정됨에 따라 보건복지가족부가 보건복지부와 여성가족부로 분리·개편되었다. 현재 여성가족부는 가족 및 다문화 가족정책의 수립·조정·지원을 하고 있으며, 구체적으로는 가족 및 다문화가족정책의 총괄·조정, 양육·부양 등 가족기능의 지원, 한부모가족의 자립지원, 다문화 가족의 사회통합지원 등의 기능을 수행하고 있다. 이 외에 여성고용확대, 모성보호정책, 육아휴직제도 등 여성고용과 관련된 정책은 노동부에서 수립하고 있다.

중앙에서 수립한 가족정책을 집행하고 직접적인 서비스를 제공하는 지방자치단체의 조직은 시·도 단위에서는 여성정책국, 보건복지여성국, 복지환경정책국 등의 명칭으로 구성되어 중앙부서의 가족복지정책을 다루고 있다. 시·군·구에서는 문화복지과, 시민복지과, 사회복지과, 가족여성과 및 가족복지과 등의 명칭으로 다양하게 운영하고 있다. 읍·면·동 사무소에서는 국민기초생활보장 업무와 아동, 노인, 장애인, 저소득 가정을 위한 사회복지서비스 업무를 관장하며 종합적인 복지 행정서비스를 제공하고 있다.

(2) 민간전달체계

건강가정지원센터는 「건강가정기본법」에 의해 가정문제의 예방과 치료를 위해 중앙, 시·도 및 시·군·구에 설치되었으며, 2004년 3개소가 시범운영된 것을 시작으로 2013년 전국에 149개소로 확대되었으며, 2022년 현재 150개소를 운영하고 있다. 건강가정지원센터는 교육 및 상담 가정생활문화사업의 전개, 정보 및 자료 제공과 지역사회 네트워크 구축 등의 사업을 통해 가족이 부양기능 문제나 위기 문제 등 가족문제에 잘 대처하도록 함으로써 가족유지율 증가, 이혼율 감소 등 건강한 가정생활을 영위하도록 지원한다.

종합사회복지관은 「사회복지사업법」에 의해 설치, 운영되며, 종합적인 사회복지사업을 수행하는 사회복지시설이다. 사회복지서비스를 원하는 모든 지역사회 주민을 대상으로 보호서비스를 수행하고, 자립능력 배양을 위한 교육훈련의 기회 제공 등 주민이 필요로 하는 복지서비스를 제공한다. 가족 기능 강화 및 주민 상호간 연대감을 조성하여 각종 지역사회 문제를 예방·치료하는 매체로서 주민을 위한 종합복지센터의 역할을 수행한다.

4) 가족정책의 과제

(1) 가족의 소득보장 강화

가족의 사회보장적 기능은 노인 단독가구, 한부모가족, 새싹가정에 가장 필요하다. 따라서 이들 취약가족의 소득을 보장하려는 다양한 정책의 강구가 필요하다.

(2) 가족의 보호 기능 강화

인구 변천과 사회 변동으로 한부모가족, 여성가구주 가족, 20대 독신가구, 노인 단독가구 및 비혈연 가구, 1인가구, 새싹가정 등이 증가하고 있다. 따라서 이들을 위한 보호가 체계화되어야 한다. 특히 재가노인을 위한 서비스 확충 및 저소득 취업여성가정, 한부모가정, 그리고 새싹가정의 자녀보호를 위한 가정도우미 지원이 절실하다. 가족간호 휴직제도의 도입 및 활성화도 고려해야 한다.

(3) 가족의 정서적 기능 강화

약화된 가족의 정서적 유대관계는 사회부적응 문제 등과 결부될 때 가족의 제 기능을 발휘하기 어렵고, 이에 적절한 사회적 보호서비스가 요구된다. 따라서 체계적이고 종합적인 가족복지 상담과 치료서비스에 접근이 용이할 수 있도록 지원체계를 강화해야 한다. 또한 바람직한 부부관계상 정립이 필요하다.

핵가족화 현상과 함께 가족주기에 있어 부부만의 생활기간이 길어지고 있어 점차 부부관계의 중요성이 커지는 추세이며, 동반자적이고 우애적인 부부관계로 변화하여 평등한 부부관계를 유지할 수 있어야 한다. 이를 위해 여가시간을 부부가 공유할 수 있도록 노인여가시설이나 사회교육기관 등을 통해 부부가 공동으로 참여할 수 있는 프로그램 등의 개발이 요구된다.

(4) 자녀양육과 사회화 기능 강화

보육서비스는 여성이 경제활동과 자녀양육을 양립할 수 있도록 할 뿐 아니라 아동의 일상생활과 삶의 질을 향상시키고 성장과 발달을 촉진하는 최적의 조건을 제공할 수 있어야 한다. 따라서 보육시설의 확충과 운영시간의 연장은 물론, 아동 연령에 따른 다양하고 차별화된 보육정책이 추진되어야 한다.

(5) 취업여성을 위한 가족지원 강화

취업여성들에 대한 가정 및 직장생활의 양립을 위한 지원정책이 확대되어야 한다. 특히 기혼여성 취업의 가자 큰 장애요인인 자녀양육을 지원하기 위해서는 보육시설 확충은 물론 욕구에 따른 다양한 형태의 보육서비스 제공, 직장에서의 육아휴직제도 활성화 및 탄력적인 근무시간제도 등의 도입 등이 요구된다. 또한 기혼여성이 담당해야 하는 노인이나 와상 가구원 등과 같은 의존적인 가족원에 대한 부양부담을 경감하기 위한 가족간호 휴직제도를 활성화해야 할 것이다.

(6) 가족 단위의 여가와 휴식 기능 강화

일터와 가정의 연결, 인적 자원의 재충전은 노동력의 질 향상을 위해서도 필요하며, 개인 및 가족 삶의 질 향상에 절대적인 역할을 하고 있다. 이러한 가족 기능을 강화하기 위한 교제 및 여가생활을 위한 다양한 가족문화 관련 개발과 보급이 필요하다.

3 다문화가족

1) 다문화가족의 개념과 현황

「다문화가족지원법」에 의한 다문화가족의 정의는 '결혼이민자(혹은 귀화자)와 한국인으로 이루어진 가족'이다. 우리나라에서의 다문화가족의 범주는 다음의 네 가지 유형으로 구분할 수 있다[표 6-10].

표 6-10 다문화가족의 유형

유 형	내 용
결혼이민자 가족	한국인 남자 + 외국인 여자 외국인 남자 + 한국인 여자
외국인 근로자 가족	한국에서 결혼 혹은 본국에서 결혼 후 국내로 이주한 가족
북한 이탈주민 가족	북한 태생으로 한국 입국, 한국인과 결혼 또는 외국인과 결혼해 형성된 가족
1인 외국인 가족	외국인 근로자, 유학생

- 한국인 남자와 외국인 여자 또는 한국인 여자와 외국인 남자처럼 국제결혼을 통해 가정을 이룬 경우
- 외국인 근로자가 한국에서 결혼하거나, 본국에서 결혼하여 형성한 가족이 국내에 이주한 외국인 근로자 가족
- 북한에서 태어나 한국에 입국하거나 한국에서 한국인 또는 외국인을 만나 결혼한 북한이탈자 가족
- 1인가구로 혼자 들어온 외국인 근로자 또는 외국인 유학생

2020년 통계청 자료에 따르면 다문화가구 가구원은 1,093,228명이며, 한국인 배우자 159,244명(14.6%), 결혼이민자 173,104명(15.9%), 귀화자 186,025명(17.0%), 자녀 263,379명(24.1%), 기타 동거인 311,476명(14.6%)이었다. 2020년 다문화가정의 남편 또는 아내의 국적은 베트남(33.4%), 중국(18.7%), 한국계 중국인(15.3%)으로 나타났고, 여성이 80.8%, 남성이 19.2%이었다. 2022년 여성가족부 자료에 따르면 외국인과의 혼인 건수는 2018년 257,600건, 2020년 213,500건, 2021년 192,500건으로 감소 추세(2021년 전년대비 −9.8%)이며, 2022년 통계청 자료에 따르면 이혼추이는 우리나라 전체 이혼 건수(101,700건) 중 외국인과의 이혼 비중이 6,200건(6.1%)으로 나타났다.

2) 다문화가족의 문제와 과제

(1) 결혼이민자 가족의 문제

결혼이민자의 배우자와의 연령 차이가 10세 전후이며, 특히 여성결혼이민자는 한국어 의사소통 능력의 부재로 인한 언어소통 장애, 문화차이로 인한 가족원과의 갈등 등이 초래되고 있어 이혼건수도 전체 이혼의 10% 정도이다. 여성결혼이민자가 한국생활에서 가장 힘들어하는 점은 언어문제였으며 다음으로 경제문제, 자녀문제, 외로움, 문화차이, 가족갈등, 편견/차별, 음식/기후의 순이었다.

① 부부관계 문제

결혼초기에는 외국인과 결혼했으므로 이해하지만 시간이 지나도 말이 통하지 않을 때 부부간의 갈등과 좌절은 깊어지게 된다. 의사소통 장애는 일상적인 대화조차 어렵게 하기 때문에 부부간 상호 이해와 친밀감 교류의 제한뿐만 아니라 심각한 부부문제를 야기하는 요인이 된다.

부부폭력은 여성결혼이민자들이 겪고 있는 가장 직접적이고 심각한 인권 침해의 하나이며, 폭력발생률이 약 48% 정도이다. 여성결혼이민자들은 의사소통 장애나 문화적 이질감과 더불어 남편의 성격장애나 알코올중독 등 다양한 이유로 부부폭력에 노출되어 있다. 특히 남편의 생활기반이 약하고 아내와의 나이 차이가 많은 경우, 젊은 아내에 대한 위기감 또는 가출에 대한 의혹 등이 폭력으로 이어지기도 한다.

② 자녀 양육의 어려움

부모의 이중언어 사용으로 인해 적절한 언어습득이 되지 않거나 지연될 수 있다.

열악한 가정환경, 교육기회의 상대적 박탈, 부정적 사회인식 등은 아동의 자존감 형성에 방해요소로 작용한다. 낮은 자존감은 아동의 원만한 또래관계 형성과 학업성취 의욕에 부정적으로 작용하며 우울과 불안장애의 원인이 되기도 한다.

여성결혼이민자 자녀의 경우 대다수가 학업 및 생활적응의 문제를 가지고 있다. 가족 내 언어소통의 문제나 경제적 어려움이 원인인 것으로 나타났다. 2015년 전국 다문화가족 실태조사에 의하면 다문화 가족의 전체 재학 자녀의 89.8%는 본인이 학교에 잘 적응하고 있다고 하였으며, 학교생활에 잘 적응하지 못하는 이유로 친구들과 잘 어울리지 못해서라는 응답이 64.7%로 가장 높게 나타났다. 2022년 전국 다문화가족 실태조사에 의하면 전체의 2.3%가 학교폭력 피해 경험이 있다고 하였으며, 폭력의 유형으로는 집단따돌림이 49.1%로 가장 높았고 2015년 34.1%에서 2021년 49.1%로 상승하였다.

③ 경제문제

다문화가족 전국 실태조사(2022년)에 의하면 월평균 가구소득은 200～300만 원 미만 24.8%, 300～400만 원 미만 22.7%, 400～500만 원 미만이 15.3% 순으로 나타났다. 결혼이민자·이민자가 한국에서 일하면서 느낀 가장 큰 어려움은 별 어려움이 없다(39.6%), 적은 급여(14.7%), 장시간 근로(11.0%), 언어소통문제(10.1%) 순으로 나타났다. 한편 코로나19로 인해 51.5%가 소득이 줄었다고 응답 하였고, 국민기초생활보장 수급 가구 비율은 6.4%로 '15년 이래 지속적으로 증가하고 있다.

④ 사회제도권 내의 문제

결혼이민자 가족의 절대 다수가 기본적인 최저생활조차 유지할 수 없다는 것은 한국사회의 안전망에 심각한 문제가 있다는 점을 보여주고 있다. 결혼이민 여성 가운데 경제적 이유 때문에 끼니를 거른 경험이 15.5%나 된다는 사실은 빈곤문제의 심각성과 사회복지적 지원의 취약함을 보여주는 것이다. 절대 빈곤에 있는 가구비율이 절반을 넘고 있음에도 불구하고 국민기초생활수급자의 비율은 낮다.

여성결혼이민자의 건강보험 가입률은 83.4%이며, 이들 가구의 의료급여 수혜율은 7.9%이다. 여성결혼이민자의 약 17.6%가 의료보장체계 안에 들어가 있지 못하며 자신이 건강보험에 가입되었는지의 여부도 모르는 경우도 있다.

(2) 결혼이민자 가족의 과제

① 가족생활

국제결혼을 희망하는 한국인을 대상으로 국제결혼에 따른 결혼생활의 영향에 대해 사전에 교육을 실시할 필요가 있다. 올바른 부부관계상 정립 및 전문적인 상담을 확대 실시한다.

② 취업생활

직업훈련 프로그램에 대한 접근성이 제고되어야 한다. 여성결혼이민자를 위한 특화된 구인처 개발 및 구직 등록처의 네트워크를 상시화 하는 것이 필요하다.

③ 자녀 양육

자녀 양육 및 학습지원이 충분히 이루어지도록 한다. 학력수준 미달로 어려움을 겪는 학생을 대상으로 하는 보충학습 기회를 제공하거나 필요시 다양한 형태의 대안학교 운영도 적극적으로 고려한다.

심리사회적 지지를 위한 프로그램 제공을 통해 적응력을 향상시키도록 한다.

④ 정책

- 결혼이민자 복지혜택 차별을 철폐한다.
- 결혼이민자 가족의 빈곤 예방정책을 강화한다.
- 다문화사회의 긍정적 측면을 중심으로 한 주류사회 인식전환과 전략이 강화되어야 한다.

제5절 + 취약가족과 간호

Keywords

- 취약가족
- 장애인 가족
- 빈곤가족
- 만성질환자 가족
- 한부모가족

1 취약가족 간호의 중요성과 특성

1) 취약가족 간호의 중요성

취약가족(vulnerable family)이란 특별한 요인 때문에 생활 속에서 바람직하지 않은 결과를 좀 더 많이 경험하는 가족을 말한다. 취약가족을 분류해보면 기능적으로 취약한 가족, 구조적으로 취약한 가족, 가족내 상호작용이 취약한 가족, 발달단계에서 취약한 가족이 있다.

취약가족의 분류

- **기능적으로 취약한 가족** : 빈곤가족, 만성질환자 가족, 실업 가족, 장애인 가족 등
- **구조적으로 취약한 가족** : 한부모가족, 이혼 가족, 조손 가족, 새싹 가족 등
- **가족내 상호작용이 취약한 가족** : 비행청소년 가족, 알코올 중독 가족, 학대부모 가족, 폭력가족 등
- **발달단계에서 취약한 가족** : 미숙아 가족, 미혼부모 가족 등

취약상황은 가족 내 체계 유지와 가족구성원의 역할 발휘에 영향을 미친다. 취약상황에 처한 가족은 도전적이고 문제가 되는 많은 요인으로 오랜 기간 위험에 빠질 수 있기 때문에 취약상황의 일반적 특성과 취약성을 가진 부모의 특성, 그리고 그러한 가족에 대한 간호활동 등에 관심이 모아지고 있다.

취약가족 속에서 부모는 많은 스트레스를 받으며, 새로운 역할을 배워야 한다. 취약요인을 가지고 있는 부모가 받는 스트레스가 크면 클수록 더 많은 역할변화를 경험하게 되는데, 이러한 스트레스가 가족해체를 가져오거나 가족의 정상발달을 저해할 수 있다.

따라서 간호사는 집중적인 간호를 통해 가족의 어려움을 확인하고, 제대로 잘 발달하고 기능할 수 있도록 도와줌으로써 가족에게 해로운 결과가 발생하지 않도록 예방하는 데 초점을 두어야 한다.

2) 취약가족의 특성

(1) 복잡한 원인으로 발생

가족의 취약상황을 일으키는 원인은 복잡하며, 잘 알려져 있지 않은 경우가 많다. 예를 들어 선천성기형을 일으키는 원인의 일부는 알려져 있지만, 알려져 있지 않은 부분도 많다. 알코올 중독이나 약물남용 등의 원인은 매우 복잡하다. 취약상황의 원인이 알려져 있지 않고 복잡하기 때문에, 취약상황이 발견되면 가족이 가지고 있는 문제를 감소시키고 이를 예방하는 데 많은 어려움이 따른다. 또한 가족반응도 복잡하고 다양하기 때문에 가족이 가진 문제범위와 유형을 알아내기도 쉽지 않다. 따라서 간호사는 가족에 초점을 두고, 가족이 겪는

어려움을 파악하며, 가족이 갖는 문제원인을 제시하고, 나아가 그 문제를 예방하기 용이한 간호사정도구를 개발해야 한다.

(2) 복합적 위기상황

한 가지 위기상황을 가진 가족은 불행하게도 부가적 위기상황을 경험하기 쉽다. 예를 들어 미숙아 출산은 이후에 아동유기와 연관되기도 한다. 부모 중 한 사람이 알코올 중독인 경우 그렇지 않은 가족보다 이혼율이 높아 한부모가족이 되기 쉽다. 간호사는 이러한 상황을 조기에 파악하여 문제를 감소시키고, 가족문제를 예방하여 궁극적으로 취약상황을 예방할 수 있다.

취약상황에 있을수록 스트레스는 증가된다. 예를 들면 결혼한 부부보다 혼자일 때 취약상황은 가중되고 이러한 요인은 아이를 기르는 데 스트레스를 더 받는 결과를 가져온다.

(3) 상황적 속성

취약상황 해결은 가족의 앞날에 중요하다. 취약상황에서 어떤 가족은 어려움에 대해서 서로 이야기하고 문제를 같이 해결하며, 때로는 스트레스가 많은 그 상황 때문에 더 가까워질 수도 있다. 그러나 같은 상황에서도 다른 가족은 가지고 있는 문제나 어려움을 분담하지 않고 화내며 서로를 비난할 수 있다. 이때 간호사의 목표는 가족이 나타내는 부적응과 비통합을 성장과 밀착으로 가도록 도와주는 것이다. 어떤 상황이 가족에게 중요한지는 다음 4가지 요인으로 구분할 수 있다.

① 상황 자체의 독특성이 가족에게 영향을 미치는지의 여부
② 스트레스에 대처하는 가족의 과거 경험이 그 상황을 만드는 데 영향을 주는지의 여부
③ 그 상황 전의 부모관계가 그 결과에 영향을 주는지의 여부
④ 전문가 도움이 그 상황의 결과에 영향을 주는지의 여부

(4) 장기간 지속

대부분의 취약상황은 장기간 지속되는 특성을 갖는다. 선천성기형이나 정신장애는 전 생애에 걸쳐 영향을 준다. 말기 질병을 앓는 아이나 부모는 간헐적인 재발과 위기를 맞으며 오랜 기간을 보낸다. 또한 부모의 알코올 중독이나 약물남용도 장기간 어려움을 갖게 만든다.

취약상황에 처한 가족은 복잡한 원인과 간헐적으로 위기를 나타내는 문제를 겪게 되는데, 그 상황이 오랜 기간 지속되어 가족통합을 깨고 가족해체를 일으킬 수 있으므로 이러한 가족을 위한 간호전략 개발이 필요하다.

2 취약가족의 사정 및 간호중재

1) 가족사정도구

간호사는 가족에 관한 모형, 가족 연구나 임상관찰을 기초로 하여 가족에 대한 자료를 모으고 조직할 수 있는 간호사정도구를 개발한다. 가족을 보는 관점은 다양하기 때문에 대처, 태도, 인식, 환경, 역할, 문제 등과 연관된 많은 사정도구가 필요하다.

(1) 가족의 대처능력 사정

취약상황과 관련된 가족의 상호작용 양상과 가족문제를 사정하기 위하여 가족특성을 파악하는 것이다. 많은 문화적·사회적 특성이 취약상황에 대처하는 가족의 능력을 방해할 수 있다. 가족 내 위험문제를 증가시키는 사회적 특성은 다음과 같다.

- 낮은 경제상태
- 의료보험 미적용
- 사회적 지지체계 부재
- 다른 사람에게 도움을 요청할 능력의 부재
- 의사소통 장애
- 낮은 자존감
- 역할 변화에 적응할 능력 부족
- 이전에 위기를 다룬 경험의 미흡

특히 가족의 경제상태는 취약상황에 대한 가족의 반응에 크게 영향을 미친다. 경제적으로 어려운 가족은 취약상황 시 곧바로 보건의료서비스를 구할 수 없으므로 나중에 의료서비스를 찾았을 때 증상이 더 복잡해져 있을 가능성이 많다. 사회적 지지체계의 결여 또한 취약상황 극복을 어렵게 한다. 이는 가족이 아이 돌봄이나 교통수단, 정서적 지지 등과 관련해 다른 사람으로부터 지지를 받을 수 없는 경우에 해당된다.

취약가족이 겪을 수 있는 문제를 중심으로 이를 놓치지 않고 사정하는 것이 중요하다. 각 가족을 개별화하여 다음 문항에 대해 질문함으로써 취약가족의 대처능력을 보다 용이하게 파악할 수 있다.

① 복합적 위기

- 가정에 어려운 일이 있었습니까?
- 어려운 경험은 무엇이었습니까?
- 위기를 느낀 적이 있습니까?
- 당신 생각으로 어려운 문제는 다음에 언제 또 생길 것 같습니까?

② 가족구성원 간 분리

- 의료적 문제가 생긴 이후로 누구와 덜 만나게 됩니까?
- 의료적 문제가 생긴 이후로 누구와 더 자주 만나고 있습니까?
- 누구와 덜 친하게 지내고 있습니까?
- 누구와 더 가깝게 지내십니까?
- 더 자주 또는 덜 만나고 싶은 사람이 있습니까?

③ 슬픔

- 무감각하거나 슬프거나 믿고 싶지 않다고 느낀 적이 있습니까?
- 의료문제에 대하여 누군가와 이야기하기를 원한 적이 있습니까?
- 혼자 남겨지기를 원한 적이 있습니까?

④ 죄의식, 비난, 분노

- 그 상황을 발생시킨 것은 무엇이라고 생각합니까?
- 그 일이 생기는 데 무엇이 더 영향을 주었다고 생각합니까?
- 다른 방법으로 뭔가 할 수 있었다고 생각합니까?
- 그 상황 때문에 누군가(가족구성원, 의료팀 등)에게 화가 납니까?
- 의료팀이 뭔가 다른 것을 행할 수도 있었다고 생각합니까?

⑤ 낮은 자존감

- 어떻게 하면 훌륭한 부모가 되겠습니까?
- 아이의 출생을 누구에게 알렸습니까?
- 당신이 즐겁게 느끼는 일은 무엇입니까?
- 부모로서 하지 못했지만 하고자 하는 일은 무엇입니까?
- 당신이 중요하다고 생각하는 일 중 가족구성원이 하는 일은 무엇입니까?
- 당신이 중요하지 않다고 생각하는 일 중 가족구성원이 하는 일은 무엇입니까?

⑥ 피로와 권태감

- 종종 피곤하다고 느낍니까?
- 아침에 일어났을 때 어떤 느낌입니까?
- 어느 정도 수면을 취하고 있습니까?
- 미칠 것 같은 기분을 느껴 본 적이 있습니까?
- 두통이나 통증이 있습니까?
- 두통, 위통, 요통 등을 겪어 본 것이 있습니까?
- 다람쥐 쳇바퀴 돌듯 단순하게 살고 있다고 생각합니까?
- 피곤할 때 당신 자신이나 가족구성원에게 해가 된다고 생각을 합니까?
- 15분 안에 원기를 회복할 수 있는 어떤 일을 할 수 있습니까?

⑦ 부모역할

- 위기상황 이후 일상적 가사는 누가 합니까?
- 이 문제가 있기 전에는 하지 않았는데, 지금은 하고 있는 새로운 일이 무엇입니까?
- 그 상황 이후로 전에는 하다가 지금은 하지 않는 일은 무엇입니까?
- 당신의 배우자나 자녀가 하지 않았으면 하는 어떤 일을 하고 있습니까?
- 친구, 친척, 이웃이 도와줄 수 있고, 또 그럴 필요가 있는 조그만 일(세탁, 차 태워주기, 장보기 등)이라도 있습니까?

⑧ 훈육

- 당신은 어떻게 양육되었습니까? 아이는 어떻게 양육하고 있습니까?
- 아이를 위해 전과 달리 하고 싶은 일은 어떤 일입니까?

- 아이를 위해 전과 같이 하고 싶은 일은 어떤 일입니까?
- 아이들이 뭔가 잘못했거나 잘했을 때 어떻게 그것을 알게 하겠습니까?

⑨ 형제관계

- 당신 아이는 어떻게 함께 놀고 있습니까?
- 당신 아이는 상황에 따라 어떻게 반응합니까?
- 야기된 문제에 대하여 당신의 자녀는 어떻게 생각합니까?
- 아이가 좋아하는 것에 대하여 개별적으로 어떻게 대해 줍니까?
- 아이들과 함께 아이들이 좋아하는 놀이를 합니까?

⑩ 재정문제

- 누가 일하고 있습니까?
- 직장에서 지위는 무엇입니까?
- 가족 중 직업 변화가 있습니까?
- 아이와 함께 집에 있거나 병원에 있기 위하여 얼마나 자주 직장을 비워야 될 것이라고 생각합니까?
- 당신의 상사는 자리를 비우는 것에 대하여 어떻게 생각합니까?
- 보험에 대하여 병원직원과 토론합니까?
- 비용에 관한 문의사항이 있고, 비용을 어떻게 준비해야 할지에 대해서 누구에게 이야기해야 하는지 알고 있습니까?

(2) 대처반응 사정

가족의 건강상태와 대처반응을 측정하는 것이다. 이 도구는 건강습관, 영양, 유해물질, 안전, 활동양상, 면역 및 아동기 질병, 가족역사, 총체적 자기인식 등 여러 내용을 포함한다.

(3) 지지체계 사정

취약가족의 지지체계를 사정하기 위한 도구로서 가족에게 중요한 타인, 부모, 배우자, 친구가 있는지에 대하여 파악한다. 이러한 도구로 파악할 수 있는 자료는 다음과 같다.

- 주변에서 도와줄 사람이 있는지 여부
- 부모, 친구, 배우자와 같은 중요한 사람과의 갈등 여부
- 고통을 받거나 아이가 아플 때 또는 절망감을 느낄 때 스트레스를 설명해줄 사람이 있는지 여부
- 부모를 지지해 줄만한 중요한 사람에게 어떤 문제나 능력부족이 있는지 여부
- 주변의 지지를 받아들이지 못하는 부모의 무능 여부

(4) 부모에 관한 설문

장애아가 있거나 만성질환을 앓고 있는 가족 속에서 부모가 어려움을 어떻게 인지하고 있는지, 부모의 태도는 어떤지 등을 면접을 통하여 자료수집하는 것이다. 아이, 부모 자신, 배우자, 형제자매, 입원 등의 내용이 포함되도록 하며, 가족구성원의 상호작용과 반응에 중점을 둔다.

(5) 가족의 역할 변화 사정

가족의 역할 변화 사정도구는 위험상황으로 인한 가족의 역할 변화에 대하여 상황 전 역할과 상황 발생 이후의 역할 등 상호작용에 중점을 두고 측정하는 것이다.

2) 취약가족의 간호중재

취약가족의 간호중재에서 공통적으로 고려할 점은 다음과 같다.

(1) 취약가족에 대한 철저한 사정

취약가족에 대한 중재는 여러 요인으로 구성된다. 모든 중재는 사정을 통하여 결정된다. 이때 간호사는 현재 나타난 문제뿐만 아니라 감춰진 문제도 파악해야 한다. 위험상황 정도를 파악하고 가족의 대처방법을 확인하여 개별 가족문제를 결정해야 한다. 이러한 사정은 모든 중재의 기본이 된다.

(2) 모든 구성원이 중재대상

간호사는 모든 가족구성원을 중재목표로 하고, 위험상황 대상자로서 가족을 인식해야 한다. 모든 중재가 문제 있는 가족구성원의 증상 완화를 목표로 하지만 위험상황과 관련 있는 구성원도 대상에 포함시켜야 하는 것이다.

(3) 가족중재의 개별화

모든 간호중재는 각 가족별로 개별화되어야 한다. 간호활동이 각 가족별로 개별화되었을 때 널리 활용되는 간호전략 유형으로는 상담, 행동수정, 교육 등이 있다.

(4) 가족 자신이 문제를 해결하도록 격려

중재를 통해 가족 자신이 문제를 해결할 수 있게 격려해야 한다. 간호사는 각 가족이 그들 자신의 문제를 확인하고, 대안을 선택하여 활동을 수행하고 전략을 평가할 수 있도록 도와주는 입장임을 알아야 한다.

(5) 다양한 중재전략 개발

간호사는 상담, 교육, 가족참여 등 다양한 중재전략으로 가족과 공동으로 문제를 해결하고 성장과 만족을 느낄 수 있도록 해야 한다. 중재는 가능한 여러 전략에서 선택한다. 그러기 위하여 다양한 전략을 개발해야 하는데, 이러한 전략은 동시에 사용하기도 하고 하나씩 단계별로 사용하기도 한다.

(6) 팀 접근법에 의한 중재 실시

중재전략은 팀 접근법으로 시행되는 것이 바람직하다. 간호사의 중재는 가족을 위한 보건의료팀 계획의 일부이므로 다른 보건의료의 중재와 협조가 이루어져야 한다. 이러한 협조는 다른 보건의료 인력뿐 아니라 같은 간호인력 간에도 이루어질 수 있다. 특히 취약가족은 경제적으로 어려운 때가 많고, 취약상황으로 인해 그 어려움이 악순환되는 경향이 있다. 취약상황은 의료적 문제만 포함되는 것이 아니라 취업알선, 사회복지시설 이용 등 다양한 활동이 포함될 수 있으므로 다양한 자원을 충분히 활용하는 것이 요구된다.

(7) 중재 후 평가 실시 및 중재전략 수정

모든 중재는 반드시 평가되어야 한다. 대상가족에 대한 중재가 실시된 후 해당 문제가 감소하였는지 평가해야 한다. 이러한 평가는 차후 중재를 더욱 정교화하고 발전시키는 데 크게 유용하다. 또한 어떠한 유형의 문제에 가장 효과적이었는지도 파악해야 한다. 그리고 모든 중재는 평가에 근거하여 수정을 해야 한다. 간호중재는 지속적인 수정 아래 개발해야 하는 것이다. 중재의 수정은 중재를 사용하는 방법, 중재가 유용한 시간 및 장소, 중재를 사용해야 하는 특별한 상황 등을 포함한다.

3) 취약가족을 위한 지역사회 자원

취약가족을 위한 지역사회간호사의 활동 가운데 중요한 것은 취약가족을 위한 지역사회 자원을 파악하여 이를 활용하고 적절한 의뢰를 실시하여 취약가족에 대한 총체적인 접근을 가능하게 하는 것이다.

취약가족을 위한 지역사회 자원의 활용 및 의뢰 활동을 정리하면 [표 6-11]과 같다.

표 6-11 취약가족을 위한 지역사회 자원의 활용 및 중재내용

지역사회 자원	중재내용	지역사회 자원	중재내용
보건의료기관	• 의료기관 의뢰 • 보건의료기관 건강강좌 활용 • 보건의료기관의 가족모임 활용 • 보건소 건강증진프로그램 활용 • 지역사회 방문간호사에게 의뢰	전문가 또는 전문적 모임	• 영양사, 운동처방사, 물리치료사 연계 • 가족상담사 연결 • 치료모임 교류 • 자조집단 소개 및 참여
사회복지기관	• 사회복지기관 의뢰 • 무료 사회복지시설 알선 • 사회복지기관의 가족모임 활용 • 이동목욕 프로그램 활용 • 지역사회 사회복지사에게 의뢰	기타 자원	• 지역사회 행사 참여 • 지역사회 체육센터 참여 • 운동클럽 및 동아리 활동 권유 • 종교단체 활용 • 직업훈련 프로그램 연결 • 취로사업 알선 • 방과 후 공부방, 도서관, 학습관 이용 권유 • 놀이방 이용
이웃, 친구, 친척	• 지역주민과 자매결연 알선 • 옆집 아이들과 교류 안내 • 이웃, 친구, 친척과 연락처 공유 • 이웃, 친구, 친척과 여가활동 공유 • 자녀 학부모와 교류 • 부녀회, 청년회, 노인회 활동 권유 • 이웃과의 정기적 만남 주선		

3 취약가족별 간호

1) 만성질환자 가족

(1) 특성

평균수명의 연장, 노인인구의 증가, 질병 양상의 변화로 만성퇴행성질환이 증가하면서 만성질환자 가족에 대한 간호 요구 또한 증가하고 있다. 만성질환이란 '정상적인 상태로부터의 일탈로, 회복될 수 없는 병리학적 변화에 의해 야기되고, 영구적인 장애를 남기며, 환자의 재활을 위해 특별한 훈련과 장기간의 감독, 관찰 또는 보호가 필요하며, 정상적인 역할 수행이 불가능한 경우'이다. 따라서 환자의 생활 전반에 걸쳐 영향을 미쳐 가족 전체의 일상이 재조정되어야 하며, 다양한 보조적인 서비스를 필요로 한다.

가족은 가족구성원의 질병과 건강에 중요한 영향을 미치는 일차적 단위로서 환자가 발생하면 의학적 처방의 수행을 포함한 환자간호의 역할을 담당하게 된다. 우리나라의 경우, 가족은 환자간호에 깊이 관여하는 특성이 있으며 환자의 간호제공자 또는 대변인으로서 그리고 환자가 받는 간호에 대한 만족도를 평가하는 자원으로서 기능하므로 책임감과 더불어 많은 부담감을 경험한다.

(2) 문제

만성질환자를 돌보는 가족의 어려움은 일반적으로 부담감으로 표현된다. 부담감이란 만성질환자를 돌보는 스트레스 상황에 대한 가족의 주관적인 지각으로 신체, 심리, 사회 및 경제적 차원에서 복합적으로 나타난다.

발병 초기에 가족들은 가족구성원의 갑작스러운 발병에 대한 불안과 위기감을 느끼고, 질병의 병리, 예후 등에 대한 정보나 자료 부족으로 인해 좌절감을 느낀다. 또한 새로운 역할 수행에 따른 부담감을 호소한다. 이는 환자가 가족에 대한 의존도가 높거나 회복에 걸리는 시간이 장기화되는 경우, 우울, 절망감으로 발전되기도 한다. 또한 돌보는 역할을 장기간 수행하면서 수면 부족, 피로, 신체적 건강상태의 악화와 같은 문제들이 발생한다.

뿐만 아니라 가족들은 환자를 돌보면서 직장과 가정에서 수행하던 기본적인 역할도 지속적으로 담당해야 하므로 역할 갈등을 경험한다. 사회활동에 제한을 받고, 사적인 시간이 부족하여 여가생활이 줄어든다. 따라서 가족들은 자신의 생활을 잃어버렸다고 느낄 수 있고, 현 상황에서 벗어나고 싶어 하며, 이러한 문제가 해결되지 않으면 돌봄 역할을 포기하기도 한다. 또한 만성질환으로 인한 경제적 어려움은 치료비용에 대한 부담에 그치지 않고 만성질환자가 가족의 생계를 책임지던 가장이거나 혹은 환자간호를 위해 간호 수발자가 직업을 포기할 경우 더욱 커진다.

(3) 간호

가족구성원 가운데 뇌졸중이나 치매와 같은 만성질환자가 발생하여 환자 자신이 정상적인 역할을 수행하는 것이 불가능해지면서 가족의 구조가 수정되고, 가족은 불균형 상태로 들어간다. 따라서 새로운 균형이 수립되는 동안 권력과 역할관계의 재조정이 필요하다.

건강문제로 인한 스트레스의 충격을 감소 또는 완충할 수 있는 요소로 사회적 지지가 있으며, 사회적 지지에는 개인적 지지와 집단 지지가 있다. 개인적 지지는 개인적 상황에 따라 적절하게 제공되어야 한다. 그렇지 못할 때 개인적 지지는 스트레스를 완충하기보다 오히려 가중시킨다. 예를 들어 진단을 받기 위해 검사를 받는 동안에는 불확실성이 주는 불안을 감소시키는 지지가 필요하며, 일단 진단을 받은 다음에는 환자나 가족이 치료에 잘 적응하기 위하여 전이를 쉽게 할 수 있도록 하는 지지가 효과적이다.

집단 지지의 형태는 전문가 주도형과 자조집단(self- help group)으로 구분한다. 전문가 주도형은 간호사, 사회복지사 등의 전문가가 집단의 지도자가 되어 정확한 정보를 제공하고 충고나 제안을 통해 문제를 해결하는 데 도움이 되지만, 구성원들 간의 정서적 공유가 적은 것이 단점이다. 자조집단은 사적인 지지를 통해 상호 공동감의 공유, 관심과 경험의 나눔, 감정해소 등 정서적인 지지 제공이 가능하나 정확한 정보를 제공받는 것이 어렵다는 것이 단점이다.

2) 장애인 가족

(1) 특성

최근 장애의 개념은 단순히 신체 또는 정신적인 결함 정도에 국한하지 않고 이로 인해 나타나는 능력의 저하와 일상생활이나 사회생활을 하면서 겪어야 하는 불리의 정도가 기준이 되고 있다. 우리나라에서는 장애의 개념을 '신체적·정신적 장애로 인하여 장기간에 걸쳐 일상생활 또는 사회생활에 상당한 제약을 받는 사람'으로 포괄적으로 규정하고 있다.

우리나라 장애인 범주는 지체장애, 시각장애, 청각장애, 언어장애, 정신지체의 5가지 영역에 국한되었으나, 1999년 「장애인복지법」이 개정되어 장애범주 확대를 위한 법적 근거가 마련되었다. 2019년 7월 1일부터 장애등급이 없어지고 장애 정도로 중증과 경증으로 나누며, 지체장애, 뇌병변장애, 시각장애, 청각장애, 언어장애, 안면장애, 신장장애, 심장장애, 호흡기장애, 간장애, 장루·요루장애, 뇌전증장애, 지적장애, 자폐성장애, 정신장애의 15가지 영역으로 구분하고 있다.

(2) 문제

가족은 단순한 가족구성원의 모임이 아니라 구성원 간의 상호작용, 상호관계, 상호의존 등의 특성을 지닌 역동적인 체계이다. 가족구성원의 장애는 이러한 균형을 깨뜨리고 가족 역동에 변화를 일으켜 새로운 적응을 요구한다. 장애에 대해 가족이 적응하는 과정에 자원이 부족하거나 적응이 부적절하면 가족 기능의 장애와 가족의 위기가 초래될 수 있다. 이렇게 한 개인의 장애는 가족 전체에 영향을 미친다.

장애아의 출생은 그 가족으로 하여금 전혀 예상하지 못했던 상황으로 여러 가지 어려움을 겪게 한다. 부모는 자녀의 장애를 수용하지 못하고 부모와 자녀 간에 또는 부부간에 갈등이 생기고, 자녀가 성장하여 자립할 때가 되어도 경제적 자립이 어렵기 때문에 부모는 성인이 된 자녀를 보호해야 하는 어려움이 있다.

선천적 장애인에 비해 교통사고나 산업재해 등으로 인해 후천적 장애를 입은 경우는 더 큰 스트레스와 심리적 갈등을 겪게 되며 신체기능의 손실에 대한 적응이 선천적 장애인보다 어렵다. 이들은 예기치 못했던 장애로 인해 심리적 충격을 비롯한 정서장애를 경험하고, 이러한 심리적 후유증은 장애 발생 이후의 적응에 심대한 영향을 미친다. 또한 이들은 취업이 어렵고 취업이 되더라도 대부분이 비정규직이거나 자영업인 경우로 경제활동에 대한 만족도가 낮다.

(3) 간호

경제적 어려움이나 이동의 불가능으로 치료기관을 찾지 못하는 장애인의 경우 직접 방문하여 장애의 정도, 재활 가능성을 평가하며, 가정치료를 위한 재활계획을 세운 후 적절한 재활서비스를 제공한다. 또한 대상자의 장애 정도에 따라 장애수당이나 교육비 및 의료비 지원이 제대로 이루어지고 있는지 살펴보고 적절한 지원을 받을 수 있도록 해주며, 지역사회에 있는 각종 자원에 대한 정보를 제공하고 활용할 수 있도록 돕는다.

3) 한부모가족

한부모가족(one-parent family)이란 모자가족 또는 부자가족을 말하며, 각 가족의 모(母) 또는 부(父)가 세대주인 가족을 말한다. 한부모가족의 모(母) 또는 부(父)는 배우자와 사별 또는 이혼하거나 배우자로부터 유기된 자, 정신이나 신체의 장애로 장기간 노동능력을 상실한 배우자를 가진 자, 미혼자 등으로서 아동인 자녀를 양육하는 자를 말한다. 한부모가족은 가족 생활주기의 어느 시기에나 발생할 수 있다. 한부모가족 발생의 가장 큰 원인은 사별이며 부모 가족 중 한모 가족이 더 많았다. 이는 남녀 간 평균수명의 차이, 남성의 사고사 확률의 차이가 원인이다. 또한 한부의 대부분이 재혼을 하는 데 반해, 한모는 사회적 편견으로 인해 재혼이 어렵고, 자녀양육에 대한 책임감으로 재혼을 기피하는 경우도 많기 때문이다.

한부모 발생의 또 하나의 원인은 이혼이다. 이혼의 증가는 세계적 현상이며, 우리나라도 예외는 아니어서 해마다 이혼 건수는 증가하고 있다. 부모의 이혼으로 한부모가족이 형성되며, 가족기능 수행에 미치는 영향은 가족 생활주기에 따라 다르다. 예를 들어, 청소년기 자녀의 경우 부 또는 모가 자녀의 심리적 독립을 저해하고 오히려 부 또는 모가 자녀에게 정서적 지원을 요구한다. 한부모가족은 양부모 가족과 마찬가지로 같은 발달과업을 성취해야 해나 모든 자원이 있는 것이 아니다. 따라서 남아 있는 가족구성원은 경제 문제, 정서 문제, 대인관계 문제, 자녀 문제, 역할 재조정 문제 등의 부담감을 갖는다. 한부모가족의 부 또는 모가 자녀의 갈등과 상처에 대해 함께 노력하고 올바른 부모의 역할 수행을 지속하기 위해서는 스트레스 관리, 대처기술 및 사회적 지지 강화 등의 교육 프로그램이 요구된다.

4) 빈곤가족

(1) 특성

빈곤은 '적당한 생활수준을 유지하는 데 필요한 재화와 용역의 결핍상태' 또는 '건강과 신체적 능률을 유지할 만한 수입을 얻지 못하는 사회적, 경제적 상태'라고 할 수 있다. 가구주 특성에 따른 가구별 빈곤율은 근로능력이 없는 가구주 가구, 편부모 가족, 노인가구, 여성가구주 가구에서 높게 나타난다. 교육수준에서는 중졸 이하의 저학력 집단에서, 가구주의 직업에서는 농업·어업직과 단순노무직인 경우 빈곤율이 높게 나타난다. 빈곤가족의 가족구성원 중 노인과 장애인의 비율이 높은데 노인과 장애인의 대다수는 노동시장에서 배제되기 쉬우며 노동시장에 참여할 수 있다고 해도 대부분 취업상태가 불안정하여 쉽게 빈공화가 되기 때문이다.

(2) 문제

가족의 경제적 빈곤은 그 자체보다 오히려 빈곤에서 오는 양친의 무기력, 무능력, 음주벽 또는 생활의 무질서 등으로부터 이차적으로 파생되는 방임과 갈등으로 인해 더 큰 문제를 야기할 수 있다. 빈곤가정의 청소년들은 사회의 윤택한 환경과 가정의 빈곤이라는 틈바구니 속에서 해결할 수 없는 욕구 때문에 사회의 유혹에 쉽게 동화되며, 동년배의 부유 아동과 비교하여 열등의식, 긴장, 갈등에 사로잡혀 성격이 날카로워지며, 불만에 차 있게 되고 부모에게 반항적이기 쉽다.

또한 경제적으로 취약하다는 것은 생계와 사회적 존엄성을 유지하기 위한 물질적인 지원, 고용이나 사회조직을 붕괴하고, 심리적으로 박탈감을 갖게 함으로써 건강에 영향을 미치는 것으로 알려져 있다. 즉, 빈곤가족의 경우는 영양 및 환경 상태가 좋지 못한 상태에서 생계유지를 위한 정신적·육체적 과로로 인한 건강의 저하로 이환의 기회가 증대되나 의료이용에 대한 경제적 장벽으로 의료 이용이 쉽지 않다. 일단 건강이 악화되거나 질병에 이환되면 경제활동에 제한을 받아 가계수입이 줄어들고, 의료비 지출로 가계 지출이 증가하여 질병의 처음 원인이었던 빈곤상태에 다시 빠져들 수밖에 없어 악순환이 계속된다.

(3) 간호

빈곤가족을 위한 지역사회 자원을 파악하고 연계해준다. 예를 들어 직업훈련 프로그램, 자영 창업지원 프로그램 및 근로복지 프로그램, 자원봉사자의 방문 프로그램 및 도시락 지원 프로그램 등이 있다.

국민기초생활보호 대상 자격 여부를 파악하기 위하여 거주지 동사무소에 연계해준다. 가구의 소득, 재산, 생활 실태 등을 조사하여 적합한 가족은 생계, 주거, 교육, 의료, 해산, 장제 급여 등을 지원받을 수 있다.

가족 상담 프로그램이나 활동 프로그램의 참여를 권장한다.

5) 폭력가족

(1) 특성

「가정폭력방지법」에서 가정폭력은 가족구성원 사이의 신체적, 정신적, 재산상의 피해를 수반하는 행위를 말하며 가족구성원 사이의 모든 폭력을 포함한다. 가정폭력의 범주는 직접적인 폭행, 상해, 상습범, 유기, 명예훼손 등과 더불어 심한 욕설과 같은 언어적 폭력 및 의심이나 언어적 위협과 같은 정신적 폭력도 포함된다.

단순한 말다툼이나 간단한 시비 정도가 아닌 가정폭력은 급성 및 장기적인 신체와 정서적 손상 내지는 장애와 사망까지 초래할 수 있기 때문에 가족구성원 모두의 건강을 위협하는 요인이 된다는 점에서 중요한 사회적 건강이슈이다.

가정폭력은 성숙과 노화와 관련이 있다. 아동학대의 경우 신체학대의 70%가 6세 이하에서 일어나며 나이가 어릴수록 상해가 심각하다. 반면 성적 학대는 6세 이상에서 70%가 발생한다. 가해자의 경우에도 나이 어린 부모가 자녀를 더 많이 학대한다. 노인학대는 75세 이상의 여성노인에서 더 많이 발생하며 방임, 언어적 및 신체적 학대, 경제적 착취와 같은 형태로 나타난다.

폭력의 본질적인 원인에는 여러 가지가 복합적으로 작용한다. 즉 남성과 여성 간의 오랜 불평등한 권력관계, 공공 부문과 민간 부문 모두에서 만연된 여성에 대한 차별, 가부장제에 기초한 권력 격차, 차별적인 문화 규범과 경제적 불평등, 여성폭력이 여성의 힘과 성에 대한 남성의 지배를 지속시키는 주요 방법 중 하나라는 점, 갈등해결을 위한 폭력사용, 폭력을 사적 영역으로 치부하는 문화, 국가의 방조, 학대의 경험을 지닌 개인이나 가족의 행동 유형, 노인에 대한 편견 및 부정적인 고정관념과 노인의 의존성 등 다양한 요인이 작용한다.

(2) 문제

가정폭력을 경험한 피해자는 신체적인 손상과 더불어 정신적, 행동적으로 여러 가지 증상이나 특성을 나타낸다. 신체적 손상의 증거로 멍이 듦, 관절 탈구, 고막 파열, 찔리거나 찢어지는 상해, 골절, 안구 돌출, 유산, 심하면 사망에 이른다.

정신적 증상으로는 외상 후 스트레스장애에 따른 공포감, 정신적 둔마, 자율신경과민, 우울을 나타내는 경우가 많다. 행동 특성으로는 자신을 사회적 관계망에서 소외시키며, 알코올 등의 약물남용, 자신감 부족과 잦은 실수를 나타낸다.

가정폭력 피해 아동에게서 나타내는 징후로는 신체적 학대, 정서적 학대, 성적 학대, 방임 등 학대의 유형에 따라 신체적, 행동적 징후를 나타낸다.

(3) 간호

가정폭력 예방사업의 기본방향은 지역사회의 가정폭력 인지도를 향상시키고, 가정폭력 위험을 조기에 파악하며, 가정폭력 발생의 감소와 가정폭력의 세대 간 전수를 차단하고 지역사회 공동체 의식의 향상 및 비폭력 문화를 형성하는 것이다.

가정폭력 예방사업의 기본 원칙으로 아동과 청소년의 건전한 대인관계 능력 형성, 위험에 처한 사람들에 대한 법적 보호, 지역사회의 책임강조, 예방사업의 평가를 통한 지속적인 전략 개발을 들 수 있다. 또한 가정폭력의 위험요인을 감소시키고 보호요인을 증대시키는 지역사회의 노력이 필요하다.

① 일차예방

지역사회의 대상자를 직접 만나는 간호사는 교육자의 역할을 통해 폭력 예방을 위한 활동을 잘 할 수 있는 인력이다. 지역사회간호사는 잠재적인 가해자와 피해자를 파악하며 이들 대상자들과 사회 전체를 대상으로 대처기술 및 의사소통 기술을 향상시키고 자존감과 능력을 향상시키기 위하여 지역사회 정신간호사나 상담가 등의 자원을 동원하는 등의 노력이 필요하다. 또한 대중매체의 폭력성을 줄이기 위한 활동과 학교의 신체체벌과 가정폭력을 방지하는 법을 알리는 다양한 활동에 참여하고 주민의 활동을 촉진하는 역할과 함께 이웃끼리 가정폭력을 관찰하여 신고하는 지역사회 응집력을 향상시키는 노력이 필요하다.

② 이차예방

지역사회간호사는 상담과 관찰을 통해 피해자를 발견하고 그들에게 필요한 도움을 알선할 수 있다. 이차예방에서의 주된 목적은 폭력에서 대상자를 보호하고 폭력의 주기를 깨뜨리는 것이다. 학대상황에서 피해자를 구하기 위한 교육과 활동을 해야 하며, 피해자에 대한 신체적·심리적 중재와 변화된 생활에 대한 대처 전략 개발뿐만 아니라 행위자(가해자)의 자존감과 개인적 능력을 증진시키는 중재가 필요하다. 또한 직접적으로 피해를 받지 않은 가족원에 대한 중재가 필요하다. 확인되거나 의심되는 학대에 대해 상부기관에 보고해야 한다.

③ 삼차예방

지역사회간호사는 폭력가족의 보호적인 역량을 개발하는 일차예방 활동을 적용하면서 학대가 재발되지 않도록 사례관리자 및 조정자 역할을 해야 한다.

Ⅱ. 학교보건

제1절 + 학교보건의 이해

Keywords

- 학교보건
- 학교보건 역사
- 보건교사의 직무
- 학교보건법
- 학교보건인력
- 학교간호과정
- 학교건강증진

1 학교보건의 개념

1) 학교보건의 정의

학교보건(school health)이란 학생 및 교직원의 건강을 유지·증진하고 보건에 관한 지식을 제공하며 건강한 습성을 길러 스스로 건강을 관리할 수 있도록 한다. 쾌적하고 안전한 학교환경을 조성하여 학습능률을 향상시키는 것을 목적으로 하는 보건활동을 말한다.

더 나아가 가족 및 지역사회 주민을 대상으로 보건의료 전문가가 참여하여 건강관리, 보건교육과 상담 및 환경관리를 제공함으로써, 대상자의 건강문제를 스스로 해결할 수 있는 신체적·정신적·사회적 기능 수준을 향상시켜 안녕상태에 이르도록 하는 포괄적인 건강사업이다.

학령기 및 청소년기 학생들은 자신의 신체상을 형성하여 자아 및 자율성을 인식해나가며, 논리적 사고 형성 등의 개인적 과업을 수행한다. 또한 이 시기의 건강상태는 생애 전 과정에 영향을 줄만큼 중요하며, 학생들은 하루 중 많은 시간을 학교에서 보내고 있어 학교보건관리는 학생 건강과 학습에 중요한 영향을 미친다.

학교를 통하여 학생들이 건강을 증진시키는 것은 1950년대부터 세계보건기구(WHO), 국제 연합 아동기금(UNICEF)의 중요한 목표 중 하나였다. 유네스코에서 주창한 'Education for All'과 세계보건기구에서 제창한 'Health for All by the Year 2000' 목표 달성을 위한 필수방법 중에는 '건강을 증진시키는 학교(health-promoting schools)'를 통한 학교보건사업이 포함되어 있다. 1900년대 초기부터 1980년대에 이르기까지 학교보건은 학교보건 서비스, 학교보건교육, 학교 환경관리를 구성 요소로 하였다.

1980년대 들어서 Allenworth와 Kolbe에 의해 8가지 구성요소를 포함하고 있는 포괄적 학교보건사업(comprehensive school health programs)으로 확대되었다.

이후 학교보건사업은 보건교육, 체육교육, 학교보건서비스, 영양 서비스, 상담과 정신건강 서비스, 학교 환경보건, 교직원을 위한 건강증진, 학부모 및 지역사회 참여 등 8가지 구성요소를 포함하고 있다[그림 6-10].

학교보건사업의 8가지 구성요소는 다음과 같다.

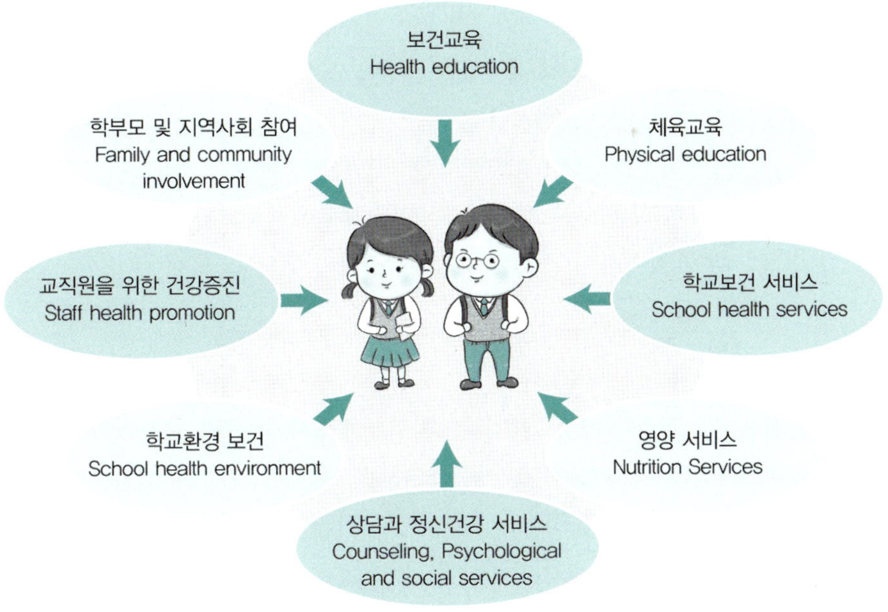

〈 자료원 : Centers for Disease Control and Prevention/Coordinated School Health(CSH) 〉

그림 6-10 학교보건 사업영역

(1) **보건교육**(Health education)

보건교육이란 학생들의 건강을 유지하고 질병을 예방하며, 건강관련 위험 행동을 감소시키도록 하고 필요한 지식을 제공하여 건강지식을 실천할 수 있도록 한다.

(2) **체육교육**(Physical education)

체육교육은 신체 활동으로 최상의 신체적, 정신적, 정서적, 사회적인 건강을 추구하고 다양한 활동과 경험을 통해 삶을 즐길 수 있고 자신감을 갖도록 한다.

(3) **학교보건 서비스**(School health services)

보건 의료인이 제공하는 서비스로 건강검진, 일차진료, 의뢰, 응급처치, 감염성질환 예방 및 학교에서 교육과 상담, 안전한 학교 환경을 제공한다.

(4) **영양 서비스**(Nutrition services)

모든 학생에게 다양한 영양소가 포함된 급식 제공으로 학생의 건강과 영양요구를 충족한다.

(5) **상담과 정신건강 서비스**(Counseling, Psychological and social services)

학생의 정신적, 정서적, 사회적 건강을 증진시키기 위해 개인과 집단에 대한 서비스를 제공한다.

(6) **학교환경 보건**(School health environment)

학교의 주변 환경, 소음, 조명 등의 물리적 환경뿐 아니라 심리적, 사회적 환경을 포함한다.

(7) 교직원을 위한 건강증진(Staff health promotion)

교직원을 위한 보건교육, 운동 프로그램 등의 제공으로 건강을 향상시키고 학생들에게 좋은 역할 모델이 된다.

(8) 학부모 및 지역 사회참여(Family and community involvement)

학부모와 지역사회 통합적인 접근방법으로 학생들의 건강 요구에 더 효과적으로 대응하기 위해 학부모와 지역사회의 학교보건 프로그램에 참여하여 스스로 건강한 생활과 안녕을 증진한다.

2) 학교보건의 목적

학교보건이란 교육이 능률적으로 이루어지도록 하는 지원체계로서, 학생과 교직원이 건강하고 안전한 생활환경에서 그들의 질병을 예방하고 건강을 유지·증진함을 목적으로 한다. 이는 학생이 학교에서 생활하는 동안 건강에 대한 지식을 바르게 배우고 건강한 행동습관을 형성하여 건강한 생활을 실천할 수 있는 토대를 마련해주는 것이다.

1차적 목적으로 모든 학생들의 복지, 건강증진과 유지, 그리고 자기 자신의 건강(self-care)에 대하여 책임을 다하고 가족과 지역사회자원을 이용할 수 있는 개인으로 성장시키는 데 있다.

2차적 목적으로 건강문제를 지닌 학생의 조기발견 및 건강회복, 학령기 아동의 장애나 질병으로 인한 사망의 감소를 말한다. 즉 학교는 질병, 사고, 선천적 기형, 정신·사회적 부적응으로 야기되는 건강요구를 해결하도록 도와야 한다.

「학교보건법」 제1조에서는 학교보건의 목적을 '학교의 보건관리에 필요한 사항을 규정하여 학생과 교직원의 건강을 보호·증진함을 목적으로 한다.'라고 제시하였다.

학교보건사업을 위한 법적 근거는 「학교보건법」과 「학교보건법 시행령」, 「학교보건법 시행규칙」이며, 이 외에도 「국민건강증진법」, 「학교급식법」, 「감염병예방 및 관리에 관한 법률」 등의 관련법이 있다.

3) 학교보건의 필요성

우리나라가 미래사회에서 경쟁력을 유지하기 위해서는 학령기 아동 및 청소년이 신체적·정신적·사회적으로 건강한 성인으로 성장 발달할 수 있도록 지지하는 사회적 역량이 필수적이다. 학령기 아동 및 청소년의 건강증진은 학생들이 많은 시간을 보내는 학교를 중심으로 이루어지는 것이 효율적이다.

학교보건이 중요한 이유를 살펴보면 다음과 같다.

- 초·중·고교 학생 인구와 교직원 인구는 전체 인구의 15% 이상으로 학교인구가 차지하는 대상자의 범위가 크다. 이는 유치원생부터 대학생에 이르기까지 학교보건의 대상자는 인구의 상당수를 차지하기 때문에 학교보건 간호의 적절한 수행은 국민 전체의 건강수준을 향상 시키는 것과 연결된다.
- 학령기 및 청소년기는 행동변화가 용이한 시기로 이때 학교에서 습득하여 형성된 건강행위는 건강한 인생을 보낼 수 있는 밑거름이 된다. 학생시기에 건강한 생활습관을 형성하도록 교육하고 관리가 이루어진다면 성인기와 노년기의 건강에 긍정적인 영향을 미칠 것이다.
- 학교에서 집단생활을 하는 학생들은 질병에 대한 감수성이 높은 취약집단이다. 감염에 대한 저항력이 약한 학령기의 집단생활은 감염병 발생의 근원이 된다.

- 체계화된 보건교육이 가능하다. 학생은 배우려는 의욕이 강하기 때문에 보건교육의 효과가 빨리 나타나고, 건강에 관한 지식의 생활화가 용이하며 학교보건을 발전시켜 학생의 건강이 증진되면 국민 전체의 건강증진도 기대할 수 있다.
- 학교의 건강문제는 지역사회 보건에 큰 영향력을 미친다. 학교 인구 중 교직원은 그 지역사회의 지도적 위치에 있고 학부모들과 접촉이 잦으며, 이들에게 영향력을 미칠 수 있다. 그러므로 지역사회 보건문제를 다룰 때 학교를 중심으로 시작할 수 있고, 학교보건은 지역사회 보건의 모델이 될 수 있다. 또한 학교인구는 지역사회의 구성원이며, 거의 모든 사람이 일정 기간 필수적으로 학교인구가 된다. 대부분의 가정에 학교인구가 있으므로 학교보건 사업의 효과는 학교 인구뿐만 아니라 그 가족, 나아가서는 지역사회 전체에 영향을 미쳐 파급효과가 매우 크다.

2 학교보건의 역사

1) 외국의 학교보건

초기의 학교보건사업은 사회보장형 의료전달체계를 운영하고 있는 영국, 독일, 프랑스, 스웨덴 등에서 시작되었으며 성장기 아동의 안녕과 복지에 관심이 많은 비보건전문인이 많은 공헌을 하였다. 18세기 말부터 19세기 초에 소아보건활동에서 비롯되었다.

독일에서 G.P. Frank(1745～1821)는 학교위생에 관해서 기록하였으며, 뷔르효(R. Virchow, 1820～1902)는 실제적인 활동으로 소아보건증진을 위하여 학생들의 신체검사를 강조하였다. 19세기 말부터 실험적 위생학의 발달로 학생에 대한 위생적 보호가 강조되었으며, 학교 위생이 추진되었다.

영국에서 Chadwick(1832)이 구민법을 제정하여 아동을 고용할 때 조건으로 건강상태를 고려하도록 규정하였다. 1892년 학생들의 영양 상태를 조사하기 위해 간호사를 고용한 것이 최초의 학교 간호사이다. 1998년에는 건강한 학교에 대한 전문가 세미나를 통해 국가 차원의 건강한 학교표준(National healthy school standard; NHSS)을 개발하였다. 초기의 학교보건사업은 학생들에게 무엇인가를 해주는 것에 초점을 두었고, 이후로는 건강을 스스로 유지·증진할 수 있도록 학생 개개인을 준비시키는 적극적이고 근대적 개념의 학교보건사업인 보건교육이 중요시되었다.

미국에서는 학교보건사업이 약 200년 전부터 시행되었다. 1829년 Alcott는 교의와 학교보건의 중요성을 강조하였다. 1870년대 뉴욕 당국이 교육청과 협력하여 학생들에게 예방접종을 제공하기 시작하였다. 1890년대에는 빈곤한 학생들을 위한 무료 진료소가 설치되기도 하였으며, 보스턴 교육청은 의사를 채용하여 감염병 조기 발견을 위한 목적으로 검사를 실시하였다. 1913년에는 검역법(Medical Inspection Law)에 학교보건에 관한 사항이 규정되면서 학교가 학생의 건강관리를 책임졌으며, 1927년에 미국학교의사협회가 설립되었고, 1933년에 미국학교보건협회로 변경되었다. 19세기 말 학교 의사를 지정하여 의학적 검진을 실시하였다. 1946년에는 학교 점심 프로그램이 마련되었고, 1965년에는 「초·중등교육법」이 제정되었다. 1995년에는 국가보건교육표준에 관한 연합위원회에서 국가보건교육표준을 만들어 배포하였고, 건강한 아동을 위한 학교급식지침이 만들어졌다.

캐나다에서도 학생들의 건강증진을 위한 8개 영역, 1학년에서 12학년까지 순차적인 교육, 학교에 기반을 둔 보건서비스, 학교환경, 급식, 체육, 상담, 교직원의 건강증진 및 학교와 지역사회의 건강증진 노력의 통합을 포함한 포괄적인 학교보건모델(Comprehensive School Health Model)을 개발하였다. 지식, 태도, 기술 행위 습득의 보건교육실시와 학생과 교직원에 대한 건강서비스 제공 및 학생의 건강습관 형성을 위한 사회적 지원과 건강한 학교 환경을 위한 물리적 환경의 조성 등을 포함하였다.

2) 우리나라의 학교보건

우리나라의 학교보건은 근대 개화기에 신교육이 도입되면서 보건과 체육교육이 시작이었다. 1907년 3월에 「학생의 신체검사 및 교의설정에 관한 칙령」 제53조에 학부와 학무국에 학교위생과 학교건강에 관한 사무를 두게 되어 비위생적인 서당 등의 설비 개선에 큰 공헌을 하였다. 1949년 「교육법」 제89조에 각급 학교에서 학교보건사업을 실시하고 양호시설의 설비에 대한 규정을 두어 학교보건사업 실시의 법적 근거를 갖게 되었다. 1951년 제정된 학교 신체검사 규칙에 따라 신체검사가 이루어지기 시작하였고, 1953년부터 1972년까지 외국 원조로 결식아동에 대한 학교급식이 시작되었다. 1955년부터 시행된 제2차 교육과정에서 보건교과를 통한 건강교육이 이루어졌다. 1956년에는 「교육법」이 개정되어 양호교사가 각 학교에 배치되었다.

그러나 1963년에 보건교과가 체육과로 통일되면서 보건교과가 없어졌다. 학교보건사업은 1967년 「학교보건법」이 제정되면서 본격적으로 이루어지기 시작하였다. 1995년 「국민건강증진법」에 제정되면서 학교는 국가의 건강증진사업의 중요한 대상이 되었고, 건강증진학교로 발전하고 있다. 2002년 양호교사의 명칭이 보건교사로 개칭되었고, 2007년에는 모든 학생에게 보건교육을 실시하도록 하는 내용이 「학교보건법」에 포함되어 보건교과 설치와 보건교사 확대 배치를 위한 법적 토대를 마련하였다. 2013년 보건실의 설치 기준 개정으로 '보건실 현대화사업'이 시행되어 학생과 교직원의 응급처치 등이 신속히 이루어질 수 있도록 이용하기 쉽고 통풍과 채광이 잘되는 장소에 위치를 정하는 등의 보건실 내외부 설치기준에 따른 최신시설의 보건실로 변화되었다.

2013년 12월에는 보건교사가 교감자격을 취득할 수 있도록 '초·중등교육법 일부개정법률안'이 국회 본회의에서 통과되었다. 2014년 「학교보건법」 시행규칙 제10조 3항에 학교의장은 공공기관, 교육감이 설치한 연수원 또는 의료기관에서 교직원으로 하여금 응급처치교육을 받게 할 수 있다. 2016년 국내 메르스 유입과 확산으로 인해 「학교보건법」과 시행령에 「감염병 대응매뉴얼의 작성 및 배포 등」이 신설되었다. 2019년 6월에 대기오염 대응으로 「대기오염 대응매뉴얼의 작성 등」이 신설되었다. 2021년 학교보건법에서 학교는 보건교육과 학생들의 건강관리를 담당하는 보건교사를 두어야 한다고 개정되었다. 또한 일정 규모 이상을 초과하는 학교에는 2인 이상의 보건교사를 두어야 하는 조항을 신설하였다[표 6-12].

학교보건사업은 가족과 지역사회 연계사업으로 영역이 확대가 되고, 학생건강실태 및 요구도 조사로 재량활동 활용 등 다양한 방안으로 추진할 전망이다. 건강증진 학교 네트워크 구축으로 온라인, 오프라인의 네트워크를 구축하여 접근율을 증가시키며, 보건교육자료 개발 및 DB화로 보건지식 제고를 위한 체계적인 DB개발을 추진한다. 학생건강관리 체계개발로 학교보건 인력과 업무체계화를 효율적으로 수행하며, 학생건강을 위한 건강행태 변화를 위해 흡연, 음주, 비운동 등 건강 위해 행태율 감소 및 안전의식을 고취한다. 학생영양 개선 및 증진으로 영양교육 및 식습관 개선사업, 학교 급식체계를 개선한다. 학교보건관리를 위한 교사 역량 강화로 학교보건 관리를 위한 교사역량 강화, 보건교육 전문 강사 양성 및 보수교육을 한다.

이상에서 언급한 국·내외의 학교보건 발달 단계를 전염병 관리기, 신체검사기, 포괄적 건강관리기, 학교보건 교육과정기로 나눌 수 있다. 전염병 관리기로 국가의 전염병 관리를 위한 보건의료사업의 일부, 학생 예방접종 실시가 학교보건사업의 핵심 사업이었다. 신체검사기는 질병의 조기발견을 통한 조기치료가 강조되면

표 6-12 우리나라 학교보건 발전과정

연 도	내 용
1907	학생의 신체검사 및 교의 설정에 관한 칙령 공포
1919	학교소독법, 학교의 법칙, 학교전염병 및 소독방법, 근시 예방에 관한 건을 제정
1921	학교생도 아동 신체검사 규정
1925	학교간호부 배치에 관한 것을 제정
1930	이화학당에 간호사가 배치되어 학생이 건강관리를 했다는 기록이 있음(최초로 학교간호사가 배치됨)
1946	민주정신에 입각한 초·중등학교의 교육과정을 제정, 새 교육제도의 실시
1951	문교부령 제15호 학교신체검사 규정
1954	문교부령 제35로 교과과정시간 배정 기준령은 건강교육을 초등학교에서는 '보건과'로, 증등학교에서는 '체육보건과'로 함(학교보건교육 실시)
1961	학교간호사가 고용직에서 교사직인 양호교사로 발령
1963	초등학교의 보건과목과 중등학교의 체육보건과목을 체육과라는 교과목으로 통일
1967	「학교보건법」 제정, 「전염병 예방법」, 「결핵예방법」 제정

연 도	내 용
1969	「학교보건법 시행령」 공포(1968.12.18.)
1986	전국 양호교사회 창설
1993	「학교보건법 시행령」 개정
1998	양호교사가 초·중등교육법 시행령 제33조에 의해 보직교사로 임용될 수 있게 됨. 고등학교 신설과목 보건교과 교육과정이 서울특별시 교육청으로부터 승인. '양호실'을 '보건실'로 개칭
2000	초·중등 보건 인정도서 승인, 초·중등교육법 개정
2002	초등 및 중학교 보건 인정도서 승인, '양호교사' 명칭이 '보건교사'로 개칭. 보건교과서(고등학생용) 개정
2007	「학교보건법」 개정(모든 학생에게 보건교육을 실시하도록 하는 내용 포함됨)
2013	「보건교사 승진법」 신설
2014	「학교보건법 시행규칙」 제10조 신설(응급처치교육)
2016	「감염병 대응매뉴얼의 작성 및 배포 등」 신설
2019	「대기오염 대응매뉴얼의 작성 등」 신설
2021	「학교보건법」 개정(보건교육과 학생들의 건강관리를 담당하는 보건교사를 두어야 한다. 일정 규모 이상의 학교에는 2명 이상의 보건교사를 두어야 한다.)

서 학교보건사업은 건강평가를 위한 신체검사와 각종 검사 위주로 시행되었다. 포괄적 건강관리기는 학교전체의 건강관리 차원으로 학교보건사업 확대, 학교보건사업은 학생 및 교직원의 건강관리, 보건교육, 환경위생관리 등으로 다양하게 시행하였다. 학교보건 교육과정기는 학생과 교직원의 능동적 참여로 자기 건강관리능력의 향상에 중점을 두고 보건교육을 위주로 학교보건사업을 전개한다.

우리나라의 학교보건 조직은 다음과 같다.

(1) 중앙행정조직

현재 학교보건을 총괄 관장하는 중앙행정부서는 교육부이며, 학생지원국 산하 학생건강정책과에서 학교보건관련 업무를 담당하고 있다[그림 6-11].

(2) 지방행정조직

지방조직으로 각 시·도 교육청의 학교체육보건과(평생교육체육과)에서 보건교육을 담당하고 있다. 2003년 부산광역시 보건장학사를 시작으로 시·도 교육청에 학교보건 전문 인력으로 보건장학사가 배치되어 양질의 학교보건사업을 제공하기 위해 노력하고 있다.

(3) 민간 조직

학교보건 업무와 관련된 주요 민간조직은 대한간호협회 산하 보건교사회, 한국학교보건협회, 대한결핵협회, 한국건강관리협회, 서울특별시 학교보건진흥원 등이 있다.

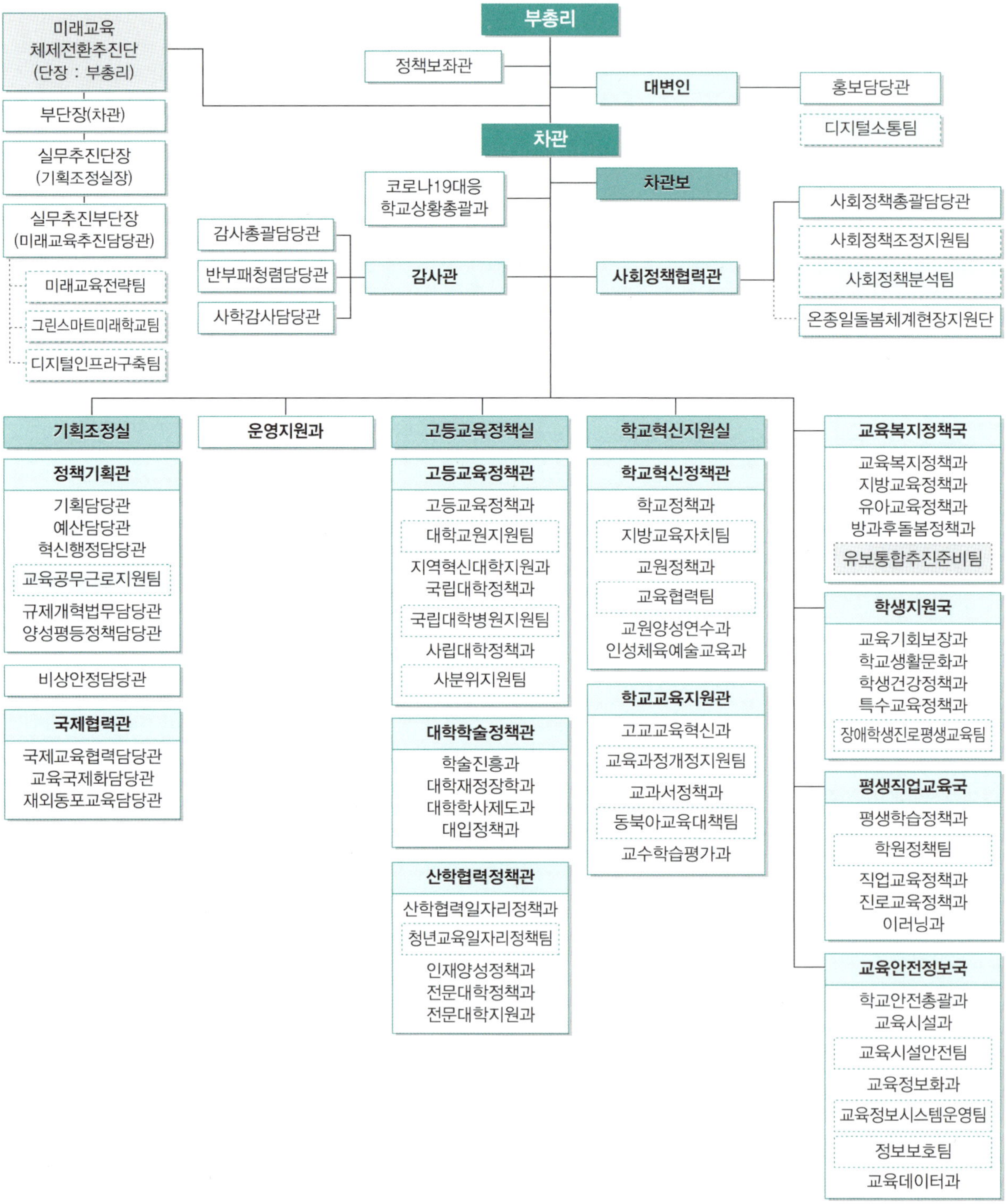

〈 자료원 : 교육부(2022.9.27). https://www.moe.go.kr/sub/infoRenewal.do?m=0604&page=0604&s=moe 〉

그림 6-11 교육부 조직도

3 학교보건인력

학교보건(school health)은 학생·가족·교직원 및 보건의료전문가가 참여해 보건의료 서비스와 환경관리 및 보건교육을 제공함으로써 각자의 신체적·정신적·사회적 기능수준을 향상시키는 포괄적인 건강사업이다. 학교보건관리의 최고 책임자는 학교장이지만 직접 학생의 보건을 담당하는 것은 담임교사와 보건교사이며, 특히 보건교사가 맡아서 하는 역할은 매우 중요하다. 우리나라 「학교보건법 시행령」에 따르면 학생 및 교직원의 보건관리를 위해 보건교사, 학교의사(치과의사, 한의사 포함) 및 학교약사를 두도록 되어 있다.

1) 보건교사

(1) 자격기준

보건교사가 법적 지위를 인정받게 된 것은 1953년 「교육공무원법」에 양호교사의 자격을 규정한 것에서 비롯되며, 양호교사의 자격증 발급은 1956년에 시작되었다. 그 후 2002년 8월 양호교사의 명칭이 보건교사로 개칭되면서 보건교사의 자격이 한층 강화되었다. 2002년 신입생부터는 간호학과 입학 정원의 30%만 교직을 이수할 수 있고, 2008년부터는 입학 정원의 10%만 교직을 이수할 수 있다. 대학의 간호학과를 졸업한 자는 보건교사 자격증도 동시에 취득하던 과거와는 달리, 다른 전공과 마찬가지로 교직이론 14학점 이상을 취득하고, 교육실습을 한 경우에 보건교사 자격을 취득할 수 있다. 2009년부터는 교직 관련 과목을 22학점 이상 이수해야 교원 자격을 취득할 수 있게 되었다[표 6-13].

표 6-13 최근 3년간 보건교사 배치 현황(해당연도 4. 1. 기준)

구분	2018			2019			2020		
	학교수 (개, A)	보건교사수 (명, B)	배치율 (%, B/A)	학교수 (개, A)	보건교사수 (명, B)	배치율 (%, B/A)	학교수 (개, A)	보건교사수 (명, B)	배치율 (%, B/A)
초등학교	6,064	5,030	82.9	6,087	5,174	85.1	6,120	5,290	86.4
중학교	3,214	2,325	72.3	3,214	2,409	74.8	3,223	2,480	76.9
고등학교	2,382	2,133	89.5	2,381	2,184	91.7	2,367	2,205	92.0
특수학교	175	172	98.3	177	180	101.7	182	188	103.3
계	11,835	9,660	81.6	11,859	9,947	83.9	11,892	10,163	85.5

〈 자료원 : 교육부(2020). 교육통계연보 〉

보건교사 1급은 보건교사 2급 자격증을 가진 자로서 3년 이상의 보건교사 경력이 있고 자격 연수를 받은 자이다. 또한 보건교사 2급 이상의 자격증을 가진 자로서 3년 이상의 교육 경력이 있는 자가 교육부 장관이 지정하는 교육대학원 또는 대학원에서 소정의 전문상담교사 양성과정을 수료하면, 초·중등학교 전문 상담교사가 될 수 있다.

(2) 보건교사의 직무

「학교보건법 시행령」에 규정된 보건교사의 직무는 다음과 같다.

① 학교보건계획의 수립
② 학교환경위생의 유지·관리 및 개선에 관한 사항
③ 학생과 교직원에 대한 건강진단의 준비와 실시에 관한 협조
④ 각종 질병의 예방처치 및 보건지도
⑤ 학생과 교직원의 건강관찰과 학교의사의 건강상담, 건강평가 등의 실시에 관한 협조
⑥ 신체가 허약한 학생에 대한 보건지도
⑦ 보건지도를 위한 학생 가정방문
⑧ 교사의 보건교육 협조와 필요시의 보건교육
⑨ 보건실의 시설·설비 및 약품 등의 관리
⑩ 보건교육자료의 수집·관리
⑪ 학생건강기록부의 관리
⑫ 다음의 의료행위(간호사 면허를 가진 사람만 해당한다)
가. 외상 등 흔히 볼 수 있는 환자의 치료
나. 응급을 요하는 자에 대한 응급처치
다. 부상과 질병의 악화를 방지하기 위한 처치
라. 건강진단 결과 발견된 질병자의 요양지도 및 관리
마. (가)부터 (라)의 사항에 대한 의료행위에 따르는 의약품 투여
⑬ 그 밖에 학교의 보건관리

2) 학교의사와 학교약사

1967년 제정된 「학교보건법」에서는 학교의사와 학교약사를 두도록 하였으나, 실제로 학교약사가 위촉된 것은 1975년이었고, 학교의사는 1976년, 치과의사는 1979년부터 위촉되었다. 대개 이들은 촉탁 의사나 약사로 학교장이 위촉하며, 학교보건에 대한 협력관계도 학교마다 다소 차이가 있다. 「학교보건법 시행령」에 제시된 학교의사와 학교약사의 직무는 다음과 같다.

(1) 학교의사의 직무

① 학교보건계획의 수립에 관한 자문
② 학교환경위생의 유지·관리 및 개선에 관한 자문
③ 학생과 교직원의 건강진단과 건강평가
④ 각종 질병의 예방처치 및 보건지도
⑤ 학생과 교직원의 건강상담
⑥ 그 밖에 학교보건관리에 관한 지도

(2) 학교약사의 직무

① 학교보건계획의 수립에 관한 자문
② 학교환경위생의 유지관리 및 개선에 관한 자문
③ 학교에서 사용하는 의약품과 독극물의 관리에 관한 자문
④ 학교에서 사용하는 의약품 및 독극물의 실험·검사
⑤ 그 밖에 학교보건관리에 관한 지도

3) 영양교사

영양교사는 1977년 경상북도 교육위원회에서 학교급식시설에 일용직으로 배치하도록 한 이후, 1979년 「국가공무원법」에 의한 정규 보건직공무원 영양사로 임명되어 학교급식 업무를 담당하여 왔다. 2003년 7월 초·중등학교 영양사가 영양교사가 되는 법적 기반을 마련하였고, 2006년 3월부터 정규교사인 영양교사로 전환되었다.

4) 기타(행정 관련)

학교보건 관련 행정 관련직으로는 보건복지부장관, 시·도교육감, 시·군·구 교육장, 서울특별시장, 광역시장, 도지사, 학교의 설립과 경영자, 학교장 등이 있다.

5) 의료인, 약사 및 보건교사 배치기준

- 학교에는 학생과 교직원의 건강관리를 지원하는 의료인과 약사를 둘 수 있다(학교보건법 제15조 제1항). 학교에 두는 의료인·약사는 학교장이 위촉하거나 채용한다(시행령 제23조 제2항).
- 학교(고등교육법 제2조 각호에 따른 학교는 제외)에는 보건교육과 학생들의 건강관리를 담당하는 보건교사를 두어야 한다. 다만, 대통령령으로 정하는 일정 규모 이하의 학교에는 순회보건교사를 둘 수 있다(학교보건법 제15조 제2항).
- 대통령령으로 정하는 일정 규모 이상의 학교(36학급 이상의 학교)에는 2명 이상의 보건교사를 두어야 한다(학교보건법 제15조 제3항, 시행령 제23조 제3항).

4 학교보건 관련법

학교보건사업과 관련한 법령으로는 「학교보건법」을 비롯하여 「헌법」, 「교육기본법」, 「초·중등교육법」, 「학교건강검사규칙」, 「학교급식법」, 「감염병 예방 및 관리에 관한 법률」 등을 들 수 있다.

1) 학교보건법

(1) 학교보건법의 목적

이 법은 학교의 보건관리와 환경위생 정화에 필요한 사항을 규정하여 학생과 교직원의 건강을 보호·증진함을 목적으로 한다(학교보건법 제1조).

(2) 학교보건법에 의한 교육 관리자의 책무

① 교육부장관(부총리)

- 학교에서 모든 학생들을 대상으로 심폐소생술 등 응급처치에 관한 교육을 포함한 보건교육을 체계적으로 실시하여야 한다. 이 경우 보건교육의 실시 시간, 도서 등 그 운영에 필요한 사항을 정한다(학교보건법 제9조의2).
- 교육부장관은 감염병으로부터 학생과 교직원을 보호하기 위하여 감염병 예방대책을 마련하여야 한다(학교보건법 제14조의3). 또한 학교에서 감염병에 효과적으로 대응하기 위하여 보건복지부장관과의 협의를 거쳐 감염병 유형에 따른 감염병 대응매뉴얼을 작성·배포하여야 한다(학교보건법 제14조의4).
- 교육부장관은 대기오염대응매뉴얼을 전자적 파일이나 인쇄물의 형태로 배포할 수 있다(학교보건법 시행령 제3조).

② 시·도교육감, 시·군교육장

- 학교환경위생 정화구역의 설정 의무(학교보건법 제5조)
- 감염병 예방과 학교보건을 위한 휴교 명령(학교보건법 제14조)
- 정화구역 내 금지 시설 및 행위에 대한 철거 및 정화조치하도록 행정기관장에게 건의할 의무(학교보건법 시행령 제8조)

③ 서울특별시장, 광역시장, 도지사

학교환경위생 정화구역 내의 금지 행위 및 시설의 방지 조치의무(학교보건법 제6조)

④ 시장·군수 또는 구청장

시장·군수 또는 구청장이 「감염병의 예방 및 관리에 관한 법률」 제24조 및 제25조에 따라 학교의 학생 또는 교직원에게 감염병의 정기 또는 임시 예방접종을 할 때에는 그 학교의 학교의사 또는 보건교사(간호사 면허를 가진 보건교사로 한정)를 접종요원으로 위촉하여 그들로 하여금 접종하게 할 수 있다(학교보건법 제14조의2).

⑤ 학교의 설립·경영자

학교보건시설의 구비와 보건실의 설치 의무(학교보건법 제3조, 학교보건법 시행령 제2조)

⑥ 학교장

- 학교환경위생 및 식품위생의 유지·관리 의무(학교보건법 제4조)
- 학생과 교직원에 대한 건강검사, 다만 교직원은 「국민건강보험법」에 따른 건강검진실시 업무(학교보건법 제7조)
- 감염병에 감염되었거나, 의심되거나, 감염될 우려가 있는 학생 및 교직원의 등교중지 및 휴교 조치할 의무(학교보건법 제8조, 학교보건법 시행령 제22조)
- 학생의 보건관리로 학생의 신체발달 및 체력증진, 질병의 치료와 예방, 음주·흡연과 마약류를 포함한 약물 오용·남용의 예방, 성교육, 이동통신 단말장치 등 전자기기의 과의존 예방·도박 중독의 예방 및 정신건강증진 등을 위하여 보건교육을 실시(학교보건법 제9조)

- 교육부령으로 정하는 바에 따라 매년 학생과 교직원을 대상으로 심폐소생술 등 응급처치에 관한 교육을 실시(학교보건법 제9조의2)
- 예방 접종 완료 여부의 검사(초등학교, 중학교)(학교보건법 제10조)
- 질병에 감염되었거나 감염 우려가 있는 학생에 대한 질병의 치료 및 예방에 필요한 조치 및 보건소장에게 신고할 의무(학교보건법 제11조)
- 학생의 안전관리로 시설·장비 점검 및 개선, 안전교육 실시 업무(학교보건법 제12조)
- 교직원의 보건관리로 건강검사나 건강검진 결과 필요할 때에는 교직원에 대한 질병의 치료 및 근무 여건 개선 등 조치의무(학교보건법 제13조)
- 질병의 예방으로 감독청의 장은 감염병 예방과 학교의 보건에 필요하면 해당 학교의 휴업을 명할 수 있으며, 학교의 장은 필요한 때에 휴업할 수 있다(학교보건법 제14조).
- 사전에 학부모의 동의와 전문의약품을 처방한 의사의 자문을 받아 보건교사 또는 순회 보건교사로 하여금 제1형 당뇨로 인한 저혈당쇼크 또는 아나필락시스 쇼크로 인하여 생명이 위급한 학생에게 투약행위 등 응급처치를 제공할 수 있다(학교보건법 제5조의2).
- 건강검사의 결과나 의사의 진단 결과 감염병에 감염되었거나 감염된 것으로 의심되거나 감염될 우려가 있는 학생 및 교직원에 대하여 대통령령으로 정하는 바에 따라 등교를 중지시킬 수 있다(학교보건법 제8조).
- 초등학교와 중학교의 장은 학생이 새로 입학한 날부터 90일 이내에 시장·군수 또는 구청장에게 「감염병의 예방 및 관리에 관한 법률」 제27조에 따른 예방접종증명서를 발급받아 같은 법 제24조 및 제25조에 따른 예방접종을 모두 받았는지를 검사한 후 이를 교육정보시스템에 기록하여야 한다. 초등학교와 중학교의 장은 제1항에 따른 검사결과 예방접종을 모두 받지 못한 입학생에게는 필요한 예방접종을 받도록 지도하여야 하며, 필요하면 관할 보건소장에게 예방접종 지원 등의 협조를 요청할 수 있다(학교보건법 제10조).

2) 기타 학교보건 관련법

(1) 헌법

모든 국민은 건강하고 쾌적한 환경에서 생활할 권리를 가지며 국가와 국민은 환경보존을 위하여 노력하여야 한다(헌법 제35조 제1항).

모든 국민은 보건에 관하여 국가의 보호를 받는다(헌법 제36조 제3항).

(2) 교육기본법

부모 등 보호자는 그 보호하는 자녀 또는 아동이 바른 인성을 가지고 건강하게 성장하도록 교육할 권리와 책임을 가진다(교육기본법 제13조 제1항). 국가와 지방자치단체는 학생과 교직원의 건강 및 복지를 증진하기 위하여 필요한 시책을 수립·실시하여야 한다(교육기본법 제27조 제1항).

(3) 초·중등교육법

- 초등학교에는 보건교사를 둘 수 있으며, 다만 18학급 이상의 초등학교에는 보건교사 1인을 두어야 한다(초·중등교육법 시행령 제33조 제3항).
- 중·고등학교에는 보건교사를 둘 수 있다(초·중등교육법 시행령 제34조 제3항 및 제35조 제3항).

(4) 감염병 예방 및 관리에 관한 법률

법정감염병 예방 및 관리와 관련하여 감염병 발생 시 신고와 보고체계, 학교당국의 조치사항 등을 규정하여 학교 감염병 관리를 통한 예방관리를 실시하도록 하였다.

(5) 학교건강검사규칙

학교 건강검사의 실시 및 그 결과의 기록에 관하여 필요한 사항을 규정하였다.

5 학교간호과정

1) 학교간호의 개념

(1) 학교간호의 정의

학교에서 교육이 이루어지는 과정에 제공되는 특정사업이며, 학생들이 스스로 현재의 신체적, 정신적, 사회적 건강에 가치 있는 결정을 내릴 수 있도록 하며 그들의 지적 잠재력을 활용하는 능력을 향상하도록 하는 데 있다(미국간호협회, 1996). 학교간호는 보건교사의 지식과 기술로 이루어지는 간호를 학교에 제공함으로 학교가 그들의 건강을 스스로 관리하는 능력 향상을 말한다[그림 6-12].

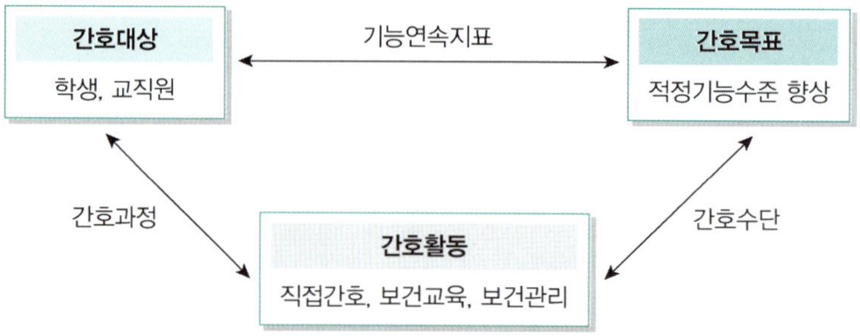

〈 자료원 : 김화중 외(1999). 학교보건과 간호 〉

그림 6-12 학교간호개념

(2) 학교간호의 대상

학교간호의 대상은 학교 조직이며 지역사회의 하위체계로서 하나의 지역사회이며, 시·공간적 집합체인 구조적 지역사회(structural community)로 분류할 수 있다. 하지만 그 학교사회 내에는 감정적 지역사회(emotional community)와 기능적 지역사회(functional community)가 함께 존재한다.

(3) 학교간호 목표

학교간호 목표는 학교인구가 건강관리 능력을 스스로 갖도록 하는 데 있고 자기간호능력을 적정수준으로 향상 시키는 것이며 적정 기능 수준 향상은 잠재된 능력을 활성화 시키고 더 높은 수준으로 끌어 올리는 것을 말한다.

(4) 학교간호 활동

학교교육의 능률화를 위한 건강증진, 건강과 사고의 위험으로부터 보호, 건강문제의 조기발견, 건강문제의 적절한 조치, 재활 및 적응을 위한 학교간호 활동을 말한다.

직접간호 활동에는 보건실활동, 방문활동, 의뢰활동, 집단지도, 면접, 상담, 매체 활용 등이 있고, 간접간호 활동에는 예산, 시설, 장비, 기록과 보고, 직무관계 수립, 학교보건조직 운영 등이 있다.

2) 학교간호과정

학교간호과정이란 학교지역사회의 건강문제를 일으키는 원인이 무엇인지 분석하고 이를 해결하기 위해 무엇을 어떻게 할 것인지 계획을 세워, 간호중재를 수행하고 중재결과를 평가하는 과정을 말한다. 보건교사는 학교지역사회의 건강과 관련된 자료를 폭넓게 수집하여, 문제가 무엇인지를 확인해야 한다. 지역사회 간호에서 제시된 과정을 학교간호과정에 적용시키면 사정, 진단, 계획, 수행, 평가로 구분할 수 있다[표 6-14].

표 6-14 학교간호과정

사정영역		세부내용
인구특성		학생 및 교직원 수, 성별, 연령별 분포, 결석률, 결근율
건강수준	건강상태	학생의 건강검사 및 각종검사 결과, 질병 유병률, 발생률, 보건실 이용상태, 요양호(보호)학생 현황
	건강행위	흡연, 음주, 운동, 식습관, 약물 복용, 여가활동
환 경 (해당부서 협조)	교내 물리적 환경	교실의 소음, 환기, 채광, 조명, 냉난방, 음용수 시설, 화장실, 운동장, 쓰레기 처리시설, 안전관리상태
	교외 물리적 환경	절대·상대 정화구역 내 유해업소, 교통안전시설, 통학수단
	사회적 환경	학교 내 조직 및 각종 위원회
자 원	인 력	보건교사, 학교의사, 학교약사, 영양교사, 보건소 관계자
	시 설	보건실, 병·의원, 약국, 보건소
	기기 및 자료	보건실 약품, 각종기구, 보건교육자료, 학교건강관리 지침
	예 산	학교 예산 및 출처

〈 자료원 : 경기도교육청(2022). 행복한 학교를 위한 보건실무 매뉴얼 〉

(1) 학교간호사정

① 자료수집 영역과 내용

학교간호사정을 위해 수집해야 할 자료의 영역과 내용은 같다. 학교간호사업의 주 대상인 학생과 교직원의 성과 연령에 따른 분포 등을 파악한다.

② 자료수집 방법

- 일차 자료 조사 : 건강검사 및 각종 검사자료와 설문조사를 활용하며 학교장, 담임교사, 학부모, 또래집단 등 주요 정보제공자와 건강문제를 면담하거나 학교 환경, 학생 및 교직원을 직접 관찰하며 체크리스트 등을 이용하여 자료를 수집한다.

• 이차 자료 조사 : 출석부, 교직원 출근상황, 건강검진경과서, 건강기록부, 보건일지, 상담일지, 공문서철, 보건교육 평가서, 물품관리대장, 각종 통계자료 등을 활용하여 자료를 수집한다.

③ 자료분석

수집한 자료를 기초로 학교의 건강요구와 건강문제를 도출하기 위하여 수집한 자료를 체계적으로 분석하여야 한다. 타 학교, 국가 전체의 평균, 국제적 기준이나 정상 범위에서 이탈되었는지의 여부 등을 분석한다.

학교보건사업에서는 학교 인구의 학생 및 교직원의 건강문제, 환경문제, 자원문제 등으로 분류단계, 요약단계, 확인·비교단계, 결론단계 순으로 분석한다.

(2) 학교간호진단

학교간호사정을 통해 수집한 자료를 분석하여 확인한 학교의 여러 가지 건강문제 중에서 간호사업으로 해결해야 할 문제를 도출하고 관련 요인을 파악하여 학교간호진단을 도출한다.

① 간호문제 도출

학교의 여러 가지 건강문제 중에서 학교 간호사업으로 해결할 문제를 선별하기 위하여 학교보건사업의 기준 및 지침을 확인한다.

학교간호의 기준 및 지침은 「학교간호법」과 「학교간호법 시행령 및 시행규칙」, 교육부에서 배포하는 학교보건, 학교급식의 기본 방향과 시·도 교육청의 학교보건 기본 방향과 지침, 학교내규 등을 통해 확인할 수 있다.

학교간호의 기준과 지침은 보건교사의 직무인 학교간호 업무를 수행함에 있어서 지켜야 할 실무상의 준칙으로, 이는 보건교사의 역할과 기능을 파악하기 위해서 반드시 확인하여야 한다. 학교간호의 기준과 지침을 확인한 후 학교건강문제 가운데 보건교사가 해결해야 할 문제가 무엇인지, 다른 문제들은 누가 해결해야 할지, 학교보건인력의 역할과 기능을 결정해야 한다.

② 간호진단의 기술

학교간호진단은 건강문제와 관련 요인으로 구별하여 기술한다. 예를 들어 학교에서 실시한 건강검사 자료를 분석한 결과 비만 학생과 치아우식증 학생이 많았다면 진단은 [표 6-15]와 같이 내릴 수 있다.

표 6-15 학교 간호진단의 예

문 제	관련 요인
높은 비만 유병률	• 낮은 운동량 및 활동량 • 비만에 대한 지식 부족 • 높은 고열량 음식 섭취
높은 치아우식증	• 구강보건에 대한 지식 부족 • 정기검진에 대한 인식 부족 • 식사 후 잇솔질을 할 수 있는 환경 결함

③ 학교 간호진단의 우선순위 결정

보건교사는 학교간호문제들 중에서 어떤 문제를 먼저 해결해야 할 것인지 우선순위를 결정해야 한다. 건강문제나 환경문제의 크기와 심각성, 그 문제가 영향을 미치는 범위, 건강문제에 대한 대상자의 관심도, 문제해결에 필요한 자원의 동원 가능성, 문제의 해결 가능성, 보건교사의 준비도 등이다. 건강문제에 대한 대상자의 취약성으로 전염병의 경우 파급효과가 크므로, 저학년이 고학년보다 취약하여 우선순위가 높다.

(3) 학교간호계획

① 목표설정

학교간호계획은 명확한 목표설정으로 시작한다. 우선순위로 선정한 간호문제를 해결하기 위한 목표의 설정은 학교간호사업 계획을 수립하는 데 필수적이다. 계획 과정에서 가장 먼저 해야 할 일은 학교간호의 목적을 확인하여 정해진 문제를 해결할 사업목표를 정하고, 이를 효과적으로 달성하기 위한 방법과 수단을 정한다. 목표는 학교간호사업의 결과로 이루어지는 특정한 상태나 조건을 기술하는 일반적 목표로 누가(who), 무엇을(what), 범위(extent), 언제(when), 어디서(where)라는 내용이 포함될 수 있도록 기술하며 일반적 목표를 달성하기 위한 종속적이고 세부적인 구체적 목표로 기술하여야 한다. 하위목표 진술시 갖추어야 할 조건으로는 관련성, 실현가능성, 관찰가능성, 측정가능성 등이다[표 6-16].

표 6-16 목표설정의 예

문 제	목 표
척추 측만증 학생들	• 일반적 목표 : Y중학교 척추측만증 학생들은 2022년 6월 20%에서 2023년 12월 15%로 감소한다. • 구체적 목표 : Y중학교 2학년 학생들은 수업시간에 척추측만증 예방을 위한 바른자세를 취할 수 있다.

② 방법 및 수단의 선택

보건교사는 학교간호 목표를 달성하기 위하여 수행 가능한 방법이나 수단의 장·단점을 고려하여 가장 적절한 방법을 선택한다. 보건실 활동, 방문, 의뢰, 개인상담, 집단 지도, 매체활용, 학교보건조직 활동 등이 있다.

③ 수행계획

선택한 간호방법과 수단을 수행하기 위해서 언제, 누가, 어디서, 무엇을 가지고 할 것인가에 대한 실행계획을 수립한다. 학교간호의 수행계획은 일반적으로 연간계획, 월간계획, 주간계획으로 나누어 작성한다[표 6-17].

표 6-17 수행계획의 예

간호사업계획	사업대상	기 간	방 법	담당인력
보건교육	전교생	9월부터 월 1회	교내 방송	보건교사 학교의사
환경관리	학교교사 내 환경	연중	소음관리	시설담당자 보건교사
홍보	전교생 및 학부모	학기별	가정통신문	보건교사

④ 평가계획

학교간호사업에 대한 평가계획은 누가, 언제, 어떻게, 무엇을, 어떤 범위로 평가할 것인가 등을 결정하는 것을 의미한다. 평가를 어떻게 하느냐에 따라 사업의 방향이 달라지기 때문에 적절한 시기에 적절하게 평가를 하도록 계획한다[표 6-18].

표 6-18 평가계획의 예

평가자	평가시기	평가방법	평가내용	평가범주
학교의사 보건교사	건강검진 기간	구강검사	학생별 구강	목표달성 정도
보건교사	6월	설문조사	구강관리 관련 지식	목표달성 정도
보건교사 교장	6월	기존 자료	예산, 인력 등	투입된 노력

(4) 학교간호수행

학교간호의 수행은 보건교육의 실시, 건강서비스 제공 및 환경관리와 기타 학교간호 사업관리 활동으로서 사전에 수립한 대로 수행하면서, 수행 도중 문제가 발생했을 때 이를 적절히 해결하여 목표를 달성할 수 있도록 한다.

직접 간호수행활동으로 보건실 활동, 방문활동, 의뢰활동, 집단지도, 면접, 매체활동, 응급처치, 상담, 보건교육 실시, 예방접종, 신체검사 등 간호사 면허증 소지자인 보건교사만이 실시할 수 있는 업무이다.

간접 간호수행활동으로 예산, 시설, 장비, 기록과 보고, 직무관계수립, 학교보건 조직 운영, 통계자료 정리 등이다. 수행활동에서 조정은 인력 및 업무활동을 누락되거나 중복되지 않도록 상황에 맞추어 집행하며, 감시는 계획대로 잘 진행되고 있는지 확인하고, 지도감독은 기술지도 및 조언을 제공한다.

(5) 학교간호평가

학교간호 사업평가는 사업수행 결과를 목표에 진술된 기준과 비교·분석하는 것을 의미하며, 이를 근거로 현행 계획을 수정·보완하여 차기 계획의 수립에 반영하는 것을 의미한다. 그러므로 평가는 학교간호과정의 최종 단계인 동시에 시작이므로 매우 중요하다고 할 수 있다.

학교간호사업의 평가범주는 다음과 같다.

- 목표달성 정도 평가 : 설정된 목표가 설정한 기간 내 어느 정도 이루어졌는지 확인한다.
- 사업의 진행 상태 평가 : 사업계획이 일정한 기간 내에 이루어졌는지를 확인한다.
- 투입된 노력에 대한 평가 : 투입된 인적, 물적 자원 즉 학생과 교직원, 보건교사 자신을 포함한 다른 인력 등을 평가한다.
- 사업의 효율성 평가 : 투입된 자원과 목표량의 비를 산정한다.

① 건강관리 평가

- 건강검사 : 수검비율, 건강문제 발견 건수, 의뢰 건수, 건강진단율, 별도검사 실시율
- 건강관찰 : 주기적인 건강관찰 실시여부와 빈도, 이상아 보고율 및 관리율, 이상이 있는 학생을 부모에게 통보하고 상담한 비율 및 방법
- 응급처치, 간이치료 : 사고 발생률, 원인 분석, 보건실 이용률, 보건실 이용자에 대한 분석
- 감염병 관리 : 예방접종률, 환자발생률
- 건강증진프로그램 : 빈도, 참여율
- 기타 : 학교인구의 사망 원인 및 이환 경향

② 보건교육 및 상담 평가

- 학교보건교육 : 횟수 및 방법, 매체를 통한 보건교육 등
- 상담횟수 : 학생 및 교직원
- 보건문제에 대한 지식·태도·실천의 진전사항 평가여부

③ 학교환경관리 평가

- 시설에 관한 위생 및 안전도에 대한 정기적인 점검여부 및 빈도
- 물품 및 설비 : 보건실의 일반시설 및 기구, 건강진단 및 상담용 기구, 응급처치용 기구, 환경위생 및 식품위생검사용 기구
- 쓰레기처리 등의 위생관리 상태

6 학교건강증진

건강증진은 사람들로 하여금 건강에 대한 관리를 증가시켜 건강을 향상시킬 수 있게 하는 과정으로, 건강에 관한 바른 지식을 보급하고 스스로 건강생활을 실천할 수 있는 여건을 조성하는 것이다. 학교건강증진은 학교 스스로 학교의 총체적인 건강수준을 진단하고 건강증진을 위해 전체 교직원, 학부모, 지역사회가 협력하여 학교의 건강문제를 해결해 나갈 수 있는 풍토를 조성하고 역량을 강화하는 것을 말한다.

학생건강증진 기본계획은 건강증진 교육 내실화, 건강서비스 확대 ,건강 취약학생에 대한 지원 강화, 건강한 교육환경 조성, 지원체계 강화가 주요 내용이다. 12개 부처, 학생건강 관련 전문가(의학계, 학계 등), 학교 관계자 등 각계각층의 다양한 의견수렴과 협의를 거쳐, 학생 건강에 초점을 맞췄다. 교육부, 문화체육관광부, 농림축산식품부, 보건복지부, 환경부, 고용노동부, 여성가족부, 국토교통부, 과학기술정보통신부, 식품의약품안전처, 경찰청, 질병관리본부가 있다.

학생들이 자신의 성, 약물 오·남용 등과 같은 문제를 어떻게 다루어야 하는지 가르치며, 문제가 발생하였을 때도 신속히 회복할 수 있는 능력을 향상시킬 수 있도록 건강증진프로그램을 운영하여야 한다. 이와 같은 학교건강증진사업은 한 국가의 건강증진사업의 성공을 위한 효율적인 방법이다. 학교를 대상으로 하는 건강증진사업은 전체 지역사회의 건강수준을 높이는 데 중요하다. 대상자가 학교라는 한 장소에 모여 있어 교육의 효율성이 높고, 학생을 대상으로 한 사업이므로 그 효과가 가정에까지 파급될 수 있으며, 지역주민 다수에게도 사업의 효과가 미칠 수 있는 효과적인 사업이다

1) 성교육

청소년의 성관계 경험률이 선진국에 비해 낮지만, 최근 성에 대한 인식의 변화, 매스미디어와 인터넷의 발달로 인한 잘못된 성 지식과 행태의 증가, 성폭력의 증가 등으로 인해 성 건강을 지키기 위해 학교에서 성교육을 강화하는 것이 필요하다. 이를 위해 학생건강증진기본방향에서는 초·중등학교에서 체계적인 성교육 실시가 가능하도록 현재 연간 10시간의 교육을 15시간으로 증가하여 수업을 의무적으로 실시하도록 하고 있다

2) 약물 오·남용 관리

학교보건 인구에게는 알코올, 담배, 접착제와 휘발성 용매의 흡입, 체중감량을 위한 약물, 수면을 줄이기 위한 각성제 등이 주요 오·남용 물질이며, 이 중 가장 문제가 되는 것은 흡연과 음주이다. 이들 물질의 오·남용은 일탈행위로 이어지는 경향이 있으므로 물질 사용 실태와 관리가 매우 중요하다.

흡연 자체가 암을 비롯한 각종 질병 발생 및 조기 사망을 초래하여 인체에 유해한 것은 이미 널리 알려진 사실이다. 특히 청소년기의 흡연은 인체의 유독성 정도가 성인보다 더 심하고, 일생 동안 흡연한다면 그 기간 및 양이 성인기에 시작하는 데 비해 많아진다.

흡연과 음주를 포함한 물질의 사용문제는 중독성이 있기 때문에 사용하기 이전의 예방대책이 가장 중요하다. 학교에서는 문제와 관련된 위험요인을 제거하고 감소시키는 동시에 보호요인을 강화 또는 증가시키는 예방 활동이 중요하다. 이를 위해 흡연·음주 등 물질 오·남용에 대한 실태를 주기적으로 파악하고 학교 내·외 환경 관리 측면에서 금연구역을 지정하고 운영하는 등 사전 접근을 차단하는 대책을 마련해야 하며, 체계적인 보건교육을 실시하여야 한다. 교육부에서는 초등학생에게는 연 2회 이상, 중·고등학생에게는 연 1회 이상 학생 흡연 등 약물 오·남용 예방교육을 의무적으로 하도록 하고 있으며, 「국민건강증진법」 제9조에 의해 운동장을 포함한 학교 전체를 금연구역으로 지정하여 운영하도록 하고 있다.

약물 오·남용 문제를 지닌 개인·가족·집단에 대하여 다음과 같은 간호중재를 수행한다.

- 약물의 중독성 질병과 중독효과에 대한 교육 프로그램을 제공한다.
- 약물남용과 의존으로 인한 의학적 문제에 대하여 직접간호를 제공한다.
- 약물남용과 관련된 문제가 있는 대상자와 가족의 상담을 실시한다.
- 대상자의 생활 내 스트레스 원을 확인하고 대응전략을 개발하도록 돕는다.
- 치료의 지속을 위하여 학제 간의 협력을 도모한다.
- 중독예방 프로그램을 운영한다.
- 전인적 대상자 간호를 위한 간호 관리체계를 확인한다.
- 비의료전문가와 자원봉사자의 자문역할을 한다.
- 회복촉진을 위한 적절한 의뢰와 추후관리를 실시한다.

학생들의 흡연·음주 문제와 약물의 오·남용은 성장기 청소년의 건강에 나쁜 영향을 끼칠 뿐만 아니라 또 다른 일탈행위로 이어지는 경향이 있다. 인터넷·스마트폰 보급 확대, 저렴한 가격의 신종 마약류 증가, 해외 유학에 따른 마약류 노출 증가 등으로 청소년 마약류사범 증가로 「학교보건법」 개정·시행('20.6.11.)에 따라 마약류에 대한 예방교육을 반드시 포함하여 실시한다.

3) 인터넷 중독 및 스마트미디어 중독

인터넷과 스마트폰은 기기에 익숙한 청소년에게는 친근하며 익명으로 여러 사람과 대화하거나 동시에 다수의 인원이 게임을 할 수 있어 사용이 용이하기 때문에 중독에 빠지기 쉽다. 온라인 게임, SNS, 성인용 콘텐츠 이용, 온라인 도박, 사이버 범죄의 가해와 피해를 경험하기도 한다. 스마트폰 중독은 스마트폰을 사용하지 않으면 우울하거나, 초조함·답답함을 느끼며 습관적으로 스마트폰을 사용하고 병적으로 집착하는 상태이다. 특징으로 다양한 앱과 콘텐츠 증가로 중독성이 강화될 가능성이 높다. 일상생활에 대한 집중력 저하, 우울증과 수면장애 같은 정신과적 이상증세를 유발, 가상공간에서의 인간관계는 익숙하나 실제 생활에서의 대화에 부적응이 발생한다.

인터넷 중독으로 건강의 정신적 폐해, 신체적 폐해, 일상생활의 장애를 가져올 수 있다. 관리 방안은 다음과 같다.

- 컴퓨터를 켜고 끄는 시간을 일정하게 정하고 꼭 지키게 한다. 필요한 웹서핑 후 컴퓨터를 끄는 습관을 들인다.
- 컴퓨터는 공개된 장소로 위치를 옮겨서 사용한다.
- 신체적 활동시간을 늘리고, 오락과 휴식 도구로서의 컴퓨터 사용을 줄인다.
- 현실 공간에서의 대인관계를 늘린다.
- 인터넷 중독 예방을 위한 소프트웨어를 사용한다.
- 우울증, 사회공포증, 충동조절장애 등이 있는 경우 병원에서 약물치료의 도움이 필요하다.

4) 정신건강

가정의 돌봄 기능이 약화되고, 산업화 등에 따른 생활환경이 변화되면서 성장기 학생들의 정서·행동 문제(ADHD), 스트레스, 우울, 자살, 중독(인터넷 게임, 약물) 및 폭력성 경향이 증가하고 있어 이에 대한 조기 발견 및 지원관리를 강화하여야 한다.

제2절 + 학생건강관리

Keywords

- 학생건강검사
- 학교 응급환자 관리
- 학교환경위생 정화구역
- 학교감염병
- 학교환경관리

1 학교건강검사

학교의 장은 학생과 교직원에 대하여 건강검진을 실시해야 하는데, 학생의 건강검사는 「국민건강보험법」에서 규정한 검진기관에 의뢰하여 실시하도록 하고 있다. 교직원에 대한 건강검사는 「국민건강보험법」 제52조에 따른 건강검진으로 갈음하도록 하고 있다(학교보건법 제7조).

1) 학교건강검사의 목적

학교건강검사의 목적은 학생 및 교직원에 대한 정기적인 건강검진을 통한 질병의 치료와 예방에 필요한 조치를 강구하는 것과 질병 또는 신체이상이 발견된 학생 및 교직원에 대한 건강상담 및 예방조치 등 적절한 조치를 강구하고 가정 등과 연계한 추후관리를 하기 위함이다.

2) 학교건강검사의 내용

학교건강검사 항목은 신체의 발달상황, 신체의 능력, 건강조사, 정신건강상태 검사 및 건강검진이며 내용은 [표 6-19]와 같다.

신체의 발달상황은 키와 몸무게를 측정하며, 측정은 당해 학교의 교직원이 실시하고, 건강검진을 하는 학생은 검진기관에서 실시한다[표 6-20].

비만도는 키와 몸무게에 의해 산출하며 체질량지수(BMI)와 표준체중에 의한 상대체중으로 산출한다.

표 6-19 건강검사 실시

종류	검사항목	실시내용
학생 건강 검사	신체발달상황	• 키 • 몸무게
	건강조사	• 병력, 식생활 및 건강생활행태 등 〈구조화된 문진표 조사〉
	정신건강상태 검사	• ADHD, 우울, 자살, 불안 등 정서·행동 문제
	건강검진	• 척추, 눈·귀, 콧병·목병·피부병, 구강, 기관능력, 병리검사 등
별도 검사	• 구강검사 • 소변검사	• 시력검사 • 결핵검사

〈 자료원 : 법제처(2021). 학교건강검사규칙 제3조 〉

건강조사는 모든 학생을 대상으로 하며, 시·도교육감이 조사항목 및 내용을 포함한 구조화된 설문지를 마련하고, 학교의 장을 통하여 조사한다. 조사항목은 예방접종 및 병력, 식생활 및 비만, 위생관리, 신체활동, 학교생활 및 가정생활, TV·인터넷 및 음란물의 이용, 안전의식, 학교폭력, 흡연·음주 및 약물의 사용, 성 의식, 사회성 및 정신건강, 건강상담 등이다.

건강검진은 초등학교 1학년과 4학년, 중학교 1학년, 고등학교 1학년생을 대상으로 하며, 지정된 건강검진기관에서 실시한다. 건강검진은 근·골격 및 척추, 눈·귀, 콧병·목병·피부병, 구강, 기관능력, 병리검사 등에 대하여 검사 또는 진단하는 것이다[표 6-21].

표 6-20 신체 발달상황에 대한 검사항목 및 방법(개정 2020.1.9.)

검사항목	측정단위	검사방법
키	센티미터 (cm)	1. 검사대상자의 자세 가. 신발을 벗은 상태에서 발꿈치를 붙일 것 나. 등·엉덩이 및 발꿈치를 측정대에 붙일 것 다. 똑바로 서서 두 팔을 몸 옆에 자연스럽게 붙일 것 라. 눈과 귀는 수평인 상태를 유지할 것 2. 검사자는 검사대상자의 발바닥부터 머리끝까지의 높이를 측정
몸무게	킬로그램 (kg)	옷을 입고 측정한 경우 옷의 무게를 뺄 것
비만도	-	1. 비만도는 학생의 키와 몸무게를 이용하여 계산된 체질량지수(BMI, Body Mass Index : kg/m^2)를 성별·나이별 체질량지수 백분위수 도표에 대비하여 판정한다. 2. 비만도의 표기방법은 다음 각 목과 같다. 가. 체질량지수 백분위수 도표의 5 미만인 경우 : 저체중 나. 체질량지수 백분위수 도표의 85 이상 95 미만인 경우 : 과체중 다. 체질량지수 백분위수 도표의 95 이상인 경우 : 비만 라. 가목부터 다목까지의 규정에 해당되지 않는 경우 : 정상

비고 : 수치는 소수 첫째자리까지 나타낸다(측정값이 소수 둘째자리 이상까지 나오는 경우에는 둘째자리에서 반올림한다).

〈 자료원 : 법제처(2021). 학교건강검사규칙 제4조 제2항 관련, 별표1 〉

표 6-21 학년별 건강검진 내용

구 분	초등학교 1학년	초등학교 4학년	중학교 1학년	고등학교 1학년
기본 공통항목	근·골격 및 척추, 눈·귀·코·목·피부, 구강, 기관능력, 소변검사, 혈압			
추가 항목	혈액형	색각검사	색각검사, 간염검사, 결핵검사	결핵검사, 혈색소(여학생)
		비만학생(혈당, 총콜레스테롤, AST·ALT)		

별도의 검사는 소변검사, 시력검사, 결핵검사와 구강검사를 말하며, 교육감이 지정하는 학년의 학생에 대해 실시하며, 학교의 장은 건강검진 학년을 제외하고 이를 실시할 수 있다. 별도검사는 학생들이 병·의원을 방문하여 연 1회 이상 정기적인 검사를 받도록 교육하고 지도하거나, 예산을 편성하여 집행한다(학교건강검사규칙 제6조).

3) 건강검사 결과 기록 및 관리

건강검진 및 별도검사의 실시 현황 및 감염병 예방접종의 실시여부 등을 포함한 건강검사 결과는 교육정보시스템에 의한 처리를 위해 학생건강기록부로 작성한다. 학생건강기록부는 학생이 고등학교를 졸업할 때 교부하나, 휴학 또는 퇴학 시 최종적으로 재적하였던 학교에서 5년간 보존하여야 한다(학교건강검사규칙 제9조) [표 6-22].

건강검사결과에 대한 조치로 학교의 장은 그 학교가 소재하는 지역보건기관의 협조를 얻어 건강검사의 결과에 따라 소속 학생 및 교직원에 대하여 건강상담·예방조치, 기타 적정한 보호 또는 양호의 대책을 강구하여야 한다. 건강검사 실시결과, 수업면제·휴학·치료·보호 또는 교정 등을 필요로 하는 학생에 대하여는 본인 또는 보호자에게 적절한 조치를 강구하도록 하여야 하며, 구체적인 결과 조치는 다음과 같다.

표 6-22 건강검진 항목 및 방법(개정 2020.1.9.)

검진항목		검진방법(세부항목)
1. 척추		척추옆굽음증(척추측만증) 검사
2. 눈	가. 시력측정	1) 공인시력표에 의한 검사 2) 오른쪽과 왼쪽의 눈을 각각 구별하여 검사 3) 안경 등으로 시력을 교정한 경우에는 교정시력을 검사
	나. 안질환	결막염, 눈썹찔림증, 사시 등 검사
3. 귀	가. 청력	1) 청력계 등에 의한 검사 2) 오른쪽과 왼쪽의 귀를 각각 구별하여 검사
	나. 귓병	중이염, 바깥귀길염(외이도염) 등 검사
4. 콧병		코곁굴염(부비동염), 비염 등 검사
5. 목병		편도선비대·목부위림프절비대·갑상샘비대 등 검사
6. 피부병		아토피성피부염, 전염성피부염 등 검사
7. 구강	가. 치아상태	충치, 충치발생위험치아, 결손치아(영구치로 한정한다) 검사
	나. 구강상태	치주질환(잇몸병)·구내염 및 연조직질환, 부정교합, 구강위생상태 등 검사
8. 병리검사 등	가. 소변	요컵 또는 시험관 등을 이용하여 신선한 요를 채취하며, 시험지를 사용하여 측정(요단백·요잠혈 검사)
	나. 혈액	1회용 주사기나 진공시험관으로 채혈하여 다음의 검사 1) 혈당(식전에 측정한다), 총콜레스테롤, 고밀도지단백(HDL) 콜레스테롤, 중성지방, 저밀도지단백(LDL) 콜레스테롤 및 간 세포 효소(AST·ALT) 2) 혈색소
	다. 결핵	흉부 X-선 촬영 및 판독
	라. 혈압	혈압계에 의한 수축기 및 이완기 혈압
9. 허리둘레		줄자를 이용하여 측정
10. 그 밖의 사항		제1호부터 제9호까지의 검진항목 외에 담당의사가 필요하다고 판단하여 추가하는 항목(검진비용이 추가되지 않는 경우로 한정한다)

※ 적용범위 및 판정기준
1. 다음 각 목의 검진항목에 대한 검사 또는 진단은 해당 목에 따른 학생을 대상으로 하여 실시한다.
   가. 위 표 제8호나목1) 및 같은 표 제9호의 검진항목 : 초등학교 4학년과 중학교 1학년 및 고등학교 1학년 학생 중 비만인 학생
   나. 위 표 제8호나목2)의 검진항목 : 고등학교 1학년 여학생
   다. 위 표 제8호다목의 검진항목 : 중학교 1학년 및 고등학교 1학년 학생
2. 위 표에서 정한 건강검진 방법에 관하여 필요한 세부적인 사항 및 건강검진 결과의 판정기준은 교육부장관이 정하여 고시하는 기준에 따른다.
3. 위 표 제1호부터 제10호까지의 검진항목 외의 검진항목에 대한 검진방법 및 건강검진 결과의 판정기준은 「국민건강보험법」 제52조 제4항 및 같은 법 시행령 제25조 제5항에 따라 보건복지부장관이 정하여 고시하는 기준에 따른다.

〈 자료원 : 법제처(2021). 학교건강검사규칙 제5조의2 관련, 별표2 〉

- 이상 아동에 대한 적절한 처치나 건강지도를 한다.
- 요구되는 재검사를 받도록 지시한다.
- 필요하면 전문가에게 더 정밀한 진찰을 받도록 권한다.
- 요양이 필요한 경우 소요기간 동안 학교를 쉬게 한다.
- 특수학교 편입에 대해 지도한다.
- 학습·운동의 경감, 정지, 변경 등을 한다.

- 운동경기, 학교행사 참가 등을 조정한다.
- 책상·의자의 조정, 좌석 및 학급편제의 적정을 기한다.

교직원에 대해서는 감염성질환 또는 신체의 심한 허약 등으로 복무에 지장이 있다고 인정되는 경우에는 휴직 등 기타 적절한 조치를 취하도록 한다.

학교의 장은 건강검사의 결과를 평가하여, 이를 바탕으로 학교건강증진계획을 수립하여야 한다(학교보건법 제7조의2).

2 학교감염병

학교는 많은 학생들이 밀집해서 공동생활을 하는 곳이므로 감염병이 발생하면 일반 사회에서보다 급속도로 전파되기 때문에 신속하고 정확한 대처방안을 강구하여야 한다. 특히 초등학교 저학년 학생들은 성인보다 저항력이 약하기 때문에 질병에 쉽게 이환될 가능성이 높고, 이환된 학생이 가족 구성원을 통하여 지역사회로 감염병을 확산시킬 수 있기 때문에 학교에서의 감염병 관리는 매우 중요하다. 감염병 예방 보건 교육 및 면역증강, 환경 위생 개선 등의 사전 예방 활동을 통한 학생 및 교직원의 건강유지·증진 도모가 이루어져야 한다. 학령기에 많이 발생하는 감염성질환은 유행성 결막염, 유행성 이하선염, 홍역, 수두, 인플루엔자, 풍진 등이다[표 6-23].

1) 감염병 관리

「학교보건법」 제14조의3에 따라 교육기관의 감염병 예방·대응체계를 강화하여 감염병으로부터 학생 및 교직원의 건강을 유지하고 증진하여야 한다. 학생 감염병 예방관리는 학교, 보건소(의료기관) 관계자 및 감염병 전문가 등으로 구성된 교육지원청 단위 협의체 구성·운영을 한다. 학교 단위에서도 학생 감염병관리조직·편성과 감염병 발생에 따른 초기 대응 및 조치계획 수립을 추진한다. 학교는 매년 3월말까지 학생감염병관리조직 구성과 운영을 포함한 학생 감염병 예방·관리 계획을 수립한다.

감염병 예방교육으로 학생 손씻기 및 기침예절 등 개인위생수칙 준수를 생활화해야 한다. 1일 8회 30초간 손씻기(1830)운동을 전개한다. 학교 신·개축 및 보수 시 손 씻는 시설을 확충(복도, 식당입구, 화장실 등)하고, 특히 동절기에도 온수공급으로 충분한 손 씻기가 이루어질 수 있도록 적극적인 시설개선이 요구된다. 비누, 종이타워, 손 건조기 등 손 닦는 비품, 휴지 비치 및 개인 손수건 휴대하기를 지도한다.

학생 예방교육 자료를 활용하여 학생 빈발 감염병(증상 포함)에 대한 예방(대응)수칙 등 보건교육을 실시한다. 예방접종을 통한 학교 내 감염병 확산을 방지하기 위해 국가 "표준예방접종 일정표"에 따라 적기에 예방접종을 실시하도록 하며, 초등학교와 중학교의 장은 학생이 입학한 날부터 90일 이내 예방접종 완료 여부를 검사한다.

학교 내 감염병 확산방지를 위한 대응조치로 감염병환자(의심자 포함) 발생 시 등교중지하고, 학부모에게 의료기관 진료를 안내하는 등 신속한 대응을 통하여 학교 내 확산을 방지한다.

대상 감염병(11종)으로 인플루엔자, 수두, 유행성이하선염, 홍역, 결핵, 결막염, 수족구병, 백일해, 성홍열, 뇌수막염, 신종·재출현 감염병이다[표 6-24].

표 6-23 학교에서 흔히 발생하는 감염성질환 특성

병 명	병원체	감염경로	감염기간	완치판단기준	잠복기	증 상
유행성 결막염	아데노 바이러스	인두분비물 눈곱, 분변	인두(2주 동안) 분변(3～4주 동안)	증상 사라진 후 2일까지	2～3일	• 충혈, 눈곱, 동통 등, 어린이에게는 두통, 설사, 오한, 인두통
유행성 이하선염	멈프스 바이러스	타액으로 인한 비말감염	타액선 종창 전 5～7일 ～종창 후 9일	이하선 종창이 없어질 때까지	16～18일	• 양쪽 귀 아래 부분 이하선(침샘)이 붓고, 발열, 두통, 이통 • 신 음식을 먹을 때 통증이 더 심하다. • 성인이 걸렸을 때는 증상이 더 심하며 부고－고환염이 발생하여 불임가능성
홍역	홍역 바이러스	인두분비물로 인한 비말감염	발진 출현 전 5일 ～출현 후 3～4일	해열되고 3일 후	10～11일	• 발열, 기침 • 귀뒤 → 얼굴 → 목 → 팔 → 다리 순으로 발진(홍반상 구진성 발진) • 결막염 • 발진 4일 전부터 발진 출현 후 5일까지 전염력
수두	수두 바이러스	인두분비물로 인한 비말감염	발진 출현 전 1일 ～모든 딱지가 앉을 때까지	모든 발진에 딱지가 생길 때까지	13～16일	• 반점, 구진, 물집, 농포의 순서 • 붉은 발진은 물집으로 바뀐다. • 가슴과 배, 얼굴, 어깨, 사지로 • 물집은 매우 가려우며 딱지생성
인플루엔자	인플루엔자 바이러스	비인두분비물, 객담 등으로 비말감염	발병 후 3～4일	해열된 후 2일 경과까지	24～72시간	• 갑작스러운 발열, 두통, 근육통, 피로감 등의 전신 증상과 인후통, 기침, 객담, 등의 호흡기 증상
풍진	풍진 바이러스	인두분비물로 인한 비말감염	발진 출현 전 7일 ～출현 후 7일	발진이 없어질 때까지	14～18일	• 미열, 두통, 귀뒤, 목뒤, 후두부의 임파절이 붓는다. • 발진 : 얼굴 → 머리 → 팔 → 몸통(2, 3시간 만에 급속히 퍼짐) → 색 : 엷고 깨끗한 분홍색 • 합병증 : 임신 3개월 이내 태아에게 선천성 기형 → 여학생들 풍진 예방접종 필요

〈 자료원 : 교육부. 응급환자처리지침 및 감염병환자처리(교직원연수) 〉

표 6-24 주요 감염병의 관리 방안

병 명	임상 증상	전염 가능 기간	전파차단을 위한 등교 중지(격리) 기간[1)2)]	잠복기[3)]	밀접 접촉자 파악	일시적 격리[4)]	마스크 착용
b형 헤모필루스 인플루엔자	수막염, 후두개염, 폐렴, 관절염 등	항생제 치료 후 48시간	항생제 치료 시작 후 24시간까지	2～4일	○	○	×
감기군	발열, 기침, 객담 등 호흡기계 증상	이환기간 내내	등교 중지 안 함	병원체마다 다양 (보통 2～14일)	×	○	○
결 핵	발열, 전신 피로감, 식은땀, 체중 감소	약물치료 시작 후 2주까지	약물 치료 시작 후 2주까지	수년까지 가능 (50% 2년 이내)	○	○	○
급성 출혈성 결막염	충혈, 안통, 이물감, 많은 눈물, 눈곱, 눈부심, 결막하출혈	발병 후 4일～1주일	격리 없이 개인위생수칙을 철저히 지킬 것을 권장	8～48시간	○	○	×

표 6-24 주요 감염병의 관리 방안 (계속)

병 명	임상 증상	전염 가능 기간	전파차단을 위한 등교 중지(격리) 기간[1)2)]	잠복기[3)]	밀접 접촉자 파악	일시적 격리[4)]	마스크 착용
급성 출혈성 결막염	충혈, 안통, 이물감, 많은 눈물, 눈곱, 눈부심, 결막하출혈	발병 후 4일~1주일	격리 없이 개인위생수칙을 철저히 지킬 것을 권장	8~48시간	○	○	×
노로바이러스	오심, 구토, 설사, 복통, 권태감, 발열	급성기부터 설사가 멈추고 48시간 후까지	등교 중지 안 함	24~48시간 (평균 33시간)	○	○	×
백일해	상기도 감염 증상, 발작적 기침, 구토	2주간 전염력이 높으며 증상 발생 4주 후에는 전염성이 소실	항생제 투여 후 5일까지	7~20일 (평균 5~10일)	○	○	○
성홍열	미만성 구진, 발열, 두통, 구토, 복통, 오한 및 인후염	항생제 치료 시작 후 24시간까지	항생제 치료 시작 후 24시간까지	1~3일	○	○	○
수 두	피부 발진, 수포, 발열, 피로감	수포가 생기기 1~2일 전부터 모든 수포에 가피가 형성이 될 때까지	모든 수포에 가피가 형성될 때까지	10~21일 (평균 14~16일)	○	○	○
수막구균성 수막염	두통, 발열, 경부 경직, 오심, 구토	항생제 치료 시작 후 24시간까지	항생제 치료 시작 후 24시간까지	2~10일 (평균 3~4일)	○	○	○
수족구병	발열, 손, 발바닥 및 구강 내 수포 및 궤양	발병 후 7일 간이 가장 전염력 강함. 피부 병변(수포)에 가피가 생성될 때까지	수포 발생 후 6일간 또는 가피가 형성될 때까지	3~7일	○	○	○
유행성 각결막염	충혈, 안통, 이물감, 많은 눈물, 눈곱, 눈부심, 결막하출혈	발병 후 14일까지	격리 없이 개인위생수칙을 철저히 지킬 것을 권장	5~7일	○	○	×
유행성 이하선염	이하선 부종, 발열, 두통, 근육통	증상 발생 3일 전부터 발생 후 5일까지	증상 발생 후 5일까지	14~25일 (평균 14~18일)	○	○	○
인플루엔자	발열, 두통, 근육통, 인후통, 기침, 객담	증상 발생 1일 전부터 5일까지	유행차단을 위한 등교 중지는 의미 없지만 환자상태에 따라 실시	1~4일 (평균 2일)	×	○	○
풍 진	구진성 발진, 림프절 종창, 미열 등 감기 증상	발진 생기기 7일 전부터 생긴 후 7일까지	발진이 나타난 후 7일까지	14~23일 (평균 16~18일)	○	○	○
홍 역	발진, 발열, 기침, 콧물, koplik 반점	발진 발생 4일 전부터 발진 발생 4일 후까지	발진이 나타난 후 4일까지	7~21일 (평균 10~12일)	○	○	○

1) 전파차단을 위한 등교 중지 기간으로 관련 질환에 대한 질병관리본부 매뉴얼의 환자 격리 기간을 바탕으로 작성함
2) 등교 중지 기간은 휴일을 포함
3) 감염 시작 시점부터 증상과 징후 발생 시점까지의 기간
4) 전파 우려가 있는 감염병 의심 학생이 의료기관에 진료를 받으러 가기 전까지 격리하여 관찰하는 것

〈 자료원 : 교육부(2022). 학생 감염병 예방·위기대응 매뉴얼 〉

(1) 감염병 발생 수준별 구성

평상시와 국가위기 상황으로 구분하여 예방 및 위기대응 방안을 제시한다. '평상시'라 함은 국가위기상황을 제외한 모든 상황을 의미하며, 학교에 감염병 발생이 없는 상황에서부터 감염병(의심)환자의 발생, 유행, 확산, 종료 상황을 모두 포함한다[그림 6-14]. '국가위기 상황 시'는 보건복지부의 「감염병 위기관리 표준매뉴얼」의 정의에 따라 방역당국에 의해 발령되는 상황으로 다음을 포함한다.

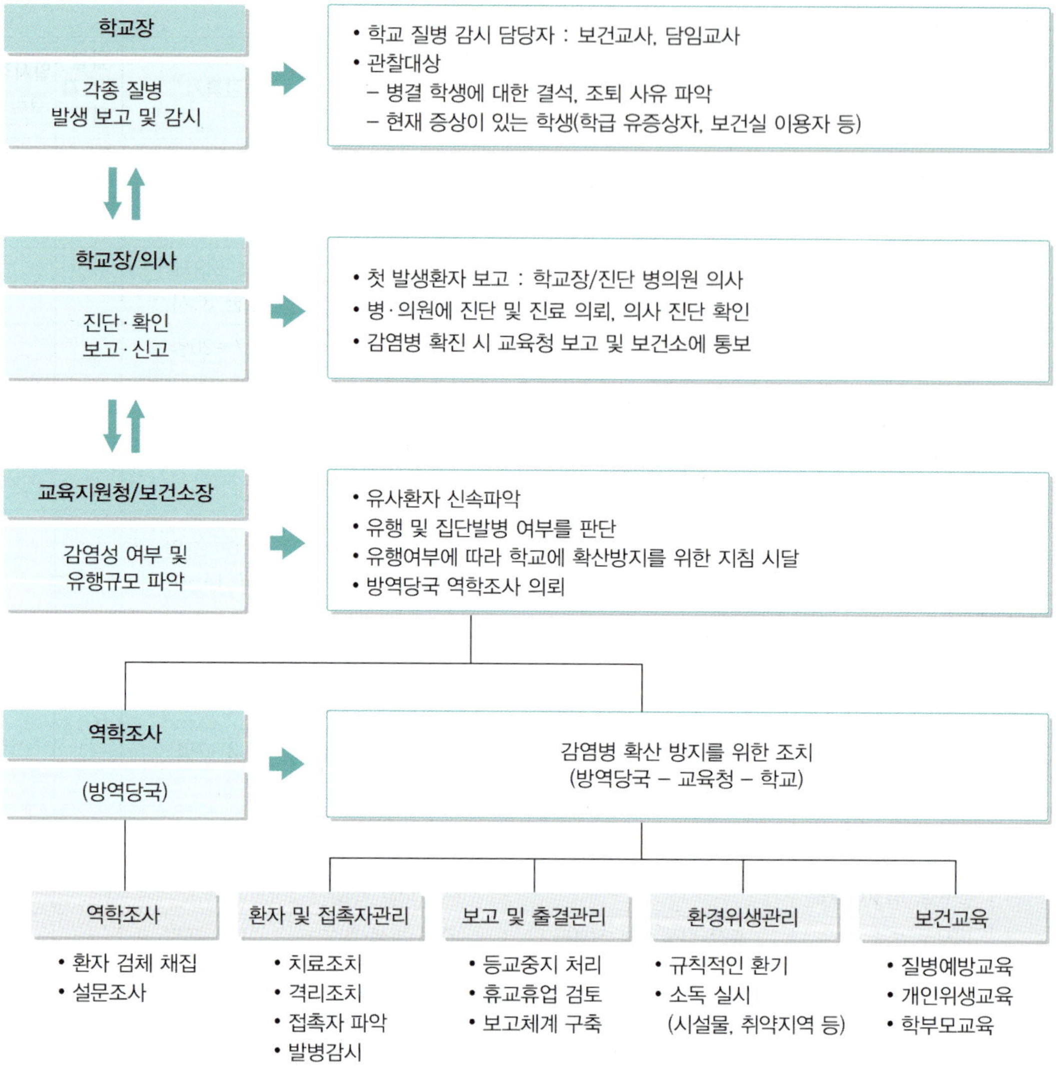

그림 6-13 학교감염병 발생관리 체계

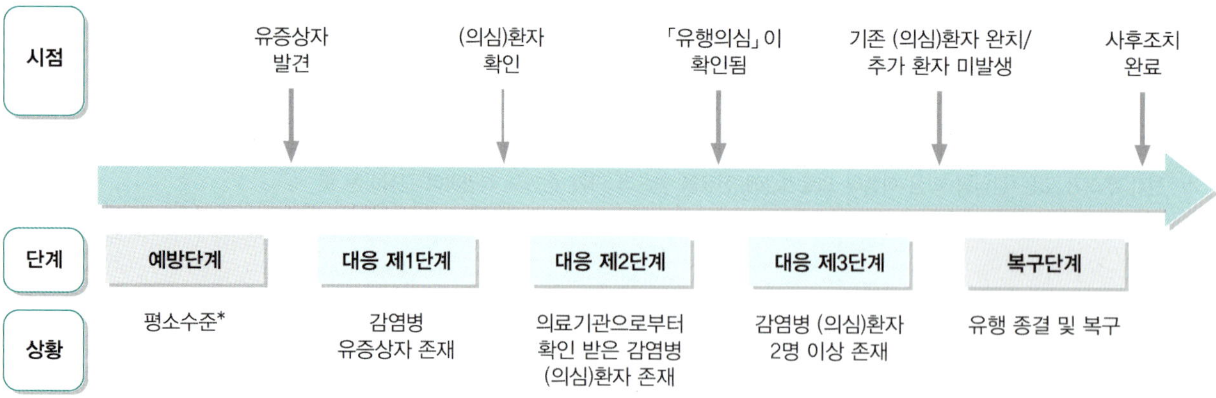

* 학교 내 감염병이 없거나 감기 혹은 단순한 설사 등 특이사항 없이 일반적인 상황을 유지하는 경우

〈 자료원 : 교육부(2022). 학생 감염병 예방·위기대응 매뉴얼 〉

그림 6-14 평상시 학생 감염병 발생 단계

- 해외 신종감염병 환자가 공항, 항만 등을 통해 국내에 유입, 확산되는 경우
- 국내에서 원인불명·재출현 감염병환자가 대규모로 발생하는 경우로서 보건복지부 자체위기평가회의에서 국가감염병 위기관리가 필요하다고 판단하는 경우
- 예방부터 복구까지의 모든 단계를 포함한다[표 6-25].

표 6-25 감염병으로 인한 국가위기 단계별 학교 및 교육행정기관 대응

단 계		판단기준	학교 내 발생 가능성	대 응
예방		• 평상시	없음	• 일반적 대비 • 대응체계 구축
국가 위기 단계	관심 (Blue)	• 해외 신종감염병 발생 (세계보건기구 : '국제 공중보건 위기상황' 선포)	없음	• 감염병 발생 동향 파악 • 구체적 대응 방안 검토
		• 국내의 원인불명·재출현 감염병 발생	산발적	• 구체적 대응 방안 검토 • 징후 감시 활동(필요시)
	주의 (Yellow)	• 해외 신종감염병의 국내 유입 및 제한적 전파 (세계보건기구 : '감염병 주의보' 발령) • 국내에서 원인불명·재출현 감염병의 제한적 전파	해당 지역	• 구체적 대응 방안 마련 • 유관기관 협조체계 가동 • 환자발생 지역에 대한 감시 및 대응 실시
	경계 (Orange)	• 해외 신종감염병의 국내 유입 후 추가 전파에 따른 지역사회 전파 • 국내 원인불명·재출현 감염병의 추가 전파에 따른 지역 전파	해당 지역	• 대응체제 가동 • 유관기관 협조체계 강화 • 환자발생 지역에 대한 감시 및 대응 강화
	심각 (Red)	• 해외 신종감염병의 전국적 확산 징후 • 국내 원인불명·재출현 감염병의 전국적 확산 징후	전국적	• 대응역량 총동원 • 범정부적 협조체계 강화 • 전국으로 감시 및 대응 강화 확대
복구		• 유행 종료	산발적	• 평가 및 보완 • 복구 • 감시 활동 유지

〈 자료원 : 교육부(2022). 학생 감염병 예방·위기대응 매뉴얼 〉

(2) 결핵관리

최근 우리나라에는 결핵환자가 꾸준히 증가하고 있으며, 특히 10대 후반부터 30대 후반의 환자가 급증하고 있고, OECD 국가 중 발생, 유병 및 사망률이 최고이다. 이에 국가에서는 감염예방 및 발병예방, 감시 및 평가체계 강화, 국가결핵관리사업 기반 구축을 전략으로 국가결핵관리를 하고 있으며, 학교결핵관리지침을 배부하고 학교수준에서 결핵관리에 만전을 기하도록 하고 있다. 학교 결핵관리사업은 「학교보건법」과 「학교보건법 시행령」 이외에 「결핵예방법」, 「감염병 예방 및 관리에 관한 법률」을 근거로 한다.

학교는 교육청, 시·군·구 보건소와 행정 및 기술 지도체계를 구축하여야 하며, 학교장은 해당학교의 결핵관리사업 전반에 대한 계획수립, 점검, 결핵환자 치료 및 발생에 대한 사항을 총괄하는 업무를 담당한다. 또한 보건교사는 다음과 같은 역할을 수행한다.

- 결핵환자 발견 및 등록에 관한 사항
- 결핵 소집단 발생에 관한 역학조사 협조
- 결핵환자 및 잠복결핵감염자의 추구관리에 관한 협조

- 결핵환자 및 발생에 관련된 기록, 통계 및 보고에 관한 사항
- 보건교육 및 홍보

학교건강검사규칙에 따른 검진결과, 결핵환자나 결핵의심자로 통보받았거나 결핵으로 진단받거나 치료중인 학생을 발견했을 때 학교에서는 환자 명부를 작성하여 교육정보시스템에 보고하고 관할 보건소장에게 신고하여야 한다[그림 6-15].

학생 및 교직원이 2~3주 이상 기침을 하는 등 결핵 증상(객담, 혈담, 객혈 등)이 의심될 경우에는 의심자와 보호자에게 보건소를 방문하도록 지도해야 하며, 결핵환자는 수시로 상담 및 교육을 하고, 전 학생 및 교직원을 대상으로 결핵 감염 후 발생위험, 결핵전파, 결핵의심 증상 등에 대한 보건교육과 학부모에게 가정통신문을 발송한다.

유증상자는 반드시 흉부 X-선 검사와 객담검사 등 결핵검진을 받도록 지도하여야 하며, 건강검진을 통해 확인된 유소견자는 결핵검진을 실시한다. 결핵 유소견자로 판명된 자는 반드시 초회 객담검사를 실시하고 요치료 대상자와 요관찰 대상자로 구분하여 관리한다.

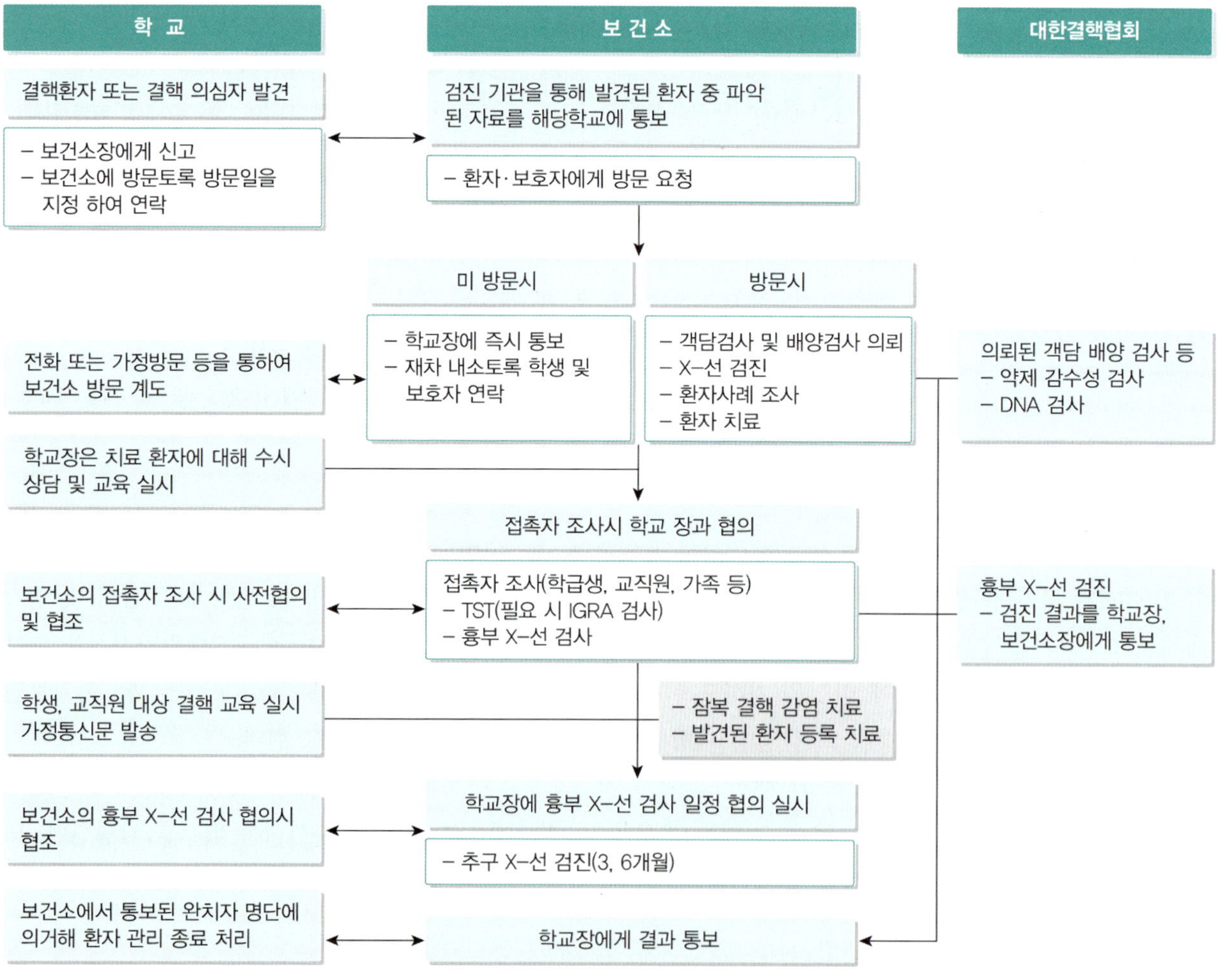

〈 자료원 : 교육부, 학교감염병 예방관리 매뉴얼 〉

그림 6-15 결핵관리 체계

감염성 기간 동안 환자와 접촉한 접촉자는 발생 상황과 범위에 따라 검진한다

감염성 상실의 기준은 도말 양성 환자의 경우에는 최소 2주 이상 항결핵제 투약 후 객담 도말검사에 음성이 확인되거나 담당 주치의가 감염성 상실에 대한 소견서를 제출한 경우이고, 도말 음성, 배양 양성 환자인 경우에는 항결핵제가 2주 이상 투여되고 있는 상황에서 배양 양성이 확인된 경우이다. 항결핵제가 투여되고 있지 않은 상황에서 배양 양성이 확인된 경우에는 등교 및 출근을 제한하고 최소 2주 이상 항결핵제를 투약한 후에 담당 주치의가 감염성 상실에 대한 소견서를 발부한 경우에 등교 및 출근 제한을 해제한다.

(3) 감염아동관리

법정감염병 및 감염성이 강한 질환에 감염된 아동은 등교를 중지시킨다. 등교중지 학생의 행정처리 방법은 다음과 같다.

- 가정에 통보하여 진료확인서(소견서) 제출
- 담임교사는 의사진단에 의거 감염성질환임이 유선으로 확인되면 우선 등교중지를 시키고 보건교사에게 통보
- 완치 후 등교 시 진료확인서를 제출하여 출석인정에 관한 사후 결재 실시
- 진료확인서 미제출 시 특별한 경우에 한하여 인정

가정통신문을 발송하여 정밀진단 및 치료를 받도록 하며, 진단서 또는 소견서를 제출하게 하여 보관한다.

(4) 휴교 또는 휴교조치

감독청의 장은 감염병 예방과 학교보건에 필요한 때에는 당해 학교에 휴업을 명할 수 있으며, 학교의 장은 계속적인 교내접촉이 감염원이 될 우려가 있을 때, 각종 조치에도 불구하고 환자가 계속 발생할 때, 휴교로서 환자가 감소하리라는 충분한 이유가 있을 때 등 명확한 이유가 있을 때 휴교조치를 명할 수 있다.

(5) 신고 및 보고

학교에서 감염병이 발생한 경우에는 감염병 발생의 조기발견과 확산방지를 위한 신속한 대처가 필요하다. 보건교사는 학교장에게 즉시 감염병 발생을 보고하고 교육행정시스템을 통해 관할 보건소에 신고 및 감독청에 즉시 보고한다.

- 신고 : 1급 감염병, 홍역, 결핵 등의 발생 시에는 감염병의 예방 및 관리에 관한 법률에 의거하여 보건소에 신고
- 보고 : 교육부 학생건강증진 기본방향에 의거하여 법정감염병 1명 이상, 비법정감염병은 동일 학급 2명 이상 발생 시 각 교육청에 보고

감염병 발생 시 학교장의 조치사항은 다음과 같다.

- 감독청 보고 및 방역당국(보건소) 신고
- 보건당국에서 가검물 채취 등 역학조사를 위해 학교방문 시 적극 협조
- 환자격리, 등교 중지, 병·의원 입원조치 등
- 감염병 예방 보건교육 실시
- 교내 취약지역 방역 실시
- 추가환자 발생상황 철저히 파악
- 환경관리로 정기적 교내소독, 급수시설 오염방지, 화장실 소득 등을 실시

3 학교 응급환자 관리

1) 안전사고와 응급환자 관리

학교 내 응급환자 발생 시 신속한 응급처치 및 후송체계를 확보하여, 응급증상을 보이는 학생에 대하여 적기에 적정 수준의 응급의료를 제공함으로써 학생의 생명과 건강을 보호하고, 증상의 현저한 악화를 방지하며 후유증을 최소화한다.

2016년 청소년 통계자료에 따르면, 학교 안전사고로 2014년을 중심으로 형태별로는 충돌, 부딪힘과 물리적 힘 노출이 80% 정도로서 대부분을 차지하였다. 시간별로는 체육시간과 식사시간이 약 50% 수준으로 나타났다. 장소별로는 모든 학교급에서 운동장이 가장 큰 비중을 차지하였으며, 교실뿐만 아니라 수업 시간 외 활동에 있어서 각별한 안전지도가 필요함을 보여주고 있다. 제15차(2019년) 청소년 온라인 행태조사에 따르면, 1년 동안 학교에서 예방교육, 대피교육, 구조 및 구명교육, 심폐소생술 교육을 포함한 안전교육을 받은 학생은 87.7%이었다.

(1) 응급환자 관리를 위한 보건교사의 역할

- 응급환자 발생 시 신속하고 자신감 있게 응급처치를 시행한다.
- 응급환자 처치 경과를 기록하고 보관한다.
- 보건교사는 환자의 상태를 파악하고 조치하며, 상태 여부에 따라 신속하게 응급구조를 요청한다.
- 응급처치 후 사건의 경중에 따라 전문병원의 검진 및 동행을 결정한다.
- 학교의, 치과의, 협력 병원으로 후송하는 경우에는 해당 병원에 연락하여 신속한 검진 및 치료를 받을 수 있도록 요청한다.
- 학생 및 교직원을 대상으로 연 2회 응급처치 및 심폐소생술 교육을 실시한다.
- 응급처치에 필요한 물품 및 자료를 구비한다.

(2) 학교 내 응급의료 관리체계

① 응급의료

응급환자가 발생한 때부터 생명의 위험에서 회복되거나 심신상의 중대한 위해가 제거되기까지의 과정에서 응급환자를 위하여 하는 상담, 구조, 이송, 응급처치 및 진료 등의 조치를 취한다[그림 6-16]. 최초발견자는 보건교사와 담임교사에게 연락하고, 보건교사는 응급환자 관리체계를 가동한다. 담임교사는 학부모에게 연락한다. 담임교사(보건교사)는 교감(학교장)에게 상황보고 후 현장에서 보조한다.

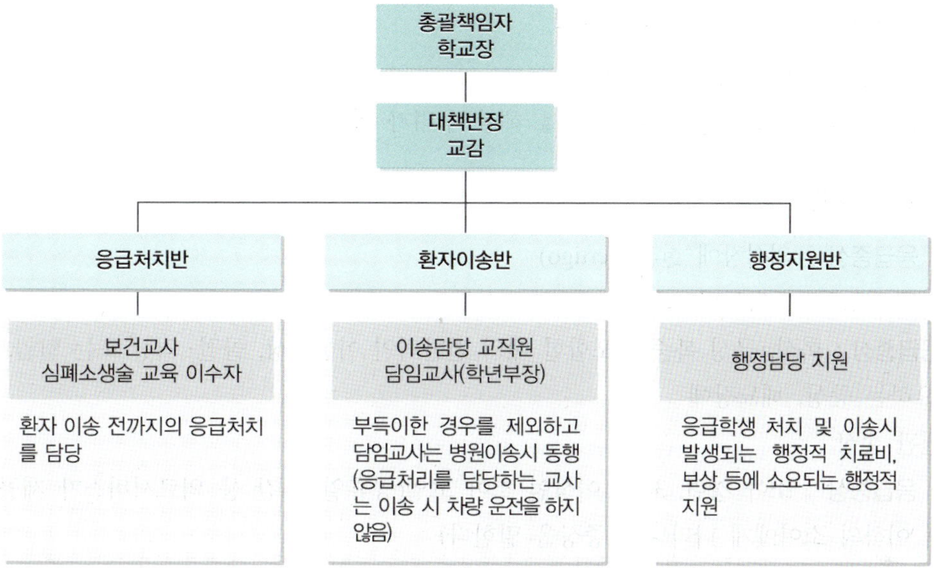

그림 6-16 응급환자 관리를 위한 조직

② 응급처치

응급의료행위의 하나로서 응급 환자의 기도를 확보하고 심장박동의 회복, 그밖에 생명의 위험이나 증상의 현저한 악화를 방지하기 위하여 긴급히 필요로 하는 처치

③ 응급환자

질병, 분만, 각종 사고 및 재해로 인한 부상이나 그 밖의 위급한 상태로 인하여 즉시 필요한 응급 처치를 받지 아니하면 생명을 보존할 수 없거나 심신에 중대한 위해가 발생할 가능성이 있는 환자, 또는 이에 준하는 사람으로서 보건복지부령으로 정하는 사람

④ 응급증상(응급 의료에 관한 법률 시행규칙 제2조 1항의 응급증상 및 이에 준하는 증상 별표1)

- 신경학적 응급증상 : 급성의식장애, 급성신경학적 이상, 구토·의식장애 등의 증상이 있는 두부손상
- 심혈관계증상 : 심폐소생술이 필요한 증상, 급성호흡곤란, 심장질환으로 인한 급성 흉통, 심계항진, 박동이상 및 쇼크

- 중독 및 대사장애 : 심한 탈수, 약물·알코올 또는 기타 물질의 과다복용이나 중독성 대사장애(간부전, 신부전, 당뇨병 등)
- 외과적 응급증상
  - 개복술을 요하는 급성 복증(급성 복막염·장폐색증·급성 췌장염 등 중한 경우에 한함)
  - 광범위한 화상(외부 신체 표면적의 18% 이상), 관통상
  - 개방성·다발성 골절 또는 대퇴부, 척추의 골절
- 출혈 : 계속되는 각혈, 지혈이 안 되는 출혈, 급성 위장관 출혈
- 안과적 응급증상 : 화학물질에 의한 눈의 손상, 급성 시력손실
- 알러지 : 얼굴 부종을 동반한 알러지 반응
- 소아과적 응급증상 : 소아 경련성 장애
- 정신과적 응급증상 : 자신 또는 다른 사람을 해할 우려가 있는 정신장애

⑤ 응급증상에 준하는 증상

- 신경학적 응급증상 : 의식장애 현훈(Vertigo)
- 심혈관계 응급증상 : 호흡곤란, 과호흡
- 외과적 응급증상 : 화상, 급성 복증을 포함한 배의 전반적인 이상증상, 골절·외상 또는 탈골, 그밖에 응급수술을 요하는 증상, 배뇨장애
- 출혈 : 혈관 손상
- 소아과적 응급증상 : 소아 경련, 38℃ 이상인 소아 고열(공휴일·야간 등 의료서비스가 제공되기 어려운 때에 8세 이하의 소아에게 나타나는 증상을 말한다)
- 산부인과적 응급상황 : 분만 또는 성폭력으로 인하여 산부인과적 검사 또는 처치가 필요한 증상
- 이물에 의한 응급증상 : 귀, 눈, 코, 항문 등에 이물이 들어가 제거술이 필요한 환자

2) 심폐소생술

시·도 교육감은 원활한 학교 심폐소생술 교육을 위해 관내 학교 교직원의 심폐소생술 연수를 위해 행·재정적 지원을 실시한다. 매 2년마다 심폐소생술 실습교육을 통한 학생들의 심폐소생술 수행능력을 강화한다. 그리고 교직원은 2년에 1회 보건교사와 체육교사는 년 1회 심폐소생술 보수교육을 이수한다.

모든 초·중·고등학교는 초등학교 6학년 및 중학교 2학년, 고등학교 1학년의 모든 학생을 대상으로 실습을 포함한 심폐소생술 교육을 실시한다. 모든 초등학교 5학년을 대상으로는 심폐소생술 이론 교육을 실시한다.

그림 6-17 심폐소생술 교육

표 6-26 기본소생술의 주요내용

<table>
<tr><th colspan="2">항 목</th><th>성 인</th><th>소 아</th><th>영 아</th></tr>
<tr><td colspan="2" rowspan="2">심정지의 확인</td><td colspan="3">무반응</td></tr>
<tr><td colspan="3">무호흡 혹은 심정지 호흡
10초 이내 확인된 무맥박(의료제공자만 해당)</td></tr>
<tr><td colspan="2">심폐소생술의 순서</td><td colspan="3">가슴압박 – 기도유지 – 인공호흡</td></tr>
<tr><td colspan="2">가슴압박 속도</td><td colspan="3">분당 100~120회</td></tr>
<tr><td colspan="2">가슴압박 깊이</td><td>약 5cm</td><td>가슴 두께의 최소 1/3 이상
(4~5cm)</td><td>가슴 두께의 최소 1/3 이상
(4cm)</td></tr>
<tr><td colspan="2">가슴 이완</td><td colspan="3">가슴압박 사이에는 완전한 가슴 이완</td></tr>
<tr><td colspan="2">가슴압박 중단</td><td colspan="3">가슴압박의 중단은 최소화(불가피한 중단은 10초 이내)</td></tr>
<tr><td colspan="2">기도 유지</td><td colspan="3">머리기울임 – 턱 들어올리기(head tilt–chin lift)</td></tr>
<tr><td rowspan="2">가슴압박 대 인공호흡 비율</td><td>전문기도 확보 이전</td><td colspan="3">30:2</td></tr>
<tr><td>전문기도 확보 이후</td><td colspan="3">가슴압박과 상관없이 6초마다 인공호흡</td></tr>
<tr><td colspan="2">일반인 구조자</td><td>가슴압박 소생술</td><td colspan="2">심폐소생술</td></tr>
</table>

〈 자료원 : 대한심폐소생술협회(2020). New Science New Guidelines. 2020 한국심폐소생술 가이드라인 〉

4 학교환경관리

학교의 환경관리는 학교가 소재한 지역사회 전체의 환경관리에 의해 많은 영향을 받는다. 즉 상수, 하수, 폐기물 처리, 공해문제 등이 잘 관리되는 지역사회에서는 건전한 학교생활을 기대할 수 있다.

학교 환경위생관리를 통한 쾌적한 환경조성으로 학교에서 개별적으로 실시하는 실내공기 질 측정, 먹는 물 수질검사, 먹는 물 이용 저수조 청소 업무 등의 학교 환경위생 통합관리 운영을 하고 있다.

학교 환경위생관리의 목적은 학생 및 교직원이 건강하고 쾌적한 환경에서 교육활동을 할 수 있도록 실내환경(환기, 채광, 온·습도, 소음), 공기 질(미세먼지, 이산화탄소, 포름알데히드, 총 부유세균, 낙하세균, 일산화탄소, 이산화질소, 라돈, 총 휘발성 유기화합물, 석면, 오존, 진드기) 및 일반 환경(폐기물, 상·하수도, 화장실, 소독)을 적정 기준으로 유지·관리함이며, 나아가 학생 및 교직원의 건강을 보호·증진하고 학습의 능률을 기하게 하는 데 있다.

그러나 학교의 환경은 교내·외의 물리적 환경만을 의미하는 것이 아니므로 사회적·정신적 환경까지 포함하여 관리하여야 한다[표 6-27].

표 6-27 학교 환경위생관리기준

구분	기 준	구분	기 준
조명	• 자연조명 – 옥외 수평 조도 : 실내 조도=2~5% 이상 – 최대 조도 : 최소 조도=10 : 1 – 교실 바깥의 반사물로부터 눈부심이 없을 것 • 인공조명 – 책상면의 조도 : 300Lux 이상 – 최대 조도 : 최소 조도=3 : 1 – 인공조명에 의한 눈부심이 없을 것	공기	• 미세먼지 : 24시간 평균 100㎍/m^3 이하 • 이산화탄소 : 1시간 평균 1,000ppm 이하 • 포름알데히드 : 100㎍/m^3 이하 • 총 부유세균 : 800CFU/m^3 이하 • 환기량 : 1인당 21.6m^3/인 이하
실내온도 및 습도	• 온도 : 18~28℃, 난방온도 18~20℃, 냉방온도 26~28℃ • 비교습도 : 30~80%	급수시설	• 수질검사회수 : 연 4회(매분기 1회 이상) – 전 항목 검사 : 시·도 보건환경연구원(45개 항목, 연 1회) – 음용적부검사 : 시·도 보건소(6개 항목, 연 3회) • 저수조 – 청소 : 6개월마다 1회 이상 실시 – 위생상태 점검 : 매월 1회 이상 실시
소음	• 교사 내 : 55dB(A) 이하	화장실 소독	• 4~9월 : 주 3회 이상 • 10~3월 : 주 1회

1) 교내환경관리

(1) 교지(校地)

학교의 부지는 「교육법」에 의하면 '고등학교 이하 각 학교의 교지는 교사 대지와 체육장을 합한 용지로써 교사의 안전, 방음, 환기, 채광, 소방, 배수 및 학생의 통학에 지장이 없는 곳에 위치하여야 한다.'라고 규정하고 있다. 교지 선정의 이상적인 조건은 다음과 같다.

① 충분한 면적(넓은 대지와 운동장)
② 통학에 편리하고 거리가 멀지 않은 거리(통학 거리 30분 이내)
③ 안전한 장소
④ 조용하고 공기가 맑으며 통풍이 잘되는 곳
⑤ 경사지고 물이 잘 빠지는 모래 섞인 곳
⑥ 음용수가 기타 용수를 구하기에 수원이 풍부한 곳
⑦ 소음, 매연, 유해가스 등이 없는 곳
⑧ 공장, 번화가, 철도, 교통량 등의 공해로부터 가능한 한 멀리 떨어진 곳
⑨ 영화관, 유흥가, 오락시설, 형무소, 도살장, 화장터, 묘지, 전염병 환자를 수용하는 병원 등과 근접하지 않는 곳

(2) 교사(校舍)

교사는 선정된 교지 중에서 가장 높은 곳에 두며, 운동장은 남향에 위치하고 운동장과 거리를 두어 학습을 방해하지 않도록 한다. 학생들이 단시간에 교사에 입실 할 수 있도록 하여 화재나 재해를 예방할 수 있도록 안전하게 설계되어야 한다. 교사(校舍) 안에서의 환기·채광·조명·온도·습도의 조절, 상하수도·화장실의 설치 및 관리, 오염공기·석면·폐기물·소음·휘발성 유기화합물·세균·먼지 등의 예방 및 처리 등 환경위생과 식기·식품·먹는 물의 관리 등 식품위생을 적절히 유지·관리하여야 한다(학교보건법 제4조).

(3) 교실

학생들은 학교생활의 대부분을 교실 내에서 생활하고 있기 때문에 교실은 학교보건환경 중 가장 우선적이며 기본적으로 다루어야 할 환경관리 분야이다. 교실 내에서 주로 관리해야 할 부분은 교실의 면적과 방향, 채광과 조명, 온·습도, 소음과 환기 등이다.

① 교실의 면적과 방향

교실 수는 학급 수에 일치하는 수를 두되, 그 면적은 $66m^2$ 이상(학생 수가 학급당 25인 이하인 경우는 $15m^2$ 이상)으로 하고, 일반 교실에서 교육 활동이 이루어지기 때문에 남향이나 동향이 좋으며, 동남향으로 향하는 것이 가장 이상적이다.

② 조명과 채광

적절한 조도와 유지는 학생들의 학습효과를 증진시키고 시력을 보호해준다. 불량조명으로 인해 안정 시 피로, 근시 및 학습능률 저하와 사고 발생 가능성이 높아질 수 있다.

교실의 적정 조도는 학생들의 책상면 조도 300Lux 이상, 흑판면의 조도 1000Lux 이상이다. 채광은 태양광선을 이용하는 자연 조명을 말하며, 직사일광은 1만 Lux 이상이며, 학교는 되도록 자연조명을 잘 활용하도록 관리하는 것이 좋으며, 창문 면적은 교실 면적의 20～25% 이상이 이상적이다.

③ 실내온도 및 습도

실내의 쾌적온도는 16～20℃이다. 「학교보건법 시행규칙」에 의하면 실내온도는 18℃ 이상, 28℃ 이하로 유지해야 하며, 난방온도는 18℃ 이상, 20℃ 이하로 하고, 냉방온도는 26℃ 이상, 28℃ 이하로 유지하도록 하고 있다. 실내의 습도는 비교습도 30～80%를 유지하도록 하고 있다.

④ 소음

교실 내 소음은 원활한 의사소통에 지장을 주어 교육활동에 직접적인 영향을 주고, 학생들의 정신집중을 방해하며 학습능률을 저하시킨다. 또한 피로와 두통, 식욕감퇴 등을 유발하기도 한다. 따라서 교실의 소음 전파경로를 차단하거나 교실 내 소음을 방지하여야 한다. 「학교보건법 시행규칙」의 교사 내 소음기준은 55dB(A) 이하이다[표 6-28].

표 6-28 학교 소음기준

구 분		일반지역	도로변 지역	기준법령
교사 내		55dB		환경보건법 시행규칙 관련 별표4
초중등교육법 제2조에 의한 학교의 부지 경계로부터 50m 이내의 지역	주간(06:00～22:00)	50dB	65dB	환경정책 기본법 시행령 관련 별표
	야간(22:00～06:00)	40dB	55dB	
학교 및 학교환경위생 정화구역이 도시 및 주거환경 정비법 제2조 제1회에 따른 정비구역인 경우	주간(07:00～18:00)	65dB		학교보건법 시행규칙 관련 별표
	야간(18:00～07:00)	50dB		

⑤ 미세먼지

미세먼지는 공기 중에 해로운 작은 입자의 먼지를 말하며, 미세먼지 주의보가 지속되면서 학교에서는 운동회, 현장 체험학습 등 야외활동을 실내학습으로 전환하고 있다. '2018 학교 미세먼지 종합관리 대책'에 따르면 학교 환경교육 강화를 통하여 구성원의 미세먼지에 대한 인식 제고 및 학생들의 건강보호 대처능력의 향상을 위함이다. 대기오염으로 미세먼지, 황사, 오존에 대한 선도적 대응으로 학생 및 교직원의 건강권 보호·증진을 목적으로 하고 있다. 추진전략으로 미세먼지로부터 안전한 학교 만들기를 위한 학교미세먼지 관리대책의 4가지 영역은 학교 미세먼지 관리기반 구축, 미세먼지 관련 교육활동 강화, 학교 미세먼지 관리 목표 및 저감 대책, 미세먼지 예방 및 대응강화로 이루어져 있다.

⑥ 환기

많은 학생이 밀집된 교실 내의 공기는 화학적 성분의 조성과 부유먼지, 세균수와 물리적 성상의 변화로 인해 실내공기오염을 일으키고 이로 인해 불쾌감, 두통, 권태감, 졸음, 집중력 감퇴 등의 학습능력 저하와 호흡기 질환을 유발하게 된다.

교실 내 공기오염을 일으키는 주요 요인으로는 실내 기상조건, 실외공기의 상태, 건축물의 구조 및 규모, 교실 내 설비, 상비용구, 건축자재, 교실 내의 학생 수 및 연령, 활동상황에 따라 달라질 수 있다. 이산화탄소(CO_2)가 실내공기오염을 판정하는 기준으로 사용되는데, 위생학적 허용농도는 일반적으로 0.1%(1,000ppm) 이상일 때는 그 방의 환기가 불량하다고 한다. 교사 내의 이러한 다양한 오염원 및 오염물질들을 주기적으로 관리하여 교실 내 공기 질을 알맞게 유지하는 것이 학생 및 교직원의 건강보호에 필수적이다[표 6-29].

「학교보건법 시행규칙」(제3조)에 의하면 환기용 창 등을 수시로 개방하거나 기계식 환기 설비를 수시로 가동하여 1인당 환기량이 시간당 21.6m^3 이상이 되도록 하고 있다. 필요 환기 횟수는 1인당 공기용적 / 시간에 따라 다르다. 1인당 공기 용적은 초등학생의 경우 1인당 9m^3/hr 중학생 14.4m^3/hr, 고등학생 21.6m^3/hr이다.

예를 들면 교실 용적 180m^{3}의 교실에서 학생 40명이 있는 경우 시간당 초등학생은 2회, 중학생은 3～4회, 고등학생은 4～5회의 환기가 필요하다.

$$\text{환기 횟수(단위시간당)} = \frac{\text{필요환기량}}{\text{실내 1인당 공기용적(부피 / 사람 수)}}$$

표 6-29 공기 질 등의 유지·관리기준(제3조 제1항 제3호의2 관련)

공기 질 등의 유지·관리기준(제3조 제1항 제3호의 2 관련)

1. 유지기준

오염물질 항목	기준(이하)	적용 시설	비 고
가. 미세먼지	35㎍/m^3	교사 및 급식시설	직경 2.5㎛ 이하 먼지
	75㎍/m^3	교사 및 급식시설	직경 10㎛ 이하 먼지
	150㎍/m^3	체육관 및 강당	직경 10㎛ 이하 먼지
나. 이산화탄소	1,000ppm	교사 및 급식시설	해당 교사 및 급식시설이 기계 환기장치를 이용하여 주된 환기를 하는 경우 1,500ppm 이하
다. 폼알데하이드	80㎍/m^3	교사, 기숙사(건축 후 3년이 지나지 않은 기숙사로 한정한다) 및 급식시설	건축에는 증축 및 개축 포함
라. 총부유세균	800CFU/m^3	교사 및 급식시설	
마. 낙하세균	10CFU/실	보건실 및 급식시설	
바. 일산화탄소	10ppm	개별 난방 교실 및 도로변 교실	난방 교실은 직접 연소 방식의 난방 교실로 한정
사. 이산화질소	0.05ppm	개별 난방 교실 및 도로변 교실	난방 교실은 직접 연소 방식의 난방 교실로 한정
아. 라돈	148Bq/m^3	기숙사(건축 후 3년이 지나지 않은 기숙사로 한정한다), 1층 및 지하의 교사	건축에는 증축 및 개축 포함
자. 총휘발성유기화합물	400㎍/m^3	건축한 때부터 3년이 경과되지 아니한 학교	건축에는 증축 및 개축 포함
차. 석면	0.01개/cc	「석면안전관리법」 제22조 제1항 후단에 따른 석면건축물에 해당하는 학교	
카. 오존	0.06ppm	교무실 및 행정실	적용 시설 내에 오존을 발생시키는 사무기기(복사기 등)가 있는 경우로 한정
타. 진드기	100마리/m^2	보건실	
파. 벤젠	30㎍/m^3	건축 후 3년이 지나지 않은 기숙사	건축에는 증축 및 개축 포함
하. 톨루엔	1,000㎍/m^3	건축 후 3년이 지나지 않은 기숙사	건축에는 증축 및 개축 포함
거. 에틸벤젠	360㎍/m^3	건축 후 3년이 지나지 않은 기숙사	건축에는 증축 및 개축 포함
너. 자일렌	700㎍/m^3	건축 후 3년이 지나지 않은 기숙사	건축에는 증축 및 개축 포함
더. 스티렌	300㎍/m^3	건축 후 3년이 지나지 않은 기숙사	건축에는 증축 및 개축 포함

표 6-29 공기 질 등의 유지·관리기준(제3조 제1항 제3호의2 관련) (계속)

2. 관리기준

대상 시설	중점관리기준
가. 신축 학교	1) 「실내공기질 관리법」 제11조 제1항에 따라 오염물질 방출 건축자재를 사용하지 않을 것 2) 교사 안에서의 원활한 환기를 위하여 환기시설을 설치할 것 3) 책상·의자 및 상판 등 학교의 비품은 「산업표준화법」 제15조에 따라 한국산업표준 인증을 받은 제품을 사용할 것 4) 교사 안에서의 폼알데하이드 및 휘발성유기화합물이 유지기준에 적합하도록 필요한 조치를 강구하고 사용할 것
나. 개교 후 3년 이내인 학교	폼알데하이드 및 휘발성유기화합물 등이 유지기준에 적합하도록 중점적으로 관리할 것
다. 개교 후 10년 이상 경과한 학교	1) 미세먼지 및 부유세균이 유지기준에 적합하도록 중점 관리할 것 2) 기존 시설을 개수 또는 보수하는 경우 「실내공기질 관리법」 제11조 제1항에 따라 오염물질 방출 건축자재를 사용하지 않을 것 3) 책상·의자 및 상판 등 학교의 비품은 「산업표준화법」 제15조에 따라 한국산업표준 인증을 받은 제품을 사용할 것
라. 「석면안전관리법」 제22조 제1항 후단에 따른 석면건축물에 해당하는 학교	석면이 유지기준에 적합하도록 중점적으로 관리할 것
마. 개별 난방(직접 연소 방식의 난방으로 한정한다) 교실 및 도로변 교실	일산화탄소 및 이산화질소가 유지기준에 적합하도록 중점적으로 관리할 것
바. 급식시설	미세먼지, 이산화탄소, 폼알데하이드, 총부유세균 및 낙하세균이 유지기준에 적합하도록 중점적으로 관리할 것
사. 보건실	낙하세균과 진드기가 유지기준에 적합하도록 중점적으로 관리할 것

〈 자료원 : 법제처(2022). 학교보건법 시행규칙 별표4의2 〉

(4) 위생관리

① 식수관리

학교에서 공급되는 식수는 안전성이 확보되어야 한다. 고등학교 이하 각급 학교 설립·운영규정에 의하면, 수질검사 결과 위생상 무해하다고 판명된 급수시설과 온수를 급수할 수 있는 시설을 갖추도록 하고 있다. 최근 각급 학교에서는 냉·온수기 설치 및 사용이 증가하고 있어 이에 대한 관리가 필요하다.

「학교보건법 시행규칙」에서는 급수시설의 설치 및 관리, 식수 공급과 수질검사에 대해 구체적으로 규정하고 있다. 급수시설·설비는 항상 위생적으로 관리하여야 하며, 저수조는 매월 1회 이상 정기점검과 연 2회 이상 청소를 실시하여야 한다. 학생 및 교직원에게 공급하는 먹는 물은 「먹는물 관리법」 제5조에 따른 수질 기준에 적합한 물을 제공하되, 가급적 끓여서 제공하여야 한다. 상수도 또는 간이 상수도 외에 지하수 등에 의하여 공급하는 먹는 물에 대하여는 「먹는물 수질 기준 및 검사 등에 관한 규칙」 제4조 제2항에 따라 수질 검사를 실시한다. 먹는물 수질기준 전 항목검사는 매년 1회 이상 시행하며, 먹는물 수질기준 간이검사는 매분기 1회 이상 시행한다.

② 식품관리 및 학교급식 식중독 관리

식품 등을 취급하는 재료보관실·조리실 등의 내부는 항상 청결하게 관리하여야 하며 식품 등의 원료 및 제품 중 부패·변질이 되기 쉬운 것은 냉동·냉장시설에 보관·관리하여야 한다. 식품 등의 보관·운반·진열시에는 식품 등의 기준 및 규격이 정하고 있는 보존 및 보관기준에 적합하도록 관리하여야 하고, 이 경우 냉동·냉장시설 및 운반시설은 항상 정상적으로 작동시켜야 한다. 식품 등의 제조·조리·가공 등에 직접 종사하는 자는 위생복·위생모를 착용하는 등 개인위생을 철저히 관리하여야 한다. 식품 등의 제조·조리·가공에 직접 사용되는 기계·기구 및 음식기는 사용 후에 세척·살균하는 등 항상 청결하게 유지·관리하여야 한다. 학교급식의 HACCP(식품안전관리인증기준) 시스템 적용으로 위생·안전성 확보 및 식중독 예방검사를 한다. 학교 식중독 예방으로 위생적 급식환경으로 조리시설, 기구 등은 반드시 철저하게 세척, 소독 후 사용하며 칼, 행주 등은 끓는 물에서 30초 이상 열탕 소독하여 사용한다. 위생적인 조리를 위해 칼, 도마, 고무장갑은 용도별 육류, 어류, 채소 등 구분하여 사용한다. 가열음식은 중심부 온도가 75℃, 패류는 85℃, 1분 이상 가열되는지 확인하고 제공하며, 조리된 음식은 가급적 즉시 섭취하고, 개인 위생관리를 철저히 하도록 한다.

③ 화장실 관리

화장실은 접근성과 위생, 성폭력으로부터의 안전성을 등을 고려할 때 수세식으로 각 층에 위치해 있는 것이 이상적이다.

가. 화장실의 설치 및 관리 기준

「학교보건법 시행규칙」에서는 화장실의 설치 및 관리기준은 다음과 같다.

- 화장실은 남자용과 여자용으로 구분하여 설치하되, 학생 및 교직원이 쉽고 편리하게 이용할 수 있도록 필요한 면적과 변기수를 확보할 것
- 대변기 및 소변기는 수세식으로 할 것(상·하수도시설의 미비 또는 수질오염 등의 이유로 인하여 수세식 화장실을 설치하기 어려운 경우에는 제외할 것
- 출입구는 남자용과 여자용이 구분되도록 따로 설치할 것
- 대변기의 칸막이 안에는 소지품을 두거나 옷을 걸 수 있는 설비를 할 것
- 화장실 안에는 손 씻는 시설과 소독시설 등을 갖출 것

나. 화장실의 유지·관리 기준

- 항상 청결이 유지되도록 청소하고 위생적으로 관리할 것
- 안전성 확보 및 식중독 예방
- 악취의 발산과 쥐 및 파리·모기 등 해로운 벌레의 발생·번식을 방지하도록 화장실의 내부 및 외부를 4월부터 9월까지는 주 3회 이상, 10월부터 다음해 3월까지는 주1회 이상 소독을 실시할 것

이외에도 대기 중의 황사 미세먼지, 오존 및 폭염 등으로부터 학생과 교직원의 건강피해를 최소화하기 위해 학교에서는 비상대책반을 편성하고 대비하여야 한다.

2) 교육환경보호구역

2017년 2월부터 종전의 「학교환경위생정화구역」이 「교육환경보호구역」으로 개칭되어 시행되고 있다. 「교육환경 보호에 관한 법률」 제8조(교육환경보호구역의 설정 등)에 따라 학생의 보건·위생, 안전, 학습과 교육환경 보호를 위하여 학교경계 또는 학교설립예정지 경계(이하 '학교경계 등')로부터 직선거리 200미터의 범위 안의 지역을 지칭한다[그림 6-18].

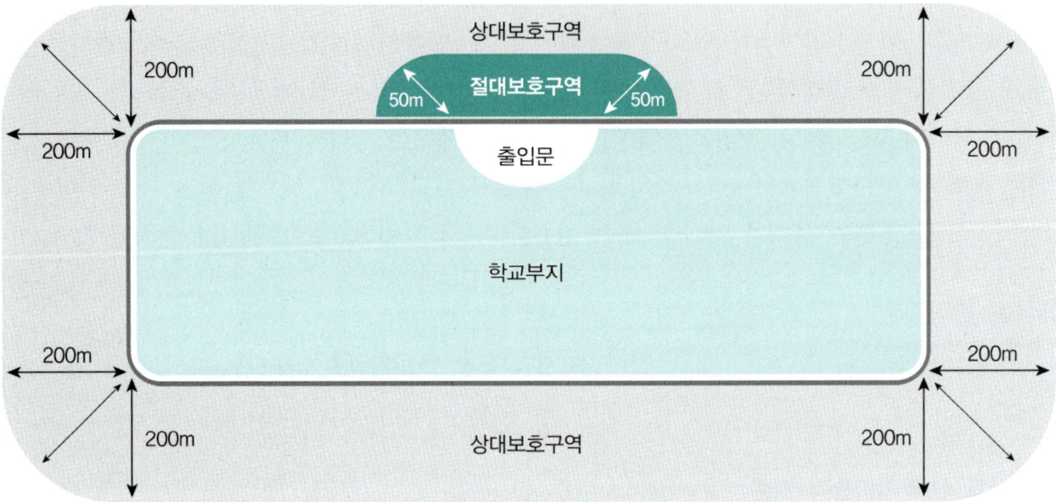

〈 자료원 : 교육환경보호구역(2018). https://cleanupzone.edumac.kr/institution/info.do 〉

그림 6-18 교육환경보호구역 범위

(1) 교육환경보호구역 범위

① 절대보호구역

학교출입문으로부터 직선거리로 50미터까지이며, 학교설립예정지의 경우 학교경계로부터 직선거리 50미터까지인 지역을 말하며 유해시설 설치를 일체 금지한다.

② 상대보호구역

학교경계 등으로부터 직선거리로 200미터까지인 지역 중 절대보호구역을 제외한 지역으로서 유해시설의 설치는 원칙적으로 금지한다.

제3절 + 학교보건실 운영

Keywords
- 학교보건실
- 학교보건실 시설 및 설비
- 물품관리
- 약품관리
- 보건예산관리
- 보건실 문서관리

학교보건실은 학생과 교직원에게 다양한 보건서비스와 필요시의 보건교육을 실시하며, 건강관리를 효율적으로 하기 위해서는 쾌적한 환경과 학생들이 쉽게 이용할 수 있어야 한다.

또한 학교에서의 안전사고 증가와 함께 현대 사회는 핵가족화, 맞벌이 가정, 이혼가정 증가, 다문화가정의 증가로 인하여 건강에 대한 올바른 지식습득 및 건강관리를 위한 학교 차원에서의 보건교육 및 상담 등 보건실의 역할이 증가하고 있다. 보건교사의 역할을 수행하면서 필요한 관리적 측면은 보건실의 운영과 보건조직의 관리, 시설·물품의 관리, 약품관리, 보건예산 관리, 문서관리, 기안 및 공문서 관리 등이 포함된다.

1 학교보건조직 운영

1) 학교보건실

학교보건실은 학교에서 보건활동의 중추적인 활동이 수행되는 장소이다. 보건실은 학생 및 교직원의 응급처치와 간호제공의 장이며, 각종 보건자료의 관리부서인 동시에 학교보건에 관계되는 학교의, 교사, 학부모와 연계되는 보건센터의 장이 되는 보건교사가 활동하는 업무 현장인 동시에 학교보건 운영센터이기도 하다.

표 6-30 보건실에 갖추어야 하는 시설과 기구 및 용품의 구체적인 기준(제2조 관련)

구 분	기 준
1. 일반 시설 및 기구 등	사무용 책상·의자, 건강기록부 및 서류 보관장, 약장·기기보관함, 소독(멸균)기, 냉·온장고, 물 끓이는 기구, 손전등, 가습기, 수도시설 및 세면대, 냉·난방시설, 통신시설, 컴퓨터·프린터기, 칠판·교육용 기자재 등
2. 환자안정용 기구	침대·침구류 및 보관장, 칸막이(가리개), 보온기구 등
3. 건강진단 및 상담용 기구	신장계·체중계·줄자·좌고계, 비만측정기, 시력표·조명장치·눈가리개·시력검사용 지시봉, 색각검사표, 청력계, 혈압계·청진기, 혈당측정기, 스톱워치(stopwatch), 검안경·검이경(귀보개)·비경, 펜라이트(penlight), 치과용 거울, 탐침·핀셋, 상담용 의자·탁자 및 진찰용 의자 등
4. 응급처치용 기구	체온계, 핀셋·핀셋통, 가위·의료용 쟁반·가제통·소독접시·상처소독용 이동식 수레, 부목·휴대용 구급기구·구급낭·들것·목발, 세안수수기·찜질기·켈리(지혈감자), 휴대용 산소기 및 구급처치용 침대 등
5. 환경위생 및 식품위생검사용 기구	통풍건습계, 흑구온도계, 조도계, 가스검지기, 먼지측정기, 소음계 및 수질검사용 기구 등
6. 기타	학생 및 교직원의 보건관리에 필요한 시설과 기구 및 용품 등

비고) 교육감은 학교의 실정에 따라 제5호의 규정에 의한 기준을 조정할 수 있다.

〈 자료원 : 법제처(2022). 학교보건법 시행규칙 별표1 〉

「학교보건법」 제3조에 의하면 보건실은 학생과 교직원의 응급처치 등이 신속히 이루어질 수 있도록 이용하기 쉽고 통풍과 채광이 잘되는 장소로 하여야 하며, 면적은 $66m^2$ 이상을 확보하도록 하고 있다.

학교보건의 중심 센터로서의 보건시설 및 기구의 확충으로 학생과 교직원의 건강증진과 복지에 기여하도록 한다. 건강관리, 건강상담, 보건교육, 질병관리 및 응급처치 등의 학교보건사업을 수행하며 보건실 옆(부근)에 보건 교육실을 설치 권장한다.

보건교육의 방향으로 현대사회는 청소년 약물 오·남용 및 성폭력, 흡연, 사고, 학교폭력, 비만과 자살, 집단따돌림, 우울증 등의 정신건강문제가 대두되고 있다. 고령화 사회 구조를 보이면서, 생활습관에서 유발되는 만성·급성 질환이 급증하는 추세에 있다. 성장기에 있는 학생이 평생을 건강하게 살도록 자기 건강관리 능력을 키워주는 다양한 보건교육이 필요하다.

2) 조직 관리

교장, 교사, 보건교사, 학생과 학부모로 이루어진 학교보건위원회는 학교간호에 대한 계획과 실행을 함께하여 도움을 받고 학교보건에 대한 이해도를 높임으로써 학교보건사업을 효율적으로 할 수 있다.

3) 보건실 현대화 기준

(1) 위치

- 응급처치 및 환자이송 등이 신속히 이루어질 수 있도록 1층에 배치한다.
- 조용하고 환기·채광이 잘되는 장소로 한다.
- 운동시설과의 연계 및 학생들의 출입이 편리한 곳으로 한다.
- 출입문은 실내뿐만 아니라 응급상황 시 구급차량의 접근이 용이하도록 실외 출입문 설치도 고려한다.
- 관리실 교직원 연락 및 화장실과의 원활하게 연계 되도록 배려한다.
- 보건 교육실은 보건실 옆에 일절 공간을 확보하여 개방된 구조로 설치해서 항시 보건실을 관찰할 수 있도록 한다.

(2) 구성

- 건강상 안정이 필요한 학생들의 요양을 위해 안정실을 설치한다.
- 보건 교사의 업무를 위한 효율적인 업무 공간을 둔다.
- 부상자의 응급처치를 위한 처치 공간 및 대기공간을 확보한다.
- 신체측정, 건강검사, 시력검사를 할 수 있는 공간 및 기구 보관 장소를 만든다.
- 학생 개인 혹은 그룹으로 건강이나 기타 보건상담을 위한 공간을 마련한다.
- 보건 교육을 위한 보건 교육실을 만들도록 권장한다.

2 보건실의 시설 및 설비

보건실의 위치는 교사의 중심으로 교무실과 인접하고 직접 운동장과 연결되는 곳에 있어야 한다. 구조는 학교 건강관리의 효율적인 역할 수행을 위하여 안정실, 상담실, 처치공간, 보건업무공간, 수세시설, 다용도 공간, 자료수납장, 보건교육실 등의 현대화된 보건실 시설을 갖추어 효율적이고 체계적으로 운영한다[그림 6-19].

안정실은 보건교사가 환자의 관찰을 쉽게 할 수 있고, 주위 환경이 조용한 곳에 위치하며 커튼이나 간이 조명시설을 이용하여 안정된 조명을 유지한다. 상담실은 출입구에서 내담자가 직접 보이지 않아야 하며 편안하고 안락한 공간으로 꾸민다.

처치실은 수도시설, 밝은 조명이 편리한 위치에 준비되어야 한다.

보건업무 공간으로 보건업무 처리, 다용도 공간으로 세척 및 준비실, 알림판 및 자료수납장으로 약장, 의료기구장, 전시물, 보건교육실로 보건교육용 스크린, 빔프로젝트, 자료전시용장, 책걸상이 준비되어야 한다.

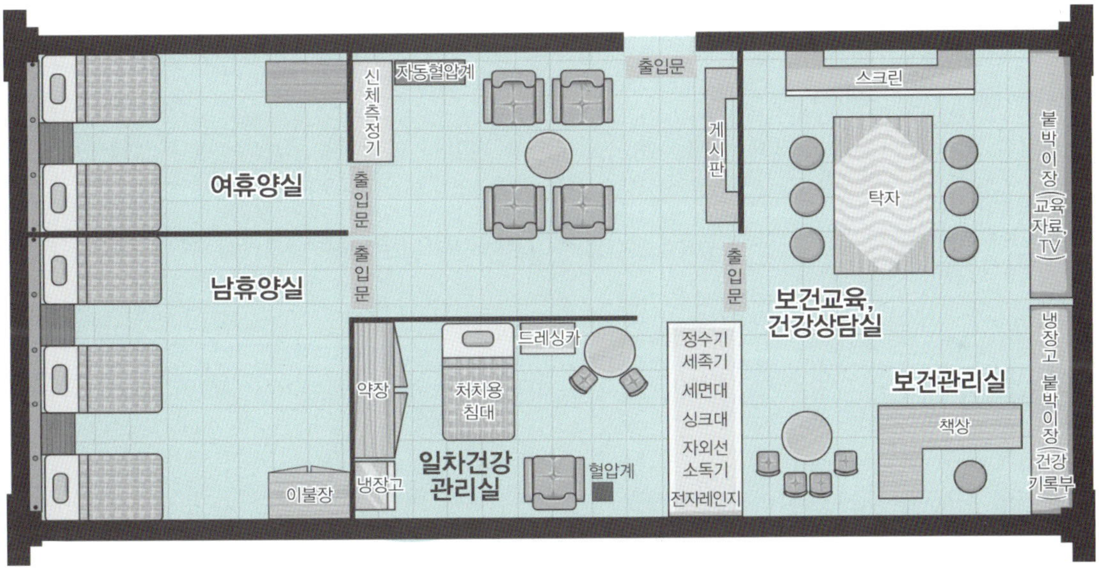

〈 자료원 : https://www.ksa.hs.kr/Home/Sub/188 〉

그림 6-19 보건실 현대화시설 단면도의 예

3 물품관리

보건교사가 학교 보건실을 운영할 때, 보건실에서 사용하는 비품과 소모품 관리는 중요한 업무 중 하나이다. 따라서 학생들의 건강관리를 위해 충분한 물품구입과 보관, 배치, 사용, 유지, 수선 등이 원활하게 이루어져야 할 것이다. 물품 구입 및 수리 품의 등은 에듀파인 학교회계시스템을 사용하여 품의를 한다. 에듀파인 학교회계시스템은 학교의 재정상태 및 운용결과를 명백히 하고, 학부모 및 이해관계자들의 학교회계에 대한 이해를 높이며, 재정운영보고서 등 각종 통계자료가 자동 생성되어 학교회계의 효율성 및 투명성을 향상시키기 위해서 2010년 도입되었다.

1) 물품구입 절차

물품의 재고량, 필요성, 소요량 등을 점검하여 구입 또는 수리할 내역을 파악한다.

예산은 단위학교의 재정운영 계획으로 자금 조달계획인 세입예산과 집행계획인 세출예산으로 구성된다. 즉, 당해학년도 회계연도 세입·세출 예산서에 편성된 예산이 있는지 확인한다.

예산이 없을 경우에는 사전에 행정책임자와 협의하여 예산을 확보한다.

비품일 경우는 비소모품 출납 및 운영카드, 즉 비품대장에 목록화하고 등재하여 사용한다. 일반 소모품일 경우에는 대장이나 카드에 등재 없이도 사용이 가능하다.

2) 물품의 보관 및 유지관리

물품대장을 목록화하여 정확하게 기록한다.

- 물품의 출고 시에 물품원장에 기록하고 서명한 후 출고하며, 출고대장에 날짜, 품목, 수량, 사용처, 책임자, 사용책임자 서명 등을 기록한다.
- 정기적으로 물품을 청구하고 물품 재고를 점검하며, 소모품인 경우 필요시 미리 물품을 주문한다.
- 사용 후에는 반드시 제자리에 둔다.
- 매 분기별 또는 월 1회 이상으로 자체점검을 실시하고 결함이 발견되는 즉시 관련 부서에 신속한 정비와 보수를 한다.
- 전근·이동 시에는 실제로 정확히 점검하여 인수·인계하고, 인수자와 인계자가 함께 확인·서명한다.

4 약품관리

「학교보건법 시행령」 제23조에 의하면 보건교사는 보건실에서 의약품을 사용할 수 있도록 하고 있다. 학생 및 교직원의 건강관리와 응급처치 등에 필요한 약품은 「약사법」 제50조에 의해 일반의약품만 구비할 수 있다.

의약품은 보관 용기 또는 첨부 문서에 명시된 유효기간, 보관방법, 사용방법 등을 준수하여야 하며 목록을 작성하여 수량 및 사용 가능성에 대해 정기적으로 점검하고 관리한다. 의약품은 안전하게 약품명을 부착하여 변질을 예방할 수 있는 적합한 장소에 보관·저장하고, 정기적으로 재고를 점검하고 확인하여 필요한 약품 및 물품을 주문하여 보충한다. 또한 의약품과 의약외품은 분리하여 보관하는 등 철저히 안전관리를 하여야 한다. 의약품 및 소모품은 계획에 의해서 구입하고 매일의 사용량을 정확하게 기록하고 정리한다.

1) 구급약품과 치료용 재료의 준비

학교보건 관리 지침에 제시된 보건실에 비치된 약품과 치료용 재료의 기준은 학생 수에 따라 준비한다 [표 6-31].

표 6-31 보건실 비치 약품 종류와 용도

구 분	종 류	용 도
외상 처치용	거즈붕대(대·중·소), 탄력붕대, 솜, 반창고, 거즈, 생리식염수, 파스(스프레이, 접착용)	상처, 골절 치료시
외용 약품	알코올, 과산화수소, 베타딘, 크레졸, 암모니아수	상처 및 기구 소독시
	화상 연고, 항생제 연고	상처 치료시
내복약	소화제	소화촉진, 위산 과다시
	해열, 진통제	해열, 진통시
	종합감기약	복합감기 증상시
	항스타민제	두드러기
	소염제	소염, 타박시
	지사, 정장제	설사, 정장시
	인후두 감염, 인후감염 구강세척제	염증완화
기 타	생리대	생리
	불소용액	불소양치용
	광범위 피부질환 연고	피부트러블
	구내염치료제	입안 상처
	면봉	약물도포, 이비인후과 치료
	설압자	이비인후과진료
	생리식염수	상처 세척시

약품 및 비품 수량은 전년도의 소비 내용을 검토하여 각 내용에 따라 조절한다.

또한 같은 성분의 치료약이라도 정제, 액체제, 연고, 스프레이 등 각종 형태의 약을 골고루 준비해 두도록 한다.

2) 약품관리방법

- 냉장고는 적절한 온도를 유지하여 약품의 유효성을 유지한다.
- 과다량의 약품구입으로 인하여 유효기간이 지나지 않도록 한다.
- 정확한 건강사정과 기록 아래 약품을 사용한다.
- 해독성 약품은 특별히 열쇠로 잠금장치를 하고, 주의 표시를 한다.
- 보관장이나 보관 장소는 습기, 열, 빛에 노출되지 않아 그늘지고 건조한 곳에 보관한다.
- 변형, 변색되었거나 유효기간이 지난 약품은 약품명, 폐기 일자, 수량, 폐기사유를 기재하여 폐기하도록 한다.
- 반드시 지시대로 복용함으로써 약물의 오·남용을 하지 않도록 학생들에게 철저하게 보건교육을 실시한다.

3) 올바른 약물 복용법

- 하제, 두통약 복용 : 한 컵 이상의 물과 함께 복용한다.
- 협심증 치료제 : 정제를 혀 밑 또는 치아와 뺨 사이에 놓고 녹여준다.
- 물 없이 복용하거나 누워서 복용하지 않도록 한다.
- 약은 녹차, 술, 주스, 우유 등과 함께 복용하지 않는다.

4) 의약품 투약 시 주의사항

- 투약 전 학생의 상태를 진단하며 과민증, 특이체질 유무를 확인한다.
- 약품명, 용량, 용법을 반드시 확인하고 학생에게 직접 투여한다.
- 침전이 가능한 약물은 반드시 흔들어 사용한다.

5 보건예산관리

학교보건 예산은 학교운영비와 육성회비에서 확보되며, 자세한 내용은 학교보건관리지침에 따라 소요 예산을 편성·집행한다. 학교보건 예산은 보건실 환경위생 개선, 기구 및 물품과 약품 등에 대한 예산을 말한다. 당해 연도의 잔량을 점검하고 다음 연도의 사업 계획 예산 중에서 보건관련 예산의 비율을 파악한다. 다음 연도의 학교보건사업비, 비품비와 약품비, 환경개선비 및 보수비 등에 관한 예산을 책정한다.

1) 예산 설정의 이점

- 상세하고 종합적인 학교보건 활동을 미리 계획할 수 있다.
- 구체적인 예산을 세우면서 업무 분석이 되어 업무의 시작과 진행에 도움이 된다.
- 기준이 설정되어 실제 지출과 기준을 용이하게 비교해 볼 수 있다.
- 예산기획은 현실에 적정선인지, 기준이 높은지 낮은지를 평가한다.

2) 예산의 원칙

- 예산공개의 원칙 : 학교보건 예산의 편성, 결산의 결과가 공개되어야 한다.
- 예산명료의 원칙 : 학교보건의 예산과 결산이 일치하여야 하며, 지출의 추계·용도·유래가 분명해야 한다.
- 사전의결의 원칙 : 학교보건 예산은 집행하기에 앞서 책임자의 의결을 거쳐야 한다.
- 한정성의 원칙 : 학교보건 예산의 각 항목은 상호 한계를 명확히 한다. 예산이 정한 목적 이외의 이용, 전용의 금지, 초과지출의 금지, 회계연도의 경과금지 등
- 완전성의 원칙 : 학교보건 예산에는 모든 수립, 지출이 기록되어야 한다.
- 단일성의 원칙 : 학교보건 예산은 복수가 아니라 단일이어야 한다.
- 예산통일의 원칙 : 학교보건 예산은 모든 수입이 하나로 합하여 지출되어야 한다.

6 보건실 문서관리

기록을 정확히 하고 보관하는 목적은 각 학생의 건강요구에 알맞은 계속적이고 질 높은 사업을 제공하기 위함이다. 학생의 건강과 관련된 모든 기록은 사업의 계획, 진행과 평가에 기초 자료로서 유용하며, 건강관리에 참여하는 학교장, 담임교사, 학교의사, 보건교사, 학부모, 학교운영위원회의 위원 등에게 사업을 집행하는 도구로써도 중요하다.

보고란 보건교사가 수행한 업무를 간단히 요약 정리하여 사업에 대한 분석 및 평가를 한 것이다. 보고를 위한 문서는 일보, 월보, 연보로 나뉘며, 사업의 종류에 따라 일보, 월보 및 사업통계보고를 제출하게 되어 있다. 주로 공문을 통한 요청에 따라 보고를 하며, 종류는 건강검사 결과, 감염병 발생, 학교 음용수 수질검사 결과 등이 있다.

1) 기록의 종류

학교보건 활동에서 주로 사용되는 기록에는 학생건강 기록부, 보건일지, 건강상담일지, 각종 병리검사 대장, 건강 이상자 카드 및 건강검사 통계표 등이 있으며, 기타 보건교사 자신이 업무상 필요하다고 인정되는 기록 양식 체계를 개발하여 활용할 수 있다. 〈부록 2 참고〉

2) 보건일지

보건교사가 매일의 학교보건업무 활동을 일일별로 기록하는 것이 보건일지이다. 보건일지에는 당일 학교의 특별한 지시사항이나 실천 및 특기사항, 당일 보건실을 방문한 학생들의 건강문제와 처치내용을 기록한다.

병원치료나 검사, 예방접종을 기록하고, 보건교육은 대상과 주제를 기록한다. 또한 학교에서 일어나는 사고는 시간과 장소 등 사고의 개요를 보건일지에 자세히 기록하도록 한다.

3) 학생건강기록부

학생건강기록부는 고등학교 졸업 시까지 보관하며, 학생이 다른 학교로 전출하거나 상급학교에 진학할 때에는 해당 학교의 장에게 이관 송부하여야 한다. 학생이 고등학교를 졸업하면 본인 또는 보호자에게 교부하되, 휴학·퇴학·사망 및 고등학교 미진학 시 등에는 당해 학교에서 5년간 보존한다.

학생의 건강검사 결과는 업무포털시스템에 의한 학생건강기록부에 작성하며, 이상이 발견된 자에 대한 건강지도 및 건강상담의 자료로 활용한다.

4) 가정통신문

가정통신문은 보건실에서 학생들의 건강관리를 위하여 학부모들로부터 의견을 문의할 때, 학생의 과거 병력 및 현재의 건강력·가족력을 조사할 때, 학교의 보건행사나 건강평가 결과를 알릴 때, 건강관리에 대한 학부모의 협조 요청이 있을 경우 등 여러 가지 목적으로 사용된다.

5) 보고 공문 작성요령

- 보고 받는 사람이 내용을 잘 이해할 수 있도록 보고 내용을 명료하게 정리·종합하여 보고한다.
- 보고의 목적에 맞게 보고 공문을 작성한다.
- 보고기한을 넘기지 않도록 하기 위하여 사전에 충분한 기간을 두고 작성토록 한다.
- 정해진 보고서식을 사용한다.

6) 기안 및 공문서 관리

(1) 행정상 공문서의 개념

문서란 종이에 기호를 사용하여 사람의 생각이나 사물의 상태, 관계 등을 기록한 것을 말한다. 그러므로 정부기관이나 각 기업체 등의 조직체에서 업무상 작성한 모든 기록은 문서라고 할 수 있다. 문서는 개인이나 조직체의 여러 가지 의사를 다양한 모습으로 표현한다. 행정상 공문서란 행정기관 또는 공무원이 직무상 작성하고 처리한 문서 및 행정기관이 접수한 문서를 말한다.

조직체에서의 모든 사무활동은 문서에 의해 이루어지고 있다. 문서는 조직체의 사무활동 과정과 결과를 정확히 전달하고 보존하기 위한 사무활동 수단의 중심이 되고 있다. 즉 문서는 상호 간 의사의 정확한 전달과 증거 또는 자료로서 보존하고 이용한다는 점에서 그 중요성이 있다.

(2) 문서 작성의 원칙

문서를 작성하고자 할 때 특별한 사유가 있는 경우를 제외하고는 아래의 일반원칙에 따른다.

① 문안

문서는 「국어기본법」 제11조에 따른 어문규범에 맞게 한글로 작성하되, 쉽고 간명하게 표현하고, 뜻을 정확하게 전달하기 위하여 필요한 경우에는 괄호 안에 한자 그 밖의 외국어를 넣어 쓸 수 있으며, 특별한 사유가 있는 경우를 제외하고는 가로로 쓴다.

② 숫자

아라비아 숫자로 쓴다.

③ 날짜

숫자로 표기하되 연·월·일의 글자는 생략하고 그 자리에 온점을 찍어 표시한다.

④ 시간

시·분 표기는 24시각제로 따라 숫자로 하되, 시·분의 글자는 생략하고 그 사이에 쌍점(:)을 찍어 구분한다.

⑤ 금액

문서 및 유가증권에 금액을 표시하는 때에는 아라비아 숫자로 쓰되, 숫자 다음에 괄호를 하고 한글로 기재한다.

표 6-32 기안문

○○○○학교

수신자　　　　내부결재
(경유)
제　목　　　　질병(전염병)으로 인한 등교중지 및 출석인정 건의

법정 제　　군 전염병이 발견되어 학교보건법 제8조 및 학교보건법 시행령 제13조에 의거 아래와 같이 등교중지 및 출석인정을 건의코자 합니다.

1. 대상학생 인적사항
   - 학년반 및 성명 :
2. 병 명 :
3. 등교중지 기간 :　　.　　.　　-　　.　　.　　(○○일간)

덧붙임　1. 등교중지에 대한 협조문(가정통신) 1부.
　　　　2. 전염병 예방관리 <등교중지 및 출석인정 근거법령> 1부.
　　　　3. 의사진단서(소견서) 또는 진료확인서 1부. 끝.

○○○○학교장

Ⅲ. 산업간호

제1절 + 산업간호의 이해

Keywords
- 산업간호
- 산업보건
- 보건관리자
- 보건관리 대행
- 산업간호과정

1 산업보건과 산업간호

1) 산업보건과 산업간호의 개념

(1) 산업보건

① 산업보건의 개념

인간은 성장하면서 어떠한 형태로든 직업에 종사하고, 근로자의 대부분은 그 직장에서 하루의 1/3 이상을 보낸다. 따라서 산업현장에서 근로자가 안전하고 건강하게 일하는 것은 근로자의 삶의 질에 매우 중요한 요소이다. 산업보건은 산업체 경영에 있어서 안정적인 노동력을 보전하는 데 매우 중요하다. 근로자의 건강과 안전관리는 근로자뿐만 아니라 생산성 증대와도 직결되어 산업체 손실의 예방과 인간존중 차원에서도 매우 중요한 일이기 때문이다.

국제노동기구(International Labor Organization; ILO, 1950)는 산업보건을 '모든 직업인의 육체적·정신적·사회적인 복지를 최고도로 유지·증진하고, 근로자들이 건강한 시민으로 높은 작업능률을 유지하면서 오랜 기간 동안 일할 수 있고 생산성을 높이기 위하여 근로 방법과 생활 조건을 어떻게 정비해 갈 것인지를 연구하는 과학이며 기술'이라고 정의하고 있다.

② 산업보건의 목표

국제노동기구와 세계보건기구(1995)의 산업보건합동위원회에서는 산업보건의 목표를 다음과 같이 제시하고 있다.

- 모든 직업에 종사하는 근로자들의 신체적·정신적·사회적 안녕을 고도로 유지·증진시킨다.
- 작업조건에서 발생하는 건강문제를 예방한다.
- 건강에 해를 끼치는 위험요인으로부터 근로자를 보호한다.
- 근로자가 신체적·정신적으로 적성에 맞는 작업환경에서 일하도록 배치한다.

③ 산업보건사업의 기능

국제노동기구는 산업보건의 목표를 달성하기 위한 산업보건사업의 기능을 다음과 같이 제시하고 있다.

- 직장에 있어서의 건강유해요인에 의한 위험의 확인과 평가

- 근로자의 건강에 영향을 주는 작업환경, 작업방법 등의 모든 요인의 점검
- 작업계획과 조직, 기계와 기타 설비의 선택 보수의 사용 상태, 작업에 사용되는 물질에 관한 조언
- 작업방법의 개선과 새로운 설비의 건강측면의 검사와 평가를 위한 계획의 참여
- 산업보건·안전에 관한 인간공학적 조건과 보호구에 관한 조언
- 노동과 관련된 근로자 건강상태의 점검
- 근로자의 노동에 대한 적합성 추진
- 작업재활 대책의 기여
- 산업보건과 인간공학의 영역에 있어서의 정보 훈련, 교육의 제공에 있어서의 협력
- 응급조치와 긴급치료의 조직
- 산업재해와 직업병 분석의 참여

(2) 산업간호

산업보건의 목표를 달성하기 위해서 다양한 영역, 즉 산업간호학을 포함하여 산업의학, 산업위생학, 산업생리학, 산업심리학, 인간공학 등이 참여하고 있다.

이 중 산업간호사는 근로자들과 가장 가까운 곳에서 일차적인 건강관리를 제공한다.

미국산업간호협회(American Association of Occupational Health Nurses; AAOHN, 2007)에서는 산업간호를 '근로자와 근로자 집단, 지역사회 그룹에 안전보건 프로그램과 서비스를 제공하고 전달하는 전문 실무 분야'라고 정의하였다. 그리고 산업간호는 근로자의 건강을 증진하고 회복시키며 질병이나 상해를 예방하고 작업과 관련된 위해인자로부터 근로자를 보호하는 것에 초점을 둔다고 하였다.

산업간호사는 근로자에게 간호를 제공함에 있어 독자적인 간호판단을 한다. 실무의 영역은 근로자·작업장의 사정, 감시, 일차의료, 사례관리자, 상담, 건강증진 및 보호, 관리, 행정, 연구, 법적·윤리적 모니터링 등을 포함하여 매우 다양하다.

산업간호란 직업과 관련된 유해인자로부터 근로자의 건강을 보호, 증진, 보존하여 생산성을 증진함으로써 근로자의 안녕상태를 최고도로 유지하는 데 목적을 둔다. 산업간호업무의 범위는 보건교육과 상담, 작업환경과 근로자의 상호작용 파악, 근로자의 직업성 및 비직업성 질환의 예방과 관리, 일차보건의료 수준의 처치 및 의뢰, 산업보건팀과의 협력관계 수립 등이다. 이러한 업무수행에는 근로자의 자발적인 참여와 책임의식이 필수적이다.

2) 산업보건의 발전과정

(1) 외국

① 고대(B.C. 4000~A.D. 500)

고대로부터 인간은 각종 노동에 종사함으로써 많은 위험과 질병에 노출되어 왔다. 그로 인해 그러한 질병과 위험을 감소시키기 위한 노력도 함께 이루어져 왔는데 고대 그리스의 의사인 Hippocrates는 질병과 직업이 관계가 있음을 지적하였다. 그는 기원전 4세기에 광부들과 야금공들이 납에 노출되어 생기는 건강문제가 있었다고 언급하였는데 납중독은 역사상 최초로 기록된 직업병이다. 로마시대에 Galen과 Celsus는 광산에서 일하는 근로자들을 위시한 각종 직업병을 기술하였고, 특히 Galen(A.D. 100)은 납중독의 증상을 자세히 관찰하

여 보고하였다. 이와 같이 산업관련 질병들은 금속광산을 중심으로 발생하였으나, 당시에 노동을 천시하였으므로 이들의 건강은 전혀 고려되지 못하였다.

② 중세기(500~1500)

중세기에는 금속공예, 직물공업 등 여러 종류의 가내수공업이 번성하였다. 이에 따라 상업과 무역이 활발해지고 금속에 대한 수요가 증가하게 되었다. 이때부터 광부의 건강문제가 제기되었다.

③ 르네상스(1500~1600)

르네상스 시대에는 공예와 기술의 발전에 따라 직업병에 대해 기술한 서적들이 발간되었는데 그 중 독일의 Agricola(1566)는 광산 광부들의 호흡기 질환에 대해 기술하였다. 스위스의 Paracelsus(1493~1541)는 의학자이자 화학자, 연금술사로서 물질계의 근본을 유황, 수은, 소금 등 '3원소'를 주장하고, 약용식물뿐만 아니라 무독성의 광물질을 약재로 사용하였다. 그는 '세상의 모든 약은 독이고, 약과 독의 차이를 결정하는 것은 그 사용량일 뿐이다.'라며 약의 치료효과 못지 않게 그 독성을 강조하였다. 그는 광산에서 일하는 광부들의 질환에 관심을 갖고 직업병으로서 규폐증을 처음으로 기술하였다.

산업보건의 시조로 불리는 이탈리아의 의대교수인 Bernardino Ramazzini(1633~1714)는 전 생애에 걸쳐 각종 수공업자들이 겪는 특이한 질병들을 조사하여 총 14권으로 집약한 「직업인들의 질병」을 발간하였다. 그는 이 책에서 직업병의 원인은 작업장의 유해물질, 작업자의 작업자세와 불안전한 행동을 지적하였다. 그 예로 광부, 어부, 농부, 초자공, 석공, 도자기공, 직조공, 선원, 군인, 수도자, 수렵자, 장의사 등에서 나타난 직업병을 제시하였다.

그 외 기록에는 Stockhausen(1656)의 광부의 천식증, Pope(1665)의 수은광산 광부의 수전증, Henckels(1728)의 비산에 의한 피부장애, Heister(1739)의 열에 의한 백내장 등이 제시되어 있다.

④ 산업혁명(1760~1832)

산업혁명이 시작되면서 Percivall Pott(1775)가 굴뚝 청소부로 일하던 10세 미만 남아의 음낭암 발생을 보고한 것이 산업장 유해물질로 인한 암 발생의 첫 보고이다. 산업혁명이 가장 활발했던 영국에서 1802년 노동법의 시초라고 할 수 있는 「도제의 건강과 풍기에 관한 법률」이 제정되었고, 독일의 Bismark는 1833년 사회보장제도의 시조인 「노동자 질병보호법」과 「공장재해보험법」(1884)을 제정하였다.

⑤ 20세기(1900~2000)

미국의 Alice Hamilton은 20세기 초 미국의 산업보건 분야에 크게 공헌한 선구자로 산업현장의 납, 레이온 공장의 이황화탄소 중독, 규폐증, 수은 중독 등을 조사하였고, 유해물질 노출과 질병과의 관계를 규명하였다. 이러한 업적으로 중독환자들이 감소하였고, 노동자는 장시간 노동에 반대하여 노동운동을 강화하게 되었다.

미국의 F.W. Taylor는 「과학적 경영원리」(1911)라는 논문을 발표하면서 노동의 과학화를 주장하여 경영자들의 환영을 받았으나, 건강을 고려하지 않았다는 이유로 노동자들로부터는 반대를 받았다. 이것을 계기로 노동생리학과 산업심리학 연구가 시작되었다. X-선 발견 이후 방사선 장해가 새로운 직업병으로 추가되었고, 남아프리카 연방에서의 금광 개발은 이 지역에서 진폐증의 예방과 진단, 치료에 획기적인 업적을 올릴 수 있는 계기가 되었다. 1919년에는 국제노동기구(ILO)가 창설되었다.

제2차 세계대전 이후 작업공정의 기계화와 자동화, 전자공업과 석유공업의 발전에 따라 직업병의 관리와 예방에 큰 관심을 갖게 되었다. 공장은 기계자동화의 시대로 발전되어 작업은 컨베이어 벨트의 연속적인 작업 속에서 세분화되어 기계의 속도에 맞추어 동일한 동작을 반복하는 단조로운 작업이 되었다. 그 결과 인간 소외라는 말이 나오고 정신·신경·감각기능 장해의 문제가 발생되었다. 여기서 인간과 기계와의 관계를 고려한 인간공학(Ergonomics) 분야가 새로이 발전하게 되었으며, 1980년대부터는 사업장에서 건강증진운동이 시작되었다.

(2) 우리나라

우리나라의 산업보건행정은 1948년 사회부에 설치되었던 노동국에서 시작되었고 노동국은 이후 1963년에 노동청으로 승격되어 각 도에 지방사무소를 설치하게 되었다. 그리고 1981년에 노동부로 승격되었다. 현재는 정부조직 중 고용노동부에서 관장하고 있다.

우리나라에서 산업보건과 관련된 법령인 「근로기준법」이 1953년에 제정되었는데, 이 「근로기준법」에는 산업재해를 예방할 목적으로 안전과 보건에 관한 10개 조항이 설정되어 있었으며 그 내용은 위험방지, 안전장치, 위험한 작업, 유해물, 위험작업의 취업제한, 안전보건교육, 환자의 취업금지, 건강진단, 안전관리자와 보건관리자, 감독상의 행정조치 등의 내용으로 구성되었다. 이어 1961년에 「근로보건관리규칙」이 공포되어 처음으로 보건관리자를 의사로 규정하여 근로자의 보건에 관한 사항을 관리하도록 권한을 부여하였다. 이와 더불어 보건관리에 필요한 요원을 두어야 한다고 규정하였는데 보건관리요원의 자격을 의료업자로 규정하였는데, 이것이 산업간호사 배치의 시작이라고 볼 수 있다.

1963년에는 근로자의 업무상의 재해를 신속하고 공정하게 보상할 수 있도록 「산업재해보상보험법」이 제정되었다. 1981년에는 급격한 산업화에 따라 위험한 기계·기구의 사용 증가 등에 의한 산업재해의 대형화와 빈발, 유해물질의 대량 사용 및 작업환경의 다양화에 따른 직업병의 발생증가에 효율적으로 대처하고, 산업재해를 효율적으로 예방하고 쾌적한 작업환경을 조성하여 근로자의 안전, 보건을 증진·향상시키기 위하여 「산업안전보건법」이 제정되었다.

1963년에 의료업자로 규정되어 사업장에 배치된 산업간호사는 1981년 「산업안전보건법」의 제정으로 건강관리 보건담당자로서 산업위생보건담당자와 함께 보건관리자인 의사의 지도·감독을 받아 보건관리자의 직무를 보조하도록 규정되었다. 이후 1988년 '원진레이온 이황화탄소 중독사건'이 사회적으로 이슈화되면서 산업보건 전반에 대한 점검이 이루어졌고, 이후 1990년에 「산업안전보건법」이 대대적으로 개정되었다. 개정된 「산업안전보건법」에서는 보건관리자의 자격을 간호사, 의사, 산업위생사로 하였고, 산업간호사의 직무도 의사, 산업위생사와 구분하여 규정하였다. 이로써 28년 만에 간호사가 보건관리요원, 건강관리보건담당자에서 보건관리자로서의 자격을 합법적으로 인정받게 되었다. 이는 어려운 여건 속에서도 산업장 곳곳에서 근로자의 건강관리와 산업장의 보건관리를 위해 성실히 노력해 온 산업간호사들과 이러한 산업간호사의 위상을 확립하고자 하는 간호학계와 간호단체의 노력의 결실이라고 할 수 있다. 또한 2003년부터는 산업전문간호사 제도가 인정되어 2006년 최초로 산업전문간호사가 배출되었고 앞으로 그 전문성이 더욱 신장될 전망이다.

1990년 산업간호의 향상을 위한 학술활동을 목적으로 창립된 한국산업간호학회는 2012년 한국직업건강간호학회로 명칭을 변경하였다. 1987년에 발족된 산업보건간호사회는 1991년 산업간호사회로 명칭이 변경된 이후 1994년 한국산업간호협회, 2018년 한국직업건강협회로 명칭을 변경하였다.

2012년부터 고용노동부와 안전보건공단의 노력으로 전국에 근로자 건강센터를 개설하여 50인 미만 소규모

사업장 근로자들의 직업병 등 질병상담 및 다양한 직업건강서비스를 제공함으로써 근로자 건강보호에 기여하고 있다. 근로자 건강센터에서는 무료로 서비스를 제공하는데, 직업환경의학전문의, 간호사, 산업위생기사, 인간공학기사, 물리치료사, 임상심리사, 운동처방사, 운동지도사 등 직업 건강관련 전문가들이 기여하고 있다. 2021년 현재 전국에 23개 센터와 21개 분소가 운영되고 있다.

1960년대 이후 우리나라의 급속한 고도성장 과정에서 산업재해예방의 중요성이 대두됨에 따라 1987년 「한국산업안전공단법」이 공포되어 한국산업안전공단이 창립되었다. 이후 2009년 한국산업안전보건공단으로 명칭을 변경하였고, 2011년부터는 '한국산업안전보건공단'과 '안전보건공단'으로 축약시킨 명칭을 함께 사용하고 있다. 2021년 사업 또는 사업장, 공중이용시설 및 공중교통수단을 운영하거나 인체에 해로운 원료나 제조물을 취급하면서 안전·보건 조치의무를 위반하여 인명피해가 발생한 중대재해를 예방하고 시민과 종사자의 생명과 신체를 보호하기 위하여 「중대재해 처벌 등에 관한 법률」이 제정되어 2022년 1월 시행되었다.

3) 산업보건 인력 및 조직

(1) 산업보건 인력

현행 「산업안전보건법」상에는 사업장의 안전보건을 담당할 인력으로 안전관리자, 보건관리자, 산업보건의를 선임하도록 규정하고 있다.

① 안전관리자

안전관리자는 안전에 관한 기술적인 사항에 대하여 사업주 또는 안전보건관리책임자를 보좌하고 관리감독자에게 지도·조언하는 역할을 한다.

안전관리자의 업무는 다음과 같다(산업안전보건법 시행령 제18조).

- 산업안전보건위원회 또는 안전·보건에 관한 노사협의체에서 심의·의결한 업무와 해당 사업장의 안전보건관리규정 및 취업규칙에서 정한 업무
- 안전인증대상 기계·기구 등과 자율안전확인대상 기계 등 구입 시 적격품의 선정에 관한 보좌 및 조언·지도
- 위험성평가에 관한 보좌 및 지도·조언
- 해당 사업장 안전교육계획의 수립 및 안전교육 실시에 관한 보좌 및 지도·조언
- 사업장 순회점검, 지도 및 조치의 건의
- 산업재해 발생의 원인 조사 분석 및 재발 방지를 위한 기술적 보좌 및 지도·조언
- 산업재해에 관한 통계의 유지·관리·분석을 위한 보좌 및 지도·조언
- 법 또는 법에 따른 명령으로 정한 안전에 관한 사항의 이행에 관한 보좌 및 지도·조언
- 업무수행 내용의 기록·유지
- 그 밖에 안전에 관한 사항으로서 고용노동부장관이 정하는 사항

② 보건관리자

보건관리자는 보건에 관한 기술적인 사항에 대하여 사업주 또는 안전보건관리책임자를 보좌하고 관리감독자에게 지도·조언하는 역할을 한다.

③ 산업보건의

산업보건의는 근로자의 건강관리와 보건관리자의 업무를 지도하는 역할을 한다.
산업보건의의 직무는 다음과 같다(산업안전보건법 시행령 제31조).

- 건강진단 결과의 검토 및 그 결과에 따른 작업 배치, 작업 전환 또는 근로시간의 단축 등 근로자의 건강 보호 조치
- 근로자의 건강장해의 원인 조사와 재발 방지를 위한 의학적 조치
- 그 밖에 근로자의 건강 유지 및 증진을 위하여 필요한 의학적 조치에 관하여 고용노동부장관이 정하는 사항

(2) 산업보건 조직

① 공공조직

가. 고용노동부

산업보건을 담당하는 중앙행정부는 고용노동부이다. 고용노동부 노동정책실 내 산재예방보상정책국에서 산업보건에 관한 업무를 담당하고 있다. 고용노동부는 6개 지방고용노동청과 40개 지청을 두어 고용노동부 사무를 분장하고 있다. 지방고용노동청에서는 산재예방지도과를 포함한 각 부서들이 산업보건 업무를 담당하고 있다.

나. 안전보건공단

산업재해 보상보험의 업무를 총체적으로 담당하고 있는 기관으로 산재·고용보험 관리, 산재보상, 재활서비스, 근로자 복지서비스 등의 업무를 담당하고 있다. 1977년 근로복지공사가 설립되어 10개 산재병원 등을 설치 및 운영하였다. 1995년에는 근로복지공단이 설립되어 산재보험업무 개시 및 근로복지공사의 해산을 담당하고, 권리와 의무를 포괄적으로 승계하였다. 또한 1995년에 설립된 산재의료관리원은 2010년부터 근로복지공단과 통합되어 운영되고 있다.

다. 근로복지공단

산업재해를 입은 근로자의 부상 또는 질병의 신속한 치유, 요양, 의료재활로 신체기능을 회복하게 해주고 사업장의 산업보건사업을 수행함으로써 산업재해 근로자의 보건향상과 근로자 복지증진에 이바지함을 목적으로 설립되었다. 현재 10개 지역병원(인천, 안산, 창원, 대전, 순천, 창원, 태백, 동해, 정선, 경기요양병원)과 2개 케어센터(경기케어센터, 태백케어센터) 등이 운영되고 있다.

라. 근로복지공단 병원

근로자의 안전과 보건을 유지·증진하고, 사업주의 재해예방을 촉진하며, 국민경제 발전에 기여함을 목적으로 1987년 12월에 한국산업안전보건공단으로 설립되었던 기관으로, 2011년부터는 안전보건공단이라는 명칭도 함께 사용하고 있다. 안전보건공단은 사업장의 악성사고사망 근절, 중상해재해관리 강화, 안전보건 책임강화 및 인식개선, 안전보건 허브기능강화로 사회안전망 확충 등을 전략과제로 제시하고 있으며, 사업장의 위험성 평가, 재해예방 기술지도, 위험기계기구 인증 및 검사 등의 업무를 담당하고 있다.

② 민간조직

산업보건 관련 민간조직으로는 대한산업보건협회, 한국안전보건협회, 한국직업건강간호학회, 한국직업건강협회, 대한직업환경의학회, 대한산업안전협회, 산업보건 관련 연구소, 직업환경 측정기관과 특수건강진단 기관, 보건관리 대행기관 등이 있다. 이 가운데 한국직업건강간호학회는 1990년에 창립되어 학술대회 개최, 학회지 발간 등 다양한 활동을 하고 있다. 1994년에 설립되어 2018년에 명칭이 변경된 한국직업건강협회는 현재 전국에 9개 지부를 두고 있다.

(3) 사업장 안전보건관리체계

「산업안전보건법」에서 정한 사업주의 의무를 준수하기 위하여 사업주는 사업장을 총괄 관리하는 안전보건관리책임자를 두고, 그 하부에는 안전관리자, 보건관리자, 산업보건의를 두도록 하고 있다. 또한 안전보건관리를 현장에서 실행하도록 하기 위해 산업안전보건위원회를 조직하여 노사가 동등한 입장에서 안전보건사항을 심의·의결하도록 하고 있다. 우리나라는 사업장에 보건관리자를 선임하거나 보건관리전문기관에 위탁하여 사업장 보건관리를 담당하도록 하고 있다[그림 6-20].

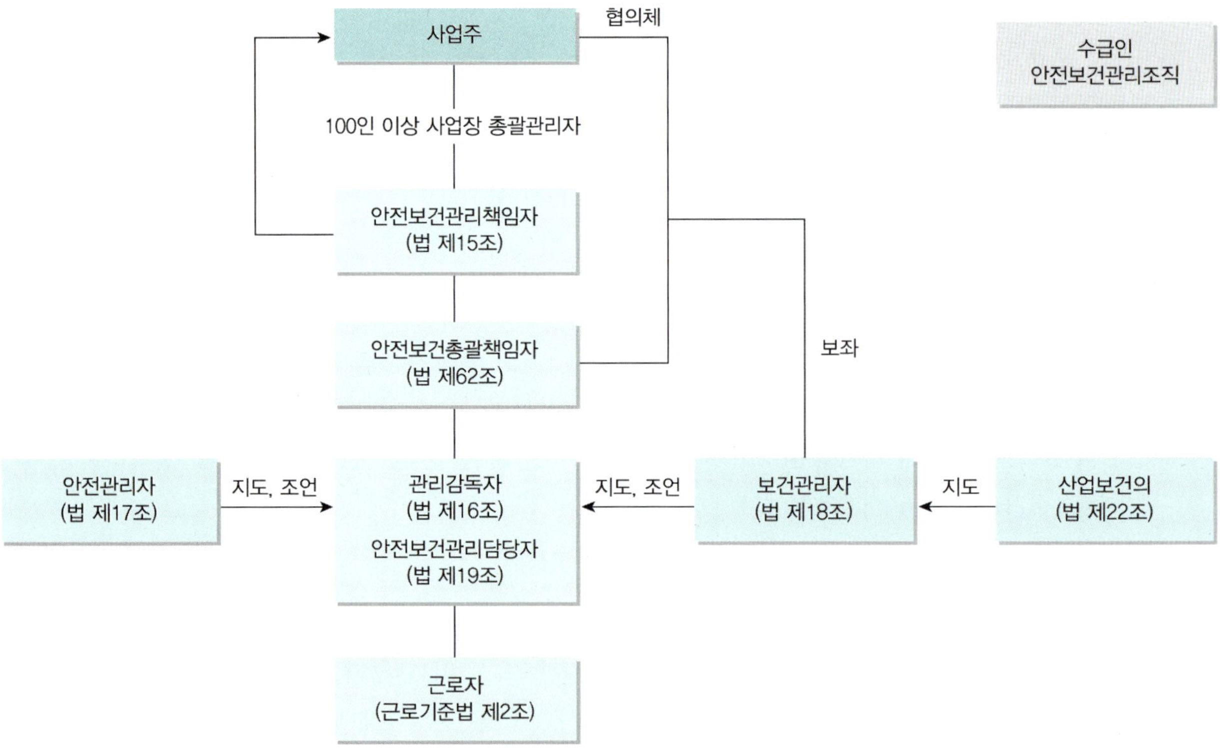

〈 자료원 : 법제처(2021). 산업안전보건법 〉

그림 6-20 안전보건관리체계 구성도

4) 보건관리자의 업무

보건관리자의 자격 및 업무에 대해서 살펴보면 다음과 같다.

(1) 보건관리자의 자격

「산업안전보건법 시행령」 제21조에 의하면 보건관리자가 될 수 있는 자격은 다음과 같다.

- 「의료법」에 따른 의사
- 「의료법」에 따른 간호사
- 산업보건지도사
- 「국가기술자격법」에 따른 산업위생관리산업기사 또는 대기환경산업기사 이상의 자격을 취득한 사람
- 「국가기술자격법」에 따른 인간공학기사 이상의 자격을 취득한 사람
- 「고등교육법」에 따른 전문대학 이상의 학교에서 산업보건 또는 산업위생 분야의 학위를 취득한 사람(법령에 따라 이와 같은 수준 이상의 학력이 있다고 인정되는 사람을 포함한다)

(2) 보건관리자의 업무

「산업안전보건법 시행령」 제22조에 의한 보건관리자의 업무는 다음과 같다. 보건관리자가 업무를 수행할 때에는 안전관리자와 협력하여야 한다.

- 산업안전보건위원회 또는 노사협의체에서 심의·의결한 업무와 안전보건관리규정 및 취업규칙에서 정한 업무
- 안전인증대상 기계 등과 자율안전확인대상 기계 등 보건과 관련된 보호구 구입 시 적격품 선정에 관한 보좌 및 지도·조언
- 산업보건의의 직무(보건관리자가 의사인 경우에 한함)
- 물질안전보건자료의 게시 또는 비치에 관한 보좌 및 지도·조언
- 위험성평가에 관한 보좌 및 지도·조언
- 해당 사업장 보건교육계획의 수립 및 보건교육 실시에 관한 보좌 및 지도·조언
- 해당 사업장의 근로자를 보호하기 위한 다음의 의료행위(의사, 간호사)
  - 자주 발생하는 가벼운 부상에 대한 치료
  - 응급처치가 필요한 사람에 대한 처치
  - 부상·질병의 악화를 방지하기 위한 처치
  - 건강진단 결과 발견된 질병자의 요양 지도 및 관리
  - 위의 의료행위에 따르는 의약품의 투여
- 작업장 내에서 사용되는 전체환기장치 및 국소배기장치 등에 관한 설비의 점검과 작업방법의 공학적 개선에 관한 보좌 및 지도·조언
- 사업장 순회점검, 지도 및 조치 건의
- 산업재해 발생의 원인 조사·분석 및 재발 방지를 위한 기술적 보좌 및 지도·조언
- 산업재해에 관한 통계의 유지·관리·분석을 위한 보좌 및 지도·조언

- 법 또는 법에 따른 명령으로 정한 보건에 관한 사항의 이행에 관한 보좌 및 지도·조언
- 업무수행 내용의 기록·유지
- 그 밖에 보건과 관련된 작업관리 및 작업환경관리에 관한 사항으로서 고용노동부장관이 정하는 사항

(3) 보건관리자의 직무내용

보건관리자가 의사, 간호사, 산업위생 지도사(환경관리기사)인 경우의 보건관리자별 직무내용은 [표 6-33]과 같다.

표 6-33 보건관리자별 직무내용

직무내용	의 사	간호사	산업보건지도사 (환경관리기사)
1. 건강위험성의 확인			
1) 화학물질의 유해성 조사			○
2) 전체환기장치 및 국소배기장치 점검			○
3) 보호구 구입시 적격품 선정			○
4) 사업장 순회점검	○	○	○
2. 건강진단			
1) 건강진단실시 결과의 검토 및 결과에 따른 작업배치	○		
2) 작업전환 또는 근로시간 단축 등 근로자의 건강보호 조치	○		
3. 근로자 건강장해 조사			
1) 건강장해의 원인 조사와 재발방지를 위한 의학적 조치	○		
2) 직업병 발생의 원인 조사	○	○	○
4. 근로자 건강관리			
1) 근로자 건강상담	○	○	○
2) 보건교육	○	○	○
3) 건강증진지도	○	○	○
4) 근로자 보호를 위한 의료행위	○	○	
5) 기타 건강유지와 증진을 위해 필요한 의학적 조치	○		
5. 근로자에 대한 건의			
1) 조치 건의	○	○	○
2) 산업안전보건위원회 참석	○	○	○

〈 자료원 : 법제처(2022). 산업안전보건법 시행령 〉

(4) 보건관리자의 배치기준

「산업안전보건법 시행령」 제20조에 의한 사업의 종류, 사업장의 상시근로자 수, 보건관리자의 수와 선임방법은 [표 6-34]와 같다.

표 6-34 보건관리자를 두어야 할 사업의 종류·규모, 보건관리자의 수 및 선임방법

사업의 종류	규 모	수	선임방법
1. 광업(광업 지원 서비스업은 제외) 2. 섬유제품 염색, 정리 및 마무리 가공업 3. 모피제품 제조업 4. 그 외 기타 의복액세서리 제조업(모피 액세서리에 한정) 5. 모피 및 가죽 제조업 6. 신발 및 신발부분품 제조업 7. 코크스, 연탄 및 석유정제제품 제조업 8. 화학물질 및 화학제품 제조업(의약품 제외) 9. 의료용 물질 및 의약품 제조업 10. 고무제품 및 플라스틱제품 제조업 11. 비금속 광물제품 제조업 12. 1차 금속 제조업 13. 금속가공제품 제조업(기계 및 가구 제외) 14. 기타 기계 및 장비 제조업 15. 전자부품, 컴퓨터, 영상, 음향 및 통신장비 제조업 16. 전기장비 제조업 17. 자동차 및 트레일러 제조업 18. 기타 운송장비 제조업 19. 가구 제조업 20. 해체, 선별 및 원료 재생업 21. 자동차 종합 수리업, 자동차 전문 수리업 22. 유해물질을 제조하는 사업과 그 유해물질을 사용하는 사업 중 고용노동부장관이 특히 보건관리를 할 필요가 있다고 인정하여 고시하는 사업	상시 근로자 2,000명 이상	2명 이상	의사 또는 간호사가 1인 포함되어야 함
	상시 근로자 500명 이상 2,000명 미만	2명 이상	보건관리자 자격기준에 해당하는 사람
	상시 근로자 50명 이상 500명 미만	1명 이상	
23. 제조업(제2호부터 22호까지의 사업 제외)	상시 근로자 3,000명 이상	2명 이상	의사 또는 간호사가 1인 포함되어야 함
	상시 근로자 1,000명 이상 3,000명 미만	2명 이상	보건관리자 자격기준에 해당하는사람
	상시 근로자 50명 이상 1,000명 미만	1명 이상	
24. 농업, 임업 및 어업 25. 전기, 가스, 증기 및 공기조절공급업 26. 수도, 하수 및 폐기물 처리, 원료재생업(제20호 사업 제외) 27. 운수 및 창고업 28. 도매 및 소매업 29. 숙박 및 음식점업 30. 서적, 잡지 및 기타 인쇄물 출판업 31. 방송업 32. 우편 및 통신업 33. 부동산업 34. 연구개발업 35. 사진 처리업 36. 사업시설 관리 및 조경 서비스업 37. 공공행정(청소, 시설관리, 조리 등 현업업무에 종사하는 사람으로서 고용노동부장관이 정하여 고시하는 사람에 한정) 38. 교육서비스업 중 초등·중등·고등 교육기관, 특수학교·외국인학교 및 대안학교(청소, 시설관리, 조리 등 현업업무에 종사하는 사람으로서 고용노동부장관이 정하여 고시하는 사람에 한정) 39. 청소년 수련시설 운영업 40. 보건업 41. 골프장 운영업 42. 개인 및 소비용품수리업(제21호 사업 제외) 43. 세탁업	상시 근로자 5,000명 이상	2명 이상	의사 또는 간호사가 1인 포함되어야 함
	상시 근로자 50명 이상 5,000명 미만 (제35호는 상시 근로자 100명 이상 5,000명 미만)	1명 이상	보건관리자 자격기준에 해당하는 사람
44. 건설업	공사금액 800억 원 이상 또는 상시 근로자 600명 이상	1명 이상	보건관리자 자격기준에 해당하는 사람

〈 자료원 : 법제처(2022). 산업안전보건법 시행령 〉

5) 보건관리업무위탁(보건관리대행 : 산업안전보건법 제18조, 시행령 제23조)

보건관리자의 업무를 위탁할 수 있는 보건관리전문기관은 지역별 보건관리전문기관과 업종별·유해인자별 보건관리전문기관으로 구분한다. 보건관리자의 업무를 보건관리전문기관에 위탁할 수 있는 사업장은 건설업을 제외한 사업으로서 상시 근로자 300명 미만을 사용하는 사업장과 외딴곳으로서 고용노동부장관이 정하는 지역에 소재하는 사업장이 해당된다.

보건관리전문기관으로 지정받을 수 있는 자는 다음 각 호의 어느 하나에 해당하는 자로서 고용노동부령으로 정하는 인력·시설 및 장비를 갖춘 자로 한다.

- 법 제145조 제1항에 따라 등록한 산업보건지도사
- 국가 또는 지방자치단체의 소속 기관
- 「의료법」에 따른 종합병원 또는 병원
- 「고등교육법」에 따른 대학 또는 그 부속기관
- 보건관리 업무를 하려는 법인

(1) 초기단계 사업내용

- 사업장내 대행업무관리자에게 취지와 목적, 앞으로 수행할 보건관리내용 설명
- 사업장 보건관리현황 파악 및 관련서류 검토
- 작업공정도를 파악하기 위하여 작업장 순시
- 사업장 위생시설 및 복지시설 파악사업장관리카드에 보건관리 업무 수행내용 기록
- 매월 보건관리상태, 업무수행내용 및 구체적인 개선의견 등의 보건관리상태보고서를 사업주에게 제출 등

(2) 정기방문 사업내용

- 근로자 보건관리현황에 대해 점검
- 작업환경측정 계획수립 및 실시결과를 확인 및 지도
- 건강진단 계획수립 및 실시결과를 확인 및 지도
- 건강상담을 실시하여 질병 조기 발견과 신속한 조치
- 근로자 건강증진을 위하여 필요한 의학적 조치 수행
- 사업장에서 보건교육 실시
- 보건관리업무에 관계되는 각종 기록의 작성, 보고, 보관
- 정기적으로 사업장 보건관리상태를 평가하고 업무기초자료로 활용

(3) 사업내용

보건관리전문기관의 사업내용은 작업환경 및 작업관리, 건강관리, 건강상담 및 건강증진, 보건교육, 응급처치지도, 보건정보관리 등으로 구분한다.

6) 산업전문간호사의 자격 및 역할

미국의 산업간호 시초는 1888년 필라델피아의 탄광에 Betty Mouler를 산업간호사로 채용하고, 1895년 Vermont Marble 회사에서 간호사를 채용하여 근로자들과 그 가족들에게 간호를 제공하도록 함으로써 시작되었다. 미국 산업간호사회에서는 1972년부터 산업간호사의 근무경력, 학부학점 이수, 필기시험 등을 통해 산업간호사 자격증을 발급하고 있다. 우리나라는 2003년 산업전문간호사 제도를 신설하여 2006년부터 현재 130여 명의 산업전문간호사를 배출함에 따라 이들 인력을 적극 활용할 수 있는 방안을 모색하고 있다.

(1) 자격

우리나라의 13개 분야 전문간호사 교육과정은 공통과목과 전공이론 및 전공실습과목으로 구분되어 있으며, 이수학점은 전공이론과목 10학점과 전공실습과목 10학점을 포함하여 총 33학점 이상으로 하고 있다.

산업전문간호사는 간호사 면허증 소지한 자로서, 최근 10년 이내에 3년 이상 산업간호 실무분야에 종사한 경력자가 산업전문간호사 과정을 이수한 후 보건복지부장관이 실시하는 자격시험에 합격하여야 한다. 산업간호 실무분야는 사업장 의무실·건강관리실, 부속의료기관, 산재의료관리원, 특수건강진단기관 또는 보건관리전문기관, 고용노동부 또는 산업보건관련기관(안전보건공단, 대한산업보건협회, 한국노동연구원, 노동환경건강연구소, 한국직업건강간호협회, 근로복지공단) 등을 들 수 있다.

(2) 역할

한국직업건강간호학회에서 규정하고 있는 산업전문간호사의 업무는 근로자의 건강관리, 보건교육, 근로자 복지증진, 건강관리실 운영, 산업환경위생관리 등이다. 이를 실현하기 위해서 요구되는 역할은 산업보건조직의 관리자, 직접간호제공자, 대변자, 팀요원, 상담자, 촉진자, 교육자, 정보수집자 및 관리자 등이다. 미국의 국립산업안전보건연구원(National Institute for Occupational Safety and Health; NIOSH)에서 제시한 산업전문간호사의 업무는 다음과 같다.

- 신체검진
- 독성물질 폭로에 기인한 직업병 발생 예방과 통제를 위한 의학적 감시
- 질병의 조기발견을 위한 집단검사
- 정신건강과 위기중재
- 건강이나 개인문제 상담
- 직업적 상해나 질병에 대한 관리와 치료
- 예방적 건강 프로그램을 통한 건강유지

(3) 직무

산업전문간호사의 직무는 다음과 같다.

- 안전보건관리 규정에 관한 업무
- 물질안전보건자료의 게시 또는 비치
- 건강상담 및 보건교육

- 의료행위
  - 자주 발생하는 가벼운 부상에 대한 치료
  - 응급처치가 필요한 사람에 대한 처치
  - 부상·질병의 악화 방지를 위한 처치
  - 건강진단 결과 발견된 질병자의 요양지도 및 관리
  - 위의 의료행위에 따르는 의약품 투여
- 순회 점검, 지도 및 조치 건의
- 직업병 발생의 원인 조사 및 대책 수립
- 보건에 관한 사항을 위반한 근로자에 대한 조치 건의
- 기타 작업관리 및 작업환경관리에 관한 사항

2 산업간호과정

산업간호과정의 첫 단계는 산업장의 건강문제를 파악하기 위하여 건강사정을 하는 것이다. 산업간호사는 산업장 근로자의 건강수준과 산업장의 작업환경, 작업조건, 그리고 이들 간의 상호작용 양상에 관련된 자료를 체계적으로 수집하고, 수집된 자료에 근거하여 근로자의 건강문제를 구체적으로 파악하여 관련 선행요인과 그 결과를 분석한다. 이에 따라 산업장의 적정기능수준 향상이라는 목적 실현을 위하여 산업장의 기준 및 지침에 근거하여 구체적인 목표설정과 간호계획 수립과 수행, 평가 단계라는 일련의 과정을 실무에 적용하며 이러한 일련의 과정은 순차적이며 순환적으로 계속된다.

1) 산업간호사정

(1) 사정 영역 및 내용

산업간호사정을 위해 자료를 수집해야 할 영역은 인구 및 조직과 작업공정 및 작업환경, 건강수준, 산업간호사업 등으로 자료수집 내용은 [표 6-35]와 같다.

인구 및 조직 영역에서는 산업장에 근무하는 근로자의 연령, 학력, 성별, 결혼상태, 임금 수준 등의 인구·사회학적인 특성과 사업장의 업종과 주생산품, 매출액, 경영방침, 조직구조, 산업안전보건위원회 구성 여부와 운영에 관한 사항 등 조직 관련 특성에 대하여 파악한다.

작업공정 및 작업환경 영역에서는 생산품이 만들어지는 전 공정과 공정별 유해요인과 작업내용, 작업 자세, 전체환기 및 국소배기 시설의 설비 현황, 위험기계·기구의 안전설비 현황, 위생 관련 설비현황, 적정 보호구 착용상태, 응급상황 발생 시 대처체계, 복지시설의 종류 및 이용실태 등을 파악한다. 유해요인을 파악할 때에는 물리적·화학적·생물학적·기계적 유해요인으로 구분하여 파악한다.

근로자의 건강수준 영역에서는 건강검진 관련 내용과 통상증상 및 건강관련 지표(결근, 사고 등)로 나누어 파악한다. 건강검진은 직장에서 실시한 일반건강검진과 특수건강검진, 수시건강검진, 임시건강검진의 실시현황 및 결과, 추후관리 실태를 파악한다. 통상증상은 건강관리실을 방문한 근로자들의 주 호소 증상 및 질환을 분석하고 음주, 흡연, 운동 등 건강행위 정도를 파악한다. 결근은 건강문제와 관련이 있으므로 그 내용과 빈

표 6-35 사업장 건강사정을 위한 자료수집 내용

<table>
<tr><th colspan="2">영 역</th><th colspan="2">항 목</th></tr>
<tr><td rowspan="4">인구
및 조직</td><td rowspan="3">근로자</td><td>인구사회학적 특성</td><td>성별, 연령, 교육수준, 임금수준, 결혼상태 등</td></tr>
<tr><td>건강행태</td><td>식습관, 수면습관, 음주, 흡연, 운동실천율, 약물남용실태, 스트레스 관리, 정신건강상태, 정기건강진단 실시율, 건강관리실 이용률</td></tr>
<tr><td>작업관련 특성</td><td>부서, 직종별(생산직, 사무직, 숙련공, 비숙련공) 근무방식(2부제, 3부제, 전일제), 과거근무경력, 교육훈련상태, 보호구착용률, 근무연한 등</td></tr>
<tr><td>조 직</td><td colspan="2">비전, 미션, 목표, 설립연도, 매출액, 조직구조, 사업장의 경영방침, 업종/생산품, 산업안전보건위원회 규정, 구성 여부, 회의 횟수, 심의 내용 등</td></tr>
<tr><td rowspan="3">작업공정
및
작업환경</td><td>작업공정</td><td colspan="2">원재료, 중간부산물, 최종생산물, 작업부서별 작업내용/작업자세, 작업의 특수성, 질환과의 관련성</td></tr>
<tr><td>작업환경</td><td colspan="2">유해물질의 보관 및 운반상태 : 물리적, 화학적, 생물학적, 기계적 유해요인, 온열 및 환기상태, 안전시설, 위생상태, 상하수시설, 근로자의 유해인자와 접촉빈도, 현장 구급약품의 활용실태</td></tr>
<tr><td>복지시설</td><td colspan="2">식당의 급식관리, 복지시설의 종류 및 이용상태, 위생상태</td></tr>
<tr><td rowspan="3">건강수준</td><td>건강검진</td><td colspan="2">일반건강검진, 수시건강검진, 임시건강검진, 특수건강검진, 배치 전 건강검진, 결과판정(A, B, C_1, C_2, D_1, D_2, R), 채용신체검사결과</td></tr>
<tr><td>통상증상</td><td colspan="2">건강관리실 이용자의 성, 연령, 부서, 건강문제</td></tr>
<tr><td>건강관련 지표</td><td colspan="2">직업병 발생률, 재해통계(사고의 종류/빈도, 사고처리결과, 산재적용 근로자 수, 도수율, 건수율, 강도율), 결근의 내용/빈도</td></tr>
<tr><td rowspan="4">산업간호
사업</td><td>보건교육</td><td colspan="2">내용, 대상, 시기, 빈도, 교육방법, 교육성과 평가결과</td></tr>
<tr><td>건강관리실 운영</td><td colspan="2">면적/위치, 설비, 약품, 상담</td></tr>
<tr><td>환경관리</td><td colspan="2">작업환경측정, 작업장 순회</td></tr>
<tr><td>의뢰, 보고</td><td colspan="2">관련기관, 의뢰 및 보고체계, 서식</td></tr>
</table>

도를 파악하고 사고발생도 종류와 빈도를 파악한다.

사업장에서 진행되고 있는 산업간호사업 영역에서는 보건교육 실시현황과 건강관리실 운영현황, 환경관리 및 의뢰보고체계를 파악한다.

(2) 기준 및 지침 확인

산업간호사는 자신이 담당하고 있는 산업장에서 업무를 수행하기 전에 그 산업장이 갖고 있는 기준 및 지침을 확인하여야 한다. 즉 산업보건에 관련되는 각종 법령, 규정, 업무분장표 등을 확인하여 자신이 속해 있는 산업장에서 간호사가 무엇을 할 수 있고 무엇을 할 수 없는지를 확실히 파악해야 한다.

현재 우리나라에서 산업간호사업을 위하여 참고할 수 있는 기준 및 지침에는 산업보건관리에 관한 ILO의 권고, 산업보건 관련법규, 「국민건강보험법」, 각 산업장의 규정 및 정책과 업무를 수록한 업무지침, 실무편람 등이 있다.

2) 산업간호진단

(1) 산업간호진단

산업간호사가 해결해야 할 문제를 간호문제로 규명한 후 산업간호진단을 사용한다. 산업장 간호진단으로 구체화된 분류틀이 명문화되지 않아서 간호학 전반적으로 많이 쓰이는 ICNP(International Classification for Nursing Practice)나 NANDA, OMAHA(Omaha Problem Classification Scheme) 등의 진단분류체계를 활용할 수 있다[표 6-36].

표 6-36 사업장 진단의 예

문 제	원인(관련 요인)
높은 염좌·좌상 발생 가능성	• 제품의 운반 및 포장 등의 작업 시 무리한 자세 • 작업장 내의 가파르고 불안전한 계단 • 염좌나 좌상 발생 시 자의적인 처리
높은 안열상 발생 가능성	• 작은 절단용 칼과 파손유리 등의 사용 • 상처 발생 후 관리 소홀
높은 화상 발생 가능성	• 고온의 작업공정에 노출 • 화상 후 상처관리 소홀
높은 호흡기계 발생 가능성	• 스트레스를 술과 담배로 푸는 직원 문화 • 분진마스크 미착용 • 호흡기계 질환의 예방과 관리에 대한 지식부족
높은 피부질환의 발생 가능성	• 고온의 작업환경에 노출 • 잦은 유기용제, 화학약품, 유리섬유와의 피부 접촉 • 피부관리에 대한 지식부족
잦은 눈 피로감 호소율	• 낮은 보호안경 착용률 • 부적절한 작업자세 • 낮은 조도

(2) 산업간호의 기준 및 지침 확인

산업간호사는 업무 수행 전에 산업보건 관련법규나 산업장의 기준이나 지침 등을 확인해야 한다.

(3) 우선순위설정

산업간호사는 여러 산업간호 문제들 중에서 어떤 문제를 먼저 해결해야 할지 우선순위를 결정해야 한다. 우선순위설정은 그 산업장에서 가장 먼저 추진해야 할 사업의 종류와 간호문제의 중요성, 자원의 동원 가능성 정도에 따라 정한다.

산업간호사업 수행은 직업 능률 향상 및 생산성 증가는 물론 근로자의 건강을 유지·증진할 수 있어야 한다. 만일 어떤 사업을 전개하기 전에 원인을 파악하였으면 원인을 해결하기 위한 작업이 우선적으로 이루어져야 한다. 예를 들어 작업환경이 좋지 않아 결근일수가 많으면 우선 작업환경 개선부터 실시해야 한다.

산업장에서 일반적으로 적용되는 우선순위 원칙을 살펴보면 다음과 같다.

산업간호진단에서의 우선순위 원칙

① 사망과 불구를 줄이며 재발을 막는 것부터 시행한다.
② 기관의 전체적인 사업 목적에 부합하는지 고려한다.
③ 대상 근로자의 인구학적 특성을 고려한다.
   예 고령, 여성, 외국인, 20대 근로자 등
④ 전문직의 견해와 수용자의 기대가 다르기 때문에 사업 계획의 수용 가능성을 고려한다.
⑤ 시간과 경제성을 고려하여 현실적으로 효과가 높은 것에 우선순위를 둔다.

그 외 우선순위를 설정할 때 고려해야 할 사항은 문제에 대한 사업주와 근로자의 인식, 문제해결을 위한 사업주와 근로자의 의지, 보건관리자의 문제해결능력, 문제해결을 위한 타 전문인의 도움 가능성, 문제 미해결 시 영향 정도, 문제해결의 신속성 등을 들 수 있다.

3) 산업간호계획

(1) 목표설정

산업간호 목표설정은 간호 수행을 통하여 바람직하게 달성되어야 할 근로자의 상태나 근로 환경의 조건을 말한다. 이것은 산업장의 건강문제 중에서 산업장의 간호요구에 따라 설정한다. 산업간호의 대상이 근로자와 작업환경이라는 것을 고려하여 목표는 실행 가능하고, 관찰 가능하며, 측정 가능하고 산업장의 목표와 관련성이 있도록 기술한다. 즉 목표에는 '누가, 어디서, 언제까지, 무엇을, 어느 범위까지'의 내용이 포함되어 설정되어야 한다.

(2) 방법 및 수단의 선택

간호방법과 수단은 설정된 목표 달성에 적절하도록 신뢰성이 있고 타당성이 있는 것을 선택한다. 간호방법으로는 직접간호 제공과 보건교육, 관리가 있다. 구체적으로 직접간호 제공으로는 건강검진 및 환자 관리, 응급·비응급 간호, 예방 사업 및 추후관리, 환경 보건관리 등이 있으며, 보건교육으로는 집단 보건교육과 개인적인 상담, 시범 등이 있다. 간호수단으로는 산업장 건강관리실 관리, 관계부서별 방문, 근로자 가정 방문, 의뢰 활동, 집단지도 등이 있다.

(3) 수행계획

수행계획은 설정된 목표와 목표달성을 위해 선택한 방법 및 수단을 누가, 언제, 무엇을 가지고(예산 및 기구), 어디에서 시행할 것인가를 결정하는 것이다. 특히 누가 할 것인가(업무 분담)와 언제 할 것인가(시간)를 계획하는 업무가 산업간호사로서는 아주 중요하다.

산업간호사는 업무를 분담할 때에 산업장의 근로자, 경영자, 보건의료에 관련되는 요원 등을 모두 참여시킨다. 산업장의 문제를 그들 스스로 해결할 수 있도록 적정기능수준을 고려하여 분담한다. 시간 계획은 근로시간과 쉬는 시간 등을 고려하여 일간, 주간, 월간, 연간 계획을 수립하여 건강관리실의 벽에 부착하는 것도 좋다. 예산의 책정 및 기구에 대한 계획은 현재 이용 가능한 자원을 최대한 활용할 수 있도록 한 후에 부족한 것을 구입한다. 산업간호사는 간호 수행에 관련된 근로자 및 모든 요원이 계획의 집행 장소를 알 수 있도록 사전에 계획하여 공고한다.

(4) 평가계획

평가계획은 산업간호 활동의 결과를 언제, 어떻게, 어느 범위에서 평가할 것인가를 근로자와 산업보건과 관련된 사람들의 의견을 반영하여 결정한다. 평가계획은 근로자와 산업보건과 관련된 사람들에게 간호활동의 좋은 결과 상태를 미리 알려주어, 그들의 건강문제 해결을 위한 능력을 효과적으로 개발할 수 있다. 따라서 평가계획 단계에서는 '누가, 언제, 어떻게, 무엇을 가지고, 어떤 범위로 평가할 것인지' 등을 결정한다.

4) 산업간호수행

산업간호사업의 수행은 근로자들에게 직접 간호서비스를 제공하거나 보건교육과 상담을 실시하는 것이고, 이 과정에서 조정, 감시, 감독의 역할을 수행한다. 산업간호사는 사업 수행 전에 몇 가지 사항을 준비하여야 한다.

① 산업간호사는 사업수행에 필요한 지식이나 기술을 적절하게 수행할 수 있도록 사전에 습득하여야 한다. 만약 산업간호사가 사업 수행에 필요한 특정 지식이나 기술을 충분히 갖추고 있지 않고 사전에 습득하기도 어려운 상황이라면 다른 전문가에게 의뢰하는 것이 더욱 효과적이다.

② 사업에 필요한 물품과 인력, 환경을 준비하여야 한다. 사업을 수행하는 데 필요한 자원인 시간적·인적·물적 자원을 사전에 확보하고, 사업 수행을 위해 안전하고 편안한 환경을 마련한다.

③ 대상자들이 많이 참여할 수 있도록 사업 수행 전에 적절한 방법으로 홍보하고 격려하여야 한다. 사업을 수행할 때는 목적 달성을 위해 사업이 계획대로 진행되고 있는지 확인하고 감독해야 한다. 세부적인 업무는 중복되거나 누락되지 않도록 구성원들 간의 관계를 명확히 하고 조정해야 한다. 또한 수행계획 및 평가계획을 고려하여 사업을 수행하고, 자료는 대상자의 신체적·심리적·사회적·영적 반응까지 수집한다.

④ 사업을 마친 후에는 사업 수행내용을 기록하고 보관·보고한다.

5) 산업간호평가

산업간호평가는 구체적인 평가 내용과 기준을 설정하고, 평가자료를 수집하여 수집된 자료를 설정한 목표와 비교하여 가치를 판단하고 분석하는 과정을 거친다. 평가유형에 따라 구조평가, 과정평가, 결과평가로 구분할 수 있으며, 평가범주는 투입된 노력, 사업 진행정도, 목표달성 정도, 사업효율성, 사업의 적합성 등으로 구분할 수 있다.

제2절 + 산업재해

Keywords

- 산업재해
- 재해현황
- 재해보상
- 재해통계
- 재해예방

1 산업재해의 개념

「산업안전보건법」에서는 산업재해를 '근로자가 업무에 관계되는 건설물·설비·원재료·가스·증기·분진 등에 의하거나 작업 또는 그 밖의 업무로 인하여 사망 또는 부상하거나 질병에 걸리는 것'으로 정의한다.

산업재해는 귀중한 인명 손실, 근로자와 그 가족의 불행뿐 아니라 경제적 손실, 생산 의욕의 감퇴, 사회적 불안조성 등 여러 문제를 야기한다. 따라서 그 중대성을 감안하여 행정당국에서 기업체에 대한 안전지도와 감독을 실시하고 있음에도 불구하고 산업재해는 지속적으로 발생하고 있다.

최근에 이르러 산업현장의 환경과 작업조건이 더욱 다양해지고 새로운 공법과 원자재가 도입됨에 따라 산업재해로 인한 손상의 성질도 다양해져서 예방·요양·재활의 각 과정에서 특수한 의학적 지식이 필요하게 되었다.

2 산업재해의 원인과 분류

산업재해는 재해를 당한 본인은 물론 그 가정에 불행을 안겨주고 기업과 국가에게는 인력손실로 인한 생산성 저하 등 막대한 경제력 손실을 안겨준다.

중대재해는 산업재해 중 사망 등 재해 정도가 심한 경우로서 사망자가 1인 이상 발생, 3개월 이상의 요양이 필요한 부상자가 동시에 2명 이상 발생, 부상자 또는 직업성 질병자가 동시에 10명 이상 발생하는 재해를 말한다.

1) 산업재해의 원인

산업현장에서 재해는 주로 노동자 당사자의 과로나 기기의 열악한 상태 등 불완전한 상태로 인해 발생하지만, 부수적으로 완벽한 환경에서도 노동자의 부주의로 인해 발생하기도 한다. Heinrichi의 안전사고 발생단계에 따르면 불안정한 사회 환경과 노동자의 개인적인 결함이 불완전한 행동, 즉 부주의로 이어지고, 부주의가 사고를 일으켜 재해를 발생시킨다[그림 6-21].

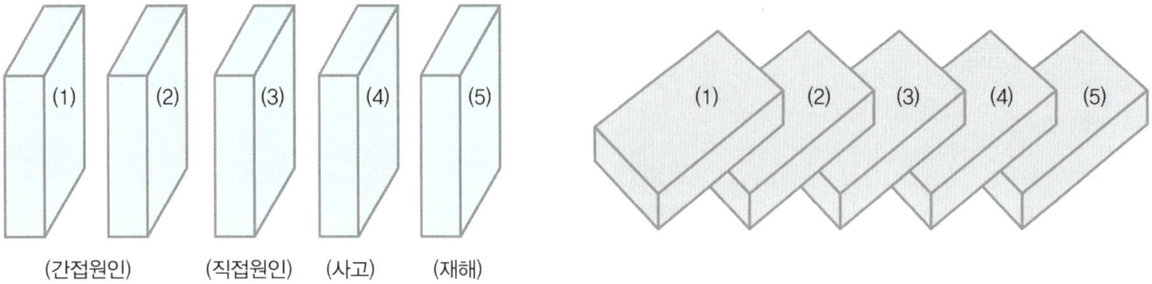

그림 6-21 Heinrichi의 사고발생 연쇄과정

(1) 제1단계 : 인간의 유전적 요소와 사회환경

인간 성격의 내적요소는 유전과 환경적 요인에 의해 형성되며, 유전과 환경은 인간 결함의 원인이 된다.

(2) 제2단계 : 인간의 결함

후천적인 인간의 결함으로 불안전한 행동을 유발시키고 기계적·물리적인 위험 존재의 원인이 되기도 한다. 개인적 결함으로는 다음과 같은 것들이 있다.

- 부적절한 태도
- 전문 지식의 결여 및 기술·숙련도 부족
- 신체적 부적격
- 부적절한 기계적·물리적 환경
- 정신적·성격적 결함(무모함, 신경질, 흥분, 과격한 기질, 동기 부여 실패 등)

(3) 제3단계 : 불안전한 행동과 불안전한 상태

① 불안전한 행동

직접적으로 사고를 일으키는 원인(인적 원인)이 되며, 다음과 같은 것들이 있다.

- 권한 없이 행한 조작
- 불안전한 속도 조작 및 위험 경고 없이 조작
- 안전장치를 고장 내거나 기능 제거
- 결함 있는 장비, 물자, 공구, 차량 등의 운전, 시설의 불안전한 사용
- 보호구 미착용 및 위험한 장비에서 작업
- 필요장비를 사용하지 않거나 불안전한 기구를 사용
- 불안전한 적재, 배치, 결합, 정리 정돈을 하지 않음
- 불안전한 인양, 운반
- 불안전한 자세 및 위치
- 당황, 놀람, 잡담, 장난 등

② 불안전한 상태

사고 발생의 직접적인 원인(물적 원인)이 되는 것으로 기계적·물리적인 위험 요소를 말하며, 다음과 같은 것들이 있다.

- 가드(guard) 미비, 불완전한 가드(guard)
- 결함 있는 기계·설비 및 장비
- 불안전한 설계, 위험한 배열 및 공정
- 부적절한 조명, 환기, 복장, 보호구 등
- 불량한 정리정돈
- 불량상태(미끄러움, 날카로움, 거칠음, 깨짐, 부식됨 등)

(4) 제4단계 : 사고

재해로 연결된 위험이 있는 상태를 말하며, 인적 사고와 물적 사고로 구분된다.

(5) 제5단계 : 재해

사고의 결과로 사망이나 골절 등이 일어나는 것을 말하며, 다양한 요인에 의해 발생한다.

2) 산업재해의 분류

산업재해는 크게 통계적 분류, 상해 형태별 분류, 재해 형태별 분류로 나뉜다.

(1) 통계적 분류

포괄적으로 재해를 통계하기 위해 사용하는 방법이다.

- 사망 : 업무상 목숨을 잃게 되는 경우
- 중상해 : 부상으로 인하여 8일 이상의 노동 상실을 가져온 상해 정도
- 경상해 : 부상으로 1일 이상 7일 이하의 노동 상실을 가져온 상해 정도
- 무상해 사고 : 응급처치 이하의 상처로 작업에 종사하면서 치료를 받는 상해 정도

(2) 재해 형태별 분류

인적·물적 측면이 모두 포함된 재해 형태로 분류한 방법이다.

표 6-37 산업재해 발생형태에 따른 분류

구 분	내 용
떨어짐	인력(중력)에 의하여 건축물, 구조물, 가설물, 수목, 사다리 등의 높은 장소에서 떨어지는 것
넘어짐	거의 평면 또는 경사면, 층계 등에서 구르거나 넘어지는 경우
깔림·뒤집힘	기대어져 있거나 세워져 있는 물체 등이 쓰러져 깔린 경우 및 지게차 등의 건설기계 등이 운행 또는 작업 중 뒤집어진 경우
부딪힘·접촉	자신의 움직임·동작으로 인하여 기인물에 접촉 또는 부딪히거나, 물체가 고정부에서 이탈하지 않은 상태로 움직임(규칙, 불규칙) 등에 의하여 부딪히거나, 접촉한 경우
맞음	구조물, 기계 등에 고정되어 있던 물체가 중력, 원심력, 관성력 등에 의하여 고정부에서 이탈하거나 또는 설비 등으로부터 물질이 분출되어 사람을 가해하는 경우
끼임	두 물체 사이의 움직임에 의하여 일어난 것으로 직선 운동하는 물체 사이의 끼임, 회전부와 고정체 사이의 끼임, 로울러 등 회전체 사이에 물리거나 또는 회전체·돌기부 등에 감긴 경우
무너짐	토사, 적재물, 구조물, 건축물, 가설물 등이 전체적으로 허물어져 내리거나 또는 주요 부분이 꺾어져 무너지는 경우
압박·진동	물체의 취급과정에서 신체특정부위에 과도한 힘이 편중·집중·눌려진 경우나 마찰접촉 또는 진동 등으로 신체에 부담을 주는 경우
신체반작용	물체의 취급과 관련없이 일시적이고 급격한 행위·동작, 균형상실에 따른 반사적 행위 또는 놀람, 정신적 충격, 스트레스 등
부자연스런 자세	물체의 취급과 관련없이 작업환경 또는 설비의 부적절한 설계 또는 배치로 작업자가 특정한 자세·동작을 장시간 취하여 신체의 일부에 부담을 주는 경우
과도한 힘·동작	물체의 취급과 관련하여 근육의 힘을 많이 사용하는 경우로서 밀기, 당기기, 지탱하기, 들어올리기, 돌리기, 잡기, 운반하기 등과 같은 행위·동작
반복적 동작	물체의 취급과 관련하여 근육의 힘을 많이 사용하지 않는 경우로서 지속적 또는 반복적인 업무수행으로 신체의 일부에 부담을 주는 행위·동작
이상온도 노출·접촉	고·저온 환경 또는 물체에 노출·접촉된 경우
이상기압 노출	고·저기압 등의 환경에 노출된 경우
유해·위험물질 노출·접촉	유해·위험물질에 노출·접촉 또는 흡입하였거나 독성동물에 쏘이거나 물린 경우
소음노출	폭발음을 제외한 일시적·장기적인 소음에 노출된 경우
유해광선 노출	전리 또는 비전리 방사선에 노출된 경우
산소결핍·질식	유해물질과 관련 없이 산소가 부족한 상태·환경에 노출되었거나 이물질 등에 의하여 기도가 막혀 호흡기능이 불충분한 경우
화재	가연물에 점화원이 가해져 비의도적으로 불이 일어난 경우를 말하며, 방화는 의도적이기는 하나 관리할 수 없으므로 화재에 포함
폭발	건축물, 용기내 또는 대기중에서 물질의 화학적, 물리적 변화가 급격히 진행되어 열, 폭음, 폭발압이 동반하여 발생하는 경우
감전	전기설비의 충전부 등에 신체의 일부가 직접 접촉하거나 유도 전류의 통전으로 근육의 수축, 호흡곤란, 심실세동 등이 발생한 경우 또는 특별고압 등에 접근함에 따라 발생한 섬락 접촉, 합선·혼촉 등으로 인하여 발생한 아아크에 접촉된 경우
폭력행위	의도적인 또는 의도가 불분명한 위험행위(마약, 정신질환 등)로 자신 또는 타인에게 상해를 입힌 폭력·폭행을 말하며, 협박·언어·성폭력 및 동물에 의한 상해 등도 포함

〈 자료원 : 안전보건공단(2016). 산업재해 기록·분류에 관한 지침 〉

3 산업재해 통계지수

일반적으로 산업보건에서 가장 대표성을 가지고 있는 객관적인 평가방법으로 사용되는 산업재해 통계지수는 재해통계, 작업동태통계 및 질병통계이다.

1) 재해통계

산업장의 보건통계 중 가장 중요하며 정확하게 기록되는 것이 재해통계이다. 연령별, 성별, 부서별, 시간별로 분류하여 재해의 빈도와 강도를 파악하는 것은 재해발생 양상의 비교연구와 추세판단을 가능하게 해준다.

- **도수율** : 재해발생 상황을 파악하기 위한 표준 지표로서, 위험에 노출된 100만 시간당 발생한 재해건수를 의미하며 재해빈도나 건수파악에 도움이 된다.
- **강도율** : 재해로 인한 노동손실 즉 재해 강도를 추정하는 자료로서, 연 근로자 1000시간당 발생한 손실노동일수를 의미한다.
- **건수율** : 근로자 1,000명당 발생한 재해건수로 산업재해발생상황을 총괄적으로 파악하는 데 적합하다. 단 작업시간은 고려하지 못한 단점이 있다.
- **평균작업 손실일수** : 재해건수당 평균 작업 손실 규모를 파악하는 지표이다.

- 재해율(천인율) $= \dfrac{\text{재해자 수}}{\text{평균근로자 수}} \times 1{,}000$
- 건수율 $= \dfrac{\text{재해 건수}}{\text{평균근로자 수}} \times 1{,}000$
- 도수율 $= \dfrac{\text{재해 건수}}{\text{연근로시간 수}} \times 1{,}000{,}000$
- 평균손실 일수 $= \dfrac{\text{손실작업 일수}}{\text{재해 건수}}$
- 강도율 $= \dfrac{\text{손실작업 일수}}{\text{연근로시간}} \times 1{,}000$

2) 작업동태통계

질병, 재해 또는 여러 가지 사유로 인해 휴업하게 되는 실태를 평가하기 위한 통계로서 성별, 연령별, 부서별, 질병별로 집계하여 결근율을 산출하는 것이다.

- 결근도수율 $= \dfrac{\text{총 결근 건수}}{\text{평균근로자 수}} \times 1{,}000$
- 결근손실률 $= \dfrac{\text{연결근인원 수}}{\text{평균근로자 수}}$
- 결근일수율 $= \dfrac{\text{연결근 건수}}{\text{평균근로자 수}}$

3) 질병통계

질병에 따라 연령별, 성별, 부서별, 시기에 따른 발생률, 유병률, 이병일수, 시간손실률 등을 알아보는 것은 근로자의 건강관리 및 생산증진에 매우 중요하다.

- 발생률 $= \dfrac{\text{일정기간에 발생된 새로운 환자 수}}{\text{같은 기간 동안의 평균인구 수}}$
- 유병률 $= \dfrac{\text{이환된 환자 수}}{\text{평균인구 수}}$

4) 산업재해 관련 용어 정의

(1) 용어 정의

- 업종 : 산재보험료율 업종
- 근로자 수 : 산재보험 가입 근로자 수
- 전체 재해자 수 : 업무상 사고 또는 질병으로 인해 발생한 사망자와 부상자를 합한 수
- 사망자 수 : 업무상 사고 또는 질병으로 인해 발생한 사망자 수

> ※ 사망자 수에는 사업장 외 교통사고, 체육행사, 폭력행위, 사고발생일로부터 1년 경과 사고사망자는 제외 (다만, 운수업, 음식·숙박업의 사업장 외 교통사고 사망자는 포함)

  - 업무상 사고 사망자 수 : 업무상 사고로 인해 발생한 사망자 수
  - 업무상 질병 사망자 수 : 업무상 질병으로 인해 발생한 사망자 수
- 업무상 질병자 수 : 업무상 질병으로 인해 발생한 사망자와 요양자를 합한 수
- 재해율(천인율) : 근로자 100(1,000)명당 발생하는 재해자 수의 비율
- 사망만인율 : 근로자 10,000명당 발생하는 사망자 수의 비율
  - 업무상 사고 사망만인율 : 근로자 10,000명당 발생하는 업무상 사고 사망자 수의 비율
- 업무상 질병만인율 : 근로자 수 10,000명당 발생하는 업무상 질병자 수의 비율

(2) 질병종류 용어 변경

- 유기용제 → 유기화합물
- 특정화학물질 → 기타화학물질
- 디이소시아네이트 → 직업성 천식
- 유기용제 기타 → 기타 유기화합물

4 산업재해 현황

산업재해 현황파악은 산업재해의 산업별, 규모별, 지역별, 발생시기별, 원인별 분포와 재해근로자의 성별, 연령별, 근속기간별 등 특성을 파악하여 산업재해예방 정책 수립의 기초자료로 제공하는 데 그 목적을 둔다.

1) 산업재해 발생현황 개요

안전보건공단의 '2021년 산업재해현황(2022)'을 참조한 산업재해 현황은 다음과 같다[표 6-38].

2021년도 「산업재해보상보험법」 적용사업장에 종사하는 근로자 19,378,565명 중에서 재해자 수는 122,713명(사망 2,080명)으로 2020년에 비해 14,334명 증가하였고, 재해율은 0.63%로 2020년에 비해 0.06% 증가하였다.

2) 산업별 재해현황

산업별 분포로는 기타의 사업이 전체 재해자 수 45,408명(사망 461명)으로 가장 높고, 다음은 제조업이 31,709명(사망 512명), 건설업이 29,943명(사망 551명) 순으로 나타났다[표 6-38].

3) 재해유형별 재해현황

2021년 재해유형별 분포로는 넘어짐이 2021년 전체 재해의 23,957명(23.4%)으로 가장 높고, 다음은 떨어짐 14,775명(14.4%), 끼임 13,668명(13.4%), 절단·베임·찔림 11,085명(10.8%) 등의 순으로 나타났다[표 6-39].

4) 사망재해 현황

2021년 재해자수 122,713명 중 사고재해자수는 102,278명으로 2020년에 비해 9,898명 증가하였고, 질병재해자수는 20,435명으로 2020년에 비해 4,439명 증가하였다. 사망자수는 2,080명 중 사고사망자수 828명으로 2020년에 비해 54명 감소하였고, 질병사망자수는 1,252명으로 2020년에 비해 72명 증가하였다.

2021년 사고재해율은 0.53%로 2020년에 비해 0.04% 증가하였고, 질병 발생률은 0.11%로 2020년에 비해 0.03% 증가하였다[표 6-40].

표 6-38 산업별 산업재해 현황

(단위 : 명, %, ‱, %P, ‱P)

구 분	2020년			2021년			증 감		증감율	
	근로자수	재해자수 사망자수	재해율 사망만인율	근로자수	재해자수 사망자수	재해율 사망만인율	재해자수 사망자수	재해율 사망만인율	재해자수 사망자수	재해율 사망만인율
총 계	18,974,513	108,379	0.57	19,378,565	122,713	0.63	14,334	0.06	13.2	10.5
		2,062	1.09		2,080	1.07	18	−0.02	0.9	−1.8
광 업	10,664	2,753	25.82	10,257	3,336	32.52	583	6.70	21.2	25.9
		424	397.60		349	340.26	−75	−57.34	−17.7	−14.4
제 조 업	4,012,541	28,840	0.72	3,959,780	31,709	0.80	2,869	0.08	9.9	11.1
		469	1.17		512	1.29	43	0.12	9.2	10.3
건설업	2,284,916	26,799	1.17	2,378,751	29,943	1.26	3,144	0.09	11.7	7.7
		567	2.48		551	2.32	−16	−0.16	−2.8	−6.5
전기·가스·증기 및 수도사업	79,034	105	0.13	79,791	130	0.16	25	0.03	23.8	23.1
		9	1.14		4	0.50	−5	−0.64	−55.6	−56.1
운수창고 통신업	936,449	7,251	0.77	993,678	10,091	1.02	2,840	0.25	39.2	32.5
		150	1.60		158	1.59	8	−0.01	5.3	−0.6
임 업	101,404	1,030	1.02	110,395	946	0.86	−84	−0.16	−8.2	−15.7
		17	1.68		13	1.18	−4	−0.50	−23.5	−29.8
기타의 사업	10,683,419	40,573	0.38	10,980,274	45,408	0.41	4,835	0.03	11.9	7.9
		399	0.37		461	0.42	62	0.05	15.5	13.5
어 업	4,973	48	0.97	4,955	74	1.49	26	0.52	54.2	53.6
		1	2.01		3	6.05	2	4.04	200.0	201.0
농 업	78,940	639	0.81	78,999	668	0.85	29	0.04	4.5	4.9
		10	1.27		11	1.39	1	0.12	10.0	9.4
금융 및 보험업	782,173	341	0.04	781,685	408	0.05	67	0.01	19.6	25.0
		16	0.20		18	0.23	2	0.03	12.5	15.0

〈 자료원 : 안전보건공단(2022). 2021년 산업재해현황 〉

표 6-39 재해유형별 산업재해 현황

(단위 : 명, %)

구 분		총 계	떨어짐	넘어짐	깔림. 뒤집힘	부딪힘	물체에 맞음	무너짐	끼 임	절단 베임 찔림	화재 폭발 파열	교통 사고	무리한 동작	기 타
2020년	사고재해자	92,383	14,406	20,659	2,201	7,503	7,248	535	12,894	10,374	549	5,533	4,343	6,138
	사고사망자	882	328	17	64	72	71	34	98	1	72	61	0	64
2021년	사고재해자	102,278	14,775	23,957	2,436	8,219	8,360	510	13,668	11,085	471	6,883	5,651	6,263
	사고사망자	828	351	17	54	72	52	32	95	5	44	61	0	45
증감	사고재해자	9,895	369	3,298	235	716	1,112	−25	774	711	−78	1,350	1,308	125
	사고사망자	−54	23	0	−10	0	−19	−2	−3	4	−28	0	0	−19
증감율	사고재해자	10.7	2.6	16.0	10.7	9.5	15.3	−4.7	6.0	6.9	−14.2	24.4	30.1	2.0
	사고사망자	−6.1	7.0	0.0	−15.6	0.0	−26.8	−5.9	−3.1	400.0	−38.9	0.0	0.0	−29.7

※ 기타는 감전, 이상온도접촉, 빠짐·익사, 화학물질누출, 산소결핍, 체육행사 등임

〈 자료원 : 안전보건공단(2022). 2021년 산업재해현황 〉

표 6-40 연도별 사망재해 추이

구분 / 연도	재해율 (%)	사고 재해율	질병 발생률	사망 만인율 (‱)	사고 사망 만인율	질병 사망 만인율	재해자수 (명)	사고 재해자수	질병 재해자수	사망자 수(명)	사고 사망자수	질병 사망자수	근로자수 (명)
2020년	0.57	0.49	0.08	1.09	0.46	0.62	108,379	92,383	15,996	2,062	882	1,180	18,974,513
2021년	0.63	0.53	0.11	1.07	0.43	0.65	122,713	102,278	20,435	2,080	828	1,252	19,378,565
증감	0.06	0.04	0.03	−0.02	−0.03	0.03	14,334	9,895	4,439	18	−54	72	404,052
증감율	10.5	8.2	37.5	−1.8	−6.5	4.8	13.2	10.7	27.8	0.9	−6.1	6.1	2.1

※ 재해자수에는 사망자수가 포함
※ 재해자수에는 '18.1.1.부터 확대 적용된 「산업재해보상보험법」상의 통상 출퇴근 재해는 제외
※ 사망자수 및 업무상사고 사망자수에는 사업장외 교통사고, 체육행사, 폭력행위, 사고발생일로부터 1년 경과 사고사망자, 통상 출퇴근 사망자는 제외 (다만, 운수업, 음식숙박업의 사업장 외 교통사고 사망자는 포함)
1) 사망자 수는 재해 당시의 사망자 수에 요양 중 사망자 수를 포함한 것임

〈 자료원 : 안전보건공단(2022). 2021년 산업재해현황 〉

- 산업별 사망재해의 분포는 전체 사망자수 2,142명 중 건설업이 570명(26.61%)으로 가장 많고, 광업이 478명(22.32%), 제조업이 472명(22.04%), 기타의 사업이 416명 (19.42%), 운수·창고·통신업이 157명(7.33%) 등으로 나타났다[그림 6-22].

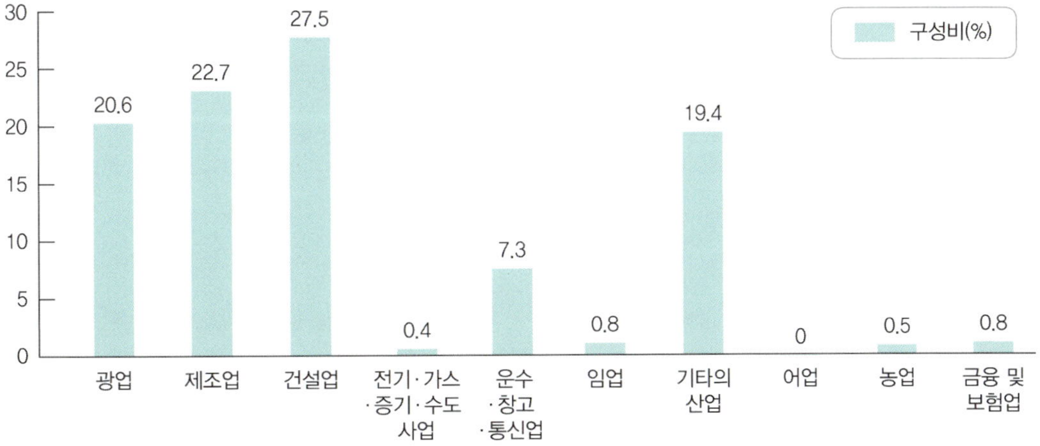

〈 자료원 : 안전보건공단(2022). 2021년도 산업재해분석 〉

그림 6-22 산업별 사망재해 분포도

5) 업무상질병 현황

업무상질병자 수는 업무상질병 요양자 수와 업무상질병 사망자 수를 합한 것으로 2021년 현황은 [표 6-41, 그림 6-23]과 같다.

표 6-41 업무상질병자 비교표

(단위 : 명)

구 분	총 계	직업병							작업관련성 질병				
		소 계	진 폐	난 청	금속 및 중금속 중독	유기 화합물 중독	기타 화학물질 중독	기 타	소 계	뇌심 질환	신체 부담 작업	요 통	기 타
2020년	15,996	4,784	1,288	2,711	16	15	104	650	11,212	1,167	5,252	1,712	3,081
2021년	20,435	6,857	1,506	4,168	16	30	163	974	13,578	1,168	6,549	2,158	3,703
증감 (%)	4,439 (27.8)	2,073 (43.3)	218 (16.9)	1,457 (53.7)	0 (0.0)	15 (100.0)	59 (56.7)	324 (49.8)	2,366 (21.1)	1 (0.1)	1,297 (24.7)	446 (26.1)	622 (17.6)

주) 직업병 기타는 물리적인자, 이상기압, 진동장해, 직업성 암, 직업성 피부질환 등이고, 작업관련성 질병 기타는 간질환, 정신질환 등임

〈 자료원 : 안전보건공단(2022). 2021년 산업재해현황 〉

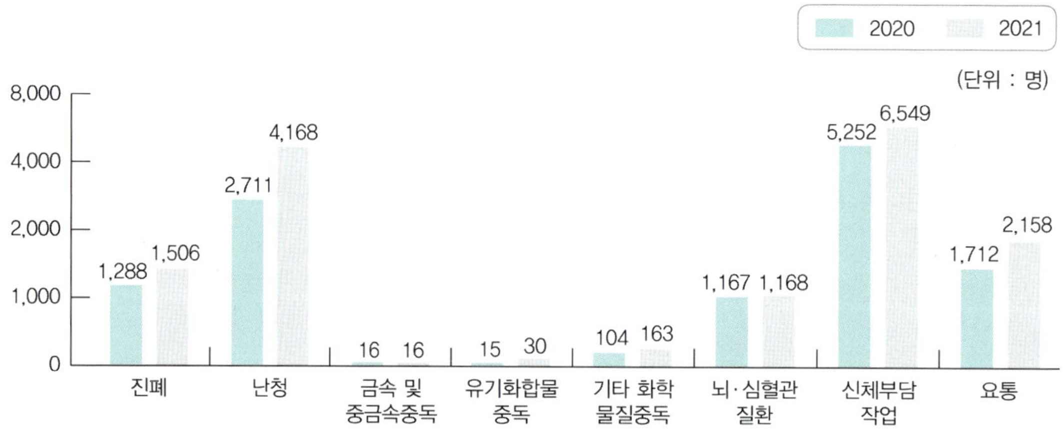

〈 자료원 : 안전보건공단(2022). 2021년 산업재해현황 〉

그림 6-23 업무상질병자 비교도

- 2021년도 업무상질병자 수는 20,435명으로 전년도 15,996명에 비해 4,439명(27.8%)이 증가하였다.
- 소음성 난청, 진폐 등 직업병은 2021년에 6,857명으로 전년도 4,784명보다 2,073명(43.3%)이 증가하였고, 작업관련성 질병은 2021년에 13,578명으로 전년도 11,212명보다 2,366명(21.1%) 증가하였다.
- 작업관련성 질병 중 신체부담작업으로 인한 질환(경견완장해 등)은 6,549명으로 전년도 5,252명보다 1,297명(24.7%) 증가하였고, 요통 질환자는 2021년 2,158명으로 전년도 1,712명보다 446명(26.1%) 증가하였다.

※ 경견완장해(經肩腕障害) : 목, 어깨, 팔 부위에서 후두부와 손가락 끝에 이르기까지 저리고 아프고 마비되는 증상

5 산업재해 예방대책

1) 산업재해 예방대책 개요

산업재해의 예방대책은 공학, 심리학, 의학적 기술 측면의 지원, 안전관리 조직, 안전훈련 등이 있다. 미국의 전국안전회의에서는 산업재해의 발생이 적은 사업장의 특징으로 경영자의 주도, 책임의 할당, 안전한 작업조건, 안전훈련, 재해기록제도, 의료구급제도, 근로자의 책임을 열거하였다. 이 가운데 경영자의 주도역할이 가장 중요하고 재해기록제도는 모든 재해 예방대책의 기본이 된다.

산업재해 예방대책은 공정과 설비에 대한 검토와 사업장 내부의 정리정돈 및 보호구 착용이 중요하지만 신체·심리검사법을 활용해 작업자를 적성에 맞는 부서에 배치하여야 한다. 직장에서 산업재해가 발생한 경우 그 작업자가 일으킨 최초의 재해라면 우선 설비공정·작업조건에 대한 검토를 하고, 두 번째 일으킨 재해인 경우에는 개체요인을, 세 번째 일으킨 재해라면 신체적·정신의학적인 문제를 검토하는 것이 좋다.

또한 산업재해 예방대책은 결국 개개 사업장에서 노력해야 할 문제이지만, 정부와 자치단체가 참여한 규정과 표준 제정 및 집행, 공학·심리학·의학통계학적 연구 추진, 안전 교육, 훈련, 계몽의 강화, 재해보험 활용 등이 전국적으로 추진되어야 큰 효과를 거둘 수 있다.

2) 하인리히 예방대책

'모든 안전사고의 98%는 예방할 수 있고 2%는 불가항력적'이라는 주장도 있다. 하인리히 이후 재해발생의 가장 큰 원인은 '사람에게 있다'는 개념으로 인적 요인 중시하게 되었다.

하인리히(Heinrich) 법칙에 의한 재해의 비율은 다음처럼 제시된다.

현성재해 : 불현성재해 : 잠재성재해 = 1 : 29 : 300

하인리히가 제시한 사고방지 대책은 4가지로 설명된다.

첫째, 안전관리 조직으로, 안전관리책임자를 선정하여 안전계획을 수립하고 안전교육을 실시한다.

둘째, 위험요소발견으로, 각종재해를 기록하고 산업설비, 작업환경, 작업방법 등을 분석하여 위험요소를 발견한다.

셋째, 원인 분석 및 예방대책 선정으로, 공학적, 관리적, 교육적 측면에서 접근한다.

넷째, 대책적용 및 사후처리로, 안전교육 훈련실시, 시설 및 장비 결함 개선, 안전감독 실시 등을 든다.

3) 산업재해 예방방법

산업재해 예방방법을 정리하면 다음과 같다.」

- **작업환경 및 작업조건 관리** : 생산과정에서 유해작업 조건이나 유해물질 발생을 예방하고, 작업방법, 작업강도나 시간을 조정한다.
- **개인위생관리** : 일반적인 건강상태를 증진시켜 질병에 대한 저항력을 키우기 위하여 영양관리, 휴식과 운동, 철저한 개인위생이 필요하다.

- **의학적 관리** : 조기발견을 위한 정기적인 건강진단을 통해 근로자의 신체적·정서적 특성에 맞는 적성배치가 중요하다.
- **보건교육** : 근로자 및 사업주를 대상으로 작업환경의 유해인자에 대한 교육을 실시한다.
- **입법 조치** : 정부 차원에서 근로자 보호를 위해 각종 법적 조치를 강구한다.

또한 산업재해예방대책으로 11대 안전보건 기본 수칙을 제시하는 경우도 있다.

- 작업 전 안전 점검, 작업 중 정리정돈
- 개인보호구 지급 및 착용
- 작업장 안전통로 확보
- 유해, 위험 화학물질 경고표지 부착
- 기계와 설비 정비 시 시건장치 및 표지판 부착
- 프레스, 전단기, 압력용기, 둥근톱에 방호장치 설치
- 전기활선 작업 중 절연용 방호기구 사용
- 고소작업 시 안전 난간, 개구부 덮개 설치
- 추락 방지용 기준 안전망 설치
- 용접 시 인화성, 폭발성 물질 격리
- 밀폐공간 작업 전 산소농도 측정 등

4) 산업재해 발생 시 조치사항

산업재해가 발생하였을 때에는 재발방지를 위해 재해발생 원인과 재발방지 계획 등을 기록하고 보존하도록 의무화하고 있다. 산업재해 발생 시 조치사항 및 처리절차는 다음과 같다.

(1) 재해자 발견 시 조치사항

- 재해발생 기계의 정지 및 재해자 구출
- **긴급병원 후송** : 환자에 대한 응급처치와 동시에 119 구급대, 병원 등에 연락하여 긴급 후송한다.
- **보고 및 현장 보존** : 관리감독자 등 책임자에게 알리고, 사고원인 등 조사가 끝날 때까지 현장을 보존한다.

(2) 산업재해 발생보고

사업주는 산업 재해로 사망자가 발생하거나 3일 이상 휴업이 필요한 부상자나 질병자가 발생한 경우, 해당 산업재해가 발생한 날부터 1개월 이내에 산업재해조사표를 작성하여 관할 지방고용노동관서의 장에게 제출(전자문서에 의한 제출을 포함한다)하여야 한다.

사업주는 중대재해가 발생한 사실을 알게 된 경우에는 지체 없이 다음 각 호의 사항을 관할 지방고용노동관서의 장에게 전화·팩스, 또는 그 밖에 적절한 방법으로 보고하여야 한다.

① 발생 개요 및 피해 상황
② 조치 및 전망
③ 그 밖의 중요한 사항

(3) 산업재해 기록 및 보존

사업주는 산업재해가 발생한 때에는 다음 각 호의 사항을 기록·보존하여야 한다. 다만, 산업재해조사표 사본을 보존하거나 요양신청서의 사본에 재해 재발방지 계획을 첨부하여 보존한 경우에는 그러하지 아니하다.

- 사업장의 개요 및 근로자의 인적사항
- 재해발생 일시 및 장소
- 재해발생 원인 및 과정
- 재해 재발방지 계획 등을 기록하고, 3년간 보존하여야 한다.

(4) 재발방지계획에 따른 개선활동 실시

- 재해발생과정 확인 : 재해발생까지의 과정을 파악하고, 물적·인적·관리적 측면의 사실을 수집한다.
- 재해요인 파악 : 물적·인적·관리적 측면에서 재해요인을 찾는다.
- 재해요인의 결정 : 재해요인의 상관관계와 중요도를 고려하여 직접원인 및 간접원인을 결정한다.
- 계획의 수립 : 근본적인 문제점 및 재해원인을 근거로 동종 또는 유사재해방지계획을 구체적으로 수립한다.

6 업무상 상병과 재해보상

「산업재해보상보험법」은 산업재해보상보험 사업을 시행하여 근로자의 업무상의 재해를 신속하고 공정하게 보상하며, 재해 근로자의 재활 및 사회복귀를 촉진하기 위하여 필요한 보험시설을 설치 운영하고 재해예방과 그 밖에 근로자의 복지증진을 위한 사업을 행함으로써 근로자 보호에 이바지하는 데 목적을 둔다.

1) 업무와 상병의 인과관계

업무상 상병은 업무수행 중에 업무로 인해 발생하는 부상과 질병을 말하며, 「근로기준법」에서 사업주에게 재해보상의 의무를 지운 법률용어이다. 또 업무와 부상, 질병 간의 인과관계에 관한 추리를 할 때 모든 전제가 되는 업무수행 중이라는 말은 근로계약에 입각해서 근로자가 사업주의 지배, 즉 지휘감독 아래 있다는 뜻으로 해석된 업무 기인성과 관련이 있다. 업무 기인성은 재해가 업무에 기인하여 발생하는 것, 즉 업무수행과 재해 발생 사이에 상당인과관계가 있는 것을 말한다.

재해의 경우에는 재해라는 사태가 시간적·장소적으로 보아 극히 한정된 것이기 때문에 그 업무에 종사하지 않았더라면 발생하지 않았을 것으로, 그와 같은 업무에 종사하는 한 그러한 사태가 발생할 위험이 있을 것이라고 인정되면 업무와 재해 사이에 인과관계가 성립하는 것으로 판단한다. 재해의 직접적인 결과가 부상인 경우에는 재해의 발생상황, 부상의 부위 등으로 보아 재해와 부상의 인과관계 판단은 비교적 용이하다.

질병의 경우에는 직업병 특유의 증상이 명확하지 않은데다 근로자 자신의 소인, 기존 질병의 존재마저 개입하게 되는 경우가 생기므로 업무와 질병의 인과관계, 즉 작업 기인성의 유무와 그 정도를 판단하는 일은 쉽지 않으며, 경우에 따라 반드시 전형적인 증상을 보이지 않는 어려움이 있다. 즉 건강한 근로자가 업무로 인해서 발병한 경우에는 인과관계의 판단이 비교적 용이하지만, 소인과 기초질병으로 인해 발병과정에 있던 근로자가 업무에 의해서 발병시기가 촉진된 경우에는 인과관계의 판단이 어렵다. 또 기존 질병이 있고 이미 발병상태에 놓여 있던 근로자가 업무에 의해서 발병시기가 촉진된 경우에는 인과관계 판단은 거의 불가능하다.

따라서 직업병의 판단을 위해 의학적 근거 제시를 요청받는 경우가 많으며, 때로는 여러 곤란한 문제에 직면하게 된다. 재해성 질병의 경우 재해라고 부를 수 있는 돌발 사건의 유무를 보는 동시에 재해의 성질, 강도, 작용부위, 시간경과, 작업환경, 작업소견, 작업시간, 증상경과 그리고 임상경과 등을 동원할 필요가 있으나 그 판단은 비교적 쉬운 것이 보통이다.

따라서 일반적으로 다음 사항을 조사해서 종합 판단함으로써 업무상 질병인지 여부가 결정된다.

- 업무 내용과 종사 기간
- 작업환경과 취급하는 원자재, 중간생산물, 부산물, 제품의 유해·유독성 및 정도
- 중독 등 해당 직업병의 특유한 증상이나 또는 의학적 경험상 통상적으로 일어날 수 있을 것으로 생각되는 임상소견 유무
- 발병까지의 시간 간격 및 증상 경과
- 발병 이전의 신체이상과 과거력
- 임상병리, 부검 소견 등을 이용하여 같은 증상을 보이는 일반 질병과의 감별

인정된 업무상 질병, 특히 직업성 질병은 증상이 어느 정도 진행되어 인정기준에 해당된 것만 재해보상의 대상이 된다. 「근로기준법 시행령」 제44조에 따른 업무상 질병과 요양의 범위는 [표 6-42]와 같다.

2) 재해보상

근로자가 업무상 질병일 경우에 사용자는 「근로기준법」에 의한 산재보상을 해야 한다. 그러나 산재보험적용 사업장은 산재보상으로 보험급여가 지급되므로 사용자는 「근로기준법」에 의한 재해보상책임을 면하게 된다. 「산업재해보상보험법」은 일시에 많은 피해 근로자가 발생하였을 때, 사용자가 경제적 이유로 재해보상의 책임을 다할 수 없는 경우가 발생할 수 있으므로 금전상의 지불 보장을 위해서 마련되었다.

「산업재해보상보험법」의 경영의 주체는 정부이며 적용사업의 사업주가 가입하도록 되어 있다. 근로자가 업무로 인하여 부상, 질병, 사망 등 재해를 당했을 때에 요양급여, 휴업급여, 장해급여, 유족급여, 상병보상연금, 장의비 등의 급여를 수급권자(피해근로자 및 가족)의 청구에 의하여 지급받을 수 있다[표 6-43]. 3일 이내의 요양으로 치유될 수 있는 때에는 요양급여 또는 휴업급여는 해당되지 아니하므로, 「근로기준법」 상의 요양보상 또는 휴업보상을 해야 한다.

(1) 요양급여

업무상 재해로 요양기간이 4일 이상인 경우 국민건강보험 진료수가 범위 내에서 요양비 전액 급여한다.

요양급여의 범위는 진찰 및 검사, 약제 또는 진료재료와 의지(義肢), 그 밖의 보조기의 지급, 처치, 수술, 그 밖의 치료, 재활치료, 입원, 간호 및 간병, 이송 등이다.

표 6-42 업무상 질병과 요양의 범위

<table>
<tr><th>구 분</th><th>범 위</th><th>구체적 질병</th></tr>
<tr><td rowspan="10">업무상 질병</td><td colspan="2">업무상 부상으로 인한 질병</td></tr>
<tr><td>물리적 요인으로 인한 질병</td><td>• 엑스선, 감마선, 자외선 및 적외선 등 유해방사선으로 인한 질병
• 덥고 뜨거운 장소에서 하는 업무 또는 고열물체를 취급하는 업무로 인한 일사병, 열사병 및 화상 등의 질병
• 춥고 차가운 장소에서 하는 업무 또는 저온물체를 취급하는 업무로 인한 동상 및 저체온증 등의 질병
• 이상기압 하에서의 업무로 인한 감압병(잠수병) 등의 질병
• 강렬한 소음으로 인한 귀의 질병
• 착암기 등 진동이 발생하는 공구를 사용하는 업무로 인한 질병
• 지하작업으로 인한 눈떨림증(안구진탕증)</td></tr>
<tr><td>화학적 요인으로 인한 질병</td><td>• 분진이 발생하는 장소에서의 업무로 인한 진폐증 등의 질병
• 검댕·광물유·옻·타르·시멘트 등 자극성 성분, 알레르겐 성분 등으로 인한 봉와직염, 그 밖의 피부질병
• 아연 등의 금속흄으로 인한 금속열
• 산, 염기, 염소, 불소 및 페놀류 등 부식성 또는 자극성 물질에 노출되어 발생한 화상, 결막염 등의 질병
• 다음의 물질이나 그 화합물로 인한 중독 또는 질병: 납, 수은, 망간, 비소, 인, 카드뮴, 시안화수소
• 다음의 물질로 인한 중독 또는 질병 : 크롬·니켈·알루미늄·코발트, 유기주석, 이산화질소·아황산가스, 황화수소, 이황화탄소, 일산화탄소, 벤젠 또는 벤젠의 동족체와 그 니트로 및 아미노 유도체, 톨루엔·크실렌 등 유기화합물, 지방족 또는 방향족의 탄화수소화합물, 화학적 요인 외의 독성물질·극성물질·그 밖의 유해화학물질</td></tr>
<tr><td>생물학적 요인으로 인한 질병</td><td>• 환자의 검진, 치료 및 간호 등 병원체에 감염될 우려가 있는 업무로 인한 감염성 질병
• 습한 곳에서의 업무로 인한 렙토스피라증
• 옥외작업으로 인한 쯔쯔가무시증, 신증후군 출혈열
• 동물 또는 그 사체, 짐승의 털·가죽, 그 밖의 동물성 물체, 넝마 및 고물 등을 취급하는 업무로 인한 탄저, 단독 등의 질병</td></tr>
<tr><td colspan="2">직업성 암 : 검댕, 콜타르, 콜타르피치, 정제되지 않은 광물유, 6가 크롬 또는 그 화학물, 염화비닐, 벤젠, 석면, B형 또는 C형 간염바이러스, 엑스선 또는 감마선 등의 전리방사선, 비소 또는 그 무기 화합물, 니켈 화합물, 카드뮴 또는 그 화합물, 베릴륨 또는 그 화합물, 목재 분진, 벤지딘, 베타나프틸아민, 결정형 유리규산, 포름알데히드, 1·3-부타디엔, 라돈-222 또는 그 붕괴물질, 산화에틸렌 및 스프레이 도장 업무 등 발암성 요인으로 인한 암</td></tr>
<tr><td colspan="2">무리한 힘을 가해야 하는 업무로 인한 내장탈장, 영상표시단말기(VDT) 취급 등 부적절한 자세를 유지하거나 반복 동작이 많은 업무 등 근골격계에 부담을 주는 업무로 인한 근골격계 질병</td></tr>
<tr><td colspan="2">업무상 과로 등으로 인한 뇌혈관 질병 또는 심장 질병</td></tr>
<tr><td colspan="2">업무와 관련하여 정신적 충격을 유발할 수 있는 사건으로 인한 외상 후 스트레스장애</td></tr>
<tr><td colspan="2">산업재해보상보험 및 예방심의위원회의 심의를 거쳐 고용노동부장관이 지정하는 질병</td></tr>
<tr><td colspan="2">업무로 인한 것이 명확한 질병</td></tr>
<tr><td>요 양</td><td colspan="2">진찰, 약제 또는 진료 재료의 지급, 의지(義肢) 또는 그 밖의 보조기의 지급, 처치·수술·그 밖에 치료, 입원, 간병, 이송</td></tr>
</table>

〈 자료원 : 법제처(2021). 근로기준법 시행령 〉

표 6-43 산업재해보상보험 급여

급여종류	급여수준	지급사유
요양급여	요양비 전액(요양기간 4일 이상시 적용)	병원에 입원 시
간병급여	간병료	의학적으로 수시로 간병이 필요
휴업급여	평균임금의 70% 제공(미취업 4일 이상시 적용)	업무상 재해로 요양하기 위해 휴업한 기간
장해급여	장해등급에 따라 장애보상연금이나 장애보상일시금	재해로 인한 부상, 질병으로 치료 후에도 장해가 남아 있는 경우
유족급여	유족보상연금이나 유족보상일시금	근로자가 업무상의 사유로 사망한 경우
상병보상연금	휴업급여 대신 지급	업무상재해로 2년 이상 장기간 요양을 하고 있으나 치료가 안 될 때
장례비	평균임금의 120일분에 상당하는 금액	업무상 사망으로 장제를 시행할 때
직업재활급여	직업훈련 비용 및 직업훈련수당, 재활운동비 등	장해급여를 받는 자 중 직업훈련이 필요할 때

〈 자료원 : 법제처(2021). 산업재해보상보험법 〉

(2) 휴업급여

업무상 사유로 부상, 질병에 걸린 근로자가 요양으로 취업하지 못한 기간에 대하여 지급하되, 1일당 지급액은 평균임금의 100분의 70에 상당하는 금액으로 한다(다만, 취업하지 못한 기간이 3일 이내이면 지급하지 아니한다).

(3) 장해급여

업무상의 부상이나 질병의 치유 후 신체장해가 있는 경우, 장해등급에 따라 장해보상연금 또는 장해보상일시금으로 지급한다.

(4) 간병급여

요양급여를 받은 자가 치유 후 의학적으로 상시 또는 수시로 간병이 필요하여 실제로 간병을 받는 자에게 지급한다.

(5) 유족급여

업무상의 사유로 사망한 경우에 유족에게 지급하는데, 유족보상연금 또는 유족보상일시금

(6) 상병보상연금

부상 또는 질병이 2년이 경과되어도 치유되지 않고 요양으로 인하여 취업하지 못하며, 중증요양상태등급 1～3급(평균임금의 329일분, 291일분, 257일분)에 해당하는 장기 환자에 대하여 휴업급여 대신에 지급한다.

(7) 장례비

업무상의 사유로 사망한 경우에 지급하되, 평균임금의 120일분에 상당하는 금액을 그 장제(葬祭)를 지낸 유족에게 지급한다. 다만, 장제를 지낼 유족이 없거나 그 밖에 부득이한 사유로 유족이 아닌 자가 장제를 지낸 경우에는 평균임금의 12일분에 상당하는 금액의 범위 내에서 실비를 지급한다.

제3절 + 작업환경관리

Keywords

- 작업환경관리
- MSDS
- 작업환경측정
- 작업환경 유해인자
- GHS
- 작업환경 개선

1 작업환경관리

작업환경관리는 유해인자 제거 및 감소로 산업재해와 직업병을 예방하고 근로자의 건강유지 증진 및 생산성 향상 도모에 목표를 둔다.

1) 작업환경 유해인자

근로자의 건강장해 예방을 위하여 고용노동부장관으로 하여금 근로자의 건강장해를 유발하는 화학물질 및 물리적 인자 등 유해인자를 체계적으로 분류하고 관리하도록 하고 있다. 유해인자는 화학적 인자, 물리적 인자, 생물학적 인자 및 기타 인자로 구분하고, 이를 체계적으로 관리하기 위해서 각 인자별로 유형 및 분류기준을 정하여 관리하고 있다.

(1) 화학적 유해인자

화학적 유해인자를 물리적 위험성 분류기준과 건강 및 환경 유해성 분류기준에 따라 구분하면 다음과 같다.

① 물리적 위험성 분류기준

- **폭발성 물질** : 자체의 화학반응에 따라 주위환경에 손상을 줄 수 있는 정도의 온도·압력 및 속도를 가진 가스를 발생시키는 고체·액체 또는 혼합물
- **인화성 가스** : 20℃, 표준압력(101.3kPa)에서 공기와 혼합하여 인화되는 범위에 있는 가스와 54℃ 이하 공기 중에서 자연발화하는 가스(혼합물을 포함)
- **인화성 액체** : 표준압력(101.3kPa)에서 인화점이 93℃ 이하인 액체
- **인화성 고체** : 쉽게 연소되거나 마찰에 의하여 화재를 일으키거나 촉진할 수 있는 물질
- **에어로졸** : 재충전이 불가능한 금속·유리 또는 플라스틱 용기에 압축가스·액화가스 또는 용해가스를 충전하고 내용물을 가스에 현탁시킨 고체나 액상입자
- **물 반응성 물질** : 물과 상호작용을 하여 자연발화되거나 인화성 가스를 발생시키는 고체·액체 또는 혼합물
- **산화성 가스** : 일반적으로 산소를 공급함으로써 공기보다 다른 물질의 연소를 더 잘 일으키거나 촉진하는 가스
- **산화성 액체** : 그 자체로는 연소하지 않더라도, 일반적으로 산소를 발생시켜 다른 물질을 연소시키거나 연소를 촉진하는 액체

- 산화성 고체 : 그 자체로는 연소하지 않더라도, 일반적으로 산소를 발생시켜 다른 물질을 연소시키거나 연소를 촉진하는 고체
- 고압가스 : 20℃, 200kPa 이상의 압력 하에서 용기에 충전되어 있는 가스 또는 냉동액화가스 형태로 용기에 충전되어 있는 가스(압축가스, 액화가스, 냉동액화가스, 용해가스로 구분)
- 자기반응성 물질 : 열적인 면에서 불안정하여 산소가 공급되지 않아도 강렬하게 발열·분해하기 쉬운 액체·고체 또는 혼합물
- 자연발화성 액체 : 적은 양으로도 공기와 접촉하여 5분 안에 발화할 수 있는 액체
- 자연발화성 고체 : 적은 양으로도 공기와 접촉하여 5분 안에 발화할 수 있는 고체
- 자기발열성 물질 : 주위의 에너지 공급 없이 공기와 반응하여 스스로 발열하는 물질(자기발화성 물질은 제외)
- 유기과산화물 : 2가의 －O－O－구조를 가지고 1개 또는 2개의 수소 원자가 유기라디칼에 의하여 치환된 과산화수소의 유도체를 포함한 액체 또는 고체 유기물질
- 금속 부식성물질 : 화학적인 작용으로 금속에 손상 또는 부식을 일으키는 물질

② 건강 및 환경 유해성 분류기준

- 급성 독성물질 : 입 또는 피부를 통하여 1회 투여 또는 24시간 이내에 여러 차례로 나누어 투여하거나 호흡기를 통하여 4시간 동안 흡입하는 경우 유해한 영향을 일으키는 물질
- 피부 부식성 또는 자극성 물질 : 접촉 시 피부조직을 파괴하거나 자극을 일으키는 물질(피부 부식성 물질 및 피부 자극성 물질로 구분)
- 심한 눈 손상성 또는 자극성 물질 : 접촉 시 눈 조직의 손상 또는 시력의 저하 등을 일으키는 물질(눈 손상성 물질 및 눈 자극성 물질로 구분)
- 호흡기 과민성 물질 : 호흡기를 통하여 흡입되는 경우 기도에 과민반응을 일으키는 물질
- 피부 과민성 물질 : 피부에 접촉되는 경우 피부 알레르기 반응을 일으키는 물질
- 발암성 물질 : 암을 일으키거나 그 발생을 증가시키는 물질
- 생식세포 변이원성 물질 : 자손에게 유전될 수 있는 사람의 생식세포에 돌연변이를 일으킬 수 있는 물질
- 생식독성 물질 : 생식기능, 생식능력 또는 태아의 발생·발육에 유해한 영향을 주는 물질
- 특정 표적장기 독성 물질(1회 노출) : 1회 노출로 특정 표적장기 또는 전신에 독성을 일으키는 물질
- 특정 표적장기 독성 물질(반복 노출) : 반복적인 노출로 특정 표적장기 또는 전신에 독성을 일으키는 물질
- 흡인 유해성 물질 : 액체 또는 고체 화학물질이 입이나 코를 통하여 직접적으로 또는 구토로 인하여 간접적으로, 기관 및 더 깊은 호흡기관으로 유입되어 화학적 폐렴, 다양한 폐 손상이나 사망과 같은 심각한 급성 영향을 일으키는 물질
- 수생 환경 유해성 물질 : 단기간 또는 장기간의 노출로 수생생물에 유해한 영향을 일으키는 물질
- 오존층 유해성 물질 : 오존층 보호를 위한 특정물질의 제조규제 등에 관한 법률에 따른 특정물질

(2) 물리적 유해인자

- 소음 : 소음성 난청을 유발할 수 있는 85데시벨(dB) 이상의 시끄러운 소리
- 진동 : 착암기, 핸드 해머 등의 공구를 사용함으로써 발생되는 백랍병·레이노 현상·말초순환장애 등의 국소 진동 및 차량 등을 이용함으로써 발생되는 관절통·디스크·소화장애 등의 전신 진동

- 방사선 : 직접·간접으로 공기 또는 세포를 전리하는 능력을 가진 알파선·베타선·감마선·엑스선·중성자선 등의 전자선
- 이상기압 : 게이지 압력이 cm^2당 1kg 초과 또는 미만인 기압
- 이상기온 : 고열·한랭·다습으로 인하여 열사병·동상·피부질환 등을 일으킬 수 있는 기온

(3) 생물학적 유해인자

- 혈액매개 감염인자 : 인간면역결핍바이러스, B형·C형간염바이러스, 매독바이어스 등 혈액을 매개로 다른 사람에게 감염되어 질병을 유발하는 인지
- 공기매개 감염인자 : 결핵·수두·홍역 등 공기 또는 비말감염 등을 매개로 호흡기를 통하여 감염되는 인자
- 곤충 및 동물매개 감염인자 : 쯔쯔가무시증, 렙토스피라증, 유행성출혈열 등 동물의 배설물 등에 의하여 감염되는 인자 및 탄저병, 브루셀라병 등 가축 또는 야생동물로부터 사람에게 감염되는 인자

(4) 기타 인자

- 인간공학적 인자 : 작업 자세, 작업방법, 작업강도, 작업시간, 휴식시간, 교대제, 작업대, 작업의자, 사용공구 등
- 사회적 인자 : 임금, 교통수단, 공장 소재지, 인간관계, 가정생활 등

2) 작업환경관리 기본원칙

(1) 작업환경관리의 기본원칙

작업환경관리의 기본원칙으로는 대치, 격리, 환기, 교육이 있다.

① 대치(Substitution)

독성이 약한 유해물질로 대체하거나 또는 공정이나 시설을 바꾸는 방법이다. 공정 변경의 예로는 유해물질의 폭로를 줄이기 위해서 페인트칠을 할 때 분무식보다 페인트 용액에 담가 롤러로 칠하거나, 주조물을 연마하고 청결하게 하기 위해서 모래로 분쇄하는 것 대신에 물로 분해하는 방법 등을 들 수 있다. 물질을 변경하는 예로는 벤젠을 톨루엔이나 크실렌으로 바꾸어 사용하거나, 페인트 공정에서 납 착색을 대신하기 위해 티타늄이나 아연으로 대체하는 것 등을 들 수 있다.

② 격리(Isolation)

작업자와 유해인자 사이를 막는 방법이다. 저장물질을 격리하거나 시설, 공정, 근로자를 격리할 수 있다. 인화성 물질이나 독성이 강한 물질을 따로 격리하여 저장하도록 한다. 이때 물질에 따라 물질끼리 서로 격리하여 저장할 필요가 있는 것들도 있으므로 이를 고려하여 격리하여야 한다.

고압 하에서 가동하거나 고속회전을 하는 등 위험을 지니고 있는 시설도 격리상태에 있도록 하는 것이 좋다. 이러한 경우 방호벽을 쌓고 기계작동은 원격조정 등 자동화 시설을 이용한다. 또한 공정상 소음을 줄이기 위해 또는 방사성 동위원소를 취급할 때 등도 공정자체를 다른 공정과 격리한다. 또한 작업자를 현장의 유해환경으로부터 격리하기 위하여 보호구를 사용한다.

③ 환기(Ventilation)

환기는 신선한 공기의 주입으로 작업장의 오염된 공기의 농도를 경감하고, 고온다습, 유해분진, 냄새, 유해증기를 희석하는 것이다. 환기는 국소환기와 전체환기로 구분할 수 있다.

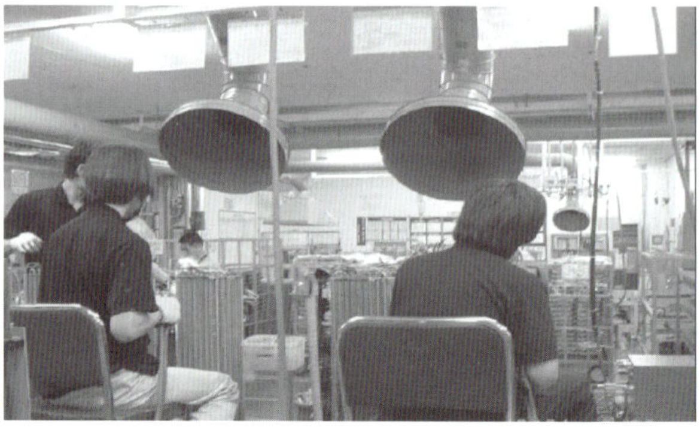

그림 6-24 국소환기 후드의 예

국소환기는 유해물질의 발생원 가까이에서 유해물질을 빨아들여 근로자가 유해물질을 흡입하지 않도록 방지하는 것이다. 유해물질의 발생량이 많고 독성이 강하며, 발생주기가 균일하지 않고 발생원이 고정되어 있을 때 적용가능하다. 또한 국소환기는 오염물질 발생원에서 제거하므로 필요 환기량이 적고 고농도 유해물질의 희석이 쉬우므로 전체환기보다 경제적이다[그림 6-24].

전체환기는 작업장 전체의 유해물질을 희석하여 적절한 공기조성을 얻을 때까지 희석하기 때문에 희석환기라고도 한다. 주로 고온과 다습을 조절하는 데 이용되며, 분진, 냄새, 유해증기를 희석하는 데에도 이용된다. 오염물질의 발생이 낮고 작업자와 오염원 사이가 떨어져 있으며, 오염물질의 독성이 낮고 균등하게 발생할 때 쓰인다.

④ 교육(Education)

근로자뿐만 아니라 관리자에게도 작업환경관리의 필요성과 대처방법 등에 대하여 지속적으로 교육을 실시한다. 그로 인해 관리자는 지속적으로 작업환경 개선을 위해 힘 쓸 수 있고, 근로자는 더욱 안전하게 작업하고 보호구를 착용하는 등 자신의 안전을 지키는 행위를 스스로 할 수 있도록 하여야 한다.

(2) 작업환경관리의 절차

작업환경관리의 목적은 작업자에게 건강장해를 일으킬 수 있는 작업환경 중에서 유해요소에 대한 대책을 수립하고 유해한 인자들을 제거 또는 감소시켜 안전하고 쾌적한 작업환경을 조성함으로써 산업재해와 직업병을 사전에 예방하여 근로자의 건강을 보호하고 유지·증진시키는 데 있다. 즉 작업환경관리란 근로자가 쾌적한 사업장에서 작업할 수 있도록 근로자의 입장에서 배려해 주는 일이다. 이를 위해서는 작업 실태를 아는 것이 기본이기 때문에 작업환경 측정과 사업장 순회가 작업환경관리의 출발점이 된다.

작업환경에서 작업자가 직면하는 위험과 잠재적인 위험은 단순히 기계적인 것, 화재나 폭발의 원인이 되는 것, 호흡기와 소화기를 통하여 체내에 흡수되어 건강장해를 일으키거나, 피부나 눈에 접촉하여 자극을 주는 물질에 의한 것이 있고, 소음, 진동, 복사열과 같은 에너지 형태인 것도 있다.

작업환경을 평가하려면 작업장의 유해인자가 무엇인지 조사하여야 하고, 또한 유해성의 정도를 알기 위해서 화학물질에 대해서는 기준 농도를, 물리적 인자에 대해서는 강도를 측정하여야 한다. 작업환경 측정 결과 개선사항에 대책을 수립하여 실행하고, 개선된 작업장에 대해서는 개선효과가 이루어졌는지 점검하고 그 효과가 유지될 수 있도록 설비의 점검, 보전, 작업기준의 준수 등에 관하여 충분히 지도한다.

(3) 작업환경관리의 대책

작업환경 측정 결과 개선사항에 대한 가동 중인 시설의 작업환경관리 대책은 행정적 또는 관리적 대책, 공학적 대책, 개인 보호구 사용 등 3가지로 구분할 수 있다. 일반적으로 이러한 대책들은 서로 독립적인 것이 아닌 상호보완적으로 적용하는 것이 효과적이다. 공학적 대책이 우선적으로 이루어져야 하며 공학적인 대책이 없이 의학적, 교육적, 행정적 대책에만 한정하는 것은 비효과적이다.

① 행정적 대책

경영진과 근로자의 자발적인 참여가 중요하며, 구체적인 내용은 다음과 같다.

- 근로자 훈련 및 교육 : 작업교육, 시설, 물질, 기구 등
- 순환배치, 작업시간 제한
- 의학적 검진
- 작업환경 정비(정리정돈 및 청결) 등

② 공학적 대책

기본적으로 유해성이 낮은 물질이나 공정으로 대치, 격리, 환기, 습식작업 등으로 구체적인 내용은 다음과 같다.

- **발생원 대책** : 발생원 제거 또는 대치법(공정변경, 시설변경, 물질변경)
- **신선한 공기에 대한 희석** : 국소환기, 전체환기
- **작업공정의 밀폐와 격리** : 물질, 시설, 공정을 작업자와 건물 등으로부터 격리

③ 개인보호구

개인이 사용하는 모든 보호구로서 환경개선으로 해결이 안 되는 부분의 마지막 단계에서 활용하는 보완대책이다. 보호구의 종류는 추락 및 감전 위험방지용 안전모, 안전화, 안전장갑, 방진·방독·송기마스크, 보호복, 안전대, 전동식호흡보호구, 차광(遮光) 및 비산물(飛散物) 위험방지용 보안경, 용접용 보안면, 방음용 귀마개 또는 귀덮개 등이다.

보호구 선택의 일반적 기준은 다음과 같다.

- 안면부가 부드럽고 착용감이 좋다.
- 보관과 보수가 간편하다.
- 가볍고 사용이 간편하다.
- 머리끈 조절 등 보안경 착용이 용이하다.
- 작업에 방해가 되지 않는다.
- 위생적이며 세척이 편리하다.
- 얼굴 체형에 맞게 밀착이 잘 된다.
- 시야가 우수하고 대화가 가능하다.
- 흡기나 배기저항이 작아 호흡하기 편하다.
- 공인기관으로부터 검정을 받아 품질이 우수하다.

3) 유해인자별 작업환경관리 방법

고용노동부장관은 근로자의 건강장해를 유발하는 화학물질 및 물리적 인자 등을 고용노동부령이 정하는 분류기준에 따라 분류하고 관리하여야 한다. 화학물질 및 화학물질을 함유한 제제 중 고용노동부령으로 정하는 분류기준에 해당하는 화학물질 및 화학물질을 함유한 제제를 제조하거나 수입하려는 자는 '물질안전보건자료(Material Safety Data Sheet; MSDS)'를 고용노동부령으로 정하는 바에 따라 작성하여 고용노동부장관에게 제출하여야 한다. MSDS에 포함되어야 하는 내용은 제품명, 대상 화학물질의 명칭 및 함유량, 안전·보건상의 취급 주의사항, 건강 및 환경에 대한 유해성, 물리적 위험성, 그 밖에 고용노동부령으로 정하는 사항 등이다.

(1) 호흡기 유해물질 관리

독성이 적은 물질로 대체하거나, 작업공정 및 환경을 개선한다. 환기장치와 국소 배기장치를 가동시키고 호흡용 보호구를 사용하도록 한다. 또한 유해물질의 종류와 위험성에 대해서 근로자 교육을 실시하고 작업장을 청결하게 정리정돈 한다.

(2) 피부 유해물질 관리

작업공정을 완전히 폐쇄식 설비로 자동화하는 것이 좋으나, 현실적으로 불가능하므로 환기·배기·차폐 설비를 효과적으로 배치한다. 분진작업은 가능한 습윤 상태로 조작하며 분쇄기는 뚜껑이 있는 것을 사용한다. 유해물질은 덜 해로운 물질로 대체하고 개인 위생시설을 구비하여 작업 후 샤워를 하게 한다. 작업복, 앞치마, 장갑 및 장화 등 개인보호구를 착용하고 보호크림을 발라 작업 중 자극물질이 직접 피부에 닿는 것을 막는다. 근로자 교육을 통해 스스로 자신의 건강을 지키도록 한다.

4) 유해물질 허용기준

근로자를 위하여 근로자가 취급하는 원료 및 기계 등은 근로자의 건강에 전혀 유해하지 않은 것이어야 한다. 그러나 이는 불가능하므로 각 유해물질마다 근로자의 보건상 유해하지 않은 허용기준을 정하여 유해인자로부터 근로자의 건강을 보호한다.

우리나라에서는 미국의 PEL(Permissible Exposure Limits)의 개념으로 산업장에서 사용하는 유해물질에 대한 시간가중 평균노출기준(Time Weighted Average; TWA)과 단시간 노출기준(Short Term Exposure Limit; STEL)을 정하고 있다.

이는 「산업안전보건법」에 의하여 인체에 유해한 가스, 증기, 미스트, 흄이나 분진과 소음 및 고온 등 화학물질 및 물리적 인자에 대한 작업환경 평가와 근로자의 건강에 유해하지 아니한 기준을 정하여 근로자의 건강을 유해요인으로부터 보호하는 데 목적이 있다.

(1) 노출기준

근로자가 유해요인에 노출되는 경우 노출기준(Threshold Limit Values; TLVs) 이하 수준에서는 거의 모든 근로자에게 건강상 나쁜 영향을 미치지 아니하는 기준을 말하며, 1일 작업시간 동안의 시간가중 평균노출기준(Time Weighted Average; TWA), 단시간 노출기준(Short Term Exposure Limit; STEL) 또는 최고 노출기준(Ceiling; C)으로 표시한다.

① 시간가중 평균노출기준(TWA)

하루에 8시간, 1주 40시간의 정상노동시간 중의 평균노출농도로 나타내며 근로자가 이러한 조건에 반복해서 폭로되더라도 건강상의 장해를 일으키지 않는 농도이다. 그러나 근로자 개개인은 유해물질에 대한 감수성이 다르기 때문에 허용농도 이하에서도 불쾌감을 느끼거나 기존의 질병이 악화될 수도 있다는 것을 기억해야 한다.

② 단시간 노출기준(STEL)

근로자가 1회에 15분간 유해인자에 노출될 경우의 기준으로, 이 기준 이하에서는 1회 노출간격이 1시간 이상인 경우 1회 노출 지속시간이 15분 미만이어야 하고, 1일 작업시간 동안 4회까지 노출이 허용될 수 있는 기준을 말한다. 근로자가 15분 이하의 단시간 동안 폭로되어도 자극, 만성 또는 불가역적 조직 변화, 마취성으로 인한 재해 증가나 폭로로 인한 영향이 충분히 회복될 수 없거나, 작업능률을 감소시키지 않는 최고농도이다. 단시간 폭로허용농도는 8시간 가중평균농도가 허용농도 이내일지라도 1일 작업하는 동안 어떤 시간에라도 15분 가중평균농도를 초과해서는 안 된다는 것으로 정의한다.

③ 최고 노출기준(Ceiling; C)

근로자가 1일 작업시간 동안 잠시라도 노출되어서는 안 되는 기준을 말하며, 노출기준 앞에 'C'를 붙여 표시한다. 'C' 표시가 된 TLV는 8시간 평균농도를 표시하지 않으며 이 수치를 넘어서는 안 되는 것을 의미한다. 즉 작업시간 동안 모든 공기 중 농도는 그 이하로 유지되어야 한다는 것이다.

(2) 우리나라의 노출기준

노출기준은 나라마다 경제적, 기술적, 사회문화적 상황의 차이로 인해 기준이나 설정항목 등에서 차이가 있다. 현재 우리나라는 화학물질, 총 먼지, 온열소음에 대한 노출기준이 설정되어 있다.

① 화학물질

현재 노출기준이 정해진 698종의 화학물질은 법적으로 개인노출에 대한 측정을 의무화하고 있다. 우리나라는 미국의 ACGIH(American Conference of Governmental Industrial Hygienists) 기준을 그대로 따르도록 하고 있다.

② 물리적 유해인자

- 소음 : 소음과 충격소음에 대한 노출기준이 설정되어 있다. 소음의 노출기준은 1일 8시간 노출을 기준으로 90dB이고, 115dB을 초과하는 소음수준에 노출되어서는 안 된다. 충격소음의 노출기준은 1일 100회 노출을 기준으로 140dB까지이다.
- 고온 : 측정한 WBGT(Wet Bulb Globe Temperature) 지수와 작업강도에 따라 작업시간과 휴식시간의 비가 설정되어 있다. 이것은 ACGIH의 기준과 동일한 노출기준을 가지고 있다.
- 라돈 : 라돈의 노출기준은 작업장 농도는 600Bq/m^{3}까지이다(2018년 신설).

③ 정해지지 않은 노출기준

ACGIH 기준과 비교해서 정해지지 않은 노출기준은 방사선, 비전리방사선(라디오파, 초음파, 자외선, 적외선 등), 진동(국소진동과 전신진동), 한랭 등에 대한 기준이다. 이러한 유해인자가 발생되는 사업장은 법적인 의무와 상관없이 근로자의 노출에 대한 위험도를 평가하여 관리할 필요가 있다.

2 MSDS/GHS 제도

1) MSDS/GHS 개요

MSDS(Material Safety Data Sheet; 물질안전보건자료)란 사업주가 화학물질 또는 화학물질을 함유한 제제를 제조·수입·사용·운반 또는 저장하고자 할 때에 화학물질의 명칭 및 함유량, 안전·보건상의 취급 주의 사항, 건강 및 환경에 미치는 영향, 기타 고용노동부령이 정하는 사항을 기재한 자료를 말한다. 이러한 제도의 목적은 화학물질을 안전하게 취급하기 위하여 근로자나 실수요자에게 화학물질을 판매하거나 양도 시 물질안전보건자료를 사용자에게 전달하여 필요한 정보를 제공함으로써 화학물질에 의한 산업재해나 직업병 등을 예방하기 위한 것이다.

GHS(세계조화시스템; The Globally Harmonized System of classification and labeling of chemicals)란 화학물질 분류·표시에 대한 세계조화시스템으로서 전 세계적으로 통일된 분류기준에 의거 화학물질의 분류기준에 따라 유해위험성을 분류하고 통일된 형태의 경고표지 및 MSDS로 정보를 전달하는 방법을 말한다.

(1) GHS(세계조화시스템)의 필요성

- 국제적으로 통용되는 유해성 정보전달 시스템으로 사람의 건강과 환경보호를 강화
- 기존 시스템이 없는 국가들에게 인정된 기본 체계 제공
- 화학물질의 중복 시험 및 평가 방지
- 국제적으로 화학물질의 유해성을 적정하게 평가 및 확인하여 편리하게 국제교역가능
- 동일 화학물질에 대한 다른 분류를 통일
- 다른 방식으로 된 경고표지의 이중 부착 예방
- 다른 유해위험성 내용 교육으로 안전 및 건강 위협 예방

(2) GHS 적용원칙 및 범위

① 적용원칙

- GHS는 모든 유해·위험성 화학물질에 적용된다.
- 통일된 시험방법의 확립 및 추가 시험의 개발은 포함하지 않는다.
- 동물시험자료, 시험관 내 시험, 사람에서의 경험, 역학자료 및 임상 시험 결과는 GHS의 주요 분류 정보원이다.
- 벽돌쌓기 접근방법(Building block approach)을 통하여 GHS 적용 시 국가 또는 부문간의 특성화가 가능하다.

② 적용 범위

- 화학물질 또는 혼합물의 건강, 환경 및 물리적 유해·위험성 판정기준
- 유해·위험성 정보전달 도구인 경고표지와 물질안전보건자료의 구성 요소

2) MSDS/GHS 작성

(1) MSDS/GHS 구성요소

MSDS/GHS 구성요소는 화학제품과 회사, 유해성·위험성, 구성성분, 응급조치 요령 등 물질안전보건자료에 관한 주요 내용으로 구성되어 있으며, 자세한 내용은 [표 6-44]와 같다.

표 6-44 MSDS/GHS 작성

구 분	정 보	구 분	정 보
화학제품과 회사에 관한 정보	제품명, 제품의 권고용도와 사용상의 제한 등	물리화학적 특성	외관, 냄새, 인화점, 인화 또는 폭발한계 상·하한, 자연발화온도 등
유해성·위험성	유해·위험성 분류, 예방조치문구를 포함한 경고표지 항목 등	안정성 및 반응성	화학적 안정성, 유해반응의 가능성, 피해야 할 조건 등
구성 성분의 명칭 및 함유량	화학물질명, 관용명 및 이명, CAS 번호 또는 식별번호, 함유량	독성에 관한 정보	가능성이 높은 노출경로에 대한 정보, 건강 유해성 정보
응급조치 요령	눈에 들어갔을 때, 피부에 접촉했을 때, 흡입했을 때 등	환경에 미치는 영향	생태독성, 잔류성과 분해성, 생물 농축성 등
폭발·화재 시 대처방법	적절한 소화제, 화재 진압 시 착용할 보호구 및 예방조치 등	폐기 시 주의사항	폐기방법, 폐기 시 주의사항
누출 사고 시 대처방법	인체 보호를 위한 조치사항 및 보호구, 정화 또는 제거방법 등	운송에 필요한 정보	유엔 번호, 운송에서의 위험성 등급 등
취급 및 저장방법	안전취급요령, 안전한 저장방법	법적규제 현황	「산업안전보건법」에 의한 규제, 화학물질관리법에 의한 규제 등
노출방지 및 개인보호구	노출기준, 적절한 공학적 관리, 개인보호구 등	그 밖의 참고사항	자료의 출처, 최초 작성일자, 개정횟수 및 최종 개정일자 등

〈 자료원 : 고용노동부(2020). 화학물질의 분류·표시 및 물질안전보건자료에 관한 기준 〉

(2) 작성방법

물질안전보건시스템(msds.kosha.or.kr)로 접속하여 회원 가입 후 작성할 수 있다[그림 6-25].

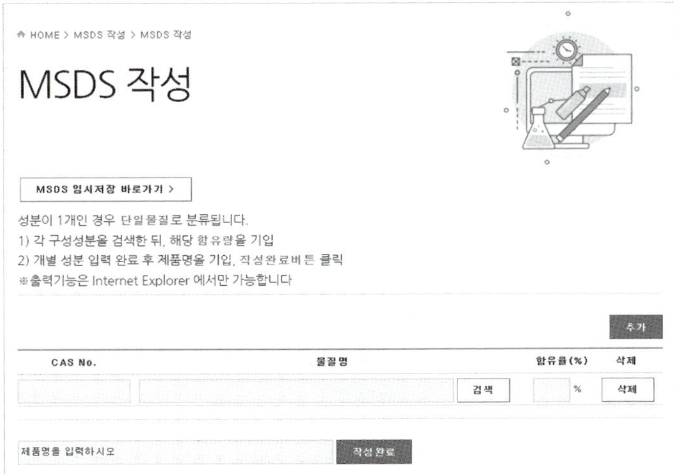

〈 자료원 : 물질안전보건자료시스템(2022). MSDS 작성 〉

그림 6-25 MSDS/GHS 작성방법

(3) MSDS/GHS 작성 대상·비치 대상 물질

물리적 위험성	• 폭발성 물질 • 인화성 가스 • 인화성 에어로졸(aerosol) • 산화성 가스 • 고압가스 • 인화성 액체	• 인화성 고체 • 자기반응성 물질 및 혼합물 • 자연발화성 액체 • 자연발화성 고체 • 자기발연성 물질 및 혼합물 • 물반응성 물질 및 혼합물	• 산화성 액체 • 산화성 고체 • 유기과산화물 • 금식부식성 물질
건강 유해성	• 급성 독성 • 피부 부식성/피부 자극성 • 심한 눈 손상성/눈 자극성 • 호흡기 과민성 • 피부 과민성	• 생식세포 변이원성 • 발암성 • 생식독성 • 특정표적장기 독성 (1회 노출)	• 특정표적장기 독성 (반복 노출) • 흡인 유해성
환경 유해성	• 수생환경 유해성	• 오존층 유해성	

(4) MSDS/GHS 작성 대상·비치 대상 제외 제제

- 「건강기능식품에 관한 법률」에 따른 건강기능식품
- 「원자력안전법」에 따른 방사성물질
- 「생활주변방사선 안전관리법」에 따른 원료물질
- 「생활화학제품 및 살생물제의 안전관리에 관한 법률」에 따른 일반소비자의 생활용으로 제공되는 제품
- 「위생용품 관리법」에 따른 위생용품
- 「의료기기법」에 따른 의료기기
- 「약사법」에 따른 의약품·의약외품
- 「화장품법」에 따른 화장품
- 「마약류관리에 관한 법률」에 따른 마약 및 향정신성 의약품
- 「농약관리법」에 따른 농약
- 「사료관리법」에 따른 사료
- 「비료관리법」에 따른 비료
- 「식품위생법」에 따른 식품 및 식품첨가물
- 「총포·도검·화약류 등의 안전관리에 관한 법률」에 따른 화약류
- 「폐기물관리법」에 따른 폐기물
- 위의 물질 외 일반소비자 생활용으로 제공되는 것
- 그 밖에 고용노동부장관이 독성·폭발성 등으로 인한 위해의 정도가 적다고 인정하여 고시하는 물질

(5) 사업주 준수사항

사업주는 화학물질이나 화학물질이 함유된 제제를 제조, 수입, 사용, 운반, 저장하고자 할 때 한글로 MSDS를 작성하여 게시 또는 비치하고 근로자에게 그 내용을 교육해야 한다. 또한 유해·위험성 분류에 따른 경고표지의 그림문자는 [그림 6-26]과 같다.

- 사업주가 지켜야 할 사항
  - 용기 및 포장에 한글경고표시 부착하거나 인쇄한다.
  - MSDS는 한글 작성을 원칙으로 한다(화학물질명, 외국기관명은 영문 가능).
  - MSDS대상물질 양도·제공 시 해당 MSDS 제공한다.
  - MSDS를 근로자가 보기 쉬운 장소에 게시 또는 비치한다.
  - MSDS대상물질 취급 근로자에 대하여 MSDS 주요 내용 등에 대한 교육 실시 및 기록하여 보존한다.

(6) GHS제도 도입에 따른 변경내용

동일한 화학물질에 대해 국제적으로 유해·위험성 분류·표시를 통일하였다.

〈 자료원 : 고용노동부(2020). 화학물질의 분류·표시 및 물질안전보건자료에 관한 기준 〉

그림 6-26 유해·위험성 분류에 따른 경고표지의 그림문자

3 작업환경측정

1) 작업환경측정 개요

(1) 목적

작업환경측정은 작업환경 실태를 파악하기 위하여 해당 근로자 또는 작업장에 대해 사업주가 측정계획을 수립하여 시료의 채취 및 분석, 평가를 하는 것을 말한다. 「산업안전보건법」 제125조의 규정에 의하여 작업 시 발생하는 소음, 분진, 유해화학물질 등의 유해인자에 근로자가 얼마나 노출되는지를 측정 및 평가한 후 시설·설비 등 적절한 개선을 통하여 깨끗한 작업환경을 조성함으로써 근로자 건강보호 및 생산성 향상에 기여하기 위함이다.

(2) 측정대상

상시 근로자 1인 이상 사업장으로서 소음, 분진, 고열, 금속가공유, 화학물질 등 측정대상인자 192종에 노출되는 근로자가 있는 작업장이다. 단, 다음의 경우에는 측정대상에서 제외한다.

- 임시작업(월 24시간 미만) 및 단시간작업(1일 1시간 미만)
- 관리대상 유해물질의 허용소비량을 초과하지 않는 작업장
- 분진작업의 적용 제외 작업장
- 유해인자의 노출수준이 현저히 낮아 고용노동부장관이 고시하는 작업장

예비조사를 통해서 측정 대상장소를 선정한다. 예비조사항목은 사업장에서 제조하는 생산품, 주원료, 부원료, 기타 공정에서 사용되는 물질의 조사 및 발생될 수 있는 유해물질의 조사이다. 이러한 유해인자들이 인체에 미치는 영향과 허용도를 조사하고, 이 자료를 기초로 측정 장소, 위치, 시간, 측정기기 등을 선정해야 한다. 작업이 정상적으로 이루어져 작업시간과 유해인자에 대한 근로자의 노출 정도를 정확히 평가할 수 있을 때 작업환경측정을 한다.

작업환경측정 대상 유해인자는 총 192종이다. 화학적 인자 183종(유기화합물 114종, 금속류 24종, 산·알칼리류 17종, 가스 상태 물질류 15종, 허가대상 유해물질 12종, 금속가공유 1종), 물리적 인자 2종(8시간 시간가중 평균 80dB 이상의 소음, 고열작업), 분진 7종(광물성 분진, 곡물 분진, 면분진, 목재분진, 석면분진, 용접흄, 유리섬유) 등이다.

(3) 측정 실시주기

- 6개월에 1회 이상 정기적으로 실시한다.
- 작업장이 신규로 가동되거나 변경되어 작업환경측정 대상작업장이 된 경우 그 날로부터 30일 이내에 실시한다.
- 측정결과가 다음에 해당되면 그 측정일로부터 3개월에 1회 이상 실시한다.
  - 발암성 물질을 취급하는 작업장의 측정치가 노출기준을 초과한 경우
  - 발암성 물질을 제외한 화학적 인자를 취급하는 작업장의 측정치가 노출기준을 2배 이상 초과한 경우

• 다음을 충족하는 경우 1년에 1회 이상 측정할 수 있다. 단, 발암성 물질을 취급하는 작업공정은 제외한다.
  – 최근 1년간 그 작업공정에서 공정설비의 변경, 작업방법의 변경, 설비의 이전, 사용 화학물질의 변경 등으로 작업환경측정결과에 영향을 주는 변화가 없는 경우
  – 소음의 작업환경측정결과가 최근 2회 연속 85dB 미만인 경우
  – 소음 외의 작업환경측정결과가 최근 2회 연속 노출기준 미만인 경우

(4) 작업환경측정 실시방법

작업환경측정은 개인 시료채취와 지역 시료채취로 구분된다. 그 중 개인 시료채취(근로자의 호흡기 위치에서 측정)가 원칙이다. 개인 시료채취가 불가능할 경우에는 지역 시료채취방법(측정기기를 일정한 지역에 고정시켜 실시)으로 실시한다.

측정방법은 1일 작업시간 동안 6시간 이상 연속 측정하거나 작업 시간을 동일한 간격으로 나누어 6시간 이상 연속 분리하여 측정한다. 유해물질 발생시간이 6시간 이내 또는 간헐적인 작업인 경우 발생시간 동안 측정한다. 단시간 노출기준이 설정된 물질은 단시간 고농도에 노출될 경우에는 1회에 15분간, 1시간 이상의 동일한 간격으로 4회 이상 단시간 측정한다.

① 시료채취 방법

시료채취 방법은 [표 6-45]와 같다.

표 6-45 시료채취 방법

구 분	방 법
액체포집법	용해, 반응, 흡수(HCl, HF, SO_2)
고체포집법	흡입, 흡착(유기화합물)
직접포집법	포집백(CO, CO_2, NOx)
냉각응축포집법	냉각응축(반응성 유기화합물)
여과포집법	여과재, 충돌(분진, 중금속)
수동식포집법(Passive Sampling)	확산

〈 자료원 : 산업안전보건연구원. http://oshri.kosha.or.kr 〉

② 소음 측정

소음 측정은 개인의 소음에 노출량을 측정하는 기기인 ‘누적 소음 폭로량 측정기(Noise Dosimeter)’를 사용한다[그림 6-27]. 불규칙한 소음인 경우 1일 작업시간 6시간 이상 연속 측정하여 소음 폭로량(%)으로 TWA(시간가중평균)를 산출한다.

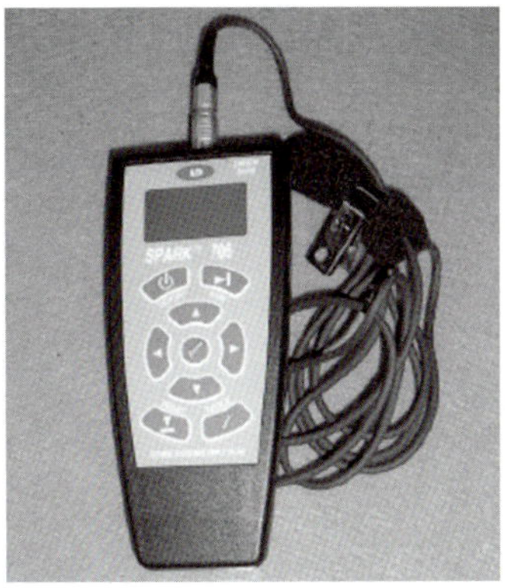

그림 6-27 누적 소음 폭로량 측정기(Noise Dosimeter)

③ 고열에 의한 스트레스 평가

고열에 의한 스트레스(Heat Stress)는 WBGT(Wet-Bulb Globe Temperature index)로 평가한다[그림 6-28].

- 실내 또는 그늘진 곳 WBGT(℃)
  = 0.7 × NWB + 0.3 × GT
- 태양광이 있는 실외 WBGT(℃)
  = 0.7 × NWB + 0.3 × GT + DB × 0.1

< 용어 >
- NWB(Natural Wet Bulb Temp) : 자연습구온도
- GT(Globe Temp) : 흑구온도
- DB(Dry Bulb Temp) : 건구온도

그림 6-28 WBGT(WetBulb Globe Temp.)

④ 조도 측정

조도 측정은 다음과 같이 측정하되 갱내 작업장과 감광 재료를 취급하는 작업장은 예외로 한다. 초정밀 작업은 750럭스 이상, 정밀 작업은 300럭스 이상, 보통 작업은 150럭스 이상, 그 밖의 작업은 75럭스 이상으로 한다.

(5) 작업환경측정 결과 판정기준

측정대상 유해인자 192종에 대한 작업환경측정 결과 노출기준 미만, 노출기준 초과 가능, 노출기준 초과로 구분하여 평가한다. 노출기준은 1일 8시간 기준으로 근로자가 유해인자에 노출되는 경우 노출기준 이하의 수준에서는 거의 모든 근로자에게 건강상 나쁜 영향을 미치지 아니하는 기준이다.

(6) 작업환경측정 결과 조치

작업환경측정 결과 노출결과에 따라 강구해야 할 조치는 [표 6-46]과 같다. 사업주는 근로자 대표의 요구가 있는 경우에 시설이나 설비 등에 대한 개선 계획을 수립하여야 한다. 또한 개선 후 그 이행 여부의 확인 시에는 근로자 대표를 참여시켜야 한다.

표 6-46 노출결과에 따라 강구해야 할 조치

측정·평가결과	강구해야 할 조치
노출기준 미만	현재의 작업상태 유지
노출기준 초과 가능	시설·설비 등 작업방법의 점검 후 개선 및 적정 보호구 지급
노출기준 초과	시설·설비의 설치·개선 또는 건강진단의 실시 등 적절한 조치, 개선계획 수립 및 제출

〈 자료원 : 법제처(2021). 산업안전보건법 〉

4 작업환경 개선방안

1) 작업환경 개선의 기본방향

사업장의 유해환경 개선을 위해서는 재정과 기술적인 전문지식이 필요하므로 사업주, 보건관리자, 관리감독자, 근로자 등의 사업장 전체의 적극적인 협력이 필요하다.

환경개선의 기본단계는 [표 6-47]과 같다.

표 6-47 작업환경 개선 단계

단 계	내 용
사정(현상 파악)	• 작업환경 측정 • 건강진단 • 작업장 순회/설비 점검 • 근로자 면담
진단(문제점 도출)	• 설비, 물질(재료), 공정(작업방법) 환경(작업환경, 근로시간 등)
계획 수립 및 실행	• 목표설정 • 동종 유사업종의 사례 수집 • 전문가 자문 • 수립된 계획의 검토 • 업체 선정 및 개선
평가(개선 효과 확인)	• 개선 전－개선 후

(1) 개선계획의 수립

개선계획의 수립에 있어 먼저 유해환경 요인의 관리현상을 정확하게 파악하는 것이 중요하다. 즉 작업환경측정, 건강진단, 작업장 순회, 설비점검 등을 통해 문제가 무엇인지를 알고 근로자들과 대화를 통해 개선의 필요성을 인식하게 한다.

문제점을 알게 되면 설비, 재료, 작업방법, 근로시간 등의 실체를 조사하여 문제의 원인을 도출한다.

계획을 수립하는 단계에서 충분한 시간과 개선 가능한 방법에 대해 모든 가능한 해결책을 생각한다. 이 단계에서 되도록 선입견을 갖지 않도록 조금이라도 가능성이 있는 아이디어는 모두 수용한다.

최종적으로 모아진 해결책 가운데 실현 가능성, 기대되는 효과 등을 예상하여 최선 및 차선의 해결책을 선정한다.

(2) 실행계획

최선의 해결책에 대해 담당부서, 담당책임자, 실행시기, 예산안 등을 포함해 구체적인 안을 작성한다. 이 단계에서는 구체적인 개선효과를 예측하여 경영자, 관계 근로자에게 어떠한 개선효과와 이익을 기대할 수 있는지 구체적으로 설득하여 스스로 개선에 협력할 수 있는 분위기를 조성하고 동기부여를 하는 것이 중요하다.

작업환경 개선에 의해 기대되는 효과는 [표 6-48]과 같다.

표 6-48 작업환경 개선에 의해 기대되는 효과

경영자의 기대효과	• 품질 향상 • 생산성 증대 • 작업능률 향상 • 근로자의 신뢰감 증대 • 근로자의 사기 향상 • 산업재해예방 • 직업성질환 예방 • 결근자 감소 • 안정적 고용유지 • 기계설비의 고장 및 손상 감소 • 산업공해 문제 해결 • 기업의 경쟁력 증대
근로자의 기대효과	• 쾌적한 환경에서의 작업 • 산업 피로 감소 • 건강하고 행복한 가정생활 영위 • 직장에 대한 만족감 상승 • 직업병 및 직업 관련성 질환에 대한 불안 감소

2) 작업환경 개선의 실제

실행계획에 따라 개선에 착수한다. 개선작업을 할당할 때에는 전체적인 목표와 분담사항을 명확하게 설명하고, 진행 중에는 목표대로 추진되고 있는지를 수시로 확인한다. 개선된 작업장에 대해서는 개선 후 환경측정, 건강진단, 작업장 순회 등을 통해 목표한 대로 개선효과를 얻었는지 확인하고 만약 기대했던 효과를 얻지 못하였을 때는 다시 그 원인을 조사하고 개선한다. 목표대로 개선효과가 나타났을 때는 오랫동안 그 효과가 유지될 수 있도록 설비의 점검, 보전, 작업기준 준수 등에 관해 충분히 지도한다.

(1) 근골격계 질환 예방을 위한 작업환경 개선

근골격계 질환을 예방하기 위한 작업환경의 개선으로 인체측정치를 이용한 작업환경 개선이 있다. 이는 인체측정치를 이용하여 작업장의 레이아웃, 기계기구 및 설비 등을 공학적으로 개선하는 것이다. 구체적인 방법은 다음과 같다[그림 6-29].

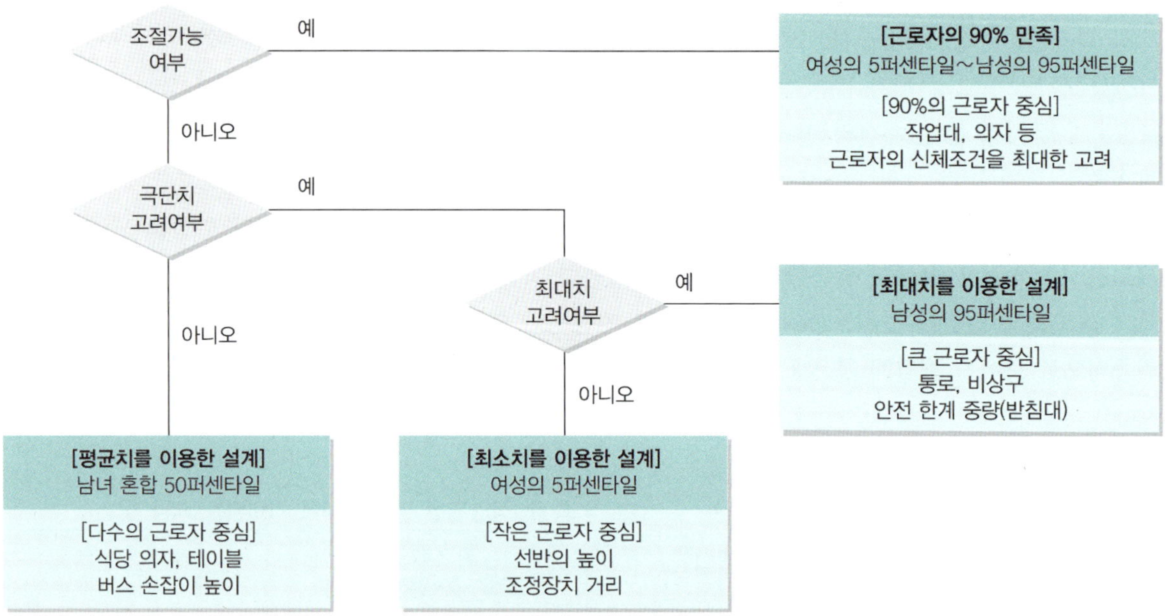

그림 6-29 인체측정치를 이용한 설계 흐름도

① 조절 가능한 설계

작업에 사용되는 설비, 기구 등은 체격이 다른 여러 근로자들을 위하여 직접 크기를 조절할 수 있도록 조절식으로 설계하고, 조절범위는 여성의 5퍼센타일(최소치)에서 남성의 95퍼센타일(최대치)로 한다.

② 극단치를 이용한 설계

조절 가능한 설계를 적용하기 곤란한 경우에는 극단치를 이용하여 설계한다. 극단치를 이용한 설계는 최대치를 이용하거나 최소치를 이용한다. 최대치는 작업대와 의자 사이의 간격, 통로나 비상구 높이, 받침대의 안전한 계중량 등에 적용하고 대표치는 남성의 95퍼센타일을 이용한다. 최소치는 선반의 높이, 조정장치까지의 거리 등 뻗치는 동작이 있는 작업에 적용하고 대표치는 여성의 5퍼센타일을 이용한다.

③ 평균치를 이용한 설계

극단치를 이용한 설계가 곤란한 경우에는 평균치를 이용하여 설계할 수 있다. 평균치를 이용한 설계는 식당 테이블이나 출근버스의 손잡이 높이처럼 짧은 시간동안 근로자들이 공동으로 이용하는 설비 등에 적용하고 대표치는 남녀 혼합 50퍼센타일 범위를 이용한다.

사업주는 근골격계 질환이 발생할 우려가 있는 작업에 대하여는 작업표준을 정하고 작업대, 의자, 작업공간 및 기기배치, 수공구, 중량물의 취급, 작업자세 및 동작 등을 고려하여 개선한다.

가. 작업표준 설정

- 새로운 기기 또는 설비 등을 도입하였을 경우에는 그 때마다 작업표준을 재검토하여 작성한다.
- 작업시간, 작업량 등을 정할 때에는 작업내용, 취급중량, 자동화 등의 상황, 보조기구의 유무, 작업에 종사하는 근로자의 수, 성별, 체격, 연령, 경험 등을 고려한다.
- 컨베이어 작업 등과 같이 작업속도가 기계적으로 정해지는 경우에는 근로자의 신체적인 특성 차이를 고려하여 적정한 작업속도가 유지되도록 한다.
- 야간작업을 하는 경우에는 낮 시간에 하는 동일한 작업의 양보다 적은 수준이 되도록 조절한다.
- 반복적인 작업을 연속적으로 수행하는 근로자에게는 해당 작업 이외의 작업을 중간에 넣거나 다른 근로자로 순환시키는 등 장시간의 연속작업이 수행되지 않도록 한다.
- 반복의 정도가 심한 경우에는 공정을 자동화하거나 다수의 근로자들이 교대하도록 하여 한 근로자의 반복작업 시간을 가능한 한 줄이도록 한다.

나. 작업대

- 작업대(작업점) 높이는 작업정면을 보면서 팔꿈치 각도가 90도를 이루는 자세로 작업할 수 있도록 조절하고 근로자와 작업면의 각도 등을 적절히 조절할 수 있도록 한다.
- 작업대의 작업면은 팔꿈치 높이 또는 약간 아래에 있도록 하고 팔꿈치 이하 부위는 수평이거나 약간 아래로 기울게 한다. 또한 아주 정밀한 작업인 경우에는 팔꿈치 높이보다 높게 하고 팔걸이를 제공한다.
- 작업영역은 정상작업영역 이내에서 이루어지도록 하고 부득이한 경우에는 최대작업영역에서 하되 그 작업이 최소화되도록 한다[그림 6-30].

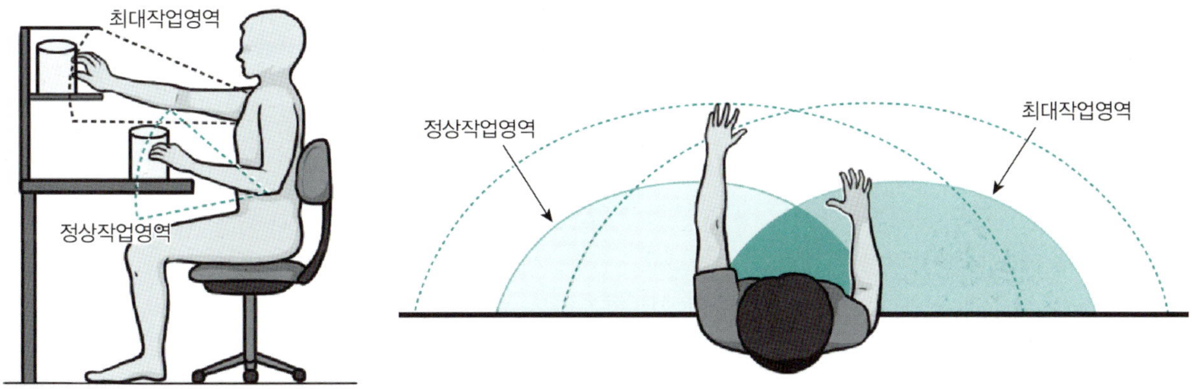

그림 6-30 작업점의 높이에 따른 적정 작업영역

다. 의자

- 의자의 높이는 눈과 손의 위치가 적절하고 무릎관절의 각도가 90도 전·후가 되도록 조절할 수 있어야 한다.
- 의자는 충분한 너비의 등받이가 있어야 하고 근로자의 체형에 따라 허리부위부터 어깨부위까지 편안하게 지지될 수 있어야 한다.
- 의자의 앉은 면은 근로자의 엉덩이가 앞으로 미끄러지지 않는 재질과 구조로 하고 의자의 깊이는 근로자의 등이 등받이에 닿을 수 있어야 한다.
- 가능한 한 팔걸이가 있는 것을 사용한다.
- 작업면 아래에서 다리가 자유롭게 움직일 수 있도록 설계된 것을 제공한다.

라. 작업공간 및 기기 배치

- 부자연스러운 작업 자세 및 동작을 제거하기 위하여 작업장, 사무실, 통로 등의 작업공간을 충분히 확보하고 제품·부품 및 기기 등의 모양, 치수 등을 고려하여 배치한다.
- 작업장의 작업기기는 근로자가 자연스러운 자세로 작업하도록 배치한다.
- 장시간 서서 작업하는 경우에는 작업동작의 위치에 맞추어 발 받침대를 제공한다.

마. 수공구

- 수공구는 가능한 한 가벼운 것으로 사용한다.
- 수공구는 잡을 때 손목이 비틀리지 않고 팔꿈치를 들지 않아도 되는 형태의 것을 사용한다.
- 수공구의 손잡이는 손바닥 전체에 압력이 분포되도록 너무 크거나 작지 않도록 하고 미끄러지지 않으며 충격을 흡수할 수 있는 재질을 사용한다.
- 무리한 힘을 요구하는 공구는 동력을 사용하는 공구로 교체하거나 지그를 활용하되 소음 및 진동을 최소화하고 주기적으로 보수·유지한다.
- 진동공구는 진동의 크기가 작고, 진동의 인체전달이 작은 것을 선택하고 연속적인 사용시간을 제한한다.

바. 중량물의 취급

- 주로 취급하는 물품에 대하여 근로자가 쉽게 알 수 있도록 물품의 중량과 무게중심에 대하여 작업장 주변에 안내표시를 한다.
- 취급하기 곤란한 물품에 대해서는 손잡이를 붙이거나 갈고리, 진공빨판 등 적절한 보조도구를 활용한다.
- 인력으로 중량물을 취급하는 경우에는 작업점에 따라 적절한 작업영역에서 취급하도록 한다[그림 6-31].
- 운반구의 손잡이는 잡기에 불편하지 않도록 길이, 두께, 깊이 등을 고려하고 미끄러지지 않도록 마찰력이 높은 재질과 구조를 사용한다.
- 적정중량을 초과하는 물건을 취급하는 경우에는 2인 이상이 함께 작업하도록 하고, 이 경우 가능한 한 각 근로자에게 중량이 균일하게 전달되도록 한다.
- 중량물을 취급하는 작업장의 바닥은 요철부위가 없고 잘 미끄러지지 않으며 쉽게 움푹 들어가지 않도록 탄력성과 내충격성이 뛰어난 재료를 사용한다.
- 가능한 한 중량물 취급 작업 전부 또는 일부를 자동화하거나 기계화하여 근로자의 허리부담을 경감시키도록 노력한다. 다만, 이것이 곤란한 경우에는 운반용 대차 등 적절한 보조기기를 사용하도록 하며 보조기기는 작업자가 사용하기에 불편하지 않도록 한다.

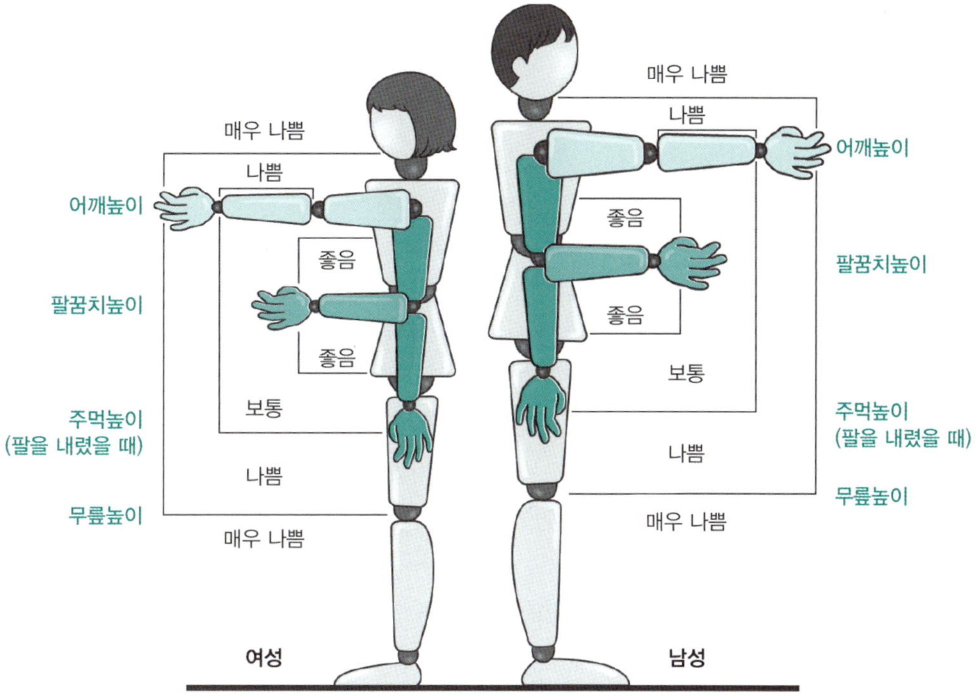

그림 6-31 작업점의 높이에 따른 적정 작업영역

그림 6-32 올바른 중량물 취급방법

- 근로자는 인력으로 중량물을 취급하는 경우 [그림 6-32]와 같이 작업한다.
- 중량물에 몸의 중심을 가깝게 한다.
- 발을 어깨너비 정도로 벌리고 몸은 정확하게 균형을 유지한다.
- 무릎을 굽힌다.
- 가능하면 중량물을 양손으로 잡는다.
- 목과 등이 거의 일직선이 되도록 한다.
- 등을 반듯이 유지하면서 무릎의 힘으로 일어난다.

사. 작업자세 및 동작

- 근로자가 허리부위에 부담을 주는 엉거주춤한 자세, 앞으로 구부린 자세, 뒤로 젖힌 자세, 비틀린 자세 등의 부적절한 자세를 취하지 않도록 작업장의 구조, 작업방법 개선 등 필요한 조치를 강구한다.

- 서 있거나 의자에 앉은 자세인 경우에는 허리의 부담을 줄이기 위하여 동일한 자세를 장시간 취하지 않도록 한다.
- 물건을 들어올리기, 당기기, 밀기 등 허리 부위에 부담을 주는 동작이나 자세를 가능한 한 피하도록 한다.
- 목 또는 허리 부위를 갑자기 비트는 동작이 발생하지 않도록 하고, 작업할 때의 시선은 동작에 맞추어 작업 정면을 향하도록 한다.

아. 기타 작업요인

- 근골격계 부담작업을 행하는 작업장의 온도, 습도, 환기를 적절하게 유지하고 작업장소, 통로, 계단, 기계류 등의 형상을 정확히 알 수 있도록 적절한 조도를 유지한다.
- 날카롭고 단단한 면 또는 차가운 면을 가진 물체와 직접 접촉하지 않도록 하고 부득이 신체와 접촉하는 경우에는 장갑 또는 손목 지지대를 사용하도록 하여 직접적인 접촉을 피하도록 한다.
- 근골격계 부담작업에 대하여는 2시간 이상 연속작업이 이루어지지 않도록 적정한 휴식시간을 부여하되, 1회에 장시간 휴식보다는 가능한 한 짧더라도 자주 휴식을 취하도록 한다.
- 휴식시간에 작업으로 인한 피로를 풀 수 있도록 안락하고 편안한 휴식장소를 제공한다.

(2) 전체환기를 통한 유해화학물질의 농도 감소

밀폐·포위구조의 설비에서 누출된 유해물질이나, 국소 배기장치에서 제거하지 못한 유해물질을 방치하면 결과적으로 환경이 나빠지거나 분진이 쌓여 2차 발진의 원인이 된다. 이러한 분진은 밖으로부터 깨끗한 공기를 넣어 오염농도를 낮춘다. 이른바 전체환기에 의한 희석을 한다. 전체환기 장치로는 환기팬이나 동력송풍기, 천장팬 등이 있다.

환기량이 충분하다고 해도 작업자가 발산원 바람 아래 있게 되면 희석 전 고농도에 노출되기 때문에 작업자가 바람 아래에 오지 않도록 하는 시설배치와 작업관리가 필요하다.

전체환기는 밀폐·포위, 국소배기의 보조수단만이 아니라, 그다지 유해성이 크지 않은 물질을 취급하는 작업, 유해물질 발생량이 많지 않은 작업에도 사용한다.

전체환기는 일반적으로 환기팬 등의 설비를 사용하여 행하며, 금속정련·주조·열처리·요업 등의 고열이 발생하는 작업장 환기에는 열이 팽창한 공기의 부력을 이용한 이른바 온도차 환기가 사용된다. 온도차 환기가 효과적이려면 다음의 사항을 유의해야 한다.

- 작업장 내 온도가 계속 유지될 수 있을 만큼의 열 발생이 지속되어야 할 것
- 아래, 위의 개구면적이 충분한 만큼 높은 위치에 있을 것
- 건물의 높이가 충분할 것
- 작은 열로는 환기결과와 실내온도가 내려가서 공기의 부력이 없어지게 되므로 온도차 환기는 할 수 없음

개구면의 크기는 특히 중요하며 일반적으로 온도차 환기가 행해지고 있는 작업장이라도 천장에 환기팬을 부착한 곳이 많은데, 환기팬의 개구면적이 작기 때문에 오히려 환기팬이 온도차 환기를 방해하는 예가 많다. 또 벽이 낮은 곳에 배기용 환기팬을 부착했기 때문에 애써 따뜻하게 한 공기가 달아나 온도차 환기를 방해하기도 한다.

제4절 + 근로자 건강관리

Keywords

- 근로자 건강진단
- 직업병관리
- 작업관련성 질환
- 유해환경
- 유해인자
- 건강관리실 운영

1 근로자 건강진단

근로자 건강진단은 직업성질환과 비직업성질환을 조기에 발견하고 현재 근로자의 건강상태를 정확히 파악하여 적절한 사후조치를 취함으로써 근로자의 건강을 보호하고 노동 생산성 향상을 위하여 실시한다. 근로자 건강진단은 목적에 따라 일반건강진단, 특수건강진단, 배치 전 건강진단, 수시건강진단, 임시건강진단으로 분류한다.

근로자에게 실시하는 건강진단은 사업주의 부담으로 실시하여야 하며 사업주는 건강진단 결과 근로자의 건강을 유지하기 위하여 필요하다고 인정될 때에는 작업장소 변경, 작업의 전환, 근로시간의 단축 및 작업환경 측정실시, 시설·설비의 설치 또는 개선 등의 적절한 사후조치를 취해야 한다. 사업주는 근로자의 건강진단 관련 자료를 5년간 보관하고, 고용노동부장관이 고시하는 발암성 확인물질 취급 근로자의 건강진단 결과 서류와 전산입력자료는 30년간 보관해야 한다.

1) 건강진단의 종류와 내용

(1) 건강진단의 종류

「산업안전보건법」에 의하여 사업주가 실시하여야 하는 건강진단의 종류는 일반건강진단, 특수건강진단, 배치 전 건강진단, 수시건강진단, 임시건강진단이다.

① 일반건강진단

일반건강진단은 상시 근로자의 건강관리를 위하여 사업주가 주기적으로 실시하는 건강진단이다. 일반건강진단은 사무직에 종사하는 근로자(공장 또는 공사현장과 동일한 구역에 있지 아니한 사무실에서 서무·인사·경리·판매·설계 등의 사무업무에 종사하는 근로자를 말하며, 판매업무 등에 직접 종사하는 근로자는 제외)에 대하여는 2년에 1회 이상, 그 밖에 근로자에 대하여는 1년에 1회 이상 실시해야 한다. 국민건강보험재정에서 비용을 부담하는 직장가입자의 건강검진을 실시한 경우에는 일반건강진단을 실시한 것으로 간주한다.

② 특수건강진단

특수건강진단은 특수건강진단 대상 유해인자에 노출되는 업무에 종사하거나, 근로자 건강진단 실시결과 직업병 유소견자로 판정받은 후 작업 전환을 하거나 작업장소를 변경하고, 직업병 유소견 판정의 원인이 된 유해인자에 대한 건강진단이 필요하다는 의사의 소견이 있는 근로자의 건강관리를 위하여 사업주가 실시하는 건강진단을 말한다.

특수건강진단의 실시 시기는 유해인자에 따라 6개월, 1년, 2년에 1회씩으로 다르며 검사항목은 필수검사항목과 선택검사항목으로 구분하여 유해인자에 따라 다르다.

③ 배치 전 건강진단

배치 전 건강진단은 특수건강진단 대상 업무에 근로자를 배치하려는 경우 근로자의 배치 예정업무에 대한 적합성 평가를 위하여 유해인자 노출부서 배치 전에 사업주가 실시하는 건강진단을 말한다.

④ 수시건강진단

수시건강진단은 특수건강진단 대상 업무로 인하여 해당 유해인자에 의한 직업성천식·직업성피부염, 그 밖에 건강장해 증상을 보이거나 의학적 소견이 있는 근로자에 대하여 사업주가 실시하는 건강진단을 말한다.

⑤ 임시건강진단

임시건강진단은 다음에 해당하는 경우에 특수건강진단 대상 유해인자 및 그 밖의 유해인자에 의한 중독의 여부, 질병의 이환 여부 또는 질병의 발생원인 등을 확인하기 위하여 지방고용노동관서의 장의 명령에 따라 사업주가 실시하는 건강진단을 말한다.

- 동일 부서에 근무하는 근로자 또는 동일 유해인자에 노출되는 근로자에게 유사한 질병의 자각 및 타각증상이 발생한 경우
- 직업병 유소견자가 발생하거나 다수 발생할 우려가 있는 경우
- 그 밖에 지방고용노동관서의 장이 필요하다고 판단하는 경우

(2) 건강진단의 조기발견 대상 질병

건강진단의 조기발견 대상 질병은 [표 6-49]와 같다.

표 6-49 건강진단의 조기발견 대상 질병

구 분	조기발견 대상 질병
일반건강진단	폐결핵 등 호흡기 질환, 고혈압과 고지혈증 등 순환기계 질환, 당뇨 등 내분비·대사성 질환, 빈혈 등 혈액질환, 소화기 질환, 간장질환, 신장질환, 감각·신경계 질환, 치아우식 등 치과질환
특수건강진단, 수시건강진단	분진에 의한 호흡기 질환, 유기화합물 노출에 의한 질병, 금속류, 금속가공유 노출에 의한 질병, 산 및 알칼리, 가스상 물질 노출에 의한 질병, 소음이나 진동, 방사선, 고기압, 저기압, 자외선, 적외선 등 물리적 인자에 의한 질병, 코크스 방사물 노출에 의한 질병, 야간작업, 직업성 천식과 직업성 피부질환 등

〈 자료원 : 법제처(2022). 산업안전보건법 시행규칙 〉

(3) 건강진단의 실시절차

① 일반건강진단

일반건강진단은 1차 및 2차 검사로 구분하여 실시한다.

- 1차 검사 : 모든 근로자를 대상으로 실시한다.
- 2차 검사 : 1차 검사 결과만으로 질병의 확진이 곤란한 근로자나 이상소견이 의심되어 2차 검사가 필요한 근로자에 대하여 추가로 실시한다.

② 배치 전 건강진단·특수건강진단·수시건강진단

유해인자별로 각기 정해진 1차 및 2차 검사항목으로 실시한다.

- 1차 검사항목 : 배치 전 건강진단, 특수건강진단, 수시건강진단의 대상인 근로자 모두에게 실시한다.
- 2차 검사항목 : 1차 검사항목에 대한 검사결과 건강수준의 평가가 곤란하거나 질병이 의심되는 사람에 대하여 고용노동부장관이 고시하는 바에 따라 실시한다.

2) 건강진단 사후관리

(1) 건강관리 구분 판정

건강진단 결과는 A, C, D, R로 구분한다. A는 건강관리상 사후관리가 필요 없는 건강한 대상자를 말한다. C는 질병으로 진전될 우려가 있어 추적 관찰이 필요한 요관찰자를 말한다. D는 질병의 소견을 보여 사후관리가 필요한 질병 유소견자이고, R은 질환이 의심되어 2차 건강진단을 실시해야 하는 대상자이다. C와 D는 다시 1, 2로 나뉘는데 1은 직업병 관련 대상자이고, 2는 일반질병 관련자이다[표 6-50].

표 6-50 건강관리 구분 판정

건강관리 구분		건강관리 구분 내용
A (건강자)		건강관리상 사후관리가 필요 없는 자
C	C_1(직업병 요관찰자)	직업성 질병으로 진전될 우려가 있어 추적검사 등 관찰이 필요한 자
	C_2(일반질병 요관찰자)	일반질병으로 진전될 우려가 있어 추적관찰이 필요한 자
	C_N(질병 요관찰자)	질병으로 진전될 우려가 있어 야간작업 시 추적관찰이 필요한 근로자
D	D_1(직업병 유소견자)	직업성 질병의 소견을 보여 사후관리가 필요한 자
	D_2(일반질병 유소견자)	일반질병의 소견을 보여 사후관리가 필요한 자
	D_N(질병 유소견자)	질병의 소견을 보여 야간작업 시 사후관리가 필요한 근로자
R (제2차 건강진단 대상자)		일반건강진단에서의 질환의심자
U (2차 검진 미실시자)		2차 검진대상자가 검사 미실시로 판정을 할 수 없는 자

〈 자료원 : 고용노동부(2022). 근로자 건강진단 실시기준 〉

(2) 사후관리조치 판정

근로자 건강진단 후 사후관리를 하는 것은 매우 중요하다. 사후관리가 이루어지지 않으면 건강진단은 실시할 필요가 없다. 따라서 산업간호사는 건강진단 결과에 따라 사후관리 필요 없음, 건강상담, 보호구지급 및 착용지도, 추적검사, 근무 중 치료, 검진주기 단축, 근로시간 단축, 작업 전환, 근로제한 및 금지, 작업환경관리, 직업병 확진의뢰, 정밀 업무적합성 평가 등의 사후관리 조치 사항을 파악하고 철저히 관리하여야 한다[표 6-51].

표 6-51 사후관리조치 판정

구 분	조치내용	구 분	조치내용	구 분	조치내용
0	사후관리조치 필요 없음	4	근무 중 의학적 치료	8	산재요양신청 안내
1	건강상담	5	근로시간 단축	9	기타
2	보호구 지급 및 착용지도	6	작업전환		
3	의학적 추적검사	7	근로금지 및 제한		

주 1) 사후관리 조치 내용은 한 근로자에 대하여 중복판정할 수 있음
2) 건강진단 의사가 직업병 요관찰자(C_1) 또는 직업병 유소견자(D_1)에 대하여 추적검사 판정을 하는 경우에는 사업주는 반드시 건강진단의사가 지정한 검사항목에 대하여 지정한 시기에 추적검사를 실시하여야 함
3) 직업병 유소견자(D_1) 중 요양 또는 보상의 필요성 확인이 필요한 근로자에 대하여는 건강진단의사가 반드시 직접 산재요양신청서를 작성하여 당해 근로자가 근로복지공단 관할지사에 산재요양신청을 할 수 있도록 안내하여야 함

〈 자료원 : 고용노동부(2022). 근로자 건강진단 실시기준 〉

(3) 업무수행 적합 여부 판정

건강진단 의사는 건강진단 결과 일반질병 유소견자(D_2) 및 직업병 유소견자(D_1)로 판정받은 근로자에 대해서는 반드시 업무수행 적합 여부를 판정하여 관리하여야 한다. 업무수행 적합 여부는 4단계로 평가하게 되는데 현재의 조건에서 작업이 가능한 경우, 환경개선이나 보호구 착용, 건강진단 주기의 단축 등 일정한 조건하에서 현재의 작업이 가능한 경우, 한시적으로 현재의 작업을 할 수 없는 경우, 현재의 작업을 해서는 안 되는 경우로 구분한다. 업무수행 적합 여부에 대한 평가는 영구적인 것이 아니며 환경이나 조건이 변화되는 경우 항상 재평가되어야 한다[표 6-52].

표 6-52 업무수행 적합 여부 판정

구 분	업무수행 적합 여부 내용
가	건강관리상 현재의 조건하에서 작업이 가능한 경우
나	일정한 조건(환경개선, 보호구 착용, 건강진단주기의 단축 등) 하에서 현재의 작업이 가능한 경우
다	건강장해가 우려되어 한시적으로 현재의 작업을 할 수 없는 경우(건강상 또는 근로조건상의 문제가 해결된 후 작업복귀 가능)
라	건강장해의 악화 또는 영구적인 장해의 발생이 우려되어 현재의 작업을 해서는 안 되는 경우

〈 자료원 : 고용노동부(2022). 근로자 건강진단 실시기준 〉

2 유해환경과 직업병 관리

유해환경과 직업병 관리에 대한 표는 <부록 3>과 같다.

1) 물리적 유해인자와 건강문제

(1) 소음

① 소음의 개념

소음은 원하지 않는 소리(unwanted sound)라고 정의된다. 소리는 기체, 액체 또는 고체의 밀도가 주기적으로 변동함으로써 생기며, 이 변동이 사람의 고막을 진동시켜 소리를 느끼게 한다. 이때 물체의 진동속도는 소리의 주파수와 일치하며 매 초당 주기 진동의 수를 단위로 하는데, 이것이 Hertz(Hz) 또는 cycle per second(CPS)이다. 사람이 들을 수 있는 진동수를 가청주파수라고 하는데 그 범위는 20~20,000Hz 정도이고, 우리가 보통 대화할 때 사용하는 주파수(회화음역)는 250~3,000Hz이다. 그 이상의 주파수는 사람의 귀가 느끼지 못하므로 초음파라고 한다. 인간은 나이가 들수록 고음을 듣는 능력이 떨어진다.

소리의 강도, 크기는 decibel(dB)로 표시하는데 인간이 청각으로 느끼는 소리의 크기는 물리적인 음압 수준과 반드시 일치하지는 않는다. 예를 들어, 100Hz의 소리는 음압수준보다 작게 들리고 3,000Hz의 소리는 음압수준보다 크게 들린다. 이처럼 물리적인 음압도와 감각적인 음의 크기가 주파수에 따라 차이가 있으므로 소음측정계 내부에서 들어오는 소음을 청감에 따라 주파수별로 보정하는 회로장치(A, B, C)가 있고, 소음을 측정할 때는 인간의 감각에 가장 가까운 A 측정치로 측정하는 것이 원칙이며 dB(A)로 표시한다. 현재 우리나라의 소음 노출기준은 8시간 근무기준 90dB(A)이다.

② 소음으로 인한 건강문제

소음이 심하게 발생하는 작업장에서 오래 근무하게 되면 내이에 위치한 감각신경이 피로해지고 퇴화되어 청력이 저하된다. 이를 소음성 난청이라고 한다.

강력한 소음에 노출되면 처음에는 일시적 청력 변화를 초래하는데, 이것은 소음 노출을 멈추면 다시 노출 전의 상태로 회복되는 변화이다. 그러나 강력한 소음에 반복하여 노출되면 일시적 청력 변화는 영구적 청력 변화로 변하며, 회복이 불가능하다.

소음성 난청은 고음역부터 시작되는데 통상 4,000Hz의 주파수에서부터 청력손실이 발생한다. 처음에 청력 손실이 일어날 때는 본인은 느끼지 못하다가 어느 정도 손실이 일어나면 증상이 나타난다. 처음 느끼는 증상은 타인의 말이 뚜렷하게 들리지 않거나 전화를 받을 때 상대방이 무슨 말을 하는지 잘 구분하지 못하는 것으로 나타난다. 타인의 말이 잘 들리지 않으므로 자연스럽게 자신의 목소리가 커지게 된다. 소음 작업자의 영구적 청력손실은 먼저 3,000~6,000Hz의 범위에서 나타나고 4,000Hz에서 가장 심하다(C5-dip현상).

소음의 기타 생체반응으로는 혈압의 상승, 맥박수 증가, 소화불량, 호흡억제, 근육의 긴장도 증가 등 자율신경계와 관련된 증상이 나타난다. 그리고 불쾌, 짜증, 수면방해, 주의력 산만 등의 심리적 반응이 나타난다.

③ 소음대책

소음대책을 세우려면 소음 정도의 폭로시간을 측정·분석하고 어떠한 방법으로 대책을 세울 것인가를 검토하여야 한다. 가능한 소음대책으로는 소음 수준의 감소, 폭로시간의 단축, 소음으로부터 작업자를 격리 또는 차단, 소리가 작은 기기나 공정으로 대치, 차음보호구 지급 등이 있으므로 두 가지 이상을 혼용한다. 개인보호구는 귀마개, 귀덮개 등이 있다. 귀마개는 대화에 지장이 없고 2,000cps에서 20dB 이상, 4,000cps에서 25dB 이상의 차음력을 가져야 한다. 소음에 대한 실제 대책으로 소음원에 대한 대책[표 6-53], 소음전파경로에 대한 대책[표 6-54], 작업자에 대한 대책[표 6-55] 등을 들 수 있고, 개선 사례는 [그림 6-33]과 같다.

표 6-53 소음원 대책

방 법	예
발생원의 저소음화	저소음형 기계의 사용
발생원 제거	급유, 부조합의 조정, 부품 교환
차음(遮音)	방음 커버
소음(消音)	소음기, 흡음 닥터
방진(防振)	방진고무 사용
제진(制振)	제진제 장착
능동제어	소음기 : 닥트, 차음벽
운전방법 개선	자동화, 배치 변경

〈 자료원 : 한국직업건강간호학회(2014). 지역사회간호학교수 산업간호 연수강좌 〉

표 6-54 소음전파경로 대책

방 법	예
거리 감쇠	배치 변경
차폐 효과	차폐물, 방음층, 방음실
흡음(吸音)	건물 내부 흡음 처리
지향성	음원의 방향변경
능동 제어	소음기, 닥트, 차음벽

〈 자료원 : 한국직업건강간호학회(2014). 지역사회간호학교수 산업간호 연수강좌 〉

표 6-55 작업자 대책

방 법	예
차음	방음 감시실
작업방법 개선	작업 스케줄의 조정, 원격 조작
귀의 보호	귀마개, 귀덮개
능동 제어	소음장치 부착

〈 자료원 : 한국직업건강간호학회(2014). 지역사회간호학교수 산업간호 연수강좌 〉

이동식 방음벽 93 → 88dB(A) 전체 방음실 94 → 87dB(A)

〈 자료원 : 한국직업건강간호학회(2014). 지역사회간호학교수 산업간호연수강좌 〉

그림 6-33 소음작업 개선 사례

(2) 분진

① 분진의 개념

분진이란 물체가 외력에 의해 파쇄되어 생긴 미립자로 1μm 이하의 미세한 입자로부터 육안으로 볼 수 있는 수백μm 정도에 달하는 입자까지를 말한다. 폐포에 침착될 가능성이 크다. 진폐증과 관련이 있는 입자의 크기는 0.5~2μm(호흡성 분진)이다.

② 분진의 종류

분진의 종류는 그 원인 물질의 종류에 따라 광물성 분진, 석면 분진, 면분진 등으로 나뉜다. 그 각각의 특성은 다음과 같다.

가. 광물성 분진

탄광작업이나 채석작업을 하는 근로자에게 발생하는 분진으로 유리규산이나 규산화합물, 탄소, 알루미늄 및 그 화합물, 철 및 그 화합물이 원인물질이다.

나. 석면 분진

최근 선진국에서는 광산근로자의 진폐증보다 오히려 더 큰 비중을 차지하는 분진으로 석면직물, 절연제, 단열제 등 석면을 취급하는 근로자에게서 발생한다. 기관지암, 석면폐증, 악성 중피종을 유발한다.

다. 면분진

면 아마, 대마를 비롯한 목재, 곡물 등 유기성 분진을 취급하는 근로자에게 발생하며 면폐증을 유발시킨다.

② 분진으로 인한 건강문제

분진을 흡입하여 폐에 생긴 섬유증식성 변화를 진폐증(pneumoconiosis)이라 한다. 진폐증의 자·타각 증상이나 소견은 호흡기계에서 비롯된다. 운동이나 안정 시 호흡곤란, 간헐적 또는 지속적 기침, 담액의 과다 등은 진폐증 환자가 공통적으로 경험하는 증상이지만, 진폐증의 진행 정도에 따라 다르고 흉통, 혈담, 피로 등도 드물지 않은 증상이다.

석면은 피부나 점막과 접촉하여 접촉성 피부염을 일으키기도 하나, 무엇보다 중요한 것은 호흡기를 통하여 폐에 침입함으로써 유발되는 석면폐증, 기관지암, 그리고 악성 중피종이다.

③ 진폐증의 예방과 대책

진폐증을 예방하기 위해서는 작업장 내에 분진 발생을 억제하고 이미 생긴 분진은 전파를 최소화해야 한다. 분진발생을 억제하기 위해서는 공정을 개선하거나 분진이 덜 생기는 원료로 대체해야 한다. 분진 전파를 최소화하기 위해서는 발생원을 밀폐하거나 국소배기장치 등을 사용하여야 한다. 또한 근로자들이 분진에 폭로되는 것을 최소화하기 위해 보호구 착용을 철저히 하도록 하여야 한다. 그 외에도 작업환경 측정과 건강진단을 철저히 하고 근로자 보건교육을 주기적으로 실시한다.

(3) 진동

진동은 어떤 물체가 외력에 의해 평형상태의 위치에서 전후좌우로 흔들리는 것을 말한다. 소음과 함께 발생하므로 소음작업장에서는 진동에 폭로되는 일이 많다. 산업장의 경우 진동공구에 대한 국소진동이나 커다란 기계 위에서 진동이 있는 작업실, 건물 등에서는 전신진동이 일어난다.

① 위험대상작업

기중기·분쇄기 운전작업, 병타기·착암기·연마기·자동식 톱 등의 진동공구 취급 작업시 발생한다.

② 진동으로 인한 건강문제

전신진동은 말초혈관 수축, 혈압상승, 맥박증가, 발한, 피부 전기저항의 저하, 여성의 성기 위치 이상, 월경장애, 내장하수증, 척추 이상 등을 일으킨다. 국소진동인 경우에는 한랭한 환경에서 작업자의 손가락에 있는 말초혈관의 폐색·순환장애로 수지가 창백하고 통증을 느끼는 Raynaud 현상이 나타난다.

③ 진동에 대한 대책

예방대책으로는 진동의 원인 제거와 진동을 감소시키고 전파경로를 차단하며 내진성을 높일 수 있는 작업자세, 작업시간 단축을 실시한다. 한랭한 환경에 폭로될 경우 더욱 악화되므로 보온과 금연을 하고, 국소진동 작업 시 한랭의 영향을 고려하여 장갑을 착용한다.

(4) 유해광선

① 유해광선의 종류와 건강문제

일광복사선은 태양이 원자 내부의 변화에 의해 복사에너지를 방출함으로써 생겨난다. 파장에 따라 자외선(100～400nm), 가시광선(400～760nm), 적외선(760～6,000nm)으로 구분한다.

가. 자외선

자외선은 피부에 반응을 일으키며 자외선 조사 후 2～3시간이면 홍반이 생기고 색소가 침착되고 비타민 D를 형성하며 살균작용(254～280nm)을 한다. 그러나 과도한 조사 후에는 모세혈관의 투과성이 증가하고 조직의 부종을 일으키며 수포가 형성된다. 눈에 대한 장해로는 인공적인 자외선 취급 근로자인 전기용접공이나 자외선 살균취급자에게 급성 각막염(photokeratitis)을 일으킨다. 증상으로는 눈물이 나고 결막이 충혈되며 눈이 아프고 수 시간 후 각막, 결막에 염증이 생기며 심하면 각막 표면의 궤양, 수포형성, 혼탁, 각막 및 안검의 부종을 일으키며 안검경련(blephalo spasm)을 일으킨다. 나이가 들수록 흡수량이 많아져 백내장을 일으킨다.

나. 적외선

적외선은 피부에 혈관확장, 혈액순환촉진, 진통작용이 있으나 강한 경우 열중증이나 피부에 화상을 일으키지만 눈에서는 느끼지 못한다.

유리공, 용광로의 화부에서 안구부의 온도상승 결과로 인해 후극성백내장(posterior cataract)을 일으킨다. 이를 초자공백내장(glass blower's cataract)이라고도 한다.

다. 가시광선

가시광선은 일반적으로는 무해하나 강하면 망막 장해를 가져온다. 가시광선은 시세포를 자극하여 광각과 색각을 일으킨다. 쾌적한 조명은 물체를 정확하고 빨리 볼 수 있게 함으로써 작업시간을 단축시키고 피로를 덜어주고 재해발생을 방지하여 생산성과도 직결된다.

조명은 그림자가 없고 과도한 휘도가 없고 균등한 조명이 좋다. 조명 불량 시에는 정신적인 불쾌감, 근육긴장, 눈의 피로, 눈을 깜박이거나 시력이 감퇴하고 작업능률과 생산량이 감소한다. 광부에게 발생하는 안구진탕증(nystagmus)은 조명부족으로 발생할 수 있고, 갱내 산소결핍과 CO, CO_2, 메탄의 흡입으로 인한 안구운동의 중추 장해로 발생하기도 한다. 조명 과잉 시에는 눈부심이 망막을 자극하여 잔상을 동반한 시력장해, 시야협착, 망막변성을 일으키고 결막이 자극되면 수명(羞明; 빛공포증; photophobia), 두통이 일어난다.

라. 전리방사선

방사선은 파동 또는 입자의 방출, 전파, 흡수되는 에너지를 가진 전자선이다. X선, α선, β선, γ선, 중성자, 우주선 등의 방사선은 물질을 통과할 때 그 물질을 구성하는 원자로부터 전자를 떼어내며 전자를 잃은 원자는 높은 화학적 활성을 얻게 된다. 동시에 전리된 전자가 계속해서 반응을 일으킨다. 이와 같은 방사선을 전리방사선이라고 한다.

전리방사선의 공통 특징은 물질을 이온화하는 경향이다. 일반적으로 X선(인공적 전파)은 γ선(자연발생적 전파)보다 파장이 길고 에너지가 적다. X선, γ선은 투과력이 커서 인체를 통과할 수 있으며 외부로부터의 조사가 문제가 되며, 특히 산란선(散亂線)이 문제가 된다. 그 다음의 투과력은 β선, α선의 순서로 높다. 전리작용은 투과력과 반대로 X선, γ선이 가장 약하고 β선, α선의 순서로 강해진다. X선은 종래부터 흉부, 소화기, 뼈 등의 진단이나 치료, 그리고 주물이나 용접부분의 결함을 조사하는 비파검사 등 공업부문에서 사용하여 왔다.

전리방사선은 생체에 대한 파괴 작용으로 염색체, 세포와 조직의 파괴와 사멸을 초래한다. 이것은 앞서 설명하였듯이 전리방사선의 물리적 에너지가 생체 내에서 전리작용을 하기 때문이다.

비교적 단기간 내에 많은 방사선을 받으면 급성방사선증이 나타나는데 원폭장해가 그 대표적인 예이다. 뇌간 신경계 증후로는 실신, 의식혼탁, 운동마비 등의 심한 중추신경계 증상이 나타나고 단시간 내에 사망하기도 한다. 장관계 증후는 피폭선량이 50~1,500rad(흡수선량의 단위) 이하일 경우에 나타난다. 장내 상피세포의 급속한 괴사로 인하여 심한 설사, 혈변, 탈수, 식욕부진 등이 나타난다. 조혈·혈관계 증후는 피폭선량이 300~400rad 이하일 경우에 나타나며 장관계 증상은 가벼운 대신에 조혈조직의 광범위한 파괴로 혈액증후군이 주로 나타난다. 말초혈액 중에는 임파구, 백혈구, 적혈구의 순으로 혈구감소가 나타나며 그 정도는 피폭선량과 밀접한 관계가 있다. 그 밖의 급성증상으로는 피부장해와 탈모증, 생식선의 기능 상실, 내분비 장해, 현훈, 전신쇠약, 감각이상 등이 나타날 수가 있다.

만성적인 장해로는 백혈병, 각종 장기암, 특히 폐암, 갑상선암, 담관암, 피부암 등을 유발한다. 그 외에 백내장, 조직의 노화현상, 수명 단축 등을 일으키며, 특히 순환기계 조직의 경화와 탄력성 상실, 폐장 등의 섬유증식, 내분비계 감퇴 등을 유발한다. 과거에는 X선 담당 종사자에게 방사선 장해가 많이 발생하였으나 요즘에는 의료관계자보다는 공업관계자가 선량이 많다고 보고되고 있다.

직업성 방사선 장해 중에서 가장 흔한 장해는 피부장해이며 피부의 국소적 만성염증에 이어 피부궤양, 암이 발생한다.

② 유해광선의 대책

자외선으로 인한 건강문제를 예방하기 위해서는 전기용접공은 검은색 보호안경, 차광안경을 쓰고 피부는 보호의복을 입거나 보호용 크림을 바른다. 적외선의 대책으로는 방열판, 방열장치를 설치하거나 방열복, 방열면, 보호안경을 착용한다.

전리방사선에 대한 대책으로는 차폐물을 설치하고 원격 조작하도록 하며 방사선에 조사되는 시간을 단축하도록 노력하여야 한다. 또한 근로자들은 흡연이나 식사 전에는 세수를 하도록 하여 방사선 노출을 감소시켜야 하고 정기건강검진과 피폭선량 측정을 주기적으로 실시하여야 한다.

(5) 고온 및 저온

① 고온으로 인한 건강문제

가. 열피로

열피로(heat exhaustion)는 고온환경에 노출되어 말초혈관 운동신경의 조절장애와 심박출량 부족으로 인한 순환부전이 원인이다. 고온환경에서 노동을 하는 경우 피부혈관 확장과 탈수가 유발요인이다. 증상으로는 권태감과 두통, 현기증, 귀울림, 구역질 등이 있다. 열피로의 치료 및 간호로는 시원하고 쾌적한 환경에서 휴식을 취하게 하며 탈수가 심한 경우에는 5% 포도당 용액을 정맥주사한다. 더운 커피도 효과적이다. 예후는 양호하며 완전히 회복 가능하다.

나. 열경련

열경련(heat cramp)은 고온에서 심한 육체적 노동을 함으로써 발한량이 증가하여 수분과 염분이 소실되어 수의근에 통증성 경련을 일으키는 것이다. 전구증상은 현기증, 귀울림, 두통, 오심, 구토, 호흡곤란이다. 치료 및 간호로는 신선한 곳에 눕혀 작업복을 벗기고 체온 방산을 촉진시켜주며 생리식염수 1,000～2,000cc를 정맥주사한다. 증상이 가벼울 때는 0.1% 식염수를 마시도록 한다. 경련 소실 후 소변에 염소이온이 2～3g/L가 될 때까지 자리에 눕히고 짭짤한 음식을 섭취하도록 한다. 열경련의 예방을 위해서는 식염섭취량을 늘리고 작업 중 식염을 타지 않은 맹물 섭취를 제한한다.

다. 열허탈증 또는 열실신

열허탈증(heat collapse) 또는 열실신(heat syncope)은 고열환경에 폭로 시 혈관운동 장해로 정맥혈이 말초혈관에 저류되어 저혈압, 뇌의 산소부족으로 인한 실신, 현기증, 신체적 피로감이 온다. 오래 서 있거나 별안간 작업 자세를 바꾸거나 환경기온과 습도가 급격하게 높아질 때 잘 발생한다. 치료 및 간호는 대상자를 시원한 곳에 머리를 낮게 눕히고 안심시키며 혈압, 맥박수, 자각증상 등이 정상으로 회복되기 위해서는 1～2시간 쉬면서 물을 마시도록 한다.

라. 열사병

열사병(heat stroke)은 고온다습한 환경에 폭로 시 갑자기 체온조절장애가 와서 의식을 잃게 되고 전신의 발한이 정지되며 체온이 상승하여 직장온도가 40.6℃ 이상이 된다. 원인은 극심한 고열 조건에 폭로되거나 고온다습한 환경과 격심한 육체노동으로 인한 체온조절 중추의 기능 장애 시에 발생하며 현기증, 귀울림이 나타나고 체온이 41～43℃까지 상승한다.

즉시 적절한 치료가 이루어지지 않으면 100% 사망하며 체온이 43℃ 이상일 경우 80%가 사망하고 43℃ 이하인 경우에는 40% 정도가 사망한다. 이런 경우 얼음물에 담가 체온을 39℃ 이하까지 하강시키고, 울혈을 방지하고 체열을 이동시키기 위해서 사지를 격렬하게 마사지한다. 또한 찬물로 닦으면서 선풍기 등을 사용하여 증발냉각을 시도하고, 체열생산의 억제를 위해 항신진대사제를 투여한다.

마. 열쇠약

열쇠약(heat prostratioon)은 고열에 의한 만성적인 체력소모에 의해 발생하며 전신권태와 식욕부진, 불면, 빈혈 등이 나타난다. 치료 및 간호는 영양과 비타민 B_1을 공급해주고 휴식을 취하도록 한다.

② 저온으로 인한 건강문제

가. 동상

동상(frostbite)은 표재성 조직이 동결되어 세포구조에 기계적인 손상이 일어나서 발생하는 저온장애이다. 발적이나 종창이 생기다가 수포와 삼출성 염증, 국소조직의 괴사가 발생할 수 있다.

나. 참호족, 침수족

참호족(trench foot), 침수족(immersion foot)은 한랭에 장기간 노출되어 지속적으로 물에 잠기는 일을 할 때 국소부위의 산소 결핍과 한랭으로 인해 모세혈관이 손상되어 발생한다. 부종과 작열통, 소양감, 심한 통증, 수포, 괴사, 궤양이 발생할 수 있다.

(6) 이상기압

상압보다 높은 압력 환경에 인체가 폭로되면 처음에는 가압 상태가 되고 고기압 상태에 이르러 밖으로 나오면 감압 상태가 되어 이러한 세 가지 압력작용에서 오는 장해를 고기압 장해라고 한다. 이를 잠함병(caisson disease), 감압병이라고도 부른다. 잠수, 잠함 시에는 10m 하강 시 1기압이 상승한다. 이러한 작업으로는 해저작업, 터널작업, 깊은 갱내작업 등이 있다.

신체는 균등하게 압력을 받을 때는 18기압까지 가능하다. 압력이 증가하면 인체는 인체와 환경 간의 압력차에 의해 1차적 가압현상이 나타나는데 울혈, 부종, 출혈, 통증, 불쾌감 같은 기계적 장해로 인해 부비강이 손상을 잘 받는다. 특히 유스타키오관에 염증이 있을 때 중이와 외부환경과 압력 차이가 커지고 시간이 길어지면 고막이 충혈되고 홍반이 형성되며 고막의 수축과 출혈을 초래하는 염증을 일으킨다. 또 고기압상태는 폐의 압축을 일으켜 혈액과 조직액이 기도와 폐포로 밀려나오고 폐에 울혈, 부종, 및 출혈 등의 손상을 일으킨다.

2차적인 가압현상은 화학적 장해를 말하는데 4기압 이상의 고압상태는 CO, CO_2의 가스분압이 4배 이상으로 증가한다. 급속히 감압하면 조직에 녹아 있던 질소가 대량으로 기포를 형성하여 혈액에 유리하게 되고 기포는 순환장해, 국소조직파괴를 일으킨다.

감압으로 인해 생기는 큰 증상은 폐에 있는 공기의 팽창이다. 해저 38m에서 공기를 흡입하다가 폐의 기압으로 감소될 때 흉부조직 내로 탈출한 질소가스 때문에 공기의 용적이 5배 증가한다. 폐 속의 공기를 충분히 배출하지 못하면 폐포가 파열되며 기흉, 종격동 기종, 공기색전증을 초래한다. 그 외에 관절통, 근육통이 서서히 진행되고 여기저기 이행되며 흉통 및 호흡곤란, 중추신경증상, 무균성 골괴사 등을 일으킨다. 대책으로는 20세 이하나 50세 이상의 여자, 비만한 사람, 순환기·귀·코에 이상이 있는 사람, 골관절 질환 등이 있어 고압작업에 부적당한 사람은 이러한 작업을 제한한다. 잠수 및 감압의 방법은 1분에 10m 정도 잠수하며 일정한 수심에서 일정시간 머무르도록 하고 떠오를 때는 1분간 10m씩 떠오르도록 한다. 예방 및 관리를 위해서는 고압에 노출되는 시간을 단축하고 감압 후에는 운동을 권장하고 산소를 공급한다. 고지방식이나 알코올 섭취는 금기한다.

2) 유해화학물질과 건강문제

(1) 유기용제의 개념

유기용제란 탄소를 함유하고 있는 유기화합물로서 피용해물질의 성질을 변화시키지 않고 다른 물질을 용해할 수 있는 물질을 말한다. 산업장에서 유기용제를 취급하는 업종으로는 염료, 합성세제, 유기안료, 의약품, 농약, 향료, 조미료, 사진약품, 폭약, 방충제, 방부제, 잉크 등 광범위한 화학공업제품 제조를 비롯하여 접착제 제조, 금속코팅, 착색, 세척, 고무 및 가죽가공 등이 있고 매우 널리 사용되고 있으며 사용목적에 따라 단독 혹은 혼합하여 사용하고 있다.

유기용제는 그 용도가 광범위하기 때문에 종류가 많으나 다음과 같은 용제로서의 공통된 성질이 있다.

- 물질을 녹이는 성질
- 실온에서 액체이면서 휘발하기 쉬운 성질

유기용제는 액체상태로 존재하며 휘발성이 크기 때문에 작업장 공기 중에 가스로 포함되는 경우가 많으므로 호흡기로 흡입하게 된다. 또한 유기용제는 유지류를 녹이고 그것에 스며드는 성질이 있기 때문에 피부로 흡수되기 쉽고 체내에 흡수된 후에도 중추신경 등 중요 기관을 침범하기 쉽다.

유기용제는 화학적 성상에 따라 탄화수소계, 할로겐화 탄화수소, 알코올류, 에스테르류, 알데히드류, 케톤류, 글리콜 유도체, 에테르류, 기타(이산화황 탄화수소, 크레솔)와 같이 분류한다.

(2) 유기용제로 인한 건강문제

일반 증상은 대개 높은 농도의 유기용제에 급성 폭로될 때 나타나며 대개 작업장의 온도가 높고 유기용제가 휘발할 수 있는 표면적이 넓으며 환기장치가 부실한 밀폐된 유기용제 작업장에서는 그 농도가 높아질 수 있다. 이러한 상황에서 작업을 하게 되면 농도와 유기용제의 종류 및 작업자에 따라 차이는 있으나 전형적인 증상이 나타난다. 즉 눈, 피부 및 호흡기 점막의 자극 증상과 함께 중추신경계 억제 증상으로 어지러움, 두통, 구역, 시력상실, 도취감, 혼돈이 발생하고, 폭로농도가 점차 증가함에 따라 점진적인 의식 상실, 마비 경련, 사망에까지 이르게 된다. 이러한 증상들은 대개 유기용제 자체 때문이지 그의 대사산물이 원인은 아니며 폭로를 중단하면 곧 완전하게 회복된다.

중추신경계 억제증상은 유기용제가 갖는 중추신경계의 지방조직에 대한 친화성 때문이며 일반적으로 한꺼번에 다량을 흡입하면 마취작용을 나타내지만, 마취되지 않을 정도의 적은 양을 장기간 반복하여 흡입하면 만성중독을 일으킨다. 이러한 마취 작용이 일어나게 되는 정확한 기전은 아직 확실하지 않다.

마취작용 외에 중추신경에 대한 유기용제의 비특이적인 작용으로서 신경행동학적 장해를 들 수 있다. 만성독성뇌병증(chronic toxic encephalopathy) 또는 정신기질증후군(psycho-organic syndrome)으로 불리는 만성장해는 최근에 와서야 중요시되기 시작하였다. 그 증상으로는 감각이상 같은 지각장해가 있고 기억력 저하, 혼돈 등의 인지장해, 신경질, 불안, 우울, 무관심 등의 정서장해, 그리고 사지 무력감, 작업수행능력 저하, 협조운동 저하, 피로, 떨림 등과 같은 운동장해를 들 수 있다. 그러나 이러한 신경행동학적 장해의 진단과 원인이 유기용제라는 것을 확인하는 것은 쉽지 않다.

특이증상은 자극 증상이나 중추신경계 억제작용과는 달리, 유기용제별로 그 증상이 확연히 구분된다. 그 예로서 벤젠의 조혈장해, 염화탄화수소의 간장해, 메타놀의 시신경장해, 노말헥산 및 엠비케이(MBK)의 말초신경장해, 에틸렌글리콜에테르의 생식기장해, 그리고 이황화탄소의 경우 장기간 고농도 폭로 시 기질적 뇌손상, 말초신경병, 신경행동학적 이상, 시각 및 청각장해와 심장장해가 발생한다. 이러한 특이증상은 다른 유기용제와 동시 폭로 여부, 효소 유무, 약물 투여, 피폭동물의 종 및 나이에 따라 다르게 나타날 수 있다.

(3) 유기용제 중독의 예방 및 관리대책

유기용제 중독을 예방하기 위해서는 작업환경 관리와 적정보호구 착용, 교육이 병행되어야 한다. 작업환경은 유기용제가 공기 중으로 발산되는 것을 방지하기 위하여 밀폐방식을 취하는 것이 좋다. 또한 유기용제를 사용하는 근로자는 적정보호구를 착용하여야 하며 유기용제의 특성 및 건강장해에 관한 지식, 유기용제 사용 시 지켜야 할 안전수칙에 대한 교육을 근로자를 대상으로 주기적으로 실시하여야 한다.

유기용제에 의하여 급성 또는 만성 중독에 걸린 대상자가 발생하였을 때에는 의사의 판단에 따라 적절한 치료를 하여야 한다. 그러나 급성중독의 경우 의사가 올 때까지의 구급치료로서 다음과 같은 조치를 하도록 한다.

- 근로자를 유기용제가 있는 장소로부터 멀리 옮겨 놓는다.
- 호흡이 멎었을 때는 인공호흡을 실시한다.
- 의식장애가 있을 때는 산소를 흡입시킨다.
- 유기용제가 묻은 의복을 벗긴다.
- 보온과 안정에 유의한다.
- 의식이 있는 환자에게는 따뜻한 물이나 커피를 마시게 한다.

3) 중금속과 건강문제

(1) 납중독

납은 연으로도 불리는데 청색 또는 은회색의 연한 중금속으로 무기연과 유기연으로 나뉘며 인체에 대한 작용도 서로 다르다. 납은 여러 산업에서 이용되고 있는 중금속인데, 특히 납이 많이 발생되는 산업은 납광산이나 제련소, 납이 칠해진 구조물의 절단이나 용접, 납 축전지의 생산, 납이 함유된 페인트 생산과정 등이다. 따라서 납이든 페인트를 뿌리는 작업, 납땜 용접과정, 축전지 제조공정, 납 가루를 혼합하는 과정, 도자기유약 작업 등에 종사하는 근로자, 자동차 공장과 가솔린에 함유된 유기납에 폭로되는 교통순경, 택시운전사, 차고 근무자, 주유소 종업원 등에서도 납중독이 발생할 수 있다.

무기연 화합물은 주로 호흡기와 소화기를 통하여 인체에 들어오며 유기연의 경우에는 피부를 통하여 흡수된다. 작업위생의 불량, 근무 중 흡연, 개인위생불량 등은 경구를 통한 무기연의 침입을 증가시켜 전체 폭로량을 상당히 증가시키기도 한다. 연의 배설은 소변과 대변을 통해 이루어지는데 대변을 통해 배설된 연은 주로 흡수되지 않은 연이기 때문에 소변 중의 연이 보다 좋은 흡수지표가 된다. 연은 태반을 통과하며 또한 모유를 통하여 배설된다. 그러므로 자궁 내의 태아나 수유기의 유아에게도 폭로될 수 있다.

① 건강문제

무기연은 말초혈관을 수축시키고 혈액 및 혈액생성조직에 영향을 미쳐 빈혈 같은 조혈기능장애를 나타낸다. 연은 적혈구 수명을 단축시키고 혈색소의 합성을 방해한다. 골수에서는 조혈기능이 항진되어 미숙한 적혈구

(망상적혈구)가 증가한다. 심한 중독의 경우 용혈성 빈혈증을 일으켜 황달이 나타난다. 진찰 시에 피부 창백이나 치은부의 연이 침착한 청회색선을 볼 수 있고, 장기간 폭로 시 악력의 저하 등이 있다.

초기 증상은 전신적인 건강수준이 저하되고 피로, 수면장애, 두통, 뼈 및 근육통, 변비, 위통 및 식욕감퇴 등의 소화기 증상을 보인다. 만일 연을 취급하는 근로자에게 위장관 장애로 인한 결근율이 호흡기 질환으로 인한 결근율보다 높은 경우 연을 과도하게 흡수했을 가능성도 있다.

신경 및 근육계통의 장해로는 주로 사지의 신근(extensor muscle)이 쇠약하거나 마비를 들 수 있다. 특히 완수(wrist drop)를 동반하는 팔과 손의 마비가 특징적이다.

중추신경장해로는 주로 급성뇌증으로 알려진 심한 뇌중독 증상을 나타낸다. 뇌증상으로는 심한 흥분과 정신착란, 깊은 혼수상태가 먼저 나타나고 계속되면 치명적인 경우도 있다. 경우에 따라서는 완전회복이 가능하지만 정신적 침울증은 오래 계속된다.

② 예방

납중독의 예방은 호흡기를 통한 연호흡 및 소화기를 통한 연섭취를 방지함으로써 이루어진다. 연화합물보다 독성이 적은 물질로 대체함이 가장 효과적이다. 도자기산업에서 연 복합규산염을 사용하고, 건물내부 도장 시 연탄산염 페인트를 사용하지 않음으로써 도장공, 제조공, 어린이의 납중독이 유의하게 감소된 것은 그 예가 될 수 있다. 연을 사용해야 할 경우에는 분진발생을 가능한 억제한다. 연의 혼합, 분쇄, 용접 등의 공정에서는 작업공정을 밀폐하거나 배기장치를 설치한다. 연작업장은 습식방법 또는 진공청소기 등으로 청결을 유지한다.

(2) 수은중독

수은은 다른 금속과는 달리 상온에서 은백색의 액체 상태로 존재하는 유일한 금속이다. 수은을 취급하는 작업을 할 때 마룻바닥에 흩어진 수은방울이 증발하여 중독을 일으키기도 한다. 수은화합물의 종류는 무기수은화합물, 유기수은화합물로 나뉜다.

수은의 주 용도로는 온도계, 체온계, 알칼리 망간건전지, 아말감, 실험기구, 사진공업, 도료, 안료, 인견제조 등이며, 수은중독의 위험이 가장 높은 직종은 수은광산, 수은추출작업자이며 수은증기에 폭로되어 수은중독이 발생한다.

금속 수은의 흡입경로는 주로 기도를 통한 수은증기의 흡수이며 약 80%는 폐포에서 흡수된다. 경구섭취인 경우에는 소화관 점막에서의 흡수율은 0.01%이다. 금속 수은은 피부에서도 흡수된다. 금속 수은이 흡수되면 혈액 중에 Hg의 형태로 존재하며 뇌에 축적되는 경향이 많다. 금속 수은에 의한 표적 장기는 신장과 뇌이며 무기수은염에서는 신장이다. 수은은 주로 대변과 소변으로 배설되며 피부, 타액, 땀, 그리고 폭로 직후에는 호기 중에도 배출된다.

① 건강문제

산업장에서의 수은중독의 특징은 구내염, 근육진전, 정신증상 세 가지로 나뉜다. 때로는 세 가지 증상이 함께 나타나거나 그 중의 두 가지 또는 한 가지가 나타나기도 한다. 초기 증상은 안색이 누렇게 되고 두통과 구토, 복통, 설사, 소화불량의 증세가 있다. 구내염의 증상으로는 금속성의 입맛이 나고 치은부가 붓고 압통이 있으며 쉽게 출혈하는 궤양을 형성한다. 말을 하기 어려울 정도로 침을 많이 흘린다. 근육진전은 흔히 안검,

혀, 손가락에서 볼 수 있다. 근육진전은 Hatter's Shake라고도 하는데, 이는 중절모를 빳빳하게 세우는 데 수은제재를 사용했던 근로자에게서 발견된 것에서 유래한다. 근육진전을 알아보기 위해 컵에 담긴 물을 마시게 하거나, 담배를 권하든가, 글씨를 쓰게 하는 등의 간단한 검사로 식별이 가능하다. 정신흥분증으로는 불면증, 근심·걱정과 함께 겁이 많아지고 부끄러움을 많이 탄다. 나중에는 우울, 무력상태, 졸음 등의 정신장해가 생기며 때로는 환각, 기억력 상실 등으로 지능 활동 능력이 떨어진다. 전신증상으로는 중추신경계를 침범하여 불가역적 뇌손상을 입어 정신 기능이 소멸된다. 심한 뇌증상의 예로 Minamata병을 들 수 있는데, 이는 메틸수은에 오염된 생선을 많이 먹은 어머니에게서 태어난 아기에서 발견되었다.

② 치료 및 예방

급성 중독에는 계란 흰자를 먹어 수은과 단백질을 결합시켜 침전시킨다. 이 결합물은 가역적인 반응을 하므로 위장관에 머물러 있지 않도록 한다. 위 세척시 위의 점막이 손상 받지 않게 하며 세척액이 200~300mL를 넘지 않도록 유의한다. 그리고 즉시 의사에게 의뢰한다.

만성중독 시의 예방은 작업장의 환경관리와 독성이 적은 대체품 사용을 고안해야 한다. 일반적으로 수은 취급은 밀폐장치에서 하며 엄격한 취급규칙을 세운다. 바닥이나 작업대의 틈 사이에 수은이 흘러 들어가지 않도록 주의한다. 흘린 수은을 모으기 위해 작업대에 경사를 두어 흘러 모아지게 하고 도랑에 모아 물로 채운다. 청결을 유지하고 국소배기장치를 설치한다.

(3) 크롬중독

크롬은 은백색의 단단한 금속으로 주로 3가 형태로 존재하며 6가 형태는 적다. 산업장에서 사용하는 크롬화합물은 3가와 6가인데 크롬화합물의 부식작용과 산화작용 때문에 인체에 유해하다. 6가 크롬은 피부를 통해 쉽게 흡수된다. 크롬분진과 흄이 폐에서 침착되어 축적되는 기전은 다른 금속과 동일하다. 크롬산 미스트의 입자크기가 1μm 미만이므로 폐포침투율이 높다.

① 건강문제

크롬에 급성 중독되면 심한 신장장애를 일으켜 과뇨증이 오며 진행되면 무뇨증을 일으켜 요독증으로 1~2일, 길면 8~10일 안에 사망한다. 크롬의 만성중독은 코 및 폐, 위장 점막에 병변을 일으키는 것이 특징이며 장기간 폭로 시 기침, 두통, 호흡곤란, 흉통, 발열, 체중감소, 구토 등이 나타난다.

점막장해로는 결막의 염증, 안검과 결막의 궤양을 일으킨다. 비점막의 염증증상이 나타나며 더 진행되면 비중격의 연골부에 둥근 구멍이 뚫리는데 약간의 비출혈이 있으나 통증을 느끼지 못한다. 피부장해는 손톱 주위, 손 및 전박부에 깊고 둥근 궤양이 생기나, 크롬이 말초신경을 마비시키는 작용이 있어 통증은 별로 심하지 않다. 하지만 골막까지 깊어지면 심한 통증을 느끼게 된다. 그 밖에도 근위세뇨관과 조혈장기에도 영향을 준다.

② 예방과 치료

크롬을 사고로 먹었을 때는 응급조치로 즉시 우유와 환원제로 비타민 C를 준다. 호흡기 흡입에 의한 경우는 병원으로 후송한다. 예방으로는 작업장 환경관리와 고무장갑, 장화, 앞치마를 착용하고 피부에 이 물질이 닿지 않도록 노출된 피부에 피부보호용 크림을 바르고 비중격 점막에 바셀린을 바르면 훨씬 도움이 된다.

(4) 카드뮴중독

카드뮴은 청백색의 광택이 있는 육각형 결정체의 금속으로 무르고 칼로 쉽게 나눠진다. 물에는 녹지 않으나 산성용액에서 용해된다. 공기 중에서 가열하면 쉽게 증기로 되며 밝은 불꽃을 내며 타고, 산소와 결합하면 산화카드뮴 흄을 생성한다. 금속을 제련할 때, 특히 아연을 제련할 때 부산물로 얻어진다. 카드뮴은 내식성이 강하므로 니켈, 금, 비스무스, 축전지의 전극, 염화비닐의 안정제, 치과용 아말감, 형광등 제조, 반도체, 자동차 및 항공기산업에 쓰이며 살균제, 살충제, 안료, 색소, 인산비료 안에도 섞여 있다.

카드뮴중독은 흄 또는 화학물질이 호흡기를 통하거나, 소화기를 통해 침입한다. 경구흡수율은 낮으나 칼슘 결핍 시 장에서의 칼슘결합단백질의 생성이 촉진되어 카드뮴의 흡수가 증가된다. 흡수된 카드뮴은 혈액을 거쳐 간과 신장으로 이동하고 대부분은 이 장기에 축적된다. 반감기는 수년에서 30년까지로 보고되고 있다.

① 건강문제

오염된 음식이나 음료로 고농도의 카드뮴을 섭취했을 때 급성중독이 일어난다. 구토와 설사, 급성위장염이 일어나며 두통, 금속성 맛, 근육통, 복통, 체중감소, 착색뇨가 나타나고 간 및 신장의 기능장애가 온다. 만성중독은 신장장애, 만성폐쇄성 호흡기 질환 및 폐기종을 일으키며 골격계 장애(Itai-itai병)와 심혈관 장애도 일으킨다.

② 예방과 치료

급성 또는 만성중독이 의심스러우면 즉시 폭로를 중단시키고 정확한 진단을 받도록 의뢰한다. 확진된 후에는 우선적으로 신장이나 폐의 장해를 고려하여 치료를 받도록 한다. 예방은 카드뮴 흄이나 카드뮴 금속의 먼지를 0.05mg/m^2 이하로 작업환경을 유지하며 개인위생을 철저히 수행한다. 작업장 내의 음식반입을 불허하며 흡연은 절대 금물이다. 작업복을 자주 갈아입고 목욕을 자주 하도록 한다. 적절한 보호구의 착용도 권장된다.

3 유해인자별 작업관련성 질환관리

1) 근골격계 질환

근골격계 질환이라 함은 반복적인 동작, 부적절한 작업 자세, 무리한 힘의 사용, 날카로운 면과의 신체 접촉, 진동 및 운동 등의 요인에 의하여 발생하는 건강장해로서 목, 어깨, 허리, 상·하지의 신경·근육 및 그 주변 신체조직 등에 나타나는 질환을 말한다. 우리나라에서는 근골격계 질환으로 인한 산재환자의 발생빈도가 높다. 이에 따라 고용노동부는 「산업안전보건기준에 관한 규칙」에 근골격계 부담작업 유해요인 조사지침과 사업장 근골격계 부담작업 예방·관리 프로그램을 마련함으로써 근골격계 질환에 대한 관리를 하고 있다.

(1) 발생원인

근골격계 질환은 특정한 신체부위의 반복 작업과 불편하고 부자연스러운 작업 자세, 강한 노동 강도, 과도한 힘, 불충분한 휴식, 추운 작업환경, 진동 등이 원인이다. 목, 어깨, 팔꿈치, 손목, 손가락, 허리, 다리 등 주로 관절부위를 중심으로 근육과 혈관, 신경 등에 미세한 손상이 생겨 결국 통증과 감각이상을 호소하는 근육골격계의 만성적인 건강장해로 알려져 있다.

(2) 근골격계 질환 발생단계

근골격계 질환의 발생단계는 일반적으로 다음 세 단계로 분류할 수 있다.

① 1단계

작업 시간 동안에 통증이나 피로함을 호소한다. 그러나 하룻밤을 지내거나 휴식을 취하면 아무렇지도 않게 된다. 작업 능력의 저하는 발생하지는 않는다. 이러한 상황은 몇 주, 몇 달 동안 계속될 수 있으며 다시 회복할 수 있다.

② 2단계

작업 시간 초기부터 발생하는데 하룻밤이 지나도 통증이 계속된다. 통증 때문에 수면에 방해를 받으며, 반복된 작업을 수행하는 능력이 저하되고, 몇 달 동안 계속된다.

③ 3단계

휴식을 할 때에도 계속 고통을 느끼게 되며, 반복되는 움직임이 아닌 경우에도 발생하게 된다. 잠을 잘 수 없을 정도로 고통이 계속되며 낮에도 작업을 수행할 수가 없게 되어 다른 일에도 어려움을 겪게 된다.

(3) 주요 근골격계 질환

① 요통

요부의 골, 관절, 근, 근막, 건, 인대 등의 이상에 의해서 발생하는 요부의 동통을 총칭한다. 기술혁신에 의한 기계화의 진전에 따라 중노동작업이 감소했으나 작업방식의 다양화, 복잡화에 의해서 요통은 더 많은 문제가 있는 질병으로 취급하게 되었다. 작업장 내 요통의 발생기전은 외부의 힘에 의한 재해성인 것, 만성적인 근육피로나 자세불량 등의 요인이 축적되었을 때, 만성적 변화와 더불어서 외부의 힘이 작용함으로써 발생하는 경우로 구분된다.

요통의 예방대책은 작업개시 전의 체조, 노동부하량의 감소, 적절한 작업 자세나 작업동작, 스포츠에 의한 체력의 증강, 작업방식의 개선 등이다.

② 영상표시단말기 증후군(VDT Syndrome)

VDT 증후군은 작업관련성 근골격계 질환의 하나이다. 사무자동화, 컴퓨터, 팩시밀리 등의 정보시대의 발전에 따라 단말기(Visual Display Terminal; VDT) 사용이 급증되었다. VDT 증후군이란 현대인의 필수품이라 할 수 있는 컴퓨터, 계기판 등 각종 영상표시단말기를 취급하는 작업이나 활동으로 인하여 어깨, 목, 허리부위에서 발생되는 경견완증후군 및 기타 근골격계 증상, 눈의 피로, 피부증상, 정신·신경계증상을 말한다.

VDT 증후군을 예방하기 위해서는 다음과 같은 작업환경과 건강관리를 하여야 한다.

- 높낮이가 조절되는 의자를 사용하여 높이를 조절한다.
- 의자에 깊숙이 앉아서 등을 지지한다.
- 키보드나 마우스를 두는 곳은 높낮이가 조절되어야 한다.
- 모니터의 높이를 조절해서 시선이 모니터 상단에 수평으로 일치되어야 한다.
- 모니터 화면과 눈의 거리는 40cm 이상을 유지한다.

- 1회 연속 작업시간이 1시간을 넘지 않도록 하고 시간당 10~15분의 휴식을 취해야 한다.
- 작업 전후, 작업 도중에 스트레칭을 한다.

(4) 예방관리

근골격계 질환으로 인해 근로자 개인은 시간적·경제적 손실을 갖게 될 뿐 아니라, 삶의 질 저하 등 심각한 고통을 받게 되고, 사업주는 산재근로자 발생으로 인한 부담과 숙련된 근로자를 잃고 새로운 근로자를 채용해서 훈련시켜야 함으로써 경제적인 비용부담을 받게 된다. 따라서 이로 인한 사회경제적 손실은 매우 크다. 따라서 질환이 발생하기 전에 예방하거나 최소화하는 것이 매우 중요하다.

작업장 내 근골격계 질환의 감소 및 예방을 위해서는 주기적으로 근골격계 부담작업에 대한 조사를 하고, 필요시 작업환경이나 작업조건을 개선하며, 증상이 있는 근로자에 대해서는 조기에 조치를 취한다. 또한 근로자들에게 안전한 작업방법 및 관리에 대한 교육이 필요하다. 그리고 이러한 근골격계 질환관리 프로그램들은 작업장에 시스템화되어 지속적으로 운영되어야 한다.

2) 심뇌혈관질환

작업관련 심뇌혈관질환이란 작업관련 인자가 발병요인으로 일부 관여했을 것으로 추정되는 직장 근로자들에게서 발생하는 심뇌혈관질환을 말한다. 심뇌혈관질환으로 인한 재해율은 해마다 증가하는 추세이며, 특히 공정자동화, 사무자동화 등 기계문명이 발전함으로써 신체활동 감소에 다른 운동기능, 감각기능이 저하됨에 따라 고혈압성 질환, 허혈성 심질환 등의 만성퇴행성질환 유병률이 높아지고 있다. 또한 이러한 질병은 업무에 의해 발생되거나 악화되기도 한다.

① 허혈성 심질환

심장근육에 피를 공급하는 관상동맥의 내경이 좁아지거나 막혀 심장이 필요한 양 만큼의 피를 공급받지 못할 때 기능장해가 초래되는 경우(협심증, 심근경색증 등)이다.

② 출혈성 뇌혈관질환

뇌혈관이 터져 새어 나온 피가 뇌 속에서 뇌 조직을 압박하여 여러 가지 신경학적 증상을 나타내는 경우(거미막하출혈, 뇌실질 내 출혈 등)이다.

③ 허혈성 뇌혈관질환

뇌혈관이 막혀 뇌로 공급되는 혈류가 감소하여 산소와 영양분을 공급받지 못함으로써 뇌허혈상태를 일으켜 뇌기능장애가 초래된 상태(뇌경색 등)이다.

3) 직무스트레스

(1) 정의

직무스트레스란 업무상 요구사항이 근로자의 능력이나 자원, 요구와 일치하지 않을 때 생기는 유해한 신체적·정서적 반응이라고 할 수 있다.

(2) 원인

직무스트레스를 구성하는 내용은 직무내용, 직무조직 및 작업환경의 유해성, 직장 내에서의 대인관계 갈등, 역할모호성, 직무 불안정, 가족-일 영역 간의 갈등 등 다양하다.

(3) 영향

직무스트레스가 건강에 미치는 영향을 살펴보면, 직무스트레스는 혈압을 상승시키고 혈중 지질과 요산을 증가시켜 암, 뇌졸중, 돌연사 등 뇌심혈관질환의 발생을 증가시키는 것으로 보고되고 있다. 또한 직무스트레스는 흡연, 음주와 같은 부정적인 행동을 야기시키고 사고나 이직, 결근, 발병과 같은 문제를 유발시킨다.

(4) 관리방안

직무스트레스를 관리하기 위해서는 조직적인 차원과 개인적인 차원에서 접근하여야 한다. 먼저 조직적인 차원에서는 근로자의 역할 및 책임의 명료화, 적절한 업무량 및 자율성 제공, 직무 불안정성 감소, 근로자간 지지체계 마련 등 근로자의 스트레스를 유발시키는 직장의 작업환경이나 작업조건을 개선하는 것이다. 개인적 차원의 접근은 근로자들이 스트레스를 받았을 때 적절히 대처할 수 있는 방법에 대하여 교육하고 지원하는 방안이다. 이를 위해 명상, 이완훈련, 운동 등 다양한 스트레스 관리 기법들이 사용될 수 있다.

4) 감정노동

(1) 정의

감정노동에 종사하는 근로자가 자신의 감정이 좋거나 슬프거나 화나는 상황이 있더라도 사업장에서 요구하는 감정과 표현을 고객에게 보여주는 등의 응대를 해야 하는 경우를 '감정노동'이라 한다. '고객응대업무'란 고객, 환자, 승객 등을 직접 대면하거나 정보통신망 등을 통하여 상대하면서 상품을 판매하거나 서비스를 제공하는 업무를 말한다[표 6-56].

표 6-56 고객응대 직업군 분류

구 분	직업, 업무
직접 대면	백화점, 마트, 호텔, 음식업 종사자, 택배기사, 경비원, 미화원 등
간접 대면	텔레마케터, 콜센터 상담사 등
돌봄 서비스	간호사, 요양보호사, 유치원교사 등
공공서비스, 민원처리	구청·행정복지센터 직원, 공단 직원, 사회복지사, 정신건강복지센터 상담사, 경찰 등

〈 자료원 : 산업안전공단(2022). 감정노동 종사자 건강보호 가이드 〉

(2) 원인

근로자는 고객 등을 응대하는 과정에서 친절하게 응대해도 고객이 그렇게 느껴야 친절한 서비스를 제공한 것이 되므로, 고객응대업무는 근로자의 감정보다 고객의 기분을 중요시하게 여겨 문제가 발생되기도 한다.

(3) 영향

감정노동과 관련된 스트레스를 제대로 관리하지 못하면 흡연, 과음 등 불건강한 생활습관이 형성되고, 우울증이나 공황장애 등 정신적 건강문제가 발생할 수 있다. 또한 계속된 긴장 등으로 인해 신체적 건강문제 발생이 가능하며, 직업에 대한 만족도가 감소하면서 이직률이 증가하고 근로자에 대한 적절한 건강보호 조치를 이행하지 않을 경우 기업이미지도 하락할 수 있다. 감정노동으로 인한 적응장애, 우울병 에피소드, 외상후 스트레스 장애는 산업재해로 인정받을 수 있다.

(4) 관리방안

감정노동을 관리하기 위하여 고객응대 근로자의 건강보호를 경영방침에 명시하고, 고객응대 근로현황을 파악하며, 고객응대 근로자를 보호할 수 있는 직장문화 조성, 고충처리 창구 등을 마련한다. 고객응대 근로자에게 건강상해가 발생하거나 발생할 우려가 있는 경우에는 업무의 일시적 중단 또는 전환, 휴게시간의 연장, 건강장해 관련 치료 및 상담 지원 등이 필요하다.

4 건강관리실 운영

1) 시설과 물품관리

사업장 내 건강관리실은 요양실로부터 의원급의 시설까지 다양한 형태로 존재한다. 건강관리실은 대상자에게 응급조치를 포함한 일차건강관리를 제공하며 질병예방과 건강증진프로그램 등을 계획하고 시행하는 곳이다. 주로 직업성 질환에 대한 1차 진료, 사고와 급성질환에 대한 진단과 치료 등의 서비스를 근로자에게 제공하며 만성질환에 대한 상담, 일부 증상에 대한 처치 및 적절한 치료기관 소개 등의 업무를 수행한다.

일반적인 내과나 외과의원보다는 재활에 비중을 많이 두는데, 특히 직업성 상해의 경우 사업장 내 건강관리실에서 물리치료를 하게 되면 환자의 조기 재활에 큰 역할을 할 수 있다. 또한 운동성, 근력, 근운동 조화 및 안정성 등 근운동기능에 대한 평가가 객관적으로 이루어질 수 있기 때문에 경과를 가까이에서 관찰할 수 있다는 장점이 있다. 사업주는 보건관리자에게 그 직무수행에 필요한 시설 및 장비를 지원해야 하며, 의사 또는 간호사인 보건관리자를 둔 경우에는 필요한 시설 및 장비를 지원해야 한다. 건강관리실은 근로자가 쉽게 찾을 수 있고 통풍과 채광이 잘 되는 곳에 위치하며, 직무수행에 적합한 면적을 확보하고, 상담실, 처치실 및 요양실을 갖추어야 한다. 장비는 상하수도 설비, 침대, 냉·난방시설, 외부연락용 직통전화, 구급용구 등을 지원하여야 한다. 건강관리실에서 일반적으로 갖추어야 할 장비 및 근로자의 일반적인 질환에 흔히 사용되는 약품을 구비한다.

다음은 건강관리실에서 필요로 하는 물품 및 공간설계 시의 유의사항이다.

- 건강관리실을 마련하고자 할 때, 간호사는 효과적 관리를 위해 비용, 기자재의 유용성, 구조적 문제 등 전문가의 조언을 참조한다.
- 건강관리실에서 제공되는 간호는 사업장 크기, 근로자 수, 업종, 안전사고의 종류에 따라 다양해질 수 있다.
- 건강관리실은 근로자들에게 간호서비스를 제공하는 곳임과 동시에 보건관리자의 일터이므로 자신에게 적합한 작업환경이 되도록, 그리고 스트레스 요인이나 질병유발 요인을 줄일 수 있도록 설계한다.
- 건강관리실의 명칭은 모든 근로자들에게 건강관리실의 의미가 폭넓게 받아들여질 수 있는 이름으로 한다.
- 건강관리실은 작업장의 중심에 위치하고, 근로자의 이동과 이송이 용이한 곳에 위치해야 한다. 그러나 작업장에서 발생할 수 있는 사고로부터 건강관리실이 안전해야 하므로 작업장과 너무 가깝게 위치하는 것은 고려해야 한다.
- 진찰과 건강상담이 진행되는 방의 벽과 천장은 방음장치가 되어 있어야 한다.

- 세면대는 사용하는 사람들이 편리한 위치에 닿을 수 있도록 적당한 높이에 설치한다. 특히 먼지가 많은 사업장이나 화학물질 및 독성물질로 인한 사고위험이 있는 곳에서는 반드시 샤워시설이 갖추어져 있어야 하며, 직원용과 환자용 샤워실이 따로 분리된 목욕실이 있으면 더욱 좋다.
- 바닥은 미끄럽지 않게 처리되어 있어야 한다.
- 건강관리실 입구는 이동침대에 실려 오는 환자와 움직일 수 있는 환자를 분리하기 위하여 출입구가 2개 있어야 한다.
- 이동침대에 실려 오는 환자를 위한 입구는 이동침대와 환자를 이송하는 보조인력이 드나들 수 있도록 하고, 다른 기구들이 이동할 수 있도록 충분히 넓어야 한다.
- 건강관리실에서 근로자들이 대기하는 공간은 충분한 채광과 편안한 분위기를 느낄 수 있도록 설계되어야 한다.
- 대기실에서 기다리고 있는 동안 환자인 근로자가 무엇을 해야 하고 어디로 가야 하는지 등의 절차를 충분히 알려줌으로써 건강관리실을 방문한 근로자가 당황하거나 어색하지 않도록 고려해야 한다.
- 처치실은 치료의 형태와 적합한 크기의 처치대가 있어야 한다. 또한 환자의 프라이버시가 존중될 수 있는 위치에 설치하는 것이 중요하다.
- 휴게실은 소규모 사업장을 제외하고는 설계하면 좋다. 또한 휴게실은 간호사가 보건교육 및 다른 목적의 간호관리를 계획할 때 시행 장소로도 사용할 수 있다.
- 건강관리실에는 청소기구와 의약품을 보관할 수 있는 저장창고가 있어야 한다. 치료공간에서 현재 사용하는 재고품을 보관하는 선반이나 공간을 분리해 놓으면 정리가 수월하다.

2) 예산관리

건강관리실을 효과적으로 운영하기 위하여 예산관리를 한다. 사용경비를 사업장에서 전체적으로 관리·감독하는 경우에도 간호사는 건강관리실의 연간예산액의 한도를 알고 있어야 한다.

예산을 효과적으로 운영하기 위해 간호사는 건강관리실을 이용하는 근로자의 수, 응급처치와 치료가 필요한 질병 및 발생 가능성이 있는 안전사고의 종류 및 건강관리실을 자주 이용하는 근로자의 출입 빈도를 알아야 한다. 이러한 기본정보를 알고 있는 경우 간호사의 건강관리실 운영은 효과적일 수 있다. 예를 들어, 의약품의 전문적 공급처를 알고, 적절한 구입시기와 분량을 계산하고, 재고품의 유효기간을 고려하여 유효기간이 있는 물품을 한꺼번에 구입하지 않고 정기적으로 주문하면 불필요한 예산낭비를 막을 수 있다.

3) 기록과 보고

(1) 기록의 목적과 중요성

산업간호사는 사업장에서 시행하는 보건관리 및 근로자의 건강에 관한 서류기록을 보존해야 할 전문가로서의 책임을 가지고 있다. 많은 보건관리 기록이 있지만 산업보건과 관련된 서식은 건강관리 기록, 행정관리 기록, 기타 종류의 3가지로 분류할 수 있다. 3가지 종류의 기록 가운데 건강관리 기록의 보존관리는 간호사가 책임을 가지고 담당하여야 한다.

건강관리 기록은 개인의 검진결과표 및 개인 건강기록표와 소규모 사업장에서의 사업장 보건관리 카드 등이 이에 속한다. 건강관리 기록지들은 간호 사정, 진단, 수행, 평가에 의한 간호업무를 원활하게 수행하는 데 도움을 줄 수 있도록 개발되어야 한다.

기록보존의 목적은 다음과 같다.

- 근로자의 업무 배치를 위한 지침서 제공
- 근로자의 건강유지와 보건교육의 기초정보로 활용
- 사업장 산업안전보건 관리자들의 의사소통수단으로 사용
- 잠재적인 건강위험을 가진 개인을 확인하고 근로자의 건강변화 상태 파악
- 소송사건에서 사업주, 간호사 및 근로자 보호
- 산업보건관리를 위한 업무활동량과 경비 파악
- 간호관리에 대한 질적인 성장을 위한 자료로 활용
- 산업장 간호관리에 대한 통계 및 연구자료로 이용

(2) 기록의 내용

개인 건강기록표는 일반적으로 사업주의 요구 또는 보건관리자의 건강관리상 요구되는 항목에 맞추어 형식이 결정되는 경향이 있어서 그 형태는 다양하다. 일반적으로 개인 건강기록표에는 개인과 가족의 인구통계학적 정보, 건강력, 직업력, 과거의 건강진단 결과, 투약유무 및 종류, 응급상황에 대한 정보, 산재경험과 내용, 입원유무, 건강문제, 식습관 및 현재 진행 중인 건강관리 내용에 대한 사항이 포함되어 있다.

그리고 가능하다면 근로자의 작업에 대한 설명과 제조공정 및 잠재적인 위험물질에 대한 취급정보 등이 포함되어야 하며 자료의 공개가 요구될 때에는 누가, 무엇을, 어떤 목적으로, 얼마동안 공개되어야 하는지를 명시하는 것이 좋다. 여기에는 사업장 현황, 산업재해 발생현황, 안전보건관리체계, 산업안전보건위원회의 구성여부, 안전보건 계선계획 및 무재해운동 추진여부, 위험기계 및 기구의 보유현황, 보호구의 배부, 위험기계 및 기구의 자체검사 현황, 유해 위험물질 사용현황, 근로자 건강진단 실시 및 결과, 사업장 안전보건교육 실시현황, 작업환경 측정 및 특수 건강진단 실시 및 결과, 대행업무 수행내용, 사업장의 일반적 특성에 대한 내용이 포함된다.

그 외 건강관련 기록으로는 작업환경 측정결과표, 산재요양 신청서 등 법적으로 요구되는 자료들이다. 이것은 법적 허가를 얻기 위한 행정적인 보고서이다. 또한 간호사는 매일 사업장에서 만나는 근로자들의 이름과 상담내용을 적은 간호일지를 작성할 수 있다.

한편 산업간호사는 다른 직종의 산업보건관리자들과 안전팀에 의해 기록되는 건강관련 자료를 이용할 수 있어야 한다. 이는 작업환경 측정결과나 산재현황 등은 작업환경 및 안전과 관련된 기록으로 간호사가 근로자 개인과 집단에 대한 건강상태를 기록하고 분석하기 위해 필요한 정보이기 때문이다.

(3) 건강기록

정확하게 기록하고 그 기록을 보존하는 것은 산업간호활동에서 중요하다. 건강에 대한 간호의 양과 질을 파악할 수 있는 의학적인 기록은 법정에 소환되어 법원과 변호사에 의해 조사받을 때 필요한 법적 자료로서 중요하며 간호수행 감시와 간호활동에의 표준적용에서도 중요하다.

① 개인기록

근로자 개인에 대한 기록은 직업에 배치되면서부터 시작해서 주기적인 검진결과, 질병 및 손상과 관련된 기록 등을 포함해 퇴직할 때까지 자세히 작성하여 축적한다. 모든 기록과 기재된 사항은 간호의 연속성을 확인할 수 있게 작성한다.

산업간호사는 일관성 있는 형식, 즉 문제중심 기록체계를 이용하여 간단하게 기록해야 하고, 상황에 대해 명확히 알 수 있도록 서술하여야 한다. 모든 기록은 PC를 이용하거나 자필로 작성하고 서명을 한다. 그 내용은 다음과 같다.

- 근로자의 병력
- 관찰된 조건 및 직업성 관련 여부
- 시행한 간호
- 처리
- 기타

② 기록 검토

건강부서에서는 근로자들의 기록을 검토해야 한다. 사소하다고 생각되는 방문이라도 문제가 발생할 수 있기 때문에 모든 방문을 기록하며, 처치나 조언 후에도 즉각적이며 지속적으로 기록한다. 기록은 양식에 맞게 완전히, 그리고 정확하게 기입하며 각종 기록이 목적에 맞게 사용되고 평가되었는지 주기적으로 사정하고, 사용하지 않은 형식은 폐기한다.

③ 사고 보고

사업주는 한 명 이상의 근로자가 사고로 죽거나, 5명 이상의 근로자가 복합상해로 인해 병원에 입원하는 경우의 모든 사고에 대해 사고 발생 48시간 내에 지방고용노동관서에 구두 또는 서류로 보고해야 한다. 근로자의 산재보상 관련 기록은 산업장과 정부의 입장이 다를 수 있으므로, 사업주는 「산업재해보상보험법」 관련 서식 및 보고양식을 정부에서 요구하는 바대로 준비한다. 사건 진술 시 사건 발생과 관련이 있는 해당 근로자가 진술하며, 표준화된 부호 및 학술적인 명칭을 이용하여 산업장의 안전과 근로자의 건강에 대해 관심 및 책임을 가지고 국가기관에 보고한다. 그 보고에 포함될 내용은 다음과 같다.

- 손상의 특성과 사건이 발생한 시간
- 사고의 형태(낙상, 열상 등)
- 목격자 이름
- 시행된 처치 및 처리, 그리고 시행한 사람의 서명

사건발생에 대한 기록은 기록 당시의 사건에 대해 실상을 정확히 알고자 하는 사람은 누구든 읽을 수 있도록 오랫동안 보존하여야 하며, 손상과 질병에 대한 정기보고는 사업주가 보고형식에 따라 작성한 뒤 우편으로 관계기관에 보낸다. 또한 산업장 기록은 정부를 대표한 기관이 검열하거나 적정한 시기에 기록 관련 자료를 요청할 수 있다.

COMMUNITY HEALTH NURSING

제 07 장

생애주기별 일차보건의료 제공

COMMUNITY HEALTH NURSING

학·습·목·표

제1절 영유아 건강관리

1. 영유아 건강관리를 설명한다.
2. 영유아 예방접종에 대해 설명한다.
3. 선천성대사이상검사 및 환아관리를 설명한다.
4. 미숙아 및 선천성이상아 등록관리를 설명한다.

제2절 모자보건사업

1. 모자보건사업 개념을 설명한다.
2. 모자보건사업의 주요지표를 설명한다.
3. 우리나라 모자보건사업을 설명한다.
4. 모자보건사업에 간호과정을 설명한다.
5. 모성건강관리사업을 시기별로 설명한다.

제3절 노인보건사업

1. 노인인구의 특성을 설명한다.
2. 노인건강에 대해 설명한다.
3. 노인보건복지정책과 사업을 설명한다.
4. 노인장기요양보험제도에 대해 설명한다.

제1절 + 영유아 건강관리

Keywords
- 영유아 건강관리
- 장애예방 선별검사
- 미숙아관리
- 치아관리
- 예방접종
- 선천성이상아 관리
- 시력관리
- 선천성대사이상검사

영유아 건강관리는 성장단계별로 적정한 시기에 보건지도 및 의료서비스를 제공하여 차세대의 건강한 국민을 확보하기 위함을 목적으로 한다. 보건소에 등록한 영유아는 '영유아 건강기록부'를 작성하여 유지하고, 전화 및 가정방문으로 영유아 건강관리를 실시한다. 영유아 건강관리는 영아에서 미취학 아동까지를 대상으로 실시하며, 영유아등록사업, 건강진단, 예방접종, 선천성대사이상검사, 미숙아 관리 및 영유아 건강증진사업 등이 있다.

우리나라의 영유아 사망률은 최근 10년간 크게 감소하였고, 2021년에는 출생아 1,000명당 2.4명으로 20202 대비(2.5명) 0.1명으로 나타났다. 영유아 건강 관련 주요 통계를 살펴보면 [표 7-1, 7-2]와 같다.

1 건강관리

영유아 건강관리사업의 목적은 영유아의 건강을 유지·증진하고, 질병을 조기 발견·치료함으로써 건강한 사회생활을 영위할 수 있도록 도와주며, 육아와 건강문제를 발견하는 데에서 부모를 돕고 상담에 응하는 것이다.

건강관리 내용으로는 기본적인 건강진단과 치아관리, 시력관리, 장애예방을 위한 선별검사 등이 포함된다.

표 7-1 영아사망률

구 분	2015	2016	2017	2018	2019	2020	2021
영아사망률	2.7	2.8	2.8	2.8	2.7	2.5	2.4

주) 영아사망률(Infant Mortality Rate) : 특정 연도의 1세 미만의 사망아 수/당해 연도의 연간 총 출생아 수×1,000

〈 자료원 : 통계청(2022). 2021 영아사망률 〉

표 7-2 출생아수 및 증감률

	2017년	2018년	2019년	2020년	2021년
출생아 수(명)	357,771	326,822	302,676	272,337	260,562
자연증가율(천명당)	1.4	0.5	0.1	−0.6	−1.1

〈 자료원 : 통계청(2022). 2021 출생아수 및 자연증가율 〉

1) 건강진단

건강진단은 정상아의 경우 생후 4주~6개월까지는 월 1회, 7~12개월에는 2개월에 1회, 2세에는 3개월에 1회, 3세부터 초등학교 입학 전까지는 연 2회 정도로 건강상태를 점검하는 것이 바람직하다. 건강진단의 내용으로는 선천성대사이상검사, 시력검진, 영·유아 성장발달 스크리닝, 영·유아 치아관리 등이 포함된다.

2) 치아관리

영유아 치아관리를 위해 18개월, 3세, 6세에 달한 영유아에 대해서는 구강보건사업과 연계하여 치과진료를 받도록 하고, 치아 보건교육을 실시하여 충치를 예방하도록 한다.

3) 시력관리

시력관리를 위해 3세, 6세 미만자에 대하여 시력을 측정하고, 시력 측정으로 약시 등을 조기에 교정하도록 유도한다.

4) 장애예방을 위한 선별검사

영유아 장애예방을 위하여 선별검사를 받도록 한다. 생후 7일 내 모든 신생아는 선천성대사이상검사를 받도록 적극 추진하고, 페닐케톤뇨증 환아, 갈락토스혈증 환아 등은 특수 조제분유를 제공하여 환아를 관리하도록 한다. 그리고 신생아 청각 선별검사를 통해 신생아 난청 조기진단을 실시한다.

2 예방접종

영유아 예방접종은 영유아기에 발생률이 높은 감염성질환에 대해 면역을 획득하도록 하여 감염성질환으로부터 아동을 보호하는 데 목적이 있다. 우리나라의 영유아 예방접종사업은 1960년대부터 시행해온 사업으로, 2000년도 정부의 모자보건사업 총 예산의 약 60%를 차지하는 중요한 사업이다.

1) 예방접종 전·후의 주의사항

(1) 예방접종 전

예방접종을 받기 전의 어린이와 보호자가 주의해야 할 사항은 다음과 같다.

- 접종 전날 목욕을 시킨다.
- 집에서 체온을 측정하고 고열이 나면 예방접종을 미룬다.
- 청결한 의복을 입혀서 데리고 온다.
- 어린이의 건강상태를 잘 아는 보호자가 동행한다.
- 가능하면 건강상태가 좋은 오전 중에 접종한다.
- 모자보건수첩 또는 아기수첩을 지참한다.
- 예방접종을 하지 않을 어린이는 함께 데려가지 않는다.

(2) 예방접종 후

예방접종을 받은 후의 어린이와 보호자가 주의해야 할 사항은 다음과 같다.

- 접종 후 20~30분간 접종기관에 머물러 관찰한다.
- 귀가 후 적어도 3시간 이상 주의 깊게 관찰한다.
- 접종 당일과 다음 날은 과격한 운동을 하지 않도록 한다.
- 접종 당일은 목욕을 시키지 않는다.
- 접종 부위는 청결하게 유지하며, 발적, 통증, 부종이 있으면 물수건을 해준다.
- 접종 후 최소 3일간은 주의깊게 관찰해야 하며, 심하게 울거나 구토 및 고열, 경련 증상이 있을 때는 의사의 진찰을 받는다.

2) 예방접종 금기사항

예방접종 후에는 부작용이 나타날 수 있는데, 이는 백신을 통한 외재성 요인과 면역반응으로 인한 내재성 요인에 의한 것이다. 대부분 가볍게 지나가지만 심각한 부작용을 초래할 수도 있다.

예방접종의 일반적인 금기사항은 다음과 같다.

- 급성 열성질환(단, 미열, 상기도 감염, 중이염이나 경한 설사가 있을 때에는 접종)
- 급성기 또는 활동기에 있는 심혈관계, 간장 질환이나 신장 질환
- 홍역, 볼거리, 수두 감염 후 1개월 이상 경과하지 않은 경우
- 면역억제 치료(스테로이드, 항암제와 방사선 치료 포함)를 받고 있는 경우
- 감마글로블린이나 혈청주사를 맞았거나 또는 수혈을 받은 경우
- 백혈병, 림프종, 기타 악성 종양이 있는 경우
- 면역결핍성 질환이 있는 경우
- 접종 전 1년 이내에 경련이 있었던 경우(열성 경련은 제외)
- 과거에 알레르기 반응이나 과민 반응을 일으켰던 일이 있는 백신
- 예방접종 후 경련을 일으킨 과거력이 있는 경우

3 선천성대사이상검사 및 환아 관리

1) 선천성대사이상검사

선천성대사이상검사는 생후 48시간 이후 7일 이내에 발뒤꿈치에서 채혈하여 검사하는데, 채혈기관으로는 보건소, 산부인과·청소년과 병·의원 등의 의료기관에서 시행한다. 채혈기관은 수거한 검채(채혈지)를 검사기관에 직접 또는 우편으로 우송한다.

(1) 채혈방법 및 관리

- 수검자를 확인하고, 채혈지에 기재사항을 정확하게 빠짐없이 기록한다.
- 채혈 전 24시간 내에 아기에게 항생제를 사용하였을 경우에는 채혈지에 항생제 사용여부를 반드시 기록한다.
- 채혈 시에는 검사결과에 영향을 미칠 수 있으므로 파우더나 이물질이 묻지 않은 장갑을 착용한다.
- 발의 혈류를 증가시키기 위해 아기의 다리를 심장보다 아래쪽으로 위치하도록 한다.
- 따뜻한 물수건이나 손으로 발뒤꿈치를 감싸서 혈류를 증가시킨다.
- 채혈 부위를 알코올로 닦고, 남아있는 알코올은 마른 멸균거즈로 닦아낸다. 베타틴 소독시 갑상선기능저하증 위양성을 보일 수 있으므로 반드시 알코올로 소독한다.
- 채혈은 아킬레스건을 다치지 않도록 뒤꿈치 중앙을 피해서 멸균된 란셋을 이용하여 2.4mm 깊이로 찌른다.
- 멸균거즈로 첫 번째 혈액 방울은 닦아내고 두 번째 혈액 방울부터 혈액 여과지의 동그라미 한쪽 면에 대어 채혈자의 뒷면까지 충분히 흡수되도록 한다.
- 혈액 여과지의 4개의 원 안에 혈액이 꽉 차도록 채혈한다.
- 채혈 후 발이 몸보다 위에 위치하도록 하고, 피가 멈출 때까지 채혈 부위를 멸균 거즈나 솜으로 꼭 눌러 지혈시킨다.
- 혈액 여과지는 깨끗하고 안전한 장소에서 최소 2~3시간 이상 자연 건조시킨 후 비닐봉투에 넣어 채혈 당일 검사기관으로 송부한다.

(2) 채혈 시 주의사항

- 생후 48시간 이후 7일 이내 젖(모유, 분유 모두 포함)을 충분히 먹이고 2시간 후 또는 다음 수유 직전에 채혈한다.
- 오염을 방지하기 위하여 혈액을 채취하는 동안 혈액여과지에 그려진 원을 깨끗한 장갑을 착용하지 않은 채 맨손으로 만지지 않도록 한다. 또한 혈액여과지가 물이나 음식물, 알코올, 방부제, 로션, 파우더 등 이물질에 닿지 않도록 주의한다.
- 채혈부위를 누르거나, 억지로 짜서 채혈하는 경우 조직액이 섞여 혈액이 희석 또는 오염될 수 있으니 주의한다.
- 계속해서 나오는 혈액 방울을 동일한 원 안에 다시 묻혀서는 안 된다. 혈액이 과도하게 흡수되어 위양성의 결과를 초래할 수 있다.
- 모세관을 사용하여 채혈지에 옮기는 경우 혈액이 고르게 뒷면까지 흡수되지 않아 정확한 결과를 얻을 수 없다.
- 혈액이 건조되기 전에 채혈지를 겹쳐 놓거나 이송용 봉투에 넣지 않도록 한다.
- 채혈량이 감소하여 원의 뒷면까지 완전히 흡수되지 않았다고 하여 채혈지 양면에 묻혀서는 안 된다.
- 수액을 맞는 혈관에서 채혈하는 경우 혈액이 희석되므로 수액을 맞는 혈관에서 채혈하지 않는다.

2) 환아 관리

2차 정밀검사 결과 선천성대사이상질환으로 진단된 신청일 기준 만 18세 이하인 환아의 관리 내용으로는 다음과 같은 것들이 있다.

- 시장·군수·구청장(보건소장)은 환아로 등록된 자에게 치료와 관련된 정보를 제공하고 홍보 등을 실시한다.
- 특수조제분유 및 저단백식품을 지원(선천성 갑상선기능저하증 제외)한다.
- 선천성 갑상선기능저하증 의료비(약제비를 포함)를 지원한다.

4 미숙아 및 선천성이상아 등록관리

1) 미숙아 및 선천성이상아 관리 목적

- 의료기관에서는 미숙아 및 선천성이상아 발생 즉시 관할 보건소에 보고함으로써 기본 정보의 확보와 집중관리 수요를 파악하고 지역 내 적절한 신생아 집중치료관리 자원을 공급·유지함으로써 영아사망과 장애발생을 최소화하기 위함이다.
- 지역사회에서 미숙아 및 선천성이상아에 대한 지속적인 보건·의료·재활서비스 등의 연계실시를 통하여 고위험 신생아의 건강한 성장발달을 도모하기 위함이다.
- 미숙아 및 선천성이상아 출산으로 입원 및 수술 등 치료에 소요되는 비용의 부담으로 치료의 포기 및 지연 등으로 발생하는 사망 및 장애 예방을 위한 의료비를 지원하기 위함이다.

2) 미숙아 및 선천성이상아 관리 내용

(1) 미숙아 및 선천성이상아 관리를 위한 활동

- 미숙아 및 선천성이상아 보고 및 등록률 제고를 위한 교육 및 홍보
- 미숙아 및 선천성이상아 등록을 제고하기 위하여 의료기관 및 임산부 등 주민을 대상으로 등록관리 취지와 의료비 지원에 대한 교육 및 홍보 실시
- 미숙아 및 선천성이상아 치료 및 관리에 종사하는 의사, 조산사 및 간호사는 물론 관련단체 및 학회 등을 대상으로 사업의 취지 및 목적을 홍보하여 미숙아 및 선천성이상아 출생 직후 관할 보건소에 보고하도록 유도
- 등록카드 작성 관리
  - 미숙아 및 선천성이상아 출생을 보고받은 관할 보건소장은 등록카드를 작성·관리하여 의료기관과 연계를 통한 특별관리 및 정보 체계구축
  - 의료기관으로부터 미숙아 및 선천성이상아 출생을 보고받은 관할 보건소장은 미숙아 등을 출산한 임산부 주소지 관할 보건소로 관련 자료를 이송하여 미숙아 및 선천성이상아 의료비 지원 및 관리 원활화
- 의료지원 및 관리방안계획 수립 및 시행
  - 시장·군수·구청장은 정기적으로 건강진단 및 예방접종을 실시하거나 방문건강관리사업과 연계하여 동 가정을 방문하여 보건의료서비스를 제공하는 등 필요한 조치 등에 대한 계획 수립 시행
  - 미숙아 및 선천성이상아 중 입원치료를 요하는 환아에게는 진찰, 약제 또는 치료 재료의 지급, 처치·수술 기타의 치료, 의료시설의 수용, 간호, 이송 등의 의료지원을 함으로써 영아사망률의 하향 및 안정정착에 노력
- 의료기관 및 방문건강관리사업과의 연계를 통한 가정방문 서비스 제공
  - 미숙아 및 선천성이상아의 출생을 보고 받은 보건소장은 등록카드를 작성하고 의료기관과의 긴밀한

연계를 통하여 미숙아 등이 퇴원 직후에 방문간호 및 전화 상담 실시

- 미숙아 어머니 자조그룹 구성 및 운영
  - 보건소에서는 미숙아 출산 산모들이 상호 정보를 교환할 수 있도록 정기적으로 어머니 자조그룹교실을 운영하여 부모의 정서를 돕고 산후피임 등의 산모관리도 아울러 실시
- 정기적인 전화상담을 통한 적극적인 추구관리 활동 전개
  - 의료기관 방문의 중요성을 설명하고 방문 시 중점 건강관리사항을 파악하여 모자보건수첩에 기재하고 보건소에서 관련사항과 일관성 있는 서비스 제공
  - 생후 6개월에는 기본 건강진단을 받도록 하고 특히 합병증 또는 후유증 등의 발견에 대해 지도 및 교육 실시
- 미숙아 관리 담당자의 정기적인 교육 훈련 실시
  - 보건소장은 등록된 미숙아들의 성장·발달 지연을 조기에 발견하여 치료받을 수 있도록 이들을 대상으로 신체동작, 언어, 정서적 발달사항 등을 사정하여 정상과 이상을 판별할 수 있도록 사업인력을 대상으로 지역 의료기관과 연계하여 정기적인 교육 실시

(2) 미숙아 가정방문

① 가정방문을 위한 관리사항

- 퇴원날짜, 퇴원 후 거주지, 퇴원시의 특이사항 등에 대해서 의료기관 등으로부터 정보수집 필요
- 가정방문 시에는 미숙아 출산산모 또는 보호자의 허락을 위하여 사전에 전화로 약속한 후 가정방문
- 미숙아 및 선천성이상아 등록카드를 작성하며 모자보건수첩의 발급여부를 확인하고 출산사항을 확인하며 관리에 필요한 사항 기입

② 가정방문 시 준비사항

- 기관명과 명찰을 부착하고 청결한 차림의 복장으로 방문
- 기본적으로 '영아용 디지털 체중계', '키 재는 자', '줄자', '체온계', '소아용 청진기' 등과 교육자료 등을 구비한 가정방문용 가방 지참
- 산모와 신생아를 접하기 전에는 손 소독용 기구를 준비하여 손을 씻는 등 위생관리를 철저히 하여 산모에게 거부감을 주지 않도록 함
- 애완동물이 있는 경우 실내에서 같이 생활하거나 접촉하지 않도록 함

③ 미숙아 가정방문 시 주된 보건교육 및 지도내용

- 미숙아 출산 산모일수록 모유에는 질병예방을 위한 면역물질이 많이 포함되어 있으므로 모유수유 실천여부를 확인하고 생후 6개월까지는 지속적으로 모유수유를 실천할 수 있도록 권장
- 출생아 성장 및 발달 상태를 체크하고 시기별 영유아 검진을 받도록 안내
- 배변 및 수면 양상, 예방접종, 응급처치, 신생아 행위(울음 등)의 의미, 이유식, 신체계측 방법 등 양육에 필요한 지식을 전달하고 상담 실시
- 고위험 증상 등을 관찰하여 합병증 또는 후유증 등의 발견을 위해 유의
- 지역 내 활용할 수 있는 관련정보를 제공하고 미숙아 자조그룹에 참여하도록 권장

제2절 + 모자보건사업

Keywords

- 모자보건사업
- 임산부
- 영유아
- 신생아
- 모성
- 미숙아
- 선천성이상아
- 모자보건지표
- 연령별 출산율
- 합계출산율
- 모성사망비
- 모성사망률
- 주산기사망률
- 재생산율
- 순재생산율
- 영아보건지표
- 영아사망률
- 신생아사망률
- 저체중아출생률
- 난임부부지원
- 표준모자보건수첩
- 인공임신중절
- 산후조리원
- 청소년 산모
- 난청조기진단사업
- 취학전 아동실명예방사업
- 모자보건사업평가
- 모성건강관리
- 산전관리
- 고위험 임산부

1 모자보건사업의 이해

1) 모자보건의 개념

모자보건은 생애주기별 건강에서 가장 기초가 되며, 한 나라의 국민건강과 국민의 삶의 질을 추구하는 근간이 된다. 모자보건은 국민의 자질을 향상시키고 복지사회를 이룩하기 위해 모성과 아동에게 제공되는 전문적인 의료서비스로서 신체적·심리적·사회적 건강을 유지하고 증진시킨다.

우리나라의 「모자보건법」은 모성 및 영유아의 생명과 건강을 보호하고 건전한 자녀의 출산과 양육을 도모함으로써 국민보건 향상에 이바지함을 목적으로 하고 있다(모자보건법 제1조). 이를 위한 모자보건사업이란 모성과 영유아에게 전문적인 보건의료서비스 및 그와 관련된 정보를 제공하고, 모성의 생식건강 관리와 임신·출산·양육 지원을 통하여 이들이 신체적·정신적·사회적으로 건강을 유지하게 하는 사업을 말한다(모자보건법 제2조 제8항).

세계보건기구(WHO)의 모자보건위원회의 규정에 의한 모자보건사업의 목적은 모성과 그 자녀의 긴급한 건강상의 문제를 보호·관리하여 모든 모성이 건강을 유지하고 육아 기술을 습득하여 건강한 자녀를 잉태하고 정상적으로 출산하며, 건강하게 자녀를 키우도록 책임지고 관리하는 것이라고 하였다.

우리나라의 모자보건사업의 목적은 모성의 생명과 건강을 보호하고 건강한 자녀를 출산하고 양육하여 모자의 삶의 질을 향상시켜 국민건강 수준을 유지·증진하는 데 있다. 이를 달성하기 위한 구체적인 목적 다음과 같다.

- 모자인구의 사망 수준 및 위험요인 감소
- 모자인구의 건강잠재력 배양을 통한 건강 수준 및 건강한 삶 향상
- 모자인구를 위한 건강한 물리적·사회적 환경조성 및 개선 등

2) 모자보건사업의 중요성

모자보건사업이란 일반적으로 모성과 영유아를 대상으로 한 공공보건사업(public health service)을 말하며, 미래의 건강한 사회를 위해서 최우선 과제로 삼아야 할 보건문제 중 하나이다. 모자보건사업은 적은 비용으로 큰 효과를 얻을 수 있으며, 아동의 경우에는 성장과정부터 평생 동안 건강을 좌우하는 중요한 요인이 되며, 모성의 경우에는 생식보건에 많은 영향을 미친다. 생식보건은 모자보건, 가족계획, 불임예방과 치료, 인공임신중절 예방 및 부작용 치료, 성병과 AIDS 예방과 억제 등 생식과 관련된 홍보교육과 양질의 서비스를 통합한 고객 중심적이고 비용 절감적인 새로운 접근방법이다.

모자보건 수준은 국가와 지역사회 보건분야의 지표로 활용되는 만큼 모자보건사업의 시행은 중요하다. 모자보건사업이 중요한 이유는 다음과 같다.

- 모자보건사업의 대상인구는 전체 인구의 50~55%를 차지하고 있다.
- 다른 인구집단과 비교하여 생애주기별 건강이 취약하다. 임산부와 영유아는 질병에 이환되기 쉽다. 임산부는 임신에 수반될 수 있는 합병증이 많고 이러한 합병증은 태아에게도 부정적인 영향을 준다. 영유아기의 건강문제는 치명률이 높거나 후유증으로 장애가 되기 쉽다.
- 가족에게 미치는 영향이 크다. 임신은 가정의 경제, 가족 간의 정서 및 신체적 변화를 가져온다.
- 생애주기별로 볼 때 국민건강 육성의 기초이다. 국민건강의 기반은 아동에 있다고 할 수 있으며, 아동의 건강은 가정의 건강, 특히 여성의 건강에 의하여 영향을 많이 받는다.
- 비용·효과 측면에서 효율적이다. 가임기 여성과 임신 중 소홀한 건강관리는 태아에게 영향을 미치게 되므로, 적절한 사전관리로 예방을 하는 것이 비용 면에서 경제적이다.
- 지역사회 및 국가에 미치는 영향력이 크다. 모자보건 대상자수가 많아 전체 인구의 건강에 미치는 영향이 크다.

3) 모자보건사업 대상

모자보건의 대상은 모성과 아동이다. 「모자보건법」에서 '임산부'란 임신 중이거나 분만 후 6개월 미만인 여성을 말하며, '영유아'란 출생 후 6년 미만인 사람을 말하고, '신생아'란 출생 후 28일 이내의 영유아를 말한다(모자보건법 제2조).

모성이란 광의의 의미로는 초경에서 폐경까지의 여성을 말하며, 협의의 의미로는 임신·분만·출산 후 6개월 미만 또는 1년 미만의 여성을 말한다. 영유아는 광의의 의미로는 생후부터 15~18세까지의 미성년자를 말하며, 협의의 의미로는 생후부터 미취학 아동을 말한다.

우리나라의 「모자보건법」 상의 모자보건사업 대상은 다음과 같으나, 지역사회의 특성에 따라 확대하여 사업을 운영하는 추세이다.

- **임산부** : 임신 중이거나 분만 후 6개월 미만의 여자
- **모성** : 임산부와 가임기 여성
- **영유아** : 출생 후 6년 미만인 자
- **신생아** : 출생 후 28일 이내의 영유아
- **미숙아** : 신체의 발육이 미숙한 채로 출생한 영유아로서 임신 37주 미만의 출생아 또는 출생 시 체중이 2,500g 미만인 자로서 보건소장 또는 의료기관의 장이 임신 37주 이상의 출생아 등과는 다른 특별한 의

료적 관리와 보호가 필요하다고 인정하는 영유아

- 선천성이상아 : 선천성 기형·변형 및 염색체 이상을 지닌 영유아로서 사망할 우려가 있는 영유아, 기능적 장애가 현저한 영유아, 기능의 회복이 어려운 영유아
- 난임 : 부부가 피임을 하지 아니한 상태에서 부부간 정상적인 성생활을 하고 있음에도 불구하고 1년이 지나도 임신이 되지 아니하는 상태(모자보건법 제2조)

4) 모자보건사업 주요지표

모자보건사업의 지표는 모자보건사업을 질적·양적으로 평가할 수 있는 자료로, 모성보건지표로는 연령별 출산율, 합계출산율, 모성사망비, 주산기 사망률 등이 있고, 영유아보건지표로는 영아사망률, 신생아사망률, 저체중아 출생률 등이 있다[표 7-3].

특히 영아사망률과 모성사망률은 국가의 보건학적·경제적·사회적 상태를 알려주는 지수로 사용될 수 있다. 또한 영아사망과 신생아사망의 관련지표로서 α-인덱스(α-index)가 있는데, 이는 같은 해의 영아사망수가 신생아의 사망수보다 얼마나 큰가를 나타내는 것이다. 이것이 1에 가까우면 영아 사망의 대부분이 신생아 사망이므로 그 지역의 건강상태가 높은 것을 뜻하며, 1에서 커질수록 후기 신생아 사망이 크기 때문에 영아사망에 대한 예방대책이 필요하다.

(1) 연령별 출산율(Age Specific Fertility Rates)

특정년도의 15~49세까지 모(母)의 연령별 당해 연도 출생아 수를 당해 연령의 여자인구로 나눈 비율을 1,000분비로 나타낸 것이다. 출산력 수준을 파악하는 대표적인 지표이며, 한 사회에서 각 연령층에 따라 출산 수준에 어떤 변화가 있는가를 파악하는 데 유용한 지표이다.

(2) 합계출산율(Total Fertility Rate)

가임 여성(15~49세) 1명이 평생 동안 낳을 수 있는 자녀의 수를 나타내며, 국가별 출산력 수준을 비교하기 위해 대표적으로 활용되는 지표로서 연령별 출산율을 모두 더하면 합계출산율이 된다.

(3) 모성사망비(Maternal Mortality Ratio; MMR)

여성이 임신 또는 분만으로 사망하는 위험도를 나타내는 지료로서 한 해 동안에 임신 중, 분만 중, 그리고 산욕기(출산 후 42일 이내)에 임신 또는 분만의 합병증(출혈, 감염, 자간증 등) 이나 임신 때문에 기존 질병(빈혈, 당뇨, 심장질환 등)의 악화로 사망한 산모 수와 같은 기간의 출생아 수의 비를 말한다.

(4) 주산기사망률(perinatal death rate)

주산기사망 원인은 주로 염색체 이상 등 주로 선천성 이상이 공통적이므로 이 지표는 모자보건 분야의 대표적인 보건지표이다. 주산 Ⅰ기는 임신 28주에서 생후 1주 까지, 주산 Ⅱ기는 임신 20주에서 분만 4주까지를 말한다. 영아와 신생아 사망률은 출생아 가운데 사망한 경우만을 고려하므로 태아의 건강상태가 불량하여 사산으로 분만결과가 마무리 된 경우에는 고려되지 않아 임신 결과 또는 모성의 출산력, 태아의 건강상태를 평가하는 데 미흡한데 이를 보완할 수 있는 지표이다.

(5) 재생산율(Reproduction Rate)

한 명의 여자가 일생동안에 몇 명의 여자아이를 낳는가를 나타내는 지수를 말한다. 특히 한명의 여자가 현재의 출산력이 계속된다는 가정 하에 15~49세(가임기간) 동안에 몇 명의 여자 아이를 낳는가를 나타내는 지수를 총재생산율(Gross Reproduction Rate)이라고 한다.

(6) 순재생산율(Net Reproduction Rate)

가임기간의 각 연령에서 여자아이를 낳는 연령별 여아 출산율에 태어난 여자 아이가 죽지 않고 가임연령에 도달할 때까지 생존하는 생산율을 곱해서 산출한 것이다. 다시 말하면 여아의 연령별 사망률을 고려한 재생산율을 말한다.

(7) 영아사망률(Infant Death Rate; IDR)

연간 출생아 1,000명당 출생 후 1년 이내에 사망한 영아사망수를 말한다. 영아의 생존이 모체의 건강상태, 양육조건 등의 영향을 강하게 받으므로, 영아사망률은 그 지역의 위생상태의 좋고 나쁨, 더 나아가서는 생활수준을 반영하는 중요한 지표이다. 우리나라의 영아사망률은 출생아 1,000명당 2.8명으로 OECD 평균 3.3명보다 낮은 수준이다(OECD Health Data, 2018).

표 7-3 주요 모자보건지표

부양비 지수	계산식
출생률	$= \frac{\text{특정 1년간의 총 출생아 수}}{\text{당해 연도의 연앙인구}} \times 1,000$
사산율	$= \frac{\text{임신 28주 이후의 사산아 수}}{\text{당해 연도 출산아 수(출생아+사산아)}} \times 1,000$
출산율	$= \frac{\text{특정 1년간의 총 출생아 수}}{\text{당해 연도의 가임연령 여성인구(15~49세)}} \times 1,000$
영아사망률	$= \frac{\text{당해 연도 1세 미만 영아 사망아 수}}{\text{당해 연도 연간 총 출생아 수}} \times 1,000$
신생아사망률	$= \frac{\text{연간 생후 28일 이내 사망아 수}}{\text{연간 당해 연도 총 출생아 수}} \times 1,000$
총재생산율	$= \text{합계출산율} \times \frac{\text{여아 출생 수}}{\text{총 출생 수}}$
순재생산율	$= \text{합계출산율} \times \text{총 재생산율} \times \frac{\text{가임연령 시 생존 수}}{\text{여아 출생 수}}$
모성사망비	$= \frac{\text{그해 임신, 분만, 산욕으로 인한 모성 사망 수}}{\text{출생 수}} \times 100,000$
모성사망률	$= \frac{\text{모성 사망자 수}}{\text{15~49세 가임기 여성 수}} \times 100,000$
주산기 사망률	$= \frac{\text{임신 28주 이후 태아 사망 수 + 생후 7일 이내 신생아 사망 수}}{\text{연간 출생 수}} \times 1,000$
α-인덱스	$= \frac{\text{당해 연도 영아 사망 수}}{\text{당해 연도 신생아 사망 수}} \times 1,000$

(8) 신생아사망률(Neonatal Death Rate; NDR)

생후 4주(28일) 이내에 발생하는 사망을 신생아사망이라고 한다. 신생아사망은 생애 최고 만 7일 동안에 일어나는 조기신생아사망과 7일 이후부터 만 28일 전에 일어나는 만기신생아사망으로 나눌 수 있다.

(9) 저체중아 출생률(Incidence Rate of Low Birth Weight)

출생체중은 신생아 건강상태를 나타내는 지표로서 신생아의 생존율과 높은 상관관계가 있으며, 산모의 임신 전과 임신 중의 건강한 상태와 밀접한 관계를 갖고 있다. 저체중아 출생률은 총 출생아 가운데 출생체중이 2.5kg 미만의 출생아의 분율을 말한다. 출생률은 해마다 줄고 있는 반면, 미숙아와 저체중아 출생은 상당히 증가하고 있다. 결혼이 늦어지면서 아이를 늦게 낳는 고령 산모가 증가한 것이 주요한 원인이 된다.

5) 우리나라의 모자보건사업

(1) 모자보건사업 관련 현황

모자보건사업과 관련된 여러 자료를 중심으로 우리나라의 모자보건 현황을 살펴보면 다음과 같다.

2021년 통계청 자료에 의하면 우리나라 총 출생아 수는 2012년부터 2015년까지는 증가와 감소를 보였다가, 2021년 26만6백 명으로 계속적인 감소로 나타났다. 조출생률(인구 1천 명당 출생아 수)은 2021년에는 5.1명으로 전년대비 0.2명 감소되는 것으로 나타났다.

우리나라 여성의 합계출산율(여성 1명이 평생 낳을 것으로 예상되는 평균 출생아 수)은 2021년의 0.81명으로 전년대비 0.03명(−3.4%)으로 감소하고 있는 것으로 나타났다[표 7-4]. 또한 2020년 우리나라 여성의 평균 출산연령은 33.1세로 전년보다 0.3세 상승하였으며, 35세 이상 고령산모의 구성비는 31.8%로 지속적인 증가 추세이다. 산모의 연령별 출산율이 가장 높은 연령층은 30대 초반(30~34세)이 91.4명으로 가장 높고, 30대 후반(35~39세)이 46.1명, 20대 후반(25~29세)이 41.0명으로 나타났다. 결국 가임여성들의 고령임신과 고령출산은 합계출산율에 영향을 미쳤고, 우리나라의 2021년 0.81명으로 2020년 0.83명에 비해 0.02명 감소를 보였다. OECD 평균출산율 1.65명, OECD주요국과 비교하여 가장 낮은 것으로 나타났다.

표 7-4 출생아 수, 조 출생률, 합계출산율 (단위 : 천 명, %, 인구 1천 명당 명, 가임여성 1명당 명)

구 분		2011	2012	2013	2014	2015	2016	2017	2018	2019	2020	2021
출생아 수		471.3	484.6	436.5	435.4	438.4	406.2	357.8	326.8	302.7	272.4	260.6
전년대비	증 감	1.1	13.3	−48.1	−1.0	3.0	−32.2	−48.5	−30.9	−24.1	−30.3	−11.8
	증감률	0.2	2.8	−9.9	−0.2	0.7	−7.3	−11.9	−8.7	−7.4	−10.0	−4.3
조출생률		9.4	9.6	8.6	8.6	8.6	7.9	7.0	6.4	5.9	5.3	5.1
합계출산율		1.24	1.30	1.19	1.21	1.24	1.17	1.05	0.98	0.92	0.83	0.81
전년대비	증 감	0.02	0.05	−0.11	0.02	0.03	−0.07	−0.12	−0.08	−0.06	−0.08	−0.03
	증감률	1.5	4.3	−8.5	1.5	2.8	−5.4	−10.2	−7.1	−6.0	−8.8	−3.4

〈 자료원 : 통계청(2022). 2021년 출생통계 〉

고령임신의 문제점은 고위험임신군(high risk pregnancy)으로 분류되므로 임신 중의 합병증, 산후의 모성합병증, 태아와 신생아의 합병증을 포함함으로써 우리나라의 인구의 질을 지속적으로 하락시키는 주요 요인으로 작용할 것이다. 특히 자연유산, 임신중독증, 전치태반, 양막조기파열 등 중증 임신합병증과 제왕절개술, 산후출혈, 자궁경부 열상 및 폐부종 등의 산후합병증 그리고 자궁내 발육제한으로 인한 저체중아, 선천성 기형과 태아사망 등의 태아 및 신생아의 합병증을 초래할 수 있다.

우리나라의 영아사망률은 2021년 OECD 평균 4.1보다 낮은 수준인 2.4를 유지하고 있으며, 모성사망비는 2021년 OECD 평균 11.0명에 비해 8.8명으로 낮은 편으로 나타났다.

안전분만의 중요한 요소가 되는 시설분만율은 1985년 75.8%에서 2015년부터 2018년 이후 100%를 유지하고 있는 것으로 나타났다. 시설분만율의 증가와 함께 제왕절개에 의한 분만비율도 2012년 34.3%에서 2020년에 54%로 증가하고 있는 것으로 나타났다. 이러한 결과는 분만 방법이 교육수준과 가구소득과는 차이가 없이 거주지가 농촌(46.9%)에서 도시(38.7%)보다 제왕절개분만율이 유의미하게 높게 나타난 것으로, 보건의료서비스 인프라 접근성이 낮은 농촌에서 제왕절개분만을 선호하여 시설분만율이 증가하는 것으로 파악된다. 기준에 근거하지 않는 부적절한 제왕절개시술은 산모의 건강과 태아의 출생과정에도 부정적 영향을 미칠 수 있으므로, 제왕절개의 실시 기준에 따른 제도적 장치 마련이 시급하다고 볼 수 있다.

모유수유는 가장 이상적인 수유방법으로 알려져 있으며, 세계보건기구(WHO)에서는 생후 6개월까지 모유수유를 권장하고 있으며 신생아 초기의 완전 모유수유율을 핵심지표로 관리하고 있다. 정부와 민간단체가 지속적으로 노력하여 최근 모유수유율이 상승하고 있는 것으로 나타났다. 따라서 신생아의 건강 및 심리적·정서적 안정을 도모하고 미래 인구의 건강을 증진하기 위해 모유수유를 희망하는 여성이 모유수유를 어려움 없이 실천할 수 있도록 정책적 지원과 직장과 지역사회에서의 지지와 배려가 지속적으로 이루어져야 한다. 또한, 모유수유를 하면 아기만이 아니라 엄마도 병에 적게 걸리며, 아기에 대한 장점은 젖을 얼마나 많이, 오래 먹느냐에 따라 달라지는 용량 반응처럼, 엄마도 누적 모유수유기간에 따라 질병 예방 효과가 달라진다. 즉, 아기에게 젖을 먹인 것을 다 합한 기간이 길수록 고혈압, 고지혈증, 심혈관 질환, 당뇨병 같은 성인병이 더 많이 예방된다. 예를 들어, 임신성 당뇨병이 아니라면, 1년 더 젖을 오래 먹일수록 당뇨병이 4~12% 감소하며, 수유 기간이 1년이 늘어날수록 유방암이 4.3% 감소된다. 또 12개월만 먹여도 유방암과 난소암 모두 28% 감소하는 것으로 알려져 있다.

(2) 모자보건 정책

우리나라는 영아사망률 등 국가보건지표는 선진국 수준이지만 저체중출생아, 다태아 등의 증가가 새로운 건강문제로 대두되고 있으며, 안전분만율 등 의료서비스 이용률은 높으나, 임신·출산·양육에 대한 국민인식도 및 실천율은 낮은 수준이다. 특히 저체중아는 2008년에 4.9%에서 2017년 6.2%로, 매년 증가 추세를 보이고 있다. 저출생 체중으로 태어난 경우는 2.5kg 이상의 정상체중으로 태어난 경우에 비하여 신생아사망률이 20배 이상 더 높고, 생존하여도 각종 신경학적 후유증이 생기는 경우가 많으며, 고혈압, 심장질환, 당뇨, 유방암 등 각종 만성질환 발병의 위험이 높아 많은 의료자원을 소모하게 된다. 또한 임산부 및 영유아의 건강이 차세대 건강을 좌우하는데 신생아 집중치료실, 산부인과 의료기관 등의 관련 인프라와 통합적 관리가 미흡하고, 모자보건 계층을 빈곤계층에서 중산층까지 포함하는 보편적 정책으로의 전환이 요구되나 이에 대한 사회적 지원 및 사전예방적 투자가 부족한 현실이다.

2018년 우리나라 모자보건사업 정책추진 방향은 '난임부부 지원 등 임신·출산에 대한 사회적 지원 강화'의 사업내용으로는 2017년부터는 난임부부 체외수정 시술비 7회차까지 지원, 청소년 산모 임신출산 의료비 지원, 임산부의 날(10월 10일), 임산부배려 캠페인을 통한 임신·출산에 대한 사회적 지원 강화 등이 있다.

'영유아 사전예방적 건강관리를 통한 차세대 인적자원 확보'의 사업내용으로는 미숙아 및 선천성이상아 의료비 지원, 전 신생아 대상 선천성대사이상검사 및 18세 미만 확진환아에 대한 특수 조제분유 등 지원, 신생아 청각선별검사비 지원, 취학전 아동 실명예방 등이 있다.

'산후조리원 관리 강화'의 사업내용으로는 산후조리원 감염·안전 관리지침 개정, 자체 감염관리 가이드라인 제시 등을 통해 최선의 감염·위생관리 유도, 산후조리원 이용요금 공개, 산후조리원 종사자 건강검진 항목 추가, 감염관리 교육 대상자를 건강관리책임자를 제외한 산후조리업자로 한정하는 등 「모자보건법」 개정 추진, 신생아 감염사고에 대한 '분쟁해결기준'을 마련하고, 이용자 피해 및 분쟁소지 최소화를 위한 '표준약관' 제정, 산후조리원 의존도를 낮추고 산모·신생아의 적절한 건강관리를 위하여 모자동실, 모유수유 권장 등을 강화하며, 임산부들의 산후 건강관리 인식 개선을 유도하는 정책의 추진 등이 있다. 임산부 배려 캠페인을 통한 임신과 출산에 대한 사회적 지원 강화와 난임 시술비를 건강보험에서 지원(17년 10월)하여, 저소득층에 대한 경제적 부담에서 추가적인 지원을 실시하고 있다.

6) 지역사회 모자보건서비스

(1) 모성건강

① 표준모자보건수첩 제공

표준모자보건수첩 제공의 목적은 임신부터 영유아기까지의 각종 검사 및 건강관리 안내, 예방접종, 검진(검사) 등 의무기록을 유지하고, 양육에 대한 필수적이고 객관적인 정보제공으로 모성과 영유아의 건강증진을 도모하기 위함이다. 이는 민간 병·의원 및 분유회사 등에서 모자보건수첩을 자체 제작·보급하고 있으나 임신·출산·건강검진 등과 관련한 정보의 객관성 확보가 부족하고 건강기록 단절로 임산부 및 영유아의 체계적인 건강관리가 미흡하기 때문이다. 따라서 기존의 보건소에서는 임산부가 등록한 경우에만 수첩을 제공해 왔으나 보급률이 저조하여 모자건강관리의 실효성 제고가 필요하여 표준모자보건수첩을 제공하게 되었다.

표준모자보건수첩에는 건강검진 일정표 및 성장발육곡선 등을 수록하여 적기 검진의 실시 및 정보를 제공하며, 보험급여 진찰 항목을 수록하여 임산부의 적기 검진을 유도하고 있다. 또한 예방접종 일정표 및 접종 후 주의사항 등을 기록하여 적기 접종을 유도할 수 있다. 그리고 소아과학회 및 산부인과학회 등 관련 전문기관의 의견수렴을 통해 내용의 전문성 및 객관성을 제고하고 수첩의 활용성을 증진하고 있다.

표준모자보건수첩의 지원대상은 보건소 등록 임산부로 임신 또는 출생사실 확인 시 보건소 또는 의료기관에서 임산부나 영유아에 대하여 표준모자보건수첩을 발급하고 있다.

표준모자보건수첩의 구성내용은 다음과 같다.

- 표준모자보건수첩(영·유아용)
  - 성장기록
  - 신생아 선별검사 및 성장별 맞춤형 건강검진
  - 영유아 건강검진 검사기록
  - 진료기록, 검사기록 및 입원기록
  - 표준예방접종일정표 및 기록표
  - 안전한 예방접종 바로알기 및 B형간염 수직감염 예방사업
  - 치아발달 그림 및 개월별 영유아 구강설명
  - 영유아 응급처치 및 안전한 우리집 만들기
  - 영유아 건강관리 및 월령별 이유식 식품군
- 모자보건수첩(임산부용)
  - 태아의 발육과 모체의 변화
  - 임신 주수별 산전검사 시행 시기
  - 임신초기 기본검사 및 임신기간 중 검사 안내
  - 임신 중 응급상황 및 영양관리
  - 분만이 임박했음을 알려주는 출산 징후들
  - 분만과정 및 산욕기의 관리
  - 출산 후 임산부의 건강상태 및 퇴원 시 아기의 건강상태 기록 등

② 임신·출산·육아 종합정보제공 홈페이지 운영(2015년부터 종합포털 아이사랑 사이트로 통합개설)

임신·출산·육아 관련 종합정보 및 신뢰성 있는 상담서비스를 제공하여 가임기 여성의 건강한 출산과 양육을 위해 필요한 정보를 제공하고, 출산 친화적 사회분위기 조성으로 출산율 안정에 기여하기 위함이다[그림 7-1].

임신·출산·육아 종합정보제공 홈페이지 운영의 사업내용은 다음과 같다.

- 가임기 여성의 특성에 맞는 정보콘텐츠 개발·제공
- 여성장애인, 국제결혼이주여성, 다문화가족 등 정보소외계층 대상 특성화 콘텐츠 개발 및 보급
- 보건소 등 각 지자체에서 시행하는 출산지원시책에 대한 정보 제공을 통한 지자체 간 전국 단위 정책공유 활성화
- 분야별 전문가에 의한 24시간 온라인 상담 및 상담원 상담전화 활성화를 통한 가임기 여성의 정보 접근성 제고
  - 온라인상담 : 산부인과, 소아청소년과, 산전후우울증, 육아, 모유수유, 난임심리, 난임의료
  - 전화상담 : 임신·출산·육아 및 기타(1644-7373), 난임심리상담(1644-7382)
- 온·오프라인 정보연계를 통한 사이트 내 임신·출산·육아 콘텐츠 활성화
- 온라인상 올바른 정보제공을 위하여 민간사이트의 임신출산육아 정보 모니터링 및 정확한 정보 제공

〈 자료원 : http://www.childcare.go.kr 〉

그림 7-1 임신육아 종합포털 아이사랑 홈페이지

③ 모성건강 지원환경조성

임산부의 날 제정의 배경은 '임산부의 날'을 통해 전국민이 임신과 출산의 중요성을 재인식하고 모성 및 출산친화적 사회분위기를 조성하여 저출산 극복에 기여하기 위함으로, 10월 10일을 임산부의 날('05년 12월 7일 「모자보건법」 개정. 임신기간 10개월, 풍요와 수확의 달 10월을 의미)로 제정하였다. 이는 2021년 우리나라의 합계출산율이 0.81명으로 OECD 회원국 중 최저 수준이며, 특히 외환위기 이후 초저출산 사회로 진입하였고, 범정부적인 저출산 대책 등으로 2010년 출생아수가 다소 증가하였으나 여전히 출산율 증가 추세로 전환되었다고 판단하기에는 어려움이 있기 때문이다.

이와 더불어 임산부 배려 캠페인을 추진하고 있다. 이는 초기 임산부들은 유산의 위험, 입덧과 구토, 과다한 피로감 등 신체적·정신적 어려움을 겪음에도 외견상 표시되지 않고 사회적 인식도 부족하여 공공장소나 교통수단을 이용할 때 충분한 배려를 받지 못하고 있기 때문에, 임산부임을 나타내는 상징 디자인을 소지물품이나 공공장소 안내문 등으로 다양하게 제작·보급하여 초기 임산부들이 공공장소에서 배려 받을 수 있는 사회분위기를 조성 및 확산하기 위함이다.

임산부 배려 캠페인의 구체적인 사업내용은 다음과 같다.

- 임산부 배려 엠블럼 제작·배포
- 사회공헌 차원에서 민간기업의 협찬을 통해 제작
- 대중교통시설, 대형유통시설, 지자체 등 배부·홍보
- 아이사랑(www.childcare.go.kr) 홈페이지를 통한 홍보 운영
- 임신, 출산, 육아 전반에 걸친 신뢰성 높은 정보를 제공하는 공식 사이트를 활용하여 임상부 배려 CF(동영상) 통한 홍보
- 홍보 포스터 및 임산부 배려 CF(동영상) 통한 홍보 지속
- 임산부 배려를 위한 행동수칙 홍보
- 홍보 포스터를 제작하여 전국 보건소 및 산부인과에 배포

- 정책홍보 포털(맘 더하기, 아가사랑 등) 외 민간 사이트 연계 CF 송출 확대
- 지방자치단체는 지방특성 및 실정에 맞게 자체계획 수립·시행
- 임산부 배려 엠블럼(가방고리 등)을 적극 관내 임산부들에게 배부
- 임산부 배려 엠블럼 홍보 및 활용확대를 포함한 임산부 배려 의식 제고를 위한 다양한 자체 추진방안을 적극 마련하여 추진

④ 인공임신중절 예방

인공임신중절 예방의 목적은 건전한 성 가치관 정립 및 민·관 연대 활동으로 생명존중의 사회분위기 정착을 통해 인공임신중절을 예방하고, 원치 않는 임신을 방지하며, 계획임신을 통해 모성건강 및 건강한 출산을 도모하기 위함이다. 이를 위해 2009년 7월에 「모자보건법 시행령」이 개정되어 인공임신중절 허용주수를 24주로 단축하고 유전성·전염성 질환을 대폭 삭제하였다. 또한 2010년 3월부터 제50차 국가정책조정회의를 거쳐 '불법 인공임신중절 예방 종합계획'을 수립하고 추진 중에 있다.

주요 사업내용은 다음과 같다.

가. 한국마더세이프 전문상담센터(Korean Mothersafe Professional Counseling Center; KMC) 운영

- 임신 중 감기약, 피임약 등 약물복용 시 부작용 여부 및 안전한 약물사용에 대한 온·오프라인 무료 전문상담 제공(www.mothersafe.or.kr)
- 한국형 임신·수유부 대상 다빈도 노출 위험약물 및 상담사례에 대한 DB구축(상담사례 6천 건, 약물정보 2천5백 건 구축)
- 의료인, 일반국민 대상 교육 및 상담센터 홍보

나. 위기임신 상담·신고센터 운영(☎ 129, 보건복지콜센터 내)

- 24시간 위기임신, 인공임신중절 상담제공 및 전문상담기관 연계
- 불법 인공임신중절 시술·광고 의료기관 신고접수 및 처리

다. 인공임신중절 예방 사회협의체 구성

- 인공임신중절 예방, 생명존중에 대한 국민인식 개선과 사회적 책임을 위해 민관 연대 활동 강화 및 기관별 유기적 교류·협력
- 의료계, 종교계, 시민단체 등 26개 기관으로 구성되어 분기별 정례회의 및 공동 캠페인 추진

라. 생명사랑 서포터즈

- 건강한 성가치관 확립, 생명존중 인식제고를 통해 인공임신중절 예방을 목적으로 모인 자율적 모임

⑤ 산후조리원 감염 및 안전관리

산후조리원은 임산부 및 영유아의 집단관리로 감염위험에 쉽게 노출, 화재 등 사고발생 시 대피에 취약해 감염 및 안전관리를 통해 안전하고 건강한 산후조리를 지원하는 데 목적이 있다. 2006년 6월부터 산후조리원 신고제가 도입되었으며, 의료기관 이송 시 이송보고의 의무, 산후조리원 감염관리 지침과 산후조리업자에 대한 감염예방 등에 관한 교육지침 등에 관한 내용이 포함된 해당 「모자보건법」 개정이 지속적으로 이루어지고 있다. 또한 분기 당 1회 이상의 감염 및 안전사고 예방을 위한 정기점검이 이루어지고 있다.

(2) 청소년산모 임신·출산 의료비지원사업

이 사업의 목적은 산전관리가 취약한 청소년산모 대상으로 임신·출산 의료비를 지원함으로써 청소년산모와 태아의 건강증진을 도모하기 위함이다. 그 배경으로 청소년산모는 특성상 사회적 노출기피, 부모와의 관계 단절 등으로 산전관리가 미흡한 실정이며, 산전 검사항목, 출산에 소요되는 의료비 대부분이 비급여 항목이므로 산모의 본인부담금이 높은 실정이기 때문이다. 이에 2010년 12월에 청소년산모 임신·출산 의료비지원사업 도입을 확정하고, 2011년 9월에는 청소년산모 임신·출산 의료비지원전용카드 도입을 추진하였다. 또한 2012년 1월부터는 청소년산모 임신·출산 의료비지원대상 확대 및 지원방식을 개선하여, 기존 미혼모자시설에 입소한 만 19세 이하 청소년산모를 만 19세 이하의 모든 청소년산모로 확대하고, 직접청구 방식의 지원을 전용카드(보건소에서 발급되는 개인 지정형 정부기관 법인체크카드) 방식으로 변경하였다.

본 사업의 지원대상은 만 19세 이하 산모로 청소년산모 임신·출산 의료비지원 신청자로, 지원범위는 임신부가 산부인과 병·의원에서 임신 및 출산과 관련하여 진료 받은 급여 또는 비급여 의료비(초음파 검사 등) 중 본인부담 의료비이다. 지원금액은 임신 1회 당 120만 원 범위 내로, 분만의 경우 예외적으로 잔액의 범위 내에서 필요한 의료비의 사용이 가능하다. 지원기간은 카드(국민행복카드) 수령일로부터 분만예정일(유산 진단일, 출산 이후 서비스 신청한 경우 출산일) 이후 2년까지이다(예 분만예정일이 2022년 5월 1일인 경우 2024년 4월 30일까지 사용 가능)[그림 7-2].

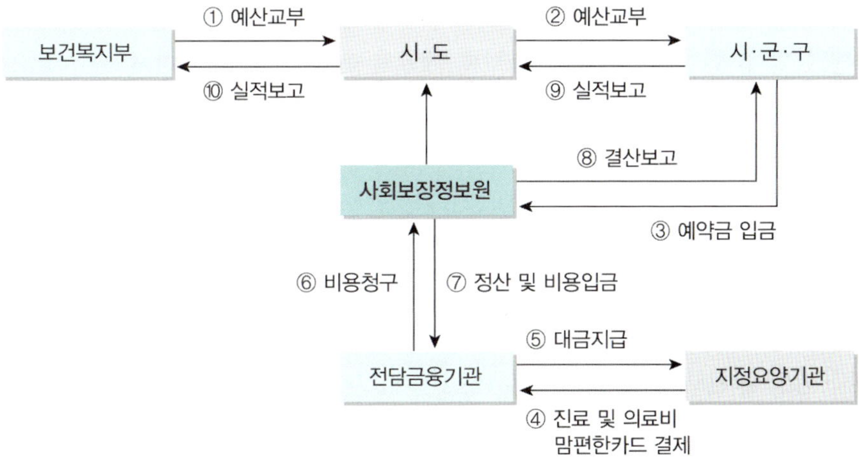

〈 자료원 : 보건복지부(2022). 2022년 청소년산모 임신·출산 의료비 지원사업 〉

그림 7-2 청소년산모 임신·출산 의료비 지원사업 추진체계

(3) 난임부부 시술비지원사업

이 사업의 목적은 체외수정시술 및 인공수정시술 등 특정치료를 요하는 일정 소득계층 이하의 난임부부에게 시술비 일부를 지원하여 경제적 부담을 경감시킴으로써 임신·출산의 사회적·의료적 장애를 제거하고 난임부부가 희망하는 자녀를 갖게 하여 행복한 가정을 영위하게 하고 저출산 극복 효과를 달성하기 위함이다. 이는 난임에 대한 사회·국가의 책임 요구 증대와, 현재 체외수정시술 등 난임치료 시술비는 건강보험이 적용되지 않는 고액으로 시술비 중 일부를 지원함으로써 난임부부의 경제적 부담을 경감할 필요가 있고, 아이를 원하는 가정이 출산을 할 수 있도록 적극적 출산지원정책 필요하기 때문이다.

난임부부 시술비지원사업의 기본방향은 다음과 같다.

- 아이를 원하는 난임부부의 경제적 부담을 완화하기 위해 보조생식술 중 체외수정시술과 인공수정시술 소요 비용 지원
  - 체외수정시술과 인공수정시술을 요하는 경우에 지원하며, 한정된 예산을 고려하여 지원횟수와 지원액을 제한
  - 중산층을 포함하는 보편적 저출산 대책으로 추진
  - 난임치료 시술비가 고액이고 수회에 걸쳐 시술해야 하는 등 중산층에도 경제적 부담이 가중되므로 중산층을 포함하여 지원
- 시술기관의 질 관리 및 평가시스템 강화
  - 불필요한 시술사례가 과잉 유입되지 않도록 기 배부된 시술확인서 및 난임 진단서 분석을 통해 정도 관리 및 시술기관의 질적 수준 향상
  - 지원대상자의 정서적 지지체계 및 난임예방사업 활성화 병행
  - 난임부부의 온라인 커뮤니티 활성화 및 민간단체와의 연계·협조를 통한 난임예방사업 효과성 제고 [그림 7-3]

① 난임부부 시술비지원사업 지원신청 대상자

- 난임시술을 요하는 의사의 '난임진단서' 제출자
- 법적 혼인상태에 있거나, 신청일 기준 1년 이상 사실상 혼인관계를 유지하였다고 관할 보건소로부터 확인된 난임부부(매 회차 시마다 지원 신청 접수일 기준)
- 기준중위소득 180% 이하 및 기초생활보장수급자(생계, 의료, 주거, 교육) 및 차상위계층

② 지원횟수 및 금액

가. 지원횟수

체외수정시술 건강보험이 적용되는 신선배아 9회, 동결배아 7회, 인공수정 5회 등 각 시술에 부담하는 본인부담 30%(만 45세 이상 본인부담 50%) 비용을 지원한다.

나. 지원금액

- 신선배아 1~9회차 모두, 만 44세 이하 최대 110만 원, 만 45세 이상 최대 90만 원 지원
- 동결배아 1~7회차 모두, 만 44세 이하 최대 50만 원, 만 45세 이상 최대 40만 원 지원
- 인공수정 1~5회차 모두, 만 44세 이하 최대 30만 원, 만 45세 이상 최대 20만 원 지원

(4) 영유아건강 지원사업

① 미숙아·선천성이상아 등록관리 및 의료비 등 지원

지역사회에서 미숙아 및 선천성이상아에 대한 지속적인 보건·의료·재활서비스 등의 연계실시를 통하여 고위험 신생아의 건강한 성장발달을 도모하고, 미숙아 및 선천성 이상아 출산으로 입원 및 수술 등 치료에 소요되는 비용의 부담으로 치료의 포기 및 지연 등으로 발생하는 사망 및 장애 예방을 위함이 목적이다.

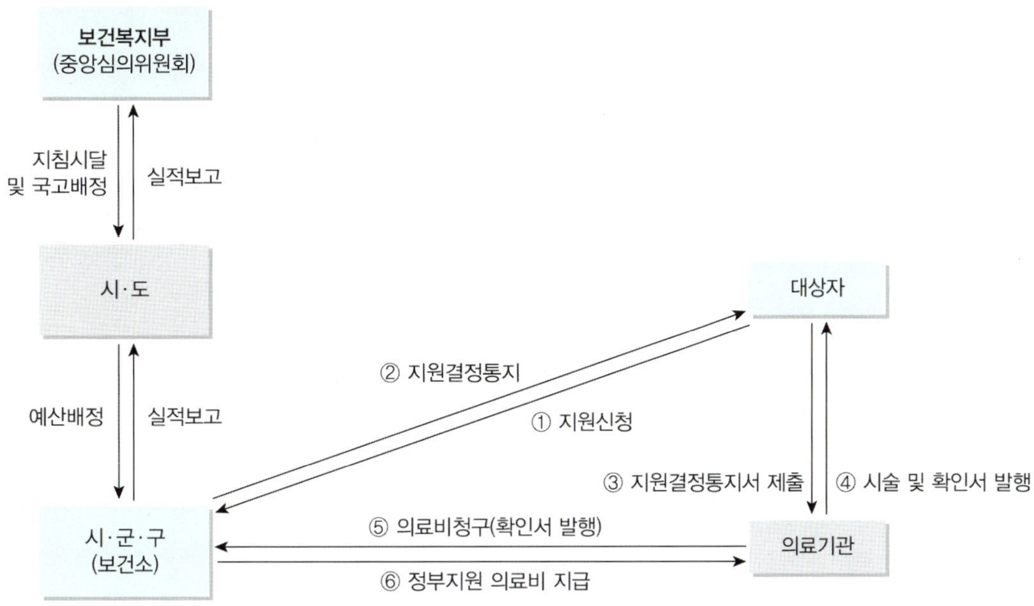

체외수정시술비 지원

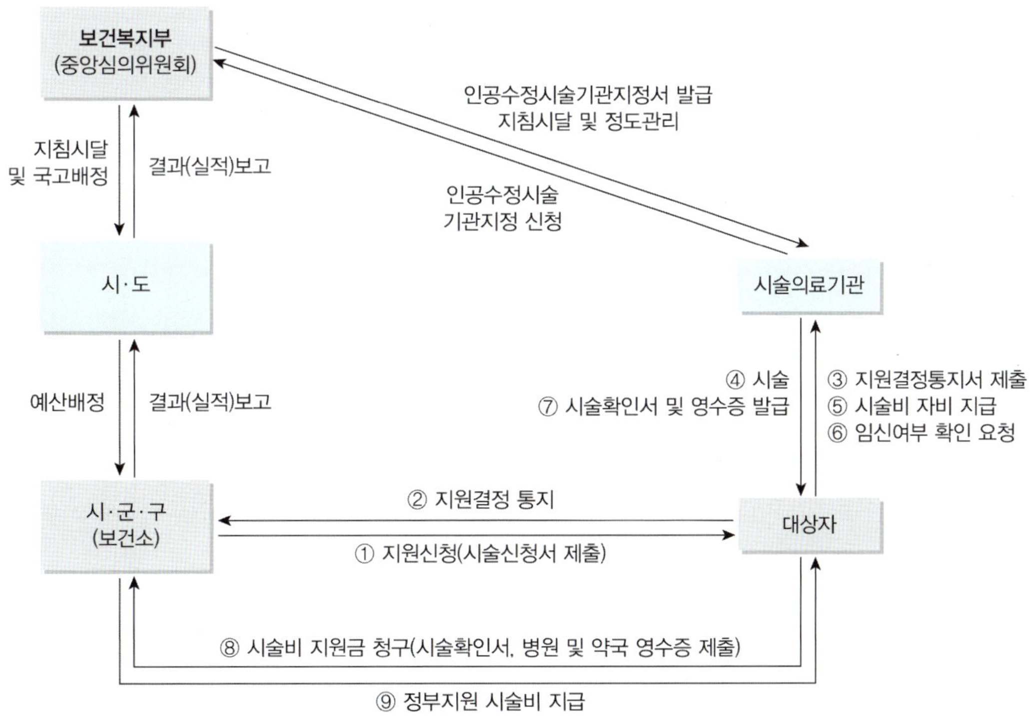

인공수정시술비 지원

〈 자료원 : 보건복지부(2022). 2022년 난임부부 시술비지원사업 〉

그림 7-3 난임부부 시술비지원사업 체계도

미숙아·선천성이상아 등록관리 내용으로는 미숙아 및 선천성이상아 보고와 등록률 제고를 위한 교육 및 홍보 실시, 등록카드 작성 관리, 의료지원 및 관리방안계획 수립 시행, 의료기관 및 방문건강관리사업과의 연계를 통한 가정방문 서비스제공, 미숙아·선천성이상아 어머니 자조그룹 구성 및 운영, 정기적인 전화상담을 통한 적극적인 추구관리 활동 전개, 미숙아관리 담당자의 정기적인 교육·훈련 실시 등이 있다[그림 7-4].

미숙아 및 선천성이상아 의료비 지원대상은 전국가구 기준 월평균소득 150% 이하 가구에서 출생한 미숙아 및 선천성이상아로, 다자녀(3명 이상) 가구에서 출생한 미숙아 및 선천성이상아인 경우엔 소득수준에 관계없이 지원한다.

단 계	구 분	업무 흐름	비 고
출생	출생보고	• 미숙아 및 선천성이상아 출생 보고	**의료기관** ↓ 보건소
	출생등록 및 지원사업 안내	• 출생등록 및 지원사업 안내	**보건소** ↓ 환아가정(보호자) 또는 의료기관
신청	의료비지원 신청	• 환아가정(보호자) 의료비 지원신청 • 환아가정(보호자) 필요시 의료기관에 지급보증요청 └→ (의료기관) 보건소로 지급보증신청 • (보건소) 의료비지원 대상자 소득(건강보험료) 및 지원기준 적합여부, 지원금액 산정 등	**환아가정(보호자) 또는 의료기관** ↓ 시·군·구 보건소
지원	**의료비 지급** 시·도지사 및 시장·군수·구청장 또는 보건소	• 납부한 전액 본인부담금 및 비급여(급여 중 본인부담금 제외) 중 지원한도 내 의료비 지급 – 중간계산의료비 지원요청 시 지원가능 • 의료기관 지급보증 시 환아가정(보호자)에서는 해당 금액을 제외(보건소에서 의료기관으로 직접 지급)한 나머지 비용을 의료기관에 지불한 후 퇴원 └→ 체중별 지원한도 범위 내에서 의료기관 지급보증 해당 금액을 제외한 나머지 금액에 대해 보건소로 지원가능 신청	**시·군·구 보건소** ↓ 환아가정(보호자) 또는 의료기관
	지급보증 처리	• 지급보증금액 지불요청 및 지급	의료기관 ↔ 보건소

〈 자료원 : 보건복지부(2022). 2022년 미숙아 및 선천성이상아 등록관리사업 〉

그림 7-4 미숙아 및 선천성이상아 등록관리 체계도

② 선천성대사이상검사 및 환아 관리

선천성대사이상의 유무를 조기에 발견·치료함으로써 장애 발생을 사전에 예방하여 영유아의 건강을 증진하고자 함을 목적으로 한다. 검사항목 6종(페닐케톤뇨증, 갑상선기능저하증, 호모시스틴뇨증, 단풍당뇨증, 갈락토스혈증, 선천성부신과형성증)의 무료검사 실시 및 2차 정밀검사결과 확정된 만 18세 미만의 환아로 검사비 지원 등을 포함한다. 우리나라에는 페닐케톤뇨증과 갑상선기능저하증이 가장 많다.

③ 난청조기진단사업

선천성난청을 조기 발견하여 재활치료 및 인공와우수술 등을 연계함으로써 언어장애, 사회부적응 등의 후유증을 최소화하는 등 난청으로 인한 사회적 부담을 경감하기 위함이 목적이다.

선천성난청은 선천성질환 중 발생률이 높은 질환 중의 하나이며 언어 및 학습장애를 초래할 수 있다. 신생아 1,000명당 1～3명이 선천성난청(양측 고도난청)이 발생하고, 난청의 위험요인으로는 가족력, 풍진 등 태아감염, 저체중 출생 등이나 원인불명의 선천성난청이 약 50%를 차지하고 있어 선진국에서는 전 신생아를 대상으로 청각선별검사 실시하고 있다. 출생 후부터 소리에 노출되어 언어를 배우는 영유아가 청력 손실이 있을 경우, 소리자극의 감소 및 부재로 인한 언어 장애 및 지능발달 지체도 발생할 수 있다. 선천성난청 여부는 출생 직후부터 기기를 활용한 선별 검사로 확인 가능하다. 태아는 27주경에 이미 뇌간청각반응을 할 수 있으며, 출생 시 말초 청각기관이 발달되어 있고 이후 청각 자극 경험에 따라 신경계와의 연결이 계속적으로 발달한다. 청각선별검사 기기인 자동청성뇌간반응검사(Automated Auditory Brainstem Response; AABR), 자동이음향방사검사(Auto- mated Otoacoustic Emission; AOAE) 등으로 경도 이상(대개 35dB)의 난청 여부를 선별하며, 선천성난청은 출생 직후 조기 발견하여 출생 6개월 이내 재활치료를 하면 거의 정상에 가까운 언어·사회성 발달 가능성이 매우 높아진다.

사업의 추진방향으로는 청각선별검사 및 확진 프로토콜을 도입하고, 모자보건수첩 활용과 연계하여 난청환아를 등록관리한다. 또한 관할 지역 저소득층 신생아 수검률을 높이기 위해, 수검자의 검사기관 접근용이성 및 수검 동기 유발을 고려하여 검사기기 2종을 모두 인정하고 비용도 각각 산정하여 지원한다.

지원 대상은 시·군·구 관할 지역에 주소지를 둔 저소득층 가구의 신생아로 국민기초생활보장 및 의료급여수급 가구, 기준 중위소득 72% 이하 가구 이하 가구로 상기 기준을 원칙으로 하되, 예산의 범위 내에서 시장·군수·구청장 또는 보건소장이 지원이 필요하다고 인정한 경우이다. 출생 후 2～3일 이내(분만 후 퇴원 전)에 실시하도록 권장하고 있으며, 늦어도 1개월 이내 실시한다. 최근에는 주로 분만 의료기관에서 검사가 이루어지고 있다. 관할 지역 의료기관에서 분만 예정인 저소득층 임산부를 대상으로 대상자 파악 및 홍보, 대상자가 신생아 출생 전후 보건소를 통해 등록·신청하고 출생 후 1개월 이내에 검사기관을 방문하여 청각선별검사를 받도록 안내한다.

지원내용으로는 신생아 청각선별검사비 지원(AOAE 10,000원, AABR 27,000원) 및 청각선별검사 결과 재검(refer)으로 판정된 경우 난청확진 검사비 지원(AABR 본인부담금) 등이 있다[그림 7-5].

④ 취학전 아동실명예방사업

눈 건강을 위한 생활습관교육 및 자가시력검진을 통한 시력증진, 약시의 조기발견과 치료를 통한 시각장애 예방으로 국민 안보건 향상을 목적으로 한다. 사업내용으로는 취학 전 만 3～6세 아동에 대한 자가 시력검진 기회 제공, 시각장애 예방을 위한 취약 지역 정밀검진, 저소득층 아동 개안수술비 지원사업 지원, 저시력 아동 시각재활, 안질환(약시) 아동 추후관리, 어린이 눈건강 교육 등이다. 세부사업으로 시력검진사업, 교육·홍보사업, 안질환 추후관리사업, 수술비 지원사업, 저시력 재활사업 등을 추진하고 있다.

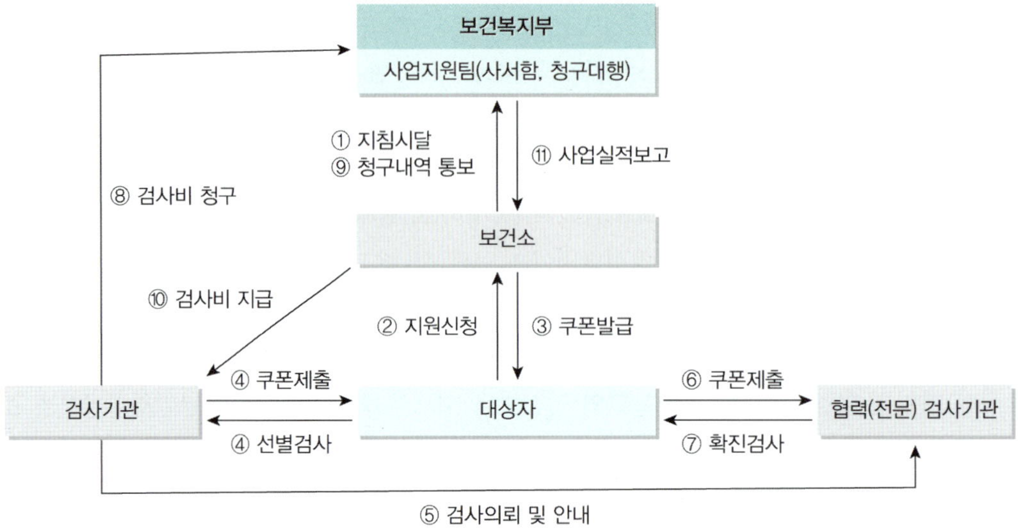

〈 자료원 : 보건복지부(2022). 2022년 난청조기진단사업 〉

그림 7-5 난청조기진단사업 추진체계

2 모자보건사업 간호과정

1) 모자보건사업 간호사정

사업 계획을 수립하기 위하여 가장 먼저 지역사회 진단을 실시한다. 지역사회 진단을 통하여 사업에서 제공될 서비스에 대한 수요를 파악하고 수요에 따른 서비스를 제공할 수 있는 인력과 조직, 시설, 장비, 예산, 협력체계 등 공급 가능성 정도에 대한 진단이 필요하며, 이를 근거로 사업의 우선순위와 사업목표 및 수행기준을 설정해야 한다.

(1) 지역사회 진단을 위한 자료수집 영역과 내용

지역사회 진단을 위해 수집해야 할 자료는 크게 지역 특성, 대상 규모, 지역 내 보건의료 수요, 보건의료서비스 및 사회복지서비스의 충족 수준과 연계망으로 구분할 수 있다.

① 지역 특성 및 대상자 크기

지역 특성은 지리적 여건, 의료 환경과의 근접성, 생활수준, 주요 경제활동(농업, 어업, 산업, 교육, 소비, 신흥, 도농 통합), 행정적 제반 특성 등 지역이 갖고 있는 사업 관련 특성을 파악한다.

사업의 대상자는 15~49세의 가임여성 인구수와 기혼 및 유배우 여성 수, 0세 남녀 영아 수 파악으로 임산부와 수유부의 크기를 산출한다. 다음으로 「기초생활보장법」에 해당하는 저소득·취약 임산부와 차상위 생계곤란 임산부 수, 근로 임산부 수, 스스로 병원관리가 가능한 임산부 수를 거주지별 또는 지소 단위별로 그 분포를 확인한다.

② 지역사회 모자보건 현황 및 모자보건지표

해당 지역에서 1년간 임산부, 신생아, 수유부, 장애아 출산 수, 유산 수, 미혼모 수, 합병증 임산부 수, 미숙아 출산 수, 사망 산모와 신생아 수, 미관리자 수가 어느 정도인지 파악한다.

모자보건지표는 출생과 사망에 관한 행정통계 자료가 가장 기본이며, 특히 영아사망률과 모성사망률 그리고 사망원인은 여성과 어린이 건강사업 관리를 위해 대단히 중요한 자료이다. 우리나라 자료는 국가통계포털에서 얻을 수 있고, 지역의 모자보건지표는 출생 및 사망신고 자료를 이용하여 산출할 수 있다.

③ 지역사회 자원 현황 및 서비스 제공 수준

관할 지역 내 민간의료기관과 지역사회 자원 현황을 파악하는 것으로, 임산부와 신생아 검진과 치료 및 관련 서비스를 제공할 수 있는 시설과 장비를 갖춘 소아과, 산부인과, 임상병리과, 조산소, 산후조리원, 응급구조대, 응급센터의 시설 규모와 이용 수준을 확인한다.

특히 임산부 건강관리와 모유수유 지도 및 캠페인 프로그램은 기존 사업과는 달리 지역의 민간 병의원과 연계하여 적극적인 모니터링을 실시하여 출생 및 영아사망을 등록하고, 지역 내 영아사망은 물론 임신 정보, 당뇨성 임신과 고혈압성 임신, 저체중아 발생비율 등을 산출하여 고위험 대상자 관리에서도 보건소의 역할을 찾아야만 한다.

④ 기존 사업 파악

모자보건사업은 보건소의 영유아 보건사업, 모성보건사업 및 아동·청소년사업과 밀접한 연계 속에서 추진하여야 한다.

(2) 지역사회 진단을 위한 자료수집 방법

지역사회 진단을 위하여 설문지 조사, 기존 자료분석, 지역 지도자 면담, 차창 밖 조사, 참여관찰 등의 방법을 이용한다. 설문지 조사는 임산부 건강 관련 기초조사, 모유수유 실태, 산전·산후 관리 실태 등을 실시할 수 있다. 기존 자료분석은 기존 3년 이내의 지역사회 진단 자료, 시·군·구청과 읍·면·동사무소의 인구통계와 복지서비스 자료, 출생·사망 신고자료, 관내 기업체와 회사의 출산휴가 자료, 미혼모시설 및 모자보호시설과 입양기관의 자료, 건강보험관리공단의 임산부 산전·산후 분만 치료 및 신생아 관련 자료를 수집하거나, 기존 사업실적 현황 자료 등을 분석할 수 있다.

(3) 우선순위에 따른 사업 선택

사업의 우선순위는 지역과 인구특성, 대상자 크기, 사업 수행 효과가 큰 집단, 사업 수행 인력의 수와 능력, 지역사회 자원 정도, 병의원과 협조 정도, 지리적 접근 가능성, 보건소 또는 지역 내 관련 기관의 사업과의 중복 여부 등을 결정한 후 사업계획을 수립한다. 우선순위는 보건소장, 사업 담당부서 및 실무팀과 기술지원 자문단, 관련 기관 단체장, 지역사회 지도자 등과 협의를 거쳐 결정한다.

2) 모자보건사업 계획

(1) 사업목표 설정

사업목표는 사업을 통해 달성하고자 하는 사업목표와 목표를 달성하기 위한 사업 수행과 활동, 투입에 대한 목표를 수립할 수 있다. 달성하고자 하는 사업목표는 결과 혹은 영향 목표라고 할 수 있으며, 사업 수행 및 활동에 대한 목표는 산출 및 투입 목표에 해당한다.

결과 및 영향 목표에 해당하는 사업목표 설정은 사업을 통해서 '기대하는 변화(효과)'가 무엇인가를 설정하는 것이다. 모자보건사업의 궁극적 목표와 각 세부 사업별 구체적 목표를 설정한다.

(2) 수단과 방법 선택

모자보건사업의 목적을 달성하기 위하여 효과적이고 효율적이며 타당한 수단과 방법을 선택하여 모자보건사업을 계획한다. 목표 달성을 위해 수행 가능한 각종 방법이나 수단을 검토하고, 문제 해결에 필요한 자원과 이용 가능한 자원을 조정한 후, 가장 최선의 방법과 수단을 선택하고, 구체적인 활동을 기술한다. 모자보건사업이 효율적으로 전개되려면 지역 특성을 고려한 프로그램을 개발하여 적용해야 한다.

① 모자보건사업을 위한 사업기반 구축

모자보건사업을 위한 사업기반을 구축하는 데에는 보건소 내 사업팀의 구성 및 운영, 자문위원회 구성, 지역사회연계체계 구축 및 자원활용, 자원봉사자 조직 구성 및 활용 등이 포함된다.

사업팀은 정기적으로 사업팀 회의를 개최하고, 전문성 향상을 위한 교육과 훈련을 강화한다. 모자보건 전문가를 활용하여 자문위원회를 구성하고, 모자보건사업에 관한 자문 및 지원을 제공받도록 한다.

지역자원 활용은 지역 내 대학병원 및 의원, 사회복지관, 대한가족보건복지협회 등 지역사회 유관기관과 구청, 읍·면·동사무소 등 행정기관과 연계하여 대상자를 등록하고, 서비스를 제공하며 추구관리를 실시하여야 서비스의 질적 향상 및 지역 협조체계가 원활할 것이다.

자원봉사자를 모집하여 자체 또는 위탁 교육·훈련을 실시하고 정기적인 자원봉사자 활동회의를 통하여 자원봉사자가 제공할 수 있는 서비스 내용을 구분하고 표준 활동지침서를 개발하여 활용함이 좋다.

② 홍보활동

사업 준비기부터 적극적인 홍보활동을 전개한다. 지역 방송국과 유선방송을 활용하여 사업내용을 적극적으로 홍보하고, 마을 단위에서는 지도자, 반상회 등을 이용하여 교육과 훈련 프로그램 일정과 교육 참여를 홍보하고 홍보물을 게시한다.

또한 모자보건에 관한 각종 교육 자료와 소책자, 리플릿, 포스터 등 홍보 자료를 보건소와 관내 의료기관, 학교, 산업장에 비치하고 활용하도록 한다.

③ 자조모임과 이벤트 개최

지역 내 마을 단위로 임산부와 수유부, 영유아 부모, 미숙아 부모 등의 자조모임을 개최하여 대상자 상호 건강관리의 애로점을 나누고 협력 방안을 실천하도록 한다.

또한 모유수유아 선발대회나 모자보건 캠페인을 위한 무료진료, 마라톤 대회, 현수막 달기 등 이벤트 사업을 개최하여 주민이 스스로 여성과 어린이 건강관리의 중요성과 모유수유의 필요성에 대한 의식을 고취한다.

④ 복지서비스

사업계획에 의거하여 임산부에게 초음파 검진비, 기형아 검진비, 풍진 접종비, 검사용 시약비 등의 의료비를 지원한다.

⑤ 교육 프로그램 개설 및 제공

지역의 모자보건사업의 목적에 맞는 교육 프로그램을 개설하여 제공할 수 있다. 전문 인력을 준비하여 1회성 교육이 아닌 포괄적인 프로그램을 개설한다.

일회성 교육과는 차별되는 지속적이고 실천 가능한 임산부 훈련 프로그램을 운영하며, 교육 자료는 가능하면 주요 내용을 포괄하는 멀티미디어로 자료를 엄선한다.

(3) 수행계획 수립

선택된 모자보건사업을 수행하기 위하여 언제, 누가, 어디서, 무엇을 할 것인가에 대한 세부 실행계획을 수립한다. 수행계획은 연간, 월간, 주간계획으로 나누어 작성할 수 있다.

(4) 평가계획 수립

모자보건사업을 통해 사업체계를 잘 갖추었는지, 사업을 원활하게 진행하였는지, 사업목표를 달성하였는지 등을 평가하기 위하여 평가계획을 수립한다. 평가계획에는 누가, 언제, 어떤 방법으로 무엇을 평가할 것인가가 포함되어야 한다.

모자보건사업 평가는 다른 분야의 보건사업 평가와 마찬가지로 구조, 과정, 결과 평가 등으로 구성할 수 있다. 구조에 대한 평가는 인력과 시설, 예산 등에 대한 평가를 의미한다. 과정에 대한 평가는 사업과정에 대한 평가로 모자보건사업이 잘 추진되었는지를 평가하게 되고, 결과에 대한 평가는 단기간에 변화될 수 있는 지식, 태도, 행위 등에 미친 영향 평가와 장기적으로 나타날 수 있는 변화로 건강, 질병, 사망 등에 미치는 것을 측정하는 결과 평가가 있다.

3) 모자보건사업 수행

모자보건사업 세부 실행계획서에 따라 모자보건사업을 수행한다. 모자보건사업팀의 인력에 따라 세부 업무를 정한다. 또한 사업을 원활히 추진하기 위하여 서비스 제공 체계를 확립한다.

4) 모자보건사업 평가

모자보건사업 평가는 모자보건사업에 관한 의사결정을 지원하기 위해 체계적으로 정보를 수집, 분석, 보고하는 과정이다. 사업의 평가는 일회적이거나 단편적으로 이루어지는 것이 아니며, 반드시 사업 개선이라는 목적의식을 지니고 행해져야만 한다. 모자보건 사업평가는 목표를 달성할 수 있도록 사업과정 중에 주기적으로 성과를 분석하고, 각 부분의 활동이 어떻게 기여하고 있는가를 체계적으로 분석할 때 그 효용가치가 높아진다.

(1) 사업구조 평가

투입에 대한 평가로 사업인력과 시설, 장비의 적절성 등을 평가한다. 사업인력의 적정성은 양적 충분성과 사업수행에 필요한 전문성 확보 여부로 평가할 수 있다.

(2) 사업과정 평가

사업을 실행하는 과정 중에 사업계획과 진행 정도를 비교함으로써 목표 달성이 가능하도록 사업내용을 조정하고, 목표 달성을 저해하는 요인을 조기에 발견하여 시정하는 한편 목표 달성을 촉진하는 요인은 강화하려는 목적으로 실시한다. 과정평가에서 평가하는 내용은 사업 진행 일정의 준수, 사업자원의 적절성과 효율성, 사업 이용자의 특성과 형평성, 사업전략 및 활동의 적합성과 제공된 서비스의 질 등이다.

(3) 사업결과 평가

목표를 달성하였는지 평가한다. 결과평가는 지식이나 태도, 행동과 같은 건강결정요인의 변화로 측정되는 즉각적인 결과에 대한 평가(영향평가)와 건강수준이나 삶의 질과 같은 궁극적인 건강수준의 변화와 같은 장기적 결과에 대한 평가(결과평가)를 실시할 수 있다.

3 모성건강관리

모성건강관리의 목적은 임신 전 관리에서 시작하여 임산부의 산전, 분만, 산후관리, 고위험 임부관리 등을 철저하게 함으로써 건강한 출산과 더불어 임산부의 합병증을 예방하여 모성의 생명과 건강을 보호하기 위함이다. 보건소에 등록한 임산부는 모자보건수첩을 발급받아 정기적으로 임신기, 출산기 및 영유아기의 필수적인 건강관리 및 교육정보를 제공받을 수 있다.

1) 임신 전 관리

가임기 여성의 건강증진사업의 일환으로 올바른 성문화를 정립하기 위하여 성교육 및 성상담 사업을 실시하고 있으며, 여성생식보건 증진프로그램을 개발 및 보급하고 있으며, 임신·출산·육아 등의 종합정보를 제공하는 아이사랑 홈페이지(http://www.childcare.go.kr, 전화상담 1644-7373)를 운영하고 있다.

임신 전 건강진단을 받아야 할 항목은 다음과 같다.

- 흉부 X-선 촬영(결핵)
- 혈액검사(혈액형 검사, 혈색소 측정, 기본 혈액검사, B형 간염 항원검사)
- 성병검사(임질, 매독, AIDS)
- 심전도
- 소변검사(단백뇨, 당뇨)
- 신체계측과 전신소견
- 월경력과 기초체온 측정
- 구강, 시력·색맹, 기타 안과질환
- 유전질환

2) 산전관리

모성 및 태아와 신생아의 건강과 복지를 보호하고 건강을 유지·증진하며 임산부에 대한 완전한 건강관리를 목적으로 산전관리를 실시한다. 정부에서는 모성 및 영유아에 대한 체계적인 건강관리를 위하여 표준모자보건수첩을 제공하고 있다.

(1) 산전관리의 목적

- 임부와 태아의 건강상태를 주기적으로 진단하여 위험요인을 조기에 발견하고 적절한 조치를 취하게 한다.
- 보건교육을 통해 임부 스스로 건강관리를 잘 할 수 있도록 하여 건강한 아기를 안전하게 분만하도록 한다.
- 지속적인 산전관리를 통해 사산율, 주산기 사망률, 저체중아·미숙아 출산, 기형아 출산을 감소시킨다.

(2) 산전관리의 내용

산전관리에는 의학적 측면만이 아니라 임산부의 일상생활과 영양, 사회적 측면의 고려도 필수적이다. 무엇보다도 중요한 산전관리의 내용은 임산부를 교육하는 것이다. 정상임신은 정상임신대로 임신의 경과를 정확히 알고 건강한 임신을 유지해야 하고, 고위험요인을 수반한 고위험임신은 그 내용을 자세히 파악하여 계획적으로 관리와 치료를 병행해야만 한다. 3대 고위험 임신질환으로는 조기 진통, 분만관련 출혈, 중증 임신중독증이 있으며(보건복지부, 2020년 모자보건사업안내), 생활행태에 속하는 음식, 흡연, 음주 등에 대한 주의가 필요하고 위험한 증상의 인지를 강조한다.

산전관리의 구체적인 내용은 다음과 같다.

① 임산부 등록 관리

임산부의 건강을 관리하기 위해 보건소에 등록한 임산부에게 모자보건수첩을 발급하고 건강기록부를 작성하여 분만 전까지 주기적으로 전화 상담을 하거나 보건소에 방문하여 산전관리를 받도록 한다.

특히 임산부가 산전진찰 바우처 신청 시에는 표준모자보건수첩을 발급하고 있으며, 모자보건수첩은 임신기, 출산기 및 영유아기에 필수적인 건강관리를 교육하고 정보를 제공한다. 모자보건수첩의 내용 가운데 산모와 관련된 내용으로는 태아의 발육과 모체의 변화, 임신 주수별 산전검사 시행 시기, 임신초기 기본검사 및 임신기간 중 검사 안내, 임신 중 응급상황 및 영양관리, 분만이 임박했음을 알려주는 출산 징후들, 분만과정 및 산욕기의 관리, 출산 후 임산부의 건강상태 및 퇴원 시 아기의 건강상태 기록 등이 있다.

② 임산부의 정기적 건강검진 실시

임신 초기부터 분만에 이르기까지 규칙적으로 건강검진을 받아야 위험요인이나 임신합병증을 조기에 발견할 수 있다.

임신 중의 정기적 산전관리는 「모자보건법」 시행규칙 별표1에 의하면 임신 7개월까지 2개월에 1회, 8～9개월에는 1개월에 1회, 그리고 10개월에는 2주에 1회 받도록 되어 있다. 그러나 합병증이 있을 때는 더 자주 산전관리를 받는 것이 좋다.

초진 시 실시하는 검사는 다음과 같다.

- **소변검사** : 단백뇨, 당뇨, 임산부의 이상을 예지하는 임신반응
- **혈압 측정** : 2회 이상 측정하며 수축기 혈압 130～140mmHg, 이완기 혈압 90mmHg 이상이면 주의가 필요

- **체중 측정** : 30주 이전의 과중한 체중 증가는 주의가 필요
- **흉부 X-선 촬영과 심전도** : 결핵과 심장질환 유무 확인
- 기타 혈액검사 등

③ 고위험 임산부 특별관리

고위험임신 대상자는 다음과 같다.

- 20세 미만 및 35세 이상의 임산부
- 조산, 사산, 거대아를 출산한 경력이 있는 임산부
- 유전질환 등 가족력이 있는 임산부
- 고혈압, 당뇨병, 갑상선 질환, 심장병, 신장 질환, 자가면역질환 등의 질환이 있는 임산부
- 저체중이거나 비만한 임산부
- 산전검사 이상 소견이 있는 임산부

고위험 임산부는 우선순위를 정하여 보다 철저하고 집중적인 건강관리를 해야 하며, 필요한 경우에는 전문가에게 의뢰한다. 특히 35세 이상의 고령임산부에 대해서는 다양한 문제가 발생할 수 있다는 것을 숙지하고 있어야만 한다. 따라서 35세 이상의 여성 및 고혈압 등의 질환이 있는 여성은 임신 전에 해당 질환의 치료 등 관리에 철저히 신경써야 한다.

고령임신에 따른 문제점은 다음과 같다.

- 산모의 연령이 증가할수록 출산경험과 관계없이 임신성 고혈압·당뇨 등의 합병증이 증가한다.
- 유산, 기형아 출산, 조산으로 인한 태아 사망이나 손상의 확률이 증가한다.
- 제왕절개분만이 증가하고 산모의 사망률이 증가한다.

④ 임산부 건강관리교육

임산부 건강관리교육에는 출산준비교육, 일일 필요 영양소 교육, 임신 기간의 위험증후군에 대한 지도 등을 포함한다.

임산부 유의사항에 대해 다음과 같이 설명해준다.

- 의사를 통하여 정확한 임신 여부를 확인하도록 한다.
- 보건소, 보건지소에 임산부 신고를 하도록 한다.
- 각종 질환에 대한 검사와 치료를 하도록 한다.
- 과도한 운동과 약물복용을 금지하도록 한다.
- 정기적인 검진과 균형 있고 충분한 영양을 섭취하도록 한다.
- 신생아에게 필요한 물품을 준비하도록 한다.

⑤ 철분제 지원

임신 5개월부터는 태아로 유입되는 혈류량의 상승으로 전체 혈액의 45% 정도가 증가되어 철분 보충이 필요하나 정상적인 식사로는 필요량을 보충할 수 없어 임신기간 지속적으로 일정량의 철분제제 복용이 필요하

다. 또한 임산부의 철분 결핍성 빈혈은 조산, 유산, 태아사망, 산모사망을 발생시킬 수 있어 이에 대한 예방은 중요하다. 따라서 지방자치단체에서 자체 예산으로 추진해 온 철분제 지원사업과 연계하여 2008년 하반기부터 전국 시·군·구 보건소에서 임신 5개월 이상 보건소 등록 임산부에게 분만 전까지 철분제를 지원하고 있으며, 빈혈, 다태아 임신 등으로 추가복용이 필요한 경우에는 본인이 부담하도록 하고 있다.

⑥ 엽산제 지원

수정 후 4주 이내에 중추신경계가 형성되나 모체의 엽산 부족 시 신경관 결손으로 유산, 사산 또는 선천성 기형아를 출산할 가능성이 있으므로 엽산 섭취 시 이러한 문제를 효과적으로 예방 가능하다. 이에 따라 고령 임산부에 대한 지원을 강화하기 위해 35세 이상 보건소에 등록된 임산부에게 전국 시·군·구 보건소에서 임신일로부터 3개월까지 엽산제를 지원하고 있다.

3) 분만관리

분만이란 자궁 내 태아와 그 부속물이 만출기전에 따라 산조를 지나 모체 밖으로 배출되는 정상적인 생리현상이다. 하지만 분만은 산모나 태아에게 위험이 따르는 과정이므로 분만 전에 철저하게 준비하여 위생적인 환경에서 훈련된 전문가의 도움을 받아야 한다. 특히 비위생적인 환경에서의 분만은 세균감염 등으로 임산부의 골반염증 등을 유발하여 후천성 불임이나 출생아의 감염성질환의 원인이 될 수 있으므로, 가능하면 시설분만이 이루어지도록 해야만 한다.

병원분만을 권장할 대상자는 다음과 같다.

- 초산부
- 30세 이상의 고령 임산부
- 4회 이상 분만한 경험이 있는 경산부
- 내과적 합병증이 있는 임산부
- 산과적 합병증의 경험이 있는 임산부
- 사산이나 신생아 사망을 경험한 임산부
- 임신합병증이나 임신후유증 발병이 예상되는 임산부

4) 산후관리

(1) 산후의 일상적 관리

산욕기는 산모가 회복하는 데에 필요한 분만 후 6~8주 정도의 기간을 의미하며, 임신과 분만으로 인한 신체의 이상상태가 정상으로 돌아가는 회복기이다. 이 시기에는 다량의 출혈, 세균 감염으로 인한 산욕열 등 치사율이 높은 질환에 걸리기 쉬워 각별한 주의가 요구된다.

지역사회 간호사는 임산부와 영유아를 위한 교육 프로그램 등 보건소 사업을 안내하고, 분만 후 1주 안으로 연락하여 건강이상 유무를 확인한다. 또한 분만 4주 이내 유선 또는 방문상담을 실시하여 산모와 영·유아의 건강관리를 실시한다.

① 식사와 영양

출혈이나 오로로 인해 단백질과 철분의 손실분이 크므로 생선, 육류, 간, 우유, 달걀, 콩, 녹황색 채소 등을 섭취하도록 한다. 충분한 수분 공급과 모유 분비에 도움이 되는 양질의 식품을 섭취하여 균형 잡힌 식사로 산후비만을 방지한다.

② 목욕과 산후위생

산후의 목욕은 세균에 감염될 위험이 있어 주의해야 한다. 보통 3~4주가 지나서 오로가 없어지면 목욕이 가능하나, 탕 속에 오래 있거나 너무 뜨거운 물을 사용하는 것은 피해야 한다. 가벼운 샤워나 따뜻한 물에 적신 수건으로 몸을 깨끗이 닦는 것은 퇴원 후부터 가능하다.

③ 산후운동

산후운동은 신체적 회복을 촉진하고, 식욕을 회복하는 데 도움을 준다. 심호흡 동작으로 원활한 혈액순환을 도와주며, 자궁수축과 젖 분비도 좋아지고, 근육도 빨리 회복된다. 산욕 초기에는 체조를 하지 않는 것이 좋으며, 1주일 후 심호흡 동작부터 권장한다.

④ 산후진찰

분만 후 임부에 대해 건강이상 검진 등을 실시하여 산후 발생빈도가 높은 출혈, 감염 등의 산과적 문제와 정신적 장애 등을 조기에 발견·치료하기 위하여 출산 후 6~8주에 의료기관을 방문하여 정기적 검진을 받도록 한다.

(2) 모유수유

모유수유는 영양학적·면역학적·심리적 이익뿐 아니라 영아의 질병이환율을 감소시키고 모아 애착형성과 긍정적인 모아관계 증진의 가장 중요한 요소이다. 따라서 모유수유 교육은 모유수유율 증진에 큰 영향을 주므로 산전 교육 및 홍보를 강화하고, 산후 방문 시 모유수유의 필요성, 권장 시기, 수유법 등을 지도·관리한다.

① 모유수유의 장점

아기와 엄마의 연대감이 강해진다. 아기에게 누구도 대신할 수 없는 일을 했다는 자신감을 갖게 되며 유대감 형성에 도움을 준다.

- 아기가 안정감을 느낀다.
- 시간과 경제적으로 절약이 된다.
- 출산 후 회복이 빨라진다. 혈중 옥시토신 농도가 높아지고 자궁수축을 촉진하여 산후출혈을 줄여주고 자궁의 크기가 임신 전 크기로 줄어드는 시기도 빨라진다. 임신 전의 몸무게로 빨리 회복되어 출산 후 비만의 발생률을 줄여준다.
- 영아의 지능발달에 도움을 준다.
- 영아 돌연사의 발생빈도가 낮아진다.
- 알레르기 질환, 위장관 질환, 호흡기 질환, 중이염, 요로감염증에 잘 걸리지 않는다.
- 전적인 모유수유를 할 경우에는 피임 효과도 나타난다. 월경이 시작되지 않았고 아기에게 조제유 등 보충식을 주지 않고 자주 수유하며, 6개월 미만일 때 98% 이상의 피임 효과를 가져올 수 있으며 임신 터울도 조절할 수 있다.

② 모유수유 금기사항

- 산모가 폐결핵, 급성 감염성질환, 심장병, 신장병, 성병 등을 앓고 있을 때
- 정신건강이 원만하지 못할 때
- 심한 산욕기 패혈증이나 간질에 의한 발작을 할 때
- 신생아가 미숙아여서 보육기에 들어가 있을 때
- 신생아가 토순이나 구개파열 등이 있어서 유두를 물 수 없을 때
- 산모가 약물중독이나 알코올중독자일 때
- 유방에 염증이 있을 때
- 심리적 요인으로 수유를 원하지 않을 때

③ 우리나라의 모유수유 실태

미국에서는 1955～1970년에는 모유수유율이 감소하다가 그 이후 증가세로 돌아섰다. 1970년 24.9%에서 1984년 61.0%로 증가하였으며, 유럽 선진국에서도 모유수유를 하는 여성이 비율이 증가하는 추세이다. 우리나라의 모유수유율이 2006년 26.8%에서 2009년 36.2%로 상승한 후 2012년에 32.3%로 감소하였다. 2016년 완전모유수유율은 18.3%로 국제평균 수준인 38%에 비해 매우 낮은 수준이다.

1992년부터 유니세프(UNICEF)의 협력기구인 세계모유수유연맹(WABA)은 세계보건기구(WHO)와 함께 세계적인 모유수유권장운동을 실시하면서 성공적인 모유수유를 위한 10단계를 제시하고 이를 성실히 준수하고 산모들의 모유수유를 적극적으로 도와주는 의료기관을 '아기에게 친근한 병원(Baby Friendly Hospital Initiative; BFHI)'으로 지정하고 이를 확산하기 위해 노력하고 있다. 한편, 모유수유 방법을 전국 병원 산·소아과의 간호사와 보건소 가족건강 관계자들을 대상으로 매년 3회(3월, 6월, 11월) 모유수유 전문인력을 양성하는 교육훈련사업도 실시하고 있으며 이외에도 모유수유 홍보대사를 임명하고, 모유수유 홍보 소책자와 DVD 등 각종 홍보물을 제작 배포하고 있다[그림 7-6].

UNICEF와 WHO의 성공적인 엄마젖 먹이기 10단계
－산모와 신생아관리를 하는 모든 시설은－

- 병원은 의료요원을 위한 모유수유 정책을 문서화 한다.
- 이 정책을 실행하기 위하여 모든 의료요원에게 모유수유 기술을 훈련시킨다.
- 엄마젖의 장점과 젖먹이는 방법을 임산부에게 교육시킨다.
- 출생 후 30분 이내에 엄마젖을 빨리기 시작한다.
- 임산부에게 엄마젖을 먹이는 방법과 아기와 떨어져 있을 때 젖분비를 유지하는 방법을 자세히 가르친다.
- 갓난아기에게 엄마젖 이외의 다른 음식물을 주지 않는다.
- 엄마와 아기는 하루 24시간 같은 방을 쓴다.
- 엄마젖은 아기가 원할 때마다 먹인다.
- 아기에게 인공 젖꼭지나 노리개 젖꼭지를 물리지 않는다.
- 엄마젖 먹이는 모임을 만들도록 도와주고 퇴원 후 모임에 참여하도록 해준다.

〈 자료원 : 유니세프한국위원회 〉

그림 7-6 UNICEF와 WHO의 성공적인 엄마젖 먹이기 10단계

제3절 + 노인보건사업

Keywords

- 평균수명
- 고령화사회
- 성비
- 노인부양비
- 노령화지수노화
- 노인주거복지시설
- 노인의료복지시설
- 재가노인복지시설
- 방문요양서비스
- 주야간보호서비스
- 단기보호서비스
- 방문목욕서비스
- 재가노인지원서비스
- 치매검진사업
- 노인건강진단
- 노인장기요양보험제도
- 장기요양등급판정

1 노인인구의 특성

1) 노인인구의 구성 및 변화추세

우리나라의 노인 인구는 1960년대 이후 꾸준히 증가하고 있다. UN은 총인구에서 65세 이상의 인구가 차지하는 비중이 7% 이상이면 고령화사회(againg society), 14% 이상이면 고령사회(aged society), 20% 이상이면 초고령사회(super-aged society)로 분류하고 있다.

2022년 통계청의 노인 통계에 의하면, 우리나라는 급속한 고령화로 전체 인구 중 65세 이상 노인인구가 차지하는 비율이 1970년에 3.1%였으나, 1990년에는 220만 명으로 5.1%를 차지하였던 노인인구가 2000년에는 340만 명으로 증가하면서 전체인구의 7.2% 차지하면서 고령화 사회에 진입하였다. 2021년에는 853만7천 명으로 16.5%를 차지하며, 2025년에는 노인인구가 20.3%로 추정되어 초고령사회로 진입할 것으로 예측되고 있다. 이러한 노인인구의 급격한 증가 추세는 베이비붐 세대가 65세를 맞이하게 되면서 증가될 것으로 예측한다[표 7-5].

2020년 65세 이상 노인인구의 성비는 76.2명이었으나, 2020년에는 76.2명, 2030년 83.0명, 2060년 91.3명으로 향후 계속 높아질 것으로 전망된다. 이는 의료기술의 발달로 질병예방과 건강증진을 위한 건강관리에 대한 관심 고조 등으로 인해 남자 노인의 사망률이 점차 낮아지고 있기 때문이다[그림 7-7].

2020년 노년부양비는 21.7명으로 생산가능인구(15~64세 인구) 5.3명이 65세 이상 노인 1명을 부양하고 있는 실정이며, 총부양비는 2019년 37.6명으로 OECD 국가 중 가장 낮은 수준이나, 2065년(117.8명)에는 가장 높은 수준이 될 것으로 예상되고 있다. 현재의 저출산이 지속될 경우 2020년에는 생산가능 인구 약 4.6명이 1명을, 2040년에는 약 1.7명이 1명을 부양해야 할 것으로 전망된다. 또한 2020년 노령화지수는 129.0으로 유소년인구(0~14세) 100명당 65세 이상 노인이 129명으로 노인인구가 유소년인구를 초과하였으며, 2060년에는 노령화지수가 현재의 4배 이상 수준인 546.1로 증가할 것으로 전망된다[표 7-6, 그림 7-8].

표 7-5 우리나라 65세 이상 노인인구의 추이 (단위 : ~1990년(만 명), 2000년~(천 명), ( ) : %, 성비 : 여자인구 100명당)

구분 \ 연도	1970	1980	1990	2000	2010	2020	2030	2040	2050	2060
총인구	3,224	3,812	4,287	47,008	49,554	51,781	51,927	50,855	47,745	42,838
노인인구 (65+%) 성비	99 (3.1) 70.0	146 (3.8) 59.7	220 (5.1) 59.8	3,395 (7.2) 62.0	5,366 (10.8) 69.2	8,125 (15.7) 76.2	12,980 (25.0) 83.0	17,224 (33.9) 85.6	19,007 (39.8) 87.0	18,815 (43.9) 91.3
노인인구 (80+%) 성비				483 (1.0) 39.1	923 (1.9) 41.8	1,874 (3.6) 49.5	2,977 (5.7) 60.0	5,171 (10.2) 68.6	7,457 (15.6) 72.2	8,221 (19.2) 75.7

〈 자료원 : 통계청(2021). 2020년 장래인구추계 〉

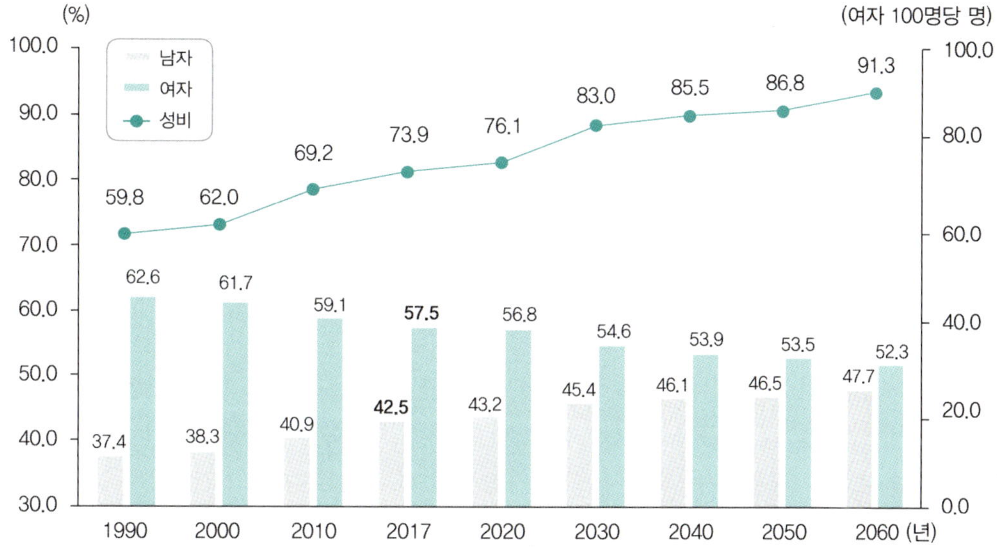

〈 자료원 : 통계청(2021). 2020년 장래인구추계 〉

그림 7-7 성별 고령자 분포와 성비

표 7-6 노년부양비 및 노령화지수 (단위 : 해당인구 100명당, 명)

	2000	2015	2019	2020	2021	2022	2030	2040	2060
노년부양비[1)]	10.1	17.5	20.4	21.8	23.1	24.6	38.2	60.1	91.4
노령화지수[2)]	34.3	93.1	119.4	129.3	139.5	152.0	259.6	345.7	546.1

주 1) 노년부양비=(65세 이상 인구/15~64세 인구)×100
2) 노령화지수=(65세 이상 인구/0~14세 인구)×100

〈 자료원 : 통계청(2022). 2022년 장래인구추계 〉

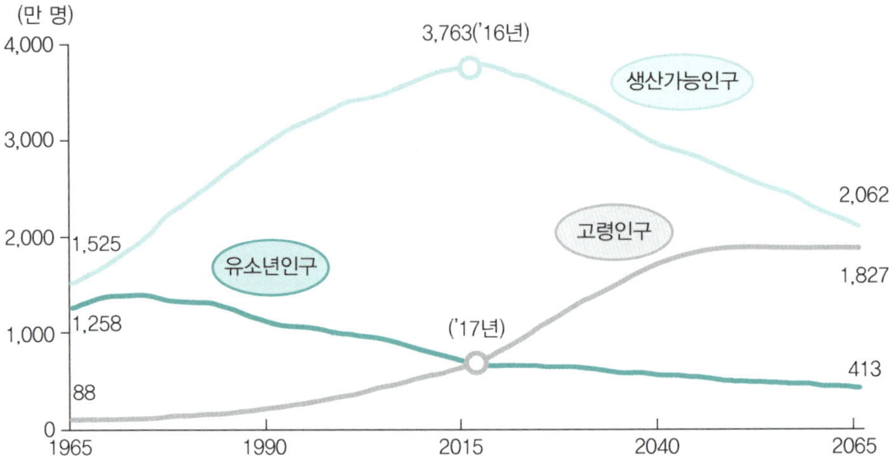

〈 자료원 : 통계청(2021). 장래가구특별추계 : 2017~2047년 〉

그림 7-8 인구역전 추이

2) 노인인구의 특성

(1) 노인인구의 사회적 특성

2021년 통계청의 노인 통계에 의하면, 노인 가구(가구 주 연령이 65세 이상)는 488만 가구로 전체 가구의 23.7%를 차지하며, 이는 계속 증가하여 2047년에는 49.6%가 될 전망이다. 배우자가 있는 노인이 33%, 배우자가 없는 노인이 67.3%이다. 가구형태는 노인독거가구가 34.2%로 비중이 가장 많고, 노인부부가구 33%, 자녀동거가구 9.8%, 부(모)와 자녀가구와 같은 기타가구 5.5%의 분포를 보이고 있다. 노인독거가구와 노인부부가구가 전체의 67.2%를 차지하고 있어, 홀로 또는 부부끼리만 거주하고 있는 노인이 많은 것으로 나타났다. 지역별 고령인구 비율은 전남이 23.8%로 가장 높았고, 경북 21.5%, 전북 21.4%, 강원 20.9% 순이며, 경기도 13.5%, 울산광역시 12.9%, 세종시가 9.6% 순으로 가장 낮았다. 전남, 경북, 전북, 강원 등 4개 지역은 앞으로도 고령인구 비율이 높은 수준을 유지하여 2047년에는 45% 이상이 될 것으로 전망되며, 고령가구 현황은 [그림 7-9]와 같다.

(단위 : %)

고령인구			
상위	비율	하위	비율
전남	**23.8**	**세종**	**9.6**
경북	21.5	울산	12.9
전북	21.4	경기	13.5
강원	20.9	인천	14.3

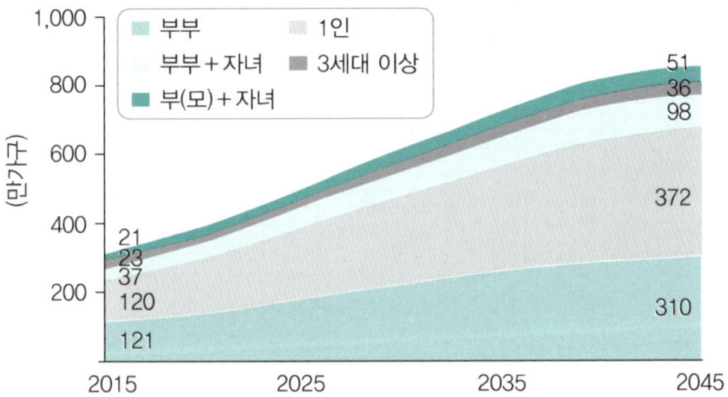

〈 자료원 : 통계청(2021), 장래가구특별추계 : 2017~2047년 〉

그림 7-9 고령인구 및 65세 이상 및 고령가구 비율

이런 인구구조의 고령화는 출생률이 1990년 1.60, 2005년 1.08, 1.19, 2014년 1.21로 부분 반등하였으나 지속적으로 감소하여 생산인구 감소로 경제적 부담이 가중될 뿐 아니라 경제, 사회, 복지와 고용 등 사회전반에 걸쳐 커다란 변화를 가져올 것으로 예측된다. 노인 자신들에게는 신체적 건강과 정신적 문제를 돌보는 문제, 사회적 지위와 역할, 기능 등과 관련해서 나타나는 사회·문화적 문제 등 다양한 노인문제들이 사회 전반에 걸쳐 영향을 미치게 될 것이다. 우리나라는 노인문제를 해결할 수 있도록 연금, 의료보장 등 물질적 자원이나 인적자원, 사회복지 환경에 대한 정책적 대비를 할 수 있는 시간이 부족하기 때문에 문제가 더욱 심각하다고 할 수 있다.

(2) 노인인구의 경제적 특성

2021년 통계청 가계금융복지조사에서 65세 이상 고령자 가구의 순자산액은 3억 4,954만 원으로 전년 대비 1천383만 원 증가한 것으로 나타났다. 2019년 66세 이상 은퇴연령층의 소득 분배지표는 상대적 빈곤율 43.2%, 지니계수 0.389, 소득 5분위 배율 7.21배로 2016년 이후 소득분배 정도가 개선되고 있음을 보여주고 있다. 또한, 기초연금제도가 시행됨에 따라 월 10~25만 원의 연금을 받는 노인의 비중이 가장 많아졌다 [그림 7-10].

2020년 65세 이상 고령자의 고용률은 34.1% 실업률은 3.6%로 전년보다 각각 1.2%p, 0.4%p 상승하였다 [그림 7-11].

2021년 통계청 경제인구조사에서 65세 이상 고령자의 산업별 취업자 비중은 사업·개인·공공서비스 및 기타(43.2%), 농림어업(25.1%), 도소매·음식숙박업(14.1%) 순으로 전체 취업자보다 고령층의 종사 비중이 높은 산업은 농림어업, 사업·개인·공공 서비스 및 기타로 나타났다. 또한, 2020년 65세 이상 고령자의 직업별 취업자 비중은 단순노무종사자(36.0%), 농림어업 숙련종사자(24.2%), 서비스·판매 종사자(17.5%), 기능·기계조작 종사자(13.5%) 순으로, 전체 취업자와 비교하면, 단순노무 종사자와 농림어업 숙련종사자의 비중이 매우 높으며, 관리자·전문가 및 사무 종사자의 비중은 상대적으로 낮다.

2021년 55~79세 고령자 중 장래에 일하기를 원하는 비중은 68.1%로 전년 대비 0.7%p 증가하였고, 근로 희망 사유로는 '생활비 보탬'이 58.7%로 가장 많았고, 그 다음은 '일하는 즐거움' 33.2%로 나타났다. 성별로

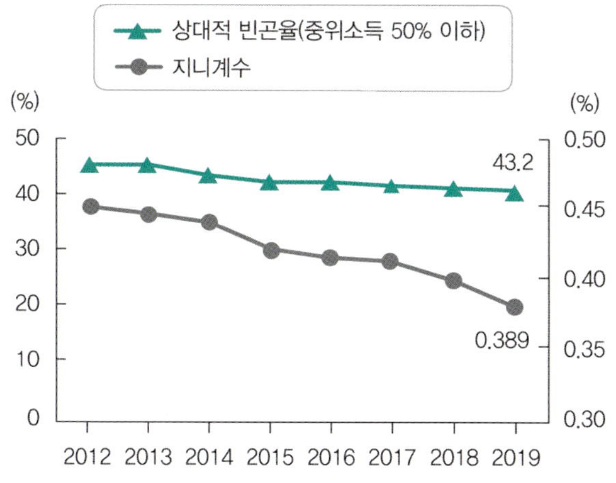

〈 자료원 : 통계청·한국은행·금융감독원(2021). 가계금융복지조사 〉

그림 7-10 은퇴연령층(65세 이상)의 노인 빈곤율

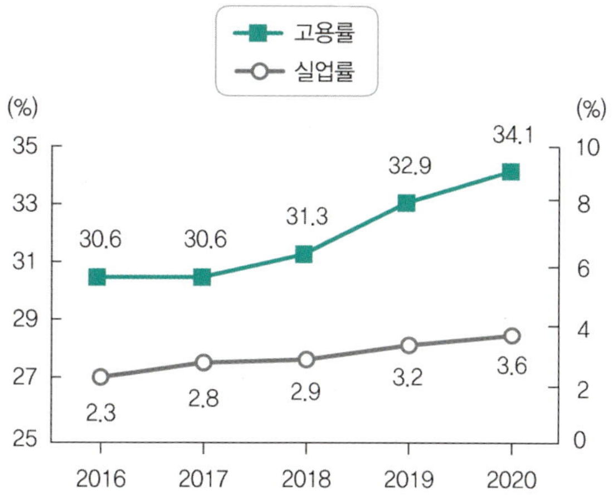

〈 자료원 : 통계청(2021). 경제활동인구조사 〉

그림 7-11 고령자(65세 이상)의 고용률 및 실업률

보면, 남자(77.4%)가 여자(59.6%)보다 장래에 일하기를 희망하고, 근로 희망 사유는 남녀 모두 '생활비 보탬', '일하는 즐거움' 순으로 나타났다. 일을 하는 이유는 생계비 마련이 주를 이루어 아직도 노인 빈곤층이 많은 것으로 이에 대한 노인의 경제활동 및 생활지원 전략이 요구되고 있다.

2차 사회보장기본계획의 향후 추진방향은 다음과 같다.

- 저소득 노인 소득보장을 위한 기초연금 단계적 인상
- 국민연금의 소득보장 기능 강화
- 다층노후소득보장 기능 강화
- 노인 일자리 확대

(3) 노인의 생활환경 특성

통계청(2021년)의 주택소유통계에 의하면, 2019년 60세 이상의 가구주 가구 중 67.5%는 주택을 소유하고 있고, 전년 대비 0.3%p 증가한 수치이며, 70대 가구주 가구의 주택소유율이 70.0%로 가장 높고, 다음으로 60대(68.2%), 80세 이상(59.3%) 순으로 나타났다. 60대 가구주 가구의 주택소유율이 2016년까지 70대, 80세 이상 가구주 가구에 비하여 높았으나 2017년 이후 70대 가구주 가구의 주택소유율이 가장 높았다. 특히 노인 1인가구는 단독주택이 대표적인 주거환경인 것으로 나타났다.

노인의 안전사고 경험 내용으로는 집안 내 화재, 가스누출, 누수 등이 있었으며, 독거노인가구의 경험비율이 0.9%로 자녀동거가구의 경험률 0.4%보다 높은 것으로 나타났다.

노인의 학대 경험은 2020년 65세 이상 고령자의 학대피해 경험률은 고령자 10만 명당 77.0명으로 전년 대비 8.8명 증가하였다. 여자의 학대피해 경험률은 102.1명으로 남자의 경험률인 44.1명 대비 2.3배 이상 높은 수준이며, 학대피해 경험률은 나이가 많을수록 높아지고, 80세 이상의 학대피해 경험률은 122.5명에 이르며, 교육수준과 경제수준이 낮은 경우에 학대경험이 높은 것으로 나타났다.

2021년 통계청 노인실태조사에서 65세 이상 노인의 85.6%는 무의미한 연명의료를 반대한다고 응답하였다. 연명의료는 임종과정에 있는 환자에게 심폐소생술, 혈액투석, 항암제 투여, 인공호흡기 착용 등 치료 효과 없이 임종과정 등 기간만을 연장하는 것을 뜻하는데, 무의미한 연명의료를 반대하는 비중은 남녀 각각 85.6%, 85.7%로 성별 간 큰 차이는 없는 것으로 나타났다.

연명의료를 반대하는 비중은 85세 이상에서 89.1%로 가장 높았고, 65～69세에서 84.5%로 가장 낮았으며, 나이가 많을수록 연명의료를 반대하는 비중이 높게 나타났다.

특히, 독거노인에 대한 사회안전망 구축을 위한 노인돌봄서비스의 안전 확인 서비스, 말벗서비스, 건강상태 및 생활실태 확인, 정보제공, 기상특보 안전 확인, 환경변화 및 욕구파악, IT기술 및 민간자원 활용 등의 실시가 촉구된다.

또한 노인학대예방사업의 추진방향은 다음과 같다.

- 노인학대 예방 강화를 통한 노인인권보호
- 노인학대 개입 강화를 통한 노인인권보호
- 노인학대 사후관리 강화를 통한 노인인권보호

(4) 노인 1인가구의 증가

고령화와 더불어 발생하고 있는 가치관의 변화, 도시화로 인한 자녀세대의 빈번한 이주 등으로 인하여 혼자 생활하는 노인이 급속히 증가하고 있다. 2021년 통계청의 노인 통계에 의하면, 가구주의 65세 이상인 1인가구가 23.7%를 차지하였고, 1인가구 비중은 65~69세는 감소하고 80세 이상은 증가하여 고령화는 더욱 심해질 것으로 전망되며, 2045년이면 371만9천 가구로 급증할 것으로 전망되고 있다.

특히 이 가운데 80세 이상이 차지하는 비중이 2012년의 20.0%에서 2035년에는 30.5%로 후기노인의 비중이 높아질 것으로 예상되고 있다. 노인 1인가구는 '전반적인 생활'과 '가정생활'에서 전체 노인보다 스트레스를 적게 받는 것으로 나타났다.

2 노인건강

1) 노화와 건강

노화로 인해 나타나는 노인의 특성에는 신체적 특성, 심리적 특성, 사회경제적 특성 및 주거환경적 특성이 있으며, 노인은 이에 따른 다양한 문제를 갖는다.

(1) 신체적 노화

신체적 노화과정은 근골격계의 해부학적인 변화와 기능손상 및 불능을 포함한다.

근골격계의 변화로는 골밀도의 감소로 골절이 잘 되고, 척추 추간판의 두께가 얇아져서 신장이 줄어들며 허리와 목이 굽어진다. 지지하는 인대가 약해져 가동성이 약해지며 근육의 위축과 근섬유의 크기와 수가 줄어들어 근력의 저하와 피로도가 높아진다.

순환기계의 변화로는 체온이 하강하여 전반적인 신진대사가 저하되고, 혈압이 상승하며, 심박출량이 감소한다. 관상동맥의 혈액공급이 감소하여 사지냉감과 저림이 발생하고, 빈혈과 체위성 저혈압이 나타난다.

호흡기계의 변화로는 폐활량이 감소하고, 구강호흡을 하며, 객담반사가 저하된다. 또한 폐렴, 폐결핵, 만성기관지염 등의 호흡기계 질환이 자주 발생한다.

소화기계의 변화는 치아상실과 위의 소화기능 저하로 영양물질의 흡수 능력이 떨어지며 장 기능의 약화와 섬유질이 적은 음식의 섭취로 변비가 잘 발생한다.

비뇨생식기계의 변화로는 신장혈량공급이 감소되면서 신장 기능이 저하된다. 따라서 신사구체의 여과력이 떨어지고 신세뇨관의 기능도 저하된다. 방광기능과 괄약근의 퇴화로 요실금 또는 소변 정체를 일으켜 방광염을 유발한다. 남자에게는 전립선의 비대로 배뇨곤란이 오며 여자의 경우는 폐경 이후 난소와 자궁위축이 일어난다.

신경계의 퇴행성 변화로는 신경세포의 손실과 기능의 저하로 시력, 청력, 촉각, 미각, 후각 등의 감각능력이 떨어지며 반응속도가 느려져 각종 사고가 일어난다.

면역체계의 변화로는 바이러스와 세균성질환에 감염이 민감해지고 T세포 활동이 저하됨에 따라서 대상포진이나 종양질환이 잘 발생한다. 세포독성 약물 복용 시 면역억제작용이 잘 나타나며 발열반응이 감소하고 세균에 대한 방어기전이 저하된다.

감각계의 변화로는 시각, 청각, 미각, 촉각, 후각 모두 저하된다. 시각의 경우 홍채의 경화로 동공이 축소되고 외부에서 들어보는 빛의 양이 줄어들고 시야 범위가 좁아지며 수정체의 굴절력이 감퇴되어 원시가 생긴다. 수정체, 각막, 초자체의 빛 투과력이 감소되어 야간 운전이 어렵다. 청각의 경우 청신경이 퇴행하여 청각장애가 생기고 노화로 인한 점진적 청력손실로 처음에는 고음 지각장애, 후에 저음에 대한 장애가 나타나는 노인성 난청이 나타난다. 미각은 미뢰수의 감소와 민감도 소실로 특히 단맛과 짠맛의 역치가 올라간다. 코의 감각기관 위축으로 후각이 감퇴되어 음식 냄새를 잘 맡을 수 없으며, 촉감도 어느 정도 감소되고 온도 식별감각이 저하된다.

(2) 심리적 노화

연령이 증가하면서 기억력과 습득력이 떨어지고 신체적 질병과 관련하여 우울상태가 나타난다. 또한 뇌조직으로 가는 혈류량이 감소하여 정신혼란이나 지남력 상실이 나타나며, 그 외 수면상태의 변화, 식욕감소 등도 나타난다. 뇌의 기질적 병변으로 오는 지적능력 저하와 실어증, 그리고 기억력 상실을 일으키는 치매는 고령 노인과 뇌졸중 후 노인에게 흔히 나타난다.

(3) 사회적 노화

노화로 인한 사회적 기능의 손상은 주변 환경과의 상호작용이 평형을 이루지 못할 때 나타나게 되는 것으로 타인에게나 자신의 일생생활에 대한 흥미 상실, 불행감, 불만족, 부정적 자아개념과 원만치 않은 대인관계 등이 있다. 이러한 사회적 측면의 노화과정은 질병이나 거동이 불편해져 사회적 활동과 유리된 생활을 할 때 더욱 심화된다.

2) 노인인구의 보건의료 요구

(1) 사망수준 및 사망원인

통계청 2021년 사망원인통계 결과 전년 대비 연령별 사망자 수는 60대(8.2%), 80세 이상(7.0%), 20대(2.7%)에서 증가하였으며, 80세 이상의 사망자가 전체 사망의 50.0%, 10년 전에 비해 15.2%p 증가하였다. 남자 사망자 중 80세 이상은 37.4%, 여자 사망자 중 80세 이상은 64.8%로 나타났다. 사망자 수 성비(남/여)는 60대가 2.7배로 가장 격차가 크게 나타났다.

2022년 우리나라 65세 이상 노인의 사망원인 1위는 암으로 인구 10만 명당 826.8명이 사망하였고, 그 다음은 심장질환(315.7명), 폐렴(228.1명) 뇌혈관질환(226.0명), 기타심장질환(193.8명), 고의적 자해(자살)(133.5명) 등의 순으로 나타났다. 또한 세계적으로는 만성질환이 2020년까지 전체 사망원인의 73.0%, 전체질환의 60.0%를 차지하게 될 것으로 예측하고 있다[표 7-7].

표 7-7 노인의 사망원인 및 사망률(65세 이상) (단위 : 인구 10만 명당)

65세 이상	1위 (사망률)	2위 (사망률)	3위 (사망률)	4위 (사망률)	5위 (사망률)
2010	악성신생물(암) (882.4)	뇌혈관 질환 (409.4)	심장 질환 (344.0)	당뇨병 (153.1)	폐렴 (127.6)
2013	악성신생물(암) (863.6)	뇌혈관 질환 (353.0)	심장 질환 (335.6)	폐렴 (166.6)	당뇨병 (148.5)
2015	악성신생물(암) (803.0)	심장 질환 (351.0)	뇌혈관질환 (311.1)	폐렴 (1209.1)	당뇨병 (133.2)
2016	악성신생물(암) (796.2)	심장 질환 (357.7)	뇌혈관질환 (286.9)	폐렴 (225.1)	당뇨병 (119.5)
2017	악성신생물(암) (784.4)	심장 질환 (361.3)	뇌혈관질환 (268.6)	폐렴 (257.6)	당뇨병 (108.2)
2018	악성신생물(암) (791.5)	심장 질환 (320.0)	폐렴 (232.8)	뇌혈관질환 (229.4)	고의적 자해(자살) (136.7)
2019	악성신생물(암) (750.5)	폐렴 (283.1)	뇌혈관질환 (232.0)	기타심장질환 (193.8)	허혈성 심장질환 (141.9)
2020	악성신생물(암) (733.3)	심장 질환 (331.9)	폐렴 (257.5)	뇌혈관질환 (225.3)	알츠하이머병 (91.4)
2021	악성신생물(암) (826.8)	심장 질환 (315.7)	폐렴 (228.1)	뇌혈관질환 (226.0)	고의적 자해(자살) (133.5)
남 자	악성신생물(암) (1132.9)	심장 질환 (355.0)	폐렴 (305.4)	뇌혈관질환 (278.8)	만성 하기도 질환 (133.9)
여 자	악성신생물(암) (527.7)	심장 질환 (365.9)	뇌혈관 질환 (261.1)	폐렴 (222.4)	당뇨병 (105.7)

〈 자료원 : 통계청(2022). 2021년도 사망원인통계 〉

(2) 건강상태

2021년 통계청 사회조사에서 65세 이상 고령자가 자신의 건강 상태에 대해 좋다고 응답한 비중은 24.3%이고, 2년 전에 비해 1.5%p 증가하였다. 건강이 좋다고 응답한 남자는 32.0%, 여자는 18.5%로 남자가 여자보다 13.5%p 더 높았으며, 건강이 좋다고 응답한 비중은 10년 전에 비해 남자는 3.3%p, 여자는 3.8%p 더 높게 나타났다.

2021년 국민건강보험공단 「건강검진통계」에서 65세 이상 건강검진 수검률은 69.9%로 '13년 이후 계속 증가하고 있으며, 남자의 건강검진 수검률은 73.4%로 여자(67.1%)보다 6.3%p 높았다. 연령별 건강검진 수검률은 65～69세가 81.2%로 가장 높았고, 70～79세 74.4%, 80세 이상 45.8% 순으로 나타났다.

(3) 건강행태

2021년 질병관리청 국민건강영양조사에서 65세 이상 고령자의 운동별 실천율은 걷기(39.9%), 유산소 신체활동(33.0%), 근력운동(18.3%) 순이고, 유산소 신체활동과 걷기 실천율은 전년대비 각각 4.9%p, 2.6%p 증가하였다. 성별로 보면, 남자의 운동 실천율이 여자보다 모든 항목에서 높았으며 근력운동(21.8%p) > 걷기(7.8%p) > 유산소 신체활동(6.5%p) 순으로 격차가 크게 나타났다. 65세 이상 고령자는 저 연령층(19~64세) 대비 운동 실천율이 낮았으며, 유산소 신체활동(15.2%p) > 근력운동(6.0%p) > 걷기(3.5%p) 순의 격차를 보였다.

2021년 통계청 사회조사에서, 혼자 사는 고령자의 건강관리 실천율은 아침 식사하기 86.7%, 정기건강검진 79.3%, 적정 수면 74.2%, 규칙적 운동 38.6% 순으로 나타났으며, 정기 건강검진, 적정 수면, 규칙적 운동 실천율은 남자가 여자보다 높았고, 아침 식사하기 실천율은 여자가 남자보다 높았다. 나이가 많을수록 아침 식사하기 실천율이 높은 반면, 규칙적 운동과 정기건강검진 실천율은 낮았다. 혼자 사는 고령자의 건강관리 실천율은 전체 고령자에 비해 모든 부문에서 5%p 이상 낮게 나타났다.

(4) 스트레스

2021년 통계청 사회조사에서 전반적인 생활 및 가정생활에서의 스트레스 인식정도는 혼자 사는 고령자가 전체 고령자에 비해 4%p 이상 낮았다. 남자가 여자보다 스트레스 인식정도가 높은 경향이 있으며, 전체 고령자와 비교하면 스트레스 인식도가 낮은 경향이 있으나 극단적인 스트레스를 느끼는 비중은 오히려 혼자 사는 고령자가 높게 나타났다.

(5) 사회안전에 대한 인식

2021년 통계청 사회조사에서 혼자 사는 고령자의 29.4%는 사회의 전반적인 안전에 대하여 불안을 느끼고 있으며, 이는 전체 고령자가 느끼는 불안보다 약간 높은 수치이다. 여자가 남자보다, 연령대가 낮을수록 사회안전에 대하여 불안하다고 인식하였으며, 2020년 혼자 사는 고령자가 느끼는 사회의 주된 불안 요인으로는 신종질병이 50.3%로 가장 높았고, 다음으로 국가안보(11.7%), 경제적 위험(11.0%) 순이었다. 나이가 많을수록 신종질병과 범죄 발생을 사회의 불안 요인으로 인식하고 있는 것으로 나타났다. 또한, 신종질병에 대한 불안도는 혼자 사는 고령자가 전체 고령자에 비하여 8.7%p 높았다.

3 노인보건복지정책과 사업

1) 노인요양 및 건강보장

(1) 노인주거복지시설

노인주거복지시설은 일상생활에 지장이 없는 노인을 대상으로 급식과 그 밖의 일상생활에 필요한 편의를 제공하여 노후의 안정된 생활을 도모함을 목적으로 한다.

입소대상자는 무료 입소대상자와 실비 입소대상자, 유료 입소대상자로 구분되는데, 무료 입소대상자는 일상생활에 지장이 없는 65세 이상의 노인으로 기초생활보장 수급권자와 기초생활보장 수급권자는 아니지만 생계를 같이 하는 부양의무자로부터 적절한 부양을 받지 못하는 노인이다. 실비 입소대상자는 일상생활에 지장이 없는 65세 이상의 노인으로 당해 연도 월 평균소득액이 도시근로자 1인당 월 평균소득액 이하인 노인이다. 유료 입소대상자로는 입소비용의 전부를 수납하여 운영하는 양로시설 또는 노인공동생활가정의 경우는 60세 이상인 사람으로, 입소대상자의 배우자는 60세 미만인 경우에도 입소 대상자와 함께 입소가 가능하다.

노인주거복지시설의 종류로는 양로시설과 노인공동생활가정 및 노인복지주택이 있다. 양로시설은 노인을 입소시켜 급식과 그 밖의 일상생활에 필요한 편의를 제공함을 목적으로 하며, 입소정원이 10명 이상이다. 노인공동생활가정은 노인들에게 가정과 같은 주거여건과 급식, 그밖에 일상생활에 필요한 편의를 제공함을 목적으로 하는 시설이며, 입소정원이 5~9명이다. 노인복지주택은 노인에게 주거시설을 분양 또는 임대하여 주거의 편의·생활지도, 상담 및 안전관리 등 일상생활에 필요한 편의제공을 목적으로 하는 30세대 이상의 시설이다. 이들 시설의 설치기준은 기본시설 및 인력을 갖추고 수행 사업의 성격 및 이용대상자 등을 감안하여 적정한 규모와 시설을 갖추어야 한다(노인복지법 시행규칙 제17조).

이와는 별도로 유료 양로시설이 있는데, 이는 일반노인을 대상으로 급식, 주거의 편의 등을 제공할 목적으로 민간 사업자가 전액 자부담으로 시설을 설치하고, 운영비는 입소노인의 본인부담으로 조달하여 운영하는 노인주거복지시설을 말한다. 우리나라의 유료 양로시설은 1981년부터 운영되고 있는 중이다[표 7-8].

표 7-8 노인복지 생활시설 수 (단위: 개소, 명)

종 류	시 설	2015	2016	2017	2018	2019	2020	2021
노인주거 복지시설	소 계	427	425	404	390	382	352	337
	양로시설	265	265	252	238	232	209	192
	노인공동생활가정	131	128	119	117	115	107	107
	노인복지주택	31	32	33	35	35	36	28
노인의료 복지시설	소 계	5,063	5,163	5,242	5,287	5,529	5,725	5,821
	노인요양시설	2,933	3,136	3,261	3,390	3,595	3,844	4,057
	노인요양공동생활가정	2,130	2,027	1,981	1,897	1,934	1,881	1,764
노인여가 복지시설	소 계	66,292	66,787	67,324	68,013	68,413	69,005	68,823
	노인복지관	347	350	364	385	391	398	357
	경로당	64,568	65,044	65,604	66,286	66,737	67,316	67,211
	노인교실	1,377	1,393	1,356	1,342	1,285	1,291	1,255
재가노인 복지시설	소 계	3,089	3,168	3,216	3,494	4,821	7,212	9,984
	방문간호서비스	–	–	10	21	60	95	158
	방문요양서비스	1,021	1,009	1,001	1,051	1,513	2,656	4,156
	주야간보호서비스	1,007	1,086	1,174	1,312	1,816	2,321	2,618
	단기보호서비스	112	95	80	73	78	73	69
	방문목욕서비스	617	588	609	650	942	1,596	2,415
	복지용구지원서비스	–	–	–	–	0	86	208
	재가노인지원서비스	332	390	342	387	412	385	360
노인보호전문기관		29	29	32	33	34	35	37
노인일자리지원기관		129	136	153	160	184	196	206
학대피해노인쉼터		–	–	–	18	19	19	20
합 계		75,029	75,708	76,371	77,395	79,382	82,544	321,500

〈 자료원 : 보건복지부(2022). 2021년 노인복지시설 현황 〉

(2) 노인의료복지시설

노인의료복지시설로는 노인요양시설과 노인요양공동생활가정이 있다. 노인의료복지시설의 입소대상은 「노인장기요양보험법」 제15조에 따른 수급자 중 시설 급여 대상자로 장기요양 1~2등급과 장기요양 3~5등급자 중 불가피한 사유와 치매 등으로 등급판정위원회에서 시설급여 대상자로 판정 받은 사람이다.

노인의료복지시설의 설치기준은 기본시설 및 인력을 갖추고 수행 사업의 성격 및 이용대상자 등을 감안하여 적정한 규모와 시설을 갖추어야 한다(노인복지법 시행규칙 제22조). 2013년 11월 30일부터 공동주택에 설치되는 노인요양공동생활가정의 침실은 1층에 두어야 한다. 다만 노인요양시설 안에 치매전담실을 두는 경우에는 총 2실 이내로 설치하고, 1실 당 정원은 12명 이하로 하며, 치매전담실의 총 인원은 노인요양시설 입소정원의 60% 이내로 한다. 치매전담실을 설치한 후에는 노인요양시설 입소정원이 30명 이내이어야 하며, 노인요양시설 내 치매전담실 및 치매전담형 노인요양공동생활 가정의 경우에는 1인실을 1실 이상 두어야 한다.

시·도지사 및 시·군·구청장은 관계 법령에 따라 시설에서 입소노인의 인권보호, 건상관리, 급식위생관리, 운영규정, 회계, 시업 등에서 각종 불법행위나 부당한 문제가 발생하지 않도록 지도·감독을 철저히 하는 등 시설운영 수준의 향상을 위해 필요한 조치를 취해야 한다.

노인의료복지시설을 설치하여 운영하고 있는 자가 「노인장기요양보험법」에 따른 장기요양 급여를 제공하고자 하는 경우에는 「노인복지법」 제31조에 따른 노인복지시설 중에서 시설 및 인력기준을 갖추어 관할 시·군·구청장에게 지정을 신청해야 한다.

입소대상은 노인의료복지시설 입소대상자와 같다. 입소절차는 장기요양인정을 받지 않은 자는 먼저 국민건강보험공단으로 장기요양인정 신청을 하여 장기요양 1~2등급 또는 3등급(시설+재가)으로 판정을 받은 후 장기요양인정서를 첨부하여 [그림 7-12]에 따라 입소를 한다.

기초생활수급노인과 기타 의료급여수급자는 해당 시·군·구에 입소신청을 하며, 일반노인 중 입소희망자는 공단의 이용지원 담당자에게 먼저 연락하여 관내에 입소 가능한 시설 명단 등을 확보하고, 입소 가능한 시설 중 입소를 희망하는 시설을 선택하여 시설장과 상세 입소요건을 협의하도록 한다.

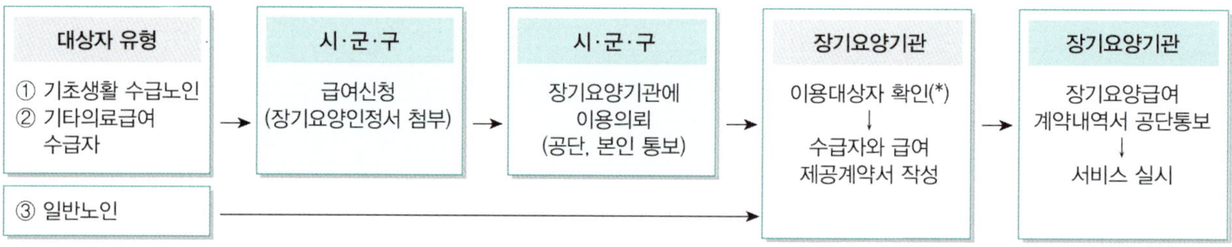

〈 자료원 : 보건복지부(2022). 2022 노인보건복지사업안내 〉

그림 7-12 장기요양기관 입소절차

(3) 재가노인복지시설

- 재가노인복지시설의 목적 : 정신적·신체적 이유로 독립적인 일상생활을 수행하기 곤란한 노인과 노인부양가정에 필요한 각종 서비스를 제공함으로써, 노인이 가족 및 친지와 더불어 건강하고 안정된 노후 생활을 영위할 수 있도록 함과 동시에 노인부양으로 인한 가족의 부담을 덜어주기 위함을 목적으로 한다. 재가노인복지시설은 방문간호서비스, 방문요양서비스, 주야간보호서비스, 단기보호서비스, 방문목욕서비스, 재가노인지원서비스 중 어느 하나 이상의 서비스를 제공함을 목적으로 하는 시설을 말한다.

- 재가노인복지시설의 이용대상 : 만 65세 이상 장기요양급여 수급자와 그 이외에 노인장기요양등급 외 A, B판정자(건강기준)와 가구 소득이 중위소득 160% 이하인 자(소득수준) 및 부양의무자로부터 적절한 부양을 받지 못하는 자로서 혼자서 일상생활을 수행하기 어려워 재가서비스의 제공이 필요한 사람이다.
- 재가노인복지시설의 이용절차 : 노인의료복지시설 입소절차와 동일하다.

① 방문간호서비스

가. 방문간호서비스의 목적

간호사 등이 의사, 한의사 또는 치과의사의 지시서에 따라 재가노인의 가정 등을 방문하여 간호, 진료의 보조, 요양에 관한 상담 또는 구강위생을 제공함을 목적으로 하며, 「노인복지법 시행규칙」 개정('16.6.30)으로 재가노인복지시설이 제공할 수 있는 서비스의 종류에 '방문간호서비스'를 추가하였다[표 7-9].

표 7-9 방문간호서비스 시설과 인력기준

구분	사무실	통신설비, 집기 등 사업에 필요한 설비 및 비품	혈압계, 온도계 등 방문간호에 필요한 비품
방문간호	○	○	○

주) 의료기관(의사가 배치된 「지역보건법」에 다른 보건소, 보건의료원 또는 보건지소와 「농어촌 등 보건의료를 위한 특별조치법」에 따른 보건진료소를 포함한다)을 개설·운영하는 자가 방문간호를 제공하는 경우 시설·설비·비품 등 해당 의료기관과 공동 사용 가능

시설장	간호사 또는 간호조무사	치과위생사
1명	1명 이상	1명 이상(구강위생을 제공하는 경우로 한정함)

주 1) 간호사 : 「의료법」 제2조에 따른 간호사로서 2년 이상의 간호업무경력이 있는 자
2) 간호조무사 : 「의료법」 제80조에 따른 간호조무사로서 3년 이상의 간호보조업무경력이 있고, 보건복지부장관이 정하는 교육을 이수한 자

〈 자료원 : 법제처(2021). 노인복지법 제29조 제1항 관련, 별표9 〉

나. 방문간호서비스 이용대상

가정 등에서 간호, 진료의 보조, 요양에 관한 상담 또는 구강위생 등이 필요한 사람이다.

다. 방문간호서비스 내용

간호사정 및 진단 등 기본간호, 욕창치료 및 단순 상처치료 등 간호, 검사관련 사항, 투약관련지도, 환자·가족 대상 건강관리에 필요한 식이요법 등 교육훈련, 상담 등이다.

② 방문요양서비스

가. 방문요양서비스의 목적

가정에서 일상생활을 영위하고 있는 노인으로서 신체적·정신적 장애로 어려움을 겪고 있는 노인에게 지역사회 안에서 건전하고 안정된 노후를 영위하도록 장기요양요원(요양보호사)이 가정을 방문하여 신체활동 및 가사활동 등 필요한 각종 서비스를 제공함을 목적으로 한다.

나. 방문요양서비스 이용대상

1~5등급의 장기요양급여 수급자와 심신이 허약하거나 장애가 있는 65세 이상의 노인으로서 가정에서의 보호가 필요한 사람이다.

다. 방문요양서비스 내용

- 신체활동지원 서비스 : 세면도움, 구강관리, 몸 청결, 머리 감기기, 몸단장, 옷 갈아입히기, 목욕 도움, 배설 도움, 식사 도움, 체위변경, 이동 도움, 신체기능의 유지·증진 등
- 가사활동지원 서비스 : 취사, 생활필수품 구매, 청소·세탁·주변정돈 등
- 개인활동지원 서비스 : 외출시 동행·부축, 일상업무 대행 등
- 정서지원 서비스 : 말벗, 격려 및 위로, 생활상담, 의사소통 도움 등

③ 주야간보호서비스

가. 주야간보호서비스의 목적

부득이한 사유로 가족의 보호를 받을 수 없는 심신이 허약한 노인과 장애노인을 주간 또는 야간 동안 보호시설에 입소시켜 필요한 각종 편의를 제공하여 이들의 생활안정과 심신기능의 유지·향상을 도모하고 그 가족의 신체적·정신적 부담을 경감함을 목적으로 한다. 정원은 5명 이상이나 치매전담형 주·야간보호 제공시설은 25명 이하이고, 1실 이상의 1인생활실을 추가로 갖추어야 한다.

나. 주야간보호서비스 이용대상

1~5등급의 장기요양급여 수급자와 심신이 허약하거나 장애가 있는 65세 이상의 노인으로서 주간 또는 야간 동안의 보호가 필요한 사람이다.

다. 주야간보호서비스 내용

- 일상생활지원 : 취미·오락, 운동 등 여가생활 서비스
- 일상동작훈련 : 이동, 체위변경, 기능훈련(물리치료적 훈련, 작업치료적 훈련, 언어치료적 훈련) 등
- 급식 및 목욕 서비스 : 몸 청결, 머리감기, 얼굴 씻기, 손 씻기, 구강관리, 몸단장, 옷 갈아입히기, 배설·식사 도움
- 이동서비스
- 노인 가족에 대한 교육 및 상담

보호기간은 1일로 보통 오전 8시부터 오후 10시까지로 하되, 시설의 운영여건 및 이용 노인과 그 가정의 형편에 따라 2시간 이내에서 신축성 있게 운영한다.

주야간보호서비스 제공 시설의 시설 및 설비기준과 인력기준은 [표 7-10, 7-11]과 같다.

표 7-10 주야간보호서비스 제공 시설의 시설 및 설비기준

<table>
<tr><th>구 분</th><th>생활실</th><th>사무실</th><th>의료/
간호사실</th><th>프로그램실</th><th>물리(작업)
치료실</th><th>식당/
조리실</th><th>화장실</th><th>세면장/
목욕실</th><th>세탁장/
건조장</th></tr>
<tr><td>이용자 10명 이상</td><td>○</td><td colspan="2">○</td><td colspan="2">○</td><td>○</td><td>○</td><td colspan="2">○</td></tr>
<tr><td>이용자 10명 미만</td><td>○</td><td colspan="2">○</td><td colspan="2">○</td><td>○</td><td colspan="3">○</td></tr>
</table>

〈 자료원 : 법제처(2021). 노인복지법 제29조 제1항 관련, 별표9 〉

표 7-11 주야간보호서비스 제공 시설의 인력기준

<table>
<tr><th>구 분</th><th>시설장</th><th>사회복지사</th><th>간호(조무)사</th><th>물리(작업)치료사</th><th>요양보호사</th><th>사무원</th><th>조리원</th><th>보조운전사</th></tr>
<tr><td>이용자
10명 이상</td><td>1명</td><td>1명 이상</td><td colspan="2">1명 이상</td><td rowspan="2">이용자 7명당
1명 이상(1급)
(치매전담형의
경우 4명당
1명 이상)</td><td>1명(이용자 25명
이상인 경우로
한정함)</td><td>1명</td><td>1명</td></tr>
<tr><td>이용자
10명 미만</td><td>1명</td><td>–</td><td colspan="2">1명 이상</td><td>–</td><td>1명</td><td>–</td></tr>
</table>

〈 자료원 : 법제처(2021). 노인복지법 제29조 제1항 관련, 별표9 〉

④ 단기보호서비스

가. 단기보호서비스의 목적

부득이한 사유로 가족의 보호를 받을 수 없어 일시적으로 보호가 필요한 심신이 허약한 노인이나 장애노인을 보호시설에 단기간 입소시켜 보호함으로써 노인 및 노인가정의 복지증진을 도모하기 위한 서비스를 제공하기 위함을 목적으로 한다.

나. 단기보호서비스 이용대상

단기보호서비스의 이용대상은 1~5등급의 장기요양급여 수급자와 심신이 허약하거나 장애가 있는 65세 이상의 노인으로서 월 1일 이상 15일 이하의 단기간의 보호가 필요한 사람이다.

다. 단기보호서비스 내용

- 신체활동 지원, 기능 회복 훈련, 그 밖의 일상생활에 필요한 편의를 제공하는 서비스
- 그 밖에 노인요양시설 또는 노인요양공동생활가정의 사업에 준하는 서비스

보호기간은 월 1일 이상 15일 이하이며, 장기요양수급자 이외의 자 중에서 중증질환이 있는 노인, 연고가 없는 노인, 취학·생계곤란 등의 사유로 인하여 부양능력이 없는 부양의무자로부터 부양을 받지 못하는 피부양 노인에 대해서는 시장·군수·구청장의 재량으로 1개월에 15일을 초과할 수 있다.

⑤ 방문목욕서비스

가. 방문목욕서비스의 목적

방문목욕서비스의 목적은 목욕장비를 갖추고 재가노인을 방문하여 목욕서비스를 제공하기 위함이다.

나. 방문목욕서비스 이용대상

방문목욕서비스의 이용대상은 1~5등급의 장기요양급여 수급자와 심신이 허약하거나 장애가 있는 65세 이상의 노인으로서 가정에서의 목욕이 필요한 사람이다.

다. 방문목욕서비스 내용

- 목욕준비, 입욕시 이동보조, 몸 씻기, 머리 말리기, 옷 갈아입히기 등이며, 목욕 후 주변 정리까지를 포함
- 방문목욕서비스 제공 시설의 시설 및 설비기준과 인력기준은 [표 7-12, 7-13]과 같다.

표 7-12 방문목욕서비스 제공 시설의 시설기준

구 분	사무실	통신설비, 집기 등 사업에 필요한 설비 및 비품	이동용 욕조 또는 이동목욕차량
방문목욕	○	○	○

주 1) 이동목욕차량이란 욕조, 급탕기, 물탱크, 펌프, 호스릴 등을 갖춘 차량으로 자동차등록증의 차량 용도(차명)에 "이동용 목욕"으로 표기되어 있는 차량이거나 자가용 또는 사업용으로 등록된 일반 차량을 이동목욕용으로 구조변경하여 자동차등록증의 구조·변경사항에 해당 내용이 표기된 차량을 의미함
2) 이동용 욕조란 통상 실내에서 목욕이 가능하도록 만든 욕조(예를 들면 공기주입식 욕조)를 의미

〈 자료원 : 법제처(2021). 노인복지법 제29조 제1항 관련, 별표9 〉

표 7-13 방문목욕서비스 제공 시설의 인력기준

관리책임자	요양보호사	사무원	보조원
1명	2명 이상	필요수	필요수

주 1) 관리책임자는 사회복지사, 의료인 또는 5년 이상의 실무경력을 갖춘 요양보호사(복지부장관이 고시하는 교육을 이수)로 상근하는 자
2) 요양보호사 2명이상 배치하여야 함

〈 자료원 : 법제처(2021). 노인복지법 제29조 제1항 관련, 별표9 〉

⑥ 재가노인지원서비스

가. 재가노인지원서비스의 목적

재가노인지원서비스는 경제적·정신적·신체적 이유로 독립적인 일상생활을 영위하기 어려운 노인과 복지사각지대 노인들에게 일상생활지원(방문요양 제외)을 비롯한 각종 필요서비스를 제공함으로써 지역사회 내에게 건강한 생활을 영위하는 데에 어려움이 없도록, 예방적 복지 실현 및 사회 안전망 구축을 목적으로 한다.

나. 재가노인지원서비스 이용대상

- 재가장기요양급여(방문간호, 방문목욕, 주야간보호, 단기보호서비스) 이용자로서 기타 서비스를 필요로 하는 자
- 기초수급권자 및 부양의무자로부터 적절한 부양을 받지 못하는 자로서 혼자서 일상생활을 수행하기 어려워 서비스의 제공이 필요하여 시·군·구청장이 의뢰한 자
- 2008년 7월 1일 이전에 국가 및 지방자치단체로부터 운영비를 지원받는 시설을 이용하고 있는 장기요양급여 수급자 외의 자 중 기초수급권자 및 실시 이용자
- 기타 자연재해 등으로 긴급지원이 필요한 노인(장기요양서비스 이용자 포함)

다. 재가노인지원서비스 내용[표 7-14]

- 예방적 복지와 안전망 구축을 실현하기 위하여 영역별 프로그램 계획을 수립하고 프로그램 안에서 다양

표 7-14 재가노인지원서비스 내용(예시)

대분류(사업)	중분류(프로그램)	소분류(서비스) • 하단의 서비스 내용은 각 영역별로 제공할 수 있는 서비스 내용을 예시한 것임 • 다양한 서비스 제공을 위한 각 시설에서 추가로 서비스를 개발하여 제공할 수 있음		
예방적 사업 (직접서비스)	일상생활지원 (방문요양 서비스 내용 제외)	• 무료급식 및 밑반찬 서비스 • 행정지원서비스 • 김장서비스	• 이·미용서비스 • 명절·생신서비스	• 차량이송서비스 • 장보기서비스
	정서지원	• 심리지지서비스		
	주거환경 개선지원	• 도배서비스 • 장판교체서비스 • 전기수리서비스	• 방역서비스 • 보일러수리서비스 • 변기수리서비스	• 편의시설개보수(문턱 제거 등) • 집수리서비스
	여가활동지원	• 나들이서비스	• 문화체험서비스	
	상담지원	• 상담서비스		
	지역사회지원개발	• 후원·결연서비스	• 자원연계서비스	
사회안전망 구축사업 (간접서비스)	연계지원	• 안전확인서비스 • 생활교육서비스 • 노-노케어서비스 • 보청기, 틀니제작 의뢰서비스	• 장수사진서비스 • 노인장기요양보험 • 개인수술서비스 • 건강검진서비스	• 의료연계서비스 • 전·월세자금지원서비스 • 노인돌봄 기본 • 노인돌봄 종합
	교육지원	• 임종교육 • 보호자교육 • 응급처치교육	• 낙상예방 • 치매예방 • 사기예방	• 대인관계기술 • 자살예방 • 이성교육
	지역사회 네트워크 지원	• 지역재가협의체구성	• 사례관리	
긴급지원사업 (긴급서비스)	긴급지원	• 위기지원서비스 • 무선페이징서비스	• 응급호출서비스	• 화재, 가스유출감시서비스

한 서비스를 개발하여 제공하는 것을 원칙으로 한다.

- 긴급지원사업은 필요시 장기요양서비스 및 노인돌봄서비스 여부와 관계없이 제공이 가능하다.
- 서비스 내용 중 교육지원프로그램은 이용대상자, 보호자 및 지역주민을 대상으로 다양한 내용으로 실시하여 안전망 및 긴급지원 네트워크 구축에 활용한다.
- 재가노인지원서비스센터에서는 지역협의체 구성 및 사례관리를 통하여 서비스의 중복을 방지하고, 필요 서비스의 즉각 지원을 도모한다.

⑦ 농어촌 재가노인복지시설 운영

치매·중풍 등 노인성 질환으로 인하여 혼자서 일상생활을 하기 어려운 자에게 지역사회 내에서 방문요양, 주간보호, 단기보호서비스를 제공하는 시설을 말한다. 이용인원은 방문요양+주간보호(10명)+단기보호(5명)이며, 지역실정에 따라 시설의 유형은 조정할 수 있다.

⑧ 재가노인지원센터 운영

건강상의 문제 등으로 일상생활을 스스로 하기 어려운 노인의 가정을 요양보호사가 방문하여 필요한 서비스를 제공하고 낮 동안 또는 단기간 통원 서비스 등을 종합적으로 제공하는 재가노인복지시설을 말한다.

주요사업은 다음과 같다.

- 방문서비스 : 방문요양, 방문목욕, 방문간호
- 통원서비스 : 주간보호, 단기보호
- 사례관리 서비스 : 노인상담, 재가노인 사례관리, 재가시설 네트워크 구축
- 기타 사업 : 시·군·구가 위탁하는 재가노인복지사업을 수행할 수 있음

(4) 치매상담센터 운영

① 치매상담센터 운영의 목적

지역사회 치매 예방 및 관리사업에 대한 원활한 수행을 실시하고, 치매노인 등록에 따른 관리 및 이에 필요한 상담·지원 등의 서비스를 제공함으로써 치매노인이 보다 건강한 삶을 누릴 수 있도록 하기 위함이다.

② 치매상담센터의 주요 사업내용

치매노인 등록 및 관리, 치매노인 및 그 보호자에 대한 상담 및 지원, 치매 예방 및 치매노인 간병요령 등에 관한 교육의 실시, 재가치매노인에 대한 방문·관리, 치매노인의 사회적 지원의 안내, 기타 지자체발이 치매 예방 및 치매노인 관리를 위하여 필요하다고 인정하는 업무 등이다.

(5) 치매검진사업

① 치매검진사업의 목적

치매의 위험이 높은 만 60세 이상 노인을 대상으로 치매 조기검진을 실시하고 치매환자를 조기에 발견·관리함으로써 치매노인 및 그 가족들의 삶의 질을 제고하고, 치매환자의 등록·관리를 통해 효과적으로 치매를 치료 및 관리하기 위함이다.

② 치매검진사업의 대상

치매검진사업의 검진 대상자 선정기준은 만 60세 이상의 모든 노인이며, 치매선별용 한국어판 간이정신상태검사(Korean version of MMSE for Dementia Screening; MMSE-DS) 점수를 이용한다. 대상자는 60세 미만의 경우는 60~69세 연령기준을 준용한다. 만 60세 이상인 자로 소득수준이 전국 가구 기준 중위소득 120% 이하인 경우이다. 단, 3인 가구에 한해 전국가구 평균 소득 100% 기준을 유지한 자 및 기타 보건소장이 치매 예방 및 관리를 위하여 치매 조기검진이 필요하다고 인정하는 자는 시·군·구별로 자체기준을 정하여 시행한다.

③ 치매치료관리비 지원사업

치매치료관리비 지원사업은 치매를 조기에, 지속적으로 치료·관리함으로써 효과적으로 치매증상을 호전시키거나 증상 심화를 방지하여 노후 삶의 질 제고 및 사회경제적 비용 절감에 기여하기 위함이 목적이고 대상은 치매치료제를 복용 중인 치매환자이다. 이 사업은 치매 조기 약물치료 시 8년 후 요양시설 입소율 70% 감소되며, 중증 치매환자는 경도 치매환자에 비하여 약 7배의 경제적 부담이 발생하므로 필요하다. 2017년 지원내역은 치매치료관리비 보험급여분 중 본인부담금(치매약제비 본인부담금+약 처방 당일의 진료비 본인부담금)이며, 7차 한국표준질병사인분류에 따른 치매치료비 지원 대상 질병은 다음과 같다.

- F013 혼합형 피질 및 피질하 혈관성치매
- F028 뇌전증에서의 치매
- F028 과칼슘혈증에서의 치매
- F028 루이소체(들)(병)에서의 치매
- F028 다발경화증에서의 치매
- F028 전신홍반루푸스에서의 치매

④ 치매사업 수행 절차

1단계로 보건소에서 선별검사를 실시하고, 2단계로 협약병원의 진단검사(신경인지검사, 전문의 진료 등), 3단계로 협약병원의 감별검사(혈액 검사, 뇌 영상 촬영 등)를 실시한다.

치매검진사업의 실시 체계는 [그림 7-13]과 같다.

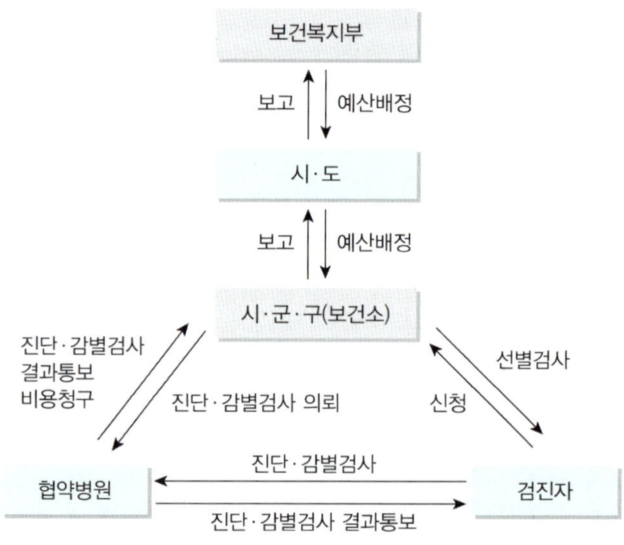

〈 자료원 : 보건복지부(2021). 2021년 치매검진사업 〉

그림 7-13 치매검진사업의 실시 체계

(6) 노인실명예방사업

① 노인실명예방사업의 목적

저소득층 노인 등에 대한 정밀 안검진의 실시로 안질환을 조기 발견 및 적기 치료함으로써 노인들의 실명 예방 및 일상생활이 가능한 시력을 유지하고, 노인 개안수술비 지원을 통한 노인 및 가족의 의료비 부담을 경감시키며, 안 검진 및 수술대상의 단계적 호가대로 노인건강의 체계적 보장을 목적으로 한다.

② 노인실명예방사업의 대상

가. 노인 안 검진 사업의 대상

만 60세 이상의 모든 노령자로 저소득층을 우선으로 한다. 검진 대상자의 우선순위는 안과 전문의가 없는 읍·면·동 지역의 만 60세 이상 기초생활보장 수급권자, 시·도지사가 안과 병·의원 접근도가 특히 낮다고 인정한 지역의 만 60세 이상 기초생활보장 수급권자, 최근 2년 이내에 노인건강검진에서 안과 검진이 제외된 지역의 만 60세 이상 기초생활보장 수급권자, 기타 시·도지사가 선정한 지역의 만 60세 이상 기초생활보장 수급권자 및 차상위 계층, 기타 자치단체장이나 보건소장이 노인 안 검진이 필요하다고 인정하는 만 60세 이상의 노인이다. 검진항목은 1차 진단에서 정밀 안저검사, 2차 진단에서 정밀 안저검사, 안압검사, 굴절검사 및 조절검사, 각막곡률검사 등이다.

나. 노인 개안수술 사업의 대상

만 60세 이상의 노인으로 백내장, 망막질환, 녹내장 등 기타 안질환의 수술대상 질환자이며, 전국 가구 평균소득 50% 이하인 경우로 기초생활 수급자 우선이다.

(7) 노인건강진단

① 노인건강진단의 목적

질병의 조기 발견 및 치료로 건강의 유지 및 증진을 도모하고, 노인건강수준 향상으로 건강하고 활기찬 노후생활을 보장하기 위함이다.

② 노인건강진단의 대상

시·군·구 관할구역에 거주하는 만 65세 이상의 의료급여 수급권자 중 노인건강진단 희망자와 기타 보건소장이 노인 건강진단이 필요하다고 인정하는 자이다.

③ 노인건강진단의 검진방법 및 절차

- 정확한 검사를 위하여 지역별 내원검진을 원칙으로 하되, 개별적으로 검진받기를 희망하는 경우 개별검진을 허용한다.
- 도서 및 벽지 등 취약지역은 이동 검진반에 의한 순회검진을 실시할 수 있으며 순회검진을 실시하는 경우에는 혈액 등 검체의 보관 및 수송에 유의하여 순회검진에 따른 필요인력과 장비의 확보 등의 사전준비를 철저히 한다.
- 검진기관장은 건강진단에 지장이 없도록 검진인력과 관련 장비를 확보하고, 소요시약 및 기자재 등을 충분히 준비한 후 검진을 실시한다.
- 한 검진기관에서 전 종목을 검진함을 원칙으로 하되 안저검사, 치매검사 및 방사선 촬영·판독은 타 전문의료기관에 의뢰하여 실시할 수 있으며, 이 경우 비용 산정은 당해 진단종목별 수가로 실시한다.
- 1차 건강진단의 검진기관은 보건소장과 검진일정을 협의하되, 당해 기관의 1일 검진가능인원을 감안하여 현실적인 검진일정계획을 수립하여야 하며, 개별검진 실시 희망자는 검진기관과 협의하여 검진일정을 확정한다.
- 건강진단은 공복인 상태로 실시하여야 하므로 오전 중에 검진을 완료하도록 하며, 최소한 8시간 정도의 공복상태를 유지한다.

- 검진기관은 실시구분별 종목에 대하여 검진을 실시한 후, 검진결과를 수검자 및 보건소장에게 검진 종료일로부터 10일 이내에 통보한다.
- 2차 건강진단의 검진기관은 1차 건강진단 결과 2차 진단 대상자로 판정된 자에 대해서 1차 검진 시 채혈된 혈액으로 2차 검진 질환별 검사항목을 실시하고, 2차 수검대상자는 내원 시 잔여 2차 검사를 실시한다.
- 2차 건강진단의 종합판정은 질환별로 기준 종목의 검사를 완료한 후 수검자 내원 당일 진찰과 함께 판정하되, 치료요양 대상자(단순요양, 후유요양) 및 예방관리 대상자(요주의자)로 판정된 수검자에 대해서는 조기치료 및 건강지도를 실시한다.
- 추가검진 시 시장·군수·구청장(보건소장)은 지정된 검진일정에 건강진단을 받지 못한 미수검자를 파악하여, 지정된 검진기관과 협의하여 건강진단기간 중 추가검진을 실시하며, 검진절차는 일반수검자의 1, 2차 검진절차와 동일하게 실시한다.

④ 노인 건강진단 항목

노인 건강진단 항목은 [표 7-15]와 같다.

표 7-15 노인 건강진단 항목

<table>
<tr><th colspan="3">구 분</th><th>진단항목</th></tr>
<tr><td rowspan="6">1차</td><td colspan="2">기본진료</td><td>• 진찰(시진, 청진, 촉진, 문진) • 치과검사(우식증, 결손치, 치주질환)
• 체위검사(신장, 체중, 흉위, 혈압, 시력, 청력)</td></tr>
<tr><td colspan="2">혈액검사</td><td>• 혈색소 • 혈청지오티 • 혈당
• 총 콜레스테롤 • 혈청지피티 • 매독1)</td></tr>
<tr><td colspan="2">요검사</td><td>• 요당, 요단백, 요잠혈, 임질, 클라미디아감염증2)</td></tr>
<tr><td colspan="2">안검사</td><td>• 정밀안저검사</td></tr>
<tr><td colspan="2">치매검사</td><td>• 선별검사(간이인지기능검사; MMSE)</td></tr>
<tr><td colspan="2">흉부 X선 간접촬영</td><td></td></tr>
<tr><td rowspan="12">2차</td><td colspan="2">기본진료</td><td>• 진찰(시진, 청진, 촉진, 문진)</td></tr>
<tr><td colspan="2">흉부질환, 기타 흉부질환</td><td>• 흉부 X선 직접촬영 • 결핵균 집균도말검사</td></tr>
<tr><td rowspan="2">순환계 질환</td><td>고혈압</td><td>• 혈압 • 정밀 안저 검사(양측) • 심전도 검사</td></tr>
<tr><td>고지혈증</td><td>• 혈압 • 트리그리세라이드 • HDL 콜레스테롤</td></tr>
<tr><td colspan="2">간장질환</td><td>• 총단백 • 알카라인포스파타제 • 총빌리루빈(총·직접)
• 알부민 • 유산탈수효소(LDH) • 알파휘토단백</td></tr>
<tr><td colspan="2">신장질환</td><td>• 요침사 현미경 검사 • 요산 • 요소·질소
• 크레아티닌</td></tr>
<tr><td colspan="2">빈 혈</td><td>• 헤마토크리트 • 백혈구 수 • 적혈구 수</td></tr>
<tr><td colspan="2">당뇨질환</td><td>• 식전혈당(FBS) • 식후혈당(PPS)</td></tr>
<tr><td colspan="2">안질환</td><td>• 안압검사 • 굴절 및 조절검사 • 각막곡률 검사</td></tr>
<tr><td colspan="2">치 매</td><td>• 치매척도검사(GDS 또는 CDR)</td></tr>
<tr><td colspan="2">골다공증 검사</td><td>• 양방사선(광자) 골밀도 검사</td></tr>
</table>

주 1) 매독, 임질, 클라미디아감염증의 경우 희망자에 한해 실시
2) 임질과 클라미디아감염증의 경우 소변검체 검사가 가능한 보건소에서만 실시

〈 자료원 : 보건복지부(2022). 2022년 노인보건복지사업 안내〉

(8) 감염병 및 식중독 예방 등 위생관리

시설에서 필요한 최저한의 감염병과 식중독 발생 예방수칙인 개인위생, 오염예방, 감염경로 차단, 조리사 등의 위생관리 및 환자발생시 대처방안 등을 준수해야 한다. 전염병(A형간염, 결핵, C형간염, 옴 등) 환자 발생 시 시설장은 즉시 관할 건강보험공단(장기요양운영센터) 및 시·군·구에 전염병 발생 사실을 보고하고 격리 치료 조치를 하여야 한다. 특히 옴은 전염가능성이 매우 높은 질환으로 잠복기가 4~6주로 길기 때문에 증상이 없더라도 전염이 가능하고, 피부의 직접 접촉에 의해 전파되며 감염된 옷이나 침구류를 통해서도 감염되므로 천이 씌워진 가구를 포함한 실내를 철저하게 진공청소기로 청소하고 속옷, 침구 등 50~60℃물로 10~20분간 세탁하고, 세탁 후 3일간 사용하지 않아야 한다. 세탁이 어려운 것은 2일간 햇볕에 말리거나 다리미로 다린 후 사용하고, 세탁할 수 없는 의류는 3일 이상 보관한 후에 재사용한다.

2) 노인복지정책과 사업

노인복지사업이란 노인이 퇴직 후 소득감소에서 오는 생계비 문제, 노후에 자주 경험하는 만성질환과 심신쇠약으로 인한 건강문제, 은퇴 후 가정과사회에서의 역할상실 및 지위의 저하, 그리고 정서적인 고독감과 소외감 등 현재 우리나라 노인들이 당면하고 있는 공통적인 노인의 문제를 해결하기 위한 국가적인 차원의 사업이라고 할 수 있다. 일반적으로 노인문제를 빈곤(貧困), 병고(病苦), 고독(孤獨), 무위(無爲) 등의 4고(四苦)로 표현한다. 대체로 개발도상국은 노인의 빈곤문제와 의료문제가 급선무이며, 선진국에서는 노인의 여가활동이나 사회참여 그리고 고독감이나 소회감 등의 사회심리적 문제를 해결하는 것이 노인복지의 주요 과제이다. 우리나라에서는 개발도상국과 선진국에서 다루고 있는 문제들을 동시에 다루어야 하는 어려운 시점에 있으며, 다양한 노인복지사업을 진행하고 있다. 즉, 노인들의 빈곤문제를 해결하기 위한 노후생활지원사업, 병고의 문제를 해결하기 위한 노인의료복지사업 및 재가노인복지사업, 고독감의 문제를 해결하기 위한 노인여가복지사업 등 각종 사업들이 있다.

(1) 노후소득 및 여가활동 보장

① 노인일자리 및 사회활동 지원사업

가. 사업 목적

어르신이 활기차고 건강한 노후생활을 영위할 수 있도록 다양한 일자리·사회활동을 지원하여 노인복지 향상에 기여하는 것이다. 이를 통하여 일을 통한 적극적 사회참여, 소득보충 및 건강증진 등으로 노인문제 예방 및 사회적 비용을 절감하고 노인인력 활용에 대한 사회적 인식개선 및 민간 참여를 도모하기 위함이다.

나. 노인일자리사업의 유형 및 내용

A. 공익활동

사업의 정의로는 노인이 자기만족과 성취감 향상 및 지역사회 공익증진을 위해 참여하는 봉사활동으로 사업 대상은 만 65세 이상 기초연금 수급자이다.

사업내용으로는

- **노노케어** : 독거노인, 조-손 가정노인, 거동불편 노인, 경증치매 노인 등 취약노인 가정을 방문하여 일상생활을 안정적으로 유지할 수 있도록 안부 확인, 말벗 및 생활 안전 점검 등 필요한 서비스를 제고하는 활동

- **취약계층 지원** : 장애인, 다문화가정, 한부모가족 아동 등 취약계층을 대상으로 상담·교육 및 정서적 지원 등 필요한 서비스를 제공하는 활동
- **공공시설 봉사** : 복지시설, 공공의료시설, 교육(보육)시설, 지역 내 주거환경 및 생태환경 정화 등 지역사회 내 필요한 공익 서비스를 제공하기 위해 필요한 각종 사항을 지원하는 활동
- **경륜전수 활동** : 노인이 평소 가지고 있는 경험과 지식, 삶의 지혜를 동세대, 아동·청소년 세대 등 지역공동체 구성원들과 공유하는 활동
- **지역사생활동** : 지역사회 내 자원연계를 통해 참여노인에 대한 추가적인 소득지원이 가능한 활동

B. 사회서비스형 노인일자리

- 사회서비스형

사업의 정의로는 노인의 경력과 활동역량을 활용하여 사회적 도움이 필요한 영역(지역사회 돌봄, 안전 관련 등)에 서비스를 제공하는 일자리를 말하며, 사업대상은 만 65세 이상이며, 사업의 유형 및 내용으로는

- 가정 및 세대간 서비스 : 보교육사 보조, 돌봄서시스 이용 아동 등·하교 및 귀가지원, 급식 지원, 한부모가족의 아동보호 및 교육지원, 새터민 등 정서지원을 통한 정착지원 등
- 취약계층 전문서비스 : 장애인 보호시설 등 대상자 보조 및 지원, 장애인 이동보조 및 활동 보조, 시설이용 노인서비스 지원 및 환경정비 지원, 노인맞춤 돌봄서비스 업무보조, 시니어 금융업무지원, 소비피해예방, 취약계층 교육지원, 시니어 학대피해 아동지침이 노인돌봄 전달체계 개편 시범사업 등
- 공공전문서비스 : 시니어 안전 모니터링, 시니어 가스안전관리원, 시니어국민생활 시설 점검원, 시니어 취업상담, 동행면접, 정보제공 및 기업 일자리 발굴, 산재신청 안내, 공항 출입국 관리, 도서대여, 공공정보 수집 및 구축지원, 우체국 행정업무지원, 사전연명의료의향서 상담사 운영지원, 국립공원 관광객 안내 지원(시니어 탐방 플러스), 시니어연금가이드, 에너지 품질안전 파수꾼, 시니어 자살예방 상담원, 미디어 콘텐츠 제작 업무 및 미디어 분야 교육
- 노인 일자리 및 노인사회활동 지원 : 노인일자리 담당자 업무지원
- 기타 : 기타 지역내 취약시설 또는 사회적 공헌유형 지원 등

- 사회서비스형 선도모델(시범사업)

사업의 정의로는 외부자원(인적·물적)을 활용한 사회서비스분야 신노년세대 맞춤형 노인일자리로 만 60세 이상이며 지원내용은 참여노인 1인당 최대 32만원×5개월 지원(연간 최대 1인당 160만 원)이 된다.

C. 시장형사업단

사업의 정의로는 노인에게 적합한 업종 중 소규모 매장 및 전문 직종 사업단 등을 공동으로 운영하여 일자리를 창출하는 사업으로 일정기간 사업비 또는 참여자 인건비 일부를 보충지원하고 추가 사업소득으로 연중 운영하는 노인 일자리이다. 사업대상은 만 60세 이상 사업특성 적합자로 사업의 유형 및 내용으로는

- **식품제고 및 판매** : 식재료를 활용하여 식품 등을 제조하여 판매
- **공산품제작 및 판매** : 일정한 시설을 갖추고 규격에 맞춘 공산품을 제작하여 판매
- **매장운영** : 소규모 매장 및 점포를 운영
- **지역영농** : 유·휴경지를 활용하여 농산물 등을 공동으로 경작하고 판매
- **운송** : 아파트 단지 내 택배물품을 배송·집하, 지하철 이용 각종 수하물 및 서류 등 배달

- 기타 : 사업 수익을 통해 향후 발전 가능성이 있는 재화·서비스 제공

D. 취업알선형

사업의 정의로는 수요처의 요구에 의해서 일정 교육을 수료하거나 관련된 업무능력이 있는 자를 해당 수요처로 연계하여 근무기간에 대한 일정 임금을 지급 받을 수 있는 일자리로 만 60세 이상 대상이며, 지원내용은 수행기관에 사업비 지원(참여자 인건비 지원 없음)을 한다.

E. 시니어인턴십

사업의 정의로는 만 60세 이상자의 고용촉진을 위해 기업에 인건비를 지원하여 계속고용을 유도하는 사업이다. 사업대상은 참여기업으로는 4대 보험가입 사업장 중 근로자 보호규정을 준수하는 기업 및 비영리 민간단체 등이며, 참여자는 만 60세 이상으로 개발원 및 수행기관에서 진행하는 교육을 이수한 자로 한다.

지원내용으로는

- 일반형
  - 인턴지원금 : 입사일로부터 3개월간 참여자 1인당 월 약정급여의 50% 지원
    ※ 월 최대 40만 원 한도 내, 최대 3개월
  - 채용지원금 : (인턴 종료후 6개월 이상 계속고용계약 체결 시) 추가 3개월간 참여자 1인당 월 약정급여의 50% 지원
    ※ 월 최대 40만 원 한도 내, 최대 3개월
- 체험형
  - 인턴지원금 : 입사일로부터 3개월간 1인당 월 30만 원 지원
  - 계속고용의사 갖춘 기업만 지원하는 기존 진입장벽을 완화하되, 전문성·확장성이 높은 우수직종을 중심으로 사업 규모화를 지원하는 유형
- 세대통합형
  - 채용지원금 : 숙련기술 보유 퇴직자를 청년 멘토로 최소 6개월 이상 고용한 기업에 1인 최대 300만 원 지원(일시금)
    ※ 참여자의 누적 급여총액이 보조금 이상 지급된 시점 이후 지원
- 장기취업유지형
  - 장기취업유지지원금 : 일반형 사업으로 18개월 이상 고용한 뒤, 6개월 이상 계속고용계약을 체결한 경우 1인당 총 90만 원 지원(일시금)
    ※ 지원기준일(18개월 경과 시점) 이후 3개월 이내 신청기업에 한해 지원한다.

F. 고령자친화기업

사업의 정의로는 고령자가 경쟁력을 가질 수 있는 적합한 직종에서 다수의 고령자를 채용하여 운영할 기업에 지원한다. 사업 대상의 참여기업으로 다수의 고령자를 고용하고 있고, 추가 고용 계획이 있는 기업 또는 다수의 노인을 고용할 기업을 신규로 설립할 기업 및 단체이며, 참여자는 만 60세 이상 노인 중 사업특성에 적합자로 하며, 1개소당 1억~3억 원을 지원한다[표 7-16].

표 7-16 노인일자리 및 사회활동 지원사업 내용

구 분	유 형	주요내용	예산지원형태	활동성격
공익형	공익활동	노인이 자기만족과 성취감 향상 및 지역사회 공익증진을 위해 참여하는 활동	지자체경상보조	봉사 (사회활동)
사회서비스형		노인의 경력과 활동역량을 활용하여 사회적 도움이 필요한 영역(지역사회 돌봄, 안전 관련 등)에 서비스를 제공하는 일자리	지자체경상보조	근로
사회서비스형 선도모델(시범사업)		외부자원(인적·물적)을 활용한 사회서비스 분야 신노년 세대 맞춤형 일자리	민간경상보조	
민간형	시장형사업단	참여자 인건비 일부를 보충지원하고 추가 사업 수익으로 연중 운영하는 노인 일자리	지자체경상보조	
	취업알선형	수요처의 요구에 의해서 일정 교육을 수료하거나 관련된 업무능력이 있는 자를 해당 수요처로 연계하여 근무기간에 대한 일정 임금을 지급받을 수 있는 일자리	지자체경상보조, 민간경상보조	
	시니어인턴십	만 60세 이상자의 고용촉진을 위해 기업에 인건비를 지원하여 계속고용을 유도하는 사업	민간경상보조	
	고령자친화기업	고령자가 경쟁력을 가질 수 있는 적합한 직종에서 다수의 고령자를 고용하는 기업 설립 지원	민간경상보조	

〈 자료원 : 보건복지부(2022). 2022년 노인보건복지사업 〉

② 노인자원봉사 활성화

가. 사업 목적

노인의 경륜을 사회에 재투자할 수 있도록 노인자원봉사를 활성화하여 노인의 적극적 사회참여 및 노인의 인적자원 활용의 극대화를 추진하기 위함이다. 이를 통하여 노인에게 적합한 새로운 봉사활동 개발로 사회참여 기회를 확대하고, 노인의 지식, 경험, 기술을 지역 내 사회복지 자원으로 유도하며, 노인 스스로 자립하고, 존경받고, 공헌하고, 지혜로운 노인상의 새로운 노년상을 제시하고자 한다. 기본방향은 지식과 재능을 이용한 전문성과 나눔문화를 확산하고, 지역사회에서 노인의 주도적 자원봉사 분위기를 조성하며 차별화된 노인 자원봉사 활동영역을 마련하는 것이다.

나. 노인자원봉사 활성화 사업내용

- 노인자원봉사클럽(봉사단) 운영 지원
- 노인자원봉사단(클럽) 운영 매뉴얼 개선
- 전국 노인자원봉사 대축제 개최
- 노인자원봉사 홈페이지 운영 지원

다. 경로당 운영

경로당을 지역의 노인복지·정보센터·학대노인 지킴이센터로 운영한다.

- 건강관리·운동·교육·여가·자원봉사 등 다양한 프로그램 제공으로 노인이 가장 손쉽게 접근할 수 있는 다기능 공간으로 활용

- 프로그램 조정·지원을 담당하는 경로당 순회프로그램관리자 기능의 전문화
- 경로당을 독거노인 생활교육 실시장소로 활용하여 지역사회 독거노인 보호기능 수행
- 경로당을 '학대노인 지킴이센터'로 지정하여 학대피해노인을 감시·신고하는 기능 수행

경로당 운영의 재정 건전성 및 투명성 확보를 위한 철저한 회계관리 및 경로당 활성화 프로그램이 운영된다[표 7-17].

표 7-17 경로당 활성화 프로그램

<table>
<tr><th>대분류</th><th>중분류</th><th>내 용</th><th>비 고</th></tr>
<tr><td rowspan="4">건강운동</td><td>체조·댄스교실</td><td rowspan="4">노인들의 신체적·정서적 건강유지 및 증진을 위한 건강운동 프로그램 지원</td><td rowspan="4">전체 경로당에 '치매예방 수칙 및 치매예방체조' 보급</td></tr>
<tr><td>웃음교실</td></tr>
<tr><td>요가·명상</td></tr>
<tr><td>건강운동</td></tr>
<tr><td rowspan="4">건강관리</td><td>건강검진관련</td><td rowspan="4">노인들의 신체적·정서적 건강유지 및 증진을 위한 건강검진, 한방치료 등</td><td rowspan="4"></td></tr>
<tr><td>한방치료</td></tr>
<tr><td>안마교실</td></tr>
<tr><td>방문간호</td></tr>
<tr><td rowspan="7">교육·상담</td><td>정보화교육</td><td rowspan="7">노후생활, 정보통신, 생애말기 준비·설계교육 등 다양한 교육을 실시함으로써 노인들의 건전하고 건강한 노후생활 영위를 위한 교육 프로그램 제공</td><td rowspan="7"></td></tr>
<tr><td>어학교육</td></tr>
<tr><td>인식개선교육</td></tr>
<tr><td>에너지교육</td></tr>
<tr><td>노인상담</td></tr>
<tr><td>생활·안전교육</td></tr>
<tr><td>프로그램발표대회</td></tr>
<tr><td rowspan="5">여가활동</td><td>음악활동</td><td rowspan="5">노래교실 등 각종 레크리에이션 활동 등을 통해 노년의 건전한 여가-취미생활을 유지할 수 있는 프로그램 제공</td><td rowspan="5"></td></tr>
<tr><td>바둑장기교실</td></tr>
<tr><td>문학활동</td></tr>
<tr><td>미술활동</td></tr>
<tr><td>문화·공연활동</td></tr>
<tr><td rowspan="3">권익증진</td><td>노인성교육</td><td rowspan="3">노인 권익증진을 위한 성교육, 학대예방교육 등</td><td rowspan="3"></td></tr>
<tr><td>소비자피해예방교육</td></tr>
<tr><td>노인자살·학대예방교육</td></tr>
<tr><td rowspan="3">사회참여</td><td>방문 이·미용서비스</td><td rowspan="3">경로당 이용 노인들을 중심으로 지역사회 청소 및 재활용품 수집, 청소년 안전지킴이 등의 봉사활동 수행</td><td rowspan="3"></td></tr>
<tr><td>시설 방문 위문공연</td></tr>
<tr><td>자원봉사활동</td></tr>
<tr><td>공동작업장</td><td>공동작업장 운영</td><td>경로당을 중심으로 노인들이 지역특성에 맞는 일거리를 확보하여 공동으로 생산 활동에 참여</td><td></td></tr>
<tr><td>기타</td><td></td><td>지역특성에 알맞은 각종 활동</td><td></td></tr>
</table>

〈 자료원 : 보건복지부(2022). 2022년 노인보건복지사업 〉

(2) 소외된 노인보호

① 노인돌봄서비스

가. 노인돌봄서비스의 목적

혼자 힘으로 일상생활을 영위하기 어려운 노인과 독거노인에게 욕구에 따라 안전확인, 생활교육, 서비스 연계, 가사·활동지원, 주간보호서비스 등 맞춤형 복지서비스를 제공하는 것이다.

나. 노인돌봄서비스 사업내용

A. 직접 서비스

- 안전지원
  - 대상자의 전반적인 안전 여부를 점검하기 위하여 생활환경, 가구구조와 같은 환경여건 뿐만 아니라 노인의 기본적인 신체적 정신적 사회적 안녕 여부 등을 점검·지원하는 서비스
  - 서비스 내용 : 안전·안부확인(방문·전화·ICT), 생활안전점검, 정보제공, 말벗
- 사회참여
  - 대상자가 사회적 관계망을 형성·확장하여 사회적 교류와 활동을 유지하도록 지원하는 서비스
  - 서비스 내용 : 사회관계 향상 프로그램, 자조모임
- 생활교육
  - 사회적, 신체적, 정신적 기능을 유지하거나 악화를 지연·예방하기 위한 교육·프로그램을 제공하는 서비스
  - 서비스 내용 : 신체건강·정신건강분야 생활교육
- 일상생활지원
  - 대상자의 일상생활을 지원하기 위하여 외출동행, 가사지원을 제공하는 서비스
  - 서비스 내용 : 이동활동지원, 가사지원

B. 연계 서비스(민간후원 자원)

- 대상자의 안정적인 생활을 지원하기 위하여 지역사회 내 민간자원 등의 후원물품이나 서비스를 연계 지원하는 서비스
- 노인맞춤돌봄서비스 수행기관은 물품후원, 자원봉사자 등 민간후원자원을 적극 발굴·연계
  ※ 지자체에서 지역사회의 다양한 자원을 연계하지만 민간후원 자원의 경우 후원자가 공공기관이 아닌 민간기관에 후원을 원하는 경우도 있으므로 후원자원 연계 기능 수행 필요
- 서비스 내용 : 생활지원연계, 주거개선연계, 건강지원연계, 기타 서비스 등

C. 특화서비스

- 고립, 우울, 자살생각 등이 높은 노인을 대상으로 개별 맞춤형 사례관리 및 집단활동 제공

D. 사후관리 서비스

- 사후관리가 필요한 대상자에게 정기적인 모니터링 및 자원연계 실시

② 노인보호전문기관 설치 운영

노인보호전문기관 설치 운영의 목적은 급속한 인구 노령화와 핵가족화 등에 따라 가족 간 갈등 및 노인부양부담 증대 등으로 노인학대사례가 증가하여 이를 전문적이고 체계적으로 대처하여 노인권익을 보호하는 한편, 노인학대 예방 및 노인인식개선 등을 통한 노인의 삶의 질 향상을 도모하기 위함이다.

'노인학대'라 함은 노인에 대하여 신체적·정신적·정서적·성적 폭력 및 경제적 착취 또는 가혹행위를 하거나 유기 또는 방임을 하는 것을 말한다(노인보건법 제1조의2 제4호). 노인학대의 유형은 공간에 따라 가정학대와 시설학대 및 기타로 분류하며, 형태적 분류는 [표 7-18]과 같다.

사업의 추진방향은 노인인권 보호 및 노인학대 예방, 노인학대 예방 교육 및 홍보 강화, 학대피해 노인 및 가정에 대한 사후관리 강화, 의료인 등 노인학대 신고의무자에 대한 교육을 강화하여 학대 신고율을 높임으로써 노인학대 사례 발굴의 확대이다. 노인학대 신고의무자는 의료기관의 장, 방문요양서비스나 안전확인 등의 서비스 종사자, 다문화가족지원센터, 성폭력피해상담소 및 피해자 보호시설의 장과 종사자, 응급구조사, 의료기사가 추가되어 8개 직군에서 14개 직군으로 확대되었다('16.12.30. 노인복지법 개정).

노인보호전문기관의 주요 업무는 「노인복지법」 제39조의5에서 규정한 노인인권보호사업과 노인학대예방사업으로 노인 학대 예방의 날(6.15) 행사, 노인인식 개선교육, 노인자살 예방교육, 사업 시설 내 노인권리 보호 및 기타 노인의 권익보호를 위한 사업 등을 실시할 수 있다.

중앙노인보호전문기관은 노인인권보호 관련 사업, 노인학대예방사업의 총괄적 관리 및 조정, 학대받은 노인의 단기보호, 지역노인보호전문기관 지원 및 관리, 관련기관과의 사업연계 및 전국홍보 등의 사업을 시행한다. 지역노인보호전문기관은 노인학대 신고전화(1577-1389)의 운영 및 사례접수, 노인학대 의심사례에 대한 현장조사, 학대피해 노인 및 노인학대자에 대한 상담, 노인학대 피해자 사후관리, 지역단위 노인학대 예방교육 및 홍보 등의 업무를 실시한다[그림 7-14].

표 7-18 노인학대의 형태적 분류

유 형	정 의
신체적 학대	물리적 힘 또는 도구를 이용하여 노인에게 신체적 혹은 정신적 손상, 고통, 장애 등을 유발시키는 행위
정서적 학대	비난, 모욕, 위협 등의 언어 및 비언어적 행위를 통하여 노인에게 정서적으로 고통을 유발시키는 행위
성적 학대	성적수치심 유발행위 및 성폭력(성희롱, 성추행, 강간) 등의 노인의 의사에 반하여 강제적으로 행하는 모든 성적 행위
경제적 학대(착취)	노인의 의사에 반(反)하여 노인으로부터 재산 또는 권리를 빼앗는 경제적 착취, 노인 재산에 관한 법률 권리 위반 등 경제적 권리와 관련된 의사결정에서 통제하는 행위
방 임	부양의무자로서의 책임이나 의무를 거부, 불이행 혹은 포기하여 노인의 의식주 및 의료를 적절하게 제공하지 않는 행위(필요한 생활비, 병원비 및 치료, 의식주를 제공하지 않는 행위)
자기방임	노인 스스로가 의식주 제공 및 의료 처치 등의 최소한의 자기보호 관련행위를 의도적으로 포기 또는 비의도적으로 관리하지 않아 심신이 위험한 상황이나 사망에 이르게 하는 행위
유 기	보호자 또는 부양의무자가 노인을 버리는 행위

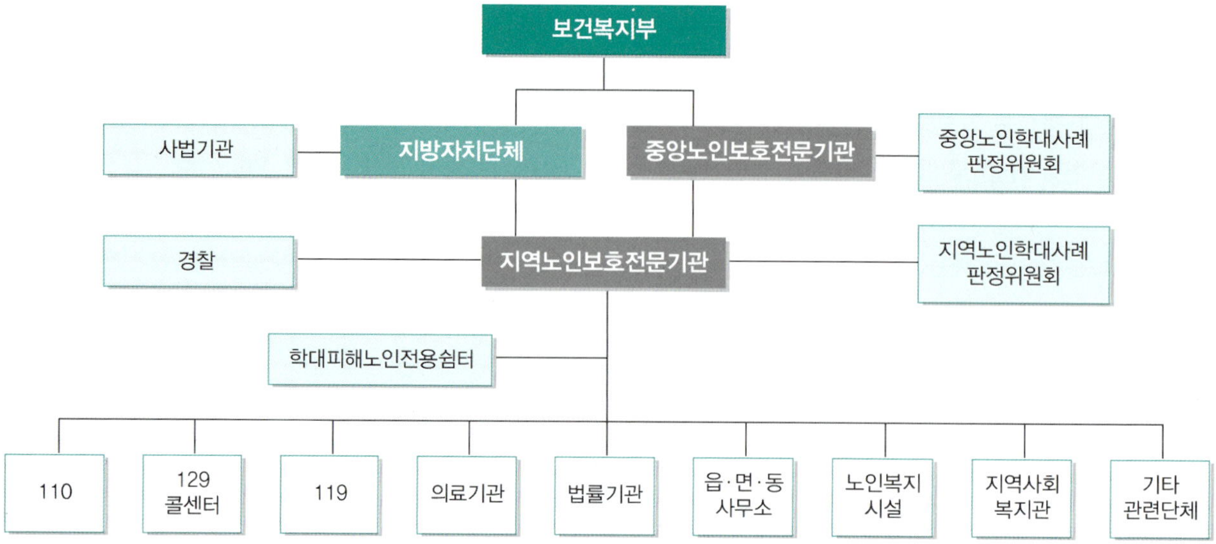

그림 7-14 노인학대예방사업 체계도

(3) 경로효친사상 및 노인봉양의식 제고

① 노인의 날 및 경로의 달 행사

나라의 발전과 사회의 중추적 역할을 다해 온 어르신들의 노고에 감사드리는 사회적 분위기를 조성하고, 고령화 시대에 걸맞은 새로운 노인상을 정립하는 등 노인에 대한 사회적 관심과 공경의식을 높이기 위하여 노인의 날은 10월 2일, 경로의 달은 10월로 정하여 실시하고 있다.

이는 각 지방 및 기관특성에 맞게 행사의 다양화 및 내실화를 기할 수 있도록 행사계획을 수립하여 실시하고, 각종 행사는 범국민적 경로효친 분위기를 조성할 수 있도록 한다.

② 경로우대제 운영

도시화, 산업화에 따른 노인문제 대처를 위한 노인복지를 증진하고 전통적 미덕을 기려 노인을 우대하고 경로효친사상을 양양키 위해서 경로우대제를 운영한다.

공영 경로우대제도로는 통근열차의 50% 할인과 무궁화호, 새마을열차 및 KTX 30% 할인, 수도권 전철, 도시철도, 고궁, 능원, 국공립 박물관, 국공립 공원 및 국공립 미술관의 운임 및 입장료 100% 할인 등이 있다. 민영 경로우대제도로는 국내 항공기 운임의 10% 할인, 국내 여객선 운임의 20% 할인 등이 있다. 또한 지방자치단체는 지역사회 내 복지 수요 및 공급과 복지대상자들의 욕구 등을 고려하여 노인들의 노후의 생활안정, 효행장려 등 복지서비스 제공이 필요한 경우, 조례, 규칙 등을 제정하여 지원할 수 있다.

4 노인장기요양보험제도

우리나라의 노인장기요양보험제도는 2003년부터 논의를 시작하여, 2005년 7월부터 2006년 3월까지 약 9개월간 국민기초생활 수급권자를 대상자로 한정하여 6개 시·군에서 1차 시범사업을 실시하였다. 2차 시범사업은 2006년 4월부터 2007년 3월까지 12개월 동안 8개 시·군·구의 65세 이상 일반노인 중 중등증 이상(1~3등급)에 해당하는 노인을 대상으로 본 사업과 유사한 형태로 운영체계 전반을 검증하였다. 3차 시범사업은 2007년 4월부터 2008년 6월까지 15개월 동안 13개 시·군·구로 확대하여 65세 이상 노인을 대상으로 실시하였다. 이후 2008년 7월 1일부터 본격적으로 노인장기요양보험제도가 시행되었다.

1) 노인장기요양보험제도의 개념

(1) 노인장기요양보험제도의 정의와 목적

노인장기요양보험제도는 고령이나 노인성 질병 등으로 목욕이나 집안일 등 일상생활을 혼자서 수행하기 어려운 이들에게 신체활동·가사지원 등의 서비스를 제공하여 노후 생활의 안정과 그 가족의 부담을 덜어주기 위한 사회보험제도이다. 노인장기요양보험제도는 「노인장기요양보험법」에 의해 제공되고 있다.

(2) 노인장기요양보험제도의 주요 특징

우리나라의 노인장기요양보험제도는 건강보험제도와는 별개의 제도로 도입·운영되고 있다. 장기요양보험제도를 건강보험제도와 분리하여 운영하는 경우, 노인 등에 대한 요양 필요성 부각이 비교적 쉽고 새로운 제도의 도입이 용이하며, 건강보험 재정에 구속되지 않아 장기요양급여의 운영을 간소화 할 수 있다는 장점이 있다. 또한 장기요양제도의 특성을 살릴 수 있도록 「국민건강보험법」과 별도로 「노인장기요양보험법」을 제정하였다.

제도운영의 효율성을 도모하기 위하여 보험자 및 관리운영기관을 국민건강보험공단으로 일원화하고 있다. 이는 도입과 정착을 원활하게 하기 위하여 건강보험과 독립적인 형태로 제도를 설계하되, 그 운영에 있어서는 효율성을 제고하기 위하여 별도로 관리운영기관을 설치하지 않고 국민건강보험공단이 이를 함께 수행하도록 한 것이다.

또한 우리나라 장기요양보험제도는 65세 이상의 노인 또는 65세 미만의 자로서 치매, 중풍, 파킨슨병 등 노인성 질병을 가진 자 중에서 6개월 이상 혼자서 일상생활을 수행하기 어렵다고 인정되는 자를 급여대상으로 하고 있다. 여기에는 65세 미만의 노인성 질환이 없는 일반적인 장애인은 제외하고 있다.

2) 노인장기요양보험제도의 운영체계

(1) 노인장기요양보험의 적용

건강보험 가입자는 장기요양보험의 가입자가 된다. 이는 건강보험의 적용에서와 같이 법률상 가입이 강제되어 있다는 것이다. 또한 공공부조의 영역에 속하는 의료급여 수급권자의 경우, 건강보험과 장기요양보험의 가입자에서는 제외되지만, 국가 및 지방자치단체의 부담으로 장기요양보험의 적용대상이 되고 있다.

장기요양보험 가입자 및 그 피부양자나 의료급여수급권자는 누구나 장기요양급여를 받을 수 있는 것은 아니다. 일정한 절차에 따라 장기요양급여를 받을 수 있는 권리가 부여되는데 이를 '장기요양인정'이라고 한다. 장기요양인정절차는 먼저 국민건강보험공단에 장기요양인정신청을 하고 공단직원의 방문에 의한 인정조사와 등급판정위원회의 등급판정, 그리고 장기요양인정서와 표준장기요양이용계획서의 작성 및 송부로 이루어진다[그림 7-15].

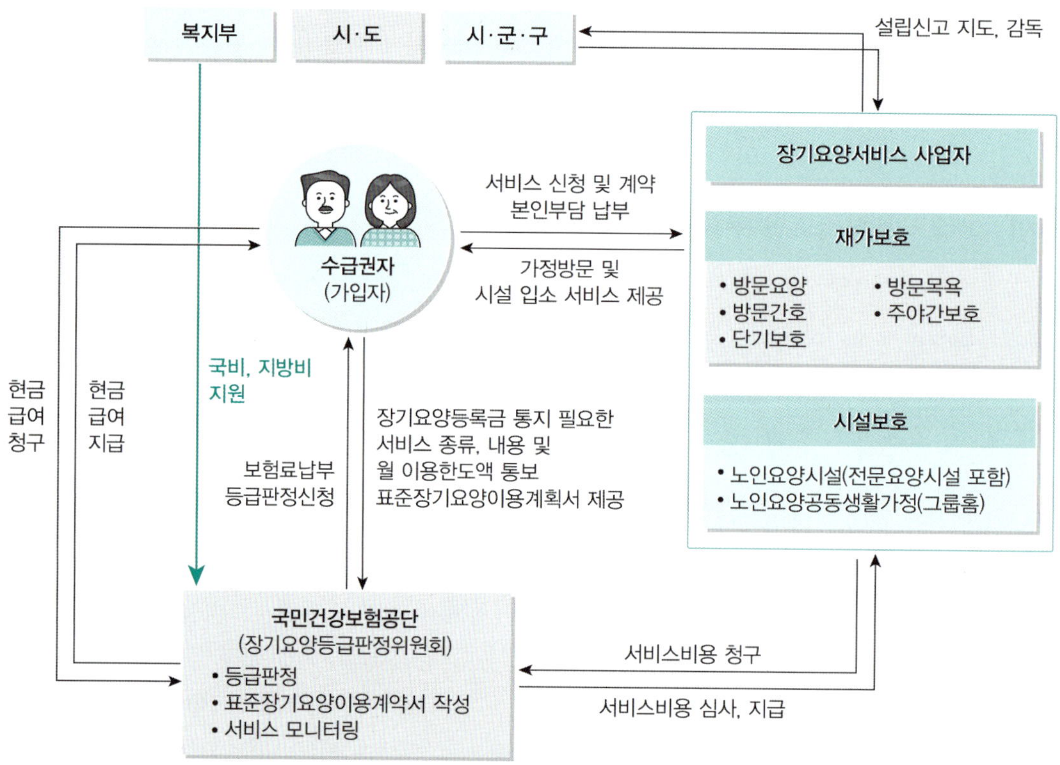

〈 자료원 : 보건복지부(2017) 〉

그림 7-15 노인장기요양보험제도 운영체계

(2) 노인장기요양보험의 재원

노인장기요양보험에 소요되는 재원은 장기요양보험료와 국가 및 지방자치단체 부담 그리고 장기요양급여 이용자가 부담하는 본인일부부담금으로 운영된다.

장기요양보험 가입자는 건강보험 가입자와 동일하며, 장기요양보험료율은 2022년 건강보험료 대비 12.27%이며, 공단은 건강보험료와 장기요양보험료를 통합하여 징수하되 이를 구분하여 고지한다.

국가는 매년 예산의 범위 안에서 당해 연도의 장기요양보험료 예상 수입액의 20%에 상당하는 금액을 공단에 지원한다.

본인일부부담금은 수급대상자가 실제 요양서비스를 받은 시점에서 장기요양기관에 납부하는 금액을 말한다. 재가급여의 경우 당해 장기요양급여비용의 100분의 15이며, 시설급여의 경우 당해 장기요양급여비용의 100분의 20이다. 「국민기초생활보장법」에 의한 수급자는 전액 면제이다.

(3) 장기요양인정 및 서비스 이용절차

장기요양대상자는 신청절차에 따라 신청하여 등급판정을 받아야 한다. 장기요양인정 신청은 국민건강보험공단에 하며, 장기요양 등급판정은 장기요양 등급판정위원회에서 실시한다. 등급판정이 이루어지면 각급 장기요양기관에서 서비스가 제공된다. 장기요양인정의 신청절차는 다음과 같다[그림 7-16].

- 장기요양인정신청 및 방문조사(국민건강보험공단)
- 장기요양인정 및 장기요양등급판정(등급판정위원회)
- 장기요양인정서·표준장기요양이용계획서 송부(국민건강보험공단)
- 장기요양급여이용계획 및 장기요양 급여제공(장기요양기관)

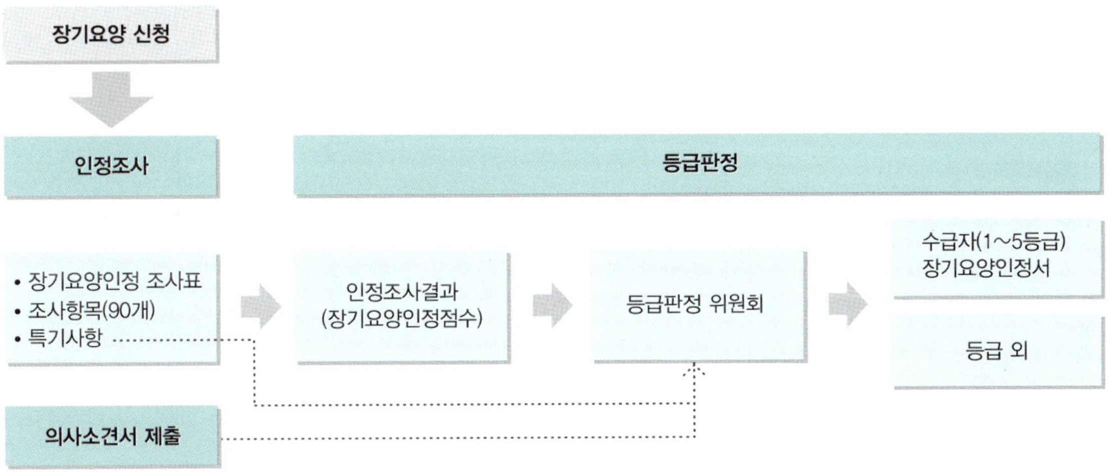

〈 자료원 : 국민건강보험공단(2021). 2021 노인장기요양보험 통계연보 〉

그림 7-16 장기요양인정 신청절차

(4) 장기요양 등급판정 기준 및 절차

장기요양 등급판정은 '건강이 매우 안 좋다', '큰 병에 걸렸다' 등과 같은 주관적인 개념이 아닌 '심신의 기능상태에 따라 일상생활에서 도움(장기요양)이 얼마나 필요한가?'를 지표화한 장기요양인정 점수를 기준으로 한다. 장기요양인정 점수를 기준으로 등급판정을 한다. 현재의 등급체계는 1등급에서부터 5등급(일명 '치매특별등급'), 인지지원등급(장기요양인정점수 45점 미만인 자) 신설 등으로 개편되었다[제4장 표 4-14 참고].

인정신청을 하게 되면 기본적 일상생활활동(ADL), 수단적 일상생활활동(IADL), 인지기능, 행동변화, 간호처치, 재활영역 각 항목에 대한 신청인의 기능상태와 질병 및 증상, 환경상태, 서비스욕구 등 12개 영역 90개 항목을 종합적으로 조사하고 이 중 52개 항목으로 요양인정점수를 산정에 이용하고 있다.

등급판정위원회는 방문조사 결과, 의사소견서, 특기사항을 기초로 신청인의 기능상태 및 장기요양이 필요한 정도 등을 등급판정 기준에 따라 심의 및 판정한다.

(5) 장기요양급여의 종류

장기요양급여란 6개월 이상 혼자서 일상생활을 수행하기 어렵다고 인정되는 자에게 신체활동·가사활동의 지원 또는 간병 등의 서비스나 이에 갈음하여 지급하는 현금 등을 의미한다. 노인장기요양 인정자는 장기요양기관과 자율적인 계약을 통해 장기요양급여를 이용하며, 노인요양시설이나 재가장기요양기관을 선택한다. 장기요양기관 표준장기요양이용계획서와 계약내용을 반영하여 장기요양급여의 제공계획서를 작성하고 급여를 제공한다.

급여의 종류로는 크게 재가급여, 시설급여, 특별현금급여로 나누어진다.

① 재가급여

가정을 방문하여 신체활동, 가사활동, 목욕, 간호 등 제공, 주간보호센터이용, 복지용구 구입 또는 대여를 급여내용으로 하며, 종류에는 방문요양, 방문목욕, 방문간호, 주야간보호, 단기보호, 기타 재가급여가 있다.

② 시설급여

요양시설에 장기간 동안 입소하여 신체활동지원, 심신기능의 유지·향상을 위한 교육·훈련 등을 제공하는 요양급여이다.

③ 특별현금급여

특별현금급여는 가족요양비와 특례요양비로 나뉜다.

가족요양비는 장기요양기관이 현저히 부족한 도서나 벽지 지역에 거주하는 자, 천재지변 등으로 장기요양기관이 실시하는 장기요양급여를 이용하기 어렵다고 인정된 자, 신체·정신·성격 등의 사유로 가족 등이 장기요양을 받아야 하는 자에게 지급된다.

특례요양비는 수급자가 장기요양기관으로 지정되지 않은 장기요양시설 등의 기관과 재가 또는 시설급여에 상당한 장기요양급여를 받은 경우 장기요양급여비용의 일부를 지급한다.

3) 장기요양기관 및 인력

(1) 장기요양기관

장기요양기관이란 「노인장기요양보험법」에 의한 장기요양급여 수급자에게 장기요양급여를 제공하는 기관을 말한다.

장기요양기관의 종류로는 시설급여를 제공하는 장기요양기관과 재가급여를 제공하는 장기요양기관이 있다. 2021년 장기요양기관 수는 총 26,547(재가 20,559, 시설 5,988)개소이며, 장기요양기관의 종류에는 시설급여를 제공하는 기관과 재가급여를 제공하는 기관이 있다(국민건강보험(2021). 2021 노인장기요양보험통계연보).

시설급여를 제공하는 장기요양기관은 「노인복지법」상 노인요양시설 및 노인요양공동생활가정 및 단기보호에서 전환한 노인요양시설의 경우 시·군·구청장의 지정을 받아 시설급여를 제공하는 장기요양기관이 된다. 시설급여를 제공하는 장기요양기관의 시설기준과 인력배치 기준은 [표 7-19, 7-20]과 같다.

재가급여를 제공하는 장기요양기관은 신규로 재가급여 제공시설을 설치하는 경우에는 「노인장기요양보험법」의 재가장기요양기관의 시설·인력기준을 갖추어 시·군·구청장에 설치신고를 하면 재가급여를 제공하는

표 7-19 노인의료복지시설의 시설기준

<table>
<tr><th colspan="2">구 분
시설별</th><th>침실</th><th>사무실</th><th>요양
보호사실</th><th>자원
봉사자실</th><th>의료 및
간호사실</th><th>물리(작업)
치료실</th><th>프로
그램실</th><th>식당 및
조리실</th><th>비상재해
대비시설</th><th>화장실</th><th>세면장 및
목욕실</th><th>세탁장 및
세탁물 건조장</th></tr>
<tr><td rowspan="2">노인
요양
시설</td><td>입소자
30명 이상</td><td>○</td><td>○</td><td>○</td><td>○</td><td>○</td><td>○</td><td>○</td><td>○</td><td>○</td><td>○</td><td>○</td><td>○</td></tr>
<tr><td>입소자
30명 미만
10명 이상</td><td>○</td><td colspan="3">○</td><td>○</td><td>○</td><td>○</td><td>○</td><td>○</td><td>○</td><td colspan="2">○</td></tr>
<tr><td colspan="2">노인요양
공동생활가정</td><td>○</td><td colspan="4">○</td><td colspan="2">○</td><td>○</td><td>○</td><td colspan="3">○</td></tr>
</table>

주 1) 세탁물을 전량 위탁처리하는 경우 세탁장 및 세탁물건조장 두지 않아도 됨
2) 기존 의료기관의 일부층을 요양시설로 전환하는 경우 물리치료실, 조리실, 세탁장 및 세탁물 건조장 공용가능
3) 노인요양시설 안에 두는 치매전담실의 경우에는 다음의 요건을 갖추어야 함
(가) 정원1명당 면적이 1.65m^2 이상인 공동거실을 갖출 것
※ 1.65m^2 이상의 거실공간은 화장실 등 공동거실 내 부대시설이 포함되지 않은 순수한 활동공간만의 면적임
(나) 치매전담실 입구에 출입문을 두어 공간을 구분하되, 화재 등 비상시에 열 수 있도록 할 것
(다) 공동으로 사용할 수 있는 화장실과 간이욕실(세면대를 포함한다. 이하 같다)을 갖출 것. 다만, 침실마다 화장실과 간이욕실이 있는 경우에는 그렇지 않다.

〈 자료원 : 법제처(2021). 노인복지법 시행규칙 별표4 〉

표 7-20 노인의료복지시설의 직원배치 기준

<table>
<tr><th colspan="2">직종별
시설별</th><th>시설장</th><th>사무
국장</th><th>사회
복지사</th><th>의사
(촉탁)
의사</th><th>간호
(조무)사</th><th>물리치료사
또는
작업치료사</th><th>요양
보호사</th><th>사무원</th><th>영양사</th><th>조리원</th><th>위생원</th><th>관리인</th></tr>
<tr><td rowspan="2">노
인
요
양
시
설</td><td>입소자
30명 이상</td><td>1명</td><td>1명[1)]</td><td>1명[2)]</td><td>1명
이상</td><td>입소자
25명당
1명</td><td>1명[2)]</td><td>입소자
2.5명당 1명
(치매 전담실은
2명당 1명)</td><td>1명[1)]
(입소자
50명 이상인
경우로 한정)</td><td>1명
(1회
급식인원이
50명 이상인
경우로 한정)</td><td>입소자
25명당
1명</td><td>1명
(입소자
100명 초과할
때마다 1명
추가)</td><td>1명
(입소자
50명 이상인
경우로 한정)</td></tr>
<tr><td>입소자
30명 미만
10명 이상</td><td>1명</td><td colspan="2">1명</td><td>1명</td><td>1명</td><td>필요수</td><td>입소자
2.5명당 1명</td><td></td><td></td><td></td><td></td><td></td></tr>
<tr><td colspan="2">노인요양
공동생활가정</td><td colspan="3">1명</td><td></td><td colspan="2">1명</td><td>입소자
3명당 1명
(치매 전담실은
2.5명당 1명)</td><td></td><td></td><td></td><td></td><td></td></tr>
</table>

주 1) 사무국장은 입소자 50명 이상인 경우에 한해서 배치(50명 미만 시설 배치 불요)
2) 사회복지사, 물리치료사는 기본 1명 배치하고, 입소자 100명 초과할 때마다 1명 추가
3) 1회 급식인원이 50명 이상인 경우로 한정함

〈 자료원 : 법제처(2021). 노인복지법 시행규칙 별표4 〉

장기요양기관이 된다. 기존에 재가노인복지시설을 설치·운영하고 있는 경우에는 「노인장기요양보험법」의 재가장기요양기관의 시설·인력기준을 갖추어 시·군·구청장의 지정을 받아 장기요양기관이 된다. 이 가운데 의료기관이 아닌 자가 설치·운영하는 재가장기요양기관은 방문간호를 제공하는 경우에는 방문간호의 관리책임자로서 간호사를 두어야만 한다.

(2) 인력

장기요양기관의 전문인력을 2021년 직종별로 살펴보면 요양보호사가 507,473명으로 가장 많으며, 다음으로는 간호사 3,645명(간호조무사 14,196명)이었으며, 사회복지사 33,736명, 물리치료사 2,723명, 촉탁의사를 포함한 의사 2,349명, 영양사 1,149명, 치위생사 12명 순이었다.

이 가운데 가장 많은 수를 차지하는 요양보호사에 대해서 간략하게 살펴보면 다음과 같다.

'요양보호사'란 치매·중풍 등 노인성 질환으로 독립적인 일상생활을 수행하기 어려운 노인들을 위해 노인요양 및 재가시설에서 신체 및 가사지원 서비스를 제공하는 인력으로, 노인장기요양보험제도 시행 이후 요양보호사 국가자격제도(시·도지사 발급)를 신설하여 운영하고 있다. 요양보호사는 요양보호사 교육기관에서 교육과정 이수 후 자격시험에 합격하면 자격을 취득할 수 있다.

요양보호사의 업무는 장기요양기관 등에서 노인들에게 신체활동 및 일상생활활동 서비스를 제공하는 것이다. 요양보호사는 「노인복지법」상 노인주거복지시설, 노인의료복지설(노인전문병원 제외), 재가노인복지시설에 배치되며, 「노인장기요양보험법」상 장기요양기관(요양 / 재가), 재가장기요양기관(방문간호 제외)에 배치된다.

제 08 장

역학지식 및 통계기술 실무적용

COMMUNITY HEALTH NURSING

학·습·목·표

제1절 역학의 이해

1. 역학의 정의와 목적을 설명한다.
2. 역학의 역사적 배경을 이해한다.

제2절 질병의 자연사와 예방수준

1. 질병의 자연사를 설명한다.
2. 질병의 역학모형을 설명한다.
3. 감염성질환의 발생과정을 설명한다.
4. 감염성질환의 자연사를 설명한다.
5. 감염성 지표를 설명한다.
6. 감염성질환의 관리방법을 설명한다.

제3절 역학적 측정지표

1. 측정의 의의와 기본단위를 설명한다.
2. 역학적 측정지표로 설명한다.

제4절 건강검진의 진단검사

1. 집단검진에 대해 설명한다.
2. 검사방법의 타당도와 신뢰도를 설명한다.

제5절 역학연구

1. 역학연구의 개념을 설명한다.
2. 역학연구의 종류와 특성을 설명한다.

제6절 보건통계 활용

1. 서술통계와 추론통계를 설명한다.
2. 기초적인 건강관련 데이터를 해석한다.

제7절 인구현상의 이해

1. 인구의 종류와 인구이론을 설명한다.
2. 인구통계자료를 설명한다.
3. 인구구조의 유형별 특징을 설명한다.
4. 우리나라 인구변화와 인구정책을 설명한다.

제1절 + 역학의 이해

Keywords
- 역학
- 분석역학
- 실험역학
- 기술역학

1 역학의 정의와 목적

1) 역학의 정의

역학(疫學, epidemiology)은 그리스어 epi(upon), demos(people), logia(study)에서 유래된 단어로, 이를 해석하자면 '인구집단에 관한 질병 연구'라고 할 수 있다. 초기에 역학의 대상은 대부분 전염성이 강한 유행병들이었다. 그래서 처음에는 '유행병의 과학(science of epidemics)'이라고 정의하기도 했다. 그러나 이 개념은 시대가 바뀌면서 차츰 복잡하고 다양한 개념으로 변화하기 시작하였다. 우리나라에서 '역(疫)'은 역질을 의미하는 단어로 '전염병의 집단발생'을 의미한다. 오늘날 '역(疫)'의 범위는 감염병에 한정되지 않고 모든 생리적 상태와 이상 상태(異常 狀態)의 집단발생으로까지 확장 적용되고 있다.

김정순(2014)은 역학을 '인간집단 내 발생하는 모든 생리적 상태 및 이상 상태의 빈도와 분포를 기술하고 이들의 빈도와 분포를 결정하는 요인들을 원인적 연관성 여부를 근거로 그 발생요인을 규명함으로써 효율적 예방법을 개발하는 학문'으로 정의하였다.

역학사전에서 역학은 '특정 인구집단을 대상으로 (질병을 포함한) 건강상태 혹은 건강과 관련된 사건의 분포와 그 결정요인을 연구하고 이를 질병예방과 건강증진에 활용하는 학문'으로 정의하였다. 이를 풀어보면 다음과 같다.

- 역학의 대상은 개인이 아닌 인구집단이다.
- 질병뿐만 아니라 건강의 모든 면을 포함한다.
- 질병의 빈도와 분포를 인구집단에서 시간, 공간, 인적 특성에 따라 기술하여 질병의 특성을 파악한다(기술역학).
- 이를 바탕으로 가설을 설정하고 이 가설을 역학 연구방법으로 원인요인 혹은 위험요인을 찾아낸다(분석역학, 실험역학). 이 요인에는 물리적·생물학적 요인뿐만 아니라 건강에 영향을 미칠 수 있는 행동요인, 사회문화적 요인을 모두 포함한다.
- 이렇게 얻어진 인과적 연관성 또는 위험요인을 건강증진과 질병의 예방과 관리에 이용한다.

이렇게 볼 때 역학은 사람과 인구집단을 대상으로 하는 질병 감시와 기술연구, 분석연구, 실험연구 등을 포함하는 건강과 질병에 관한 과학 연구의 전 영역을 포괄한다고 할 수 있다.

2) 역학의 목적과 활용

질병에 대한 역학적 활동은 대상 인구의 질병 및 질병관련 요인들의 분포 자료를 통해 질병과 요인들 간의 인과관계 또는 질병발생의 원인을 찾아내는 일이다. 따라서 역학의 궁극적인 목적은 효율적인 질병 예방 및 관리방법을 강구하여 건강증진을 도모하는 것이다. 구체적으로는 집단으로서 환자 및 정상인을 모두 포함하여 건강과 관련된 모든 사건, 즉 질병이나 생리적 상태를 인간, 시간, 장소의 특성에 따라 발생과 분포를 기술하고 이 특성에 따라 원인요인 또는 위험요인을 연구하여 밝혀내는 것이다.

역학의 기능과 실제 활용되는 분야는 다음과 같다.

(1) 기술적 기능

기술역학(descriptive epidemiology)은 현실적으로 일어나는 건강현상의 빈도를 있는 그대로 관찰하고 그 특성을 기록, 관찰하는 방법으로 문제의 심각성을 파악하고 그 원인을 해명하기 위한 기초자료를 작성한다. 시간(발생연월일, 시간), 장소(국가, 지역, 도시와 농촌 등), 인구학적 특성(연령, 성, 인종, 직업, 혼인상태 등)이 가장 보편적으로 조사되는 특성이다.

여기에는 어떤 질병의 시작으로부터 소멸에 이르기까지 질병의 발생과정과 진행과정 및 그 결과를 의미하는 질병의 자연사에 대한 기술, 지역사회의 건강수준과 질병양상에 대한 기술, 인구동태에 대한 기술 등이 포함된다. 이러한 정보는 보건사업계획의 기초가 되며 보건문제 파악 및 건강상태 측정에 사용되는 여러 보건지수(사망률, 발생률, 유병률 등) 개발에 이용된다.

(2) 원인 규명

역학의 궁극적인 목표는 질병발생을 예방하고 인간집단의 건강증진을 위한 수단을 개발하는 것이다. 이를 위해서는 인간집단에서 발생하는 건강에서 사망에 이르기까지의 모든 사건의 자연사를 규명하고 질병의 원인 규명이 필요하다. 기술역학에서 파악한 질병의 자연사와 발생양상 자료를 근거로 질병의 원인과 전파과정 등을 실험적·분석적 연구를 통하여 밝혀내는 것이다.

19세기 말에 독일 의학자 Robert Köch가 병원 미생물을 발견하기 이전에는 수많은 감염병의 직접적인 병인은 아무도 모르고 있었다. 그러나 영국 의학자 John Snow는 콜레라균이 발견되기 약 30년 전에 이미 콜레라 환자 또는 환자의 배설물을 접촉하거나 이에 오염된 물을 마심으로 전염된다고 결론지음으로써 콜레라의 요인을 규명하고 그 예방을 가능하게 하였다. 이러한 사례는 역학 본래의 목적을 달성한 빛나는 업적으로 자주 인용되고 있다.

(3) 질병 또는 유행발생의 감시역할

역학적 방법의 주축을 이루는 양(量)의 변동을 관찰하는 능력은 질병관리 대책수립이나 결과 평가에 결정적 도움을 주고 있다. 예방접종의 효과 판정, 감염병 유행 시 그 양상을 해석하는 역학조사, 효과적인 관리대책의 방향 제시, 그리고 그 관리대책의 평가 등 각종 조사가 있다. 뿐만 아니라 병원체, 숙주와 이들을 둘러싸고 있는 환경 등 질병발생의 3자가 복합적으로 작용함으로써 질병발생과 진행 양상 및 규모에 대한 예견을 가능하게 하여 대상 질환의 발생과 분포를 시시각각으로 알리는 질병발생 감시체계 등이 역학의 활용 예이다.

(4) 보건사업의 기획과 평가

보건사업의 필요성을 측정하고, 새로 도입될 사업계획 및 설계에 대한 평가, 사업의 진행과정과 효율성의 평가 및 실제 행해진 사업에 의해 얻어진 효과에 대한 평가자료의 산출에 역학적 방법론이 중요하게 사용된다.

(5) 임상연구에서의 활용

역학연구 방법론은 임상 분야의 연구에 많은 기여를 하고 있으며, 각종 임상연구 실험을 설계하는 데도 활용되고 있다.

2 역학의 역사적 배경

원래 역학과 공중보건의 주요 관점과 범위는 천연두, 페스트, 디프테리아, 백일해, 콜레라, 성홍열과 같은 감염성 질병에 의해 야기되는 감염병의 관리였다. 따라서 주요 목적은 질병이 전파되거나 재발을 막는 것이었다. 최근에는 콜레라, 결핵, AIDS 같은 감염병뿐 아니라 에볼라, 신종인플루엔자, 코로나19 등과 같은 신종 감염성 질병도 현저히 증가하고 있다. 이는 손씻기 등 개인위생 개선의 노력과 예방접종 증가, 지속적인 퇴치 사업 등의 노력으로 일부 감염병은 감소된 반면, 국가 간 교류로 인한 해외유입 감염병이 증가하고 있기 때문이다.

역학사(疫學史)에서 감염병 발생의 극적인 사례 중 몇 가지는 면역력을 갖추지 못한 사람들이 해당 감염병과 접촉하게 되었을 때 나타났다. 대표적인 것이 천연두로, 스페인이 이의 도움을 받아 멕시코의 원주민을 정복한 것을 들 수 있다. 스페인 사람들은 대부분 어릴 적 이 병에 감염되어 면역력을 가지고 있었지만 아메리카 원주민들은 면역력이 없어 화려한 아즈텍 문명의 멸망 배경에는 천연두가 있었다고 설명된다.

최초의 역학자로서 질병의 발생이 기후 등 환경이나 생활양식에 의한다고 설명한 히포크라테스(Hippocrates, B.C. 460～377)는 인체의 모든 생물학적 현상을 건·습·열·냉의 네 가지 요소로 분류하여 질병의 발생이 인간 생활에 미치는 기후의 영향이라는 역학적인 해석을 그의 저서 「Epidemic」에서 주장하였다.

질병이 특정한 감염체에 의해서 일어난다는 것을 처음으로 주장한 사람은 이탈리아의 Fracastoro로 아직 미생물이 발견되기 전이었지만 1557년에 저서 「De Contaginone」에서 감염체에 의해서 유행병이 발생한다고 주장하였다. 이는 Leeuwenhoek가 현미경을 이용하여 미생물을 처음 발견한 것이 1683년인 것을 생각한다면 경이로운 것이다. 그러나 18세기 중반까지 학계는 유행병의 원인을 독기설(miasma theory)로 보고 있었다. 독기설은 유기질이 부패할 때 발생하는 나쁜 공기를 흡입하여 병에 걸린다는 이론이며, 말라리아(malaria)의 뜻인 '나쁜 공기' 또한 독기설에서 유래된 용어이다. 이 독기설은 감염체설(contagium vivium theory)의 발전을 저해하는 결과를 초래하였으나, 18세기 중반 이후 여러 학자가 감염체설을 지지하게 되어 역학적인 연구 방법과 접목함으로써 근대 역학의 시대를 맞이하게 되었다.

간호사로서 최초의 역학자는 영국의 Florence Nightingale(1820～1910)이다. 그녀는 크림전쟁 당시 병사들의 건강상태, 유병률 통계를 작성하였는데 이는 인구집단의 질병양상과 분포에 대하여 기술한 것으로 사망률을 현저하게 줄이는 데 기여하였다.

역학이 과학적인 학문체계를 갖추게 된 계기는 영국의 마취의사인 John Snow(1813～1858)에 의해서였다. 그는 당시 런던에 유행하던 콜레라의 원인을 밝히기 위해 환자들의 거주지역별 감염지도를 작성하여 독기가 아닌 오염된 물에 의해 콜레라가 전파된다는 것을 증명하였고 오랫동안 지지되어 왔던 독기설을 종식시켰다. 이는 비브리오 콜레라가 R. Köch(1883)에 의해 분리·동정되기 약 30년 전의 일이었다.

19세기에 들어서서 감염병 확산을 억제하는 데 이룬 공헌으로는 영국인 의사인 Joseph Lister가 방부제를 이용한 무균수술(antiseptic surgery)을 수행하여 이 분야의 선구자가 되었으며, Louis. Pasteur는 프랑스의 생물학자로서 질병의 원인을 만드는 세균에 대한 연구결과로 파스퇴르 살균법(Pasteurization)을 창시했다. R. Köch는 독일의 의학자로서 미생물의 순수배양(pure culture)을 발전시키고 보급하는 데 공헌했고, 결핵균, 탄저병균, 콜레라균 등을 발견했다.

미국에서는 영국에서 건너온 이민의 초기 시절 질병에 걸린 사람을 격리하거나 여행자를 검역소에서 검사함으로써 감염병이 퍼지는 것을 억제하는 데 큰 공헌을 했다. 이러한 2가지 통제수단인 격리와 검역소 설치는 18세기에 널리 유행하였다.

20세기 들어서서 정교한 공중보건의 발전이라 할 수 있는 백신(vaccine), 페니실린(penicilline), 설파제(sulfa drug) 등이 발견됨으로써 질병의 예방과 통제 및 치료가 크게 개선되었다.

비감염성질환에 대해 연구를 한 대표적 역학자는 Goldberger로, 1941년 그의 연구에서 펠라그라(pellagra)의 원인이 신선한 우유나 육류의 섭취 부족이라고 밝힌 바 있다. 당시 펠라그라를 감염성질환으로 여겼으며, 원인을 찾고자 노력을 하던 중 고아원이나 정신병원의 시설수용자인 환자와 같이 근무하는 직원들에게는 환자가 없다는 사실에서 감염이 아닐 것이란 생각을 갖게 되었고, 동물성 단백질을 섭취할 기회가 적은 가난한 사람들에게서 많이 발생한다는 사실에서 특정 영양 결핍에 의한 질병일 가능성이 있다고 믿게 되었다. 그는 가설을 증명하고자 12명의 죄수에게 동물성 단백질이 없는 식사만을 하게 하여 인위적으로 환자를 만드는 데 성공하였고, 환자의 분비물을 자기 자신과 여러 명의 건강인의 인후점막을 통해 주입시키는 실험을 하여 감염병이 아니라는 사실을 증명하는 등으로 역학연구에 관찰방법뿐만 아니라 임상시험을 시도하여 훌륭한 업적을 남겼다.

간호사로서 감염성 질병의 원인연구에 기여한 사람은 Clara Louise Maass(1876～1901)로, 20세기 초에 황열의 원인균을 분리·동정하는 연구에서 모기가 질병원 병원소가 된다는 사실을 증명하는 데 결정적인 역할을 하였다.

1928년 뉴욕시는 디프테리아를 퇴치하기 위해 보건기동대(Health Mobiles)를 창설해 활동을 시작하였다. 오늘날 보건기동대는 미국의 많은 도시지역에서 활동을 하고 있지만, 감염병보다는 고혈압·녹내장·암·당뇨병 등과 같은 만성적 질병을 찾아내기 위해 노력하고 있다.

현대의 역학자들은 사람들을 건강하게 유지해주는 변인을 찾아내려고 한다. 그들은 B형간염과 AIDS를 포함해서 아동학대, 낙태, 가정폭력 및 감염병과 같은 다른 건강과 관련된 현상과 함께 만성질병 상태의 원인 등을 분석하는 데 노력을 기울이고 있다. 사회역학자는 사회적 상태가 질병을 야기할 수도 있는 기능성에 영향을 미치는 방법을 탐색한다. 그들은 주로 암이나 심장병, 알코올 중독 등과 같은 질병이나 상태를 연구하는 데 관심을 두고 있다.

제2절 + 질병의 자연사와 예방수준

Keywords

- 역학모형
- 감염성질환
- 감염력
- 자연사
- 집단면역

1 질병의 자연사

질병의 자연사란 '질병의 시작으로부터 소멸에 이르기까지 일련의 과정'이라고 정의된다. 특정집단의 질병 및 건강과 관련된 요인과 현상이 나타내는 공통점을 찾는 것에서 역학적 연구는 자연사를 규명하는 데 초점을 맞추고 있다.

Leavell과 Clark(1965)는 질병의 자연사에서 구별되는 두 가지의 뚜렷한 기간을 질병발생 이전기와 질병발병기로 구분하였다.

질병발생 이전단계(period of pre-pathogenesis)에서는 질병의 진전은 없지만 숙주와 병원체, 질병유발 촉진제를 생성하는 환경들 사이에 끊임없는 상호작용이 일어나 숙주가 질병에 걸릴 가능성이 커진다. 질병발생 이전단계는 비병원성기와 초기 병원성기로 구분된다. 비병원성기는 질병에 걸리지 않은 시기로 이때에는 환경 및 위생 개선, 건강증진 등의 적극적 예방을 하는 시기이다. 초기 병원성기는 숙주와 병원체, 환경과의 상호작용이 일어날 가능성이 있는 시기로 이때에는 예방접종 등의 소극적 예방을 실시한다. 이 단계의 예방 수준은 1차 예방이다.

질병 발병기(period of pathogenesis)는 질병의 자연사에서 질병을 유발하는 자극물이 생체의 세포조직에 변화를 일으키면서 시작된다. 질병 발병기는 불현성 감염기, 현성 감염기, 회복기로 구분할 수 있다. 불현성 감염기는 감염은 되었으나 증상이 나타나지 않는 시기로 조기진단 및 치료, 집단검진을 실시한다. 현성 감염기는 본격적으로 증상이 나타나는 시기로 이때에는 악화방지를 위한 치료를 적극적으로 실시해야 한다. 이 단계의 예방 수준은 2차 예방이다. 마지막 회복기는 질병에 이환된 후 회복되거나 사망한 경우로, 재활이 필요하거나 정상적으로 복귀를 하는 시기이며, 이 단계는 3차 예방 수준이다[표 8-1].

표 8-1 질병의 자연사와 예방수준

구 분	질병 발병기 이전		질병 발병기		
	비병원성기	초기 병원성기	불현성 감염기	현성 감염기	회복기
특 징	병에 걸리지 않은 시기	질병 초기	감염되었으나 무증상기	감염되어 증상이 나타나는 시기	질병에 이환된 후 회복 또는 사망
필요한 조치	적극적 예방	소극적 예방	중증화 예방	진단과 치료	무능력 예방
구체적 조치	환경위생, 건강증진	특수예방, 예방접종	조기진단 및 치료, 집단검진	악화방지를 위한 치료	재활, 사회생활 복귀
예방수준	1차 예방	1차 예방	2차 예방	2차 예방	3차 예방

〈 자료원 : Leavell & Clark(1965) 〉

질병의 자연사를 연구하면 역학의 궁극적 목표를 성취할 수 있다. 다시 말해 사람들에게 나타나는 질병이나 질병상태를 예방하거나 통제하는 효과적인 방법의 개발이 역학의 최종 목표라고 할 수 있다. 질병의 자연사에 영향을 미치는 병원체-숙주-환경 간의 유의한 관계를 규명함으로써 역학자는 발병 가능 집단을 규명할 수 있고, 그들에게서 질병발생을 예방하는 방법을 개발할 수 있다.

2 역학 모형

질병 발생기전을 설명하는 역학 모형에는 생태학적 모형(ecological model), 수레바퀴 모형(wheel model), 거미줄 모형(web model) 등이 있다.

1) 생태학적 모형

생태학적 모형에서 질병발생의 주요 세 가지 요인은 병원체, 숙주 그리고 이들을 둘러싸고 있는 환경요인으로 구성되어 있다. 지렛대 이론은 질병 혹은 유행의 발생기전을 환경이란 지레 받침대의 양쪽 끝에 병원체와 숙주라는 추가 놓인 지렛대에 비유하여 설명하고 있다[그림 8-1]. 이들 세 가지 요인이 균형 상태를 이루고 있을 때(①의 경우), 혹은 숙주인 인간이 강해지거나, 병원체가 약해지거나, 환경 요인이 숙주에 이롭게 또는 병원체에 해롭게 작용하는 상황이 되면 개인에 있어서는 질병이, 집단의 경우에는 유행이 발생하지 않는다. 그러나 숙주요인이 약해지거나(③의 경우), 병원체가 강해지거나(②의 경우), 스모그나 대기오염 등과 같이 환경요인이 인간에게 해롭게 작용하여 숙주의 감수성이 증가하거나(④의 경우) 자연재해 등과 같이 환경이 병원체에게 이롭게(⑤의 경우) 작용하는 상황에서는 질병 또는 유행이 발생하게 된다.

그러나 이 모형은 감염성질환에 대해서는 병원체를 병인으로 적용이 가능하나, 특정한 병인을 설명하기 어려운 정신질환이나 만성질환 등 비감염성질환에 대해서는 적용이 어려운 단점이 있다.

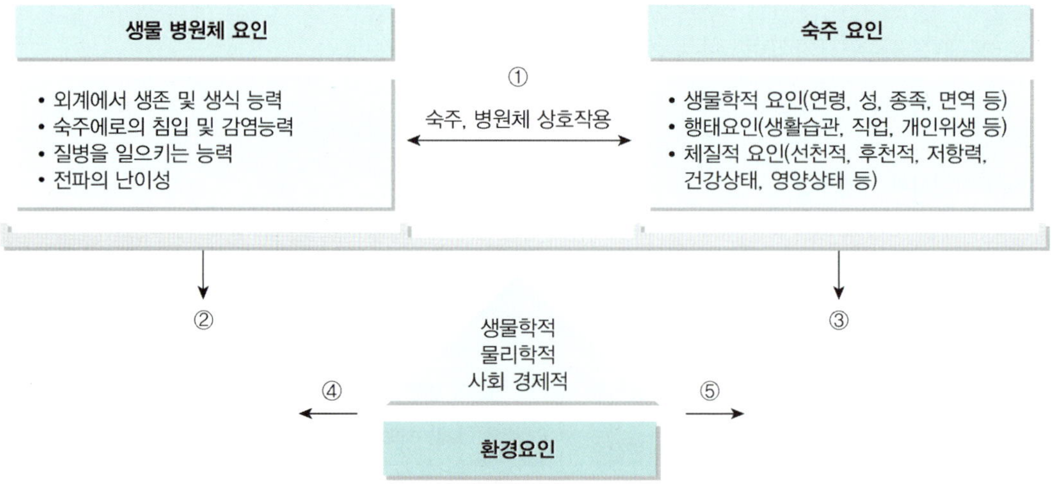

〈 자료원 : 김정순(2014) 〉

그림 8-1 생태학적 모형(Gordon의 지렛대 이론)

2) 수레바퀴 모형

이 모형은 숙주인 인간과 환경의 상호작용에 의해 만성질환이 발생하는 것을 설명한 모형이다(Mausnea, 1985). 인간은 유전적 소인을 갖고 있으며, 서로 다른 유전적 소인으로 인하여 질병이 발생할 수 있다. 모형의 중심부에 있는 인간은 생물학적·물리적·사회경제적 환경으로 둘러싸여 있고, 이들 환경은 인간에게 만성질환 발생의 원인을 제공하며 질병에 따라 한 가지 환경이 질병을 일으키는 원인이 되기도 하고, 2가지 이상의 환경이 질병을 일으키기도 한다[그림 8-2].

다른 모형과 달리 병원체 요인을 모형의 구성요소에 넣지 않아 질병의 원인을 병원체로 보기보다는 인간의 유전적 소인과 생물학적·물리학적·사회적 환경과의 상호작용에 의해 질병이 발생한다고 설명한다. 수레바퀴를 구성하는 각 요소(요인)의 크기도 질병의 종류에 따라 달라진다. 예를 들어 유전병이라면 유전 소인이 커지고, 감염병이라면 숙주의 행태(면역상태), 생물학적 환경 소인 등이 커질 것이다.

〈 자료원 : 김정순(2014) 〉

그림 8-2 수레바퀴 모형

3) 거미줄 모형

거미줄 모형은 질병 발생에 관여하는 여러 직·간접적인 요인들이 거미줄처럼 서로 얽혀 복잡한 작용 경로가 있다는 모형이다. 이 모형에서는 병인과 숙주, 환경을 구분하지 않고 모두 질병 발생에 영향을 주는 요인으로 파악한다. 이 모형은 많은 원인요소 중 질병발생 경로 상의 몇 개의 요인을 제거하면 질병을 예방할 수 있음을 보여준다.

거미줄 모형은 사람의 내부와 외부의 여러 환경들이 서로 연결되어 만성질환이 발생함을 설명하는 모형이다. Friedman(1974)은 거미줄 모형을 이용하여 관상동맥질환의 발생과 관련된 여러 요인을 설명하였다[그림 8-3].

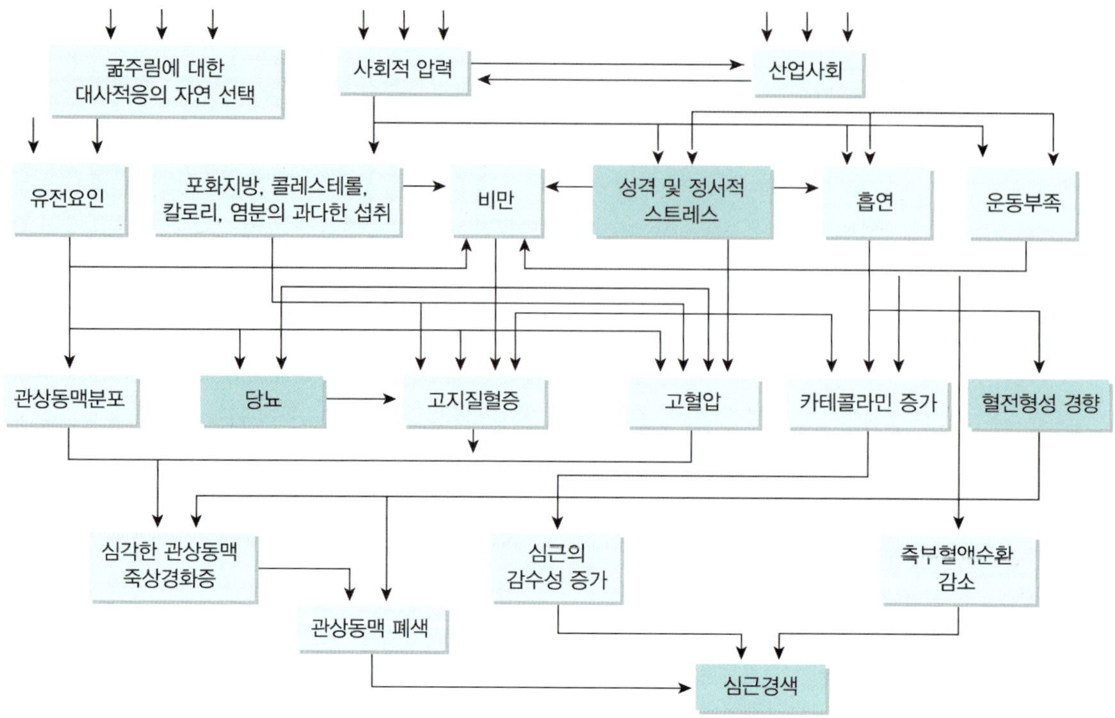

〈 자료원 : 譯 Friedman(1974) 〉

그림 8-3 관상동맥질환의 발생을 설명한 거미줄 모형

3 감염성질환의 발생

감염성질환의 발생과정은 일반적으로 6단계를 거쳐 이루어지는데, 이 중 한 단계라도 거치지 않으면 감염은 이루어지지 않는다[그림 8-4]. 즉 과정 중 한 단계만이라도 제거하거나 막을 수 있는 조치가 취해지면 감염성질환의 발생을 막을 수 있다. 그러나 병원체를 완벽하게 제거하거나, 전파를 막거나, 숙주의 방어력을 완벽하게 할 수 있는 방법이 없기 때문에 일반적으로 감염성질환의 관리에는 여러 가지 접근방법을 동시에 이용하는 경우가 대부분이다.

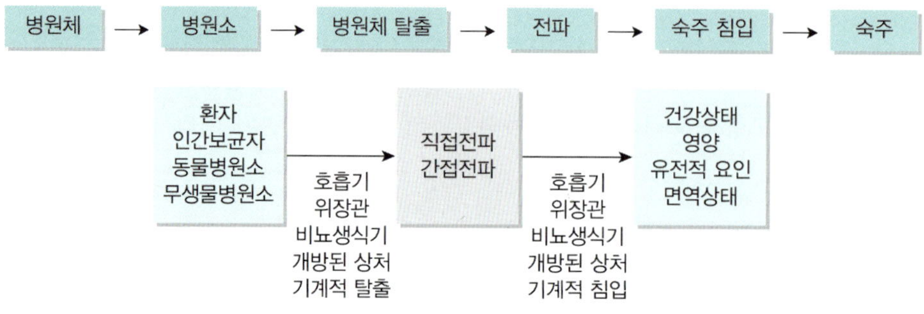

그림 8-4 감염성질환의 발생과정

1) 병원체

일반적으로 병원체(agent)는 박테리아, 바이러스, 리케치아, 프로토조아, 메타조아, 곰팡이 등으로 구분된다. 잘 알려진 세균성 질환의 병원체는 성홍열, 인후통, 류마티스성 열 및 심장병을 일으키는 연쇄상구균, 폐렴을 일으키는 폐구균, 피부에 염증을 일으키는 포도상구균, 장티푸스와 살모넬라 식중독을 일으키는 살모넬라균, 매독을 일으키는 매독균, 결핵 및 디프테리아를 일으키는 결핵균과 디프테리아균 등이 있다. 리케치아는 발진티푸스를 일으키는 발진티푸스 리케치아가 대표적이다. 바이러스에는 두창, 홍역, 인플루엔자, 감기, 수두, 풍진, 소아마비 등을 일으키는 다양한 종류가 있다. 그 외에 간헐적 발열, 만성빈혈 등의 증상을 일으키는 말라리아 원충, 무좀을 일으키는 곰팡이도 있다.

이들 병원체가 장기 존속하는 데에는 숙주 체내가 아닌 외부 환경에서의 생존능력, 병원체 증식에 필요한 조건, 그리고 얼마나 넓은 범위의 숙주를 보유하고 있느냐에 달려 있다. 특히, 외부 생존능력은 온도, 습도, 방사능 등의 불리한 환경 속에서 얼마나 견뎌낼 수 있느냐 하는 능력을 말한다.

2) 병원소

병원소(reservoir)는 병원체가 생존과 함께 증식하면서 감수성 있는 숙주에 전파될 수 있는 기회를 제공하는 환자, 동물, 곤충, 식물 및 흙 등을 말한다. 병원체는 생존과 증식을 해야 하므로 병원체에게 필요한 영양소가 필수적인 요소이다[표 8-2].

표 8-2 병원소에 따른 병원체의 예

병원소	병원체
인간	매독균, 임질균, 인간면역결핍바이러스(HIV), B형 및 C형 간염바이러스, 장티푸스균, 세균성 이질균
동물	광견병 바이러스, 페스트균, 렙토스피라균, 살모넬라균, 브루셀라균
흙	보툴리늄균, 히스토플라즈마, 파상풍균
물	레지오넬라균, 슈도모나스균(pseudomonas), 마이코박테리움

(1) 사람 병원소

병원소가 사람인 경우 병원체를 보유한 사람은 환자와 보균자로 나눌 수 있다. 환자는 증상이 있는 사람이므로 쉽게 인지되어 적절한 조치를 취할 수 있다. 하지만 보균자는 증상이 없으므로 쉽게 인지할 수 없어 질병 전파의 병원소로 작용하는 경우가 많다. 특히 보균자 중에서도 건강보균자(B형 간염 등)와 잠복기 보균자(호흡기 전파 감염성질환)는 인지되지 않는 경우가 많아 감염성질환 관리에 큰 장애가 된다.

(2) 동물 병원소

동물 병원소를 통해서는 주로 동물이 감염되지만, 여러 경로를 통하여 인간에게도 감염을 야기한다. 이러한 질환을 인수공통감염병(zoonosis)이라고 한다. 동물 병원소는 크게 가축과 야생동물로 분류하는데 가축은 감염 여부 파악이 용이하여 관리가 비교적 쉽지만 야생동물은 감염 여부 파악뿐만 아니라 관리도 어렵다.

3) 병원소에서 병원체의 탈출

병원소로부터 병원체가 탈출하는 경로는 다양하다[표 8-3].

(1) 호흡기

호흡기계를 통한 탈출로 주로 대화, 기침, 재채기를 통해 비말(droplet)로 전파되며 폐결핵, 폐렴, 인플루엔자, 홍역, 백일해, 수두, 디프테리아, 유행성 이하선염 등이 해당된다.

(2) 위장관

위장관을 통한 탈출로 분변이나 토사물에 의해 전파되며 콜레라, 장티푸스, 파라티푸스, 이질, 소아마비, 기타 장 질환 등이 해당된다.

(3) 비뇨생식기

소변이나 성기, 점막을 통해 전파되며 임질, 매독 등 성매개 감염병이 해당된다.

(4) 개방된 상처

신체 표면의 농양, 피부병 등의 병원체가 병변 부위에서 직접 탈출하여 전파된다.

(5) 기계적 탈출

병원체 스스로 탈출하지 못하고 제3의 매개체의 도움을 받아 탈출하여 전파된다. 모기, 이, 벼룩 등의 흡혈성 곤충에 의한 뇌염, 황열, 재귀열과 주사바늘에 의한 매독이 해당된다.

같은 감염 경로인 경우라도 탈출할 때까지의 기간이 질병에 따라 다르다. 일반적으로 호흡기를 통한 탈출의 경우에는 주로 증상이 발현되기 이전에 균이 배출되는 데 비하여, 위장관을 통한 탈출의 경우에는 주로 증상이 발현된 이후에 균이 배출된다. 이와 같은 이유 때문에 호흡기계 감염성질환 관리의 방법으로 환자 격리는 큰 효과가 없는 경우가 많다.

표 8-3 주요 감염성질환의 탈출, 전파, 침입의 예

탈 출	전 파	침 입	감염병
기도 분비물	직접 전파(비말), 공기매개 전파(비말 핵), 매개물(fomites)	기도	인플루엔자, 결핵, 홍역, 디프테리아
분변	물, 음식, 파리, 매개물, 손	입	장티푸스, 소아마비, 콜레라, A형간염
혈액	주사바늘, 수혈	피부, 자상 부위	AIDS, B형간염, C형간염
	흡혈절족동물		말라리아, 일본뇌염, 황열, 뎅기열
병변부위 삼출액	직접 접촉, 성교, 손	피부, 성기점막, 안구점막 등	단순포진, 임질, 매독, 종기

4) 전파방법

일단 탈출한 병원체가 새로운 숙주로 옮겨가는 과정을 전파라고 한다. 병원체가 어떤 매개체 없이 숙주에서 다른 숙주로 직접 옮겨가는 직접전파와 중간 매개체를 통해 숙주에게 전파되는 간접전파가 있다.

(1) 직접전파

병원체와 새로운 숙주 간의 병원체 이동에 중간 매개체 없이 바로 전파되는 경우로 신체적 접촉 또는 비말과 같이 병원소와 새로운 숙주 간에 매우 밀접한 상태에서 전파되는 것을 말한다. 임산부에서 태아로 병원체가 전파되는 경우도 이에 속한다.

(2) 간접전파

병원체가 중간매개체를 거친 후 전파되어 감염이 성립되는 경우로 공기, 물, 음식과 같은 무생물매개 전파와 모기, 파리 등과 같은 생물매개 전파가 있다. 생물매개 전파는 감염원에서 탈출한 병원체를 동물 매개체가 그대로 옮겨주는 기계적 전파와 병원체가 매개체 내에 침입하여 그들 생활사의 일부, 즉 변태를 통한 성장 혹은 증식을 한 후에 새로운 숙주에게로 옮겨가는 생물학적 전파로 나뉜다. 기계적 전파로는 이질 환자의 대변에서 이질균을 묻힌 파리가 음식물에 앉아 이 음식물을 먹은 사람에게 전파되는 세균성 이질이 있으며, 생물학적 전파는 모기에 의한 말라리아, 황열 등이 해당된다.

5) 새로운 숙주로의 침입

병원소로부터 탈출, 전파 과정을 거친 뒤 새로운 숙주로 침입하는 경로는 일반적으로 병원소로부터 병원체의 탈출 경로와 같은 경우가 많다. 이러한 침입 경로가 파악되면 감염성질환 관리의 주요 방법으로 이용할 수 있다. 예를 들어 렙토스피라증은 병원체가 피부의 상처를 통하여 침입하므로 야외 작업 시에 적절한 보호구를 사용하면 감염되는 것을 예방할 수 있다.

6) 새로운 숙주의 감수성과 면역

병원체가 숙주에 침입하는 것에 성공하였더라도 각 개인이 가지는 감수성과 면역 수준에 따라 감염 결과가 달라진다. 병원체의 양이 숙주를 감염시키기에 불충분한 경우, 침입구가 부적당한 경우, 숙주가 면역되어 있는 경우에 병원체는 숙주를 감염시키지 못한다. 병원체의 양이 충분하고 침입구도 적합하며 숙주가 방어에 실패한 경우 병원체는 숙주 내에 자리 잡고 생존과 증식을 하게 된다. 이때 숙주에게 나타나는 반응은 다음과 같다.

첫째, 병원체 감염에 대해 질병을 일으키지 않고 불현성 감염으로 끝나는 경우로 감염 여부는 병원체의 병원성과 숙주의 선천적 요인 및 특이항체에 의한 면역 정도에 따라 결정된다.

둘째, 숙주가 병원체 감염으로 인해 전형적 질병을 발현하는 경우로 임상적으로 아주 경미한 상태에서 사망에 이르기까지 다양하다.

숙주의 감수성과 관련하여 지역사회 또는 집단에 병원체가 침입하여 전파하는 것에 대한 집단의 저항성을 나타내는 지표로 집단면역(herd immunity)이 있다. 집단면역은 아래와 같이 집단의 총 인구 중 면역성을 갖고 있는 사람의 비로 정의된다.

$$\text{집단면역} = \frac{\text{면역을 갖고 있는 사람}}{\text{총 인구 수}} \times 100$$

집단면역으로 인해 병원체가 집단 내에서 퍼져나가는 힘이 억제되면 유행은 일어나지 않는다. 홍역, 풍진, 백일해 등의 질병은 3~4년마다 유행을 일으키는데 이는 집단면역으로 설명된다. 즉 어떤 지역사회 혹은 집단에 유행이 일어나면 집단면역이 높아져 그 후 몇 년간은 유행이 일어나지 않는다. 그동안 면역이 없는 신생아가 태어나면서 집단면역의 정도는 점차 감소하다가 일정한 한도 이하로 떨어지면 다시 유행이 일어나게 된다. 이 집단면역의 한계를 한계 밀도(threshold density)라고 하는데, 한계 밀도는 각 질병에 따라 차이가 있고 집단의 인구밀도에 따라 변한다.

4 감염성질환의 자연사

감염성질환의 자연사는 병원체 발현을 중심으로 본 변화 과정과 임상증상 발현을 중심으로 본 변화 과정 두 가지로 나눌 수 있다.

1) 병원체 발현 중심의 변화과정

병원체가 숙주에 침입하여 감염이 일어난 뒤 표적장기로 이동하여 증식하기까지는 시간이 필요하며, 이 기간 동안에는 인체 내 또는 분비물에서 병원체가 발견되지 않는다. 이 기간을 잠재기간(latent period)이라고 한다. 잠재기간이 경과된 뒤 인체 내에서 병원체가 충분히 증식하게 되면 조직, 혈액, 분비물 등에서 균이 발견되기 시작하는데 이 기간을 균 발현기간(patent period)이라고 한다. 이는 인체로부터 균이 외부로 배출된다는 의미이므로 이 기간을 전염기간(period of communicability)이라고 부르기도 한다.

병원체를 중심으로 보았을 때 세대기(generation time)라는 용어가 있는데, 이는 감염시작 전부터 균 배출이 가장 많아 감염력이 가장 높은 시점까지의 기간으로 감염성질환 관리 측면에서 매우 중요하다[그림 8-5].

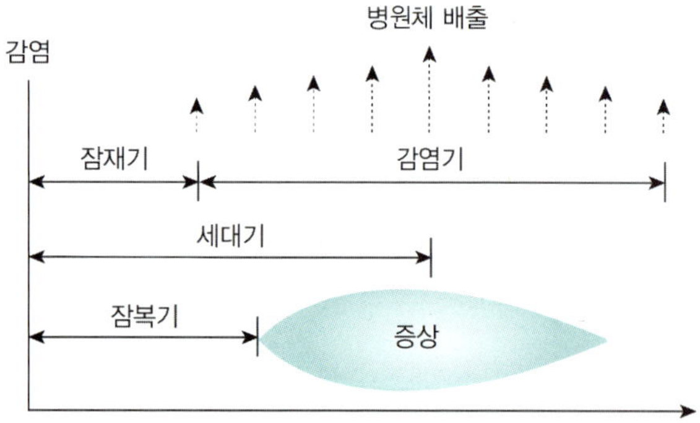

그림 8-5 임상증상 및 전염성에 따른 감염성질환의 자연사

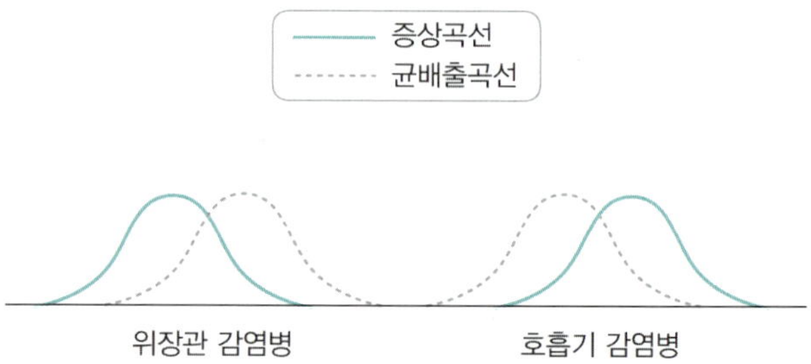

그림 8-6 호흡기 및 위장관 감염성질환의 잠복기와 세대기 비교

2) 임상증상 발현 중심의 변화과정

병원체가 숙주에 침입하여 증상이 나타날 때까지의 기간을 잠복기(incubation period)라고 하는데, 이 잠복기는 병원체의 특성이나 감염된 병원체의 수, 숙주의 침입경로, 감염 형태(국소 또는 전신 감염), 병리 반응을 일으키는 기전, 숙주의 면역 상태 등에 의해서 그 기간이 결정된다.

일반적으로 호흡기 감염성질환은 세대기가 잠복기보다 짧다. 즉 잠복기 말부터 기침, 객담, 콧물 등의 분비물이 증가하므로 이 기간에 병원체가 다량 배출되어 전염성이 강하며, 이 시기가 지나면 병원체 배출은 급격히 감소하는 경향을 보인다. 이에 비해 위장관 감염성질환은 잠복기가 세대기보다 짧다. 즉 증상이 가장 심한 시기가 지난 후부터 병원체가 외부로 배출되는 것이 보통이며, 대체로 호흡기 감염성질환보다 전염기간이 길다[그림 8-6].

이처럼 잠복기와 세대기의 개념은 감염성질환의 유행에 대한 역학조사에 있어 유용하게 이용된다. 각 질병마다 고유한 잠복기를 가지고 있으므로 원인균의 추정에 도움을 준다. 또한 감염환자들의 잠복기의 분포양상을 파악하여 공통폭로에 의한 유행인지, 점진적 전파에 의한 유행인지 알 수 있다. 그리고 균 전파기간은 감염자에 대한 격리나 검역에 유용한 정보를 줄 수도 있다.

5 감염성 지표

1) 감염력(Infectivity)

감염력이란 감염을 성공시키는 데 필요한 최저 병원체 수를 말한다. 위장관 감염성질환인 콜레라는 장티푸스보다 적은 수로도 감염시킬 수 있으므로 장티푸스보다 콜레라가 감염력이 높다. 감염력은 '감수성자에 대한 감염자 수'를 나타내는 것으로 이미 감염된 자와 잠재감염자를 제외한 자를 대상으로 측정하여야 하나, 이는 현실적으로 불가능한 일이므로 이미 질병이 발생하였거나 면역을 획득한 자를 제외한 주민의 총수를 분모로 한다. 한편, 감염자는 현성 감염과 불현성 감염을 모두 포함하고 항체 형성 여부로 감염여부를 판단할 수 있기 때문에 감염력은 직접 측정할 수 없다. 그래서 간접적으로 2차 발병률(secondary attack rate)을 통해 감염력을 측정한다. 이는 감수성자 중 이들이 병원체에 폭로되었을 때 발병할 확률의 개념으로 감염성질환에서 그 병원체의 감염력을 간접적으로 측정하는 방법이다.

$$\text{감염력} = \frac{\text{불현성 감염자 수} + \text{현성 감염자 수}}{\text{감수성자 총수}}$$

$$\text{2차 발병률} = \frac{\text{최장 잠복기간 내에 환자와 접촉하여 발병한 사람 수}}{\text{감수성 있는 사람 중 원인에 노출된 사람 수}} \times 10^{x}$$

2) 병원성(Pathogenicity)

병원성(병원력)은 병원체가 임상적으로 질병을 일으키는 능력으로, 감염된 숙주 중 현성 감염을 나타내는 수준이다. 숙주-원인균의 관계는 상당히 많은 질병을 야기하지만 어떤 질병은 불현성 감염으로 임상증상이 나타나지 않기도 한다. 홍역이나 광견병 바이러스는 병원성이 거의 100%이고, 백일해는 60~80%, 성홍열은 40%이며, 소아마비 바이러스는 0.1~3%로 아주 낮다. 후천성면역결핍증 바이러스는 감염력은 크지 않으나 병원성이 높은 바이러스이다.

$$\text{병원성} = \frac{\text{발병자 수(현성 감염자 수)}}{\text{감염자 수}}$$

3) 독력(Virulence)

독력은 병원체가 숙주에게 일으키는 증상의 심각성 정도를 나타내는 미생물의 능력으로, 발병자 중에서 사망자를 포함한 중환자 수가 차지하는 비율을 말한다. 수두와 풍진은 감염력과 병원성은 높지만 독력은 낮다. 후천성면역결핍증 바이러스는 독력이 큰 바이러스이다. 질병의 가장 심각한 결과는 사망이며, 사망으로 인한 독력은 치명률(case-fatality rate)로 나타낸다.

$$\text{독력} = \frac{\text{중환자 수} + \text{사망자 수}}{\text{발병자 수}}$$

$$\text{치명률} = \frac{\text{사망자 수}}{\text{발병자 수}}$$

6 감염성질환의 관리

감염성질환은 감염생성과정 6단계 중 어느 한 단계라도 차단하면 예방되므로, 이의 관리방법은 이 6가지 요소 중 어느 한 요소에 대한 조치를 취하여 제거하는 것이다. 관리방법에는 크게 3가지 접근방법이 있는데, 병원체와 병원소 관리, 전파차단, 숙주의 면역력 또는 방어력 증강을 위한 관리방법이다.

1) 병원체와 병원소 관리

병원체와 병원소를 관리하는 방법은 이들을 제거하거나 격리하는 방법이 있다.

(1) 제거하는 방법

동물이 병원소인 경우 도축하거나 박멸하는 방법이 있고, 사람이 병원소인 경우에는 약물이나 수술요법 등을 통해 병원체를 제거한다.

(2) 격리하는 방법

격리하는 방법으로는 격리와 검역이 있다.

① 격리(Isolation)

격리란 다른 사람에게 전염시킬 우려가 있는 감염자(환자 및 보균자)를 그 상태가 해소될 때까지 건강한 사람들로부터 분리시켜 놓는 것을 말한다. 격리기간은 질병마다 조금씩 다르다.

② 검역(Quarantine)

검역이란 유행지에서 들어오는 사람들을 유행지를 떠난 날로부터 계산하여 병원체의 잠복기 동안 그들이 유숙하는 곳을 신고하도록 하거나 일정한 장소에 머물게 하여 감염여부를 확인할 때까지 감시하는 것이다.

감염성질환이 유행할 때 교통을 차단해 왕래를 막는 것도 국소적인 의미의 검역이다.

2) 전파방지를 위한 관리

전파과정의 차단은 병원소로부터 병원체의 탈출을 저지하거나 일단 탈출하였다 하더라도 새로운 숙주에게로 전파되지 못하도록 그 통로를 차단시키는 것이다. 장티푸스와 콜레라 같은 위장관 감염성질환은 상수정화, 우유 소독, 안전음식 및 식수 공급 등과 같은 환경위생과 개인위생을 관리한다. 홍역, 풍진, 볼거리, 백일해와 같은 호흡기 감염성질환은 공기의 화학소독, 자외선 사용 혹은 한 방향으로의 환기 등을 시행한다. 그러나 이와 같은 방법은 비용이 많이 들어가므로 폐쇄공간, 즉 병원 혹은 실험실 등에서만 사용한다. 말라리아, 일본뇌염과 같은 곤충 매개 감염성질환은 곤충에 대한 조치가 필요한데, 이는 곤충 매개 질환의 생활사(life cycle)와 곤충의 특성에 따라 달라진다.

3) 숙주 관리

숙주 관리는 숙주의 방어력 또는 면역력 증강을 의미하는데, 면역력은 주로 예방접종을 통해 획득한다. 백신에 의한 면역력 증강은 감염성질환 관리에 있어서 매우 큰 비중을 차지하는데, 이는 개인을 감염에서 보호한다는 차원뿐 아니라 자신이 속해 있는 지역사회의 집단면역 수준을 높여 전염성질환의 침입 자체를 방어한다는 의미가 더 크다.

천연두는 백신 접종을 통하여 전 세계적으로 박멸된 가장 대표적인 질환이다. 특히 호흡기 질환은 환경위생이나 개인위생에 의한 전파 관리가 제한적이므로 백신 접종에 의한 관리에 의존하는 경우가 많다. 하지만 아무리 여러 가지 좋은 백신이 개발되었다 하더라도 아직도 모든 감염성질환에 대한 백신이 존재하는 것은 아니다. 또한 백신이 개발되었다 하더라도 감염성질환의 발생이나 유행을 예측하지 못하여 인구집단에 면역화가 되어 있지 않다면 매우 위험한 상태에 빠질 수 있다. 이러한 경우 국소적으로 단기간에 걸쳐 항생제 등 치료약을 감수성자에게 투여함으로써 예방효과를 거둘 수 있다.

무엇보다도 감염성질환 관리를 위해서는 철저한 손 씻기와 개인 및 환경위생관리, 예방접종, 환자 처치 시 무균술의 적용, 필요 시 격리, 적절한 항생제 사용 등의 기본지침을 준수하는 것이 필요하다.

제3절 + 역학적 측정지표

Keywords

- 구성비율
- 비
- 발생률
- 비율
- 유병률
- 사망률

1 측정의 의의와 기본단위

역학의 목적인 인구집단에서의 질병의 분포와 결정인자를 밝히기 위해서 우선 필요한 것은 질병의 빈도를 측정하는 것이다. 빈도 측정에서 기본적인 과정은 질병에 걸린 사람들을 단순히 세는 것만으로는 정보가 제한적이라는 것이다. 따라서 환자가 발생하게 된 그 배경인 모집단 인구의 크기와 대상 지역을 아는 것이 필요하며, 또 어느 시점이나 기간 동안 이러한 자료가 수집되었는지를 아는 것도 중요하다. 이러한 개념들을 포함하는 측정치를 통해서 두 군의 질병의 빈도를 비교하는 것이 가능하다.

개인이나 집단의 건강수준을 측정하고 이를 비교할 목적으로 사용하는 것이 여러 건강지표(health index)이다. 건강지표는 건강을 연구해 나가는 데 있어서 그것을 표시하는 기준이 되는 계량적인 표현을 말하며 그 나라의 보건정책을 평가하는 데 이용된다. 건강지표에는 사망률, 유병률, 이환율 등이 포함된 사망과 질병에 관한 지표들이 있으며 출산율, 출생률 등이 포함된 인구재생산 수준에 관한 지표, 평균수명 등으로 건강수준이 표시된다. 이러한 지표 산출 시 활용할 수 있는 자료원으로는 인구, 사망자료 및 이환자료 등으로 생정통계 자료, 인구센서스 자료, 질병에 대한 유병 통계 등의 각종 정부자료를 이용할 수 있으며, 대표적인 것으로 보건복지부 통계연보, 통계청 인구동태 통계연보, 국민건강보험 자료 등이 있다.

건강수준을 측정하는 데 많이 사용하는 것은 어떤 지수로 나타내는 방법이다. 이러한 지수를 표시하는 방법은 상대적인 비와 비율을 사용하고 목적에 따라 특수율이나 표준화율로 산출한다. 또한 기준인구 수와 구체적인 시간 및 장소를 명시해야 이것이 어느 지역에서 언제 인구 몇 명당 발생이나 존재를 알 수 있는 자료가 된다.

측정지표를 산출할 때 흔히 10의 지수로 표현하는 단위인구를 사용한다. 이는 어떤 사건의 집단 내 발생을 표기할 때 집단의 크기에 비해 발생수가 적음으로 인해 소수점 이하 단위로 계산되는 비율에 일정 단위의 10^x 인구를 곱해 줌으로써 인구 10^x 명당 사건의 비율을 나타낸다. 단위인구를 얼마로 할 것인가를 결정할 때에는 비교하고자 하는 자료가 표시한 인구단위를 선택하고 모집단의 크기를 고려하여 소수점 이하 단위가 산출되지 않도록 한다.

1) 구성비율(Proportion)

구성비율은 상대빈도, 구성비, 분율이라고도 한다. 전체 중에서 어떤 특성이 있는 소집단의 상대적 비중을 나타낸다. 분자는 항상 분모에 포함되며, 주로 백분율(%) 형태로 표현된다.

구성비는 A / (A+B)의 형태이며 그 값은 0과 1 사이에 위치한다. 구성비의 예는 사망자 총수 중에서 악성종양에 의한 사망자 수를 백분율로 나타낸 것이라든지, 입원 암환자 중에서 50대 이하의 연령에 속하는 환자의 수를 나타내는 백분율 등을 들 수 있다.

2) 비율(Rate)

비율은 구성비의 분모에 시간의 개념이 포함된 특수한 형태로 볼 수 있다. 따라서 비율은 {A/(A+B) × 시간}으로 표현된다. 1달간 1,000명의 학생 중 발생한 감기 환자 수, 일정한 기간 동안 100,000명의 여성에서 발생한 유방암 환자 수 등이 비율의 예이다. 비율은 시간의 단위를 가지며 그 값은 0에서 무한대의 범위를 지닌다. 비율은 질병빈도의 측정지표 중에서 발생률 산출에 이용된다.

3) 비(Ratio)

비는 한 측정값을 다른 측정값으로 나눈 A : B 또는 A / B의 형태로 나타내는 지수이다. 예를 들어 어떤 지역의 어느 해 남아와 여아의 출생 성비(sex ratio)를 110 : 100 또는 1.1로 표현하는 것이 예가 된다. 비에는 분자가 분모에 포함되지 않기 때문에 분자가 분모에 포함되는 구성비율과 구별되고, 시간 개념이 적용되지 않아 비율과도 구별된다. 모집단의 개념이 결여된 단점이 있으나 표시 방법이 간단한 장점이 있다.

4) 조율(Crude/General rate)

전체 모집단 중 분자가 차지하는 비율을 조율이라고 하며, 일반적으로 율이라고 칭한다. 소집단의 특성의 구성비 차이를 고려하여 조정된 표준화율에 대응해서 사용된다. 예를 들면 2014년 A지역의 사고발생에 대한 조율의 분모는 A지역의 인구이고, 분자는 사고발생 수이다[표 8-4]. 이를 계산하면 다음과 같다.

$$\frac{\text{A지역의 사고발생자 수}}{\text{A지역의 인구 수}} \times 10^3 = \frac{40}{3{,}000} \times 10^3 = 13.3$$

전체 모집단 인구에 대한 비율인 조율은 산출방법이 간단하고, 그 지역의 전반적인 상태 파악이 가능하다. 그러나 인구 구성이 다른 집단과 비교할 때에는 무리가 있다. 사건의 발생이나 존재에 영향을 미칠 성이나 연령, 경제상태 등의 인구 구성이 동일하지 않을 경우에 조율로 비교하는 것은 비합리적이다.

5) 특수율(Specific rate)

특수율이란 모집단을 동일한 특성을 가진 소집단으로 분류하여 각 소집단 내에서 분자가 차지하는 비율을 보는 것으로 소집단율이라고도 한다. 조율의 비합리적인 문제점을 보완하는 방법으로 사건의 발생이나 존재

표 8-4 지역별 사고 발생률 예시

성 별	A지역			B지역		
	인구 수	발생 수	발생률	인구 수	발생 수	발생률
남 성	1,000	20	20.0	2,000	40	20.0
여 성	2,000	20	10.0	1,000	10	10.0
계(조율)	3,000	40	13.3	3,000	50	16.6

에 영향을 미칠 성이나 연령 등의 특성별로 소집단화한 인구에서의 비율을 보는 것이다. 예를 들어 사망을 연령이라는 소집단으로 묶어서 보는 연령별 사망률, 성별 소집단으로 보는 성별 사망률 등이 특수율이다.

[표 8-4]에서 A지역 남성의 사고 발생률은 다음과 같다.

$$\frac{\text{A지역의 남성 사고발생자 수}}{\text{A지역의 남성 인구 수}} \times 10^3 = \frac{20}{1{,}000} \times 10^3 = 20.0$$

이와 같이, 특수율 산출을 통해 남성과 여성 간 성별 사고발생을 비교할 수 있으며, 연령별로 소집단화 되면 연령별 사고발생을 비교할 수 있다.

6) 보정률(Adjusted rate)/표준화율(Standardized rate)

인구 구성의 차이 때문에 생기는 조율의 차이를 조정해 주기 위하여 표준인구에서 분자가 차지하는 비율을 보는 것을 표준화율 또는 보정률이라고 한다. 조율의 표준화는 2개 이상의 집단을 대상으로 이들의 사건비율을 비교하고자 할 때 필요하다. 집단의 구성비에 영향을 미치는 변수를 배제해야 집단 간 사건크기의 정확한 비교가 가능하기 때문이다. 예를 들면 두 지역의 건강수준을 비교하는데 인구 구성을 무시한 채 사망률이나 유병률로 판단을 하면, 연령이나 성별에 영향을 받는 상병과 사망에 대해 잘못된 판단을 내릴 수 있다. 따라서 두 지역의 연령이나 성별 같은 인구 구성을 고려한 사망률과 유병률을 산출하여야 어느 지역의 건강수준이 양호한지, 열악한지에 대한 타당한 판단을 할 수 있다.

[표 8-4]를 보면, 두 지역의 조율에는 차이가 있으나 성별 발생률(특수율)은 동일하다. 이것은 B지역 인구는 사고 발생이 높은 남성의 수가 많고, A지역 인구는 사고 발생이 낮은 여성의 수가 많기 때문이다. 이 경우 조율만으로 두 지역의 사고발생 비교 시, B지역의 사고 관리가 잘 안되고 있다는 판단을 내릴 수 있다. 그러나 B지역의 사고발생이 많은 것은 인구 구성의 차이로 인한 것이기 때문에, 인구 구성 때문에 생기는 조율의 차이를 조정해 줌으로써 잘못된 판단을 수정할 필요가 있다.

표준화율은 집단에 대한 종합적 비율로서 인구 구성에 따른 차이를 배제한 편견 없는 비교가 가능하지만, 선택된 표준인구에 따라 차이가 있을 수 있기 때문에 표준인구 선정에 신중을 기해야 한다. 표준인구는 우리나라의 두 지역을 비교하고자 할 경우 우리나라 인구를 표준인구로 하거나 비교하고자 하는 두 지역의 인구를 합하거나 또는 그 평균인구를 표준인구로 정한다.

표준화에는 직접 표준화법과 간접 표준화법이 있다. 직접 표준화법은 집단의 인구 구성에 대한 특수율을 알고 있을 때 사용한다.

$$\text{표준화율} = \frac{\text{기대발생수 총합}}{\text{표준인구}} \times 10^x$$

[표 8-4]의 A지역과 B지역의 사고 발생률을 표준화하면 다음과 같다.

- A, B지역 표준인구(전체) = A지역 인구 + B지역 인구 = 3,000 + 3,000 = 6,000
- 표준인구(남성) = A지역 남성 인구 + B지역 남성 인구 = 1,000 + 2,000 = 3,000
- 표준인구(여성) = A지역 여성 인구 + B지역 여성 인구 = 2,000 + 1,000 = 3,000
- A지역 기대 사고 발생 수 총합 = 남성 표준인구 × 특수율(남성 발생률) + 여성 표준인구 × 특수율(여성 발생률)

$$= 3{,}000 \times \frac{20}{1{,}000} + 3{,}000 \times \frac{20}{2{,}000} = 60 + 30 = 90$$

- A지역 표준화 사고발생률 = $\frac{90}{6{,}000} \times 1{,}000 = 15.0$
- B지역 기대 사고 발생 수 총합 = 남성 표준인구 × 특수율(남성 발생률) + 여성 표준인구 × 특수율(여성 발생률)

$$= 3{,}000 \times \frac{40}{2{,}000} + 3{,}000 \times \frac{10}{1{,}000} = 60 + 30 = 90$$

- B지역 표준화 사고발생률 = $\frac{90}{6{,}000} \times 1{,}000 = 15.0$

결과를 보면, A와 B지역의 (조)사고 발생률은 A지역이 13.3으로 B지역의 16.6보다 낮게 나타났으나, 표준화 결과는 A와 B지역 모두 15.0으로 동일하게 나타났다. 따라서 두 지역의 사고 발생률의 차이는 A지역이 B지역보다 여성 인구 구성이 높기 때문인 것으로 확인되었다.

간접 표준화법은 비교하고자 하는 인구집단 중 하나 또는 두 집단에서 인구 구성에 대한 특수율을 알 수 없을 때 사용한다. 간접법을 사용하기 위해서는 표준인구의 구성에 대한 특수율과 각 인구집단의 표준화하고자 하는 요인의 빈도를 알아야 한다. 예를 들어 사망률을 표준화하고자 할 때, 표준인구의 조사망률과 연령별 사망률 통계가 있고 해당 지역의 조사망률과 연령별 인구통계는 있으나 연령별 사망통계가 없을 때에는 간접법에 의하여 연령별 표준 사망률을 구할 수 있다.

2 측정지표

1) 발생률(Incidence rate)

발생률은 일정 기간에 질병이 없던 인구에서 새로 발생한 환자수를 단위 인구로 표시한 것으로 이미 그 질환에 걸려 있어서 특정 질환이 다시 발생할 가능성이 없는 인구는 제외된다. 즉 질병이 없는 인구집단에서 새로운 질병의 발생을 나타낸다. 이를 통해 해당 질병에 걸릴 확률이나 위험도를 추정할 수 있다. 이때 일정 기간이란 1개월 혹은 수개월일 수도 있고, 1년일 수도 있다. 이 기간은 목적과 경우에 따라 임의로 정할 수 있다. 위험에 노출된 인구란 어떤 사건이 일어날 확률을 가진 인구집단을 의미하므로 질병의 특성에 따라 분모를 구성하는 사람의 수는 달라진다. 예를 들어 어느 의료기관에서 병동별 병원감염 발생률을 확인하고자 할 경우 분모는 각 병동별 입원환자 수가 되고 분자는 각 병동별 병원감염이 발생한 환자 수가 된다.

$$\text{발생률} = \frac{\text{일정 기간 위험에 노출된 인구 중 새로 발생한 환자 수}}{\text{일정 기간동안 위험에 노출된 인구 수}} \times 10^x$$

2) 발병률(Attack rate)

어떤 집단이 한정된 기간에 한해서만 어떤 질병에 걸릴 위험에 놓여 있을 때 전체인구 중 주어진 집단 내에서 새로 발병한 총수의 비율을 의미한다. 또한 한정된 기간 내 질병 요인에 접촉 또는 폭로된 사람들인 감수성 인구 중에서 새로 발병한 환자의 수를 의미하기도 한다. 발병률은 주로 %로 표시되며, 한정된 집단의 특정 유행조사 자료에 한하여 활용가치가 있다. 예를 들어 급성 감염병은 원인균에 노출된 후 일정기간 내에만 발생하고 발병의 위험에 노출되어 있는 인구가 한정되어 있기 때문에 발생환자 수를 그 인구로 나누어 발병률을 구한다.

$$\text{발병률} = \frac{\text{유행기간 중 새로 발병한 환자 수}}{\text{유행기간 중 원인요인에 노출된 인구 수}} \times 10^x$$

2차 발병률(secondary attack rate)이란 질병에 감수성이 있는(면역이 없는) 사람들이 발단 환자(index case 또는 primary case)와 접촉하여 해당 병원체의 잠복기가 경과한 후 그 질병이 발생하는 분율로 감염성질환에서 그 병원체의 감염력(infectivity)과 전염력(communicability)을 간접적으로 측정하는 데 유용하다.

$$\text{2차 발병률} = \frac{\text{최장 잠복기간 내에 환자와 접촉하여 발병한 사람 수}}{\text{감수성 있는 사람 중 원인에 노출된 사람 수}} \times 10^x$$

3) 유병률(Prevalence rate)

유병률은 어떤 시점, 혹은 일정 기간 동안에 특정 시점 또는 기간의 인구 중 존재하는 환자의 비율을 의미한다. 발생률의 분모는 이미 면역되었거나 앓고 있는 사람을 빼고 발병할 가능성이 있는 인구이지만, 유병률의 분모는 이들을 모두 포함한 인구가 된다.

$$\text{유병률} = \frac{\text{그 시점 그 지역에서 특정 병이 있는 환자의 수}}{\text{어떤 특정 시점에서 일정한 지역의 인구}} \times 10^x$$

유병률에는 시점유병률(point prevalence rate)과 기간유병률(period prevalence rate)이 있다. 어떤 주어진 시점에서 인구 중 질병을 가진 사람들의 비율을 시점유병률이라 하며, 그 시점에서 해당 질병이 확인된 환자가 분자가 된다. 일정 기간 동안 존재한 모든 환자의 총수를 표현한 것을 기간유병률이라 하며, 기간이 시작되는 때의 시점유병률과 그 기간 동안 새로 발생한 환자가 포함된다.

4) 발생률과 유병률의 관계

어떤 질병의 이환기간이 비교적 일정한 경우 다음과 같은 관계식이 성립한다.

$$P(\text{유병률}) = I(\text{발생률}) \times D(\text{이환기간})$$

즉, 발생률이 높거나 이환기간이 길거나 혹은 발생률이 높은 동시에 이환기간도 길면 유병률은 높아진다. 반대로 발생률이 낮거나 이환기간이 회복 또는 사망으로 짧아지거나 또는 2개 변수 모두 적어질 때 유병률은 낮아진다.

발생률과 유병률의 크기는 질병의 이환기간과 치명률, 그리고 어느 기간 동안의 비교이냐에 따라 달라진다. 수 주 혹은 수개월 내에 회복하거나 사망하는 급성질환의 1년 동안의 발생률과 유병률 비교 시, 거의 사망이 없을 경우에는 발생률과 유병률은 같겠지만 치명률이 높은 질환의 경우라면 발생률이 높다. 그러나 1년이 아닌 시점 비교 또는 단기간의 경우라면 유병률이 높다. 한 번 발생하면 1년 이상 장기간 이환되고, 발병 후 1년 내 치명률도 낮은 만성질환의 경우에도 유병률이 훨씬 높다.

유병률은 지역사회에서 쉽게 얻을 수 있다. 하지만 발생률은 그렇지 않다. 따라서 질병의 유병률과 그 질병의 이환기간을 알면 발생률을 계산할 수 있다.

제4절 + 건강검진의 진단검사

Keywords
- 집단검진
- 타당도
- 신뢰도

1 집단검진

비감염성 질병은 질병 발생 전 예방이 매우 어려우므로 질병을 조기에 발견하여 조기에 치료함으로써 치명적인 결과를 감소시키는 2차 예방이 효과적이라고 할 수 있다. 질병의 조기진단을 가능하게 하려면 질병의 초기에 나타나는 증상에 관심을 기울이고, 증상이 나타나지 않은 개인들에게서 질병을 발견해내는 것이다. 질병의 증상이 없는 지역사회 주민들을 대상으로 질병을 가지고 있을 만한 사람들을 신속하고 분명하게 가려내기 위해 적절한 검사를 시행하여 조기에 질병을 알아내는 것을 집단검진(screening)이라고 한다. 집단검진 방법의 예로는 폐결핵 발견을 위한 흉부 X-선 촬영, 당뇨병 발견을 위한 공복 및 당부하 2시간 후 혈당측정, 고혈압 발견을 위한 혈압측정, 자궁경부암 발견을 위한 주기적 자궁경부 세포도말검사 등이 있다.

집단검진을 실행함에 있어 구비해야 하는 조건은 다음과 같다.

- 선별해 내려는 상태는 중요한 건강문제이어야 한다.
- 질병이 발견되면 이를 치료할 수 있어야 한다.
- 정확하게 진단을 내리고 치료를 할 수 있는 시설이 있어야 한다.
- 어느 정도의 잠복기 또는 초기 증상을 나타내는 시기가 있는 질병이어야 한다.
- 타당하고 신뢰성 있는 검사 방법이 있어야 한다.
- 주민들이 검사방법을 받아들일 수 있어야 한다.
- 질병의 발생 및 진행과정(자연사)이 알려진 질병이어야 한다.
- 치료를 해야 할 환자로 규정하는 기준이 마련되어 있어야 한다.
- 환자를 발견해서 진단과 치료를 하는 데 쓰이는 경비가 일상적인 의료비에 준해서 부담이 되지 않아야 한다.
- 환자 색출은 계속적으로 이루어져야 하며, 한번으로 끝나서는 안 된다.

2 검사방법의 타당도와 신뢰도

여러 가지 생물학적인 현상을 간접적인 방법으로 측정하여 결론을 유도하는 역학에서 그 측정이 얼마나 정확하고 믿을 수 있는가의 문제는 무엇보다도 중요하다. 측정 자체가 정확하지 못할 때에는 아무리 훌륭한 연구 설계로 좋은 연구 결과를 얻었다 해도 찾고자 하는 진리를 찾을 수 없으며 오류를 범하기 때문이다.

따라서, 측정의 타당도와 신뢰도에 영향을 미치는 요인들이 무엇이며, 어떻게 이를 검증할 것인가를 아는 것이 매우 중요하다.

1) 타당도(정확도, Validity)

타당도는 '그 측정 결과가 진정한 참값을 반영하는 정도'를 의미한다. 예를 들어 검사결과가 질병을 가진 사람에게서는 언제나 '양성'으로 나오며, 그 질병을 가지지 않은 사람에게서는 언제나 '음성'이라면 완벽한 방법이라고 할 수 있다.

검사방법의 타당도는 민감도(sensitivity)와 특이도(specificity)로 평가한다. 앞서 설명한 내용 중 '양성' 결과를 평가하는 것이 민감도이고, '음성' 결과를 평가하는 것이 특이도이다. 민감도란 '실제 질병이 있는 사람을 질병이 있다고 측정해 내는' 능력을 표시하는 척도이다. 다시 말하면 민감도가 100%가 되지 못한다는 것은 '위음성자(false-negative)'가 있다는 것을 의미한다. 특이도는 '실제 질병이 없는 사람을 질병이 없다고 측정해 내는' 능력을 표시하는 척도이다. 특이도가 100%가 되지 못한다는 것은 '위양성자(false-positive)'가 있다는 것을 의미한다.

검사방법의 민감도와 특이도는 모두 같이 제시되어야 하고, 정확한 검사방법이란 높은 민감도와 높은 특이도를 가진 방법이다. 따라서 집단검진 방법은 높은 민감도, 특이도, 예측도의 조건을 갖추어야 한다[표 8-5].

2) 신뢰도(Reliability)

신뢰도는 '같은 내용을 반복 측정했을 때 같은 결과가 나오는 정도'이다.

검사방법의 신뢰도를 떨어뜨리는 요인에는 다음과 같은 것들이 있다.

- **측정 대상자 요인** : 대상자의 감정 상태, 동기 부여, 피로도 등으로 인하여 먼저 측정 시의 결과와 나중에 측정한 결과가 다르게 나타날 수 있다.
- **측정자 요인** : 측정자의 측정 수기나 숙련도 또는 해석이 달라짐으로 하여 신뢰도가 낮아질 수도 있다.
- **측정 환경 또는 상황 요인** : 측정-재측정 환경이 각기 달라서 측정결과에 차이가 나타나는 경우이다.
- **측정도구 자체 요인** : 측정도구의 정밀도 자체가 낮아서 측정값 간의 오차가 유발되는 문제이다.

표 8-5 검사방법의 타당도

검사결과	확진에 의한		계
	질병(+)	질병(-)	
양성	A (진양성)	B (위양성)	A+B (총 검사 양성 수)
음성	C (위음성)	D (진음성)	C+D (총 검사 음성 수)
계	A+C (총 환자 수)	B+D (총 비환자 수)	A+B+C+D (총계)

1) 민감도=검사 양성 수/총 환자 수=A/(A+C)×100
2) 특이도=검사 음성 수/총 비환자 수=D/(B+D)×100
3) 양성예측도=확진된 환자 수/총 검사 양성 수=A/(A+B)×100
4) 음성예측도=확진된 비환자 수/총 검사 음성 수=D/(C+D)×100
* 예측도(민감도와 특이도가 같을 때 가장 높다)

제5절 + 역학연구

Keywords

- 연관성
- 기술역학
- 환자-대조군 연구
- 코호트 연구
- 단면연구
- 교차비
- 상대위험비

1 역학연구 개념

1) 연관성과 원인

역학적 연구방법은 인간집단의 건강과 관련된 여러 현상의 빈도나 분포가 어떤 요인과 관련이 있는지를 확인해가는 과정이다. 그럼으로써 이 관계가 우연에 의한 것인지, 인과관계에 의한 것인지를 통계적 방법을 사용하여 밝혀 나간다. 두 사건(event) 간의 인과관계 확인과정에서, 독립적인 관계란 2개의 사건 A와 B에서, 사건 A가 발생하는 확률이 사건 B의 존재 유무와 관계없이 동일한 경우를 말한다. 비독립적인 관계란 사건 A가 존재할 때 다른 사건 B의 발생률이 사건 A가 존재하지 않을 때의 발생률보다 유의하게 높거나 낮은 관계를 의미한다.

일단 두 사건 간의 관계가 통계적으로 유의한 연관성이 있다고 확인되면, 다음 단계는 그 관계가 인과관계인가를 밝히는 것이다. 즉, 비독립적인 관계가 원인적 연관성인지 비원인적 연관성인지를 구별해야 한다.

원인적 연관성(casual association)이란 한 사건의 양과 질이 변하면 뒤따르는 다른 사건의 양과 질에도 변화가 있는 관계를 말한다. 원인적 연관성에는 직접적인 연관성과 간접적인 연관성이 있다. 직접적 연관성은 어떤 요인이 다른 변수의 관여 없이 그 질병의 원인이 되는 것을 말하며, 간접적 연관성은 매개변수라는 제3의 변수가 중간과정에서 원인과 결과를 맺어주는 관계를 말한다.

비원인적 연관성(non-casual association)은 두 개의 사건 사이에 제3의 변수가 끼어들어 마치 두 개의 변수 간에 원인과 결과의 관계가 있는 것처럼 보이는 것을 말한다. 예를 들어 1960년대 매독환자의 치료로서 살바르산 제제인 606호 주사를 주었고, 이 주사에 맞은 매독환자에게서 황달이 나타났다. 그래서 이 황달을 살바르산 황달이라고 하였으나, 후에 이 황달은 606호 주사 때문이 아니라 주사기를 소독하지 않아서 발생한 것으로 밝혀졌다.

2) 원인적 연관성의 확정조건

(1) 시제의 정확성

원인적 요인에의 폭로가 결과라고 생각되는 질병발생보다 반드시 먼저 선행되어야 한다.

예를 들어 급성 질병의 경우에는 원인이라고 생각되는 요인과 질병 발생이라는 결과 사이의 시간적 간격이 짧아서 다른 요인이 끼어들 기회가 적다. 따라서 이런 경우에는 쉽게 원인을 찾을 수 있다. 그러나 만성 질병의 경우에는 원인이라고 생각되는 요인과 질병 발생 사이의 시간적 간격이 길어 제3의 요인이 끼어들 기회가 많아진다. 그래서 그 질병의 요인을 찾는 것이 어렵다. 하지만 어떠한 경우에도 반드시 질병의 원인이라 생각되는 요인이 질병 발생보다 시간적으로 선행되어야 한다.

(2) 연관성의 강도

비교위험도로 측정이 가능하며, 일반적으로 비교위험도가 클수록, 즉 연관성이 강할수록 그 관계는 원인적 연관성일 가능성이 크다.

통계검정의 유의수준으로 원인적 연관성의 강도를 측정하는 방법은 우연히 일어날 수 있을 확률이 적을수록 원인적 연관성이 강한 것이다. 또한 측정 가능하고 구간별 분류가 가능한 연속적 변수로 측정하였을 때, 원인이라고 생각되는 요인의 양의 증감에 따라 결과인 질병 발생의 빈도에도 증감이 나타나는 관계, 즉 양-반응관계(dose-response relationship)가 확인될 때 원인적 연관성을 확정지을 수 있다.

(3) 기존 지식과의 연관성의 일치도

통계적 연관성을 보이는 추정원인은 이미 확인된 지식소견과 일치할 경우 원인적 연관성일 가능성이 커진다. 예를 들면 런던에서 콜레라가 유행할 당시 J. Snow(1852)는 '장 배설물에 오염된 음식물과 식수를 먹어서 질병이 발생하였을 것이다.'는 가설을 세워서 이를 증명하는 연구를 하였다. 그 결과 환자들은 쌀뜨물 같은 대변을 보았으며, 사망자의 부검결과 주된 병변이 장 점막임이 밝혀졌고, 요인의 지리적 분포가 질병의 분포와 일치하였음을 알 수 있었다.

(4) 연관성의 특이도

요인에 폭로되었을 경우 질병 발생을 추정할 수 있을 만큼 특이성이 있어야 한다. 예를 들어 X-선을 얼마만큼 쪼이면 몇 %의 사람들에게서 백혈병이 나타나는지를 예측할 수 있어야 한다든지, 담배를 하루에 얼마만큼, 몇 년간 피우면 피우지 않은 사람보다 몇 배나 더 폐암이 발생할 수 있는지 등을 예측할 수 있어야 한다.

(5) 생물학적 공통성

동물실험으로 증명이 되면 이 요인에 대한 원인적 연관성이 강화된다. 즉 어떤 병인이 어떻게 특수질병을 유발하는가를 설명할 수 있는 합리적인 생물학적 기전이 있어야 한다는 것이다.

2 역학연구 방법

1) 기술역학연구

기술역학연구(descriptive epidemiologic research)는 건강현상과 관련한 상황이 발생했을 때 있는 그대로의 상황을 기술하기 위해 관찰을 기록하는 연구방법이다. 기술역학연구의 주요 변수는 [표 8-6]과 같다.

기술적 연구는 연구자가 발생양상에서 추측할 수 있는 가정을 원인에 입각하여 검증하도록 원인변수별 질병 분포의 변동을 기술하는 연구이다. 질병 발생을 충분히 기술하기 위해서는 누가 질병에 걸렸으며, 어디서, 언제 발생하였는가에 대한 답을 얻는 과정으로 질병을 인적 특성, 장소 및 시간의 변수로 질병 발생의 분포와 양을 표현한다.

표 8-6 기술역학의 주요 변수

변 수	내 용
인적 변수(person variables)	연령, 성, 인종, 결혼상태, 경제상태, 교육수준, 직업, 종교, 가족 수
지역적 변수(place variables)	지대적(한대, 열대, 온대), 행정지역적, 국소적, 도시 또는 농촌
시간적 변수(time variables)	장기변동, 주기변동, 계절변동, 돌연유행

2) 분석역학연구

분석역학연구(analytic epidemiologic research)는 기술역학연구의 가설 증명을 위하여 적절한 진단 및 통계학적 방법을 사용하여 관찰결과를 분석하는 연구방법이다.

(1) 환자-대조군 연구

건강문제의 원인 혹은 위험요인을 규명함에 있어, 결과를 먼저 관찰한 다음에 이러한 결과를 초래한 가능한 원인 또는 요인을 탐구해 들어가는 형태의 역학연구 방법을 환자-대조군 연구(case-control study)라고 하는데, 그 전개 방식이 '질병 발생' 여부에 따른 2개의 대상자 집단을 선정한 후, 각 집단에서 질병 발생 원인의 경험 여부를 조사하게 되므로 후향적 연구(retrospective studies)라고도 불린다. 즉 특정 건강문제를 가진 환자군과 그런 건강문제를 가지지 않은 대조군을 선정한 후, 과거 혹은 현재의 특정 요인 노출의 정도를 두 군 사이에서 비교하는 방법으로 이미 발생한 결과를 중심으로 과거의 경험을 확인하거나 기록을 검토하여 질병의 원인과의 연관성을 검증한다. 환자군과 대조군 사이에 노출의 정도가 다르다면, 그 위험요인이 건강문제와 인과적 관련성을 가지고 있다고 추론할 수 있다. 예를 들면, 심장발작을 일으킨 사람들과 심장발작을 일으키지 않은 사람들을 대상으로 그들이 약물남용을 하였는지의 여부를 조사하여 심장발작과 약물남용 간의 인과관계에 대한 추론을 이끌어내는 방법이다.

환자-대조군 연구에서 얻을 수 있는 지표는 위험요인 노출집단과 비노출집단 간의 위험 정도를 간접적으로 나타내는 지표인 교차비(또는 승산비, odds ratio)이다. Odds의 사전적 의미는 '어떤 일이 있을 승산'으로 교차비(OR)는 질병이 있을 때와 없을 때의 승산(위험요인 유무의 비, odds)의 비를 나타낸다[표 8-7].

표 8-7 요인 노출과 질병발생

	질 병		계
	있음(+)	없음(-)	
요인 노출(+)	a	b	a+b
요인 노출(-)	c	d	c+d

$$\text{교차비(OR)} = \frac{\text{환자군에서 특정요인에 폭로된 사람과 폭로되지 않은 사람의 비}}{\text{대조군에서 특정요인에 폭로된 사람과 폭로되지 않은 사람의 비}} = \frac{a/c}{b/d} = \frac{ad}{bc}$$

- OR > 1 : 환자군에서의 특정 요인 노출이 대조군에서의 특정 요인 노출보다 큼
  즉, 특정 요인으로 인해 건강문제가 발생함
- OR = 1 : 환자군에서의 특정 요인 노출과 대조군에서의 특정 요인 노출 정도가 같음
  즉, 특정 요인이 건강문제에 영향을 미치지 않았음
- OR < 1 : 환자군에서의 특정 요인 노출이 대조군에서의 특정 요인 노출보다 작음
  즉, 특정 요인으로 인해 건강문제 발생이 감소함

[표 8-8]은 심뇌혈관질환과 고혈압 간의 관계를 규명하기 위해 환자-대조군 연구를 실시한 것이다. 심뇌혈관질환 집단에서 고혈압인 경우(30 / 10)와 심뇌혈관질환이 없는 집단에서 고혈압인 경우(70 / 90)의 교차비는 (30 / 10) / (70 / 90)으로 계산한다. 즉, 심뇌혈관질환 집단에서 고혈압일 경우가 심뇌혈관이 없는 집단에서 고혈압일 경우보다 3.9배 높다는 의미이다.

표 8-8 고혈압 여부에 따른 심뇌혈관질환

	심뇌혈관질환	
	있음(+)	없음(-)
고혈압(+)	30	70
고혈압(-)	10	90

$$\text{교차비(OR)} = \frac{30/10}{70/90} = \frac{30 \times 90}{70 \times 10} = 3.9$$

이 방법은 연구기간이 짧고 자료를 얻기가 쉬우며 연구에 소요되는 시간·경비·노력이 상대적으로 적게 들어가는 장점이 있는 반면, 대조군 선정이 어렵고 이미 발병한 이후이므로 과거 기억에 대한 회상편견(recall bias)이 작용할 수 있고 모집단이 없으므로 유병률, 발생률을 알 수 없으며 인과관계를 정확히 알 수 없는 단점이 있다. 따라서 발생률이 매우 낮은 희귀한 질병이나 원인 작용 후 발병에 이르기까지의 기간이 긴 질병의 연구에 활용 가능하다.

(2) 코호트 연구

코호트(cohort)란 '어떤 공통된 특성이나 속성, 또는 경험을 가진 집단'을 의미한다. 예를 들어 같은 연도에 태어난 집단을 출생코호트(birth cohort)라고 부른다. 또한 코호트는 '일정 기간 동안 추적조사(follow-up) 또는 추적탐색(trace)하는 집단이 된 특정 인구집단'을 의미하는 용어로 사용하기도 한다. 역학적 연구에서 코호트는 위의 2가지 의미를 모두 포함한다. 즉 질병 발생의 원인으로 가정한 요인의 노출 상태에 따라 연구대상 인구집단을 구성하고, 이들을 일정 기간 동안 추구 또는 추적·관찰하여 특정 질병의 발생 여부를 확인하는 형태의 연구를 코호트 연구라고 한다. 코호트 연구의 필수 조건은 '요인노출 유무' 조사 시점에서 요인노출에 따른 결과인 '건강문제 발생'이 없어야 한다는 것이다. 이러한 코호트 연구는 질병의 자연사 파악이 가능하고 인과관계를 규명할 수 있으며 상대위험비 측정이 가능하다는 장점이 있는 반면에 추적관찰 하는 데 있어 시간·경비·노력이 많이 들고 표본의 규모가 커야 한다는 단점이 있다.

코호트 연구에서 얻을 수 있는 지표는 상대위험비(relative risk ratio)와 기여위험도(attributable risk)이다. 상대위험비는 원인이라고 의심되는 위험요인에 노출된 사람이 질병에 걸릴 위험도가 노출되지 않은 사람이 질병에 걸릴 위험에 비해 얼마나 큰지를 나타내는 것으로, 비가 클수록 노출 위험요인이 병의 원인일 가능성이 높다는 의미이다. 예를 들어 폐암발생과 흡연에 관한 코호트 연구에서 상대위험비가 10이라면 흡연군에서의 폐암발생률이 비흡연군의 폐암발생률보다 10배만큼 크다는 것을 의미한다. 기여위험도는 위험요인 노출군에서의 질병 발생률과 비노출군에서의 질병 발생률 간의 차이로 모집단에서 발생한 질병 중 특정 요인이 작용해 발생했다고 간주되는 분율을 의미한다. 예를 들어 폐암 중 흡연의 기여위험도가 50%라면 이는 모집단 폐암환자 중 흡연에 의해 50%가 발생한다는 뜻이다.

$$\text{상대위험비(RR)} = \frac{\text{위험요인에 폭로된 집단에서의 질병 발생률}}{\text{위험요인에 폭로되지 않은 집단에서의 질병 발생률}} = \frac{a/(a+b)}{c/(c+d)}$$

- RR > 1 : 요인 노출군에서의 질병발생이 비노출군에서의 질병발생보다 큼
  즉, 요인노출 집단에서의 질병발생 위험이 높음
- RR = 1 : 노출군과 비노출군에서의 질병발생 위험이 같음
- RR < 1 : 요인노출군에서의 질병발생이 비노출군에서의 질병발생보다 작음
  즉, 요인노출 집단에서의 질병발생 위험이 낮음

$$\text{기여위험도(AR)} = \frac{a}{a+b} - \frac{c}{c+d}$$

[표 8-9]는 흡연집단과 비흡연집단 간에 폐암발생률의 차이가 있는지 확인하기 위해 10년간 코호트 조사를 실시한 것이다. 10년 경과 뒤 흡연집단에서의 폐암 발생률은 0.3(30 / 100)이고, 비흡연집단에서의 폐암발생률은 0.1(12 / 120)로 상대위험비는 3이 된다. 즉, 흡연집단에서의 폐암발생률이 비흡연집단에서의 폐암발생률보다 3배 높다는 의미이다.

표 8-9 흡연 여부에 따른 폐암 발생 현황

	폐 암		계
	있음(+)	없음(−)	
흡연	30	70	100
비흡연	12	108	120

$$\text{상대위험비(RR)} = \frac{30/100}{12/120} = 3.0$$

코호트 연구는 '요인노출'과 '건강문제 발생'에 대한 연구 자료를 어떠한 방법으로 수집하느냐에 따라 전향적(prospective cohort study) 코호트 연구와 후향적 코호트 연구(retrospective cohort study)로 구분한다.

① 전향적 코호트 연구

연구를 시작할 때 연구대상인 코호트 구성원으로부터 요인노출에 대한 자료를 수집하고 그 시점 이후부터는 전향적으로 추적조사하며 해당 건강문제의 발생 여부를 조사하는 형태이다.

② 후향적 코호트 연구

연구시작 시점을 기준으로 할 때 전향적 코호트 연구에서의 '요인노출'과 '건강문제 발생'과의 관련성 평가 시점은 연구시작 이후가 된다. 그러나 연구시작 시점 훨씬 이전으로 거슬러 올라가 '요인노출'과 '질병 발생'과의 관련성을 추적하여 확인하는 코호트 연구가 후향적 코호트 연구이다. 이미 대상 질병이 발생한 이후에 조사한다는 점에서 환자－대조군 연구와 동일하나, 환자－대조군 연구가 환자집단과 대조군 집단 간의 과거 원인이라고 의심되는 요인에의 노출비율을 비교하는 데 반해, 후향적 코호트 연구는 요인에 노출된 집단과 노출되지 않은 집단 간의 환자의 비율을 비교하는 데에 차이가 있다. 이 방법은 역사적 사건에만 활용할 수 있어 역사적 코호트 연구(historical cohort study)라고도 한다.

(3) 단면조사 연구

단면조사 연구(cross-sectional study)는 질병과 특정 노출요인에 대한 정보를 같은 시점, 또는 짧은 기간 내에 얻는 역학적 연구 방법을 말한다. 즉 한 시점에서 원인이라고 의심되는 요인과 결과라고 고려되는 질병을 동시에 가지고 있는 집단과 원인이라고 의심되는 요인이나 질병을 별개로 가진 집단 또는 이 두 개의 조건을 모두 가지고 있지 않은 집단들의 모집단 내 빈도를 비교하는 방법이다.

예를 들면, 고혈압과 나트륨 섭취량과의 연관성 조사를 위하여 서울에 거주하는 성인 중 2,000명을 무작위 추출해 고혈압 여부와 나트륨 섭취량을 조사하는 연구이다. 단면조사 연구에서 대상 인구집단에서 건강과 그와 연관된 요인에 대한 정보를 단기간에 얻을 수 있으므로, 상대적으로 비용이 적게 들고, 지역사회 단위에서 보건사업이나 간호사업을 기획할 때 유용한 연구이다. 하지만 유병률이 낮은 질병은 단면조사 연구를 수행하기 어렵다.

3) 실험역학연구

실험역학연구(experimental epidemiologic research)는 연구대상에게 임의적인 조작을 가한 후 그것이 원인이 되어 어떤 반응이 나타나는가를 관찰하는 방법으로 질병 발생의 원인규명에 적합한 연구방법이다. 실험연구의 세 가지 특성은 실험군과 대조군을 선정하여야 하며, 선정할 때는 반드시 모집단을 대표할 수 있는 무작위로 대상군을 각각 선정하여 선택 편의(selection bias)를 없애야 하며, 또한 실험군의 독립변수의 성질을 임의로 조작하여 대조군과의 차이를 검증하여야 한다.

실험연구에는 순수 실험연구와 유사 실험연구의 방법이 있다. 실험연구의 세 가지 특성이 모두 이루어진 상태의 연구를 순수 실험연구라고 하고, 그 중에서 하나의 조건이라도 이루어지지 않은 상태에서의 연구를 유사 실험연구라고 한다.

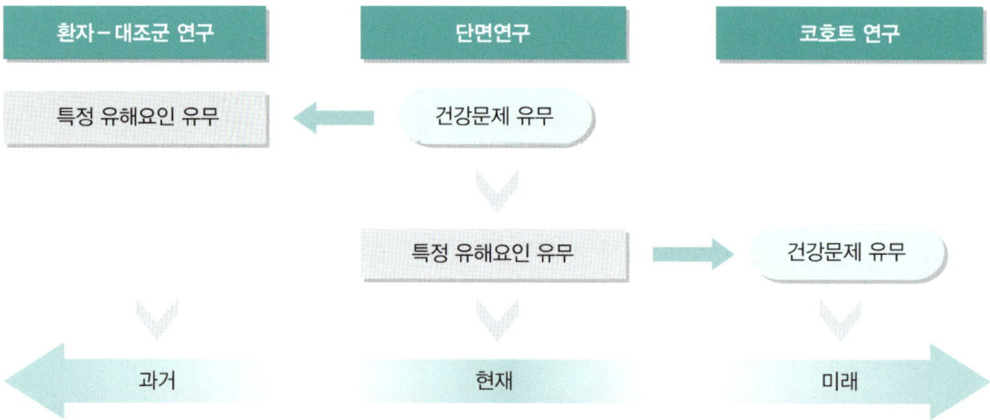

그림 8-7 역학연구 설계 방법

표 8-10 역학연구 방법

연구	환자군-대조군 연구 (Case-Control Study)	폭로군-비폭로군 연구 (Cohort Study)	단면조사 연구 (Cross-Sectional Study)
특징	• 환자군과 대조군이 각 원인요인에 노출된 여부를 확인하여 관련성 규명 • 원인으로 추정되는 요인과 질병의 관련성 검증 예 흡연이 폐암의 원인이라는 가설 검증을 위해 환자군(폐암집단)과 대조군(비폐암집단)의 흡연력 비교 • 교차비로 요인과 질병의 관계 검증	• 특성이 같은 집단(코호트)을 선정하여 시간 간격을 두고 변동을 파악하는 경향 연구 • 전향적 코호트 : 질병이 없는 집단을 대상으로 이들이 위험요인에 노출되었는지 여부에 따라 폭로군과 비폭로군을 구분, 향후 질병의 발생률 비교 • 후향적 코호트 : 연구 시작 시점 이전에서 질병발생과의 관련성 추적, 역사적 코호트 연구 • 상대위험비로 요인과 질병의 연관성 검증	• 일정 인구집단을 대상으로 특정 시점이나 기간 내에 질병을 조사, 인구집단 속성과 관계 규명하여 상관관계여부 조사
장점	• 단기간에 수행가능, 표본인구가 적어도 가능하므로 시간, 경비, 노력 절감 • 희귀질환이나 잠복 기간이 긴 질병연구에도 가능함	• 질병발생 위험률, 발병 확률, 상대위험비 측정 가능 • 질병의 자연사 파악 가능 • 인과관계 구체적 확인 가능	• 모집단에서 대표성을 지닌 표본 산출로 연구결과의 모집단 적용이 가능함 • 시점조사로 끝나므로 시간, 경비절약 • 대상질환의 유병률 측정 가능
단점	• 적합한 대조군 선정 어려움 • 인과관계의 질 확인이 어려움 • 모집단이 없는 경우가 많아 전체인구에 적용이 어려움 • 기억에 의존하므로 회상 편견(recall bias)이 작용	• 시간, 노력, 비용이 많이 듦 • 관찰기간 길고 대상자가 많아 발생률이 높은 질환에만 유용 • 장기간 조사로 대상자의 중도탈락 및 연구자의 변동 가능성이 있음	• 원인과 결과의 속성 중 어느 요인이 선행되는지 확정이 어려워 연구결과에 따라 원인을 규명하는 목적 달성에 제한이 있음

제6절 + 보건통계 활용

Keywords

• 대푯값 • 가설검정

통계학이란 자료를 수집, 정리 및 요약하는 것과 자료의 일부만 관찰하여 전체 자료의 특성에 관하여 추측하는 것을 다루는 학문이다. 통계학의 목적은 수량적인 개념을 이용하여, 자료를 수집하고, 자료가 가지고 있는 뜻을 나타내며, 자료로부터 결론을 도출해 내어 어떤 문제에 대한 이해를 높이고 통찰력을 제공해주는 것이다. 자료를 어떻게 정리하고 요약할 것인지에 대한 방법을 알려주는 것이 기술통계학(descriptive statistics)이며, 자료의 일부만을 살펴봄으로써 전체적인 것에 대해 어떻게 판단을 할 것인지에 대한 방법을 알려주는 것이 추론통계학(inferential statistics)이다. 보건통계(biostatistics)는 통계기법을 의학, 약학, 생물학, 보건학, 간호학 분야의 문제에 응용하는 응용통계학의 한 분야이다.

1 보건통계

1) 서술통계

수집한 자료를 파악하는 첫 단계는 자료를 간결하게 정리하여 서술하는 것이다. 서술통계의 중요한 역할은 자료의 주된 경향을 쉽게 알려주고, 추론통계를 사용하여 자료의 어느 부분을 더 상세하게 살펴보아야 할 것인가에 대한 단서를 제공하는 것이다. 또한 서술통계는 연구 결과를 서면으로 발표하여 전달하는 데도 중요하다. 작은 규모의 연구에서는 자료를 단순히 나열하면 되나 자료의 양이 방대할 때에는 이러한 작업이 대개는 힘들고 불가능하며, 가능하다 할지라도 자료의 특성을 전반적으로 파악하기 어렵다. 이 경우 그래프를 이용하는 것이 도움이 된다.

(1) 대푯값

일반적으로 어떤 자료에서 특성이 있는 특정값이 분포의 중앙 가까이에 결집하는 경향이 있다. 이러한 것을 중심경향성(central tendency)이라고 한다. 중심경향성을 측정하는 데는 평균, 중앙값, 최빈값이 있는데 모두가 주어진 자료를 대표하는 단일 측정치이다.

① 산술평균(Arithmetic mean)

중심경향성을 나타내는 측정치로서 가장 익숙한 것은 산술평균이다. 산술평균은 흔히 '평균'이라고도 불리며, 각 측정치의 총합을 표본의 크기로 나눈 값이다. 산술평균에 대한 계산공식은 다음과 같다.

$$\text{산술평균} = \frac{\text{측정의 종합}}{\text{측정의 수}}$$

산술평균은 중심경향성을 측정하는 데 널리 사용되는 방법이다. 일련의 측정된 평균을 알면 건강요구가 있거나 앞으로 건강문제를 야기할 수도 있는 사람들을 신속하게 찾아내는 데 도움이 된다. 그러나 가장 큰 단점은 극단적인 값에 아주 민감하여 표본 중에서 극단적인 값이 있는 경우 표본 값이 가장 많이 위치한 곳을 대표하지 못할 수도 있다는 것이다.

② 중앙값(Median)

중심경향성을 측정하는 다른 방법은 중앙값으로 산술평균 다음으로 자주 사용되는 방법이다. 중앙값은 측정치를 크기순으로 배열하여 각 측정치 도수의 합이 전체의 50%가 되는 점에 있는 측정치를 말한다. 이는 극단에 위치한 측정치의 영향을 받지 않기 때문에 분포가 한쪽으로 치우친 집단의 대푯값을 구할 때는 중앙값이 적절하다.

측정치가 홀수일 때는 한가운데 있는 측정치가 중앙값이며, 짝수일 때는 한가운데 있는 두 수의 측정치의 크기를 평균한 것이 중앙값이 된다.

③ 최빈값(Mode)

최빈값은 그 집단에서 가장 자주 발생하는 값을 말한다. 최빈값은 아주 빨리 평균값을 알고 싶을 때 도움을 준다. 하지만 모든 값들이 서로 다를 때는 존재하지 않으며, 또한 하나 이상의 최빈값을 갖기도 한다. 최빈값은 개략적인 값으로 가장 안정된 값을 나타내는 자료에 한해서 중심경향성을 찾는 데 도움을 줄 수 있다.

(2) 산포성

산포성(dispersion)이란 측정치들이 나타내는 수치들의 다양성을 말한다. 즉, 측정치 간의 변동의 크기, 즉 평균치를 중심으로 각 측정치가 어떤 값 둘레에 얼마나 조밀하게 퍼져 있는가를 설명한 값을 말한다. 모든 수치가 동일하다면 산포성이 없다는 것이고, 그렇지 않다면 산포성이 있다는 뜻이다. 만일 수치가 광범위하게 흩어져 있으면 산포성의 정도는 커진다. 산포성을 측정하는 방법으로는 범위, 분산, 표준편차 그리고 변이계수가 있다.

① 범위(Range)

관찰된 자료가 흩어져 있는 정도를 측정하는 방법으로 최댓값에서 최솟값을 뺀 값이다. 범위는 계산하기가 간편하나 자료의 두 극단 값의 차이만을 나타내기 때문에 두 값 이외의 자료들의 산포는 측정할 수 없는 단점이 있다. 이를 보완한 것이 사분위범위(interquartile range)이다. 사분위수는 크기 순서에 따라 늘어놓은 자료를 4등분하는 수로, 그 중 첫 번째 값을 제1사분위수(first quartile), 세 번째 값을 제3사분위수(third quartile)라고 하며 두 번째 값을 중위수(median)라고 한다.

② 분산(Variance) 및 표준편차(Standard deviation)

측정치들이 평균을 중심으로 가까이 놓여 있으면 광범위하게 놓여 있을 때보다 산포성의 정도는 덜하다. 따라서 평균 주위로 측정치들이 산포되어 있는 정도를 상대적으로 측정할 수 있으면 자료의 정리 및 분석에 훨씬 유익해진다. 분산의 계산은 각 측정치와 평균값과의 차이를 제곱하여 더한 뒤, 표본수보다 1이 적은 수로 나누어 주면 된다. 표본의 분산은 s^2라고 표시하고 그 공식은 다음과 같다.

$$s^2 = \frac{\sum_{i=1}^{n}(x_i - \overline{x})^2}{n-1}$$

분산은 제곱의 형태이므로 측정단위에 맞추어 이의 제곱근을 구하면 표준편차가 된다. 즉, 표준편차는 분산의 제곱근이며 그 공식은 다음과 같다.

$$s = \sqrt{s^2} = \sqrt{\frac{\sum_{i=1}^{n}(x_i - \overline{x})^2}{n-1}}$$

(3) 정규분포

통계자료를 도수분포로 정리한 후에 이를 히스토그램(histogram)으로 옮기면 한가운데에 많이 모이고 양쪽 가장자리에는 적게 모이는 종 모양의 분포를 볼 수 있다. 이처럼 종 모양의 좌우 대칭인 분포를 정규분포(normal distribution)라고 부르며, 정규분포를 나타내는 곡선을 정규곡선(오차곡선)이라고 한다.

정규분포는 다음과 같은 특성을 갖는다.

- 평균에 대하여 대칭이다.
- 평균, 중앙값, 최빈값이 동일하다.
- 좌우로 무한히 뻗어 있다.

정규분포에서 평균으로부터 1배의 표준편차 거리에 있는 좌우 두 점에서 수직선을 같은 방향으로 그을 때 이들과 곡선 그리고 x축에 의해 둘러싸인 부분은 전체 면적의 약 68%에 해당된다. 그 두 점을 2 표준편차 거리로 확대하면 그 면적은 거의 95%에 해당되며, 3 표준편차의 거리일 때는 99.7%에 해당된다[그림 8-8].

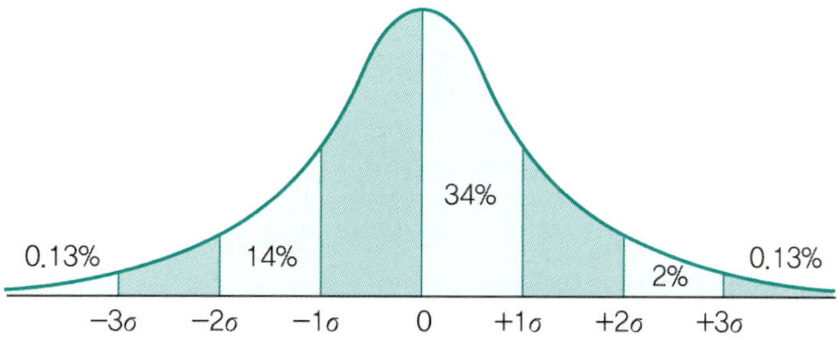

그림 8-8 정규분포의 확률밀도곡선

(4) 상관관계

변수들 간의 상호관계를 평가하는 여러 가지 통계방법 중 가장 일반적인 방법은 상관관계(correlation)를 분석하는 것이다. 상관관계란 한 변수의 변동이 다름 변수의 변동과 어느 정도 관련되어 있는가를 말해주는 것으로, 상관의 정도는 상관계수(correlation coefficient, r)로 표시한다. 상관계수는 두 변수 간의 관계의 정도와 방향을 말해주는 척도로서, −1에서 +1까지의 값을 가진다.

상관계수(r) 값이 0에 가까울수록 상관관계는 낮아지는 것이며, −1이나 +1에 가까울수록 상관관계는 높아진다. r값이 0보다 클 경우 양의 상관관계, 0보다 작을 경우 음의 상관관계를 나타낸다. 대부분의 경우 두 변수 간의 관계는 완전한 상관관계를 보이지 않고 양의 상관관계나 음의 상관관계를 나타낸다. 하지만 상관계수가 크다고 하여 인과관계가 있음을 뜻하지는 않는다.

2) 추론통계

추론통계는 크게 추정(estimation)과 가설검정(hypothesis testing)으로 나눌 수 있다. 추정은 특정한 모집단의 모수(parameter) 값을 예측하는 것이고, 가설검정은 모집단의 모수가 어떤 값과 같은지를 검증하는 것이다.

(1) 추정

추정은 어느 모집단으로부터 구한 표본에서 얻어진 결과를 기초로 그 모집단에 관하여 추측을 하는 과정이다. 예를 들면 어느 병원의 특정한 1년 동안에 내원한 환자들의 평균 연령을 알기 위해서 그 기간 동안 내원한 환자의 기록을 모두 조사하는 것은 시간과 경비가 많이 들어 불가능할 수 있다. 이 경우 일정한 크기의 표본을 추출하여 그 환자들의 평균 연령에 대한 추정값(estimate)을 계산할 수 있다. 이처럼 모수의 추정값으로 모집단의 특정값에 관심을 갖는 것을 점추정(point estimate)이라고 하며, 모수의 값이 속할 범위에 관심을 갖는 것을 구간추정(interval estimate)이라고 한다. 구간 추정에서 가장 많이 사용되는 것이 신뢰구간이다.

(2) 가설검정

가설검정은 과학적 연구와 유사하다. 먼저 자연 현상을 관찰하여 이론을 정립하고 관측치를 통하여 이론의 진위 여부를 테스트하는 것이다. 이론의 옳고 그름은 표본 관측치에 의해 판단된다.

① 통계적 가설(statistical hypothesis)

설정한 이론을 통계적 방법으로 테스트할 수 있도록 하는 것은 모수의 값에 관한 것이다. 우리가 지지하는 가설을 연구가설(research hypothesis), 혹은 대립가설(alternative hypothesis)이라고 한다. 대립가설과 반대되는 가설을 귀무가설(null hypothesis)이라고 한다. 어떤 가설이 지지되느냐는 관측된 표본에 의존한다. 여기서 '귀무(null)'의 의미는 아무 것도 없다는 것이다. 귀무가설은 H0, 대립가설은 H1으로 표현한다.

② 단측검정과 양측검정

대립가설이 단측인 경우 단측검정이라고 하며, 대립가설이 양측인 경우 양측검정이라고 한다. 단측검정인가 양측검정인가는 연구가설의 형태에 의해 결정되며, 연구가설의 형태는 연구목적에 따라서 달라진다. 연구자는 자료를 수집하기 이전에 문헌고찰을 통해 연구가설을 확실히 세워야 한다.

단측 대립가설과 양측 대립가설은 다음의 예와 같이 설정할 수 있다.

- 단측 대립가설 : 여자가 남자보다 혈청 콜레스테롤 수치가 높을 것이다.
- 단측 귀무가설 : 여자와 남자의 혈청 콜레스테롤 수치는 차이가 없을 것이다.
- 양측 대립가설 : 성별에 따라 혈청 콜레스테롤 수치는 차이가 있을 것이다.
- 양측 귀무가설 : 성별에 따라 혈청 콜레스테롤 수치는 차이가 없을 것이다.

즉, 단측검정은 연구의 방향성이 있어 'A가 B보다 크다(A > B)'이거나 'A가 B보다 작다(A < B)'인 경우를 말하며, 양측검정은 선행연구에서 일정한 방향을 나타내지 못했을 경우로 방향의 일정성이 없어 'A와 B는 같지 않을 것이다(A ≠ B)'라는 검정이다.

③ 평균의 차이검정

가. 단일표본 검정(one-sample t-test)

가장 기본적인 가설검정으로 하나의 집단의 평균이 얼마인지를 알고 싶을 때 이용하는 단일표본 검정이다.

예를 들어 일반적으로 성인여성들의 평균체중이 50kg으로 여겨져 A지역 성인여성들의 평균체중 또한 50kg이라고 말할 수 있는지를 조사하는 것이다. 이런 경우 연구가설은 'A지역 성인여성들의 평균체중은 50kg과 차이가 있을 것이다'이고, 단일표본 검정을 통해 귀무가설을 기각하면 연구가설이 채택된다.

$$H_0 : \mu = 50$$
$$H_1 : \mu \neq 50$$

가설검정의 경우 연구자가 귀무가설에서 설정한 모수값의 방향에 따라 단측검정과 양측검정으로 나뉜다. μ가 어떤 값보다 클 것으로 예상되면 오른쪽 단측검정을, 어떤 값보다 작을 것으로 예상되면 왼쪽 단측검정을, 그리고 μ에 관계없이 차이를 비교하는 경우에는 양측검정을 이용한다. 여기서는 양쪽 방향에 대한 검정이므로 양측검정을 사용한다.

나. 독립표본 t 검정(independent samples t-test)

독립표본 t 검정은 두 집단의 평균을 비교하기 위해 사용되는 방법으로, 두 집단이 각각 독립적이고 별개의 표본의 평균 차이를 검정할 경우 이용되며, 종속변수는 연수변수이어야 한다.

예를 들어 성별에 따른 혈청 콜레스테롤 수치의 차이가 있는지를 검정하고자 할 경우가 이에 해당한다. 이런 경우 연구가설은 '성별에 따라 혈청 콜레스테롤 수치는 차이가 있을 것이다'이며, 독립표본 t 검정을 사용하여 귀무가설을 기각하면 연구가설은 채택된다.

$$H_0 : \mu_1 - \mu_2 = 0$$
$$H_1 : \mu_1 - \mu_2 \neq 0$$

독립표본 t 검정은 다음의 내용을 고려한다.

- 독립변수가 두 개의 범주를 가진 명목척도이고, 종속변수는 연속변수이다.
- 분포의 가정은 정규분포이다.
- 두 집단의 분산은 동일하다.

다. 짝비교 검정(paired samples t-test)

짝비교 검정은 동일한 사람이나 사물에 대하여 일정한 시간을 두고 반복 측정하는 경우에 이용할 수 있다. 따라서 이 분석방법은 두 표본이 독립적일 필요가 없으며, 분산의 동질성도 가정하지 않아도 되기 때문에 실험을 해야 하는 경우에 상당히 유용하다.

예를 들어 혈청 콜레스테롤 수치를 줄이기 위해서 12명을 대상으로 운동과 함께 식이요법의 효과를 측정하기 위한 실험을 실시하였다. 이런 경우 연구가설은 '운동과 식이요법의 실시 전에 비하여 실시 후의 혈청 콜레스테롤 수치는 줄어들 것이다'이고, 짝비교 검정을 통해 귀무가설을 기각하면 연구가설이 채택된다.

$$H_0 : \mu_d \geq 0$$
$$H_1 : \mu_d < 0$$

이때 d는 운동과 식이요법의 실시 전과 실시 후의 혈청 콜레스테롤 수치의 차이이다.

라. 분산분석(analysis of variance; ANOVA)

세 개 이상 집단의 평균 간의 차이를 검정하고자 할 경우 분산분석(ANOVA)을 이용한다. 분산분석은 집단 간의 평균에 유의한 차이가 있는지를 분석하는 것으로 F-검정이라고도 한다.

분산분석의 가정은 다음과 같다.

- 집단 간에 서로 독립적이다.
- 집단들은 분산이 같다.
- 표본 평균의 분포가 정규분포이다.
- 종속변수는 연속변수여야 한다.

마. 카이제곱 검정(chi-square test)

카이제곱 검정(χ^2 test)은 비모수적 방법에서 가장 흔히 사용하는 검정방법으로 실제로 표본에서 측정된 관찰도수(observed frequency)와 이론적으로 일어날 수 있는 기대도수(expected frequency)와의 관련성을 수량적으로 측정하여 모집단 값에 대한 가설을 검증할 때 이용한다.

χ^2 검정은 빈도를 비교하는 것으로, 명목척도나 순위척도로 측정된 범주형 변수들 간에 백분율(%)의 차이가 있는지를 분석하는 방법이다. 범주형 자료는 구분을 이용하여 표를 만드는데 이러한 표를 분할표라고 한다. 분할표에서 통계적으로 그 분포의 차이에 대한 유의성을 검증하는 것으로, 관찰된 빈도수가 기대된 빈도수와 다르지 않음을 검증하는 것이다. 따라서 두 변수가 상호 독립적인지 아니면 관련성이 있는지를 검증하는 방법이다.

제7절 + 인구현상의 이해

Keywords

- 인구의 종류
- 인구통계
- 인구정책
- 인구이론
- 인구구조

인구(population)란 일정한 기간 동안에 일정한 지역에 생존하는 인간집단으로, 정치적·경제적 생활권을 같이 하며 집단생활을 하는 주민의 총체이다. 인구와 관련된 용어에는 인구, 인종, 국민 및 민족 등이 있다. 인구는 시·공간적 공동체의 개념이고, 인종은 인간집단을 생물학적·혈연적 중심의 유전공동체 개념으로 본 것이다. 국민은 법적 중심의 국적 공동체의 개념이며, 민족은 문화적 정서의 공유에 따른 문화공동체 개념이다.

1 인구의 종류

인구의 종류는 크게 이론적 인구와 실제적 인구로 나뉜다.

1) 이론적 인구

인구현상을 연구하기 위하여 여러 가지 가정 위에 설정된 인구로서 보통 통계 방법에 의해 계량적으로 표현된다.

(1) 폐쇄인구

가장 기본적인 이론적 인구로, 인구의 이동이 전혀 없고 출생과 사망으로만 변동이 일어나는 인구이다. 반대로 인구이동에 의한 인구증가가 있는 경우는 개방인구라고 한다.

(2) 안정인구

폐쇄인구의 특수한 경우로 연령별 사망률과 연령별 출생률이 일정한 인구를 말한다. 즉 연령별 구조와 인구의 자연증가율이 일정하다.

(3) 정지인구

안정인구 중 출생률과 사망률이 같아 인구 규모가 변하지 않는 것으로써 인구의 자연증가율이 0(zero)가 되는 것을 말한다. 생명표의 기초이론을 제공함으로써 인구분석에 가장 기초적인 개념으로 사용된다.

(4) 적정인구

인구와 자원과의 관련성에 근거한 이론으로 인구과잉의 원인을 식량에만 국한하지 않고 생활수준에 둠으로써 주어진 여건 속에서 생산성을 최대로 유지하여 최고의 생활수준을 유지할 수 있는 인구를 말한다.

2) 실제적 인구

인구집단을 시간이나 지역 등의 속성에 결부시켜 분류한 인구로 '귀속인구'라고도 한다. 실제적 인구는 교통문제·도시계획 등 정책의 기초 자료로 활용된다.

(1) 현재인구

어떤 특정한 시점에서 현존하고 있는 인구집단을 모두 그 지역의 인구로 간주하였을 경우에 이를 현재인구라고 한다.

(2) 상주인구

인구조사 당시의 소재에 상관없이 통상적으로 거주하고 있는 인구집단을 모두 그 지역의 인구로 간주하였을 경우, 이를 상주인구라고 한다.

(3) 법적인구

특정한 관찰 시각에서 어떤 법적 관계에 입각하여 특정한 인간집단을 특정 지역에 귀속시킨 인구를 말한다. 예를 들어 「가족관계등록법」에 의한 등록기준지 인구(본적지 인구), 「선거법」에 의한 유권자 인구, 「조세법」에 의한 납세 인구 등이 있다.

(4) 종업지인구

어떤 일에 종사하는 장소에 결부시켜 분류한 인구로써 해당 자료를 통해 산업별 구조와 지역사회의 사회경제적 특성을 파악할 수 있다.

2 인구이론

인구이론이 나오게 된 사회적 배경은 중상주의시대(Mercantilism, 15～18세기)로써 이 시기의 국가 정책은 인구증가를 장려하였다. 이때 주창된 콜베르주의는 중상주의적 인구증가 및 국외이출방지정책을 주장하였고, 전 유럽은 많은 인구를 통해 강한 근대 국가의 건설이라는 시대적 신념을 실현하고자 하였다. 그러나 중상주의시대에 부랑민과 범죄가 증가하는 등 인구·사회문제가 발생하였다.

영국의 사회통계학자인 John Graunt는 1662년 「사망표에 관한 자연적 및 정치적 제 관찰」이라는 저서에서 최초로 성비, 연령별 사망비율, 사망자의 연령별 사망요인 등의 인구현상에 대한 수적인 분석을 시도하였고, 이후에 인구문제를 사회적 시각에서 바라보는 인구이론이 나오게 되었다. 인구증가의 사회적 의미에 대한 최초의 논쟁은 Thomas Malthus의 「인구론 Essay on the Principle of Population」(1803)이 출판되면서 시작되었다.

인구의 성장 및 변화와 관련된 이론은 다음과 같다.

1) 맬서스주의

Thomas Malthus의 인구이론인 맬서스주의(Malthusism)는 인구과다의 원인과 해결방안을 지지하는 이론이다. 맬서스는 영국의 고전경제학의 창설자로서, 체계적이고 학문적인 인구이론을 독립적으로 전개하였다. 인구현상을 사회·경제적 측면에서 이해하였고 의학의 발달, 모자보건의 향상, 높은 출생률과 낮은 사망률이 인구를 증가시킬 것이라는 18세기의 인구동태와 중상주의 이론의 쇠퇴를 보며 최초의 인구이론을 발표하였다.

맬서스의 저서 「인구론」에서 "식량의 생산은 산술급수적으로 증가하는 데 비해 인구는 기하급수적으로 증가하므로 인간이 식량의 궁핍에도 불구하고 영속적인 생존을 위해서는 필연적으로 인구의 증가를 억제하는 강력한 제약이 필요하다."고 주장하였다.

맬서스는 인구증가의 제한 요소로 초기 이론에서는 궁핍과 죄악을 제안하였고, 후기 이론에서는 식욕, 정욕, 그리고 인간의 이성이라는 인구증가의 제한적 요소를 제시하며 궁핍과 죄악, 인간이성의 작용인 도덕적 억제를 통한 인구 억제방법을 제안하였다. 그러나, 그가 제시한 만혼과 금욕의 도덕적 억제가 인구법칙에서 발생하는 해악을 피할 수 있는 유일한 방법이라는 주장에 대해서는 많은 의문이 제기되었으며 그 결함을 다음과 같이 설명할 수 있다.

- 인구이론을 인구와 식량에만 국한하여 고찰하였다.
- 만혼만으로 인구증가가 식량생산의 수준 이하로 떨어진다는 보장이 없고, 모든 이에게 만혼을 기대할 수 없다.
- 인구억제의 가장 효과적인 수단인 피임에 대하여 반대하였다.
- 인구문제를 인간과 식량의 관계에 국한한다고 하더라도 반드시 인구가 기하급수적으로 증가하는 것은 아니며, 식량도 산술급수적으로 증가하는 것은 아니다.

2) 신맬서스주의

신맬서스주의(Neo-Malthusism)는 맬서스의 인구론에 입각하여, 인구증가 억제를 위해 산아제한이나 수태조절의 필요성을 주장하는 입장이다. 대표적인 학자로는 영국의 Flancis Place이다. 맬서스주의와의 차이점은 인구 억제방법으로 피임법을 중시하고 피임을 적극적으로 보급하였다. 이 견해는 J.S. Mill이 주장하였고 신맬서스주의에 의한 산아제한운동이 미국에 전파되었다. 이러한 운동은 제2차 세계대전 이후 우리나라를 포함한 아시아, 아프리카, 중남미의 후진국 및 개발도상국에 큰 영향을 미쳤다.

3) 인구변천이론

인구변천이론(Demographic transitional theory)은 인구의 변화를 근대화의 과정과 관련하여 설명한다. 인구변천이론은 한 지역의 인구가 그 지역의 출생, 사망과 이동에 의해 결정되고 인구증감의 요인으로 생물학적 요인과 사회학적 요인이 있다는 전제를 가지며, 맬서스주의에서 다루지 않은 산업화에 따른 사회·경제적·기술적 변동과 인구에 미치는 영향을 중점으로 다룬다. 또한 사망률보다는 출생률의 변동이 인구변동의 핵심 요인임을 강조한다. 인구변천이론은 산업화를 달성한 사회의 인구변동을 설명하는 데 적합하다. 그러나 짧은 시간에 심한 인구변동을 겪고 있는 급속한 경제발전국을 설명하기는 부적절하다.

인구변천이론은 산업화와 더불어 발생하는 사망률과 출생률의 변화에 따라 인구성장의 과정을 단계로 나누고 있다. 각 단계의 출생과 사망의 변화가 상대적으로 다르게 나타남으로써 인구변화를 이해할 수 있다. 인구변천이론의 대표적 인물인 C.P. Blaker는 인구의 변천을 고위정지기, 초기확장기, 후기확장기, 저위정지기와 감퇴기의 5단계로 구분하였고, W. Thompson과 F. Notestein은 고잠재적 성장단계, 과도기적 성장단계, 인구감소의 시작단계로 나누었다.

Thompson과 Notestein에 의해 구분된 인구변천이론을 살펴보면 다음과 같다.

(1) 제1단계 : 고잠재적 성장단계

출생률과 사망률이 모두 높은 다산다사형(*多産多死形*)으로 정치적 불안, 빈곤상태가 해결되지 않으면 높은 사망률로 인하여 실질적 인구가 증가하지 않는다. 주로 전통적인 농업사회에 해당하는 지역으로 공업화가 이루어지지 않은 단계로써 산업화가 시작되어 과학기술과 의료기술이나 보건행정망이 발달하는 경우에 급격한 사망률의 감소로 급격한 인구증가가 예상된다. 또한 생활수준이 일반적으로 높아짐으로써 평균 수명도 길어져 잠재적인 인구증가의 상황에 놓여있다고 표현할 수 있다.

(2) 제2단계 : 과도기적 성장단계

높은 출생률과 낮은 사망률을 보이는 다산소사형(*多産小死形*)으로 높은 자연증가율을 보인다. 급속한 인구증가가 발생하며, 인구변천의 단계라고 부르기도 한다. 사망률 저하의 주된 원인은 살충제의 사용, 설파제 및 항생제의 보급, 보건의료의 발달 및 식량 수급률의 증가이다. 전 세계인구의 3/5이 이 단계에 속한 과도기적 성장단계는 다음의 두 단계로 다시 나눌 수 있다.

① 초기 인구증가기

근대화 과정의 초기로써 경제발전의 시작기이다. 사망률의 저하를 위해 환경위생 개선사업에 치중하며 우리나라와 일본을 제외한 대부분의 아시아 국가가 이에 해당된다.

② 급격한 인구증가기

상당히 낮은 사망률을 보이며 산업이 발달하고 경제력이 향상되며 도시화를 수반하고 소가족 지향적이다. 남부 아프리카, 중미와 열대 남미국가가 이에 속한다.

(3) 제3단계 : 인구감소의 시작단계

출생률과 사망률이 낮아지는 소산소사(*小産小死*)의 단계이다. 점진적인 인구의 감소가 예상된다. 현재 전 세계 인구의 약 1/5이 이 단계에 해당된다. 인구감소의 시작단계는 다시 두 단계로 구분된다.

① 인구증가 저하기

소산소사형이지만 출생률이 사망률보다 높은 수준을 유지하며 온대 남미, 중동아시아, 러시아, 일본과 우리나라가 해당된다.

② 인구감퇴기

출생률에 비해 사망률이 더 높고 북유럽, 북아메리카, 호주와 뉴질랜드 등이 이에 해당된다.

3 인구통계

인구통계(demographic statistics)는 인구에 관한 여러 통계로서 출생, 사망, 유입, 유출의 4개 요인에 의해 영향을 받는다. 인구통계는 인구 변동 상태를 의미하는 인구동태(dynamics of population) 통계와 변동하는 인구집단을 한 시점에서 절단하여 정지된 상태에서 관찰하는 인구정태(static of population) 통계로 나뉜다.

인구동태는 출생, 사망, 사산, 이혼, 입양, 이동 등의 동태 상황이 발생할 때마다 신고함으로써 얻어지는 통계로, 피조사자의 법적 신고의무에 의해 파악한다. 동태신고의 의무화는 선진국의 경우에는 정확하나 개발도상국이나 후진국의 경우 제대로 신고가 이루어지지 않아 정확성에 한계가 있다.

인구정태는 특정 순간의 인구 상태, 인구의 크기, 구성 및 성격을 나타내는 통계로, 연령별, 성별, 인구밀도, 산업별, 직업별, 지역별, 결혼 상태별, 업종별, 실업상황, 국세조사, 사후표본 조사, 연말인구 조사에 의해 파악하며, 우리나라의 경우 5년마다 실시하는 센서스 조사와 호적부, 주민등록부를 통해 이루어지고 있다.

인구통계의 자료수집은 직접법에 의한 전수조사와 표본조사, 간접법에 의한 신고자료, 연구자료, 의료기관 보고자료의 활용 등이 있다. 우리나라에서 매 5년마다 실시하는 인구주택총조사는 전수조사의 형태로서 국세조사이며 일정시점의 인구에 대한 다측면적 자료를 수집한다. 표본조사는 조사결과의 일반화를 위해 표본의 대표성과 신뢰성이 확보되어야 한다. 신고자료의 경우 자료의 신뢰성과 정확성이 확보된 자료를 활용하여야 한다.

1) 인구통계 자료

인구통계 자료를 얻을 수 있는 방법으로는 전수조사, 신고자료, 표본조사가 있다. 각종 인구통계 자료는 통계청에서 운영하는 국가통계포털(http://www.kosis.kr)에서 쉽게 이용할 수 있다.

(1) 전수조사(Census)

어떤 한 시점에서 일정지역에 거주하거나 머물고 있는 모든 사람에 대한 특정의 정보를 개인 단위로 수집하는 정기적인 조사를 말한다. 보통 5년 또는 10년 간격을 두고 실시한다. 우리나라에서는 1925년 10월에 처음으로 실시하였으며, 현재 통계청에서 매 5년마다 인구주택총조사를 실시하고 있다. 인구주택총조사는 인구 규모, 분포 및 구조와 주택에 관한 특성을 파악하여 각종 정책입안에 기초 자료를 제공하고, 각종 가구 관련 조사 표본 틀의 기초 자료로 활용된다.

(2) 신고자료

일정한 기간에 나타난 출생, 사망, 결혼, 이혼, 이주에 관한 내용을 당사자나 혹은 관련자가 일정한 양식에 따라 등록한 자료이다. 우리나라에서는 출생, 사망, 혼인, 이혼 신고자료를 바탕으로 매년 통계청에서 인구동태통계연보를 발행하고 있다.

(3) 표본조사

특수한 목적으로 한정된 내용의 통계자료를 수집하고자 할 때 사용한다. 표본의 대표성이 확보되어야 하며 센서스 조사 1~5% 범위에서 표본을 선정하여 함께 실시하기도 한다.

2) 생정통계의 기본 지표

인구의 성장은 출생과 사망의 크기에 의해 영향을 받으며, 이를 측정하는 다양한 지표들이 사용되고 있다 [표 8-11, 8-12].

(1) 출생

① 출생

세계보건기구(WHO)는 출생을 '임신기간에 관계없이 태아가 그 모체로부터 완전히 만출 또는 적출되는 것으로서 태아가 이러한 분리 후에 탯줄의 절단이나 태반 부착 여부에 관계없이 호흡을 하거나 심장의 고동, 탯줄의 박동 또는 수의근의 명확한 운동과 같은 생명의 증거를 나타내는 출산의 각 생성물'이라고 정의한 바 있다. 출생은 생물학적 요인과 사회문화적 요인에 영향을 받는다.

② 출산력

출생이 생물학적 현상이라는 점에서 출산력(fertility)이라는 용어를 사용하는데, 출산력이란 한 인구 속에서 태어나는 출생아 수에 기초를 둔 현실적인 출생 수준을 의미하며, 결혼, 피임, 건강, 경제 사정 등을 고려하여 실제로 아이를 낳을 수 있는 능력을 말한다. 출산력은 결혼 연령, 혼인규범과 결혼의 안정성, 가족의 자녀수

표 8-11 출생 지수

출생 지수	계산식
조출생률(Crude Birth Rate, CBR)	$= \frac{\text{특정 1년간의 총 출생아 수}}{\text{당해 연도의 연앙인구}^{1)}} \times 1,000$
일반 출산율(General Fertility Rate, GFR)	$= \frac{\text{특정 1년간의 총 출생아 수}}{\text{당해 연도의 가임연령 여성인구(15～49세)}} \times 1,000$
연령별 출산율(Age Specific Fertility Rate, ASFR)	$= \frac{\text{그 연령군에서의 연간 출생 수}}{\text{어떤 연령군의 가임여성인구}} \times 1,000$
합계 출산율(Total Fertility Rate, TFR)	= 연령별 출산율의 총합
재생산율(Reproduction rate)	$= \text{합계출산율} \times \frac{\text{여아 출생 수}}{\text{총 출생 수}}$
순재생산율(Net reproduction rate)	$= \text{합계출산율} \times \text{총재생산율} \times \frac{\text{가임 연령 시 생존 수}}{\text{여아 출생 수}}$
모아비(Child-woman ratio)	$= \frac{\text{0～4세 인구}}{\text{가임연령 인구수(15～49세)}}$

1) 출생률과 사망률 산출 시 보통 그 해의 중간인 7월 1일을 기준으로 하는데, 이것을 연앙인구(중앙인구)라고 함

에 대한 가치관, 피임과 인공유산 등과 같은 사회문화적 요인에 영향을 더 많이 받는다.

가. 합계출산율(Total Fertility Rate, TFR)

한 명의 여성이 특정 연도의 연령별 출산율에 따라 출산을 한다면 일생 동안 모두 몇 명의 아이를 낳는가를 나타내는 지수이다. 가임기인 15～49세까지의 각 연령별 출산율을 산출한 다음, 계산된 연령별 출산율을 모두 더하여 산출한다.

나. 재생산율(Reproduction rate)

한 명의 여성이 일생 동안 몇 명의 여자아이를 낳는가를 나타내는 지수이다.

총 재생산율(gross reproduction rate)은 한 명의 여성이 현재의 출산력이 계속된다는 가정하에 가임기간(15～49세)에 몇 명의 여자아이를 낳는가를 나타내는 지수이다.

다. 순재생산율(Net reproduction rate)

가임기간의 각 연령에서 여자아이를 낳는 연령별 여아 출산율에 태어난 여자아이가 죽지 않고 가임연령에 도달할 때까지 생존하는 생산율을 곱해서 산출한 것이다. 즉, 여아의 연령별 사망률을 고려한 재생산율이다.

③ 가임력

인구가 가지는 잠재적 출생수준, 즉 출산의 생리적 능력을 의미하므로 출산력과는 의미가 다르다. 가임력은 생물학적 요인에 의해 영향을 받는다.

결혼연령이 낮고 임신조절이나 가족계획을 거의 실시하지 않는 사회에서는 출산력과 가임력은 거의 비슷하다. 그러나 결혼연령이 높아지고 피임이나 인공유산이 흔한 사회에서는 출산력과 가임력은 현저한 차이가 있다.

(2) 출생에 영향을 미치는 요인

① 생물학적 요인

- 남녀 모두 생리적으로 생식능력을 가져야 한다. 이 능력을 가임력이라고 한다.

② 사회문화적 요인

- 혼인 연령이 낮아질수록 출산력이 높다. 혼인한 여성의 경우 가임기간이 길어지므로 다산의 가능성이 높고, 세대 간격이 짧아진다. 예를 들어 개발도상국의 평균 초혼연령은 선진국에 비해 상당히 낮고 이는 출생에 영향을 미친다.
- 자녀 수에 대한 가치관이 영향을 미친다. 전통적인 농업사회는 대가족제도를 선호하고, 유교문화권에서는 가계계승 차원에서 자녀의 가치를 중시하며, 개발도상국의 경우에는 자녀를 노후보장과 가족노동력 확보 차원에서 중시한다. 서구사회에서는 자녀에 대해 별다른 가치를 부여하지 않는 가정이 많다.
- 결혼의 안정성이 영향을 미친다. 이혼·별거·사별 등은 출산력을 저하시킨다.
- 피임과 인공유산도 영향을 미친다.

(3) 사망

출생 이후 어느 시기에서나 생명이 제 기능을 수행할 가능성이 영구적으로 상실된 상태를 말한다. 사망 자체는 생물학적 현상이지만, 성, 연령과 같은 생물학적 요인에 영향을 받으며, 직업, 거주 지역, 종교, 보건의료 수준, 경제 수준 등과 같은 사회경제적 조건으로도 영향을 받는다.

① 조사망률(Crude Death Rate, CDR)

사망수준을 나타내는 가장 기본적인 지표로 연간 총사망자 수를 해당 연도의 연앙인구로 나눈 수치를 1,000분비로 나타낸 비율이다. 조사망률이 전체 인구에 대한 사망수준이므로 연령구조별 확인을 위해 연령별 사망률(age-specific death rate)을 작성한다.

② α-Index(알파지수)

생후 1년 미만의 영아 사망수를 생후 28일 미만의 신생아 사망수로 나눈 값이다. 모자보건수준을 평가하는 지표로 숫자가 1에 가까울수록 보건수준이 높음을 의미한다. 즉 선천적 원인에 의한 사망으로 이는 태어난 후의 환경적 영향에 의해 죽은 영아의 수가 적음을 의미하기 때문이다.

표 8-12 사망지수

사망지수	계산식
조사망률(Crude Death Rate, CDR)	$= \frac{\text{특정 1년간의 총 사망자 수}}{\text{당해 연도의 연앙인구}} \times 1{,}000$
연령별 사망률(Age Specific Death Rate, ASDR)	$= \frac{\text{특정 연령계층에서의 연간 총 사망자 수}}{\text{해당 연령계층의 연앙인구}} \times 1{,}000$
영아사망률(Infant Mortality Rate, IMR)	$= \frac{\text{당해 연도 1세 미만 영아 사망아 수}}{\text{당해 연도 연간 총출생아 수}} \times 1{,}000$
신생아사망률(Neonatal Mortality Rate, NMR)	$= \frac{\text{연간 생후 28일 이내 사망아 수}}{\text{연간 총 출생아 수}} \times 1{,}000$
α-Index	$= \frac{\text{당해 연도 영아 사망 수}}{\text{당해 연도 신생아 사망 수}}$
주산기 사망률(Perinatal Death Rate, PDR)	$= \frac{\text{임신 28주 이후 태아 사망 수 + 생후 7일 이내 신생아 사망 수}}{\text{연간 출생 수}} \times 1{,}000$
모성사망비(Maternal Mortality Ratio, MMR)	$= \frac{\text{그 해 임신, 분만, 산욕으로 인한 모성 사망 수}}{\text{출생 수}} \times 100{,}000$
모성사망률(Maternal Mortality Rate, MMRate)	$= \frac{\text{모성 사망자 수}}{\text{15～49세 가임기 여성 수}} \times 100{,}000$
비례사망지수(Proportional Mortality Indicator, PMI)	$= \frac{\text{그 해 50세 이상 사망자 수}}{\text{연간 총 사망자 수}} \times 100$

③ 비례사망지수(Proportional Mortality Indicator, PMI)

연간 총 사망자 중에 50세 이상의 사망수가 차지하는 비율로 선진국일수록 비례사망지수가 높은 것이 특징이다. 보건 관련 환경이 양호할수록 영양불균형이나 질병예방 및 치료 미비로 인한 조기사망이 적기 때문에 총 사망자 중 상대적으로 고연령자의 사망비율이 높을 수밖에 없다.

(4) 사망에 영향을 미치는 요인

사망은 생물학적·사회적·경제적·문화적 요인 등이 영향을 미치며 주요 영향요인으로는 남녀의 성, 연령, 보건의료 혜택, 경제수준, 직업, 거주지역, 종교 등을 들 수 있다.

① 선진국의 주요 사망요인

- 만성퇴행성질환(심장병·혈관계질환·암 등), 간경화, 당뇨병, 자살이 많음
- 유아기 사망의 경우 내생적 원인(선천적 기형, 출생 상해, 질식 등)이 많음

② 개발도상국의 주요 사망요인

- 감염성 질환(결핵·기관지염 등)이 흔함
- 유아기 사망의 경우 외생적 원인(불결한 환경, 부적절한 의료시설 등)이 많음

우리나라에서는 암, 뇌혈관질환, 심장질환이 3대 사망원인이며, 연령이 낮은 층에서는 교통사고가 주요 사망원인이다.

(5) 평균수명

출생 시 기대여명으로 현재의 건강과 사망수준을 종합적으로 나타내는 가상지표이다. 세계보건기구(WHO)는 조사망률, 비례사망지수와 더불어 평균수명을 국가 간 건강수준을 비교할 수 있는 지표로 제시하고 있다.

4 인구구조

인구구조는 어느 인구집단의 성별, 연령별, 산업별, 도시·농촌별 구성 상태를 말하며, 그 지역의 사회학적·경제학적 특성을 잘 나타내고 있어서 이를 통해 사회적 문제와 경제적 잠재력을 예측할 수 있다.

인구구조는 양적 기준과 질적 기준으로 구분할 수 있다. 양적 기준으로는 연령, 질적 기준으로는 성, 직업, 교육 정도, 인종과 사회계급 등이 있다. 일반적으로 성 및 연령별 구조를 인구분석학적 기본구조라고 하며, 출산력, 사망력, 인구이동, 인구의 규모와 구성의 변화를 연구하는 데 기본 자료가 된다.

1) 성 구조

성비는 남녀 인구의 균형 상태를 나타내는 지수로서 보통 여자 100명에 대한 남자의 수로 표시된다.

- 성비(sex ratio) = (남자 / 여자) × 100
- 1차 성비(primary sex ratio) = 태아의 성비
- 2차 성비(secondary sex ratio) = 출생 시 성비
- 3차 성비(tertiary sex ratio) = 현재 인구의 성비

1차와 2차 성비는 항상 남자가 여자보다 많다. 3차 성비는 0~4세 연령층에서는 남자가 많고, 연령층이 증가하면서 차이가 줄어들며 결혼연령까지는 점차 비슷해지다가 50~54세에서 균형을 이루며 고령이 되면 여자인구가 남자인구를 넘어선다.

2) 연령 구조

(1) 중위연령(Median age)

연령의 대푯값으로, 전체 인구를 연령의 크기 순으로 일렬로 세워 단순히 균등하게 2등분한 연령으로 중위연령이 25세 이하일 때 '어린 인구'라고 하고 30세 이상일 때는 '나이 든 인구'라고 한다.

(2) 부양비(Dependency ratio)

경제활동 연령인구(생산인구, 15~64세)에 대한 비경제활동 연령인구(비생산인구, 0~14세, 65세 이상)의 비로, 인구의 사회·경제적 구성을 나타내는 지표이다[표 8-13].

(3) 노령화지수(Aged-child ratio)

노인인구의 증가에 따른 노령화의 정도를 나타내는 지표이다.

$$노령화\ 지수 = \frac{65세\ 이상\ 인구(노년인구)}{0\sim14세\ 인구(유년인구)} \times 100$$

표 8-13 부양비 지수

부양비 지수	계산식
총 부양비	$= \frac{0\sim14세\ 인구+65세\ 이상\ 인구}{15\sim64세\ 인구} \times 100$
유년 부양비	$= \frac{0\sim14세\ 인구}{15\sim64세\ 인구} \times 100$
노년 부양비	$= \frac{65세\ 이상\ 인구}{15\sim64세\ 인구} \times 100$
경제활동인구비	$= \frac{경제활동인구}{15\sim64세\ 인구} \times 100$
실업률	$= \frac{실업자}{경제활동인구} \times 100$

3) 인구 피라미드 유형

성별, 연령별로 인구도수분포표를 그린 것을 인구 피라미드하고 한다. 일반적으로 남자를 왼쪽에 여자를 오른쪽에 표시하고, 나이가 어린 사람을 아래쪽에, 나이가 많은 사람을 위쪽으로 하여 인구수를 나타낸다. 이러한 인구 피라미드는 한 인구집단의 성별, 연령별 특성을 일목요연하게 정리해줄 뿐 아니라 둘 이상 되는 인구집단의 특성 차이도 쉽게 구분할 수 있게 해준다. 일반적으로 정형화된 인구 피라미드의 유형은 피라미드형, 종형, 항아리형의 세 가지를 기본 유형으로 하며, 한 인구의 지역적 특성을 고려해 호로형(농촌형)과 별형(도시형)으로 구분한다[그림 8-9] 각 유형의 특성은 다음과 같다.

(1) 피라미드형

출생률이 높고 사망률도 높은 인구증가형의 인구구조로 주로 저개발국가에서 나타나는 유형이다. 보통 0~14세 인구가 50세 이상 인구의 2배를 초과한다.

(2) 종형

출생률과 사망률이 모두 낮은 정지형의 인구구조로 주로 선진국에서 나타나는 유형이다. 보통 0~14세의 인구가 50세 이상 인구의 2배와 비슷하다. 종형의 인구구조를 가진 국가에서는 인구의 노령화 현상과 노인인구문제가 대두된다.

(3) 항아리형

출생률과 사망률이 모두 낮고 출생률이 사망률보다 낮아 인구가 감소하는 감퇴형의 인구구조이다. 0~14세 인구가 50세 이상 인구의 2배 이하이며, 이로 인하여 선진국의 일부 국가는 국가 경쟁력 약화 및 노인문제가 심각하게 일어나고 있다.

(4) 호로형

생산연령 인구의 유출이 큰 농촌형의 인구구조로 15~49세 인구가 전체 인구의 50% 미만이다. 청장년층의 유출에 의한 출산력 저하로 유년층의 비율이 낮다.

(5) 별형

생산연령 인구의 유입이 큰 도시형의 인구구조로 15~49세 인구가 전체 인구의 50% 이상이다. 출산연령에 해당하는 청장년층의 비율이 높기 때문에 유년층의 비율이 높다.

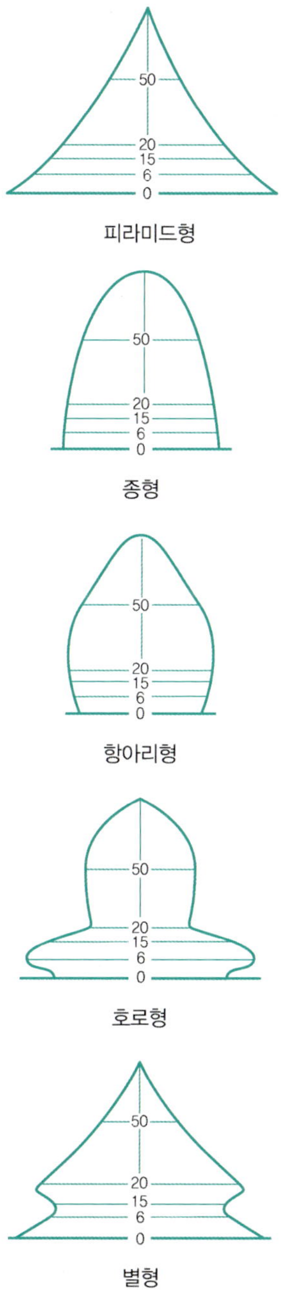

그림 8-9 인구 피라미드 유형

5 우리나라 인구변동

1) 우리나라의 인구현황

(1) 총 인구

2022년 7월 현재 우리나라의 총 인구는 51,574,446명으로 남자는 25,708,650명, 여자는 25,865,796명이다. 인구성장률은 −0.23%이며, 중위연령은 45.0세이고, 성비는 99.8이다.

(2) 조출생률 및 조사망률

조출생률은 1970년에 1,000명 당 31.2명이던 것이 2019년에는 5.9명으로 줄어들었고, 사망률은 1970년에 1,000명 당 8명이었다가 2021년에는 6.2명으로 줄어들었다. 인구의 자연증가율은 인구 1,000명 당 1970년에 23.2명에서 2021년도에는 −1.1명으로 감소하였나.

(3) 혼인율 및 조이혼율

2021년 조혼인율은 3.8명, 조이혼율은 2.0명이며, 합계출산율은 1970년에 4.53명에서 2021년에 0.808명으로 상당히 낮아졌다. 가임여성 1명당 출생아수가 1명도 되지 않는 현 상황에서 유럽경제위원회(UNECE)에서는 앞으로 인구가 늘거나 줄어들지 않도록 하기 위해서는 가임여성 1인당 2.1명의 자녀는 낳아야 한다(선진국의 경우)는 내용의 보고를 제시하였고, 이는 인구대체수준을 의미하는 것으로써 인구를 현상 유지하는 데 필요한 출산율의 수준을 의미한다(개발도상국의 경우 대체로 3명 전후이며, 사망률과 거의 비례).

(4) 출생성비

1990년에 116.5명으로 출생아의 남아수가 여아에 비해 상당히 많았으나 2006년에는 107.4명으로 감소하였고 2021년에 105.1명으로 감소하였다.

(5) 기대수명

1970년에 61.9세였던 것이 2020년에는 83.5세로 연장되었다. 2020년 남자의 평균수명은 80.5세이며, 여자의 평균수명은 86.5세이다.

(6) 연령별 인구구성비

유년인구비율은 1970년에 42.5%에서 2022년 11.5%로 급감하였고, 생산연령인구비율은 1970년 54.4%에서 2022년 71.0%로 늘었다. 노인인구비율은 1970년 3.1%에서 2000년에 7.2%, 2022년에 17.5%로 늘었다.

(7) 총부양비 및 노령화 지수

2022년 우리나라 생산가능인구 1백 명당 총 부양비는 40.8, 유년부양비 16.2, 노년부양비 24.6이며, 인구의 노령화 지수는 유소년 인구 1백 명당 152로 고령인구가 유소년인구를 초과하였다.

(8) 외국인 주민현황

2019년을 기준으로 국내 체류외국인의 수가 코로나-19의 영향으로 연속 감소하였으나, 2022년 다시 증가하는 추세를 보이고 있다(2022년 5월 기준).

2022년 5월 말 현재 체류외국인은 2,012,862명으로 전월 1,987,250명보다 1.3%(25,612명) 증가하였다. 체류외국인 중 등록외국인은 1,105,204명, 외국국적동포 국내거소신고자는 483,167명, 단기체류외국인은 424,491명이다. 국적별 체류외국인은 중국 41.2%(829,749명), 베트남 10.4%(209,194명), 태국 8.7%(174,721명), 미국 7.9%(159,717명), 우즈베키스탄 3.4%(68,546명) 등의 순이었다. 등록외국인(1,105,204명)은 권역별로 수도권에 660,156명(59.7%) 거주하고 있으며, 영남권 198,850명(18.0%), 충청권 122,570명(11.1%), 호남권 85,067명(7.7%) 순으로 거주하고 있다.

결혼이민자와 혼인귀화자도 연도별로 계속 증가추세이다. 결혼이민자는 169,588명으로 전월 169,393명보다 195명 증가하였다[표 8-14].

표 8-14 연도별 외국인 현황 (단위 : 명)

외국인 분류	2017	2018	2019	2020	2021	2022.05
체류외국인	2,180,498	2,367,607	2,524,656	2,036,075	1,956,781	2,012,862
장기체류	1,583,099	1,687,733	1,731,803	1,610,323	1,569,836	1,588,371
단기체류	597,399	679,874	792,853	425,752	386,945	424,491
불법체류자	251,041	355,126	390,281	392,196	388,700	394,606
결혼이민자	155,457	159,206	166,025	168,594	168,611	169,588
혼인귀화자(누계)	121,339	129,028	135,056	141,773	148,118	150,330

〈 자료원 : 법무부(2022). 출입국 외국인정책 통계연보 〉

다문화 외국인이 우리나라에 체류하는 주요 원인은 취업과 노동이며, 비전문취업 54.7%, 방문취업 28.1%, 전문인력 11.8%, 선원취업 4.5%, 계절근로 0.8%를 차지한다[표 8-15].

표 8-15 국내 체류 외국인 중 취업자 현황 (단위 : 명, %)

총계	전문인력	단순기능인력		
		비전문취업	방문취업	선원취업
408,669	48,336	223,374	114,985	18,502
100	11.8	54.7	28.1	4.5

〈 자료원 : 법무부(2022). 출입국 외국인정책 통계연보 〉

2) 인구구조의 변화

(1) 1970년대

1970년대까지 우리나라는 전형적인 후진국형 인구구조로 유년층 인구가 많은 피라미드형 인구구조였다. 또한 생산연령인구는 구성비가 적어 유년부양비가 높았다.

(2) 1980~1990년대

1980년대와 1990년대에는 인구구조가 급격히 변화하였다. 유년인구는 1980년대에 총인구의 34%, 1990년대에는 25.6%, 2000년대에는 21.1%로 감소하였다. 이때에는 생산연령인구의 구성비가 증가하였고, 이에 따라 부양비가 감소하였다. 그러나 노년인구 구성비의 증가로 노년부양비는 증가하고 있다.

(3) 2000년대 이후

65세 이상 노년인구는 2000년 총인구의 7%를 넘어 본격적인 '고령화 사회'에 돌입한 데 이어 2018년에는 '고령사회(노년인구 비율 14%)'에 접어들었고, 2026년에는 '초고령사회(노년인구 비율 20%)'에 진입할 전망이며, 향후 출산율과 사망률에 따라 더 앞당겨질 것으로 예상된다. 노년인구 비율이 7%에서 14%로 도달하는 데 걸리는 기간이 18년이고, 14%에서 20%로 증가하는 데는 8년밖에 걸리지 않을 것으로 예상되어 이는 선진국이 경험한 고령화 속도를 훨씬 뛰어넘게 되므로 이에 대비하여 노인인구에 대한 보건복지정책이 마련되어야 할 것이다.

6 우리나라 인구정책

1) 인구정책의 개념

인구정책은 인구의 규모나 질을 그 국가나 사회가 요구하는 방향으로 변화시키는 정책이다. 인구정책은 그 목적과 이를 수행하기 위해서 채택하는 수단의 차이에 따라 인구조정정책과 인구대응정책으로 구분된다.

(1) 인구조정정책

출생, 사망, 이동을 중심으로 발생되는 인구문제에 국가가 직접 관여하여 바람직한 방향으로 해결하고자 하는 적극적인 접근 방법이다. 인구성장 억제정책으로는 가족계획이나 해외이주사업 등이 있으며, 인구 분산 정책으로는 수도권 인구 집중 억제사업이나 인구 재배치 사업 등이 있다.

(2) 인구대응정책

인구변화로 야기되는 제반 사회적·경제적 문제를 해결하기 위해 국가가 추구하는 정책으로 식량정책, 자원개발정책, 주택정책, 고용정책, 경제개발정책, 교육정책, 사회복지정책 등 인구의 질적 향상을 도모하고 인구와 관련된 사회문제에 대처하기 위한 정책이다.

2) 우리나라 인구정책의 변화

(1) 1960년대

1960년대 합계출산율이 6%, 인구증가율이 3%이던 우리나라는 1961년 국가시책의 일환으로 가족계획사업을 채택하면서 본격적인 출산조절정책을 시작하였다. 당시 가족계획 슬로건은 3·3·35로 세 명의 자녀를 3년 터울로 낳아 35세 이전에 단산하자는 캠페인을 벌였다. 이는 당시 6명이던 합계출산율을 절반으로 낮추자는 것이었다. 이를 위해서 1960년대에 자궁 내 장치인 루프시술을 제공하기 시작하였고, 무료로 정관수술을 해 주었다. 1960년대 주 표어는 '알맞게 낳아서 훌륭하게 기르자'였다.

(2) 1970년대

1960년대 '세 자녀 낳기'는 1970년대에 들어서면서 '딸·아들 구별 말고 둘만 낳아 잘 기르자'라는 표어와 함께 '남아선호사상을 타파하고 두 자녀 낳기 운동'으로 발전하였다.

초창기 피임 방법은 콘돔 등을 이용한 재래식 방법을 비롯한 정관수술, 자궁 내 장치 등이 주로 활용되었으나, 1974년부터는 종합병원과 산부인과 개업의들이 복강경을 수입해 오면서 복강경 난관 수술이 인기를 끌며 전국적으로 보급되기 시작하였다.

(3) 1980년대

1960년대 3.0%에 가깝던 우리나라 인구의 자연증가율은 1980년대에 이르러 1.57%로 크게 떨어졌다. 당시 정부는 2000년까지 출산율에서 사망률을 뺀 인구 증가율을 1.0% 수준으로 낮춘다는 방침 아래 1981년 의료보험에 피임수술을 포함시키고 불임시술을 받은 영세민에게 생업자금 우선 융자, 소자녀 가정 지원 강화 등을 포함한 인구증가 억제대책을 내놓았다.

1980년대의 대표적인 가족계획 표어는 '둘도 많다', '축복 속에 자녀 하나 사랑으로 튼튼하게' 등이었으며, 이는 두 자녀 이하의 자녀관을 유도하는 촉매체로 작용하였다. 실제로 1986년에는 한 자녀 가정 비율이 17%에 이르렀다. 결과적으로 인구증가율 1% 목표는 1988년에 조기달성되었다. 이때부터 가족계획은 인구의 양적 관리에서 인구 자질을 향상시키는 방향으로 점차 전환된다.

(4) 1990년대

연평균 인구 증가율은 1990년 이후부터 1% 미만으로 낮아졌고, 인구의 노령화 현상은 더욱 가속화되었다. 정부는 1996년 인구의 질적인 면과 복지 향상에 초점을 맞춘 '신 인구 정책'을 내놓았다. 이에 따라 정부는 지속 가능한 사회경제 발전을 위한 저출산 유지, 사망률 개선, 인공임신중절 방지, 청소년 성교육 강화, 출생 성비 균형, 여성 지위 향상, AIDS 및 성병 예방 등을 적극 추진하였다[그림 8-10].

(5) 저출산·고령화 정책

2002년 출산율이 세계 최저 수준인 1.16명으로 떨어졌고, 우리나라의 고령화 속도는 세계에 유래 없이 급속도로 진행되고 있다. 정부는 2003년에 대통령 직속으로 '인구·고령화 대책팀'을 발족하였고, 이는 2004년에 '고령

1960년대 1970년대 1980년대 1990년대

그림 8-10 가족계획포스터로 보는 우리나라 인구정책의 변화

화 및 미래사회위원회'로 승격되었다. 이는 예전의 '적게 낳기'에서 이제는 '많이 낳기'로 국가의 인구 정책이 달라진 것을 의미한다. 우리나라의 가족계획을 담당하던 대한가족보건복지협회도 창립 44년 만에 출산 장려기관으로 전환함을 공식 선언하고 '저출산대책사업본부'를 신설하는 등 조직개편을 단행했다. 2005년 제정된 「저출산·고령사회 기본법」이 정하는 바에 따라, 정부는 저출산·고령사회의 중장기 정책목표와 방향을 설정하고 목표 실현을 위해, 제1차 저출산 고령사회정책(2006~2010)과 2011년에 제2차 기본계획(2011~2015)을 수립하여 추진하였으며, 2016년부터 제3차 '저출산·고령사회 기본계획(2016~2020)' 브릿지플랜 2020, 2021년부터는 제4차 저출산·고령사회 기본계획(2021~2025)이 수립되어 인구위기 극복을 위한 전 사회적 노력을 하고 있다.

① 제4차 저출산·고령사회 기본계획

세 차례의 저출산·고령사회 기본계획 시행에도 불구하고, 우리 사회의 초저출산 현상 및 급격한 고령화는 지속적으로 심화되고 있으며 이와 같은 상황에서 인구규모의 감소 및 인구구조의 변화 등 당면한 사회적 변화에 대응하여 새로운 비진 제시가 필요하게 되었다.

제4차 저출산·고령사회 기본계획은 '모든 세대가 함께 행복한 지속 가능 사회'라는 비전 하에 '개인의 삶의 질 향상', '성평등하고 공정한 사회', '인구변화 대응 사회혁신'이라는 목표로 구성되었으며 4대 추진전략과 영역별 핵심과제 구성의 주요 내용은 다음과 같다[그림 8-11].

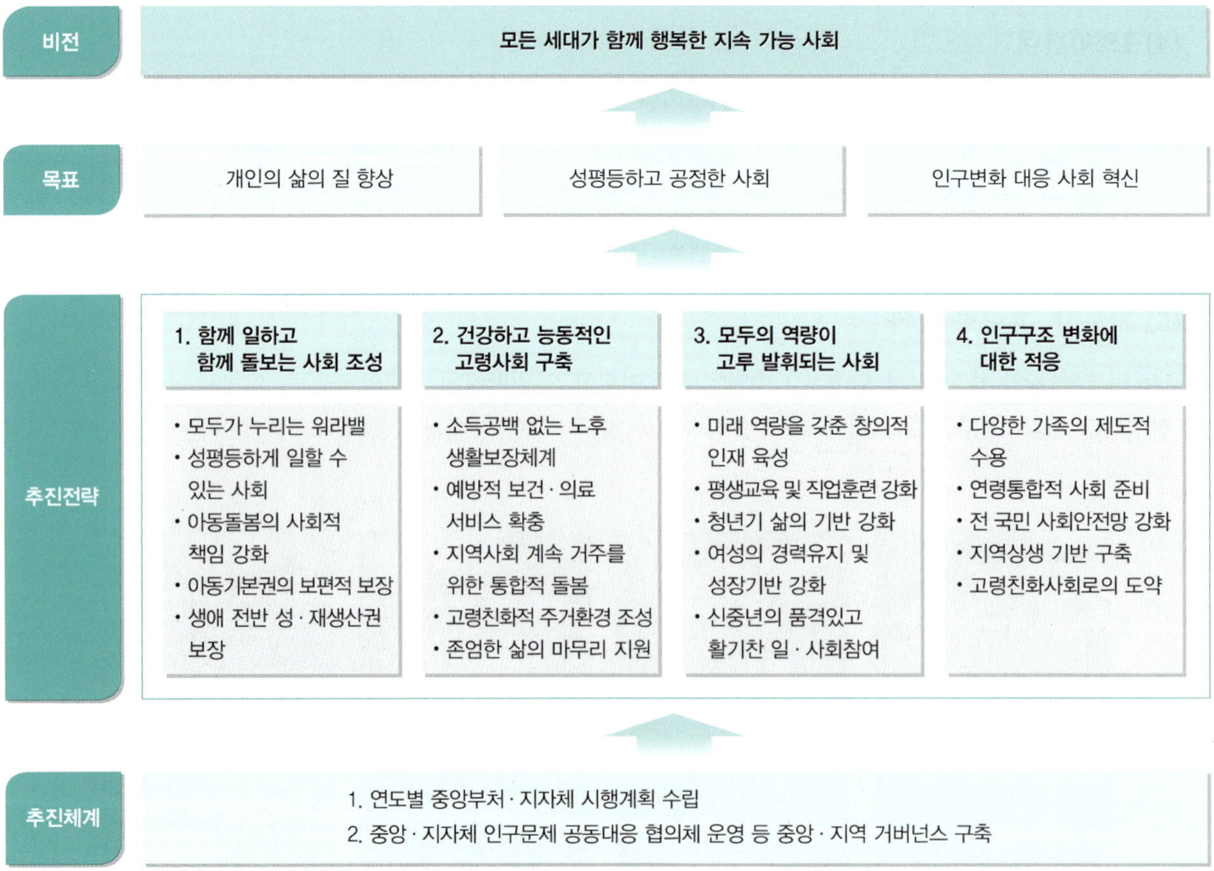

〈 자료원 : 보건복지부(2022). 제4차 저출산 고령사회 기본계획 〉

그림 8-11 제4차 저출산·고령사회 기본계획

제 09 장

감염성질환과 만성질환 관리

COMMUNITY HEALTH NURSING

학·습·목·표

제1절 감염성질환의 관리사업

1. 감염성질환의 정의를 설명한다.
2. 법정감염병의 특성, 종류를 설명한다.
3. 법정감염병 감시체계를 설명한다.
4. 감염병 관리방법을 열거한다.
5 주요 감염병 관리현황을 설명한다.
6. 국가방역체계를 기술한다.

제2절 만성질환의 관리사업

1. 만성질환의 정의와 특성을 설명한다.
2. 만성질환의 관리방법을 설명한다.
3. 만성질환의 관리사업을 기획한다.
4. 만성질환의 관리사업 현황을 설명한다.
5. 국가 만성질환 감시체계를 기술한다.

제3절 재활간호사업

1. 재활간호사업의 개념을 설명한다.
2. 지역사회중심 재활사업의 개념을 설명한다.
3. 재활간호사업팀의 역할을 설명한다.

제1절 + 감염성질환의 관리사업

Keywords

• 감염병 • 법정감염병 • 면역

1 감염성질환

감염성질환(infectious disease)이란 질병을 일으키는 병원체가 병원소에서 증식하여 탈출한 후 동물이나 인간에게 전파 또는 침입하여 질환을 일으킨 것을 말한다. 의과학의 발달, 보건의료 및 공중위생 환경의 개선, 정부의 공중보건학적 적극적 개입 등으로 인해 감염병의 발생 총량은 획기적으로 감소하였으나, 최근 메르스(2015년), 지카바이러스(2016년), 코로나바이러스(2019년) 등 신변종감염병이 지속적으로 발생하고 있다. 이에 따라 정부에서는 감염병에 선제적으로 신속하게 대응하는 국가방역체계 강화를 위해 '방역연계 범부처 감염병 연구개발 사업단'을 2018년에 설립하는 등 감염병 예방의 공중보건학적, 사회경제적 중요성은 지속적으로 증가하고 있다. 또한 감염병 발생규모는 과거에 비해 크게 감소한 반면, 감염병에 영향을 받는 사회경제적 규모는 더 증대되어 실제로 감염병에 의한 사회경제적인 파급영향은 과거보다 현대 사회에서 더 증가하였다고 볼 수 있다.

우리나라의 감염병 예방관리는 1976년 12월「감염병예방법」제29조 개정 시부터 본격적으로 추진하였으며, 현재는 5년마다 감염병 예방 및 관리를 위한 기본계획을 수립하여 관리하고 있다. 현재 시행되고 있는 감염병 예방 및 관리에 관한 기본계획(2018~2022년)은 [그림 9-1]과 같다.

1990년대 이전에는 상수도 보급률의 저조, 개인위생수준의 낙후 등으로 인하여 세균성 이질, 장티푸스, 콜레라 등 수인성 감염병의 발생빈도가 높았으나, 보건위생 환경의 획기적인 개선과 국가예방접종 확대, 감염병 조기 감시망 강화, 적극적인 방역개입 등으로 대부분의 감염병은 감소추세인 반면, 수두, 성홍열 등 일부 감염병은 지속적으로 발생이 증가하고 있다. 기후변화와 세계화 등으로 인한 신종 감염병의 국내 유입 및 발생이 늘어나고 있다. 1996년 영국에서 처음 보고된 이후 전 세계적으로 226여 명의 환자가 발생한 바 있는 변종 크로이츠펠트 야콥병을 비롯하여 아시아 지역을 중심으로 유행했던 중증급성호흡기증후군(SARS), 2003년 이후 전 세계적으로 지속적인 감염자와 사망자를 발생시키는 동물인플루엔자 인체감염증 등 다양한 인수공통감염병에 대한 위협도 증가하고 있다. 또한 2011년에 유비저, 2012년에 웨스트나일열 등이 출현하였다. 2015년에는 중동호흡기증후군(MERS)이 유입되었고 2016년에는 지카바이러스, 그리고 2019년에는 신종코로나바이러스가 유입되었다. 이로 인해 다수의 감염병환자 및 사망자가 발생하였으며 변이를 거듭하고 있다. 향후에도 국내외 신종 감염병 유입의 가능성이 지속되리라 예상된다[그림 9-2].

비 전

감염병으로부터 안전한 사회

목 표

- 감염병 조기감지 및 신속대응
- 위험요인 사전예방
- 관리조직 및 시스템 강화로 국민의 건강과 생명 보호

추진전략

1. 감염병 대응·대비 체계 강화

1-1. 신종 감염병 대응역량 강화
1-2. 생물테러 감염병 대비체계 선진화
1-3. 미래 신종 감염병 대응·대비 강화
1-4. 원인불명 질환 집단발생 대응체계 구축
1-5. 재난 및 군중행사 감염병 대응체계 구축

2. 원헬스(one health) 협력체계 구축

2-1. 수인성·식품매개 감염병 원인규명
2-2. 호흡기 감염병 지역사회 확산 방지
2-3. 인수공통 감염병 감시·대응 강화
2-4. 매개체 전파 감염병 관리 강화
2-5. 항생제 내성 관리 및 연구 강화

3. 감염병 예방관리 대책 강화

3-1. 의료관련 감염 예방관리 강화
3-2. 예방접종 대상 감염병 퇴치기반 마련
3-3. 바이러스감염 발생 및 만성화 예방
3-4. 에이즈 및 성매개감염병 조기 진단치료

4. 감염병 대응기술 혁신 플랫폼 구축

4-1. 신속·정확한 감시체계
4-2. 차세대 감염병 정보시스템 구축
4-3. 실험실 진단검사체계 선진화
4-4. 감염병 병원체 안전관리 강화
4-5. 국가방역체계와 R&D 연계 강화

5. 감염병 대응·대비 인프라 강화

5-1. 국가예방접종 백신 수급관리체계 구축
5-2. 공공백신 연구개발 인프라 강화
5-3. 철저한 검역으로 국내유입 차단
5-4. 감염병 위기소통 역량 강화
5-5. 국제협력 기반구축 및 인력양성

〈 자료원 : 질병관리청(2021). 2021년도 감염병 관리사업 안내 〉

그림 9-1 감염병 예방 및 관리에 관한 기본계획('18~'22)

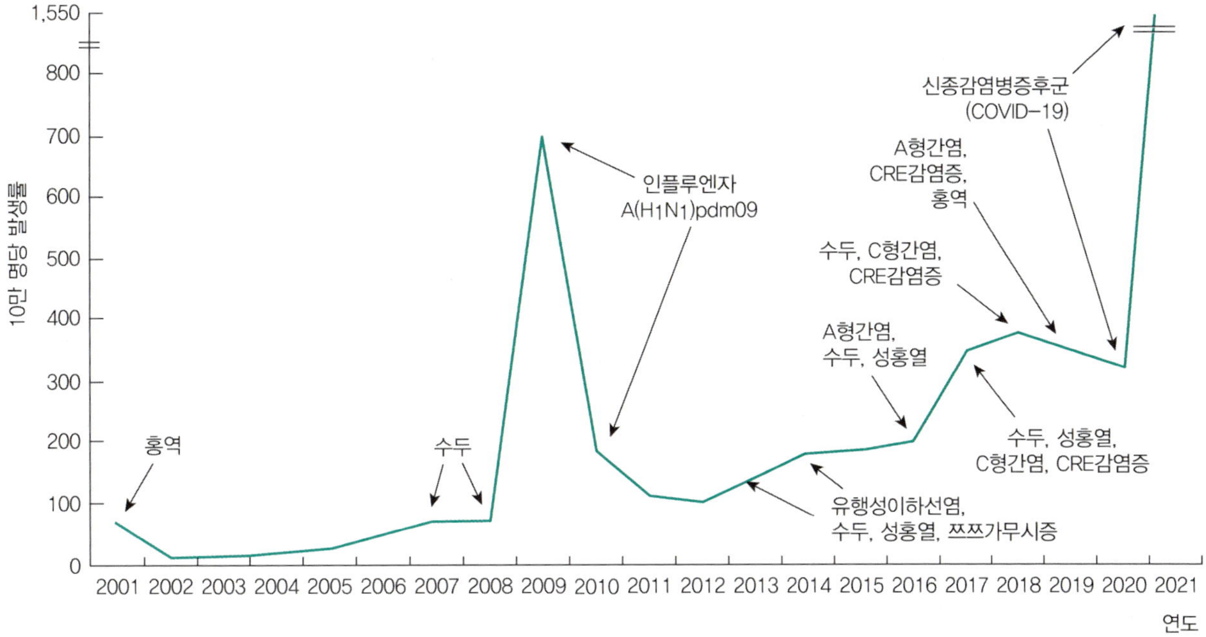

〈 자료원 : 질병관리청(2022). 2021 감염병 감시연보 〉

그림 9-2 연도별 법정감염병 발생 추이

2 법정감염병

1) 법정감염병의 종류

「감염병의 예방 및 관리에 관한 법률」은 국민 건강에 위해가 되는 감염병의 발생과 유행을 방지하고, 그 예방 및 관리를 위하여 필요한 사항을 규정함으로써 국민 건강의 증진 및 유지에 이바지하고자 제정된 법률이다. 이 법에서 열거하고 있는 감염병은 국가가 개입하는 대상이 되고 이를 법정감염병이라고 한다. 법정감염병은 좁은 의미로는 의사가 보건당국에 환자의 인적사항을 신고해야 하는 대상이기 때문에 신고대상 질병이라고 한다.

법정감염병환자 발생 신고 현황은 [표 9-1]과 같고, 법정감염병 구분 및 그에 따른 종류는 [표 9-2]와 같다.

- **제1급 감염병** : 생물테러감염병 또는 치명률이 높거나 집단 발생의 우려가 커서 발생 또는 유행 즉시 신고하여야 하고, 음압격리와 같은 높은 수준의 격리가 필요한 감염병(다만, 갑작스러운 국내 유입 또는 유행이 예견되어 긴급한 예방·관리가 필요하여 질병관리청장이 보건복지부장관과 협의하여 지정하는 감염병을 포함)

표 9-1 법정감염병환자 발생 신고 현황

연 도	2000	2005	2010	2011	2012	2013	2014	2015	2016	2017	2018	2019	2020	2021
10만 명당 발생률	93.9	27.7	192.4	114.6	101.3	148.4	181.0	185.7	201.5	347.7	377.7	352.2	321.6	1294.1

* 표본감시 감염병 제외

〈 자료원 : 질병관리청(2022). 2021 감염병 감시연보 〉

표 9-2 법정감염병의 종류(2022년 2월 기준)

분 류	종 류	신고시기
제1급 감염병 (17종)	에볼라바이러스병, 마버그열, 라싸열, 크리미안콩고출혈열, 남아메리카출혈열, 리프트밸리열, 두창, 페스트, 탄저, 보툴리눔독소증, 야토병, 신종 감염병증후군, 중증급성호흡기증후군(SARS), 중동호흡기증후군(MERS), 동물인플루엔자 인체감염증, 신종인플루엔자, 디프테리아	발생 또는 유행 즉시
제2급 감염병 (21종)	결핵, 수두, 홍역, 콜레라, 장티푸스, 파라티푸스, 세균성이질, 장출혈성대장균감염증, A형간염, 백일해, 유행성이하선염, 풍진, 폴리오, 수막구균 감염증, b형헤모필루스인플루엔자, 폐렴구균 감염증, 한센병, 성홍열, 반코마이신내성황색포도알균(VRSA) 감염증, 카바페SPA내성장내세균속균종(CRE) 감염증, E형간염	24시간 이내
제3급 감염병 (26종)	파상풍, B형간염, 일본뇌염, C형간염, 말라리아, 레지오넬라증, 비브리오패혈증, 발진티푸스, 발진열, 쯔쯔가무시증, 렙토스피라증, 브루셀라증, 공수병, 신증후군출혈열, 후천성면역결핍증(AIDS), 크로이츠펠트-야콥병(CJD) 및 변종크로이츠펠트-야콥병(vDJD), 황열, 뎅기열, 큐열, 웨스트나일열, 라임병, 진드기매개뇌염, 유비저, 치쿤구니야열, 중증열성혈소판감소증후군(SFTS), 지카바이러스 감염증	24시간 이내
제4급 감염병 (23종)	인플루엔자, 매독, 회충증, 편충증, 요충증, 간흡충증, 폐흡충증, 장흡충증, 수족구병, 임질, 클라미디아감염증, 연성하감, 성기단순포진, 첨규콘딜롬, 반코미이신내성장알균(VRE) 감염증, 메티실린내성황색포도알균(MRSA) 감염증, 다제내성녹농균(MRPA) 감염증, 다제내성아시네토박터바우마니균(MRAB) 감염증, 장관감염증, 급성호흡기감염증, 해외유입기생충감염증, 엔테로바이러스감염증, 사람유두종바이러스감염증	7일 이내
기생충감염병	회충증, 편충증, 요충증, 폐흡충증, 장흡충증, 해외유입기생충감염병	

〈 자료원 : 법제처(2022). 감염병의 예방 및 관리에 관한 법률 〉

- **제2급 감염병** : 전파가능성을 고려하여 발생 또는 유행 시 24시간 이내에 신고하여야 하고, 격리가 필요한 감염병(다만, 갑작스러운 국내 유입 또는 유행이 예견되어 긴급한 예방·관리가 필요하여 질병관리청장이 보건복지부장관과 협의하여 지정하는 감염병 포함)
- **제3급 감염병** : 발생을 계속 감시할 필요가 있어 발생 또는 유행 시 24시간 이내에 신고하여야 하는 감염병(다만, 갑작스러운 국내 유입 또는 유행이 예견되어 긴급한 예방·관리가 필요하여 질병관리청장이 보건복지부장관과 협의하여 지정하는 감염병 포함)
- **제4급 감염병** : 제1급 감염병부터 제3급 감염병까지의 감염병 외에 유행여부를 조사하기 위하여 표본감시활동이 필요한 감염병
- **기생충 감염병** : 기생충에 감염되어 발생하는 감염병 중 질병관리청장이 고시하는 감염병
- **세계보건기구 감시대상 감염병** : 세계보건기구가 국제공중보건의 비상사태에 대비하기 위하여 감시대상으로 정한 질환으로서 질병관리청장이 고시하는 감염병
- **생물테러감염병** : 고의 또는 테러 등을 목적으로 이용된 병원체에 의하여 발생된 감염병 중 질병관리청장이 고시하는 감염병
- **성매개감염병** : 성 접촉을 통하여 전파되는 감염병 중 질병관리청장이 고시하는 감염병
- **인수공통감염병** : 동물과 사람 간에 서로 전파되는 병원체에 의하여 발생되는 감염병 중 질병관리청장이 고시하는 감염병
- **의료관련감염병** : 환자나 임산부 등이 의료행위를 받는 과정에서 발생하는 감염병으로서 감시활동이 필요하여 질병관리청장이 고시하는 감염병

2) 용어의 정의

- **감염병환자** : 감염병의 병원체가 인체에 침입하여 증상을 나타내는 사람으로서 의사, 치과의사 또는 한의사의 진단이나 감염병병원체 확인기관의 실험실 검사를 통하여 확인된 사람
- **감염병 의사환자** : 감염병 병원체가 인체에 침입한 것으로 의심이 되나 감염병환자로 확인되기 전 단계에 있는 사람
- **병원체 보유자** : 임상증상은 없으나 감염병 병원체를 보유하고 있는 사람
- **감시** : 감염병 발생과 관련된 자료, 감염병 병원체·매개체에 대한 자료를 체계적이고 지속적으로 수집, 분석 및 해석하고 그 결과를 제때에 필요한 사람에게 배포하여 감염병 예방 및 관리에 사용하도록 하는 일체의 과정
- **표본감시** : 감염병 중 감염병환자의 발생빈도가 높아 전수조사가 어렵고 중증도가 비교적 낮은 감염병의 발생에 대하여 감시기관을 지정하여 정기적이고 지속적인 의과학적 감시를 실시하는 것
- **역학조사** : 감염병환자, 감염병 의사환자 또는 병원체 보유자가 발생한 경우 감염병 차단과 확산 방지 등을 위하여 감염병환자 등의 발생 규모를 파악하고 감염원을 추적하는 등의 활동과 감염병 예방접종 후 이상반응 사례가 발생한 경우나 감염병 여부가 불분명하나 그 발병원인을 조사할 필요가 있는 사례가 발생한 경우 그 원인을 규명하기 위하여 하는 활동
- **예방접종 후 이상반응** : 예방접종 후 그 접종으로 인하여 발생할 수 있는 모든 증상 또는 질병으로서 해당 예방접종과 시간적 관련성이 있는 것
- **고위험병원체** : 생물테러의 목적으로 이용되거나 사고 등에 의하여 외부에 유출될 경우 국민 건강에 심각한 위험을 초래할 수 있는 감염병 병원체로서 보건복지부령으로 정하는 것
- **관리대상 해외 신종감염병** : 기존 감염병의 변이 및 변종 또는 기존에 알려지지 아니한 새로운 병원체에 의해 발생하여 국제적으로 보건문제를 야기하고 국내 유입에 대비하여야 하는 감염병으로서 질병관리청장이 보건복지부장관과 협의하여 지정하는 것

3) 감시체계

「감염병의 예방 및 관리에 관한 법률」에서 감시(surveillance)란 '감염병 발생과 관련된 자료, 감염병 병원체·매개체에 대한 자료를 체계적이고 지속적으로 수집, 분석 및 해석하고 그 결과를 제때에 필요한 사람에게 배포하여 감염병 예방 및 관리에 사용하도록 하는 일체의 과정'이라고 정의하고 있다.

감시의 목적에는 다음과 같은 것들이 포함된다.

- 대상 질병에 의한 문제발생의 범위 파악
- 질병 발생의 추이 관찰
- 질병의 집단발생 확인
- 새로운 문제의 발견

법정감염병에 대한 감시체계는 신고·보고체계로 구성되는데, 신고(notification)는 「감염병의 예방 및 관리에 관한 법률」에 의한 신고대상 법정감염병을 의료기관 또는 의사가 지역 보건기관(보건소)에 1차로 신고하는 과정을 거친다. 이어서 상위기관(시·도, 질병관리청)으로 전달되는 보고 과정을 거친다[그림 9-3].

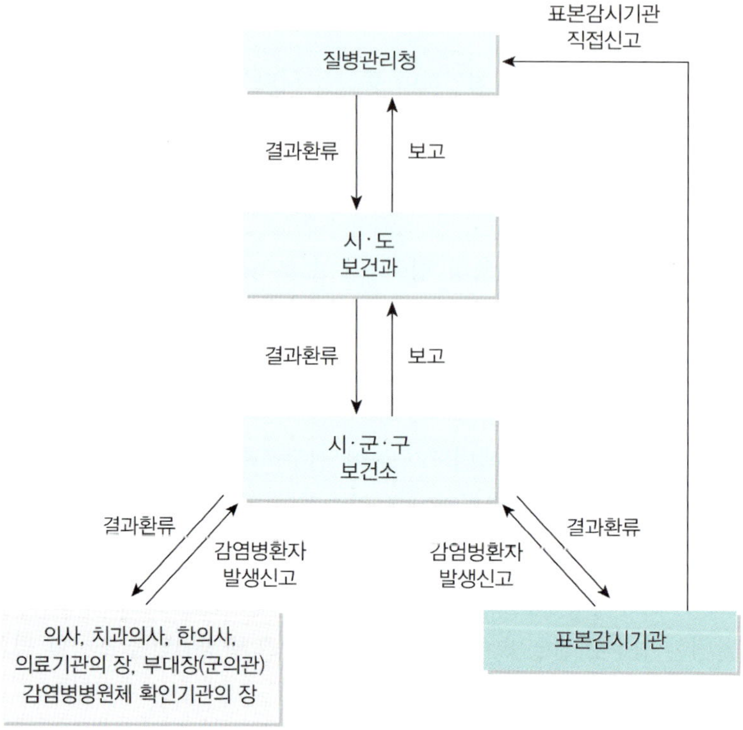

〈 자료원 : 질병관리청(2022). 2021 감염병 감시연보 〉

그림 9-3 법정감염병 신고 및 보고체계도

감시체계는 수집 방법에 따라 능동감시와 수동감시로 구분되는데, 능동감시(active surveillance)는 질병 유행 등 특정 기간 동안 특정 질병에 대하여 보건기관이 주도적으로 발생양상을 파악하는 것을 말한다. 수동감시(passive surveillance)는 의사 또는 보건의료기관이 법, 규정 등에 따라 보건기관으로 보고하는 것을 말한다. 의사나 치과의사, 한의사는 감염병환자 등을 진단하여 발견하였을 경우에 소속 의료기관의 장에게 보고해야 하며, 의료기관의 장은 관할 보건소장에게 신고해야 한다. 신고 시기는 제1급 감염병은 발생 또는 유행 즉시 신고하여야 하고, 제2급과 제3급 감염병은 유행 시 24시간 이내에 신고하여야 하며, 제4급 감염병은 7일 이내에 신고하여야 한다. 제1급, 제2급, 제3급 감염병은 감염병의 발생, 사망, 병원체 검사결과를 신고하여야 하고, 제4급 감염병은 발생과 사망에 대해 신고하여야 한다.

한편, 질병관리청장, 시·도지사 또는 시·군·구청장은 제1급 감염병, 제2급 감염병 중 결핵, 홍역, 콜레라, 장티푸스, 파라티푸스, 세균성이질, 장출혈성대장균감염증, A형간염, 수막구균 감염증, 폴리오, 성홍열 또는 질병관리청장이 정하는 감염병, 그리고 제3급 감염병 중 질병관리청장이 정하는 감염병, 세계보건기구 감시대상 감염병의 경우에는 주거시설, 선박·항공기·열차 등 운송수단 또는 그 밖의 장소에 들어가 필요한 조사나 진찰을 하게 할 수 있으며, 진찰 결과 감염병환자 등으로 인정될 때에는 동행하여 치료받게 하거나 입원시킬 수 있다.

신고·보고된 법정감염병 자료는 질병관리청 질병보건통합관리시스템(http://is.kdca.go.kr)을 통해 해당 기관 등에 실시간으로 제공하고 있다.

3 감염병 관리

감염병 관리의 기본 축은 유행이 의심되는 사건이 발생했을 때 유행 발생 여부를 확인하고 원인을 밝히기 위한 역학조사를 실시하며, 유행을 종식시키기 위하여 전파차단조치를 취하는 것으로 이루어진다. 그러나 이러한 활동만으로는 '감염병의 발생과 유행을 방지하여 국민건강 향상 및 증진'이라는 감염병 관리의 목적을 달성하기 어렵다. 따라서 유행이 발생하지 않는 때에는 다음 활동을 체계적으로 수행하여야 한다.

- 위생 개선 : 환경위생, 식품위생, 개인위생
- 감염병 대응태세 정비 : 교육, 모의훈련, 필요물자 확보 및 비축
- 발생과 유행의 감시
- 예방접종

1) 감염병 관리방법

(1) 검역

검역이란 유행지에서 들어오는 사람을 떠난 날로부터 계산하여 병원기의 잠복기 동안 유숙하는 곳을 신고하도록 하거나 일정한 장소에 머물게 하여 감염 여부를 확인할 때까지 감시하는 것을 의미한다. 예방접종이 가능한 감염성질환의 경우 예방접종 카드를 소지한 여행객에 한해 입국을 허가하는 방법도 있다. 국소적으로 검역을 시행할 수도 있다. 예를 들어 이웃 마을에서 장티푸스가 유행할 때 교통을 차단해서 왕래를 막는 것도 좁은 의미의 검역이다.

(2) 전파방지

병원체의 전파차단을 위한 방법으로 환자와 보균자를 철저히 치료하여 병원체를 배출하지 못하도록 하는 조치, 병원체를 배출하는 환자 및 보균자와 감수성이 있는 건강인이 접촉하지 못하도록 하는 격리, 이미 숙주 밖으로 나온 병원체를 사멸하는 3가지 방법이 있다. 병원체의 전파방지를 위하여 건강보균자나 잠복기 또는 회복기 보균자를 모두 찾아내는 것은 실제로는 거의 불가능하므로, 위의 세 가지 방법을 모두 활용하여 전파를 차단하는 것이 바람직하다. 또한 숙주 밖으로 탈출한 병원체로 인해 오염된 환경을 소독하고, 매개체 및 매개동물을 소독하고 박멸해야 한다.

(3) 면역의 증강

숙주가 어떤 특정한 병원체에 대해 저항하는 방어력을 면역이라고 한다. 면역수준이 높은 숙주는 그 병원체와 결합하여 그를 사멸시킬 수 있는 특이항체를 보존하기 때문에 병원체에 감염되지 않을 수 있다. 면역 증강은 예방접종이라는 수단을 통해 성취되는데 이것은 개인을 감염으로부터 보호한다는 소극적인 의미도 있지만, 자신이 속해 있는 지역사회의 집단면역수준을 향상시킴으로써 감염성질환의 침입 자체를 방어한다는 적극적인 의미가 더 크다. 면역은 '선천적 면역'과 '후천적 면역'으로 구분된다. 선천적 면역은 인체가 면역원과 전혀 접촉이 없었음에도 불구하고 체내에 자연적으로 형성된 면역반응을 말한다. 인종별 또는 종의 특성인 종 면역(species immunization)을 의미하며, 같은 유기체라도 어떤 종류의 동물에게는 유해하지만 다른 동물에

계는 전혀 유해하지 않는 것을 예로 들 수 있다. 후천적 면역은 '능동면역'과 '수동면역'으로 나뉜다. 능동 면역은 병원체에 감염된 후 획득된 면역으로 영구적인 경우가 많은데 이러한 면역을 '자연능동면역'이라고 한다. 반면에 면역반응을 유도하기 위한 면역조작화를 통해 면역체계를 획득하는 것을 '인공능동면역'이라고 한다. 수동면역도 '자연수동면역'과 '인공수동면역'으로 나뉜다. 자연수동면역은 태아가 모체(태반, 모유 수유)로부터 받은 면역으로 대개 4~6개월간 지속된다. 따라서 자연수동면역이 소실된 후에는 예방접종이 필요하다. 인공수동면역은 다른 사람이나 동물에 의해 이미 만들어진 항체를 인체에 주입함으로써 면역이 획득되도록 하는 것이다. 이것의 가장 큰 이점은 면역반응이 즉각적이어서 바로 치유되지만, 그 효과는 일시적이어서 2~3주에서 2~3날 정도밖에 지속되지 않는다는 것이다[표 9-3].

표 9-3 후천적 면역의 종류

종 류		획득방법
능동면역	자연능동면역	항원과 자연적인 접촉 후 감염
	인공능동면력	항원(백신, 독소) 접종
수동면역	자연수동면역	태반 또는 모유수유
	인공수동면역	항체나 항독소 접종

2) 주요 감염병 관리

우리나라에서는 전통적인 감염병으로 지속적인 관리가 필요한 수인성 감염병, 새로이 발생하고 있는 신종 감염병, 가을철 발생률이 높은 신증후군 출혈열과 쯔쯔가무시증, 렙토스피라증과 지속적으로 유병률이 높으면서 전염이 우려되는 결핵 등이 있다.

(1) 수인성 감염병

콜레라는 2002년부터 국내 발생은 없었으나 동남아지역 해외여행객을 중심으로 해외유입환자가 발생하고 있다. 세균성이질은 1998~2003년 어린이집, 야외 수련원, 지역사회 등에서 집단발병이 빈발하였다. 2004년 이후로 집단발병 사례가 급격하게 감소 추세이지만 해외유입 건이 매년 증가하는 양상을 보이고 있다. 한편, 식자재의 대량생산·대량유통, 외식인구의 증가 등으로 다중이용 시설을 중심으로 집단설사 등 수인성 식품매개 감염병이 지속적으로 발생하고 있다. 이러한 수인성 감염병의 유행과 집단 발생은 계절과 구분 없이 연중 발생하는 경향을 보이고 있어 상시적 감시체계 구축이 필요하다. 또한 감염병 예방에 가장 기본적이고 중요한 손 씻기 운동을 범국민적으로 활성화하여 각종 감염병을 예방하고 전파를 최소화하는 정책이 필요하다. 이에 우리나라에서는 전국 보건기관에 온라인 일일보고제도를 도입하여 상시 감시체계로 전환하고, 지역사회 내 질병 정보 모니터망을 구성·운영하고 있다. 또한, 감염병 발생지역의 입국자를 대상으로 검역조사를 강화하고 열감지카메라를 이용한 발열감시, 건강상태질문서를 통해 감염병 발병 여부를 감시하고 손 씻기 운동을 범국민적으로 활성화하여 홍보 및 교육을 통해 각종 감염병을 예방하고 전파를 최소화하고자 하고 있다.

(2) 신종 감염병

2015년 중동호흡기증후군(MERS) 유입 이후 국내외 신종 감염병 유입 위협은 지속되고 있다. 우리나라에서는 국가방역체계를 개편하고 신종 감염병 위기대응 합동교육 및 훈련 확대, 국가 지정 입원치료병상 확충, 권역 감염병 전문병원 도입 등의 신종 감염병 대유행 대비 인프라 확충 등의 대응체계를 마련하여 관리하고 있다. 또한, 신종 감염병에 대한 올바른 정보를 널리 알리기 위한 대국민 홍보 활동을 강화하고 있으며, 2016

년에 질병관리본부(현, 질병관리청)에 신설된 긴급상황실에서는 감염병 정보의 수집 및 전파, 상황관리, 감염병이 유입되거나 유행하는 긴급한 경우의 초동조치 및 지휘 등의 업무를 수행하고 있다. 또한 긴급상황실은 신종 감염병 확진환자 발생 시, 생물테러 또는 원인불명 감염병 발생으로 인한 긴급대응 필요시, 군중행사 또는 재난대응 중 감염병 유행 확산 시 등의 위기상황 발생 시에 확대 가동되며 위기경보 수준에 따라 관심(Blue), 주의(Yellow), 경계(Orange), 심각(Red) 단계로 가동되고 있다. 관심(Blue) 단계는 해외에서 신종감염병이 발생하여 유행하는 경우 또는 국내에서 원인불명·재출현 감염병이 발생한 경우가 해당되며, 주의(Yellow) 단계는 해외 신종감염병이 국내로 유입된 경우 또는 국내에서 원인불명·재출현 감염병이 제한적으로 전파되는 경우이다. 경계(Orange) 단계는 국내 유입된 해외 신종감염병이 제한적으로 전파된 경우 또는 국내에서 원인불명·재출현 감염병이 지역사회로 전파된 경우이고, 심각(Red) 단계는 국내 유입된 해외 신종감염병이 지역사회로 전파되었거나 전국적으로 확산된 경우 또는 국내에서 원인불명·재출현 감염병이 전국적으로 확산된 경우에 해당된다. 감염병 긴급상황 시 보고 및 대응체계는 [그림 9-4]와 같다.

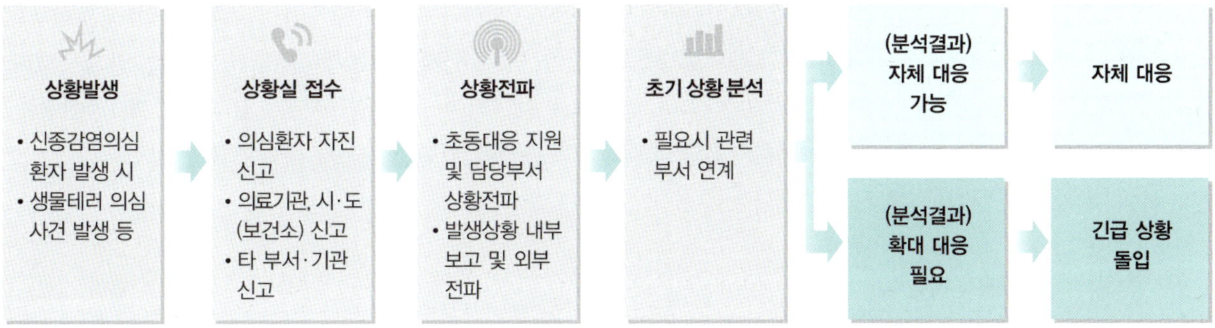

〈 자료원 : 질병관리청(2021). 감염병위기대응 〉

그림 9-4 감염병 긴급상황 보고 및 대응체계

① 조류인플루엔자(Avian Influenza; AI)

조류인플루엔자는 닭·오리·철새와 같은 가금류 또는 야생 조류에 생기는 바이러스성 전염병으로, 조류인플루엔자 바이러스는 병원성 정도에 따라 고병원성, 약병원성, 비병원성으로 구분된다. 고병원성 조류인플루엔자는 「가축전염병 예방법」상 제1종 가축전염병으로 분류하고 있다. AI 유행이 동남아시아와 유럽, 아프리카 등 전 세계적으로 확대되고, AI의 인체감염 사례가 지속적으로 발생함에 따라 2005년 세계보건기구(WHO)는 신종 인플루엔자의 대유행에 대비한 각 국가별 효과적인 대비·대응체계 마련을 권고하였고 우리나라에서도 대응체계를 마련하여 가동하고 있다.

조류인플루엔자는 종(種)에 특이하기 때문에 일반적으로 사람에게는 감염되지 않으나, 인체감염 사례가 간헐적으로 발생하고 있다. 대부분의 인체감염 사례는 AI 바이러스에 감염된 가금류와의 접촉 또는 감염된 조류의 배설물과 분비물에 오염된 사물과의 접촉을 통해 발생하며, 매우 드물게 사람간의 전파가 의심되는 사례가 보고되고 있으나 향후 바이러스의 변이 등을 통해 사람간 전파가 용이해질 가능성도 있다.

우리나라의 경우, 조류인플루엔자 바이러스의 인체감염에 의한 급성호흡기감염병인 동물인플루엔자 인체감염증은 현재 「감염병 예방 및 관리에 관한 법률」에서 제1급 법정감염병으로 분류하고 있다.

② 신종인플루엔자 A(H1N1)

1900년 이후 인플루엔자의 대유행은 1918년 스페인 독감, 1957년 아시아 독감, 1968년 홍콩 독감 등이 있었다. 인플루엔자 바이러스 A(H4N1)에 의한 스페인 독감은 1918년 봄의 1차 유행과 가을~겨울에 걸친 2차 유행으로 크게 구분되는데, 이 2차 유행은 인류역사에 대재앙으로 기록될 정도로, 세계보건기구는 당시 세계인구의 약 1/50에 해당하는 4~5천만 명이 독감으로 사망한 것으로 기록하고 있다. 이 유행 당시 특이한 점은 젊은 인구의 높은 사망률로 전체 사망자의 대부분이 65세 이하였으며, 특히 20~45세가 전체 사망자의 60%를 차지하였다. 1957년 아시아 독감은 스페인 독감보다 독성이 덜한 A(H2N2)에 의한 것이었는데, 스페인 독감과 달리 2차 유행보다는 1차 유행에서 더 큰 피해가 있었으며 시기도 늦여름~가을에 발생하였고 이때의 주된 희생자는 55세 이상의 고연령층이었다. 1968년 홍콩독감 A(H3N2)는 3개의 대유행 중 가장 경미한 독성으로 기록되었음에도 불구하고 당시 세계적으로 1백만 명 정도의 사망을 야기하였으며, 이후 매년 겨울철에 유행하여 사망자를 발생시키고 있다.

신종인플루엔자 A(H1N1)는 A형 인플루엔자 바이러스가 변이를 일으켜 생긴 새로운 바이러스로, 인플루엔자 바이러스 A(H1N1)에 의한 2009년 신종인플루엔자 감염은 2009년 4월 미국에서 시작되어 전 세계적으로 급속도로 전파되어 214개 국가에서 세계적으로 3십만 명이 넘는 환자와 18,156명의 사망자를 발생시켰다. 우리나라에서는 2009년 5월 첫 확진자 발생 이후로 급속도로 확산되어 70만 명 이상이 감염되어 263명이 사망하였다. 우리나라에서는 신종인플루엔자를 「감염병 예방 및 관리에 관한 법률」에 따라 제1급 법정감염병으로 분류하여 관리하고 있다.

③ 중동호흡기증후군(MERS)

중동호흡기증후군(Middle East Respiratory Syndrome; MERS)은 메르스 코로나바이러스(Middle East Respiratory Syndrome Coronavirus; MERS-CoV)에 의한 호흡기감염증으로, 2013년 5월 국제바이러스 분류위원회에서 메르스 코로나바이러스(MERS-CoV)라 명명하였다. 2012년부터 사우디아라비아 등 중동지역을 중심으로 유행하였으며, 국내에는 2015년에 유입되었다.

대부분의 MERS 환자는 중증급성하기도질환(폐렴)을 보이고, 일부는 무증상이거나 경한 급성상기도질환을 보이는 경우도 있다. 발열, 기침, 호흡곤란이 주증상이며 두통, 오한, 인후통, 콧물, 근육통, 식욕부진, 오심, 구토, 복통, 설사 등의 증상이 있다. 합병증으로는 호흡부전, 패혈성 쇼크, 다발성 장기부전 등이 있으며 신부전을 동반하는 급성신부전 동반 사례가 중증급성호흡기증후군(SARS)보다 많다. 기저질환(당뇨병, 만성폐질환, 암, 신부전 등)이 있는 경우와 면역기능 저하자는 감염률이 높고 예후도 불량하다. 검사 상 백혈구감소증, 림프구감소증, 혈소판감소증, LDH 상승을 보인다. 잠복기는 5일(최소 2일에서 최대 14일)이다. 2015년 MERS로 인해 전 세계적으로 1,300여명이 감염되어 500명 이상의 사망자가 발생하였고, 우리나라에서도 185명이 감염되어 이 중 38명이 사망하였다. 현재 우리나라에서는 중동호흡기증후군을 제1급 감염병으로 분류하여 관리하고 있다.

④ 지카바이러스감염증(Zika virus disease)

원인 병원체는 지카바이러스(Zika virus)이며 이집트 숲모기에 의한 전파로 감염된다. 그 외에 감염자와 성접촉에 의한 감염, 산모에서 태아로 수직감염, 수혈을 통한 감염 가능성이 있으며 일반적으로, 감염자와 일상적인 접촉으로는 전파되지 않는다고 알려져 있다. 감염된 환자의 약 80% 정도는 불현성 감염이며 보통 감염된 모기에 물린 후 3~7일이 지나서 증상이 시작되고 최대 잠복기는 2주이다. 주요 증상은 반점구진성 발진이며, 관절통, 근육통, 결막염, 발열, 두통 등이 동반될 수 있고, 태아의 뇌신경을 공격해 소두증을 유발하는 것으로 알려져 있다. 지카바이러스감염증은 2016년 3월 우리나라에 첫 유입사례가 신고된 이후 동남아시아 및 중남미 여행객에서 총 16건이 신고되었다.

⑤ 코로나바이러스감염증-19(COVID-19)

코로나바이러스감염증(약칭 '코로나19')은 2019년 12월 처음 발생한 뒤 전 세계로 확산된, 새로운 유형의 코로나바이러스(CoV)에 의한 호흡기 감염질환이다. 이 바이러스는 감염된 동물에 의해 사람으로 전파되고 비말을 통해 사람 간 전파를 일으키는 것으로 알려져 있다.

2020년 1월에는 주변 아시아 국가와 북미는 물론 2월에는 전 대륙으로 확산되어 세계보건기구는 1월 30일 '국제적 공중보건 비상사태'를 선포하였다. 2022년 10월, 전세계적으로 약 603백만 명 이상 사망자가 발생하였으며 계속 증가하고 있는 추세이다. 우리나라도 초기에는 다소 안정세를 보였으나, 일부 종교와 거주지가 연관된 지역감염 사례가 속출하면서 확진자가 기하급수적으로 증가하였고, 2022년 10월, 약 25백만 명 이상의 사망자가 발생하였다.

(3) 인수공통감염병

인수공통감염병은 '동물과 사람 간에 상호 전파되는 병원체에 의하여 발생되는 감염병'으로 발생규모와 빈도가 적으며 타 감염병에 비해 상대적으로 빈발하는 경향은 적으나, 발생 시 사회·경제적으로 끼치는 영향이 크기 때문에 철저한 대비가 필요한 질병이다. 1996년 영국에서 처음 보고된 이후 전 세계적으로 226여 명의 환자가 발생한 바 있는 변종 크로이츠펠트 야콥병을 비롯하여 2002년과 2003년 사이에 아시아 지역을 중심으로 유행했던 중증급성호흡기증후군(SARS), 2003년 이후 전 세계적으로 지속적인 감염자와 사망자를 발생시키는 동물인플루엔자 인체감염증 등 다양한 인수공통감염병이 증가하고 있다. 우리나라에서는 인수공통감염병 관리를 위해 감시 체계 운영을 통한 발생 정보 수집 및 예방 홍보, 조기 환자 발견, 치료를 목표로 하고 있다. 2016년도에는 브루셀라증 4건, 큐열 81건 등이 보고되었으나, 현재는 제1급 감염병 중 탄저, 중증급성호흡기증후군, 동물인플루엔자감염증, 제2급 감염병 중 결핵, 장출혈성대장균감염증, 제3급 감염병 중 일본뇌염, 브루셀라증, 공수병, 변종 크로이츠펠트-야콥병, 큐열을 인수공통감염병으로 지정하고 있다.

(4) 신증후군출혈열(유행성출혈열)

신증후군출혈열은 한탄바이러스(Hantaan virus)와 서울바이러스(Seoul virus) 감염에 의한 감염병으로, 바이러스를 보유한 설치류(등줄쥐)가 자연숙주이다. 설치류 분뇨에서 배설된 바이러스가 호흡기나 비말로 전파된다. 임상증상으로는 고열, 오한, 두통 등 전신증상이 나타나다가 출혈성 반점과 코와 입에서의 출혈, 신장 손상이 나타날 수 있고, 잠복기, 발열기, 저혈압기, 핍뇨기, 이뇨기, 회복기를 거친다. 치료를 위한 특효약이 없으며 가장 효과적인 예방법은 예방주사를 맞는 것이다. 또한 가을철 야외활동 시 들쥐나 집쥐와의 접촉을 금하도록 유의해야 한다.

(5) 쯔쯔가무시증

쯔쯔가무시증은 리케치아의 일종인 Orientia tsutsugamushi에 의한 감염병으로 감염된 털진드기의 유충에 물려서 발생한다. 잠복기를 거쳐 두통이나 발열, 오한, 발진, 근육통 등이 생기고 1cm 크기의 피부반점이 수일 만에 가피(eschar)를 형성한다. 일부 환자의 경우에는 진드기에 물린 상처가 없는 경우도 있다. 치료를 위해 항생제를 투여하고 예방을 위해서는 특히 가을철 풀밭 위에 옷을 벗어놓지 말고 돗자리를 깔고 앉으며 사용한 돗자리는 햇볕에 말리도록 한다. 또한 풀숲에서 용변을 보지 않도록 하고, 야외 작업 시에는 소매와 바지 끝을 단단히 여미고 장화를 신고, 야외 작업 후에는 즉시 샤워하고 작업복이나 양말 등을 세탁하도록 한다.

(6) 렙토스피라증

렙토스피라증은 렙토스피라균(Leptospira species)에 의한 감염으로, 홍수 등으로 인해 침수된 후, 주로 가을철에 감염된 소, 돼지, 개, 쥐 등의 소변을 통해 물이나 토양이 오염된 후 상처난 피부를 통해 감염이 된다. 임상증상으로 발열, 오한, 두통, 근육통, 오심, 구토 등이 나타날 수 있고, 대증요법으로 치료한다. 예방을 위해서는 홍수 물에서 작업을 하는 경우 방수 드레싱을 하고, 생야채와 과일을 깨끗한 물로 씻어 껍질을 벗겨서 먹도록 한다. 또한 모든 음용수는 끓여 먹고 쥐 등이 접근하지 못하도록 안전하게 보관하도록 한다.

(7) 결핵

세계보건기구(WHO)는 1993년 세계결핵퇴치를 선언한 이래, 'Stop TB 2006～2015 전략'을 수립하는 등 전 세계 결핵관리를 강화하였다. 2003년 이후 전 세계적으로 결핵 발생률이 지속적으로 감소 추세이며, 1990년에 비하여 결핵 사망률이 47% 줄어들었다. 그러나 결핵 발생률은 2000년 이후 연간 감소율이 1.5%에 그쳤고, WHO는 결핵 퇴치를 위해 보다 강화된 전략인 'END TB' 전략을 마련하여 2025년까지 결핵 발생 50% 감소(10만 명당 55명 이하), 2035년까지 90% 감소(10만 명당 10명 이하)를 목표로 각 국가들과의 연대를 추진하고 있다.

① 우리나라 현황

우리나라는 과거에 비해 결핵 발생률이 크게 감소하였으나, 높은 경제·의료수준에도 불구하고 높은 결핵 발생률과 사망률을 나타내고 있다. 통계청 자료에 따른 우리나라 결핵 현황을 보면, 2017년 결핵 환자 수는 인구 10만 명당 70명에서 2018년 66명이고, 결핵사망자 수는 2017년 1,816명에서 2018년 1,800명으로 감소하고 있다. 그러나 우리나라의 결핵 주요 지표 모두 OECD 가입국 중 여전히 1위를 기록하고 있다.

국내 질병보건통합관리시스템으로 신고된 전체 결핵 환자 수는 2015년 40,847명(인구 10만 명당 80.2명)에서 2018년 33,796명(인구 10만 명당 65.9명)으로 감소하였다. 또한 결핵 신환자 수는 2003년부터 증가하다가 2011년에 정점을 보인 후 2013년부터 감소하기 시작하였다. 2021년 결핵 신환자는 18,335명(10만 명당 35.7명)으로 2011년 39,557명(10만 명당 78.9명) 대비 46.4% 감소하였다[그림 9-5, 9-6, 표 9-4].

② 관리

결핵감염을 예방하고 치료성공률을 향상시키기 위해서는 결핵환자를 조기에 발견하여 신속한 치료를 하고 철저한 환자관리를 행하는 것이다. 이를 위해서는 결핵감염 고위험군인 감염자의 가족과 노숙자, 시설수용자 등 취약계층에 대한 체계적인 검진, 등록 및 관리가 필요하다.

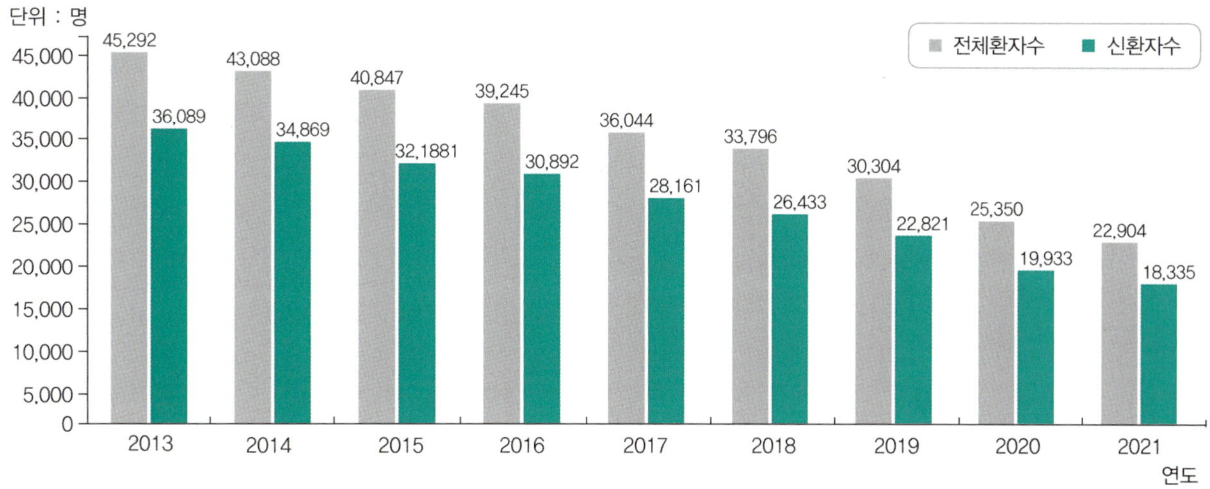

〈 자료원 : 질병관리청(2022). 2021년 결핵환자 신고현황 연보 〉

그림 9-5 연도별 결핵환자 추이

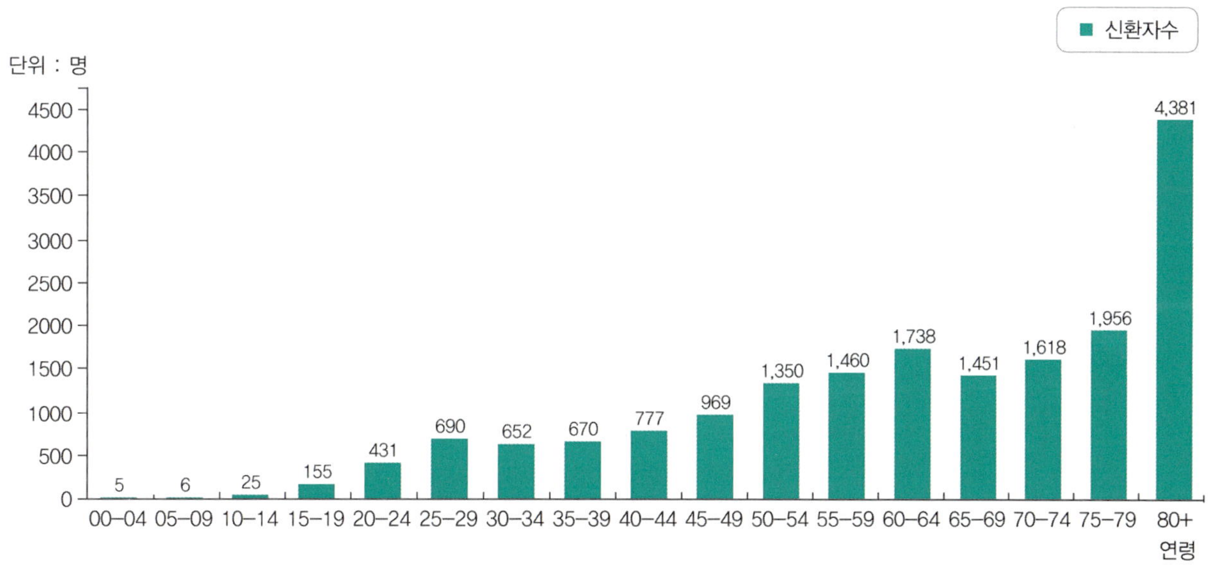

〈 자료원 : 질병관리청(2022). 2021년 결핵환자 신고현황 연보 〉

그림 9-6 2021년 연령별 신고 신환자 수

표 9-4 연도별 결핵 사망자 수 (단위 : 명)

연 도	2011	2012	2013	2014	2015	2016	2017	2018	2019	2020
사망자	2,364	2,466	2,230	2,305	2,209	2,186	1,816	1,800	1,610	1,356

〈 자료원 : 질병관리청(2022). 2021년 결핵환자 신고현황 연보 〉

결핵환자 관리에서 중요한 것은 적절하고 체계적인 관리이다. 부적절한 환자관리로 인해 치료가 중단되거나 실패하는 경우 내성·다제내성 결핵의 증가를 초래하며, 지역사회 전파에 따른 신환자내 내성결핵 비율을 증가시킨다. 다제내성결핵은 장기간의 치료, 고가의 부작용이 높은 2차 항결핵제로 치료해야 하며, 치료성공률이 낮아서 난치성 결핵으로 진행될 위험이 높다. 따라서 이를 조기에 진단하고 신속히 2차 항결핵제를 투여하여 전파를 차단하는 것이 중요하다. 또한 감염성 결핵환자에 대한 치료지원으로 치료비 부담에 의한 치료 중단을 막아야 하고 약 복용 중 부작용 발생 시 의사나 간호사의 도움을 받을 수 있도록 해야 한다.

③ 국가결핵관리사업

우리나라는 1962년 국가결핵관리체계를 구축하여 전국 보건소를 중심으로 결핵예방, 환자발견, 등록관리 및 치료사업 등을 실시하였다. 2000년 이후에는 '결핵퇴치 2030 계획', '결핵조기퇴치 New 2020 plan'을 수립하였고, 「결핵예방법」 제5조에 따라 2013년부터 결핵관리종합계획을 5년마다 수립·시행하도록 하고 있다. 종합적이고 체계적인 결핵예방 및 관리를 위해 제2기 결핵관리 종합계획(2018~2022)이 수립되었고, 2022년까지 결핵발생률을 인구 10만 명당 40명으로 감소시키는 것을 목표로 사업을 추진하고 있으며 이후 현재는 좀 더 강화된 결핵예방관리 강화대책을 수립하여 2030년까지 10만명 당 10명 수준으로 조기퇴치를 위한 목표와 중점 추진 방향을 제시하고 있다[그림 9-7]. 또한 정부와 민간의료기관이 협력 체계를 구축하여 환자

비 전	결핵 없는 사회, 건강한 국가
목 표	**2030년 결핵퇴치 달성**(인구 10만 명당 발생률 2022년 40명 ➜ 2030년 10명 이하)

추진전략	중점 과제
1. 결핵 예방 및 조기 발견	• 노인 대상 검진 강화 • 외국인·노숙인 등 검진 사각지대 해소 • 유소견자, 기저질환자 등 고위험군 검진 지원확대 • 잠복결핵감염 검진 및 치료지원 확대
2. 환자 치료 및 접촉자 관리	• 환자 격리 강화 및 의료기관 치료 질 향상 • 다제내성, 비순응, 취약계층 환자 치료지원 강화 • 맞춤형 복약 관리 등 환자 관리 강화 • 접촉자 관리 강화
3. 결핵 연구·개발 확대 및 필수재 관리	• 진단·치료제 개발 등 연구 확대 및 인프라 강화 • 백신 국산화 및 안정적 수급체계 구축 • 국가결핵사업 필수재 관리 및 검사체계 고도화
4. 결핵퇴치 대응체계 강화	• 범정부 대응체계 구축 • 지자체와 지역사회 대응역량 강화 • 결핵 담당자·의료인·국민 인식 개선 • 국제공조 강화

〈 자료원 : 질병관리청(2022). 2022 국가결핵관리지침 〉

그림 9-7 결핵예방관리강화대책 주요 추진 방향

치료·관리의 질을 높임으로써 치료 성공률 향상, 다제내성환자 발생 감소, 결핵 사망 감소를 목적으로 민간·공공협력(Public-Private Mix, PPM) 결핵관리사업을 2007년 시범사업 이후 현재까지 수행하고 있으며 관련 성과를 거두고 있다. 법령에 따른 결핵관리종합계획에 포함되어야 할 사항은 다음과 같다.

- 결핵예방 및 관리를 위한 기본시책
- 결핵환자 및 결핵의사환자(이하 '결핵환자 등')와 잠복결핵감염자의 치료 및 보호·관리
- 결핵에 관한 홍보 및 교육
- 결핵에 관한 조사·연구 및 개발
- 다제내성(茶劑耐性)결핵[아이소니아지드(isoniazid) 및 리팜피신(rifampicin)을 포함하는 2개 이상의 항결핵약제에 내성을 가진 결핵균에 감염된 것을 말한다]의 예방 및 관리
- 그 밖에 결핵관리에 필요한 사항

(8) 의료관련 감염(병원감염)

① 정의 및 원인

의료관련감염(병원감염)이란 입원 당시에 없었던 혹은 잠복하고 있지 않았던 감염이 입원기간 중 발생한 것으로 환자뿐 아니라 병원에서 발생하는 직원들의 감염도 이에 포함된다. 의학의 발전과 함께 감염에 취약한 노령인구의 증가, 만성질환자의 증가, 항암제 및 면역억제제의 사용으로 인한 면역부전환자의 증가, 항생제 사용증가가 병원 감염의 증가와 밀접한 관계를 갖고 있으며 인공호흡기, 중심정맥관, 유치 도뇨관 등을 이용한 각종 침습적 의료처치 이용 확대로 인해 감염에 노출될 위험이 증가하는 것도 원인이 되고 있다.

병원감염은 내인성 감염과 외인성 감염으로 나눌 수 있다. 내인성 감염은 환자 자신의 구강, 장 등에 정착하고 있는 세균에 의해서 유발되는 감염이며 외인성 감염은 외부에 있는 균이 들어와서 발생되는 감염으로 여러 침습성 처치 또는 의료진의 손, 의료환경을 통해서 미생물이 침입하여 발생하는 감염이다. 병원감염의 주요 요인들은 의료진이나 다른 환자 접촉, 수술·창상치료·주사, 카테터·내시경 등 의료장치, 공기, 매개물(옷, 침구, 기구 등), 환자 자신의 내인성 감염 등이 알려져 있다.

② 관리

병원감염의 증가는 입원기간을 장기화하고 사망률을 증가시키며 인적, 경제적 손실을 초래하고 다약제 내성균 등 항생제 내성균의 확산을 야기함으로써 국민 건강에 큰 위협이 되고 있어 이를 감소시키기 위한 전략이 필요하다. 1980년대 실시한 미국 SENIC(Study on Efficacy of Nosocomial Infection Control) 연구에 의하면, 체계적인 병원감염 발생감시, 감염관리 교육, 감염관리 전문인력 고용 등의 병원감염관리 활동으로 병원감염률이 32%까지 감소하는 것으로 나타나 병원감염관리가 매우 중요함을 확인하였다.

우리나라에서는 질병관리청과 대한의료관련감염관리학회가 국내 의료관련감염의 발생현황을 파악하고 감염예방관리 사업과 정책에 활용하고자 중환자실, 수술부위, 신생아중환자실, 손위생, 중심정맥관 관련 혈류감염예방, 요양병원(요로감염, 손위생)을 감시대상지표로 선정하고 있다. 이를 위해 2006년부터 전국의료관련감염감시체계(Korean Nosocomial Infection Surveillance System; KONIS)를 구축하여 운영하고 있으며, 병원별로 감시기간을 분기별로 선택하여 참여하며 자료의 입력과 그 결과를 실시간으로 확인할 수 있도록 인터넷(웹) 기반의 전산프로그램을 개발하여 사용하고 있다. 감시결과는 KONIS(http://konis.cafe24.com) 홈페이지를 통해 분기별, 연도별로 제공되고 있다.

3) 예방접종 및 방역체계

(1) 예방접종

예방접종은 감염성질환을 예방하는 가장 효과적인 수단으로 이를 통해 예방 및 퇴치 가능한 감염병으로부터 개인의 건강과 사회안전을 보호하고자 하는 것이다. 현재 우리나라는 국가예방접종과 기타예방접종을 구분하여 관리하고 있다. 「감염병의 예방 및 관리에 관한 법률」을 통해 국가가 권장하는 국가예방접종은 보건소와 의료기관에서 접종 가능하도록 하고 있고 국가지원대상 외에 기타예방접종은 의료기관에서 받을 수 있다. 또한 만 12세 이하 어린이에게는 국가예방접종 지원백신(17종)의 예방접종 비용 전액을 지원하는 국가예방접종 사업을 실시하고 있다[표 9-5]. 어린이와 성인을 대상으로 하는 표준 예방접종 일정표는 [표 9-6, 9-7]과 같다.

한편, 불가피하게 발생되는 예방접종 후 이상반응을 해결하고 예방접종사업을 안정화시키기 위해서 안전한 백신의 공급과 접종의 보장, 접종 후 이상반응에 대한 감시와 원인규명, 접종 피해에 대한 국가 보상 등의 국가안전관리 체계를 구축하여 운영하고 있다[그림 9-8].

표 9-5 국가예방접종 무료접종 대상 백신(17종)

구 분	종 류
필수 예방접종 대상 감염병	디프테리아, 폴리오, 백일해, 홍역, 파상풍, 결핵, B형간염, 유행성이하선염, 풍진, 수두, 일본뇌염, b형헤모필루스인플루엔자, 폐렴구균, 인플루엔자, A형간염, 사람유두종바이러스 감염증, 그 밖에 보건복지부장관이 감염병의 예방을 위하여 필요하다고 인정하여 지정하는 감염병(장티푸스, 신증후군출혈열)
국가예방접종사업 무료접종대상 및 지원백신	만 12세 이하 어린이(17종 백신), 만 65세 이상 어르신(인플루엔자, 폐렴구균), 임신부(인플루엔자), 중학교 1학년(인플루엔자), 고위험군(장티푸스, 신증후군출혈열)

〈 자료원 : 질병관리청(2022). 2022년도 감염병 관리사업 안내 〉

표 9-6 어린이 필수예방접종 표준일정표

대상전염병	백신종류	횟수	출생~1개월 이내	1개월	2개월	4개월	6개월	12개월	15개월	18개월	19~23개월	24~35개월	만 4세	만 6세	만 11세	만 12세
결핵	BCG (피내용)	1	1회													
B형간염	HepB	3	1차	2차			3차									
디프테리아·파상풍·백일해	DTaP	5			1차	2차	3차		4차				5차			
	Td/Tdap	1													6차	
폴리오	IPV	4			1차	2차	3차						4차			
b형헤모필루스 인플루엔자	Hib	4			1차	2차	3차	4차								
폐렴구균	PCV	4			1차	2차	3차	4차								
	PPSV	–									고위험군에 한하여 접종					
홍역·유행성 이하선염·풍진	MMR	2						1차					2차			

표 9-6 어린이 필수예방접종 표준일정표 (계속)

대상전염병	백신종류	횟수	출생~1개월 이내	1 개월	2 개월	4 개월	6 개월	12 개월	15 개월	18 개월	19~23 개월	24~35 개월	만 4세	만 6세	만 11세	만 12세
수두	VAR	1						1회								
A형간염	HepA	2						1~2차								
일본뇌염	IJEV (불활성화백신)	5						1~2차				3차		4차		5차
	LJEV (약독화생백신)	2						1차				2차				
사람유두종 바이러스감염증	HPV	2													1~2차	
인플루엔자	IIV	–					매년 접종									

* 생후 2, 4, 6개월, 만 4~6세에 DTaP, IPV 백신 대신 DTaP–IPV 혼합백신으로 접종할 수 있음
* 예방접종시기가 동일한 경우 DTaP–IPV/Hib(디프테리아, 백일해, 파상풍, 폴리오, b형헤모필루스인플루엔자) 혼합백신으로 접종 가능(혼합백신 접종시에는 기초접종 3회를 동일 제조사의 백신으로 접종하는 것이 원칙임)

〈 자료원 : 질병관리청(2022). 2022년도 감염병 관리사업 안내 〉

표 9-7 성인 예방접종 일정표

대상전염병	백신종류	만 19~29세	만 30~39세	만 40~49세	만 50~59세	만 60~64세	만 65세 이상
인플루엔자	Flu	위험군에 대해 매년 1회			매년 1회		
파상풍·디프테리아·백일해	Tdap/Td	Tdap으로 1회 접종, 이후 매 10년마다 Td 1회					
폐렴구균	PPSV23	위험군에 대해 1회 또는 2회					1회
	PCV13	위험군 중 면역저하자, 무비증, 뇌척수액누출, 인공와우 이식환자에 대해 1회					
A형간염[1]	HepA	2회		항체검사 후 2회	위험군에 대해 항체검사 후 2회		
B형간염[2]	HepB	위험군 또는 3회 접종/감염력이 없을 경우 검사 후 3회 접종					
수두	Var	위험군 또는 접종력/감염력이 없을 경우 항체검사 후 2회 접종					
홍역·유행성 이하선염·풍진	MMR[3]	위험군 또는 접종력/감염력이 없을 경우 1회 또는 2회 접종(가임 여성은 풍진 항체검사 후 접종)					
사람유두종 바이러스감염증	HPV	만 25세~26세 이하 여성 총 3회					
대상포진	HZV						1회
수막구균	MCV4	위험군에 대해 1회 또는 2회					
b형헤모필루스 인플루엔자	Hib	위험군에 대해 1회 또는 3회					

1) A형간염 : 면역의 증거가 없는 만 20~39세 성인 또는 위험군에 대해 2회 접종
2) B형간염 : 면역의 증거가 없는 성인 또는 위험군에 대해 항체검사 후 3회 접종
3) MMR : 면역의 증거가 없는 1968.1.1. 이후 출생자(홍역) 및 위험군에 대해 항체검사 확인 후 접종하거나 비용을 고려하여 검사 없이 접종할 수도 있음(의료인은 진료 중 노출 위험과 감염 시 의료기관 내 환자에게 전파할 위험이 높아 2회 접종을 권고)

〈 자료원 : 질병관리청(2022). 2022년도 감염병 관리사업 안내 〉

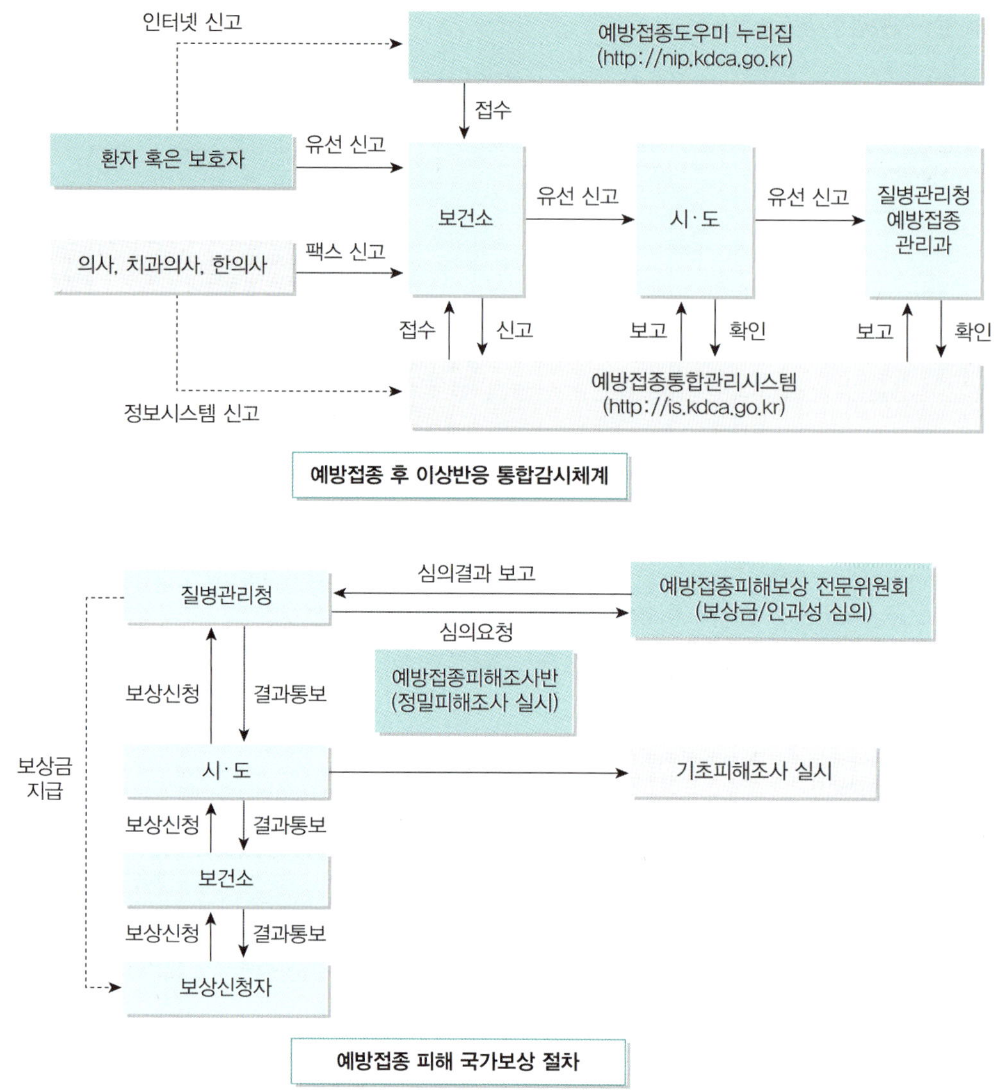

〈 자료원 : 질병관리청(2021). 2021년도 예방접종 후 이상반응 관리지침 〉

그림 9-8 예방접종 국가안전관리 체계

(2) 국가방역체계

세계보건기구(WHO)에 의하면 1970년 이래 후천성면역결핍증(AIDS)이나 에볼라, 중증급성호흡기증후군(SARS) 등 39개에 달하는 신종 감염병이 등장했다. 세계적으로 인구이동이 잦아지고, 기후 온난화 현상 등 환경문제가 심각해지면서 동물과 인간 사이는 물론 인간 대 인간 전염이 가능한 새로운 변종 바이러스가 끊임없이 출현하고 있는 것이다. 이러한 신종 감염병의 위험에 노출될 가능성은 더욱 커지고 있으며, 세계적인 대유행(Pandemic)의 가능성도 배제할 수는 없다. 그간의 몇 차례의 감염병 유행으로 인해 감염병에 대한 국민적 관심과 불안이 크게 증가하였고, 이러한 감염병 유행은 사회경제적 측면에서도 심각한 위협이 되고 있다. 최근에 유행하는 감염병들을 보면, 사회적 재난의 성격을 띠고 있어 공중보건 위기관리 차원에서의 대응이 필요하다.

우리나라에서도 각종 감염병에 대비하도록 「감염병의 예방 및 관리에 관한 법률」을 지속적으로 개정하고 있다. 우리나라의 국가방역은 감염병관련 자원관리, 취약지 방역 활동, 소독업 및 소독의무대상시설 관리 등을 수행하고 있으며, 그 주요 내용은 다음과 같다.

① 감염병관련 자원관리

- 보건복지부, 질병관리청장 또는 시·도지사가 「의료법」 제3조 제2항 제3호에 따른 병원 및 종합병원 중에서 감염병관리기관을 지정
- 감염병을 예방하고 감염병환자등을 진료하는 시설(감염병관리시설) 설치하기 위하여 15m^2 이상의 면적을 확보한 음압병상을 설치하여 운영
- 감염병위기 시에는 지정된 감염병관리기관이 아닌 의료기관을 일정 기간 동안 감염병관리기관으로 지정 가능
- 재해대비 감염병예방물품(손세정제, 손소독제, 살충제 등)을 비축하고 관리

② 취약지 방역 활동

- 하수구 및 비위생적인 지역 등 취약지 현황을 파악하고 사업 개시 전에 관리계획을 수립하여 감염병 예방관리활동 추진
- 지역 실정과 매개체 발생 여부에 따라 적법한 살충제 살포
- 식수의 유리잔류염소량을 확인하는 등 식수 관리 강화
- 취약지역에 살충제를 살포하고, 살균소독을 순회 실시하며 재해지역과 이재민 수용시설은 반복 소독 실시
- 적정 수준의 방역장비를 구비하고 감염병 예방물품의 적정 사용 여부에 대하여 지도·감독 실시
- 관할 지역 내 방제 취약지점 및 소독의무대상지점 등을 포함한 방역지도를 작성하고 방역지리정보시스템 모바일 앱을 통해 방역경로, 처리시간 등을 입력

③ 소독업 및 소독의무대상시설 관리

- 소독을 업으로 하려는 자는 보건복지부령으로 정하는 시설·장비 및 인력을 갖추어 특별자치도지사 또는 시장·군수·구청장에게 신고
- 소독업자는 소독업 신고 후 6개월 이내 교육 이수
- 소독실시에 관한 서류는 2년간 보관하여야 하며, 관계공무원의 요구 시 제출
- 소독업자가 해당 시설 또는 건축물 중 소독이 필요한 부분을 판단하여 적정한 방법을 선택하여 소독 실시

제2절 + 만성질환의 관리사업

Keywords
- 만성질환
- 비감염성질환
- 만성질환관리사업
- 국가 감시체계

1 만성질환

1) 만성질환의 정의 및 특성

최근 우리나라의 질병 발생 양상은 국가경제의 발전, 주거환경과 영양상태의 개선, 치료방법의 발전 등으로 인하여 감염성질환에 의한 사망률은 뚜렷이 감소한 반면, 비감염성질환에 의한 사망률은 꾸준히 증가하고 있다. 통계청의 2021년도 사망원인통계를 살펴보면 10대 사망원인으로 악성신생물(암), 심장질환, 폐렴, 뇌혈관질환, 고의적 자해(자살), 당뇨병, 알츠하이머병, 간 질환, 패혈증, 고혈압성 질환 순으로 나타났고, 3대 사인인 암, 심장 질환, 폐렴은 전체 사망의 43.1%를 차지하였다. OECD 보고에 의하면, 전 세계 사망원인 중 60% 이상을 차지하고 있는 만성질환의 예방 및 관리는 이제 보건의료 분야의 가장 중요한 정책과제 중 하나라 할 수 있다. 세계보건기구(WHO)에서는 전 세계적으로 질병부담이 높은 심혈관질환, 당뇨병, 만성호흡기질환, 암을 주요 만성질환으로 지정하여 국가적 차원의 대책 마련을 권고하였고, 2000년대에 들어서면서부터 이에 대한 예방과 관리를 논의하기 시작하여 보건소 중심의 고혈압, 당뇨병 관리 시범사업을 실시하였다. 현재 제5차 국민건강증진종합계획(HP2030)에서는 '비감염성 질환 예방관리' 사업분야에서 암, 심뇌혈관질환, 비만, 손상과 관련된 사업을 다루고 있다.

(1) 만성질환의 정의

비감염성질환(Non-communicable Disease; NCD)은 감염성질환에 반대되는 말로 일반적으로 만성질환(Chronic disease)으로 알려져 있으며, 생활습관병(Life-style related disease)으로도 불리어진다. 만성질환은 어떤 질병상태가 개선되지 않은 채 오래된 상태로 유병기간이 길고 질환의 진행이 대체로 느리다. 비감염성질환인 심혈관질환, 당뇨병, 만성호흡기질환, 암으로 인한 사망은 전체 비감염성질환으로 인한 사망의 71%를 차지하고 있다. 현대사회에서 감염성질환은 전반적으로 감소하는 데 비해 비감염성질환이 지속적으로 증가하고 있는데, 그 이유는 다음과 같다.

- 인구의 고령화 : 평균수명 증가, 사망 감소, 출산 저하
- 생활양식의 변화 : 식생활의 서구화, 술·담배 등 기호식품 섭취량 증가, 신체활동 감소
- 산업기술의 발달로 건강에 대한 위해 요소의 증가
- 진단기술의 발전

(2) 만성질환의 특성

만성질환은 한마디로 정의하기는 쉽지 않으나 최소 3개월 이상 지속되는 병적인 상태로서 다음과 같은 특징을 지니고 있다(오형호, 2001).

- 일단 발생하면 3개월 이상 오랜 기간의 경과를 취한다.
- 호전과 악화를 반복하며 결국 점점 나빠지는 방향으로 진행된다. 악화가 거듭될 때마다 병리적 변화는 커지고 생리적 상태로의 복귀는 적어진다.
- 대부분의 만성질환은 연령이 증가함에 따라 증가한다.
- 이 질환군에 속하는 대부분의 질환은 감염성 병원체가 알려진 결핵, 백혈병 등 몇몇 질환군을 제외하면 그 원인이 명확하게 밝혀진 것은 드물다.

만성질환의 역학적 특성은 다음과 같다.

- 직접적인 원인이 존재하지 않는다. 대부분의 만성질환은 하나의 직접적인 원인이 밝혀진 경우가 거의 없고, 관련된 위험요인만이 제시되고 있다.
- 원인이 다양하다. 만성질환의 경우 원인과 관련된 요인들이 훨씬 더 복잡하게 얽혀 있다. 관상동맥질환의 경우 주요한 3대 위험인자로 고혈압, 고콜레스테롤혈증, 흡연이 알려져 있으나, 이 이외에도, 당뇨병, 비만, 운동부족, 음주, 스트레스, 경구 피임약, 성별, 연령 등이 상호 작용하여 질병을 유발하는 것으로 알려져 있다.
- 잠재기간이 길다. 대부분의 만성질환은 원인과 개체가 접촉하여 질병을 일으키기까지 상당한 기간을 필요로 하며, 일반적으로 잠재기간은 수십 년의 긴 기간이 되므로 원인적인 요인을 규명하기가 대단히 어렵다.
- 질병의 발생시점이 불분명하다. 대부분의 만성질환의 이환시점은 정확하게 파악하기가 어렵다. 예를 들어 동맥경화증의 경우, 진단 가능한 변화가 나타나는 시기는 이미 병이 상당히 진행된 뒤이다.

1949년 미국 만성질환위원회(National Commission on Chronic Illness)에서는 다음 열거한 특성 중 한 개 이상의 특성을 갖는 손상(impairment)이나 이상(disorder)을 포함한다고 정의하였다.

- 질병 자체가 영구적인 것
- 후유증으로 불능(disability)을 동반하는 것
- 회복 불가능한 병리적 병변을 가지는 질병
- 재활에 특수한 훈련을 요하는 질병
- 장기간에 걸친 보호, 감시 및 치료를 요하는 질병이나 기능장애

2) 만성질환의 관리

만성질환은 단일 원인이 아닌 복합적인 요인이 작용하기 때문에 규명이 어렵고 발생하고 나면 완전치유가 어려우며 환자 개인에게 미치는 영향뿐 아니라 사회적으로 인구집단에 미치는 영향도 매우 크다. 따라서 증가하는 만성질환에 대한 예방과 관리에 큰 관심이 필요하며 중요한 정부시책의 하나로 여겨지고 있다.

표 9-8 만성질환의 단계적 예방법

1차 예방		2차 예방		3차 예방
건강증진	건강보호	조기진단 및 치료	장애제한	재 활
• 보건교육 • 적절한 영양의 공급 • 인성발달 지도 • 적절한 주거환경 및 여가 • 작업조건의 마련 • 결혼상담 및 성교육 • 유전상담	• 예방접종 • 개인위생지도 • 환경위생 • 작업성 – 유해요인에 대한 보호 • 사고에 대한 보호 • 발암성 요인에 대한 보호 • 알레르기 요인의 파악 및 회피	• 집단검진 • 정기건강진단	• 질병과정의 진단과 합병증예방을 위한 적절한 치료 • 장애를 제한하고 사망을 예방하기 위한 시설의 마련	• 잔여능력을 최대한 활용할 수 있는 재활교육시설 및 병원의 마련 • 장애인 고용 촉진 • 홍보 • 작업치료 • 집단 주거 시설

만성질환의 단계적 예방법은 다음과 같다[표 9-8].

(1) 1차 예방

1차 예방의 목표는 발생률을 감소시키는 것이다. 발병하기 이전에 원인에의 노출을 방지함으로써 발병자체를 예방하는 것으로, 현재의 건강을 유지 및 증진하는 것을 말한다. 효과적인 1차 예방은 질병 발생률을 감소시키고 국민 전체의 건강한 삶 보장, 질병의 사회경제적 부담감소 등의 효과가 있다. 일상적인 생활습관형 건강위험요인을 없앨 경우, 심장질환 및 뇌졸중, 당뇨병의 80%, 암의 40%를 없앨 수 있다는 연구결과도 있다.

만성질환의 대부분은 1차 원인이 알려져 있지 않기 때문에 그 노출을 방지할 수 없으므로, 이의 예방법은 위험요인을 제거하거나 피하는 것이다. 즉 위험인자에 대한 교육과 홍보가 필요하며, 그 예로 흡연자를 위한 금연교실, 음주자를 위한 금주교실, 건강인을 대상으로 대중매체를 이용하거나 학교보건시간을 활용하여 개인교육을 실시하는 방법이 있다.

(2) 2차 예방

2차 예방의 목표는 유병률을 감소시키는 것이다. 1차 예방에 실패하여 병리적 병소가 발생하였으나 증상이 나타나기 이전에 조기진단 및 치료를 통한 철저한 관리로 유병률을 줄이고, 더 나아가 사망이나 불능으로의 진행을 예방하는 것이다. 특히, 집단검진에 의한 조기진단과 효과적 치료방법이 2차 예방의 핵심이다. 2차 예방의 방법으로는 정기적 신체검사, 집단검진, 약물치료 등의 치료요법이 있다.

(3) 3차 예방

3차 예방의 목표는 사망률을 감소시키는 것이다. 질병으로 인한 불능과 사망을 감소시키기 위하여 지속적인 치료와 관리가 필요하고 합병증 및 불능의 최소화를 위해 노력해야 한다. 여기에는 후유증이 있거나 불능의 상태가 된 환자의 기능유지 및 회복을 위한 재활, 재발이나 악화를 방지하기 위한 건강상태의 감시, 만성건강문제에 적응하도록 돕는 것 등이 포함된다.

2 만성질환관리사업

1) 실시배경

1900년대 중반부터 세계보건기구를 비롯한 구미 선진국에서는 조기사망 및 주요 질병의 원인이 다양한 사회문화적 환경적 요인과 관련이 있는 것으로 평가됨에 따라 개인의 건강생활양식과 생활습관의 변화를 중심으로 하는 건강증진정책이 주목을 받게 되었다.

우리나라 만성질환관리사업의 시작배경에는 여러 요인이 있다. 우선 만성질환으로 인한 질병부담 증가를 들 수 있다. 우리나라 사망 및 질병 구조가 만성질환 위주로 변화하고 있고 특히, 심뇌혈관질환 및 당뇨병으로 인한 사망과 질병부담이 급증하여 국민의 생명을 위협하는 심각한 문제로 대두되고 있다. 이러한 현상은 급속한 인구 고령화와 함께 더욱 가속화될 전망이다. 그럼에도 주요 만성질환의 관리 및 예방서비스 제공 수준이 미흡하다는 지적과 함께 생애주기에 따른 체계적인 건강증진 및 질병관리 서비스 제공의 필요성이 대두되었다. 이 외에도 아토피 질환 등 새로운 건강위협 질환이 출현하였고 삶의 질에 대한 관심이 증가한 것도 큰 요인으로 작용하였다.

2019년 1월부터는 고혈압 및 당뇨병 발병 초기부터 동네의원 중심의 지속적이고 포괄적인 관리체계를 구축하여 환자 만족도 증가 및 의료전달체계 효율화에 기여하고, 근거기반 진료지침(Evidence-based Practice Guideline)에 따른 치료를 통해 조절률 향상과 합병증 발생 지연 및 예방을 위한 일차의료 만성질환 시범사업이 시행되고 있다.

2) 주요 사업내용

만성질환관리사업의 목적은 주요 만성질환과 관련한 체계적인 정보 제공과 국가 차원의 접근을 통해 당뇨병·고혈압 등 주요 만성질환의 유병률을 감소시키고 만성질환으로 인한 사망과 장애를 최소화하는 것이다. 우리나라에서 주요 만성질환으로 분류하여 관리하는 질환으로는 심뇌혈관질환(심장질환, 뇌혈관질환, 치매), 심뇌혈관질환의 선행질환(고혈압, 당뇨병, 이상지질혈증, 비만), 알레르기 질환(천식, 아토피성피부염, 알레르기 비염 등), 기타 주요 만성질환(관절염, 골다공증, 전립선질환, 만성신부전, 간경변 등 만성간질환, 만성폐쇄성폐질환 등 만성호흡기질환)이 해당된다. 주요 사업은 [표 9-9]와 같다.

(1) 심뇌혈관질환관리

2021년 우리나라 국민의 심장질환으로 인한 사망률은 인구 10만 명당 61.5명, 뇌혈관질환으로 인한 사망률은 44명으로 암(인구 10만 명당 161.1명)에 이어 두 번째와 네 번째로 높았다(통계청, 2021). 고혈압과 당뇨병, 고콜레스테롤혈증은 적절하게 조절하지 않을 경우 심장질환이나 뇌졸중으로 조기 사망하거나 발병 후 후유장애를 가질 가능성이 높다. 따라서 심뇌혈관질환 관리는 고혈압, 당뇨병, 고지혈증 등 선행질환에 대한 자가관리 능력 향상 및 지속치료를 통해 심근경색증, 뇌졸중 등 심뇌혈관질환 발생을 예방하며, 심뇌혈관질환 발병 시 병원 전 단계, 병원 내 단계에서 적절한 조치 및 치료·재활을 달성함으로써 심뇌혈관질환으로 인한 사망과 장애를 감소시키는 것을 목적으로 한다.

표 9-9 주요 만성질환 사업내용

	목 적	세부내용
고혈압	모든 성인은 혈압을 정기적으로 측정하고, 혈압을 정상으로 관리하여 고혈압에 의한 심뇌혈관질환을 예방하고 이로 인한 사망을 최소화 함	• 지역사회 중심 고혈압 관리 모형개발 • 취약계층 고혈압 관리 • 고혈압 환자 관리를 위한 코호트 구축 • 나트륨 과다 섭취 판정 도구 개발과 과다 섭취군 조사
당뇨병	당뇨병의 예방 및 관리프로그램을 통하여 당뇨병으로 인한 사회경제적 비용을 줄이고 당뇨병환자 및 당뇨병발병 고위험군의 삶의 질 향상	• 당뇨병 조기진단 및 진료율 제고를 위한 홍보사업 • 당뇨병 자가관리를 위한 프로그램 개발 사업
심뇌혈관질환	심뇌혈관질환의 발생 및 재발 감소, 급성기 치료의 기반과 역량을 강화, 심뇌혈관질환으로 인한 사망, 합병증, 장애 감소	• 심뇌혈관질환 응급진료 후송체계 개선 • 심뇌혈관질환에 대한 교육 및 홍보 • 심뇌혈관질환 예방 사업
과체중 및 비만	균형 잡힌 식생활, 규칙적인 운동, 신체활동량 증가 등의 생활습관 개선을 통해 비만 및 관련 대사질환 예방, 삶의 질 향상, 의료비 절감	• 비만 예방을 위한 도시 계획 수립 등 • 대상자별 비만 관리 프로그램 개발 및 평가도구 개발 • 비만 예방 및 관리사업
천식·아토피 질환	사회경제적 성장과 생활환경의 변화로 급증하고 있는 천식 등 아토피질환에 대한 적절한 예방관리대책을 추진하여 건강증진 및 삶의 질 향상 도모	• 아토피·천식 예방관리 교육 및 홍보 • 보건소 아토피·천식 예방관리사업 • 공공병원 등 아토피·천식 전문센터 설치·운영 • 아토피·천식 발병실태 등 조사감시체계 구축

〈 자료원 : 보건복지부 정책브리핑 주요만성질환관리사업 안내 〉

우리나라는 지난 2006년 국가단위 심뇌혈관질환 종합대책을 수립하였으며, 2011년부터는 일차의료 활성화와 만성질환 관리에 적합한 정책환경을 단계적으로 확충하여 주요 교육과 홍보를 강화한 질병관리 행태개선(1차 예방), 고혈압·당뇨병 등 선행질환 지속치료 지원(2차 예방), 뇌졸중·심근경색증 등 주요 질환 관리수준 향상(3차 예방)을 내용으로 하는 제2기 심뇌혈관 질환 종합대책('11～'15)이 시행되었다. 이후 「심뇌혈관질환 예방 및 관리에 관한 법률」을 제정('17.5. 시행)하고 제1차 심뇌혈관질환관리 종합계획('18～'22)을 수립하여 대국민 인식개선과 건강생활 실천, 고위험군 및 선행질환 관리 강화, 지역사회 응급대응 및 치료역량 강화, 환자 지속관리체계 구축, 관리 인프라와 조사·연구개발 강화를 추진전략으로 설정하여 관련 사업을 추진하고 있다.

제5차 국민건강증진종합계획(HP2030)에서는 암, 심뇌혈관질환, 비만, 손상에 대한 사업을 추진하고 있으며, 일차의료 만성질환관리 사업 전략 체계도는 [그림 9-9]와 같다.

① 심뇌혈관질환 예방관리 교육·홍보

- 대중매체를 통한 심뇌혈관질환예방관리 9대 수칙 공익광고, 캠페인 등 지속적 수행
- 만성질환 예방 가이드라인 개발
- 일반건강검진율 및 인지율 향상을 위한 교육·홍보
- 지역사회 보건교육·홍보 강화 및 일차의료기관 역량강화 지원

② 고혈압, 당뇨병, 고지혈증의 지속관리기반 구축

- 고혈압, 당뇨병, 고지혈증 환자 등록을 통해 진료일정, 건강정보 등 알림서비스 제공, 정기교육 등 실시
- 지역사회 협의체 구성·운영 및 표준화된 보건소 교육 프로토콜 개발
- 동네의원 중심 만성질환 관리를 위한 교육·상담 프로그램 마련

비 전	만성질환자의 건강수명 연장 및 삶의 질 향상	
전략방향 (전략목표)	1. 만성질환자의 효과적·체계적 관리를 통한 합병증 감소	2. 동네의원 중심 지속적·포괄적 관리체계 구축
전략과제	1.1 근거기반 진료 및 적정서비스 제공	2.1 동네의원 만성질환관리 역량 강화
	1.2 환자 자가관리 역량 강화	2.2 지역사회 만성질환관리 거버넌스 구축
실행과제	1.1.1 근거기반 프로토콜 개발	2.1.1 의사 및 케어 코디네이터 교육·훈련
	1.1.2 환자관리 행위 정의 및 활동 강화	2.1.2 케어 코디네이터 도입 및 육성
	1.2.1 1:1 맞춤형 교육·상담 강화	2.2.1 공공·민간 만성질환관리 역량 강화
	1.2.2 생활습관 관리 지원	2.2.2 동네의원·지역사회 연계체계 구축
	1.2.3 인식개선을 위한 대국민 홍보	

〈 자료원 : 보건복지부(2021). 일차의료 만성질환관리 시범사업 안내 지침 〉

그림 9-9 일차의료 만성질환관리 사업 전략 체계도

③ 심정지, 급성 심근경색증, 급성 뇌졸중 등 응급대응 강화

- 대국민 교육·홍보 확대 및 올바른 정보 제공, 잘못된 대처법 등에 대한 교육 강화
- 증상 인지 시 신속한 119 신고문화 정착 및 구급요원에 대한 뇌졸중 증상확인과 응급처치법 교육
- 가정, 공공장소 등에서 심정지 환자 초기 대응을 위한 전국민 심폐소생술 교육 확대
- 심정지환자의 소생에 필요한 시설과 장비 개선
- 119 구급대, 응급의료정보센터, 심뇌혈관질환 전문치료센터 간 이송 및 처치 정보제공 등 연계 강화

④ 심뇌혈관질환 급성기 진료역량 강화

- 권역심뇌혈관질환센터 등 전문 치료센터 설치·운영
- 심뇌혈관 진료·진단·치료 표준화 및 진료 질 향상을 위한 평가

⑤ 심뇌혈관질환 조기 재활 및 지역사회 재활, 환자 대상 재발 방지체계 구축

- 심장재활 치료센터 지원, 전문인력 양성 등 조기 재활프로그램 활성화
- 심뇌혈관 진료·진단·치료 표준화 및 진료 질 향상을 위한 평가
- 권역심뇌혈관질환센터의 급성기 치료 후, 지역사회에서 재활이 이루어지도록 지역보건자원 연계 강화
- 재발방지를 위한 환자교육 프로그램, 관리지침 등 개발·보급

⑥ 심뇌혈관질환 등록·조사 상시체계 구축 및 운영

- 심장재활 치료센터 지원, 전문인력 양성 등 조기 재활프로그램 활성화
- 심뇌혈관질환자에 대한 병원 등록 체계 구축 및 등록 정보에 대한 질 관리, 평가·검증 등 수행
- 질환 관련 다양한 통계자료를 활용한 지속적 관리체계 구축
- 심뇌혈관질환자 맞춤형 관리서비스 개발 추진

(2) 암관리

1차 예방으로 암의 발생률과 사망률을 낮추고, 조기검진으로 암 사망률을 낮추며 적절한 진단과 치료로 암 생존율을 높이고, 암 생존자에 대한 통합적 지지를 통해 암 환자의 삶의 질 향상을 목적으로 한다. 현재 우리나라는 암으로 인한 개인적 고통과 피해 및 사회적 부담을 줄이고 국민건강증진에 이바지하는 것을 목적으로 제1기('96~'05), 제2기('06~'15), 제3차 암관리 종합계획('16~'20)을 수립·추진하였으며, 현재 제4차 암관리종합계획('21~'25)이 적용되고 있다.

① 국가암등록통계사업

가. 목적

- 신뢰성 있는 암등록자료를 생성하여, 정확하고 시기적절한 국가 암통계를 산출함으로써 국가암관리사업의 정책개발과 방향 제시, 결과 평가 및 암연구 등에 활용
- 1980년부터 보건복지부 국립의료원 내 「한국중앙암등록본부」를 설치·운영하여 1년 단위로 암등록 조사사업 결과를 발표한 이래 해마다 암발생, 암생존, 암유병 통계 발표

나. 사업 운영

- 보건복지부
  - 사업 총괄 계획 수집 및 조정
  - 중앙 및 지역암등록본부 지정
  - 중앙 및 지역암등록본부 역할 조정
  - 사업 예산 확보 및 배정
  - 사업 지침 작성 및 배포
  - 암등록·통계 관련 통계 발표
- 중앙암등록본부
  - 암발생 현황 등 암관련 전국단위 통계자료 수집·분석·관리
  - 국가 단위의 암발생률, 암생존율 등 암 관련 통계 산출
  - 지역암등록본부에 대한 지원
  - 암등록·통계사업과 관련한 연구사업
  - 암등록·통계사업과 관련한 교육·훈련, 암등록지침 개발
  - 국제공인 암관련 통계 생산 등 국제협력에 관한 사항

- 지역암등록본부
  - 당해 지역 암관련 자료의 수집·분석·관리
  - 지역 단위의 암발생률, 암생존율 등 암 관련 통계 산출
  - 당해 지역의 암등록·통계사업과 관련한 조사·연구사업

② 암예방사업

가. 목적

현재 암 질환을 앓고 있는 암환자 수는 약 100만 명, 연간 새로이 암으로 진단 받는 사람도 약 22만 명 수준이며, 그 수치는 매년 지속적으로 증가하고 있는 상황이다. 따라서 암을 조기에 발견하여 완치율을 높이고, 암 환자들에게 적정 의료서비스를 제공하기 위한 사업 진행과 동시에 궁극적인 암발생 감소는 물론 암으로 인한 개인적 고통과 사회적 부담을 최소화하기 위하여 암예방이 중요하다.

나. 사업 대상

어린이, 청소년, 성인, 노인 등을 포함하는 전 국민. 이차적인 암발생 방지를 위해 실제 암으로 진단받고 치료를 진행 중인 암 환자의 경우도 포함

다. 주요 사업내용

- 암예방사업 수행을 위한 중장기 계획 수립
- 암예방수칙 및 실천 가이드라인 마련과 제공
- 암예방에 대한 정보 콘텐츠 마련 및 지속적 보완
- 국내 각종 암예방사업 지원
- 암예방사업 효과 평가

③ 국가암검진사업

가. 목적

국가암검진사업 지원을 통하여 우리나라 국민의 사망원인 1위인 암을 조기에 발견하여 치료를 유도함으로써 암의 치료율을 높이고 암으로 인한 사망 감소

나. 사업배경 및 필요성

- 세계보건기구는 의학적인 관점에서 암 발생인구의 약 1/3은 암을 조기에 발견하여 치료할 경우 완치가 가능한 것으로 보고
- 미국, 영국, 일본 등 선진 외국의 경우, 암으로 인한 사망을 줄이기 위하여 암 검진사업 실시
- 우리나라에서 흔하게 발생하는 위암, 간암, 대장암, 유방암, 자궁경부암, 폐암은 비교적 간단한 방법으로 암을 조기에 발견할 수 있으며, 조기에 발견하여 치료할 경우 90% 이상 완치 가능

다. 사업 대상

- 의료급여수급권자
- 건강보험가입자 및 피부양자로서 당해연도 검진대상자 중 보험료 부과기준으로 하위 50%에 해당하는 자

라. 암검진 프로그램

현재 우리나라에서 시행되고 있는 암검진 프로그램은 [표 9-10]과 같다.

표 9-10 국가암검진 프로그램

암 종	검진대상	검진주기	검진방법
위암	40세 이상 남녀	2년	위내시경검사 또는 위장조영검사
간암	만 40세 이상 성인 고위험군[1)]	6개월	간초음파검사 + 혈청알파태아단백검사
대장암	만 50세 이상 남녀	1년	분변잠혈반응검사(FOBT) : 이상소견 시 대장내시경검사 또는 대장이중조영검사
유방암	만 40세 이상 여성	2년	유방촬영술
자궁경부암	만 20세 이상 여성	2년	자궁경부세포검사(Pap smear)
폐암	만 54세 이상 만 74세 이하 남녀 중 폐암 발생 고위험군[2)]	2년	저선량흉부 CT

1) 간경변증이나 B형 간염 바이러스 항원 또는 C형 간염바이러스 항체 양성으로 확인된 자, B형 또는 C형 간염 바이러스에 의한 만성 간질환 환자
2) 하루 평균 담배 소비량(갑) × 흡연기간(년) = 30갑년 이상의 흡연력을 가진 흡연자

〈 자료원 : 국립암센터(2022). 국가암검진사업 〉

④ 암환자의료비지원사업

가. 목적

저소득층 암환자에게 암으로 인한 의료비를 지원하여 경제적 부담을 줄이고, 의료이용 장벽을 낮추어서 암환자들의 암치료율 향상

나. 사업 대상

저소득층 암환자 중 만 18세 미만 소아 암환자, 성인 의료급여수급권자, 성인 건강보험가입자 중 국가암검진 수검자, 폐암 환자가 의료비지원 대상자이다.

- 만 18세 미만 소아 암환자
- 성인 의료급여수급자
- 성인 건강보험가입자 중 국가암검진 수검자
- 성인 폐암 환자

다. 사업 대상자 선정기준 및 지원내용

암환자의료비지원사업 대상자 선정기준 및 지원내용은 [표 9-11]과 같다.

표 9-11 암환자의료비지원사업 대상자 및 지원내용

구 분	소아 암환자	성인 암환자		
		의료급여수급권자	건강보험가입자	폐암 환자
선정 기준	• 건강보험가입자 : 소득·재산 조사 • 의료급여수급권자 : 당연 선정	• 당연 선정	• 국가암검진(비용지원 대상자 외 포함)을 통해 확인된 암환자 : 1월 건강보험료 고지액	• 건강보험가입자 : 1월 건강보험료 고지액 • 의료급여수급권자 : 당연 선정
지원 암종	• 전체 암종	• 전체 암종	• 위암, 대장암, 간암, 유방암, 자궁경부암	• 원발성 폐암(C33-34)
지원 기간	• 만 18세까지 * 신청기준 만 18세 미만	• 3년간(연속)	• 3년간(연속)	• 3년간(연속)
지원 금액	• 백혈병 : 3,000만 원 • 기타 : 2,000만 원 (조혈모세포이식 시 3,000만 원) * 본인일부부담금 비급여 본인부담금 구분 없음	• 본인일부부담금 : 120만 원 • 비급여본인부담금 100만 원	• 본인일부부담금 : 200만 원	• 건강보험가입자 : 본인일부부담금 200만 원 • 의료급여수급자 : 본인일부부담금 120만 원, 비급여 본인부담금 100만 원

〈 자료원 : 국립암센터(2022). 암환자의료비지원사업 〉

⑤ 지역암센터지원사업

가. 목적

- 공공보건의료기반 확충 및 국가차원의 종합적인 암관리 추진체계 구축
- 전국 지방 암환자의 서울 쏠림 현상을 완화하기 위하여 지방 종합대학병원을 지역암센터로 지정·운영
- 지역 특성에 따른 지역주민에 대한 암진료, 암연구, 암예방, 암환자 및 가족 관리 등 다양한 암 관련 서비스 제공

나. 지정현황

- 종합형지역암센터 지정(9개소) : 지방소재 암환자의 서울 쏠림 현상 완화를 위한 국립 종합대학교병원 중심의 종합형지역암센터 지정
  - 2004년 : 전북(전북대병원), 전남(화순전남대병원), 경남(경상국립대병원)
  - 2005년 : 부산(부산대병원), 대전(충남대병원), 대구·경북(칠곡경북대병원)
  - 2006년 : 강원(강원대병원), 충북(충북대병원), 제주(제주대병원)
- 기능형지역암센터 추가 지정(3개소) : 수도권 및 암관리 사각지대의 암환자 관리를 위해 사립 종합대학교병원을 중심으로 기능형지역암센터 지정
  - 2011년 : 인천(가천대길병원), 경기(아주대병원), 울산(울산대병원)

다. 기능 및 역할

- 암에 대한 진료, 연구, 예방 및 암관리사업 등을 종합적으로 수행
- 국가암관리사업을 지역단위까지 연계하여 수행하는 거점기관
- 국립암센터와의 연계체계를 구축하고 국가암관리사업에 협력

⑥ 재가암관리사업

가. 사업내용

- 재가암환자에 대한 통증관리, 완화의료, 간호 및 상담서비스 등을 위한 가정방문사업
- 재가암환자와 그 가족을 위한 교육프로그램의 개발 및 보급
- 그 밖에 보건복지부령으로 정하는 사업(암생존자에 대한 자가관리 교육 및 2차 암검진 등 안내, 영양관리·운동 지도 등 건강 증진, 불안·우울 상담 및 정서적지지)

⑦ 호스피스 완화의료사업

가. 사업내용

- 말기환자의 적정한 통증관리 등 삶의 질 향상을 위한 지침 개발 및 보급
- 입원형, 자문형, 가정형 호스피스의 설치 및 운영, 그 밖에 다양한 호스피스 유형의 정책개발 및 보급
- 호스피스 발전을 위한 연구·개발 사업
- 호스피스 전문기관 및 호스피스 전문인력 양성
- 말기환자 등과 그 가족을 위한 호스피스 교육프로그램의 개발 및 보급
- 호스피스 이용환자의 경제적 부담능력 등을 고려한 의료비 지원사업
- 말기환자, 호스피스의 현황과 관리실태에 관한 자료를 지속적이고 체계적으로 수집·분석하여 통계를 산출하기 위한 등록·관리·조사 사업
- 호스피스에 관한 홍보
- 그 밖에 보건복지부장관이 필요하다고 인정하는 사업

⑧ 암정보사업(국립암센터 국가암정보센터)

가. 목적

- 국민들에게 암에 대한 정확한 정보 제공
- 암예방 및 암관리에 대한 쌍방향적 건강 커뮤니케이션을 수행
- 암 인식 제고 및 행태변화를 위한 다채널적 암교육자료 개발 및 배포

나. 사업내용

- 암지식 데이터베이스 구축 : 암환자와 가족들은 물론, 일반인들도 쉽고 재미있게 정보를 습득할 수 있도록, 애니메이션, 그림동화, 카툰(cartoon) 등 제작
- 온라인 서비스 : 홈페이지(www.cancer.go.kr)를 이용한 암정보 제공, 소셜미디어(블로그, 트위터, 페이스북, 유튜브 등)를 활용한 온라인 암정보 서비스
- 암정보 전화상담서비스 : 1577-8899 전화를 통한 암정보 제공(88하게 99세까지 살자), 이메일을 통한 암정보 제공 및 상담
- 대국민 암예방 홍보사업
- 암관리 운영실적 평가

(3) 건강검진

20세기 초반까지 서구 사회에서 건강검진은 주로 말라리아나 결핵과 같은 감염성질환을 관리하기 위한 목적으로 수행되었다. 그러나 선진국을 중심으로 감염성질환보다 만성 비감염성질환의 위험성이 더 높은 상태로 질병구조의 변화가 뚜렷해지면서 건강검진은 기존의 감염성질환 관리가 아닌 만성질환 관리에 초점을 두고 있다. 우리나라도 최근 국가건강검진 수검률 향상, 질 향상 및 효과적인 사후관리를 통해 만성질환 예방 및 조기발견을 목적으로 만성질환관리 사업의 영역을 확대하였다. 또한 검진 이후에 건강행태 개선을 도모하여 심뇌혈관 질환의 발생률과 사망률 감소 유도를 도모하고 있으며 이를 위해 취약계층, 다문화가정 등의 검진 참여율 향상을 유도하고 검진결과 맞춤형 상담 서비스 제공 및 만성질환 관리체계와 연계한 사후관리 강화를 위한 계획을 수립하여 실시하고 있다.

건강검진 목표의 범위를 질병의 조기발견, 위험군 발견(질병의 예방), 합병증 예방(질병의 관리) 중 어디까지 확대하느냐에 따라 국가별로 건강검진의 개념 및 대상, 항목을 달리 한다. 우리나라의 국가건강검진 개념은 「건강검진기본법」에 명시된 바에 의하면 건강검진종합계획에 따라 국가와 지방자치단체가 시행하는 건강검진을 의미한다. 또한 건강검진이란 건강상태 확인과 질병의 예방 및 조기발견을 목적으로 건강검진기관을 통하여 진찰 및 상담, 이학적 검사, 진단검사, 병리검사, 영상의학 검사 등 의학적 검진을 시행하는 것을 말한다. 즉, 우리나라에서는 질병의 조기발견, 위험군 발견을 통한 질병 예방, 합병증 예방 등을 모두 포괄하는 것으로 볼 수 있다(이희영, 2012).

우리나라 건강검진의 효시는 1950년 결핵과 기생충질환에 대한 집단검사로 볼 수 있다. 1980년 공무원 및 사립학교 교직원 피보험자 건강진단으로 시작된 건강검진은 2008년 「건강검진기본법」을 제정 공포한 이래 각 검진사업들을 국가건강검진사업으로 체계화하여 2010년 제1차(2011∼2015) 국가건강검진 종합계획을 수립하였고, 현재는 제5차 국가건강검진 종합계획(2021∼2030)에 의해 사업이 추진되고 있다. 현재 국가건강검진은 생활습관성 질환인 고혈압, 당뇨병, 이상지질혈증 등 심뇌혈관질환과 5대 암을 조기에 발견하여 치료토록 함으로써 국민건강 수준 향상 및 국민의료비 절감이라는 목적 하에 일반건강검진, 생애전환기건강진단, 영유아건강검진 등이 실시되고 있다. 실시대상 및 검진항목은 [표 9-12]와 같다.

「건강검진기본법」에 따르면, 우리나라의 국가건강검진에는 「모자보건법」에 따른 영유아에 대한 건강검진, 「영유아보육법」에 따른 영유아에 대한 건강검진, 「학교보건법」에 따른 초·중·고등학교 학생의 건강검사, 「청소년복지지원법」에 따른 청소년 건강진단, 「국민건강보험법」에 따른 건강검진, 「산업안전보건법」에 따른 일반건강진단, 「의료급여법」에 따른 건강검진, 「암관리법」에 따른 암검진, 「노인복지법」에 따른 건강진단, 그 밖에 보건복지부령으로 정하는 건강검진 등이 포함된다.

표 9-12 국가건강검진 실시대상 및 검진항목

<table>
<tr><th>구 분</th><th colspan="2">대상자</th><th>검진항목</th></tr>
<tr><td>일반
건강검진</td><td colspan="2">지역세대주, 직장가입자, 20세 이상 세대원과 피부양자, 20~64세 의료급여수급권자
* 매 2년마다 1회, 비사무직은 매년 실시</td><td>[공통 항목]
1. 진찰, 상담, 신장, 체중, 허리둘레, 체질량지수, 시력, 청력, 혈압측정
2. AST(SGOT), ALT(SGPT), 감마지티피
3. 공복혈당
4. 요단백, 혈청 크레아티닌, 혈색소, 신사구체여과율(e-GFR)
5. 흉부방사선촬영
6. 구강검진
[성·연령별 검사 항목]
1. 이상지질혈증(총콜레스테롤, HDL콜레스테롤, LDL콜레스테롤, 트리글리세라이드)
* 남자 24세 이상, 여자 40세 이상, 4년 주기(남자 24세, 28세, 32세 …여자 40세, 44세, 48세…만 해당)
2. B형간염검사(40세, 보균자 및 면역자는 제외)
3. 치면세균막검사(40세)
4. 골다공증(54·66세 여성)
5. 정신건강검사_우울증(20·30·40·50·60·70세)
* 해당 연령을 시작으로 10년 동안 1회
6. 생활습관평가(40·50·60·70세)
7. 노인신체기능검사(66·70·80세)
8. 인지기능장애검사(66세 이상 2년에 1회)
* 66세 이상, 2년 주기(66세, 68세, 70세…만 해당)</td></tr>
<tr><td>의료급여
생애전환기
건강검진</td><td colspan="2">66세 이상의 의료급여수급권자로 2년마다 선정</td><td>[공통 항목]
진찰, 상담, 신장, 체중, 허리둘레, 체질량지수, 시력, 청력
[성·연령별 검사 항목]
골다공증(66세 여성), 정신건강검사_우울증(70세), 생활습관평가(70세), 노인신체기능검사(66·70·80세), 인지기능장애검사(66세 이상 2년에 1회)</td></tr>
<tr><td>학교밖
청소년
건강검진</td><td colspan="2">9세 이상 18세 이하 학교 밖 청소년 단 19세 학교 밖 청소년은 국가건강검진과 중복되지 않은 경우 실시
* 학교 밖 청소년 건강검진은 3년 주기로 실시</td><td>[기본검진]
상담 및 진찰, 신체계측, 요검사, 혈액검사, 구강검진, 영상검사 등
[선택검진]
상담, 매독, HIV, 클라미디아, 임질
[확진검사]
상담, 고혈압, 당뇨병, 신장질환, 이상지질혈증, C형간염, 매독(검진결과 질환의심 판정을 받은 경우 해당)</td></tr>
<tr><td rowspan="12">영유아
건강검진</td><td>1차</td><td>건강검진(생후 14~35일)</td><td>문진 및 진찰, 신체계측, 건강교육</td></tr>
<tr><td>2차</td><td>건강검진(생후 4~6개월)</td><td>문진 및 진찰, 신체계측, 건강교육</td></tr>
<tr><td>3차</td><td>건강검진(생후 9~12개월)</td><td>문진 및 진찰, 신체계측, 발달선별검사 및 상담, 건강교육</td></tr>
<tr><td rowspan="2">4차</td><td>건강검진(생후 18~24개월)</td><td>문진 및 진찰, 신체계측, 발달선별검사 및 상담, 건강교육</td></tr>
<tr><td>구강검진(생후 18~29개월)</td><td>구강문진 및 진찰, 구강보건교육</td></tr>
<tr><td rowspan="2">5차</td><td>건강검진(생후 30~36개월)</td><td>문진 및 진찰, 신체계측, 발달선별검사 및 상담, 건강교육</td></tr>
<tr><td>구강검진(생후 30~41개월)</td><td>구강문진 및 진찰, 구강보건교육</td></tr>
<tr><td rowspan="2">6차</td><td>건강검진(생후 42~48개월)</td><td>문진 및 진찰(귀속말검사), 신체계측, 발달선별검사 및 상담, 건강교육</td></tr>
<tr><td>구강검진(생후 42~53개월)</td><td>구강문진 및 진찰, 구강보건교육</td></tr>
<tr><td rowspan="2">7차</td><td>건강검진(생후 54~60개월)</td><td>문진 및 진찰, 신체계측, 발달선별검사 및 상담, 건강교육</td></tr>
<tr><td>구강검진(생후 54~65개월)</td><td>구강문진 및 진찰, 구강보건교육</td></tr>
<tr><td>8차</td><td>건강검진(생후 66~71개월)</td><td>문진 및 진찰(예방접종확인), 신체계측, 발달선별검사 및 상담, 건강교육</td></tr>
</table>

〈 자료원 : 국민건강보험공단(2022). 건강검진 실시안내 〉

3) 만성질환 감시체계

우리나라는 오래전부터 감염병 감시체계를 구축하여 주요 감염병의 발생 규모와 중재시점을 결정하는 데 대응해오고 있다. 이에 비해 만성질환과 건강위험행태에 대해서는 상대적으로 늦게 시작되어, 본격적인 감시가 시작된 것은 1990년대 이후이다.

가장 대표적인 국가 보건통계를 생산하는 국민건강영양조사는 1998년부터 도입되어 2007년부터 질병관리본부(현, 질병관리청)에서 통합하여 실시하고 있는데, 우리 국민의 건강수준, 건강관련 의식 및 행태, 식품 및 영양섭취 실태에 대한 전국 규모의 조사이다. 국가중점관리대상 질환 중에서는 국가 암 등록감시를 실시하여 국가암관리사업의 정책개발과 방향 제시, 암 연구 등에 활용하고 있다. 또한 시·도 및 시·군·구 등 지역단위에서 활용할 수 있는 보건지표를 생산하는 감시체계 마련을 위해 2008년부터 지역사회건강조사를 전면 도입하여 시행 중이다. 이는 지역 간 비교 가능한 건강통계를 기초자치단체 단위로 생산하는 것을 목표로 하고 있으며, 만 19세 이상 성인을 대상으로 전국 보건소에서 매년 실시하여 지역보건의료계획 수립을 위한 기초자료로 활용하고 있다[그림 9-10].

2007년부터는 국가 질병감시체계의 선진화를 위해 생애주기별, 건강행태 및 질환별 감시체계가 단계적으로 도입되었다. 특히 심뇌혈관질환, 아토피·천식질환, 골다공증·관절염, 온난화와 황사 등 기후변화와 연관성이 높은 질병에 대한 감시체계를 구축하였으며, 생애주기별 건강위험행태 파악을 위해서 청소년건강행태 온라인조사, 청소년건강패널조사 등을 실시하고 있다.

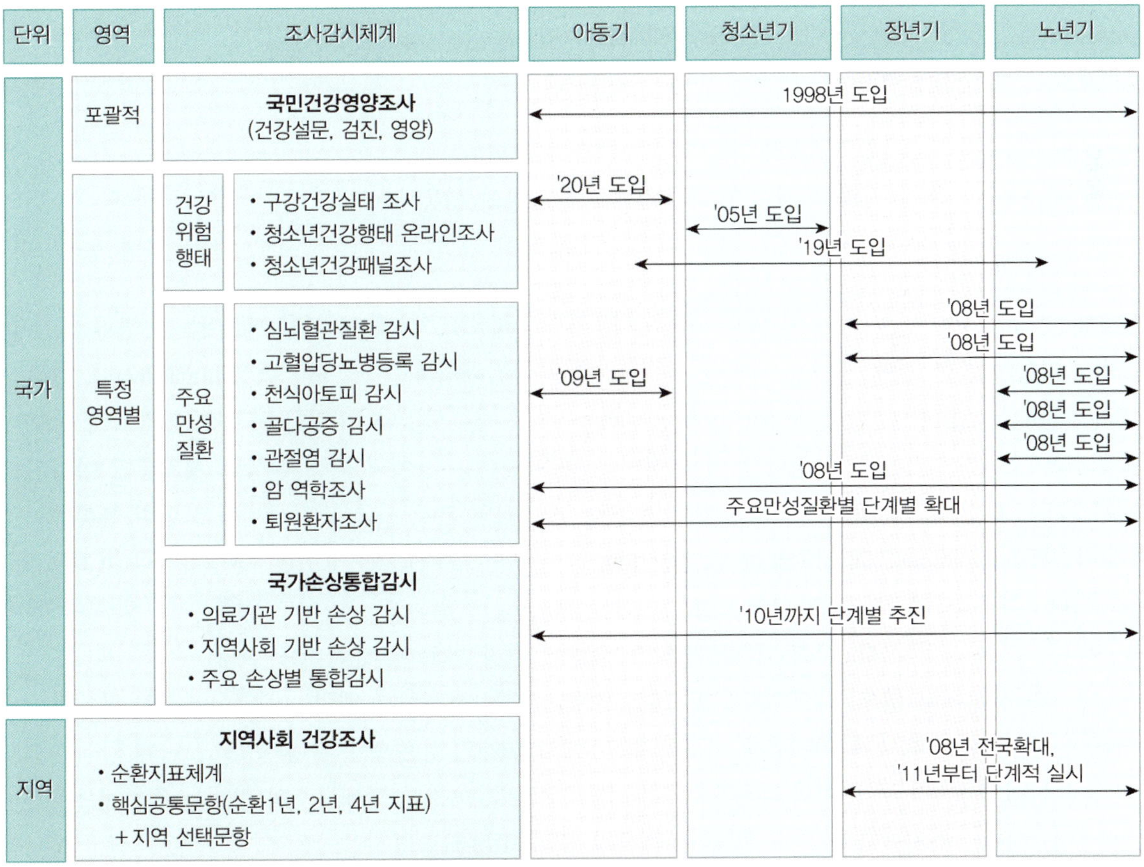

그림 9-10 국가 만성질환 감시체계

제3절 + 재활간호사업

Keywords

• 장애 • 재활 • 지역사회재활 • 재활간호

1 재활간호사업의 개념

1) 장애의 정의와 분류

장애는 '장해'로 표현되기도 하며 질병이나 사고가 치유된 후에 기능적인 문제를 일으킬 정도의 후유증을 남기는 경우를 말한다. 우리나라의 「장애인복지법」(법제처, 2017)에서는 장애를 신체적 장애와 정신적 장애로 분류하며, 신체적 장애란 주요 외부 신체 기능의 장애, 내부기관의 장애를 말하고, 정신적 장애란 발달장애 또는 정신 질환으로 발생하는 장애로 정의하고 있다.

장애인은 '신체적·정신적 장애로 오랫동안 일상생활이나 사회생활에서 상당한 제약을 받는 자'로 정의된다(법제처, 2017). 세계보건기구(WHO)에서는 장애인을 '선천적이든 후천적이든, 신체적, 정신적 능력의 불완전으로 인하여, 개인의 일상 또는 사회생활에 필요한 것을 확보할 때 자기 자신으로서는 완전하게 할 수 없거나 또는 부분적으로 할 수 없는 사람'으로 정의하였다. 또한 1980년 국제장애분류(International Classification of Impairments, Disabilities and Handicaps; ICIDH)를 발표하면서 장애를 다음의 세 가지로 분류하고, 이를 포괄적으로 장애에 포함시켰다.

- 손상(impairment) : 심신의 구조적·기능적 손상 자체를 의미
- 불능(disability) : 손상에 의한 개인적 차원에서 일상생활의 활동에서 나타나는 이차적 장애
- 불리(handicap) : 손상과 불능으로 인한 사회적 차원에서 경험하는 불이익으로 편견, 차별 등을 의미

세계보건기구는 1997년 기존의 ICIDH의 개념을 발전시켜 ICIDH-2를 발표하였는데, 이는 환경과 개인이라는 상황적 요인을 포함한 장애 개념을 채택한 것으로, 개인이 접하게 되는 장애를 손상(impairment), 활동 제한(activities limitation), 참여 제약(participation restriction)으로 구분하였다. 이러한 구분은 환경과의 상호 관계 속에서 더욱 포괄적인 장애를 규정한 점이 특징이다. 2001년에는 장애의 기능 손상의 정도뿐만 아니라 진단과 건강상태에 대한 정보도 알 수 있도록 하기 위하여 ICIDH의 분류 틀을 건강상태를 포함한 분류틀인 국제기능장애분류(International Classification of function, Disability and Health; ICF)로 명명하였다. ICF는 신체의 기능과 구조, 활동, 참여정도, 심각성의 정도 등 건강상태를 광범위하게 나타내고 있다. 이처럼 장애 및 장애인의 정의는 그 나라의 사회, 문화, 경제, 정치적 수준에 따라 다르며, 변하기도 한다.

우리나라의 장애유형 분류는 1997년에 공포된 '장애인복지발전 5개년 계획' 이후 단계적인 장애범주 확대에 의한 것으로, 1단계 확대가 1999년에 이루어져 5개에서 10개의 유형으로 확대되었고, 2단계 확대는 2003년에 이루어져 10개 유형에서 15개의 유형으로 확대 실시되었다. 이러한 장애범주의 확대는 점차적으로 선진국 수준에 도달하도록 추진되고 있는데, 향후 확대예방 장애범주에는 만성알코올·약물중독, 기질성 뇌증후군, 기타 정신발달장애, 소화기장애, 비뇨기장애, 치매, 만성통증, 기타 암 등이 포함된다.

우리나라 「장애인복지법」에 따른 장애인의 장애 정도 분류는 [표 9-13]과 같으며, 「장애인복지법 시행령」에 따른 장애인의 종류 및 기준은 [표 9-14]와 같다.

2) 재활간호사업의 정의

재활간호란 다양한 장애를 가지고 있는 대상자에게 직·간접 간호를 제공하여 현존 능력을 유지하며 더 이상의 장애가 발생되지 않도록 예방하고, 상실된 능력을 회복하여 변화된 생활양식에 적용하게 함으로써 질적 삶을 누릴 수 있도록 돕는 것이다. 지역사회 재활(Community-based Rehabilitation; CBR)이란 장애인들이 지역사회수준에서 지역사회의 자원을 가동하고, 활용하기 위해 채택한 모든 방법들을 통해 최대한의 재활 성취를 이루고 지역사회와 통합하는 것이며, 지역사회에 있어서 모든 장애인을 위한 재활, 기회균등, 사회에의 통합을 위한 전략으로, 장애인 자신, 가족, 지역사회의 공동운동, 그리고 적절한 보건, 교육, 직업, 사회 서비스에 의해서 실시된다(ILO, UNESCO, WHO). 지역사회 재활을 위하여 WHO는 다음을 권고하고 있다.

- 지역사회 재활은 국가적 차원의 체계적 주도가 필요하다.
- 지역사회 재활은 지역사회의 서비스로 발전하여야 한다.

표 9-13 장애인복지법에 따른 장애인의 장애정도 분류

대분류	중분류	소분류	세분류	확대예상 장애범주
신체적 장애	외부 신체 기능의 장애	지체장애	절단장애, 관절장애, 지체기능장애, 신체 변형 등의 장애	소화기장애, 비뇨기장애, 만성통증, 기타 암
		뇌병변장애	보행 또는 일상생활동작에서 장애의 정도가 심하거나 일상생활동작이 제한된 경우	
		시각장애	시력장애, 시야결손장애	
		청각장애	청력장애, 평형기능장애	
		언어장애	언어기능장애, 음성기능장애	
		안면장애	안면부의 변형이 심하거나 코 형태의 일부가 없는 경우	
	내부 기관의 장애	신장장애	3개월 이상 투석치료 중이거나 신장 이식받은 경우	
		심장장애	일상생활이 현저히 제한되는 심장기능 이상, 심장 이식받은 경우	
		간장애	간경변증, 간세포암종 등 장애의 정도가 심하거나 간 이식을 받은 경우	
		호흡기장애	24시간 인공호흡기로 생활하거나 호흡곤란의 정도가 심한 경우, 폐를 이식받거나 늑막루가 있는 경우	
		장루 요루장애	공장루, 요루, 방관루가 있거나 합병증이 있는 경우	
		뇌전증장애	성인은 연 3회 이상의 발작과 발작으로 인한 호흡장애 등의 증상이 있는 경우, 소아청소년은 전신발작, 뇌병증, 근간대발작, 부분발작 등으로 보호와 관리가 필요한 경우	
정신적 장애	지적장애		지능지수가 70 이하인 경우	만성알코올·약물중독, 기질성뇌증후군, 치매, 기타 정신발달장애
	정신장애		조현병, 양극성 정동장애, 조현정동장애, 재발성 우울장애	
	자폐성장애		ICD 10 진단기준에 따른 자폐성 장애	

〈 자료원 : 법제처(2022). 장애인복지법 시행규칙 〉

표 9-14 장애인복지법에 따른 장애의 종류 및 기준 분류

종 류	기 준
지체장애인	가. 한 팔, 한 다리 또는 몸통의 기능에 영속적인 장애가 있는 사람 나. 한 손의 엄지손가락을 지골(指骨 : 손가락 뼈) 관절 이상의 부위에서 잃은 사람 또는 한 손의 둘째손가락을 포함한 두 개 이상의 손가락을 모두 제1지골 관절 이상의 부위에서 잃은 사람 다. 한 다리를 리스프랑(Lisfranc : 발등뼈와 발목을 이어주는) 관절 이상의 부위에서 잃은 사람 라. 두 발의 발가락을 모두 잃은 사람 마. 한 손의 엄지손가락 기능을 잃은 사람 또는 한 손의 둘째손가락을 포함한 손가락 두 개 이상의 기능을 잃은 사람 바. 왜소증으로 키가 심하게 작거나 척추에 현저한 변형 또는 기형이 있는 사람 사. 지체(肢體)에 위 각 목의 어느 하나에 해당하는 장애정도 이상의 장애가 있다고 인정되는 사람
뇌병변장애인	뇌성마비, 외상성 뇌손상, 뇌졸중(腦卒中) 등 뇌의 기질적 병변으로 인하여 발생한 신체적 장애로 보행이나 일상생활의 동작 등에 상당한 제약을 받는 사람
시각장애인	가. 나쁜 눈의 시력(만국식 시력표에 따라 측정된 교정시력을 말한다. 이하 같다)이 0.02 이하인 사람 나. 좋은 눈의 시력이 0.2 이하인 사람 다. 두 눈의 시야가 각각 주시점에서 10도 이하로 남은 사람 라. 두 분의 시야 2분의 1 이상을 잃은 사람 마. 두 눈의 중심 시야에서 20도 이내에 겹보임[복시]이 있는 사람
청각장애인	가. 두 귀의 청력 손실이 각각 60dB 이상인 사람 나. 한 귀의 청력 손실이 80dB 이상, 다른 귀의 청력 손실이 40dB 이상인 사람 다. 두 귀에 들리는 보통 말소리의 명료도가 50% 이하인 사람 라. 평형 기능에 상당한 장애가 있는 사람
언어장애인	음성 기능이나 언어 기능에 영속적으로 상당한 장애가 있는 사람
지적장애인	정신 발육이 항구적으로 지체되어 지적 능력의 발달이 불충분하거나 불완전하고 자신의 일을 처리하는 것과 사회생활에 적응하는 것이 상당히 곤란한 사람
자폐성장애인	소아기 자폐증, 비전형적 자폐증에 따른 언어·신체표현·자기조절·사회적응 기능 및 능력의 장애로 인하여 일상생활이나 사회생활에 상당한 제약을 받아 다른 사람의 도움이 필요한 사람
정신장애인	다음의 장애·질환에 따른 감정조절·행동·사고 기능 및 능력의 장애로 일상생활이나 사회생활에 상당한 제약을 받아 다른 사람의 도움이 필요한 사람 가. 지속적인 양극성 정동장애(여러 현실 상황에서 부적절한 정서 반응을 보이는 장애), 조현병, 조현정동장애 및 재발성 우울장애 나. 지속적인 치료에도 호전되지 않는 강박장애, 뇌의 신경학적 손상으로 인한 기질성 정신장애, 투렛장애 및 기면증
신장장애인	신장의 기능장애로 인하여 혈액투석이나 복막투석을 지속적으로 받아야 하거나 신장기능의 영속적인 장애로 인하여 일상생활에 상당한 제약을 받는 사람
심장장애인	심장의 기능부전으로 인한 호흡곤란 등의 장애로 일상생활에 상당한 제약을 받는 사람
호흡기장애인	폐나 기관지 등 호흡기관의 만성적 기능부전으로 인한 호흡기능의 장애로 일상생활에 상당한 제약을 받는 사람
간장애인	간의 만성적 기능부전과 그에 따른 합병증 등으로 인한 간기능의 장애로 일상생활에 상당한 제약을 받는 사람
안면장애인	안면 부위의 변형이나 기형으로 사회생활에 상당한 제약을 받는 사람
장루·요루장애인	배변기능이나 배뇨기능의 장애로 인하여 장루(腸瘻) 또는 요루(尿瘻)를 시술하여 일상생활에 상당한 제약을 받는 사람
뇌전증장애인[1)]	뇌전증에 의한 신경세포의 장애로 인하여 일상생활이나 사회생활에 상당한 제약을 받아 다른 사람의 도움이 필요한 사람

〈 자료원 : 법제처(2022). 장애인복지법 시행령 〉

- 지역사회 재활은 일차의료와 통합되어야 한다.
- 지역사회의 자발적 참여가 있어야 한다.
- 지역실정에 맞는 모델로 발전해야 한다.

3) 재활간호사업의 필요성

우리나라의 2021년도 등록장애인 수는 2,645천 명이며, 지속적으로 증가하고 있다[표 9-15]. 재가 장애인들의 재활요구 중 70%는 장애의 조기 발견, 재활에 대한 인식 고취, 욕창관리, 대·소변관리, 가옥구조 변경, 간단한 재활치료 등의 일차보건의료수준이므로 지역사회 재활간호사업으로 해결이 가능하다.

우리나라 등록 장애인의 비율은 선진국에 비하면 낮은 편인데 일차적 원인으로는 국가마다 장애인에 대한 기준이 다르기 때문이며, 특히 우리나라의 경우 장애 노출을 꺼리는 사회적 분위기와 더불어 장애인으로 등록하여도 실질적인 혜택이 적다고 생각하므로 등록을 꺼리는 현상과 관련이 있다.

장애인의 재활사업은 재활사업이 주로 이루어지는 현장이 어디냐에 따라 시설 중심의 재활사업(Institution-based Rehabilitation; IBR)과 지역사회중심 재활사업(Community-based Rehabilitation; CBR)으로 나눌 수 있다. 지역사회 중심 재활사업의 개념은 1976년 세계보건총회가 1차 의료를 포함하는 각 수준의 보건 프로그램에 장애예방과 재활을 통합하기 위하여 효과적이고 적절한 기술을 적용할 것을 권고하는 결의문을 채택함으로써 시작되었다. 지역사회 재활사업은 장애인의 증가와 가정에 거주하는 대다수 장애인의 재활요구를 충족시키기 위하여 일차보건의료 수준에서 서비스를 제공하고 장애인들이 지역사회 자원을 최대로 활용하여 효율적으로 살아가도록 하기 위한 접근이라고 할 수 있다.

표 9-15 장애유형에 따른 우리나라의 등록장애인 수 (단위 : 천 명)

구분	2012	2013	2014	2015	2016	2017	2018	2019	2020	2021
계	**2,511**	**2,501**	**2,494**	**2,490**	**2,511**	**2,546**	**2,586**	**2,619**	**2,633**	**2,645**
지체장애	1,322	1,309	1,296	1,281	1,267	1,254	1,239	1,223	1,207	1,191
시각장애	252	253	253	253	252	253	253	253	252	252
청각/언어	276	273	271	269	291	322	363	399	418	435
지적장애	173	179	184	190	195	201	207	213	217	222
뇌병변장애	258	253	251	251	251	253	253	252	250	248
자폐성장애	17	18	20	21	23	25	27	29	31	34
정신장애	95	96	97	99	100	101	102	103	104	104
신장장애	63	67	70	74	79	84	88	92	98	102
심장장애	8	7	6	6	6	5	5	5	5	5
호흡기장애	14	13	12	12	12	12	12	12	12	12
간장애	9	9	10	10	11	12	13	13	14	14
안면장애	3	3	3	3	3	3	3	3	3	3
장루/요루장애	13	14	14	14	14	15	15	15	15	16
뇌전증장애	8	7	7	7	7	7	7	7	7	7

〈 자료원 : 보건복지부(2022). 장애인등록현황 〉

2 지역사회중심 재활사업의 개념

1) 지역사회중심 재활사업의 개요

지역사회중심 재활(Community-based Rehabilitation; CBR)은 장애인에게 공평한 기회를 제공하기 위하여 지역사회 지도자, 장애인, 이들의 가족 그리고 관련 민간단체들의 협력을 강조하는 개념이다. 1993년 서울 및 경기지역 보건소 대상 지역사회중심 재활교육 실시를 시작으로 2008년에는 방문건강관리사업에 일부 통합하여 운영하다가 2013년에는 지역사회 통합건강증진사업으로 보건사업을 통합하고 전국 재활사업 운영보건소가 86개소로 확대되었다. 이후 2017년에는 전국 보건소로 확대되어 시행되고 있으며, 2019년에는 보건소의 지역사회중심 재활사업의 기능이 강화되었다. 세계보건기구에서 제시한 지역사회중심 재활의 구성요소 매트릭스를 이용한 보건소에서의 활용 예시는 [그림 9-11]과 같다.

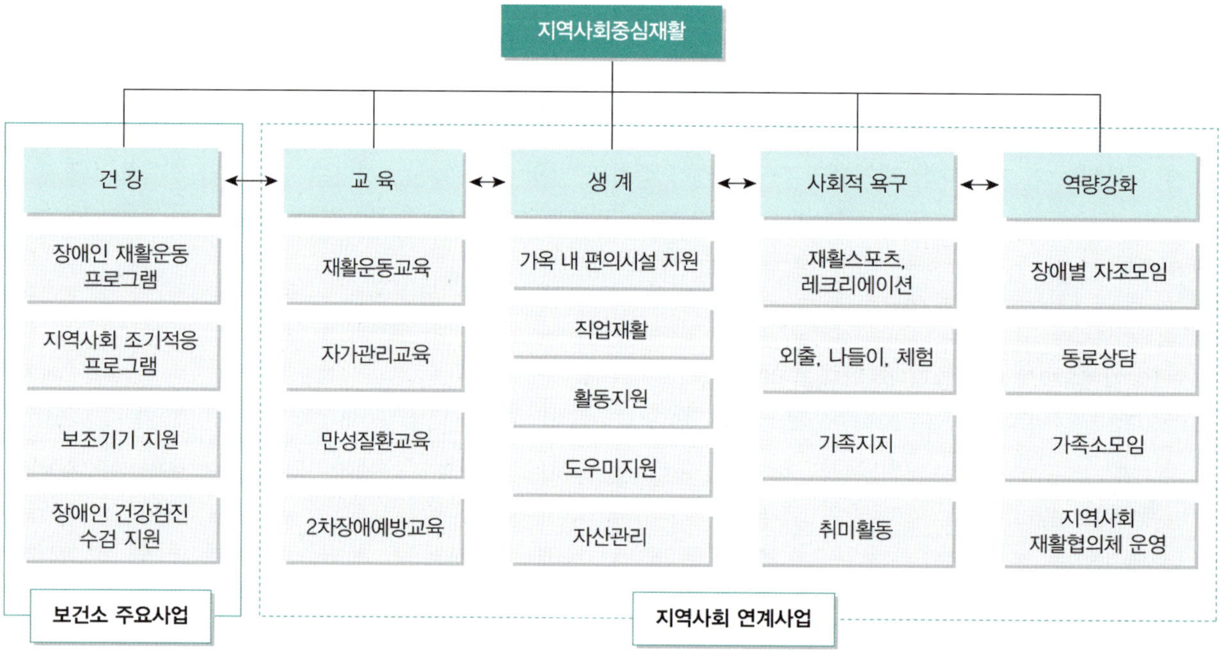

〈 자료원 : 보건복지부(2022). 지역사회 통합건강증진사업 안내(지역사회중심 재활사업) 〉

그림 9-11 지역사회중심 재활(CBR) Matrix의 보건소 활용 예시

2) 지역사회중심 재활사업의 목적 및 목표

지역사회중심 재활사업의 목적은 지역장애인의 건강상태 개선 및 자가 건강관리능력 향상과 의료전달체계의 유지기 역할을 위한 장애인 대상 지역사회 인프라를 구축하는 것이다.

목표는 지역 장애인 중 보건의료 미충족 대상자에 대한 건강보건 행태 개선과 재활의료기관 등에서 의뢰되는 자(지역장애인보건의료센터에서 보건소로 연계되는 예비 장애인 및 장애인)를 대상으로 지역사회 내 사회복귀를 지원하는 것이다[그림 9-12].

목 적	지역장애인의 건강상태 개선 및자가 건강관리능력 향상
	의료 전달체계의 유지기 역할을 위한 장애인 대상 지역사회 인프라 구축
목 표	지역 장애인 중, 보건의료 미 충족 대상자에 대한 건강보건 행태 개선
	재활의료기관 등에서 의뢰되는 자(지역장애인보건의료센터에서 보건소로 연계되는 예비 장애인 및 장애인)에 대한 지역사회 내 사회복귀 지원
추진전략	장애인건강보건관리의 지역 내 전달체계 확립
	유형별 장애 특성에 맞는 맞춤형 건강관리 지원

〈 자료원 : 보건복지부(2022). 지역사회 통합건강증진사업 안내(지역사회중심 재활사업) 〉

그림 9-12 지역사회중심 재활사업의 개요

3) 지역사회중심 재활사업의 추진배경

장애인은 비장애인보다 취약한 건강상태로 많은 건강문제를 가지고 있으나 경제적 부담, 환경 제약 등으로 의료서비스를 제한적으로 이용하고 있어, 장애로 인한 2차적 질환이나 장애를 예방하고 장애인의 의료이용 불평등을 해소하여 장애인의 삶의 질 향상을 도모할 필요가 있다.

4) 지역사회중심 재활사업의 운영 방향

(1) 장애인 건강보건사업 전달체계의 기반 구축

- 지역장애인보건의료센터 지정과 보건소 CBR사업 전담인력의 단계적 확충
- 전달체계가 구축된 지역과 그 외 지역 간의 CBR사업 구분 운영력 증진

(2) 장애인의 통합적 건강관리 지원을 위한 보건소 CBR사업 기능 강화

- 보건소 지역사회재활협의체의 운영 내실화
- 수요자를 위한 질적 서비스 지원에 중점

5) 지역사회중심 재활사업 운영

지역사회중심 재활사업의 기본 운영모델은 다음과 같다.

(1) 계획 수립

지역사회중심 재활사업을 위하여 지역의료기관, 장애인당사자, 장애인복지관, 자활센터, 행정기관, 보조기기센터, 교육기관, 장애인 단체, 지역의사회 등 유관기관과 지역사회재활협의체(회)를 구성하여 기본계획 수립 시 참여시킨다.

- 지역사회중심재활사업의 중·장기 목표와 구체적인 단기목표를 수립하여 사업운영
- 재가장애인의 건강관리 및 보건의료 서비스를 중점으로 추진하되, CBR의 개념이 적용되도록 지역사회 내 관련기관과의 연계를 통한 통합 서비스 제공
- 지역사회의 장애인에 대한 문제해결 능력 향상 프로그램 개발
- 사업의 목표에 부합하는 실현 가능한 세부 프로그램 수립
- 프로그램별로 평가지표와 효과 설정

(2) 사업 대상

① 장애인 건강보건관리사업 대상자

- 법적 등록 장애인 및 예비 장애인(손상이나 질병발생 후 완전한 회복이 어려워 일정기간 내 장애인이 될 것으로 예상되는 자)
- 지역사회 장애인(예비장애인 포함) 중 5%를 장애인 건강관리사업 대상자(집중관리군, 정기관리군, 자기역량지원군)로 확보
- 사업 대상자 우선순위 선정 기준
  - 사례관리가 필요한 중증의 법적 등록 장애인
  - 의료기관에서 보건소 CBR사업으로 의뢰·연계된 관할 지역 내 거주하는 퇴원환자(예비장애인)
  - 저소득층으로 지역사회에서 지속적 관리가 필요한 법적 등록 장애인

② 대상자 군 분류

지역사회중심 재활사업 수행을 위하여 장애인 대상 측정도구 평가를 입력하고 세부기준에 따라 다음과 같이 군 분류를 하되, 담당인력의 종합적인 판단에 의해 필요 시 군 분류 조정이 가능하다[표 9-16].

표 9-16 대상자 군 분류 기준

구 분	집중관리군	정기관리군	자기역량지원군
대상기준	정기적 건강관리 및 방문재활 서비스가 필요한 장애인	정기적 건강관리가 필요한 장애인	건강 및 복지정보 서비스 제공이 필요한 장애인
등록기준	기능평가(MBI) 49점 이하 또는 삶의질(EQ-5D) 0.660점 미만	기능평가(MBI) 50점~74점 사이 또는 삶의질(EQ-5D) 0.660점 이상	기능평가(MBI) 75점 이상
퇴록기준	• 재평가를 통해 재활목표달성자는 정기관리군으로 전환 • 서비스 미제공기간 총 2년 초과 시 • 전출, 사망, 말소, 주거불명 시	• 재평가를 통해 재활목표달성자는 자기역량지원군으로 전환 • 서비스 미제공기간 총 2년 초과 시 • 전출, 사망, 말소, 주거불명 시	• 프로그램 종료 시 • 전출, 사망, 말소, 주거불명 시
서비스 제공	정기적	정기적	비정기적
평가 횟수	연 2회	연 2회	연 1회
재활기록지	재활기록지 Ⅰ, Ⅱ	재활기록지 Ⅰ, Ⅱ	재활기록지 Ⅰ

〈 자료원 : 보건복지부(2022). 지역사회 통합건강증진사업 안내(지역사회중심 재활사업) 〉

(3) 인력 구성

지역사회중심 재활사업의 인력은 직제상 장애인건강보건관리팀 구성이 원칙이며, 기본인력과 연계인력으로 구성하여 지역장애인보건의료센터 및 통합건강증진사업들과의 유기적인 협력체계를 유지한다. 기본인력은 재활사업 담당공무원 1명, 재활전담인력 1명 이상으로 구성하고, 연계인력은 재활의학과 의사, 간호사, 물리치료사, 작업치료사, 사회복지사 등으로 구성한다. 직제상 팀 구성이 어려운 경우, '기능형' 장애인건강보건관리팀 구성하되, 기본인력과 연계인력을 포함하여 총 5명 이상 구성하여 재활사업 운영에 필요한 인력을 확보하여 필요시 활용한다.

① 기본 인력

정규직 담당자(담당공무원) 1명과 재활전담요원 1명 이상으로 구성한다.

가. 재활사업담당(정규직, 담당공무원)의 역할

- 재활사업계획 수립 및 관리
- 재활사업에 대한 교육 및 홍보
- 지역사회재활협의체 및 장애인 건강보건 사례관리 운영
- 재활전담요원에 대한 실무 조언 및 협조 등

나. 재활전담요원(공무직 또는 인건비로 채용된 기간제근로자 등 사업전담)의 역할

- 등록장애인 관리체계에 따라 재활사업대상자 선정 및 내소자 관리
- 대상자별 서비스 계획수립 및 서비스 제공, 사후관리
- 지역사회자원 의뢰 및 연계(연계병원 퇴원관리 상담활동 포함)
- 지역사회재활협의체 및 장애인 건강보건 사례관리 운영 지원 등

② 연계 인력

- 재활사업 관련하여 재활의학과 의사, 간호사, 물리치료사 또는 작업치료사, 영양사 또는 사회복지사 등 기능형 장애인건강보건관리팀을 구성하여 협력
- 단, 보건소 내 재활의학과 전문의가 없다면 지역사회 일차의료의사나 병원급 이상에서 전문의 1인을 연계자원으로 확보하여 기능형 팀의 일원으로 함(지역 외의 인력을 연계하여 구성할 수 있음)
  - 재활의학과 전문의는 전담자의 요청에 따라 관리가 어려운 대상자에 대한 자문, 재활 평가, 관리계획 지시 및 팀원 교육 등 수행
  - 팀원 중 1명은 내소 장애인 관리 담당으로 지정
  - 내소 담당자를 제외한 나머지 팀원은 전담자의 요청에 따라 재가 맞춤형 재활관리 제공
  - 재활팀 전체 주기적인 사례관리회의(서비스 계획 점검 등)

(4) 중점 서비스 활동

지역사회중심 재활사업 수행 절차는 지역사회 공공조직을 통하여 장애인 대상자를 발굴하고, 대상자 등록 및 군 분류를 시행한 후 초기상담, 서비스 계획 수립 및 제공, 재평가 및 사후관리를 수행한다. 사업 대상자 관리체계는 [그림 9-13]과 같다.

과 정		내 용
대상자 발굴		• 지역사회 공공조직을 통한 장애인 확보
대상자 등록 및 군 분류	대상자 등록	• 의료기관 및 지역사회기관에서 의뢰한 법적 등록 장애인 및 예비장애인 중 지역사회중심재활사업 대상자로 등록 및 관리에 동의한 경우
	군 분류	• 집중관리군, 정기관리군, 자기역량지원군(3개군) • 장애인 측정도구 기능평가(MBI), 삶의 질(EQ-5D)을 측정하고 세부기준에 따라 군 분류
초기상담		• 초기상담 및 재활사정(기능평가 및 삶의 질 평가 등) -집중관리군, 정기관리군 : 재활기록지(Ⅰ, Ⅱ) 활용 -자기역량지원군 : 재활기록지(Ⅰ) 활용 • 대상자의 건강상태 및 재활 요구도 파악
서비스 계획수립		• 대상자의 건강상태 및 재활 요구도를 반영하여 맞춤형 서비스 계획
서비스 제공		• 대상자별 장애상태별 적절한 서비스 연계·제공 • 전문인력이 판단하여 대상자의 서비스 필요도에 따라 프로그램 조정 가능
재평가 및 사후관리		• 재활서비스 제공 후 적절한 평가(만족도, 기능평가 등) 실시 • 재평가를 통해 재활목표 달성자는 군 재분류 시행 • 서비스 미제공기간 총 2년 초과 시, 전출, 사망, 말소, 주거불명 시 퇴록처리

〈 자료원 : 보건복지부(2022). 지역사회 통합건강증진사업 안내(지역사회중심 재활사업) 〉

그림 9-13 사업 대상자 관리체계

① 대상자 군별 서비스 제공

지역사회중심 재활사업의 군별 필수 서비스는 주 장애진료와 함께 총체적 건강보건관리 서비스 제공을 위해 보건소 CBR사업이 최소한으로 갖추어야 하는 서비스를 의미한다. 대상자 군별 서비스 및 세부 프로그램 예시는 [표 9-17]과 같다.

② 장애인 건강보건관리 제공

보건소 지역사회중심 재활사업의 장애인 건강보건관리 제공 과정은 [그림 9-14]와 같다.

표 9-17 대상자 군별 서비스 분류

	서비스 구분	군 분류		세부 프로그램(예시)
		집중관리군 정기관리군	자기역량 지원군	
1	건강관리 서비스	필수	선택	① 배뇨·배변관리 ② 욕창·피부관리 ③ 영양관리 ④ 구강관리 ⑤ 통증관리 ⑥ 연하관리 ⑦ 호흡관리 ⑧ 만성질환관리 ⑨ 기타
2	재활훈련 서비스	필수	선택	① 재활운동교육 ② 일상생활동작훈련 ③ 관절구축예방교육 ④ 2차장애예방교육 ⑤ 생활안전교육 ⑥ 기타
3	사회참여 서비스	선택	선택	① 외출, 나들이, 체험 ② 동료상담, 자조모임 ③ 스포츠, 레크레이션 ④ 가족소모임 ⑤ 기타
4	자원연계 서비스	필수	선택	① 통합건강증진사업 내 연계 ② 지역장애인보건의료센터와 연계 ③ 의료기관과 연계(지역장애인보건의료센터 외) ④ 장애인복지관과 연계 ⑤ 자활센터와 연계 ⑥ 장애인단체와 연계 ⑦ 행정기관과 연계 ⑧ 교육기관과의 연계 ⑨ 자원봉사자(활동보조)와 연계 ⑩ 장애인 운전 지원 ⑪ 가옥 내 편의시설 제공 ⑫ 보조기기센터와 연계 ⑬ 건강검진 지원 ⑭ 기타
5	자기역량 서비스	선택	필수	① 자가 건강운동, 복지정보 가이드북 및 리플릿 제공 ② 기타
6	지역사회 조기적응 프로그램	필수	필수	① 프로그램 소개 ② 나를 이해하기 ③ 일상생활 동작관리 ④ 보조기기 이해 및 활용 ⑤ 건강관리 운동 ⑥ 투약·영양·삼킴장애 관리 ⑦ 우리지역자원 활용하기 ⑧ 마무리

〈 자료원 : 보건복지부(2022). 지역사회 통합건강증진사업 안내(지역사회중심 재활사업) 〉

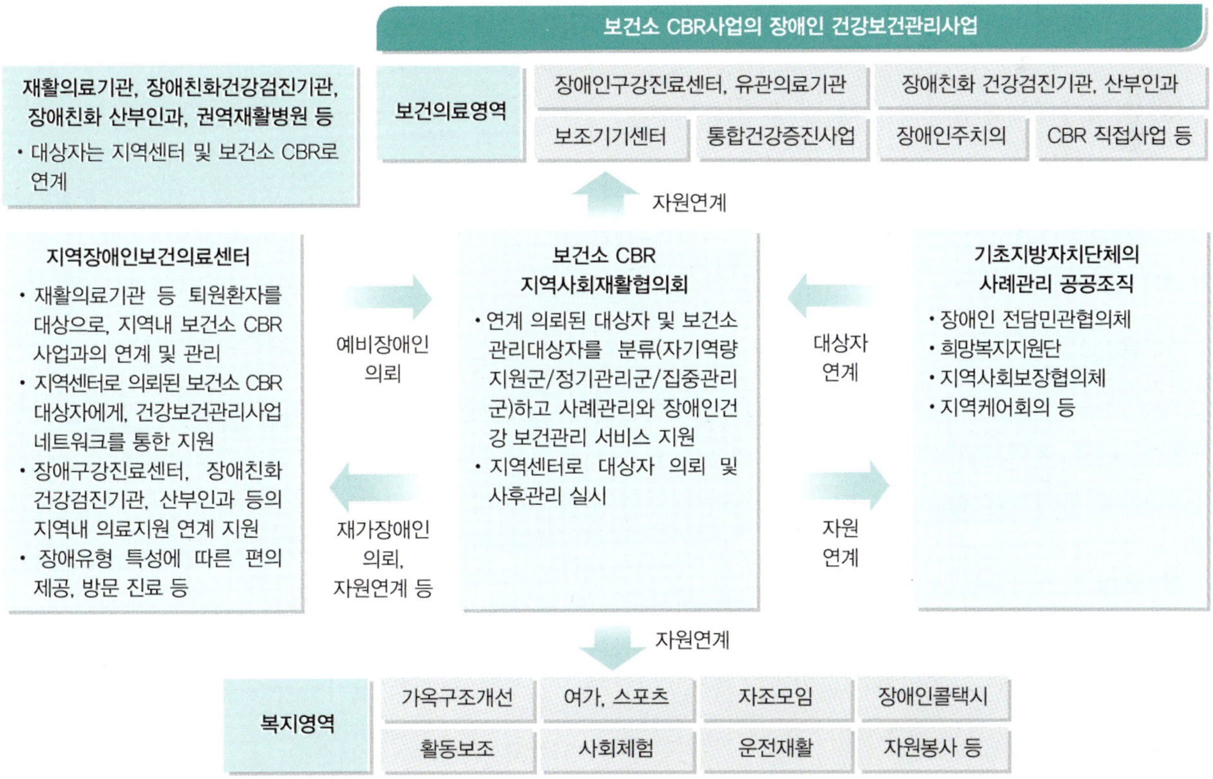

〈 자료원 : 보건복지부(2022). 지역사회 통합건강증진사업 안내(지역사회중심 재활사업) 〉

그림 9-14 장애인 건강보건관리 제공 과정

③ 지역사회 조기적응 프로그램

지역사회 조기적응 프로그램은 재활의료기관에서 의뢰되는 대상자 중 지체(척수)·뇌병변 장애유형인 집중·정기관리군을 주대상으로 한다. 단, 자기역량지원군은 대상자의 서비스 필요도에 따라 제공 가능하다.

- 목적 : 퇴원 이후에 처음 겪는 장애에 대한 신체적, 심리적 변화 등 다양한 상황에 대한 일상생활 지원
- 주요 내용 : 건강관리, 재활훈련, 사회참여 등의 서비스 포괄(나를 이해하기, 일상생활 동작관리, 보조기기 이해 및 활용, 건강관리 운동, 투약·영양·삼킴장애 관리, 우리지역자원 활용하기)
- 대상자 : 재활의료기관에서 의뢰되는 뇌병변·지체 장애인(예비장애인)
- 운영기간 : 총 8회(최소 4회)
- 운영시간 : 1시간 이내/회

④ 연계병원 퇴원관리 상담활동

퇴원관리 상담활동은 초기면접부터 종결까지 퇴원과정과 퇴원직후 직면하게 될 여러 상황에 대한 준비로 정보수집, 재활계획수립, 의사결정, 직업재활이나 진로, 건강문제해결, 사례관리 등을 위해 실시하는 전반적인 상담활동으로 장애인의 건강관리 및 재활의지를 북돋아주기 위해 실시한다.

- 권역재활병원, 재활의료기관, 보조기기센터 등과 연계한다.

⑤ 장애인 건강보건 사례관리

장애인 건강보건사례관리는 보건의료관련 다양하고 복합적 욕구를 가진 장애인(예비장애인)을 대상으로 지역사회 공공·민간 자원을 통합적으로 연계·제공하고 이를 지속적으로 모니터링하기 위하여 실시한다.

(5) 지역사회재활협의체 구성 및 운영(필수사항)

① 목적

장애인의 재활과 사회복귀를 돕고자 조직된 민관협력 협의체로, 지역 보건의료－복지 자원의 효율적 운영을 통한 통합적 서비스를 제공하기 위함이다.

② 역할

지역사회재활협의체의 역할은 지역사회중심 재활사업의 운영방향 논의, 지역사회의 다양한 재활관련 자원 개발 및 발굴, 지역자원 간 정보공유 등 상호연계 및 협력강화, 각 자원간 의사소통 채널을 다양화하고 서비스 중복 방지, 장애인의 욕구에 맞추어 사례관리를 통한 통합적 서비스를 연계하는 것이다.

③ 구성

지역사회재활협의체의 구성은 의료기관, 장애인복지관, 자활센터, 행정기관, 보조기기 센터, 교육기관, 장애인 단체, 지역의사회 등 관련기관의 기관장, 팀장, 담당자로 구성하되, 최초 협의체 구성기관은 5개 기관 이상이어야 한다.

(6) 지역자원과의 연계

① 지역장애인 보건의료센터와의 연계

- 대상자 : 재활욕구 및 보건의료관련 복합적 요구가 있어 사례회의를 진행하였으나 자체적 노력으로 해결이 어려운 최중증 집중관리대상자
- 사업내용 : 보건소는 지역장애인보건의료센터와 함께 최중증 집중관리대상자를 위한 사전 서비스 계획을 수립하며, 필요시 지역장애인보건의료센터는 문제해결을 위한 자원연계 및 기술 지원

② 자문 의료기관과의 연계

재활관련 대학이나 재활 병·의원을 자문기관으로 위촉하여 정기적인 자문을 받는다.

③ 전국 보조기기센터와의 연계

지지역사회재활 협의체(회) 구성 및 기능형재활팀으로 연계하여 팀접근 회의를 통한 대상자 발굴·연계를 실시한다. 연계내용은 다음과 같다.

- 대상자 발굴
- 보조기기 서비스 : 보조기기 개조·제작, 구매 전 체험, 보조기기 유지관리(점검, 수리, 세척)
- 보조기기 교육 : 이동보조기기 안전교육, 보조기기 사용/훈련 교육

④ 지역 내 기타 기관과의 연계

다양하고 전문적인 지역자원을 확보하고 '지역사회재활협의체'의 구성을 의무화하여 정기적인 협력회의를 개최하도록 한다.

- 행정기관 : 장애등록 및 장애인 복지관련 행정지원 의뢰
- 의료기관 : 전문 재활치료, 장애평가 및 재활훈련 의뢰
- 복지기관 : 사회재활프로그램, 후원 및 가정봉사의뢰
- 교육기관 : 장애아동 조기발견, 장애아동 교육

⑤ 자원봉사자 연계

장애인과 자원봉사자를 연계하여 지속적인 재활훈련이 가능하도록 함으로써 재활효과를 높이고, 지역주민과 장애인이 서로 돕는 과정을 통하여 사회통합을 촉진시키기 위함이며, 신체위생 및 재활훈련, 장애인 및 가족 정서지지, 가사 및 일상생활, 지역사회참여 활동 등을 지원한다.

(7) 교육

시·도, 보건소, 복지관, 재활의료기관 등의 지역사회 장애인 재활사업 실무자들이 장애인 재활사업을 효과적으로 수행할 수 있도록 지원하고, 수요자 중심의 전문분야별 교육을 제공하고 역량 강화 및 재활프로그램 개발·수행 능력을 향상시켜 장애인 삶의 질 향상에 기여하기 위하여 실시한다. 지역사회중심 재활교육에 대한 개요는 [표 9-18]과 같다.

표 9-18 지역사회중심 재활교육 개요

구분	실무기본과정	실무심화과정
교육목적	지역사회중심재활사업을 이해하고, 사업운영에 필요한 기본 지식 및 기술 습득	지역사회중심재활 관련 종사자 전문 역량강화 및 직무능력 향상 도모
교육대상	• 근무경력 18개월 이내 지역사회중심재활사업 관련 종사자	• 실무기본과정 이수자 중 – 지역사회중심재활사업 관련 종사자 – 각 전문분야별 면허(자격) 소지자
교육시기	2월~11월	
교육시간 및 내용	• 온라인 실시간 교육 : 1일 과정(5시간) – 지역사회중심재활사업의 이해 • 온라인 동영상 교육 : 5시간 – 장애인 건강권 교육	• 온라인 실시간 교육 : 1일 과정(5시간) – 장애인 건강관리 통합과정(장애유형별 건강관리) – 재활사업대상자 사례관리과정 • 온라인 동영상 교육 : 5시간 – 지역사회장애인 건강운동생활
운영주체	중앙장애인보건의료센터(국립재활원), 한국보건복지인재원	

〈 자료원 : 보건복지부(2022). 지역사회 통합건강증진사업 안내(지역사회중심 재활사업) 〉

(8) 멘토링 제도

멘토링 제도는 사업 수행능력, 협력체계가 우수한 보건소 등을 멘토 보건소로 선정하여 사업운영 및 우수사례 정보를 멘티 보건소와 공유하여 장애인 건강보건관리 서비스의 질적 수준 제고와 지역사회중심재활사업을 내실화하기 위한 제도이다.

3 재활간호사업팀의 역할

지역사회 재활간호사업에 참여하는 사업수행 인력은 지역사회간호사, 의사, 사회복지사, 작업치료사, 물리치료사 등의 재활팀으로 구성되며, 사업지원인력으로는 보건소장, 관련 행정요원을 들 수 있다. 이들은 정기적으로 재활간담회 등을 통해 역할을 분담하여 긴밀한 협조관계를 유지한다.

간호사는 1, 2, 3차 예방활동을 모두 할 수 있으나 지역사회 재활에서 간호사가 주로 담당하는 부분은 장애가 발생하기 전에 활동하는 1차 예방과 장애가 이미 발생한 사람들에 대한 3차 예방활동을 주로 담당하게 된다.

1차 예방은 주민들에게 장애에 대한 올바른 인식을 심어주고 장애발생의 원인이 될 수 있는 질환의 예방과 건강습관을 기르도록 유도하는 활동을 한다. 또한 장애인에 대해서는 건강에 대한 관심과 전문지식을 향상시켜서 건강이 향상되도록 한다. 장애예방은 그 범위가 매우 광범위한데 선천적 장애예방은 기존의 모자보건사업이나 건강증진사업으로 할 수 있으며 사고에 의한 장애예방에도 주의를 기울인다.

3차 예방은 다음과 같은 내용을 포함한다.

- 비전문인을 지역사회 재활요원으로 양성하고 관리한다.
- 손상 정도를 파악한다.
- 재가 장애인의 건강관리와 보건의료 재활서비스에 중점을 둔다.
- 장애인과 그 가족에게 정보를 제공하고 교육시킨다.
- 지역사회 장애인에 대한 문제해결능력을 향상시키는 프로그램을 개발한다.
- 재활치료기관과 협력하고 연계한다.
- 태도변화를 촉진한다.
- 사회통합을 촉진시킨다.
- 사회적, 심리적 적응을 위한 상담 등을 실시한다.

의사는 최소 1인을 확보하고 재가 장애인을 순회방문, 진단과 처방을 실시한다. 물리치료사는 물리치료를 담당하며 최소 1인을 확보한다. 또한 보건소 내 물리치료실 담당 외에 보건교육과 중증 재가 장애인을 방문하는 지역담당 물리치료사도 필요하다. 작업치료사는 상지기능 강화 및 일상생활 동작훈련을 담당한다. 사회복지사는 조정, 사례관리담당, 자원 연결의 역할을 담당한다. 기타 교육, 복지, 노동 등의 전문가 또한 필요하다.

제 10 장

환경보건 관리

COMMUNITY HEALTH NURSING

학·습·목·표

제1절 환경과 건강의 이해

1. 환경과 환경보건의 개념을 설명한다.
2. 환경영향평가와 건강영향평가에 대해 설명한다.
3. 환경보건 관련기관의 역할 및 법적규제를 설명한다.

제2절 환경이 건강에 미치는 영향

1. 대기와 건강의 관련성을 설명한다.
2. 물과 건강의 관련성을 설명한다.
3. 식품과 건강의 관련성을 설명한다.
4. 주거환경과 건강의 관련성을 설명한다.
5. 폐기물 처리와 건강의 관련성을 설명한다.
6. 토양과 건강의 관련성을 설명한다.
7. 방사능과 건강의 관련성을 설명한다.

제3절 환경보건과 간호사의 역할

1. 환경정의 실현을 설명한다.
2. 화학물질관리에 대해 설명한다.
3. 위험 의사소통을 설명한다.

제1절 + 환경과 건강의 이해

Keywords

- 환경보건
- 환경보건정책
- 환경보건종합계획
- 건강영향평가
- 환경영향평가
- 환경보건 관련법

1 환경의 개념

환경(environment)이란 인간을 둘러싸고 있는 모든 외부적인 요소로 직·간접으로 영향을 주는 자연적 조건이나 사회적 상황을 말한다.

이렇게 인간에게 영향을 미치는 환경의 개념에는 인간의 생존과 번식을 위해 필요한 상태, 혹은 그러한 상태로의 변화에 필요한 선택에 영향을 미치는 모든 요인들이 포함될 수 있다. 인간은 기본적으로 자신을 둘러싼 환경을 탐색하고 경험함으로써 환경을 인식하게 되며, 점차 환경은 인식 가능한 모든 차이와 변화를 일컫는 개념을 포괄하게 되었다. 인간을 둘러싸고 있는 자연적 환경과 인간 스스로가 사회적 환경 속에서 살아가고 있다. 자연적 환경에는 기후, 공기, 토지, 물, 빛, 소리 등의 물리·화학적 환경과 동물, 식물, 위생해충 및 위생곤충, 병원미생물 등의 생물학적 환경이 있다. 사회적 환경에는 의복, 식품, 주택, 산업시설 등의 인위적 환경과 사회, 문화, 정치, 경제, 종교, 예술, 교육 등의 좁은 의미의 문화적 환경이 있다.

우리나라의 「환경정책기본법」 제3조에서는 환경을 자연환경과 생활환경으로 정의하고 있다. 자연환경(natural environment)이란 지하·지표(해양을 포함) 및 지상의 모든 생물과 이들을 둘러싸고 있는 비생물적인 것을 포함한 자연의 상태(생태계 및 자연경관을 포함)를 말한다. 그리고 생활환경(living environment)이란 대기, 물, 토양, 폐기물, 소음·진동, 악취, 일조(日照), 인공조명, 화학물질 등 사람의 일상생활과 관계되는 환경을 말한다.

환경오염(environmental pollution)이란 사업활동 및 기타 사람의 활동에 의하여 발생하는 대기오염, 수질오염, 토양오염, 방사능오염, 소음·진동, 악취, 일조방해, 인공조명에 의한 빛 공해 등으로서 사람의 건강이나 환경에 피해를 주는 상태를 말한다.

환경보건 및 오염 등과 관련된 지역이기주의현상은 자기 지역의 이익만을 고집하는 현상으로 대표하는 용어에는 님비현상, 핌피현상, 바나나현상, 임피현상 등이 있다. 님비현상(Not in my back yard; NIMBY)은 자신이 거주하는 지역주변에 산업폐기물 또는 핵폐기물 처리시설 등의 환경시설이나 장애인수용시설 등 특수한 시설의 설치를 반대하는 행위를 말한다. 반대되는 의미인 핌피현상(Please In My Frond Yard; PIMFY)은 주로 그 지역에 이익이 되는 시설들을 자신의 지역에 끌어오려고 하는 것을 뜻한다. 바나나현상(Build Absolutely Nothing Anywhere Near Anybody; BANANA)은 님비현상의 한층 더 심화된 것으로 유해시설 설치 자체를 반대하는 현상을 말한다. 임피현상(In My Front Yard; IMPY)은 자기 지역에 이득이 되는 시설을 유치하거나 관할권을 차지하려는 현상을 말한다.

1) 환경보건의 개념

환경보건은 공중보건학의 한 분야로 인간과 환경과의 상호 관계 및 생물체와 물질 및 물리화학적 상태를 다룬다. 세계보건기구(WHO)는 환경보건을 '인체의 신체발육, 건강 및 생존에 유해한 영향을 미치거나 미칠 가능성이 있는 물리적 환경의 모든 요소를 통제하는 것이다' 라고 정의하고 있다.

우리나라에서는 환경보건을 「환경보건법」 제2조 환경오염과 유해화학물질 등(환경유해인자)이 사람의 건강과 생태계에 미치는 영향을 조사·평가하고 이를 예방·관리하는 것을 말한다(환경보건법 제2조).

환경보건은 환경오염 등 환경요인으로 인한 국민건강과 생태계의 영향과 피해를 조사·규명·감시함으로써 국민의 건강위협을 사전에 예방하고, 이를 줄이기 위한 대책을 강구함으로써 국민건강과 생태계의 건전성을 보호·유지함을 목적으로 한다. 환경보건의 범위는 매우 넓은데, WHO/Europe에서는 화학물질들, 방사선 생물학적인 제제들의 병리적인 영향이 직·간접적으로 건강에 미치는 것과 넓은 의미의 물리적, 정신적, 사회적 및 심미적 환경의 안녕을 포함한다.

환경문제는 한 국가의 문제가 아니라 국제적인 문제로 대두되고 있다. 지구 환경 문제 해결을 위한 주요 국제 환경 협약은 환경을 보호하기 위해 체결되는 양자 간 국제협약이고 현재 170여 개의 국제환경협약이 체결되어 있다. 환경보전을 위한 국제협력과정과 개최시기 및 주요내용은 다음과 같다.

- 람사르협약(1971년) : 물새 서식지로서 국제적으로 중요한 습지보호를 위한 조약
- 런던협약(1972년) : 폐기물이나 다른 물질의 투기를 규제하는 해양오염 방지조약
- 비엔나협약(1985년) : 오존층 파괴로부터 인간의 건강과 환경을 보호하기 위한 오존층 파괴물질 규제
- 몬트리올 의정서(1987년) : 오존층 파괴물질인 염화불화탄소(CFCs)의 생산과 사용을 규제하려는 목적에서 제정
- 바젤협약(1989년) : 국제적으로 문제가 되는 유해폐기물의 수출입과 그 처리를 규제하는 협약
- 사막화 방지협약(1994년) : 심각한 가뭄 및 사막화의 영향을 받는 국가 간 사막화 방지 강조
- 교토의정서(1997년) : 기후변화 방지협약에 따른 온실가스 감축목표에 관한 의정서로 선진국의 온실가스 감축에 관한 세부내용 규정
- 나고야 의정서(2010년) : 생물학적 유전자원의 접근 및 이익 공유에 대한 국제적인 강제이행사항을 규정하고 있는 의정서
- 도하 기후변화협약(2012년) : 지구온난화를 규제·방지하기 위한협약, 교토의정서 합의내용을 2020년까지 8년간 연장합의
- 파리 기후변화협약(2015년) : 기후변화에 대응하기 위한 전 지구적 차원의 신기후 체제 출범, 지구온난화를 막기 위해 선진국과 개발도상국 구분 없이 모든 국가에 대한 온실가스 감축 의무를 부과

2) 환경보건정책

환경보건정책이란 사전예방원칙에 입각해 이미 조성된 환경이 사람의 건강과 생태계의 건전성에 미치는 영향을 분석하여 전통적 환경정책에 반영하는 한편, 환경오염으로 인한 건강피해를 예방·관리하는 정책을 말한다. 환경부는 2008년에 「환경보건법」을 제정하였고, 2009년에 환경부에 환경보건정책관실을 신설하여 환경보건정책을 본격적으로 추진해오고 있다. 1차 환경보건종합계획(2011～2020), 제2차 환경보건종합계획

(2021～2030)이 새롭게 수립되었다. 환경보건종합계획은 「환경보건법」 제6조 제1항에 근거하여 10년마다 수립되는 법정계획으로, 환경보건정책의 목표와 실천 방향을 제시하는 국가 기본계획이다. 환경보건종합계획은 환경보건에 관한 중앙행정기관 및 지자체 정책 수립의 원칙과 기본방향, 다양한 환경매체별 계획을 수용체 지향 관점 기반으로 통합·조정·선도하는 가이드라인, 환경유해인자로 인한 국민 건강피해를 예방하기 위한 정책을 제시함으로써 환경정책과 보건정책 사이의 사각지대를 해소하는 역할을 담당하고 있다[표 10-1].

표 10-1 제2차 환경보건종합계획의 핵심 정책 방향

<table>
<tr><th>구 분</th><th>시사점</th><th>개선 필요사항</th><th>정책 방향</th></tr>
<tr><td>제1차
종합 계획 평가</td><td>• 취약지역·집단 실질적 문제 개선 미흡
• 연구 위주 사업으로 국민 체감 부족
• 중앙정부 위주의 환경보건정책 추진
• 환경보건 전담기구 및 시스템 부족</td><td rowspan="3">• 사람－물질－지역 단위의 사전감시 체계 구축
• 기후변화, 감염병 확산 등 여건 변화에 따른 전방위적·유기적 관리 필요
• 주요 환경유해인자에 대한 지역별·인구집단별 맞춤형 관리 필요
• 건강영향평가 강화로 오염 배출 저감
• 국민체감형 환경보건서비스 제공
• 환경보건 위기관리 대응체계 마련
• 건강피해구제 대상 및 지원내용 확대
• 환경오염피해에 대한 실질적 복구 시스템 구축
• 환경보건 기반·인력 강화
• 지역 중심의 환경보건정책 강화</td><td rowspan="3">• 환경유해인자 능동적 감사
• 환경유해인자 인체노출 최소화
• 건강피해 발생시 신속한 피해구제 및 복구
• 지역중심의 환경보건 기반 구축</td></tr>
<tr><td>국내 환경보건
현황</td><td>• 지역별 상이한 환경오염 문제
• 생활환경 문제 국민민원 증가
• 환경성질환 환자 수 증가</td></tr>
<tr><td>미래 전망</td><td>• 저출산·고령화로 인한 노인과 어린이 건강 관심 증가 전망
• 기후변화 가속화에 따른 온열질환 증가 전망
• 경제양극화에 따른 사회적 취약계층 증가 전망
• 기술 혁신에 따른 신규유해물질 증가 전망</td></tr>
</table>

〈 자료원 : 이종태(2021). 환경보건종합계획을 통해 살펴본 환경보건정책. 지난 10년과 향후 10년 〉

(1) 국가환경종합계획

환경부는 제5차 국가환경종합계획에서 3대 목표를 설정하고, 이를 달성하기 위한 분야별 7대 핵심전략을 제시하였다.

국가환경종합계획은 분야별 환경계획에 방향성을 제시하고, 환경관련정책과 각 지자체의 환경보전 계획을 선도하는 환경분야 최상위 법정계획이다.

1987년 처음으로 국가단위의 종합환경계획인 「환경보전장기종합계획(1987～2001)」을 수립하여 본격적인 환경개선 노력에 착수하였으며, 제2차(1996～2005년), 제3차(2006～2015년), 제4차(2016～2035년)에서 2019년 12월 제5차 국가환경종합계획이 수립되었다.

제5차 국가환경종합계획(2020～2040)은 국가 환경관리를 위한 이상과 장기 전략을 담고 있으며, 소통, 연계, 전환, 공간 등 네 가지 측면에서 이전 계획과 차별화 하였다. 3대 목표는 자연생명력이 넘치는 녹색환경, 삶의 질을 높이는 행복환경, 경제·사회 시스템을 전환하는 스마트환경을 설정하였고, 이를 달성하기 위한 분야별 7대 핵심전략을 제시하였다. 제5차 국가환경종합계획 비전 체계도는 다음과 같다[그림 10-1].

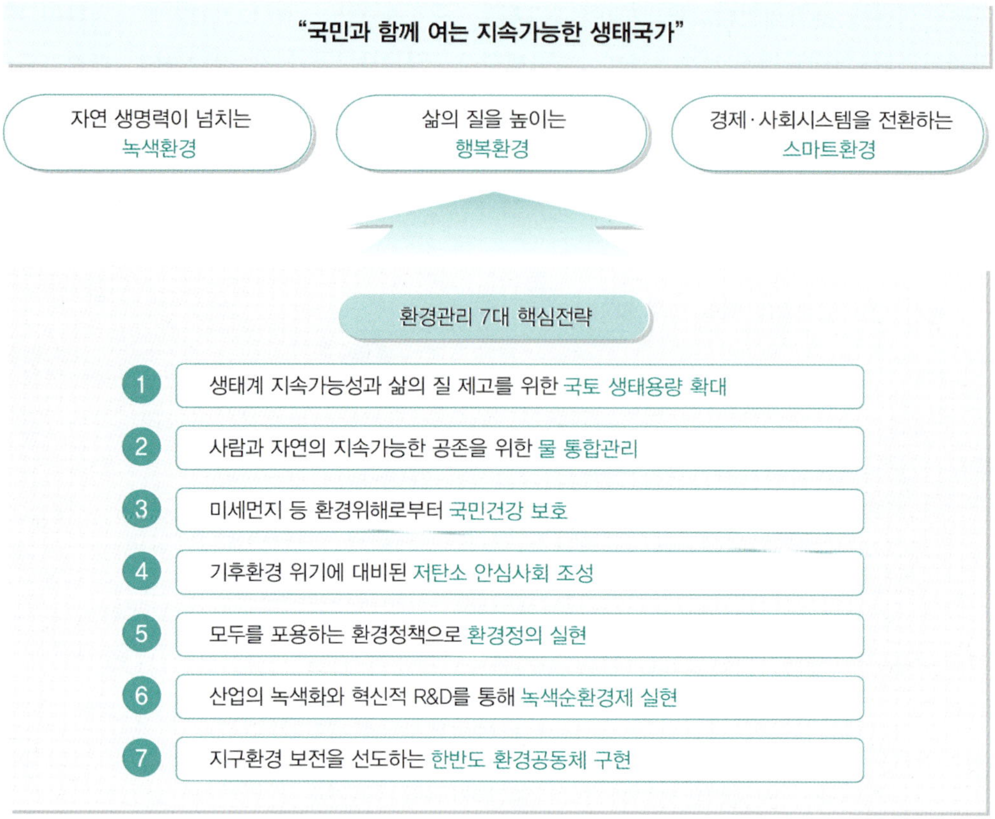

〈 자료원 : 환경부(2022). 제5차 국가환경종합계획 2020-2040 〉

그림 10-1 제5차 국가환경종합계획 비전 체계도

2 환경영향평가와 건강영향평가

현대 산업사회로 들어서면서 급속한 공업화의 진전, 인구의 폭발적인 증가 및 거대도시화 현상으로 인하여 일정 지역의 자정능력을 초과하는 과다한 오염물질이 배출됨에 따라 환경오염이 관리 또는 해결되어야 할 하나의 사회문제로 대두하게 되었다.

특히 환경은 일단 한번 훼손되면 원상으로의 회복이 거의 불가능하며, 그 복구가 가능한 경우에도 상당한 경제적 비용 및 시간 등을 필요로 한다는 인식이 확산됨에 따라 오염물질을 제거하는 사후 관리적 수단보다는 오염물질의 발생을 사전에 예방하는 사전 관리적 수단의 중요성이 부각되었다. 환경영향평가는 이러한 환경오염 사전예방 수단으로서 사업계획을 수립·시행함에 있어서 해당사업의 경제성·기술성뿐만 아니라 환경성까지도 종합적으로 고려하여 환경적으로 건전한 사업계획안을 모색하는 과정이자 기법이라고 할 수 있다.

즉 과거에는 개발사업계획의 결정시 사업의 경제성, 기술성에 주안점을 두었으나, 산업사회의 진전에 따른 개발사업의 시행으로 환경오염이 점차 심화되자 경제성, 기술성 외에 환경보전을 주요 인자로 하여 사업계획의 합목적성을 평가하여야 한다는 견해가 대두되었고 이에 따라 환경영향평가제도가 생기게 되었다.

따라서 환경영향평가란 사업 시행 전 미리 환경보전 측면에서 충분한 고려가 이루어지도록 함으로써 환경오염을 사전에 예방하는 데 그 의의가 있다.

1) 환경영향평가(Environmental Impact Assessment, EIA)

(1) 환경영향평가의 의미

환경영향평가제도는 자연생태계의 파괴와 환경오염문제가 갈수록 심각해짐에 따라 오염물질의 처리 등 사후대책만으로는 환경문제에 대한 근본적인 해결이 어렵다는 인식하에 각종 개발계획의 추진단계에서 환경적인 측면을 미리 고려하기 위한 사전 예방적 정책수단으로 도입되었다. 「환경영향평가법」 제2조에 의하면 '환경영향평가(Environmental Impact Assessment, EIA)'란 환경에 영향을 미치는 실시계획·시행계획 등의 허가·인가·승인·면허 또는 결정 등을 할 때에 해당 사업이 환경에 미치는 영향을 미리 조사·예측·평가하여 해로운 환경영향을 피하거나 제거 또는 감소시킬 수 있는 방안을 마련하는 것이다. 따라서 환경영향평가는 환경에 중대한 영향을 미치게 될 계획 등에 대한 환경영향을 미리 검토 분석하고 평가하여 개발과 보존적 차원에서 그 부정적 영향을 제거하거나 감소시킬 수 있는 방법을 모색하는 제도이다. 또한 어떤 지역에서 개발사업을 시행할 경우 사업의 결과가 환경에 미치게 될 영향을 미리 예측·평가하고 그 대처방안을 마련해 환경오염을 사전에 예방하는 것을 말한다.

(2) 우리나라에서의 제도 도입과 변천

환경영향평가제도는 1977년 제정된 「환경보전법」 제5조(사전협의)에 행정기관이 시행하는 도시개발, 산업입지의 조성, 에너지개발 등에 대한 협의근거를 마련함으로써 처음 도입되었으나 평가서 작성방법 등에 대한 하위규정이 마련되지 않아 실시되지 못하였다.

1981년 2월 '환경영향평가서 작성에 관한 규정'이 제정·고시됨에 따라 본격적으로 실시되었으며, 이후 「환경보전법」의 개정을 통해 대상사업을 확대하면서 행정기관뿐만 아니라 정부투자기관 등 공공기관 및 민간이 시행하는 사업까지 포함되었다. 그러나 환경정책의 기본방향을 정하고 있는 「환경정책기본법」에서 환경영향평가 대상 사업의 범위, 시기, 협의절차 등 구체적·집행적 사항까지 정해야 하는 등 입법상의 문제와 제도운영상 나타난 문제점을 개선하기 위하여 1993년 6월 단일법으로서 「환경영향평가법」을 제정하였다. 이 법의 제정으로 평가대상사업이 16개 분야 59개 사업으로 확대되고, 주민의견수렴을 위한 설명회 또는 공청회를 의무적으로 실시토록 하는 한편, 평가서 협의요청 및 사후 관리를 사업승인기관이 담당하도록 하였다.

한편 지방자치제도의 실시, OECD 가입 등 환경영향평가를 둘러싼 국내외 여건 변화에 대응하기 위하여 1997년 3월 7일 「환경영향평가법」을 개정하여 시·도 조례로 환경영향평가를 실시할 수 있도록 함으로써 평가대상을 확대하였으며 현재 여러 시·도에서 환경영향평가조례를 제정하여 평가를 실시하고 있다.

2003년 12월 「환경·교통·재해 등에 관한 영향평가법」을 개정하여 평가서를 작성하기 전에 평가대상사업 및 지역의 특성에 따라 평가항목·범위를 미리 결정하여 평가서를 작성하도록 하는 스코핑(Scoping)제도를 도입하였다. 사업자가 환경영향평가서 작성에 관한 대행계약을 체결하는 경우 설계 등 다른 계약과 분리하여 별도로 계약을 체결하도록 하였다.

또한, 2009년 1월 「환경영향평가법」을 개정하여 교통·재해·인구영향평가 제도를 분리하고 환경영향평가 제도만을 규정함으로써 환경·교통·재해·인구영향평가 등 성격이 서로 다른 평가제도 통합·운영에 따른 평가제도 상호 간의 중복과 각종 영향평가서 작성에 과다한 시간·비용·인력이 소요되는 등의 문제점을 개선하였다. 환경영향평가의 협의 및 이행과정의 관리를 강화하기 위하여 평가서에 대한 검토와 사후관리 등에 관한 규정을 보완하였다.

그동안 동일목적의 환경평가제도인 사전환경성제도와 환경영향평가의 일원화 요구에 따라 「통합 환경영향평가법」 개정을 위한 용역을 토대로 법안을 마련하고, 2008년 국회제출을 거쳐 비로소 2011년 7월 21일 「통합 환경영향평가법」이 공포되어 2012년 7월 22일부터 시행하게 되었다.

2016년 「환경영향평가법」 및 하위규정 개정에서 전략환경평가 대상계획, 환경평가대상사업 등이 협의완료 후 취소·실효되거나 승인 등이 지연중인 경우 일정조건(협의 의견 통보 후 5년 이내)을 만족하면 재협의 절차를 생략할 수 있도록 하여 행정적·경제적 비용을 절감할 수 있도록 하였다. 또한 환경영향평가서에 대한 보완 요구횟수를 2회로 제한함으로써 환경영향평가 협의기간의 예측성을 제고하였다. 중요한 사항이 누락되는 등 환경영향평가서가 적정하게 작성되지 아니하여 협의를 진행할 수 없다고 판단되는 경우에는 환경영향평가서를 반려할 수 있도록 하였다.

2017년에는 주민의견 수렴절차에 흠이 있을 경우 주민의견을 재수렴토록 하고 거짓, 평가서 반려·재평가·재대행에 대한 발주청 승인제도 도입 등 사업자 책임을 강화하였다. 또한 원상복구 명령 및 과징금 부과제도 신설 과태료 상향 위반행위 공표 제도를 신설하는 등으로 이행 강제력를 강화하는 조치를 하였다.

2018년에는 사후환경영향조사서 검토결과 공개 공사착공 통보 내용 공개 등, 사후관리의 투명성을 제고하고 환경부장관이 구성·운영하는 환경영향평가협의회에 환경영향평가서의 거짓·부실 작성 여부를 검토하는 전문위원회를 두어 환경영향평가서에 대한 검증 체계를 강화하였다.

2019년에는 환경영향평가서 검토기관을 기존 한국환경정책·평가연구원(KEI)에서 한국환경공단, 국립생태원 등 특정분야 전문기관으로 확대하여 평가의 전문성을 제고하고, 협의기준에 소음·진동 관리기준을 추가하여 정주생활환경 개선의 토대를 마련하였다.

2020년에는 환경훼손이나 자연생태계의 변화가 현저하게 될 우려 등이 있는 경우 환경영향평가 대상사업의 규모·내용·시행시기 등 재검토를 통보할 수 있는 근거를 마련하여 환경영향평가제도의 실효성을 제고하였다.

2021년에는 환경영향평가의 투명성을 확보하고 지역주민의 알권리를 강화하기 위하여 주민 등의 의견 수렴 결과 및 반영 여부의 공개시기를 사업계획 확정이전에서 환경영향평가 협의요청으로 앞당겼다[그림 10-2].

(3) 환경영향평가의 주요 내용

① 환경영향평가의 종류

환경영향평가란 「환경영향평가법」에 근거해 국토의 전지역이나 일부 지역의 개발 및 보전 등에 관해 환경측면에서 검토를 선행하기 위한 것으로서 규모 및 대상에 따라 소규모환경영향평가, 전략환경영향평가, 환경영향평가로 세분화 되어 있다. 소규모환경영향평가는 환경보전이 필요한 지역이나 난개발이 우려되어 계획적 개발이 필요한 지역에서 개발 사업을 시행할 때에 입지의 타당성과 환경에 미치는 영향을 미리 조사·예측·평가하여 환경보전방안을 마련하는 것을 말한다. 전략환경영향평가는 「환경영향평가법」에 의한 환경에 영향을 미치는 상위계획을 수립할 때에 환경보전계획과의 부합여부 확인 및 대안의 설정 및 분석을 통하여 환경적 측면에서 해당 계획의 적정성 및 입지의 타당성 등을 검토하여 국토의 지속가능한 발전을 도모하는 것을 말한다. 환경영향평가는 환경에 영향을 미치는 실시계획, 시행계획 등의 허가·승인·면허 또는 결정 등을 할 때에 해당 사업이 환경에 미치는 영향을 미리 조사·예측·평가하여 해로운 환경 영향을 피하거나 제거 또는 감소시킬 수 있는 방안을 마련하는 것이다.

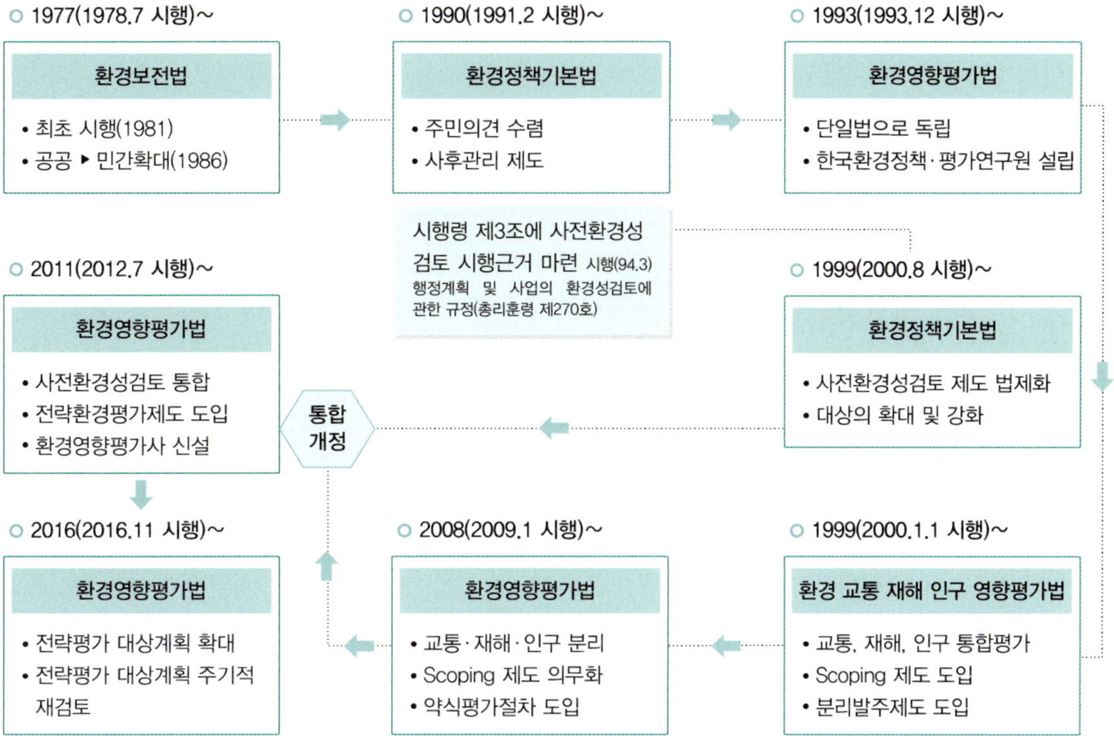

〈 자료원 : 환경부(2022). 2021 환경백서 〉

그림 10-2 환경영향평가 제도 변천

② 환경영향평가 대상사업

환경영향평가는 계획의 수립이나 사업의 시행으로 영향을 받게 되는 지역으로서 환경영향을 과학적으로 예측·분석한 자료에 따라 그 범위가 설정된 지역에 대하여 실시하여야 한다. 환경영향평가 대상사업은 1977년 12월 제정된 「환경보전법」에서는 행정기관이 시행하는 사업에 국한되었으나, 1986년 법률 개정 시 민간개발사업을 평가대상사업에 포함하였으며, 이후 대상사업이 지속적으로 확대되어 현재 17개 분야 78개 사업에 이르고 있다. 「환경영향평가법」에 따른 환경영향평가의 대상은 다음과 같다.

환경영향평가법 제22조

1. 도시의 개발사업
2. 산업입지 및 산업단지의 조성사업
3. 에너지 개발사업
4. 항만의 건설사업
5. 도로의 건설사업
6. 수자원의 개발사업
7. 철도(도시철도를 포함한다)의 건설사업
8. 공항의 건설사업
9. 하천의 이용 및 개발 사업
10. 개간 및 공유수면의 매립사업
11. 관광단지의 개발사업
12. 산지의 개발사업
13. 특정 지역의 개발사업
14. 체육시설의 설치사업
15. 폐기물 처리시설의 설치사업
16. 국방·군사 시설의 설치사업
17. 토석·모래·자갈·광물 등의 채취사업
18. 환경에 영향을 미치는 시설로서 대통령령으로 정하는 시설의 설치사업

③ 환경영향평가 항목

환경영향평가는 계획의 수립이나 사업의 시행으로 영향을 받게 될 자연환경, 생활환경, 사회·경제환경 등의 분야에 대하여 실시하여야 한다. 환경영향평가분야의 세부 평가항목 및 평가방법 등은 대통령령으로 정한다. 환경영향평가의 항목이란 대상사업의 시행으로 영향을 받게 되는 환경인자를 말한다. 대기환경분야(기상, 대기질, 악취, 온실가스), 물환경분야(수질, 수리·수문, 해양환경), 토지환경분야(토지이용, 토양, 지형·지질), 자연생태환경분야(동·식물상, 자연환경자산), 생활환경분야(친환경적 자원순환, 소음·진동, 위락·경관, 위생·공중보건, 전파장애, 일조장애), 사회·경제환경분야(인구, 주거, 산업)등 6개 분야 21개 항목으로 구성되어 있다.

④ 환경영향평가서의 작성

환경영향평가서의 작성주체는 개발사업의 시행주체인 사업자이며, 평가항목의 선정에 관한 사항, 평가항목별 작성방법과 기타 평가서 작성에 필요한 사항은 '환경영향평가서 작성 등에 관한 규정'에서 정하고 있으며, 2012년 7월부터 시행중인 「통합환경영향평가법」에 따라 작성규정 고시의 제정을 추진 중에 있다.

전문적인 환경영향평가서를 사업자가 작성할 수 없는 경우에 환경영향평가업체로 하여금 작성을 대행할 수 있도록 법제화 하여 2011년 기준 343개의 평가업체가 등록·운영 중이다. 2011년 7월 법 개정을 통해 평가업종을 1, 2종으로 세분화하여(자연생태조사업 신설) 자연생태분야의 전문조사체계를 마련하였으며, '환경영향평가사 제도'를 신설하여 2020년까지 인력을 확보토록 하는 등 환경영향평가업체에 대한 제도개선을 통해 평가서 신뢰제고 기반을 마련하였다.

⑤ 환경영향평가 협의 및 검토

사업자가 평가서를 작성하여 해당사업의 승인기관에 제출하면 승인기관의 장은 평가서를 사전 검토한 후 환경부장관에게 협의를 요청하게 된다. 협의기관장은 평가서의 검토를 위하여 한국환경정책·평가연구원 등 전문기관 및 전문가에게 검토를 의뢰하고 항만건설사업 등 해양에 영향을 미치는 사업에 대하여는 해양수산부장관의 의견을 듣도록 하고 있다.

협의기관장은 전문가 등의 의견 취합, 평가서 내용의 수정·보완을 거쳐 협의내용을 결정하여 그 결과를 해당사업의 승인기관 장에게 통보하게 된다.

환경영향평가 협의절차는 [표 10-2]와 같다.

2) 건강영향평가(Health Impact Assessment; HIA)

경제성장으로 인한 국민의 삶의 질이 높아짐에 따라 쾌적하고 좋은 환경에서 건강한 삶을 영위하고 싶은 사람들의 소망이 점차 증대하고 있다. 최근에는 환경문제로 인한 건강영향에 대한 사회적 관심이 증가하고 특히 각종 개발사업으로 인한 환경분쟁 및 건강피해에 대한 우려가 지속적으로 제기되고 있다. 이러한 사회적 변화에 발맞추어 기존 환경영향평가제도를 보완하여 개발사업 시행 전에 물리적 환경영향 이외에 인체건강에 대한 영향까지 평가하는 건강영향평가제도의 국내 도입을 추진하였다.

표 10-2 환경영향평가 등 절차도 및 협의 현황

단 계	절 차	협의현황
<협의단계> • **정책계획**(지침적 성격의 계획) 또는 **개발기본계획**(실시설계의 기본이 되는 계획) **수립전** * 시행령 별표 2에 평가대상계획종류 및 협의요청시기 명시 **<협의내용>** • 환경에 미치는 상위계획을 수립할 때에 환경보전계획과의 부합여부 등	전략환경영향평가 ↓ 평가협의회 구성·운영 (평가항목·범위결정) ↓ (정책계획) → 평가서 작성·협의 ↓ (개발기본계획) 주민 등 의견수렴 (설명회, 공청회) | 초안 협의 ↓ 평가서 초안 작성 (공고·공람) ↓ 평가서 작성·협의 ↓	• 매년 약 700여건 협의
<협의단계> • 실시설계 또는 승인·인허가 전 단계 * 시행령 별표 3에 평가대상사업종류, 범위 및 협의요청시기 명시 **<협의내용>** • 개발사업에 따른 환경영향 예측·평가 및 저감방안의 적정성	환경영향평가 ↓ 평가협의회 구성·운영 (평가항목·범위결정) ↓ 주민 등 의견수렴 (설명회, 공청회) | 초안 협의 ↓ 평가서 초안 작성 (공고·공람) ↓ 평가서 작성·협의 ↓ 협의내용 관리	• 매년 약 150여건 협의

〈 자료원 : 환경부(2022). 2021 환경백서 〉

(1) 건강영향평가의 개념

건강영향평가(Health Impact Assessment; HIA)는 정책(policy), 계획(plan), 프로그램(program) 및 프로젝트(project)가 인체 건강에 미치는 영향과 그 분포를 파악하는 도구, 절차, 방법 또는 그 조합이라고 정의한다.

이 결과에 근거하여 정책이나 프로그램이 건강증진 또는 건강 지향적으로 추진될 수 있는 조치를 개발하는 광범위한 사업이다.

건강영향평가의 목적은 대상사업의 시행이 야기하는 건강결정요인의 변화로 인해 특정 인구집단의 건강에 미치는 잠재적 영향을 확인하며, 인체건강에 미치는 긍정적인 영향은 최대화하고 부정적 영향과 건강불평등을 최소화하여 사업계획을 조정하거나 대책을 마련하도록 의사결정권자에게 정보를 제공하기 위함이다.

건강영향평가는 환경영향평가의 발달과 함께 생겨난 개념으로 볼 수 있는데, 이런 태생적 이유로 주로 환경영향평가의 대상이 되는 개발 사업이나 교통정책을 중심으로 이루어져 왔다. 따라서 자연스럽게 환경보건 분야의 연구와 일정 부분 공유하는 내용이 인정되었으며, 이 부분은 건강영향평가의 발전 과정에서 핵심적인 도구로서 작용하였다고도 할 수 있다.

(2) 건강영향평가의 유형

건강영향평가의 유형은 분류기준에 따라 매우 다양하게 나타날 수 있다. 전 세계적으로 시행되고 있는 건강영향평가를 살펴보면, 건강영향평가를 실시하는 대상에 따라 정책(policy)에 대해 실시하는 건강영향평가와 사업(project)에 대해 실시하는 건강영향평가로 구분한다. 또는 검토하는 건강영향의 범위에 따라 좁은 의미의 건강 개념으로부터 사회·경제적인 건강결정인자를 검토하는 포괄적인 의미에 따라 구분하기도 한다. 그리고 대상 사업이나 정책으로 인해 발생하는 잠재적인 건강영향을 예측하고 분석하기 위해 사용하는 방법론에 따라 양적 조사방법론 혹은 질적 조사방법론으로 구분하기도 한다. 건강영향평가의 구속력에 따라 법적규제력을 갖거나 자발적 혹은 권장 수준에서 실행되며, 건강영향의 분석 수준에 따라 간이평가(rapid), 중위평가(intermediate), 종합평가(comprehensive)로 구분할 수 있다.

(3) 우리나라의 건강영향평가

우리나라의 건강영향평가에 대해서 살펴보면, 우선 2006년에는 산업단지조성, 폐기물치리시설의 설치사업 등 사업유형별로 건강영향을 평가할 수 있는 평가기법 개발과 건강영향평가에 필요한 기초자료 DB 구축사업을 추진하였다. 2007년에는 도로건설, 발전소, 2008년에는 도시개발사업 등 건강영향이 우려되는 각종 개발사업들에 대하여 단계적으로 평가서 작성 시범사업을 추진하였다.

하지만 우리나라에서는 「환경보건법」에 의해 환경영향평가의 일환으로 실시되고 있는 건강영향평가의 경우, 법제화가 이루어져 대규모의 개발 사업에 적용되고 있으나, 여기에서는 평가대상으로 하는 건강결정요인을 소음, 진동, 대기, 토양, 수질 등에 국한하고 있어 건강영향평가 본래의 취지를 살리는 데에는 한계가 있다.

이에 한국보건사회연구원에서는 2008년 이후 시범사업으로서 중앙 및 지자체 정책이나 프로그램, 프로젝트 등을 대상으로 사전에 정책 등의 대상자들에게 미칠 건강영향을 파악하여 대안을 제시하는 건강영향평가 사업을 수행하고 있다.

2009년에는 건강영향평가지침 마련 및 평가서 작성 시범사업에 산업단지, 매립장을 추가하였으며, 2010년부터 「환경보건법」에 따라 건강영향평가제도를 도입하여 대규모 개발사업을 대상으로 본격적으로 시행하고 있다.

2013년에는 3년간 운영한 건강영향평가제도의 운영실적 분석 및 한계점 도출 등을 통해 건강영향평가 활성화방안을 마련하였다. 2014년에는 이를 이행하기 위한 배경농도 초과지역 건강영향평가 강화, 위해도 정보 서비스 방안 마련 등 건강영향평가제도 내실화 실행연구를 추진하였으며, 2015년에는 그간 도출된 문제점에 대한 개선방안 마련하여 매뉴얼을 개정하였다. 2017년부터 2019년까지 위해도 초과 사업에 대한 저감방안 마련, 민감계층 이용시설 유무 등 사회적 요인을 우선적으로 고려할 수 있는 기법 개발 연구를 통해 제도의 실효성 확보를 위해 노력하였으며 2020년에는 「환경보건법 시행령」을 개정하여 건강영향 항목의 평가 대상사업에 개발면적 15만제곱미터 이상의 도시첨단산업단지를 추가하였다.

2021년에는 산업단지에 대한 '정성적 평가방법인 계획 적정성 평가'를 마련하여 정량평가인 위해도 평가를 보완한 건강영향 항목의 평가 매뉴얼을 개정·배포 하였고, 기협의 사업장 중 현재 개발이 완료된 일부 사업에 대해 사후검토를 실시하여 건강영향 항목의 평가제도로 인한 실효성을 검증할 계획이다[표 10-3].

표 10-3 건강영향평가 대상사업

구 분	대상사업의 범위
1. 산업입지 및 산업 단지의 조성	가. 「산업입지 및 개발에 관한 법률」 제2조 제8호가목부터 다목까지에 따른 국가산업단지, 일반산업단지 또는 도시첨단산업단지 개발사업으로서 개발면적이 15만제곱미터 이상인 사업
	나. 「산업집적활성화 및 공장설립에 관한 법률」 제2조 제1호에 따른 공장의 설립사업으로서 조성면적이 15만제곱미터 이상인 사업. 다만, 가목에 해당하여 법 제13조에 따른 협의를 한 공장용지에 공장을 설립하는 경우는 제외한다.
2. 에너지개발	가. 「전원개발 촉진법」 제2조 제2호에 따른 전원개발사업 중 발전시설용량이 1만킬로와트 이상인 화력발전소의 설치사업
	나. 「전기사업법」 제2조 제1호에 따른 전기사업 중 발전시설용량이 1만킬로와트 이상인 화력발전소의 설치사업
3. 폐기물처리시설, 분뇨처리시설 및 가축분뇨처리시설의 설치	가. 「폐기물관리법」 제2조 제8호에 따른 폐기물처리시설 중 다음의 어느 하나에 해당하는 시설의 설치 사업 1) 최종처분시설 중 폐기물매립시설의 조성면적이 30만제곱미터 이상이거나 매립용적이 330만세제곱미터 이상인 매립시설 2) 최종처분시설 중 지정폐기물 처리시설의 조성면적이 5만제곱미터 이상이거나 매립용적이 25만세제곱미터 이상인 매립시설 3) 중간처분시설 중 처리능력이 1일 100톤 이상인 소각시설
	나. 「가축분뇨의 관리 및 이용에 관한 법률」 제2조 제8호 또는 제9호에 따른 처리시설 또는 공공처리시설로서 처리용량이 1일 100킬로리터 이상인 시설의 설치사업. 다만, 「하수도법」 제2조 제9호에 따른 공공하수처리시설로 분뇨 또는 가축분뇨를 유입시켜 처리하는 처리시설은 제외한다.

〈 자료원 : 환경부(2022). 2021 환경백서 〉

3 환경보건 관련기관의 역할 및 법적규제

1) 환경보건 관련기관의 역할

(1) 중앙행정기관

우리나라의 환경부는 환경보전의 주무부처이며, 2009년 2월부터 조직의 간소화 및 운영의 효율화를 위해 2실 3국으로 조직되어 운영하고 있다.

환경업무는 복잡다양하고 그 범위가 매우 광범위한 관계로 환경부 단독으로 모든 환경업무를 수행할 수 없다. 환경정책을 총괄하는 환경부 외에도 국토해양부 등 여러 부처가 직·간접적으로 일부 환경업무를 수행하고 있다. 대표적인 경우로는 우리나라 국토의 대부분을 차지하고 생태계의 핵심인 산림을 관리하는 산림청, 환경문제와 분리될 수 없는 국토이용계획, 수량관리 및 하천관리, 대기오염과 밀접한 관련이 있는 교통정책, 해양오염 등을 담당하는 국토해양부, 대기오염문제와 관련되는 에너지 수급정책, 오염물질을 배출하는 산업체에 대한 육성과 관리정책을 담당하는 지식경제부 등이 있다.

(2) 지방행정기관

환경행정업무와 기능은 중앙과 지방 간에 분리·수행되고 있다. 즉 환경부는 환경관계법령의 제정과 규제기준의 설정 등 환경정책의 기본 틀을 마련하고, 그 집행 책임은 지방환경관서와 지방자치단체가 분담하고 있다.

지방자치단체는 관할구역 내 지역환경보전대책 수립 및 시행, 생활폐기물의 수집 및 처리, 오수, 분뇨, 축산 폐수의 처리, 소음, 진동 및 자동차 배출가스 규제 등 고유 업무, 환경오염물질 배출업소 관리, 환경개선부담금의 부과징수 등 환경부장관으로부터 위임 받은 사무를 처리하고 있다.

자치단체의 환경행정 기구는 자치단체마다 조금씩 차이가 있으나 17개 광역자치단체는 환경녹지국, 환경국 또는 환경과 문화, 관광, 해양 등을 통합한 부서를 설치하여 운영하고 있다. 기초자치단체는 환경보호과, 환경관리과 또는 지역별로 해양, 도시기능 등을 통합한 부서를 설치하여 환경업무를 수행하고 있다.

2) 환경보건 관련 법적규제

우리나라의 환경보건 관련 법률로는 「환경보건법」, 「환경정책기본법」, 「유해화학물질 관리법」, 「다중이용시설 등의 실내공기질 관리법」 등이 있다. 환경보건 관련 법 및 관련 내용은 [표 10-4]와 같다.

표 10-4 환경보건 관련법 및 관련 내용

구분	법률명	환경보건기술 개발 관련 내용
1	환경보건법	환경오염과 유해화학물질 등이 국민건강 및 생태계에 미치는 영향 및 피해를 조사·규명 및 감시하여 국민건강에 대한 위협을 예방하고, 이를 줄이기 위한 대책을 마련함으로써 국민건강과 생태계의 건전성을 보호·유지할 수 있도록 함을 목적
2	유해화학물질 관리법	화학물질로 인한 국민건강 및 환경상 위해를 예방하고 유해화학물질을 적절하게 관리함으로써 모든 국민이 건강하고 쾌적한 환경에서 생활할 수 있게 함
3	다중이용시설 등의 실내공기질 관리법	다중이용시설, 신축되는 공동주택 및 대중교통차량의 실내공기질을 알맞게 유지하고 관리함으로써 그 시설을 이용하는 국민의 건강을 보호하고 환경상의 위해를 예방
4	잔류성 유기오염물질 관리법	다이옥신, 수은 및 수은화합물 등 잔류성오염물질의 관리에 필요한 사항을 규정함으로써 잔류성오염물질의 위해(危害)로부터 국민의 건강과 환경을 보호하고 국제협력을 증진
5	화학물질의 등록 및 평가 등에 관한 법률	화학물질의 등록·신고 및 유해성(有害性)·위해성(危害性)에 관한 심사·평가, 유해화학물질 지정에 관한 사항을 규정하고, 화학물질에 대한 정보를 생산·활용하도록 함으로써 국민건강 및 환경을 보호
6	대기환경보전법	대기오염으로 인한 국민건강이나 환경에 관한 위해(危害)를 예방하고 대기환경을 적정하고 지속가능하게 관리·보전하여 모든 국민이 건강하고 쾌적한 환경에서 생활할 수 있게 함
7	수질 및 수생태계 보전에 관한 법률	수질오염으로 인한 국민건강 및 환경상의 위해(危害)를 예방하고 하천·호소(湖沼) 등 공공수역의 수질 및 수생태계(水生態系)를 적정하게 관리·보전함으로써 국민이 그 혜택을 널리 향유할 수 있도록 함과 동시에 미래의 세대에게 물려줄 수 있도록 함
8	토양환경보전법	토양오염으로 인한 국민건강 및 환경상의 위해(危害)를 예방하고, 오염된 토양을 정화하는 등 토양을 적정하게 관리·보전함으로써 토양생태계를 보전하고, 자원으로서의 토양가치를 높이며, 모든 국민이 건강하고 쾌적한 삶을 누릴 수 있게 함
9	폐기물관리법	폐기물의 발생을 최대한 억제하고 발생한 폐기물을 친환경적으로 처리함으로써 환경보전과 국민생활의 질적 향상에 이바지
10	소음진동규제법	공장·건설공사장·도로·철도 등으로부터 발생하는 소음·진동으로 인한 피해를 방지하고 소음·진동을 적정하게 관리·규제함으로써 모든 국민이 정온한 환경에서 생활할 수 있게 함
11	인공조명에 의한 빛공해 방지법	인공조명으로부터 발생하는 과도한 빛 방사 등으로 인한 국민 건강 또는 환경에 대한 위해를 방지하고 인공조명을 환경친화적으로 관리하여 모든 국민이 건강하고 쾌적한 환경에서 생활할 수 있도록 함

〈 자료원 : 법제처(2022). 환경보건 관련법 〉

이 가운데 「환경정책기본법」의 목적은 환경보전에 관한 국민의 권리·의무와 국가의 책무를 명확히 하고 환경정책의 기본 사항을 정하여 환경오염과 환경훼손을 예방하고 환경을 적정하고 지속 가능하게 관리·보전함으로써 모든 국민이 건강하고 쾌적한 삶을 누릴 수 있도록 함을 목적으로 한다.

「환경정책기본법」 제14조에서는 국가 차원의 환경보전을 위한 종합계획인 '국가환경종합계획'을 20년마다 수립하도록 하고 있다. 제15조의 국가환경종합계획에 포함되어야 하는 내용은 다음과 같다.

- 인구·산업·경제·토지 및 해양의 이용 등 환경변화 여건에 관한 사항
- 환경오염원·환경오염도 및 오염물질 배출량의 예측과 환경오염 및 환경훼손으로 인한 환경의 질(質)의 변화 전망
- 환경의 현황 및 전망
- 환경보전 목표의 설정과 이의 달성을 위한 다음 각 목의 사항에 관한 단계별 대책 및 사업계획
  - 생물다양성·생태계·경관 등 자연환경의 보전에 관한 사항
  - 토양환경 및 지하수 수질의 보전에 관한 사항
  - 해양환경의 보전에 관한 사항
  - 국토환경의 보전에 관한 사항
  - 대기환경의 보전에 관한 사항
  - 수질환경의 보전에 관한 사항
  - 상하수도의 보급에 관한 사항
  - 폐기물의 관리 및 재활용에 관한 사항
  - 유해화학물질의 관리에 관한 사항
  - 방사능오염물질의 관리
  - 그 밖에 환경의 관리에 관한 사항
- 사업의 시행에 드는 비용의 산정 및 재원 조달 방법
- 국가환경종합계획 내용의 모든 사항에 부대되는 사항

제2절 + 환경이 건강에 미치는 영향

Keywords

- 공기
- 온열지수
- 대기오염
- 1차 오염물질
- 2차 오염물질
- 기온역전
- 열섬현상
- 엘니뇨현상
- 라니냐현상
- 상수
- 정수법
- 수질검사
- 수질검사 지표
- 부영양화
- 적조현상
- 녹조현상
- 식중독
- 군집독
- 폐기물
- 토양오염
- 방사능

1 대기와 건강

1) 대기

(1) 공기의 성상

대기는 지상으로부터 약 1,000km 상공까지의 대기층을 형성하고 있는 혼합가스를 말한다. 대기는 해발고도에 따라 지표면에서 약 10km는 대류권(trosphere), 그 이상부터 약 10~50km까지는 성층권(strarosphere)인 동시에 오존층이다. 약 50~80km 이내의 대기층은 중간권(mesosphere) 또는 전리권(ionosphere)이라고 한다. 열권은 약 80~1,000km이며 온도가 급격하게 상승하는 층이다[그림 10-3]. 건조 상태에서의 공기의 구성은 [표 10-5]와 같다.

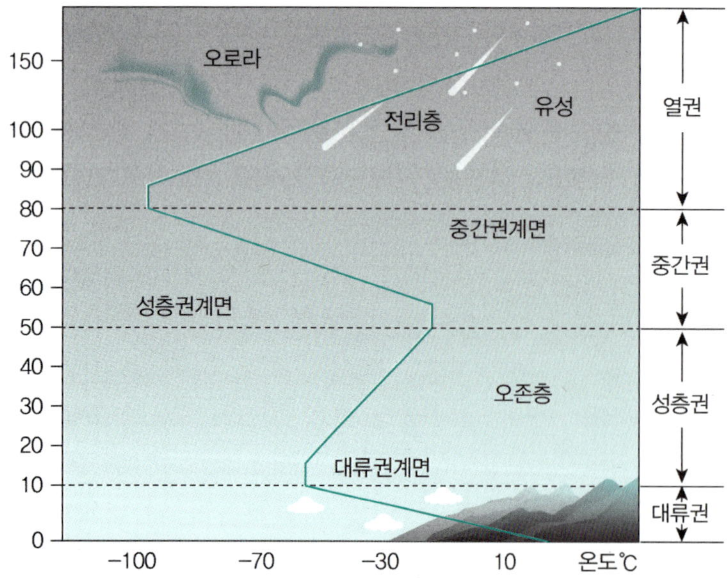

그림 10-3 대기권의 구조

표 10-5 공기의 구성

성분	용량(%)
질소	78.10
산소	20.93
아르곤	0.93
이산화탄소	0.03
기타	0.01

공기는 여러 가지 환경적 요인에 의해 오염되고 있지만, 공기의 자정작용 때문에 그 조성에는 큰 변화가 없다. 공기의 자정작용(self purification)에 관여하는 인자는 다음과 같다.

- 공기 자체의 희석작용
- 강우 및 강설에 의해 공기 중의 용해성 가스와 부유먼지 세정작용
- 산소, 오존 및 과산화수소 등에 의한 산화작용
- 자외선에 의한 살균작용과 식물의 동화작용에 의한 CO_2와 O_2의 교환 작용에 의해 이루어진다.

① 산소(O_2)

체내로 들어간 산소는 혈액 내의 혈색소와 결합하여 조직에 운반되어 체내 물질연소에 사용된다.

인체에서는 한 번 호흡할 때마다 약 5%의 산소를 소비하고 약 4%의 탄산가스를 배출한다. 체내 산소분압이 낮아지면 산소결핍증을 초래하게 되고, 고산(高山)에서는 산소의 용량은 변하지 않으나 기압이 낮아져 산소분압의 저하로 저산소증(hypoxia)에 걸리게 되면 고산병이나 항공병의 원인이 된다. 대기 중 산소농도가 15% 이하면 저산소증이 발생하고, 10% 이하면 호흡곤란, 7% 이하일 때는 질식이 초래된다. 체내에서 소비되는 산소는 약 5%이므로 1시간에 약 24L, 안정시 1일 소모량은 550~600L의 산소를 소비하게 된다.

또한 대기의 산소농도 21%보다 높은 산소를 장시간 흡입하면 산소중독(oxygen poisoning)을 유발하고 주 증상으로는 폐부종, 충혈, 흉통, 이명, 저혈압 등이 나타나고 심하면 사망할 수도 있다.

② 질소(N_2)

공기 중 78%로 가장 많은 양이 함유되어 있으나 호흡할 때 정상기압에서는 생리적으로 인체에 직접적인 영향을 주지는 않는다. 그러나 이상기압일 경우, 특히 급격한 감압이나 고기압에서 정상기압으로 갑자기 복귀하면 인체에 영향을 주게 된다. 고기압에서는 체내 액화된 질소가 감압 시 기화되어 기포를 형성하거나, 모세혈관에 혈전현상을 초래하여 동통성 관절장애를 유발하는 잠함병(Caisson's disease) 또는 감압병(decompression sickness)의 원인이 된다. 이 질환은 고기압 하에서 작업하는 해저작업 종사자나 해녀들에게 발생한다. 이상고기압이 4기압 이상일 때는 마취작용을 일으키기도 하며 10기압 이상시는 의식상실을 초래한다.

③ 이산화탄소(CO_2)

무색, 무취의 비독성가스로, 성인은 안정상태에서 공기 중으로 이산화탄소를 시간당 12~20L를 배출한다. 실내의 이산화탄소 농도가 증가하여 두통, 권태, 현기증, 불쾌감, 구역, 구토 및 식욕부진 등의 증상을 초래하는 공기상태를 군집독(crowd poison)이라고 한다. 이것은 실내의 환기가 불량하여 공기의 화학적 고성이 달라지며 또한 기온, 습기, 냄새, 먼지 등 물리적 성상이 달라지기 때문이다. 이산화탄소는 실내에 다수인이 밀집해 있을 때 농도가 증가하므로 실내공기 오염의 지표로 널리 사용되며 위생학적 허용농도는 일반적으로 0.1%(1,000ppm) 이상일 때는 그 방의 환기가 불량하다고 한다. 영화관은 0.05~0.35%, 백화점은 0.04~0.31%이다. 이산화탄소가 3% 이상인 경우에는 불쾌감을 느끼며 5% 이상인 경우에는 호흡중추를 자극하여 호흡이 촉진되며 10% 이상인 경우에는 호흡곤란으로 사망하게 된다.

④ 일산화탄소(CO)

무색, 무취, 무자극성 기체로 맹독성이 있다. 헤모글로빈과 친화성이 산소보다 250~300배 정도 강하여, 혈액 중에 산소와 헤모글로빈의 결합을 방해하여 산소결핍증(anoxia)을 유발한다. 일산화탄소 중독의 최고 허용농도는 0.01%(8시간 기준)이며, 0.1% 이상이면 생명이 위험하다. 난방용 연탄 사용으로 인해 일산화중독이 발생한다. 특히 저농도의 일산화탄소 가스에 장기간 노출될 때 지각이상, 시력장애, 보행장애 등 만성중독 증상이 나타난다.

(2) 온열조건

인체는 주위 환경의 온열조건의 현저한 변화에도 체온을 일정하게 유지하기 때문에 항온동물로 체내에서 열을 생산하며 체외로 열을 방사하여 체온 조절을 한다.

기후를 구성하는 요소를 기후요소라 하며 기온, 기습, 기류, 기압, 강우, 복사량 및 구름의 양 등이 있으며, 기후의 3대요소로는 기온, 기습, 기류를 말한다.

기상요소 중에서 인체의 체온조절작용과 밀접한 관계가 있는 온열요소는 기온, 기류, 기습, 복사열이며 이들 온열요소에 의해 이루어지는 종합적 상태를 온열상태 또는 온열조건이라고 한다.

① 기온(Air temperature)

기온은 인간의 호흡선 위치인 지상으로부터 1.5m에서의 대기온도이며 복사온도를 배제하여 측정한 건구온도를 말한다. 일교차는 하루 최고 기온과 최저 기온의 차이를 말하며 하루 중 최고 기온인 때는 오후 1~3시이며 최저인 때는 일출 전이다. 연교차는 1년 동안의 최고 및 최저 온도의 차이를 말한다. 열대야는 야간 최저기온이 25℃ 이상으로 피로증대, 탈진 등으로 일상생활에 지장을 주기 때문에 더위를 나타내는 지표로 사용한다. 기온은 지상으로부터 1.5m에서의 대기기온이며, 생활에 적합한 온도는 18±2℃이고, 병실의 온도는 21±2℃이다.

② 기습(Air humidity)

기습은 낮에는 태양열을 흡수하여 지표면의 과열을 방지하고, 밤에는 지열 복사를 방지하여 기후를 완화 조절한다. 절대습도는 공기 $1m^3$ 중의 수분의 중량을 g 단위로 표시한다. 즉, 현재 공기 $1m^3$ 중에 함유된 수증기량 또는 수증기 장력이다. 포화습도는 공기 $1m^3$ 중에 함유된 수증기가 포화상태일 때의 공기 중의 수증기량이나 수증기 장력이다. 상대습도 또는 비교습도는 현재 공기 $1m^3$가 포화상태에서 함유할 수 있는 수증기량과 현재 그중에 함유하고 있는 수증기량과의 비를 %로 표시한 것이다.

실내의 쾌적한 습도는 적당한 온도에서의 표준기습은 40~70%의 범위로서 15℃에서는 70~80%, 18~20℃에서는 60~70%, 24℃ 이상에서는 40~60이 적절하다. 실내의 습도가 너무 건조하면 호흡기계 질병이, 너무 습하면 피부질환이 발생하기 쉽다.

포화차이는 포화습도와 절대습도의 차이를 말하며 포화차이가 클수록 증발이 왕성하며 습한 것이 건조되기 쉽고 같은 포화 차이에서는 습도는 저온일수록 낮고 고온일수록 높아진다. 비교습도는 건구온도와 습구온도를 사용하여 측정한다.

③ 기류(Air movement)

공기의 온도 또는 압력의 차이에 의해 움직이는 대기상태를 기류라고 한다. 우리가 느끼는 기류의 하한 범위는 대략 0.5m/sec이며 이 이하를 불감기류(insensible air movement)라고 하고, 0.1m/sec 이하는 무풍상태라고 한다. 불감기류는 실내나 의복 안에 항상 존재하며 인체의 신진대사를 촉진시킨다. 쾌적 기류의 범위는 실내는 0.2～0.3m/sec, 실외는 1.0m/sec이다.

기류는 자체 압력과 냉각력을 피부에 적당한 자극을 주어 혈관운동 신경은 물론이고 신진대사에도 좋은 영향을 준다. 실내의 기류를 측정하는 도구는 카타온도계이고 실외 기류를 측정하는 도구는 풍차풍속계이다.

④ 복사열(Radiation heat)

모든 물체는 절대온도 0℃ 이상이면 열을 방출하게 되는데 이것을 복사열이라 한다. 복사열의 영향 범위는 거리의 제곱에 비례해서 감소한다. 사람 주위에는 언제나 복사열을 내는 발열체가 존재하며 온도계에 표시된 실제온도보다 더 큰 온감을 느끼게 된다. 복사열 측정도구는 흑구온도계로 측정한다.

(3) 온열지수

온열지수는 온열인자인 기온, 기습, 기류, 복사열 등이 영향을 주며 이들이 복합적인 작용에 의해 만들어지는 객관적인 값으로 평가하는 지수를 말한다.

① 감각온도(체감온도, Effective temperature)

기온, 기습, 기류의 3인자가 종합적으로 인체에 주는 온감을 말하며 그 공기의 감각온도라고 한다. 체감온도, 등감온도, 실효온도, 피부온도라고도 하는 데 감각온도는 포화습도(습도 100%), 정지공기(기류 0m/sec, 무풍) 상태에서 동일한 온감을 주는 기온을 말한다. 예를 들어, 기온 25℃, 습도 100%의 정지공기일 때 그 환경의 감각온도를 25℃라고 한다.

복사열의 영향이 클 때는 건구온도 대신에 흑구온도를 사용하며 이를 수정감각온도(corrected effective temperature)라고 한다. 정상감각온도(normal effective temperature; NET)는 작업복과 비슷한 가벼운 여름옷을 입었을 때를 기준으로 한 감각온도를 나타낸다.

② 쾌감대(Comfort zone)

보통 착의상태에서 안정시 가장 쾌적하다고 느끼는 기후 범위를 말한다. 이것을 감각 온도표에 표시한 것을 쾌적 도표라고 한다. 기류가 4.8m/min(0.08～0.13m/sec)의 경우에 기온 및 비교습도의 종합 도표로써 피검인원(실내인원) 중 최다수(97% 이상)에게 쾌적감을 줄 수 있는 감각온도의 선을 쾌적선이라 한다.

일반적으로 적당한 착의 상태에서 쾌감을 느낄 수 있는 온열조건은 불감기류 0.2～0.5m/sec, 쾌감온도는 17～18℃, 쾌감습도는 60～65%이다.

③ 불쾌지수(Discomfort index; DI)

불쾌지수는 습도와 온도의 영향으로 인체가 느끼는 불쾌감을 숫자로 표시한 것이다. 미국의 기상국에서 각종 기상조건에서 냉난방 조절장치에 소요되는 전력을 추산하기 위해 제정한 것이다.

불쾌지수를 구하는 공식은 다음과 같다.

- DI = 0.72(건구온도 ℃ + 습구온도 ℃) × 0.72 + 40.6
- DI = 0.72(건구온도 ℉ + 습구온도 ℉) × 0.40 + 15
- DI ≥ 70이면 10% 사람들이 불쾌
- DI ≥ 75이면 50% 이상 사람들이 불쾌
- DI ≥ 79이면 100% 사람들이 불쾌
- DI ≥ 85이면 10% 사람들이 매우 불쾌

④ 카타냉각력(Kata cooling power)

기온, 기습, 기류의 3가지 요소가 종합하여 인체의 열을 빼앗는 힘을 말한다.

Leonard Hill(1916)은 인간이 더위와 추위를 느끼는 것은 신체의 발열량에 의해 결정된다는 전제하에 인체를 모델로 하여 알코올 온도를 37.8℃에서 35℃까지 하강하는 시간을 측정하여 방출열량을 일정하게 보고 하강하는 시간을 측정하여 단위시간에 단위면적에서 손실되는 열량(cal/cm^2/sec)으로 냉각력을 표시한다. 가타 냉각력을 측정하기 위해서는 카타 온도계를 사용하며 불감기류와 같은 미세한 기류현상을 정확히 측정할 수 있어 최근에서 실내기류측정계로도 사용된다.

⑤ 지적온도(Optimum temperature)

지적온도는 생활하는 데 가장 적절한 온도로 습도 및 기류와 밀접한 관계가 있다.

생리적 지적 온도는 인체 내에서 최소한의 에너지소모로 최대의 생리적 활동을 발휘하는 온도이며, 주관적 지적온도는 감각적으로 가장 쾌적한 온도, 생산적 지적온도는 작업생산능률을 최고로 올릴 수 있는 온도로 나뉜다.

2) 대기오염(Air pollution)

「환경보전법」에 의하면 배출 시설에서 나오는 매연, 먼지, 악취 및 가스 등으로 인한 대기오염을 말한다. 세계보건기구에서는 인간의 활동으로 배출된 물질이 공중보건학적인 면에서의 건강피해는 물론이거니와 농축산물 및 일용품의 손실 또는 자연환경을 파괴하여 자연을 즐길 수 있는 인간의 기본 권리를 박탈하는 먼지, 검댕, 유해가스, 악취로 대기를 오염시킨 현상을 대기오염이라고 한다.

(1) 대기오염의 원인 및 발생원

대기오염은 인위적 발생원에서 배출된 물질이 생물이나 기물에 직접적으로 해를 끼칠 만큼 다량으로 대기 중에 존재하는 상태이다. 옥외의 대기에 인위적·자연적으로 방출된 오염물질이 존재함으로써 대기의 성분상태가 변화하고, 그 질이 악화되어 인간과 동식물의 생활 활동에 나쁜 영향을 줄 때 대기가 오염되었다고 한다.

대기오염의 원인은 공장의 가동, 운수교통의 활동, 일반 가정의 연료소비 등 사람들의 생활이나 활동으로 인해 발생하는 인위적인 것과 화산의 분연(噴煙)이나 사진(砂塵) 등 자연적인 것이 있다. 인위적인 오염물질은 연료의 연소, 가열용 열처리, 원자력을 이용한 핵에너지의 발생, 화학반응 및 물리적 공정에서 발생하고 배출된다. 배출된 오염물질은 대기 중에서 이송·확산되는데, 역전층이 발생하거나 풍속이 떨어지면 그 이송

·확산이 방해되어 오염물질이 모여서 고오염(高汚染)을 일으킨다. 배출된 오염물질이 강풍 때문에 고농도인 채 극지로 날아와서 오염을 일으키고, 바람으로 이송되는 도중에 오염물질 사이에서 광화학반응을 일으켜 광화학 스모그를 생성시키기도 한다.

대기오염은 도시화, 산업화의 가속으로 특정지역에 인구가 밀집되는 것과 교통기관 등에 의한 에너지 소모량이 증대되는 것이 가장 큰 문제가 되고 있다. 자동차나 비행기, 기차와 선박과 같은 수송부분은 대부분 일산화탄소와 휘발성 유기물, 질소산화물의 주요 오염원이 된다. 고정오염원인 발전소, 보일러, 건물의 냉·난방시설 등은 연소 연료에 의해 오염물을 배출하며 이러한 경우에는 황산화물과 질소산화물의 주요 오염원이 된다. 산업공정은 먼지와 휘발성 유기화합물의 오염원이 된다. 시간으로 보면 새벽에는 1차 오염물질이 가장 많고, 정오에는 2차 오염물질이 많이 발생한다. 기상과 지형에 따라서도 크게 달라진다.

최근 지구환경문제로 대두되고 있는 대기오염원의 하나는 실내공기오염이다. 전 세계적으로, 특히 전통사회나 개발이 계속되고 있는 사회에서 문제가 되고 있는 것은 요리를 하거나 난방을 하기 위해 연료를 태우는 것이 심각한 대기오염원 중의 하나이다. 이러한 연료의 사용은 실내공기와 외부공기 모두에 문제를 일으킨다.

한편 개발국에서는 많은 건물들이 공기가 새지 않게, 즉 에너지의 효율성이 높게 건축을 하였기 때문에 실내공기의 질에 문제를 가지고 있다. 연료의 연소, 흡연, 기타 배출원에서 발생하는 화학물질이 건물 내에서 축적되어 오염을 일으킨다. 개발국에서 가장 중요한 실내공기오염원은 담배연기, 라돈 붕괴물질, 포름알데히드, 석면, 연소물질과 가정에서 사용되는 기타 화학물질 등이다. 담배연기는 실내공기오염의 일차적 물질이다. 또한 곰팡이, 바이러스, 박테리아와 같은 미생물과 꽃가루, 포자 등이 실내공기오염원이다. 공기가 새지 않도록 설계된 건물에서, 특히 환기가 잘 안 되는 건물에서 실내공기오염원이 축적되어 새집증후군(sick building syndrome)을 일으킨다.

실내공기오염은 어린아이들에게는 급성호흡기계 감염을 유발하게 하며, 어른에게는 천식을 악화시키고, 만성폐질환과 암을 일으키며, 임신 중 노출된 임부에게도 좋지 않은 임신의 결과를 가져온다.

(2) 대기오염 물질의 분류

대기오염물질은 입자상 물질과 가스상 물질로 나누어 볼 수 있으며, 입자상 물질은 물질의 파쇄, 선별, 이송, 기타 기계적인 처리 또는 연소, 합성, 분해시 발생하며, 가스상 물질은 물질의 연소, 합성, 분해 등에 의하여 발생한다.

1차 오염물질은 발생원에서 대기 중에 직접 배출되는 것으로 황산화물은 대부분 공장과 자동차에서 배출되고, 질소산화물은 공장과 자동차, 빌딩, 가정 등에서 배출된다. 가스, 분진, 불완전 연소된 재, 황산화물, 질소산화물, 탄소화합물, 일산화탄소 등이 있다.

2차 오염물질은 1차 오염물질이 대기 중에서 물리·화학적인 변환에 의해 생성된 물질로 오존(Ozone, O_3), 알데히드(Aldehede), PAN(Peroxy Acetyl Nitrate) 등이 대표적이며 스모그의 화학적 성상을 결정해 준다.

3) 대기오염이 건강에 미치는 영향

인간의 건강에 영향을 미치는 대기오염물질은 오염물의 농도, 종류, 기상 조건 등 많은 요인이 관계되며, 일반적으로 건강 장해는 만성기관지염, 기관지 천식, 폐기종, 인후두염 등으로 호흡기와 심장, 순환계에서 나타난다. 또한 시력장애, 악취, 불쾌감, 심리적 영향 등이 나타날 수도 있다. 우리나라의 대기환경 기준은 「환경정책기본법」에 제시되어 있으며 [표 10-6]과 같다.

표 10-6 대기환경 기준(환경정책기본법 시행령, 개정 2022.12.6)

항 목	기 준		항 목	기 준	
아황산가스 (SO_2)	연간 평균치	0.02ppm 이하	미세먼지 (PM-10)	연간 평균치	50㎍/m^3 이하
	24시간 평균치	0.05ppm 이하		24시간 평균치	100㎍/m^3 이하
	1시간 평균치	0.15ppm 이하	초미세먼지 (PM-2.5)	연간 평균치	15㎍/m^3 이하
일산화탄소 (CO)	8시간 평균치	9ppm 이하		24시간 평균치	35㎍/m^3 이하
	1시간 평균치	25ppm 이하	오존 (O_3)	8시간 평균치	0.06ppm 이하
이산화질소 (NO_2)	연간 평균치	0.03ppm 이하		1시간 평균치	0.1ppm 이하
	24시간 평균치	0.06ppm 이하	납(Pb)	연간 평균치	0.5㎍/m^3 이하
	1시간 평균치	0.10ppm 이하	벤젠	연간 평균치	5㎍/m^3 이하

비고
1. 1시간 평균치는 999천분위수(千分位數)의 값이 그 기준을 초과해서는 안 되고, 8시간 및 24시간 평균치는 99백분위수의 값이 그 기준을 초과해서는 안 된다.
2. 미세먼지(PM-10)는 입자의 크기가 10㎛ 이하인 먼지를 말한다.
3. 초미세먼지(PM-2.5)는 입자의 크기가 2.5㎛ 이하인 먼지를 말한다.

건강에 영향을 미치는 대기오염물질 및 그 작용은 다음과 같다.

(1) 1차 오염물질

① 입자상 물질(Particulate matter)

입자상 물질은 공기 중에 고체 또는 액체의 미세한 입자로서 산재하고 있는 것으로 에어로졸(aerosol)이라고 한다. 입자는 발생원, 화학조성, 크기, 형태, 밀도를 달리한다. 대기환경연구회(2000)에서 입자상 물질인 부유입자상 물질과 강하분진에 대해 내린 용어의 정의는 다음과 같다.

가. 먼지(Dust)

주로 콜로이드보다 큰 고체입자로서 공기나 가스에 부유할 수 있는 것이다. 입자의 크기가 비교적 큰 고체입자로서 석탄, 재, 시멘트와 같이 물질의 운송 처리 과정에서 방출되며, 톱밥, 모래흙과 같이 기계적 작동 및 분쇄에 의하여 방출되기도 한다. 입자의 크기는 1～100μm 정도이다.

나. 분진(Particulate)

자동차, 공장, 화력발전소, 난방, 쓰레기 소각 등의 인위적 배출원과 바다의 물보라, 화산재, 도로의 먼지, 산불, 꽃가루 등 자연적 배출원에서 생성된 입자상 물질로, 미세한 독립상태의 액체 또는 고체의 알갱이다.

다. 에어로졸(Aerosol)

입자상 물질을 한국 및 일본에서 분진으로 부르며, 구미에서는 에어로졸로 사용하고 있다.

라. 훈연(Fome)

용융된 물질이 휘발해서 생긴 기체가 응축될 때 생기는 고체입자로서, 상호응결하며 때로는 충돌 결합한다. 금속산화물과 같이 가스상 물질이 승화, 증류 및 화학반응 과정에서 응축될 때 주로 생성되는 고체입자이다. 한 예로 아연과 납산화물의 훈연은 고온에서 휘발된 금속의 산화와 응축과정에서 생성된다. 입자의 크기는 0.03∼0.3μm 정도이다.

마. 미스트(Mist)

가스나 증기의 응축 또는 화학반응에 의하여 생성되는 액체입자로서, 주성분은 물이며 안개와 구별할 필요가 있다. 안개는 연무(aerosol)보다는 포괄적 개념을 갖는다. 연무는 안개보다는 투명하며, 전형적인 입자의 크기는 0.5∼3.0μm이다.

한 예로 SO_3는 흡습성 가스로서 이 가스의 이슬점 온도는 22℃이다. 22℃ 미만에서 이 가스는 물과 반응하여 황산미스트가 된다. 미스트는 표면장력에 의해 구상(球狀)을 형성하며 대기 중에 부유하기도 하고 큰 것은 침강하기도 한다.

바. 매연(Smoke)

연소 시 발생하는 유리탄소를 주로 하는 미세한 입자상물질이다. 불완전연소로 생성되는 미세입자로서 가스를 함유하며 주로 탄소성분과 연소물질로 구성되어 있다. 입자의 크기는 0.1μm 이상이다.

사. 안개(Fog)

아주 작은 물방울이 공기 중에 떠 있는 현상으로 수평시점이 1km 이하이다. 습도는 100%에 가까운 현상으로 분산질이 액체이고, 눈에 보이는 연무질을 의미하며 통상 응축에 의하여 생성된다.

아. 스모그(Smog)

대기 중 광화학반응에 의하여 생성된 가스의 응축과정에서 생성된다. 크기는 1μm보다 작으며, Smoke와 Fog의 합성어이다.

자. 박무(Haze)

광화학반응으로 생성된 물질로 아주 작은 다수의 건조입자가 부유하고 시야를 방해하는 입자상물질이다. 수분, 오염물질 및 먼지 등으로 구성되어 있고 크기는 1μm보다 작다.

차. 검댕(Soot)

탄소 함유물질의 불완전연소로 형성된 입자상물질로서 탄소입자의 응집체이다. 즉, 연소 시 발생하는 유리탄소가 응결하여 입자의 지름이 1μm 이상인 입자상물질이다.

입자물질의 단위는 보통 강하분진의 경우, 일정시간에 일정한 면적에 강하하는 입자나 비속의 고형물질로 $ton/km^2/month$로 표시하고, 부유분진은 $\mu g/m^3$로 표시한다.

인체의 건강에 미치는 요소는 부유 입자상 물질의 직경, 화학조성과 공기 중의 농도이다. 입자의 직경이 0.1∼5μm는 흡입 가능 분진으로 세기관지나 폐 등에 가장 침착이 잘되는 크기이다. 이 흡입된 분진은 염증성 변화, 알레르기성 변화, 섬유결절성 변화와 흡입에 의한 전신적 영향 및 폐암을 일으킨다. 폐암은 입자상 물질에 흡착된 3∼4 벤자피렌(benzapyrene), 6가 크롬, 석면분진 등에 의해 발생한다. 미세먼지의 우리나라 환경

기준은 연간 평균치 50μg/m^3 이하이며, 24시간 평균치는 100μg/m^3이다. 방지대책으로는 연료 개선, 연료시설 개선, 제진장치의 설치 등이 있다.

② 가스상 물질

물질의 연소나 분해, 합성 등 화학반응 과정에서 발생하는 황산화물, 질소산화물, 암모니아, 일산화탄소, 염화수소 등이 있다.

가. 황산화물(Sulfur oxidant; SOx)

각종 연료 특히 석탄을 태울 때 발생하며, 황산화물 중 가장 대표적인 아황산가스(SO_2)로 자극성이 강하며 대기오염물질로서 공장지대나 대도시에서는 지표에 가까운 공기층에 체류하여 대기를 오염시키는 원인가스로 분진, 매연과 더불어 대기오염의 지표로 사용되고 있다. 아황산가스(SO_2)는 노출되어 있는 인체의 점막을 자극하며, 진한 기체를 흡입하면 콧물, 기침이 나오고 호흡곤란을 초래하며 일부의 경우에서 기관지염, 폐렴 등이 올 수 있다.

나. 질소산화물(Nitrogen oxidant; NOx)

중유, 가솔린 등이 고온에서 연소할 때 공기 중의 질소가스가 산화되어 발생한다.

일산화질소(NO)는 산화질소라고 하며, 대기 중에서 급속하게 NO_2로 변한다. 자극성이 없는 무색, 무취의 기체이나 농도가 높으면 신경에 손상을 주어 마비나 경련을 일으킨다. 헤모글로빈(Hb)과 친화력이 CO보다 훨씬 강하므로 혈액중의 헤모글로빈(Hb)을 메트헤모글로빈(met-Hb)으로 만들어 중추신경을 마비시킨다.

이산화질소(NO_2)는 수용성이 적어 폐에 쉽게 도달하여 아초산(HNO_2)이나 초산(HNO_3)으로 되어 폐포를 자극하는데, 일산화질소(NO)보다 독성이 7배나 더 강하다. 이산화질소(NO_2)의 우리나라 환경기준은 1시간 평균치 0.10ppm 이하, 24시간 평균 0.03ppm 이하이며 연간 평균치는 0.03ppm 이하이다.

다. 암모니아(NH_3)

물에 용해되어 수산화암모늄이 되며, 무색의 기체로서 특유한 자극성 냄새를 갖고 있다. 대기 중에도 소량 포함되어 있으며, 천연수에 미량 함유되어 있기도 하다. 토양 중에도 세균의 질소 유기물의 분해 과정에서 생겨난 암모니아가 존재할 수 있다.

라. 염화수소(Hydrogen chloride)

상온에서 기체이며 무색, 자극성 냄새를 갖고 있다. 비료, 염료, 금속의 세척, 유기합성, 도자기, 식품처리 등에 사용된다.

(2) 2차 오염물질

1차 오염물질이 대기 오염물질에 의해 공기 중에 배출되어 복잡한 화학 반응을 일으켜 2차 오염물질광화학적 산화물이라 한다.

① 오존(O_3)

오존은 특정 직접 공기로 배출되는 것이 아니라 공기 중의 질소산화물(NOx)과 휘발성유기 화합물(VOCs)이 태양광선을 받아 화학반응을 일으킨 결과로써 생성된다.

자동차 배기가스, 산업장 배출물질, 가솔린 증기, 화학용제가 질소산화물과 휘발성 유기 화합물의 주요 원인이 되고, 오존의 전구물질로 알려져 있다. 오존 생성에 중요한 역할을 하는 대기오염 물질 중 질소산화물, 탄화수소, 일산화탄소, 메탄 등은 주로 자동차 배기가스로부터 배출되고, 오존 형성에 촉매 역할을 하는 휘발성 유기물은 석유화학 정재공장, 석유저장고, 주유소 등으로부터 주로 배출된다. 오존 농도는 정상 공기에서는 0.02ppm, 0.18ppm 이상이면 기침을 하며, 0.37ppm 이상이면 호흡곤란증세, 0.5ppm 이상이면 심한 호흡곤란을 일으킨다.

② 알데히드(Aldehede)

알데히드는 강한 자극성이 있는 가스로 지속성 유해 성분이다. 인체의 영향으로는 기침, 흉부압박감, 식욕상실, 불면 등이 나타난다.

③ PAN(Peroxy Acetyl Nitrate)

무색의 자극성 액체이며, 눈에 통증을 일으키고 식물에 피해를 준다.

4) 대기오염 피해사례

1952년 영국의 스모그 사건 이외에 여러 나라에서 대기오염이 발생하여 많은 환자와 사망자를 초래하였다[표 10-7].

스모그가 형성되는 과정은 황산화물, 질소산화물, 등이 산소와 강한 자외선에 반응하여 새로운 복합물질을 만드는데 이를 광화학 반응이라고 한다. 대표적인 스모그 사건의 두 가지 형태는 [표 10-8]과 같다.

표 10-7 대기오염의 피해사례

대기오염 사건	발생조건	피 해	원인물질
벨기에 뮤즈계곡사건 (1930년 12월)	무풍상태, 저온, 기온역전, 연무발생 공장지대(철, 금속, 아연)	• 약 60명 사망 • 천식, 호흡곤란 호소	아황산가스, 불소 화합물, 일산화탄소
미국 로스앤젤레스 (1943년 9월)	해안분지, 기온역전, 자동차 수 증가	• 눈, 코, 기도, 폐 등 점막의 지속적 반복성 자극	석유계 연료에서 유래; 알데히드 케톤, 오존, 니트로올레핀 등
미국 도노라사건 (1948년 1월)	무풍상태, 저온, 기온역전, 연무발생 공장지대(아연, 황산, 철)	• 20명 사망 • 천식, 호흡곤란, 흉부 협착감 호소	아황산가스, 황산암모늄, 질소산화물
멕시코 포자리카 (1950년 11월)	안개, 낮은 역전층, 도시오염, 분진, 자동차공장	• 22명 사망 • 호흡곤란, 점막자극, 기침	황화수소
영국 런던사건 (1952년 12월)	무풍상태, 기온역전, 습도 90%, 한랭	• 2주간 4,000명 이상 사망 • 폐의 염증성 장해	아황산가스, 분진
일본 요코하마 (1960~1967년)	미풍, 비교적 높은 오염	• 천식증상	원인불명으로 대기오염 추정
인도 보팔시 (1984년 12월)	유니온 카바이드 공장, 무풍, 지면 먼지	• 약 4000명 사망 • 폐수종, 기침, 호흡곤란	메틸이소시안, 카바메이트계 살충제

표 10-8 스모그 사건의 유형

구 분	런던형 스모그	로스앤젤레스형 스모그
발생 시의 온도	−1~4℃	24~32℃
발생 시의 습도	85% 이상	70% 이하
역전의 종류	복사성 역전	침강성 역전
풍 속	무 풍	5m/sec 이하
시 계	100m 이하	0.8~1.6km 이하
가장 빈번한 달	12월, 1월	8월, 9월
주요 사용 연료	석탄과 석유계	석유계(자동차 배기가스)
주된 성분	SOx, CO, 입자상 물질	O_3, NO_2, CO 유기물
반응의 유형	열 적	광화학적, 열적
화학적 반응	환 원	산 화
발생시간	이른 아침	낮
인체에 대한 영향	기침, 가래, 호흡기계 질환	눈에 자극

광화학 스모그는 대기 중에 자동차 등에서 배출되는 질소산화물과 탄화수소가 강한 햇빛과 반응하여 생성되는 2차 오염물질을 만들어 대기가 안개 낀 것처럼 뿌옇게 된다.

5) 대기오염으로 인한 영향

(1) 기온역전

정상적인 경우 지표상의 온도는 지표면이 높고, 위로 올라갈수록 낮아진다. 기온역전 현상이란 기온이 상승하여 상부의 기온이 하부 기온보다 높아 공기의 수직 확산이 일어나지 못하고 그 층 내에 축적되는 현상을 말한다. 기온역전 현상은 차가운 공기는 아래로, 따뜻한 공기는 위에 있게 되므로 공기가 그대로 정체해 있고 순환이 일어나지 않아 오염물질이 그대로 머물러 대기오염에 가장 좋은 조건이 된다. 기온역전은 복사성 역전과 침강성 역전으로 구분된다. 복사성 역전은 낮 동안 태양 복사열에 의해 높아진 지표의 온도가 밤에는 복사열이 적어 기온이 하강하면서 상층 공기가 하층 공기보다 더운 상태가 된다. 지표 가까이서 발생하므로 방사성 역전이라고도 한다[그림 10-4].

침강성 역전은 맑은 날 고기압 중심부에서 공기가 침강하는 동안 단열 압축에 의해 기온이 상승하여 하층의 공기보다 온도가 높아지는 현상으로, 보통 1,000m 내외의 고도에서 발생한다. 기온역전으로 인해 발생한 광화학 스모그 사건 중 런던형 스모그는 복사성 역전의 현상이고, 로스앤젤레스형 스모그는 침강성 역전의 현상이다.

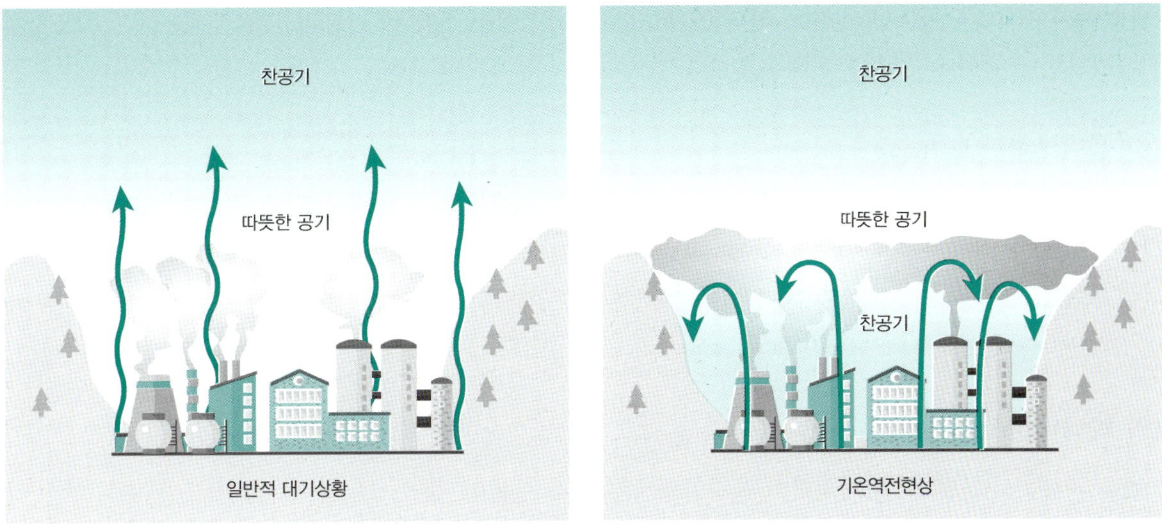

그림 10-4 기온역전층으로 인한 오염물질의 이동

(2) 열섬현상(Heat island)

열섬이라는 단어는 Urban Heat Island(UHI)에서 왔으며, 이것은 등온선을 그리면 도시의 기온이 주변의 교외 지역에 비해 섬처럼 고온을 나타낸다고 하여 열섬현상이라 부른다.

도심의 온도가 대기오염이나 인공열 등의 영향을 받아 주변지역보다 높게 나타나는 현상을 말한다. 이처럼 인위적인 열의 생산량이 증가함에 따라 도심의 온도는 변두리 지역보다 높아 도심의 먼지 등에 의하여 심하게 오염되었을 때 공기의 수직흐름이 감소되어 도심은 더욱 심하게 오염될 수 있다.

열섬현상의 원인은 공장의 매연, 자동차 배기가스, 아스팔트나 콘크리트 면적의 확대로 인한 지표면의 보완효과, 녹지면적의 축소 등이다.

(3) 지구온난화

지구온난화는 온실효과의 결과로 지구의 평균대기온도가 상승하는 현상을 말한다. 온실효과란 흡수한 열을 다시 지상에 복사하여 지구기온을 상승시키는 것을 말한다. 이 온실효과의 원인이 되는 이산화탄소, 메탄가스, 프레온가스, 질소화합물, 대류권 오존 등은 지구로부터 방출되는 열선 중 단파장 열선을 흡수하여 온실효과를 가중시킨다.

(4) 오존층의 파괴

지상으로부터 고도 20～30km에 존재하며, 오존층은 해로운 단파장 자외선을 흡수하여 지상까지 도달하지 못하게 하므로 생물체를 보호해 주는 역할을 한다.

오존층 파괴는 냉장고, 에어컨 등에 쓰이는 프레온 가스나 이산화탄소, 메탄가스, 이산화질소 등이 있고 동·식물에 피해를 주며 지구 온난화에도 영향을 준다.

(5) 산성비

공장이나 공기오염물질이 배출된 아황산가스, 질소산화물이 황산, 질산, 탄산 등의 빗물에 섞여 내리는 것을 말하며, PH가 5.6 이하인 빗물을 산성비라고 한다. 산성비는 생태계를 파괴하며 금속물이나 석조건물을 부식시키고 농작물이나 산림에 피해를 준다.

(6) 엘니뇨현상(El Nino)

엘니뇨란 페루나 에콰도르 해안가의 어부들이 그들의 어업활동과 관련하여 지역적으로 쓰던 용어이다. 엘니뇨 현상이란 태평양 적도지역의 중앙부근(날짜 변경선 부근)부터 남미의 페루 연안에 걸친 넓은 해역에서 해수면 온도가 평년에 비해 높아지는 현상으로 보통 한 번 나타나면 그 상태가 6개월에서 1년 반 정도 계속되며 수년에 한 번 꼴로 발생한다.

(7) 라니냐현상(La Nina)

적도 무역풍이 평년보다 강해지면서 태평양의 해수면과 수온이 평년보다 상승하게 되고 찬 해수의 바닷물이 위로 솟구침 현상 때문에 적도 동태평양에서 저수온 현상이 강화되어 엘니뇨의 반대 현상이 나타난다.

바닷물이 평년 수온보다 섭씨 0.5℃ 낮은 현상이 5개월 이상 지속되는 것을 말한다.

6) 기후변화 현황 및 전망

(1) 국내·외 기후변화의 현황과 전망

① 전지구 기후변화 현황과 전망

‘기후변화에 관한 정부간 협의체(Intergovernmental Panel on Climate Change; IPCC)’에 따르면 현재 대기 중의 이산화탄소 농도는 백만 년간 전례가 없던 높은 수준인 것으로 평가되었다. 전지구의 대기 중 이산화탄소 농도는 지속적으로 상승해왔고 전지구의 대기 중 이산화탄소 농도는 410.5ppm인 것으로 관측되었다. 이러한 전지구적 이산화탄소 농도의 상승은 기후변화를 야기한다. 2020년에는 일반적으로 한랭한 기후를 나타내는 라니냐(La Niña)가 발달했음에도 불구하고 전지구의 연평균 기온이 산업화 이전(1850~1900년) 대비 약 1.2℃ 높았다. 이는 전지구의 연평균 기온이 역대 가장 높았던 2016년과 비슷한 온난화 수준으로 평가된다.

기후변화는 여러 가지 피해를 발생시키기도 한다. 2018년 1월에 미국과 캐나다에 100년만의 최강 한파와 폭설이 발생하였다. 2019년 9월에 호주에서는 시드니가 48.9℃ 등 이상고온으로 우리나라 면적 크기의 숲을 태운 초대형 산불이 발생하였다. 2020년 6~8월에 동아시아에는 기록적인 긴 장마와 집중호우 등이 발생하면서 많은 인명피해와 재산피해가 발생하였다[그림 10-5].

미국 한파(2018년 1월) 호주 산불(2019년 9월) 중국 홍수(2020년 7월)

그림 10-5 기후변화로 인한 해외 피해 사례

기후변화에 관한 정부간 협의체에서는 기후변화로 인한 피해를 최소화하기 위해서는 산업화 이전 대비 전지구 평균 온도가 1.5℃ 이상 상승하지 않도록 해야 한다는 분석에 따라 지구온난화 1.5℃ 도달시기에 대해 2021~2040년 중으로 기후변화의 가속화가 더욱 빨리질 것으로 전망하고 있다.

② 우리나라 기후변화 현황과 전망

지난 106년간(1912~2017년) 우리나라 연평균 기온은 약 1.8℃ 상승하여 전지구 평균 온난화 속도보다 빠른 것으로 나타났다. 과거 30년(1912~1941년)보다 최근 30년(1988~2017년) 동안 여름은 약 19일 길어지고, 겨울은 약 18일 짧아졌으며, 8월 열대야일수는 약 10.8일에서 약 6.2일로 길어진 것으로 분석되었다.

우리나라에서도 기후변화로 인한 여러 가지 피해가 발생하고 있다. 2018년 1월 말에서 2월 초 전국 평균기온은 1973년 이후 두 번째로 낮았다. 이와 반대로 2020년 1월 평균기온은 평년 대비 3℃ 이상 높은 2.8℃로 이상고온 현상이 발생하였고, 매미나방, 대벌레 등이 발생하여 농작물 피해와 불편을 초래하였다. 2018년 여름철 전국 평균기온은 1973년 이후 가장 높았고 전국적인 무더위가 이어지면서 폭염일수 31.4일, 열대야일수 17.7일로 최다일수를 기록하였다. 2020년 여름에는 최장기간의 장마(중부지방 54일, 6월 24일~8월 16일)와 집중호우(강수량 851.7mm)가 발생하여 하천이 범람하고 침수피해가 발생하였다[그림 10-6].

현재 추세대로 온실가스를 지속해서 배출할 경우 21세기 후반(2071~2100년) 우리나라의 평균기온은 현재(1981~2010년) 대비 약 4.4℃ 상승하고, 강수량은 약 13% 증가하며, 폭염일수는 약 3.5배, 열대야일수는 약 11.9배 증가할 것으로 전망된다. 2050 탄소중립을 달성하는 경우에는 평균기온은 현재 대비 약 2.6℃ 상승하고 평균 강수량은 약 3% 증가하는 등 기후변화는 다소 둔화될 것으로 전망된다. 기후변화의 속도를 늦추기 위해서는 산업구조의 전환과 더불어 사회 각 부분에서의 생활 속 탄소중립 실천 노력도 함께 이루어져야 할 것이다.

③ 국가 기후변화 적응대책

기후변화는 사회 모든 영역에 영향을 미침과 동시에 점진적으로 진행됨에 따라 사회 전 부문을 아우를 수 있는 통합적이고 체계적인 기후변화 적응대책 수립 추진이 필요하다.

그동안 기후변화 대책의 근간인 기후변화 대응 종합계획이 4차례에 걸쳐 수립되었으며, 제1차(1999~2001년) 및 제2차(2002~2007년) 대책은 기후변화 완화 내용만 반영되었으며, 제3차(2005~2007년)에 와서 처음으로 기후변화 적응 관련 내용이 포함되었다. 이후 2008년 12월 24일 13개 부처가 합동으로 수립한 "국가 기후변화 적응 종합계획(2009~2030년)"은 '기후변화 적응을 통한 안전사회 구축 및 녹색성장 지원'을 국가 비전으로 제시함으로써, 국가차원의 통합된 기후변화 적응계획을 수립하였다.

광주 한파(2018년 1월)

제주 이상고온(2020년 1월)

섬진강 홍수(2020년 8월)

그림 10-6 우리나라의 기후변화 사례

표 10-9 제3차 국가 기후변화 적응대책(2021~2025) 비전체계도

비전	국민과 함께하는 기후안심 국가 구현 ① 기후탄력성 제고 ② 취약계층 보호 ③ 시민참여 활성화 ④ 신기후체제 대응		
3대 정책	1. 기후리스크 적응력 제고	2. 감시·예측 및 평가 강화	3. 적응 주류화 실현
12대 과제	• 미래 기후위험을 고려한 물관리 • 생태계 건강성 유지 • 전 국토의 적응력 제고 • 지속가능한 농수산 환경 구축 • 건강피해 사전예방체계 마련 • 폐기물제로 순환경제 • 산업 및 에너지 분야 적응역량 강화	• 종합 감시체계 구축 • 시나리오 생산 및 예측 고도화 • 평가도구 및 정보제공 강화	• 기후적응 추진체계 강화 • 기후탄력성 제고 기반 마련 • 기후적응 협력체계 구축 및 인식제고

〈 자료원 : 환경부(2022). 2021 환경백서 〉

2 물과 건강

1) 물의 개요

물은 공기와 같이 우리에게 대단히 중요한 존재이다. 또한 물은 우리 몸에서뿐만 아니라 우리가 살아가는 지구에서도 중요한 역할을 한다. 인체의 60~70%는 수분으로 되어 있기 때문에 항상 일정한 양의 물을 먹어야 하고 배설도 해야 한다. 인체가 함유하고 있는 수분의 10~15%를 상실하면 신체 이상상태가 오고 20~22%를 상실하면 생명의 위험을 초래한다. 인체가 매일 필요로 하는 물의 최소량은 1.5L이며, 보통 2~3L 필요하지만 날씨가 덥거나 운동 후에는 2배 정도 더 필요하다. 물은 소화를 비롯해 흡수, 순환, 배설 등 각종 신진대사에 깊이 관여하고 있다. 혈액과 림프를 구성하는 주요 성분이며, 체온을 유지하고 건강한 피부와 근육을 만들어 준다. 음식을 섭취하면 반드시 각종 노폐물이 발생한다. 이 노폐물은 혈액 안에 축적되어 있으며, 소변, 대변, 땀, 호흡 등을 통하여 배출된다. 문제는 체내의 수분이 부족하면 노폐물이 원활하게 밖으로 배출되지 않는다는 점이다. 이처럼 인체에 물이 부족하면 신진대사에 장애가 오고 체내에 노폐물과 독소가 축적되면서 사망에 이르게 된다.

2) 물의 자정작용

물은 자연계에서 순환하고 있으며 순환과정에서 자정능력을 가지고 있다. 오염된 지표수는 시간 경과와 함께 정화되어 가는데 수중의 미생물이나 불순물이 자연의 물리적, 화학적, 생물학적 작용으로 안정된다. 이 작용을 거쳐 무해화 되는 과정을 자정작용이라고 한다. 이를 구체적으로 보면 다음과 같다.

① 물리적 작용

물리적 작용에는 폭기, 희석, 확산, 침전, 여과, 흡착, 응집 등이 있다. 유량이 풍부한 하천이나 호소에 오염물질이 유입될 경우 많은 양의 물과 섞이는 희석, 시간이 흐름에 따라 오염물질이 가라앉는 침전, 그리고 여과 작용 등에 의해 오염물질의 농도가 낮아진다. 물리적 작용은 정체된 물보다는 흐름이 활발한 물에서 잘 일어난다.

② 화학적 작용

화학적 작용에는 햇빛에 의한 오염물질의 분해, 산소와의 결합으로 이루어지는 산화작용, 중화 등이 있다. 자정작용 중에서 화학적 작용이 차지하는 비중은 물리적 작용이나 생물학적 작용에 비해 적다.

③ 생물학적 작용

생물학적 작용은 수중의 여러 생물에 의해 오염물질이 분해되는 작용을 말한다. 자연계의 자정작용 중에서 오염농도를 낮추는 데 가장 큰 역할을 하는 것은 생물학적 작용이다. 특히 수질 오염물질을 없애는 데 있어서 생물학적 작용이 차지하는 역할은 절대적이다. 생활하수나 산업폐수 속에 있는 유기 오염물질은 물속에 사는 미생물의 영양분이 되기 때문이다. 물속에 사는 이끼나 수초 같은 생물도 환경오염물질을 정화하는 데 적지 않은 역할을 한다. 수질오염물질을 처리하는 활성오니법이나 회전원판법 등도 자연계에 존재하는 미생물이 오염물질을 섭취하는 원리를 이용한 것이다.

생물학적 작용은 물속에 녹아 있는 산소의 양에 큰 영향을 받는다. 일반적으로 용존산소량이 많을수록 생물학적 작용이 활발해진다. 고인 물보다 흐르는 물에서 자정작용이 활발하게 일어나는 이유는 산소량이 많이 오염물질을 분해하는 생물들의 활동이 활발하기 때문이다.

3) 상수

(1) 상수처리의 역사

근대적인 상수로는 런던시가 가장 오래되었으며 이때가 1619년이었다. 완속사여과가 1829년에 런던에서 처음 시행되었고, 19세기 전 유럽에 콜레라 유행 후 필요성을 통감하여 19세기 후반에 현저하게 발전하였다. 상수도는 중앙급수를 일정한 인구집단에게 공공적으로 보건상 양질의 물을 공급하기 위한 설비를 말한다.

(2) 수원

상수도의 수원은 천수, 지표수, 지하수, 복류수 등이 있다.

천수는 비나 눈으로 내리는 물을 말하는데 대기가 오염되면 매연, 분진, 세균으로 인한 오염이 많다.

지표수란 지표면 위를 흐르거나 고여 있는 하천, 호수 등의 물을 말하는데, 수질은 비교적 안정적이지만 오염의 기회가 많아 철저한 위생관리가 요구된다. 우리나라의 상수도는 대부분 지표수를 사용하고 있다.

지하수는 지하로 침투한 물은 지하수를 이루어 지각의 윗부분은 토양층과 암석층에 보관된다. 유기물이나 미생물의 오염은 적고 탁도가 낮아 수원으로 적합하나 수량이 적다.

복류수는 지하수면이 하천수와 밀착해서 있는 것을 말하는데, 지하수와는 달리 확실한 흐름이 있는 데다 지표수와의 교환이 이루어져 수질적으로는 지표수와 거의 비슷하며 탁도가 낮고 수질도 양호하여 소도시에서 수원으로 이용한다.

(3) 정수법

상수도 공급과정은 수원지에서 취수한 원수를 가지고 가정의 수돗물로 공급되기까지는 정수장에서 배수장까지 송수로를 통해 끌어가고 배수지에서 배수 또는 급수하는데 배수는 공적 관리의 대상이 되는 선까지를 말하며, 급수는 각 가정의 관으로 보내지는 것을 말한다[그림 10-7].

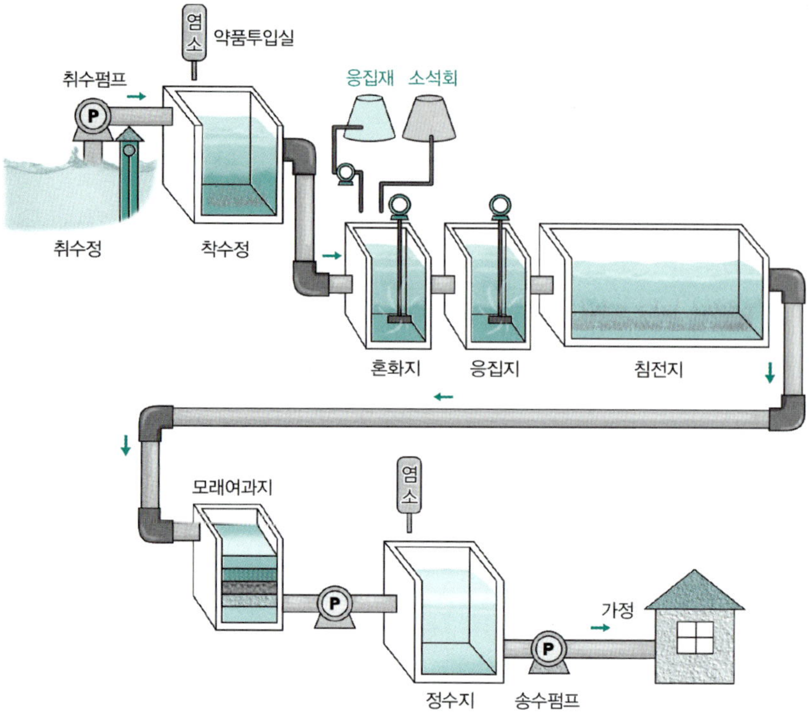

취수지	상수원수를 취수하는 곳으로 평창강 표류수 취수하여 고암정수장으로 보내줍니다.
착수정	원수에 함유된 흙, 모래 및 각종 이물질을 가라앉히는 곳
약품투입실	물속에 있는 작은 부유물질 등이 잘 엉겨서 가라앉도록 하기 위하여 정수약품(PAC, 활성탄 등)을 넣는 곳
혼화지	물과 정수약품인 응집제를 잘 섞이도록 빠르고 균일하게 혼합해주는 곳
응집지	약품에 부유물 및 찌꺼기 등을 엉키게 하여 침전될 수 있도록 응집시키는 곳
침전지	물속의 응집물을 가라앉혀 가라앉은 찌꺼기는 버리고 깨끗한 상등수를 다음 과정인 여과지로 보내는 시설(대부분의 이물질이 이곳에서 제거됨)
여과지	침전수를 두터운 모래층의 여과막 사이로 통과시켜 미세한 침전 잔류물을 제거시킨 불순물이 없는 맑은 물을 정수지로 보냄
염소투입실	여과지를 통과한 물에 염소를 넣어서 물 속의 각종 세균을 없애는 곳
정수지	맑은 물 생산과정에서 마지막 단계로 정수처리된 물을 시내에 송수하기 전 임시 저장하는 곳
송수실	대규모 펌프를 이용해 정수된 수돗물을 일정압력으로 시내에 공급하는 곳
배수지	정수장에서 공급한 수돗물을 저장하여 시내에 안정적으로 공급하는 곳
가정급수	

〈 자료원 : 김해시청 분야포털 http://www.gimhae.go.kr 〉

그림 10-7 수돗물의 생산과정

상수의 정수과정은 침전, 폭기, 여과, 소독의 4가지 다음과 같은 단계를 거친다.

① 침전(Precipitation)

침전은 물속에 있는 비중이 무거운 부유물을 가라앉혀 색도, 탁도, 냄새, 세균 등을 감소시키는 방법이다.

가. 보통침전법

중력에 의해 자연적으로 수중의 부유물질을 가라앉히는 방법이다. 유속을 늦추고 12~14시간 침전시켜 색도, 탁도, 세균수를 감소시킨다. 침전시간이 많이 소요되어 완속사 침전법이라 한다.

나. 약품침전법

보통침전으로 잘 가라앉지 않는 작고 가벼운 물질을 약품으로 응집하여 침전시키는 방법이다. 약품 응집제로써 주로 황산알루미늄[$Al_2(SO_4)_3$], 황산제일철($FeSO_4$), 황산제이철[$Fe_2(SO_4)_3$] 등을 이용한다. 급속 여과는 약품침전법을 사용하며, 침전시간은 2~5시간이다.

② 폭기(Aeration)

CO_2, CH_4, H_3S, NH_4 등과 O_2를 교환하는 단계이다.

③ 여과(Filteration)

약품을 사용하여 침전지에 가라앉은 찌꺼기 외에 가라앉지 않은 불순물은 모래로 된 여과지에서 걸러진다. 일반적으로 여과는 완속여과와 급속여과로 나뉘며 우리나라에는 급속여과에 의해 정수하고 있다[표 10-10].

가. 완속여과법(Slow sand filteration)

영국식 여과법이라고도 하며 1829년 템즈강에서 처음 시도되었으며 보통침전을 이용한다. 여과지 위에는 가는 모래층을 60~150cm, 아래는 굵은 모래 20~30cm로 된 여상의 광대한 여과지(filter bed)가 필요하다. 수심은 항상 90~150m를 유지해야 한다. 원수 중 불순물은 여상의 가는 모래층상에 억류되어 콜로이드상

표 10-10 완속여과법과 급속여과법의 비교

구 분	완속여과법	급속여과법
침전법	보통침전법	약품침전법
청소방법	사면대치	역류세척
여과소독	3m(6~7m)/일	120m/일
사용일수	20~60일	12시간~2일(1일)
탁도, 색도가 높을 때	불리하다.	좋다.
이끼류가 발생하기 쉬운 장소	불리하다.	좋다.
수면이 동결하기 쉬운 장소	불리하다.	좋다.
면 적	광대한 면적	좁은 면적이어도 된다.
비 용	건설비는 많이 드나 경상비는 적게 든다.	건설비는 적게 드나 경상비는 많이 든다.
세균제거율	98~99%	95~98%

생물학적 여과막을 형성하는 것이 여과에 가장 중요한 원리로서 세균을 99%까지 포획할 수 있다. 여과막은 가끔 걷어내어야 한다. 콜로이드란 현탁액의 입자보다 작고 용액의 입자보다 큰 입자들이 매체 안에 분산되어 있는 용액을 말한다. 보통침전법으로 침전시킨 후 여과지로 보내는 방법으로 여과면적이 넓을 때 사용한다. 여과지의 상층은 작은 모래, 아래층은 큰 돌을 사용하여 물을 통과시키면 불순물이 제거된다.

나. 급속여과법(Rapid sand filteration)

미국식 여과법으로 1872년에 시도되었다. 약품침전법을 이용하며 응집제와 화학반응을 일으켜 생긴 수산화알루미늄[$Al(OH)_3$]과 부유미립자나 세균 등이 서로 흡착하여 응집물이 되어 침전한다. 침전시간은 2~5시간이 소요된다. 급속여과에는 중력식과 압력식이 있다. 여과속도는 완속여과보다 40배나 빠르다. 여과막의 역할이 역시 중요하며 세균의 포획률은 95~99% 정도이다. 여과막은 가끔 걷어내야 한다. 약품침전 후 여과지로 보내는 방법으로 여과면적이 좁고 탁도와 색도가 높을 때 더 용이하다.

④ 소독(Disinfection)

여과 과정에서 99%의 세균을 제거하나 완전히 안전하지 않아 소독을 실시한다. 원수가 양호해도 소독과정은 반드시 실시하여야 한다.

가. 염소소독(Chlorination)

염소소독은 상수를 염소로 소독할 때 생성되는 발암물질이 있다고 의심되는 트리할로메탄(trihalomethan; THM)을 생성하기도 하고 물에서 약품 냄새가 강하게 나는 단점이 있다. 소독력이 강하고 잔류효과가 우수하며 조작이 간편하고 가격이 저렴한 장점이 있어 현재까지 광범위하게 사용되고 있다[그림 10-8]. 염소는 강한 산화력을 가지고 있어 수중의 유기물이나 기타 환원성 물질에 접촉하면 산화력이 감소되어 살균력이 저하된다. 그래서 소독을 완전히 하려면 잔류염소(residual chloride)가 필요하다. 잔류염소에는 유리잔류염소(free residual chloride)와 결합잔류염소(combined residual chloride)가 있다. 수중에 단백질이 분해되어 암모니아가 존재하면 결합잔류염소(chloramine)를 생성하게 되고, 결합잔류염소는 유리잔류염소보다 살균력이 약하며 냄새가 지독하다. 수중에 유기물이 전혀 없으면 염소잔류량은 염소주입량에 비례하나 유기물이 존재하면 잔류염소가 0에 가깝게 되고 계속 더 염소를 주입해야 비로소 다시 비례로 증가한다. 이렇게 수질에 따라 염소 주입량이 결정되는데 이때 0에 가깝게 되는 점이 불연속점(break point chlorination)이다. 염소는 물속에 있는 여러 물질과 작용하여 염소가 0에 가까운 불연속점이 되는데, 이 불연속점을 이용하여 적당한 주입량을 찾아서 불연속점 이상에서 잔류염소량을 결정하여 소독하는 것을 불연속점 염소소독이라고 한다. pH 9.0 이하에서는 염소주입 30분 후에 잔류염소량이 0.1ppm이 되어야 한다.

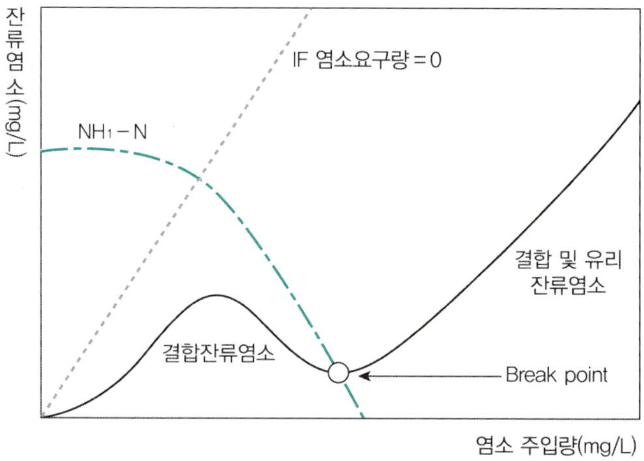

그림 10-8 불연속 염소소독

나. 자외선법(Ultraviloet rays method)

파장 2,500~2,800Å의 것이 가장 살균력이 크지만 투과력이 약하여 물이 혼탁하거나 색이 있을 때는 물의 표면만 소독하게 된다. 가장 살균력이 크나 투과력이 약하여 표면만 소독되고 가격이 비싸다.

다. 오존소독

오존소독은 염소소독에 비해 환경친화적이며, 강력한 살균력과 정수력을 가지고 있고, 트리할로메탄을 생성하지 않는 장점은 있으나, 가격이 비싸고 잔류성이 없다는 단점이 있다. 미국이나 캐나다에서는 이 방법을 사용하고 있다.

라. 가열법

병원체는 대체로 75℃, 10분이면 사멸하나 물속에 있는 병원체는 100℃, 30분 이상 가열해야 완전 살균된다.

(4) 수질검사

수질검사(water analysis)는 물의 물리학적 성질이나 물에 포함된 화학적 성분, 미생물 등을 조사하여 물의 양부(良否)나 음료적부(飮料適否) 등을 판정하는 일이다.

상수도에서는 수원을 선정할 때, 수원의 요염이나 정화작업을 점검·감시할 때, 수질기준에 대한 수돗물의 합격여부를 검사할 때 등에 수질검사가 실시되며 보건소 등에서 우물물의 음료적부를 판정할 때에도 사용되고, 공업용 수도나 하수도에서도 각각의 목적에 다른 수질검사가 실시된다.

방법은 이화학적·세균학적·생물학적 시험의 세 가지가 있다. 이것들은 같은 시료를 각각 다른 각도에서 독특한 방법을 써서 시험하여 최후에 각각의 결과를 종합해서 판정을 내린다. 또한 조사할 때는 동시에 현장의 환경을 조사하는 것이 바람직하며, 이 결과들을 모아서 검토함으로써 적정한 판단이 내려지는 경우가 많다.

우리나라의 먹는물은 「먹는물 관리법」, 「먹는물 수질기준 및 검사 등에 관한 규칙」에서 먹는물의 수질기준을 제시하여 관리하고 있다. 먹는물 수질기준은 크게 미생물에 관한 기준, 건강상 유해영향 무기질에 관한 기준, 건강상 유해영향 유기물질에 관한 기준, 소독제 및 소독부산물에 관한 기준, 심미적 영양물질에 관한 기준, 방사능에 관한 기준으로 구분된다.

이 기준에서 '먹는물'이란 먹는 데에 통상 사용하는 자연 상태의 물, 자연 상태의 물을 먹기에 적합하도록 처리한 수돗물, 먹는샘물, 먹는해양심층수(해양심층수) 등을 말한다. '샘물'이란 암반대수층 안의 지하수 또는 용천수 등 수질의 안전성을 계속 유지할 수 있는 자연 상태의 깨끗한 물을 먹는 용도로 사용할 원수를 말한다. '먹는샘물'이란 샘물을 먹기에 적합하도록 물리적으로 처리하는 등의 방법으로 제조한 물을 말한다.

① 먹는물의 수질기준

음용수의 수질기준은 각국마다 약간의 차이가 있으며, 우리나라는 보건복지부령으로 정하여 실시하다가 1995년 환경부령으로 다시 먹는물 수질기준을 정하였다. 개정된 먹는물의 수질기준(제2조 관련) 및 먹는물 검사항목과 검사주기를 실시하고 있다[표 10-11, 10-12].

② 수질오염

물은 자연정화 능력이 있어 적은 양의 인위적인 오염이나 자연적인 오염은 수질을 크게 변화시키지 않는다. 그러나 오염물질의 유입량이 너무 많아져서 자정작용의 능력만으로 정화되지 않는 경우에는 수질이 크게 변함으로써 물의 이용 가치가 떨어지고 생물이나 인간에 영향을 주는 것을 수질오염이라 한다.

표 10-11 먹는물 수질기준 및 검사 등에 관한 규칙(개정 2021.9.16)

먹는물의 수질기준(제2조 관련)

1. 미생물에 관한 기준

가. 일반세균은 1mL 중 100CFU(Colony Forming Unit)를 넘지 아니할 것. 다만, 샘물 및 염지하수의 경우에는 저온일반세균은 20CFU/mL, 중온일반세균은 5CFU/mL를 넘지 아니하여야 하며, 먹는샘물, 먹는염지하수 및 먹는해양심층수의 경우에는 병에 넣은 후 4℃를 유지한 상태에서 12시간 이내에 검사하여 저온일반세균은 100CFU/mL, 중온일반세균은 20CFU/mL를 넘지 아니할 것

나. 총 대장균군은 100mL(샘물·먹는샘물, 염지하수·먹는염지하수 및 먹는해양심층수의 경우에는 250mL)에서 검출되지 아니할 것. 다만, 제4조 제1항 제1호 나목 및 다목에 따라 매월 또는 매 분기 실시하는 총 대장균군의 수질검사 시료(試料) 수가 20개 이상인 정수시설의 경우에는 검출된 시료 수가 5퍼센트를 초과하지 아니하여야 한다.

다. 대장균·분원성 대장균군은 100mL에서 검출되지 아니할 것. 다만, 샘물·먹는샘물, 염지하수·먹는염지하수 및 먹는해양심층수의 경우에는 적용하지 아니한다.

라. 분원성 연쇄상구균·녹농균·살모넬라 및 쉬겔라는 250mL에서 검출되지 아니할 것(샘물·먹는샘물, 염지하수·먹는염지하수 및 먹는해양심층수의 경우에만 적용한다)

마. 아황산환원혐기성포자형성균은 50mL에서 검출되지 아니할 것(샘물·먹는샘물, 염지하수·먹는염지하수 및 먹는해양심층수의 경우에만 적용한다)

바. 여시니아균은 2L에서 검출되지 아니할 것(먹는물공동시설의 물의 경우에만 적용한다)

2. 건강상 유해영향 무기물질에 관한 기준

가. 납은 0.01mg/L를 넘지 아니할 것

나. 불소는 1.5mg/L(샘물·먹는샘물 및 염지하수·먹는염지하수의 경우에는 2.0mg/L)를 넘지 아니할 것

다. 비소는 0.01mg/L(샘물·염지하수의 경우에는 0.05mg/L)를 넘지 아니할 것

라. 셀레늄은 0.01mg/L(염지하수의 경우에는 0.05mg/L)를 넘지 아니할 것

마. 수은은 0.001mg/L를 넘지 아니할 것

바. 시안은 0.01mg/L를 넘지 아니할 것

사. 크롬은 0.05mg/L를 넘지 아니할 것

아. 암모니아성 질소는 0.5mg/L를 넘지 아니할 것

자. 질산성 질소는 10mg/L를 넘지 아니할 것

차. 카드뮴은 0.005mg/L를 넘지 아니할 것

카. 붕소는 1.0mg/L를 넘지 아니할 것(염지하수의 경우에는 적용하지 아니한다)

타. 브롬산염은 0.01mg/L를 넘지 아니할 것(수돗물, 먹는샘물, 염지하수·먹는염지하수, 먹는해양심층수 및 오존으로 살균·소독 또는 세척 등을 하여 먹는물로 이용하는 지하수만 적용한다)

파. 스트론튬은 4mg/L를 넘지 아니할 것(먹는염지하수 및 먹는해양심층수의 경우에만 적용한다)

하. 우라늄은 30μg/L를 넘지 않을 것[수돗물(지하수를 원수로 사용하는 수돗물을 말한다), 샘물, 먹는샘물, 먹는염지하수 및 먹는물공동시설의 물의 경우에만 적용한다)]

3. 건강상 유해영향 유기물질에 관한 기준

가. 페놀은 0.005mg/L를 넘지 아니할 것

나. 다이아지논은 0.02mg/L를 넘지 아니할 것

다. 파라티온은 0.06mg/L를 넘지 아니할 것

라. 페니트로티온은 0.04mg/L를 넘지 아니할 것

마. 카바릴은 0.07mg/L를 넘지 아니할 것

바. 1,1,1-트리클로로에탄은 0.1mg/L를 넘지 아니할 것

사. 테트라클로로에틸렌은 0.01mg/L를 넘지 아니할 것

표 10-11 먹는물 수질기준 및 검사 등에 관한 규칙(개정 2021.9.16) (계속)

아. 트리클로로에틸렌은 0.03mg/L를 넘지 아니할 것
자. 디클로로메탄은 0.02mg/L를 넘지 아니할 것
차. 벤젠은 0.01mg/L를 넘지 아니할 것
카. 톨루엔은 0.7mg/L를 넘지 아니할 것
타. 에틸벤젠은 0.3mg/L를 넘지 아니할 것
파. 크실렌은 0.5mg/L를 넘지 아니할 것
하. 1,1-디클로로에틸렌은 0.03mg/L를 넘지 아니할 것
거. 사염화탄소는 0.002mg/L를 넘지 아니할 것
너. 1,2-디브로모-3-클로로프로판은 0.003mg/L를 넘지 아니할 것
더. 1,4-다이옥산은 0.05mg/L를 넘지 아니할 것

4. 소독제 및 소독부산물질에 관한 기준(샘물 · 먹는샘물 · 염지하수 · 먹는염지하수 · 먹는해양심층수 및 먹는물공동시설의 물의 경우에는 적용하지 아니한다)

가. 잔류염소(유리잔류염소를 말한다)는 4.0mg/L를 넘지 아니할 것
나. 총트리할로메탄은 0.1mg/L를 넘지 아니할 것
다. 클로로포름은 0.08mg/L를 넘지 아니할 것
라. 브로모디클로로메탄은 0.03mg/L를 넘지 아니할 것
마. 디브로모클로로메탄은 0.1mg/L를 넘지 아니할 것
바. 클로랄하이드레이트는 0.03mg/L를 넘지 아니할 것
사. 디브로모아세토니트릴은 0.1mg/L를 넘지 아니할 것
아. 디클로로아세토니트릴은 0.09mg/L를 넘지 아니할 것
자. 트리클로로아세토니트릴은 0.004mg/L를 넘지 아니할 것
차. 할로아세틱에시드(디클로로아세틱에시드, 트리클로로아세틱에시드 및 디브로모아세틱에시드의 합으로 한다)는 0.1mg/L를 넘지 아니할 것
카. 포름알데히드는 0.5mg/L를 넘지 아니할 것

5. 심미적(審美的) 영향물질에 관한 기준

가. 경도(硬度)는 1,000mg/L(수돗물의 경우 300mg/L, 먹는염지하수 및 먹는해양심층수의 경우 1,200mg/L)를 넘지 아니할 것. 다만, 샘물 및 염지하수의 경우에는 적용하지 아니한다.
나. 과망간산칼륨 소비량은 10mg/L를 넘지 아니할 것
다. 냄새와 맛은 소독으로 인한 냄새와 맛 이외의 냄새와 맛이 있어서는 아니될 것. 다만, 맛의 경우는 샘물, 염지하수, 먹는샘물 및 먹는물공동시설의 물에는 적용하지 아니한다.
라. 동은 1mg/L를 넘지 아니할 것
마. 색도는 5도를 넘지 아니할 것
바. 세제(음이온 계면활성제)는 0.5mg/L를 넘지 아니할 것. 다만, 샘물 · 먹는샘물, 염지하수 · 먹는염지하수 및 먹는해양심층수의 경우에는 검출되지 아니하여야 한다.
사. 수소이온 농도는 pH 5.8 이상 pH 8.5 이하이어야 할 것. 다만, 샘물, 먹는샘물 및 먹는물공동시설의 물의 경우에는 pH 4.5 이상 pH 9.5 이하이어야 한다.
아. 아연은 3mg/L를 넘지 아니할 것
자. 염소이온은 250mg/L를 넘지 아니할 것(염지하수의 경우에는 적용하지 아니한다)
차. 증발잔류물은 수돗물의 경우에는 500mg/L, 먹는염지하수 및 먹는해양심층수의 경우에는 미네랄 등 무해성분을 제외한 증발잔류물이 500mg/L를 넘지 아니할 것
카. 철은 0.3mg/L를 넘지 아니할 것. 다만, 샘물 및 염지하수의 경우에는 적용하지 아니한다.
타. 망간은 0.3mg/L(수돗물의 경우 0.05mg/L)를 넘지 아니할 것. 다만, 샘물 및 염지하수의 경우에는 적용하지 아니한다.
파. 탁도는 1NTU(Nephelometric Turbidity Unit)를 넘지 아니할 것. 다만, 지하수를 원수로 사용하는 마을상수도, 소규모급수시설 및 전용상수도를 제외한 수돗물의 경우에는 0.5NTU를 넘지 아니하여야 한다.

표 10-11 먹는물 수질기준 및 검사 등에 관한 규칙(개정 2021.9.16) (계속)

하. 황산이온은 200㎎/L를 넘지 아니할 것. 다만, 샘물, 먹는샘물 및 먹는물공동시설의 물은 250㎎/L를 넘지 아니하여야 하며, 염지하수의 경우에는 적용하지 아니한다.
거. 알루미늄은 0.2㎎/L를 넘지 아니할 것

6. 방사능에 관한 기준(염지하수의 경우에만 적용한다)
가. 세슘(Cs-137)은 4.0mBq/L를 넘지 아니할 것
나. 스트론튬(Sr-90)은 3.0mBq/L를 넘지 아니할 것
다. 삼중수소는 6.0Bq/L를 넘지 아니할 것

〈 자료원 : 법제처(2021). 먹는물 수질기준 및 검사 등에 관한 규칙 제2조 관련, 별표1 〉

표 10-12 먹는물 검사항목 및 검사주기

구 분		측정 항목
정수장	매일검사(6항목)	냄새, 맛, 색도, 탁도, 수소이온, 농도, 잔류염소
	매주검사[1](8항목)	일반세균, 총 대장균군, 대장균 또는 분원성 대장균군, 암모니아성 질소, 질산성 질소, 과망간산칼륨 소비량, 증발잔류물
	매월검사[2](52항목)	소독제 및 소독부산물질 중 분기검사 항목 제외
	매분기(6항목)	8개 소독부산물 중 6개 항목(잔류염소, 클로랄하이드레이트, 디브로모아세토니트릴, 디클로로아세토니트릴, 트리클로로아세토니트릴, 할로아세틱에시드)
수도꼭지	매월검사(5항목)	일반세균, 총 대장균군, 대장균 또는 분원성 대장균군, 잔류염소
수도관 노후지역 수도꼭지	매월검사(11항목)	일반세균, 총 대장균군, 대장균 또는 분원성 대장균군, 암모니아성 질소, 철, 동, 아연, 망간, 염소이온, 잔류염소
장급수과정별 시설	매분기검사(12항목)	일반세균, 총 대장균군, 대장균 또는 분원성 대장균군, 암모니아성 질소, 총 트리할로메탄, 동, pH, 아연, 철 탁도, 잔류염소
마을·전용 상수도 소규모 급수시설	분기검사[3](16항목)	일반세균, 총 대장균군, 대장균 또는 분원성 대장균군, 암모니아성 질소, 질산성 질소, 냄새, 맛, 색도, 탁도, 불소, 망간, 알루미늄, 잔류염소, 붕소 및 염소이온(해수에 한함)
	연 전항목검사(58항목)	먹는물 수질기준 전항목
먹는물 공동시설	매분기검사[4](7항목)	일반세균, 총 대장균군, 대장균 또는 분원성 대장균군, 암모니아성 질소, 질산성 질소, 과망간산칼륨 소비량
	매년검사(48항목)	먹는물 수질기준 전항목(소독제 및 소독부산물질 제외)

1) 일반세균, 총 대장균군, 대장균 또는 분원성 대장균군 항목은 반드시 매주 1회 이상 검사, 기타 항목은 지난 1년간의 수질검사결과에 따라 매월 1회 이상으로 조정하여 검사 가능
2) 염소이온, 망간, 알루미늄 항목은 반드시 매월 1회 이상 검사를 실시하고, 기타 항목은 지난 3년간의 수질검사 결과에 따라 매분기 1회 이상으로 조정하여 검사 가능
3) 지난 3년간의 수질검사 결과에 다라 매 반기 1회 이상으로 조정하여 검사 가능
4) 3/4분기 중에는 매월 수질검사 실시

〈 자료원 : 법제처(2021). 먹는물 수질기준 및 검사 등에 관한 규칙 〉

이처럼 수질오염은 폐기물의 양이 증가하여 물의 자정능력을 상실하는 상태로 수질오염의 발생원을 크게 나누어 보면 점오염원과 비점오염원으로 구분할 수 있다.

점오염원은 오염원이 고정된 경우를 말한다. 예를 들면 산업폐수, 축산폐수, 생활하수 등이며, 비점오염원은 점오염원의 상대적 개념으로 공장, 생활하수 등 고정된 오염원이 아닌데서 발생되는 오염원을 말한다. 예를 들면 농약, 비료의 살포 결과 하천 유역에 유입되는 오염이 여기에 속한다.

③ 수질오염 사건

산업장에서 유출되는 유해 유독물질은 수은, 질산은, 카드뮴, 6가크롬, 유기 인, 아연, 페놀 등이 있으며, 이들이 수질을 오염시켜 각종 중독성 질환의 원인이 되고 있다.

대표적인 예로 '이타이이타이병' 1945년 일본 도야마현 지역의 카드뮴에 오염된 어패류를 먹은 사람들에게서 발생되었고, 임상증상으로는 골연화증, 보행장애, 심한 요통, 신장 기능장애 등으로 나타났다. '미나마타병'은 1952년 일본 구마모토현 지역의 메틸수은에 오염된 어패류를 먹은 어민들에게서 발생하였고, 임상증상으로는 사지마비, 청력장애, 시야협착, 언어장애, 선천적 신경장애 등이 발현되었다. 1968년 일본 키타큐슈시에 있는 가네미 회사에서 미강유의 탈취 공정 중에 열매체로 사용된 폴리염화비페닐(Poly Chlorinated Biphenyl; PCB)가 미강유에 혼입되어 중독증상을 일으킨 사건으로 임상증상으로 식욕부진, 구토 등을 일으켰다. PCB는 전기제품에 합성 접착제로 보호피막을 만드는 데 사용되는 열전도체로서 오염의 가능성이 크다.

④ 수질오염이 건강에 미치는 영향

수질오염의 주원인은 산업폐수, 생활하수, 축산폐수, 기타 강우 유출 등이고, 오염물질 배출량의 기준에서 보면 가정하수가 큰 비중을 차지하고 있다. 그러나 우리나라에서 전국적으로 문제가 되는 지하수나 하천, 호수, 해역 등의 오염은 하이테크 산업이나 골프장, 산업폐기물 처리장, 쓰레기 소각장, 제지공장, 양식사업장 등이 그 발생원이다.

⑤ 수질오염의 지표

가. 색도, 탁도, 냄새, 맛

음용수의 기준으로 색도는 5도 이하, 탁도는 1NTU(Nephelometric Turbidity Unit)를 넘지 아니하며, 다만 수돗물의 경우에는 0.5NTU를 넘지 아니하여야 한다. 냄새와 맛은 소독으로 인한 냄새와 맛 이외의 냄새와 맛이 있어서는 아니 된다(환경부령 먹는물의 수질기준 제2조 별표1).

색도는 물의 색의 정도를 표시하는 것으로 물의 색은 미생물이나 플랑크톤의 번식, 용해성 물질, 콜로이드성 물질, 오수 또는 공장폐수 등의 유입에 영향을 받는다. 탁도는 물의 탁한 정도를 나타내는 것으로 물이 탁하게 되는 것은 토사 등 부유물질이나 용존물질의 화학적 변화에 기인한다. 냄새는 오수나 공장폐수 등의 유입, 철관 내면의 도장과 녹, 이끼, 플랑크톤의 번식과 세균류의 발생, 지질, 염소소독 처리 등으로 발생되는데, 일반적으로 저온의 물에서는 냄새가 없거나 적으며 온도가 높아지면 비로소 냄새가 나는 것이 보통이다.

나. 용존산소(Dissolved Oxygen; DO)

물속에 녹아있는 산소의 양을 말한다. 용존산소는 생물의 생존에 절대적이며 물을 정화하는 중요한 역할을 하므로 수질평가에 중요한 지표이다. 일반적으로 용존산소는 수온이 낮을수록 기압이 높을수록 증가하며, 오염된 물은 미생물에 의해 산소소비량이 많아짐에 따라 산소의 함유량이 낮아진다. 용존산소의 일반적 특성으로 오염된 물은 용존산소량이 낮고, 수중의 염류농도가 증가할수록 또는 유기물이 많을수록 용존산소의 농도는 감소한다. 수중의 DO가 5ppm 이하가 되면 어류가 생존할 수 없는 오염상태이며, 용존산소는 물의 오염도 측정 및 각 처리단계의 수질기준 판단지표로 활용되기 때문에 매우 중요하다.

다. 생화학적 산소요구량(Biochemical Oxygen Demand; BOD)

물속의 유기물질이 호기성 미생물에 의해 20℃에서 5일간 생화학적으로 분해되어 안정화되는 데 필요한 산소의 양이다. BOD가 높다는 것은 수중 분해가 가능한 유기물질이 많다는 것을 의미하며, 오염도가 높음을 의미한다. 생화학적 산소요구량은 미생물에 의해 소비되는 산소량을 측정함으로써 간접적으로 유기물질의 양을 짐작할 수 있으므로 수질오염 측면에서 중요한 지표이다. 방류하수의 기준에서 가정하수는 20ppm 이하, 폐수는 30ppm 이하이며, 물고기 서식한계는 5ppm 이하이다.

라. 화학적 산소요구량(Chemical Oxygen Demand; COD)

물속의 유기물질, 아질산염, 제일철염, 황화물 등 산화성 무기물질을 산화제에 의하여 화학적으로 산화시킬 때 소모된 산화제(과망간산칼륨, 중크롬산칼륨)의 양에 상당하는 산소량으로서 COD값이 적을수록 오염물이 적게 들어있어 수질이 좋은 것을 의미한다. 화학적 산소요구량은 생물적·화학적으로 분해가 되지 않는 폐수나 유독물질을 포함한 공장폐수나 염도가 높은 해수, 그리고 이끼가 많이 있는 경우 물의 오염도를 측정하는 데 유용한 지표이다.

마. 부유물질(Suspended Solid; SS)

부유물질은 유기물과 무기물이 있고 2mm 이하의 입자상 고형물질이다. 유기성 부유물은 가온, 밀폐 등에 의해 부패하여 메탄가스와 황화수소(H_2S) 등의 가스를 발생시킨다. 일정량을 검수한 후 여과하고 찌꺼기를 증발시켜 측정한다. 부유물질은 물의 탁도를 증가시키고 수질검사의 지표로 널리 사용된다.

바. 수소이온농도(pH)

수소이온농도는 외부에서 산성이나 알칼리 물질이 유입되면 쉽게 변화하므로 오염 여부를 판단하는 지표가 된다. pH 6.0~8.0이 어류의 생존에 가장 적합한 농도이다.

사. 세균과 대장균군

수질오염의 지표로 세균과 대장균군이 있는데, 일반세균수는 생물학적으로 분해 가능한 유기물질의 농도를 알 수 있는 지표이다. 대장균군은 분변성 오염의 지표로 대장균군의 검출은 병원성은 낮으나 장내세균 오염으로 수인성 전염병의 간접적인 지표로 수질오염의 지표로 이용된다.

아. 질소

질소는 분뇨, 공장폐수, 가정하수 등에 많이 포함되어 있는데, 유기질소화합물의 분해과정은 단백질은 아미노산으로, 다음은 암모니아성 질소, 아질산성 질소, 마지막으로 질산성 질소 순의 분해단계를 거친다. 암모니아성 질소는 하수의 유기물질이 분해될 때 형성되는 것으로 수질오염의 유력한 지표이다. 암모니아성 질소의 검출은 유기물질에 오염된 지 얼마 되지 않았음을 의미하며 분변오염을 의심할 수 있다.

4) 수질오염이 건강에 미치는 영향

(1) 수인성 질병의 감염원

수인성 질병은 소화기계 감염병이 대부분으로 장티푸스, 파라티푸스, 세균성 이질, 콜레라, 유행성 간염 등이 있는데, 물에 오염된 세균들이 생존 가능한 음식물을 통해서 인체에 감염되므로 물은 감염원으로 작용하게 된다.

(2) 기생충 질환의 감염원

기생충 감염원으로는 간디스토마, 폐디스토마, 주혈흡충 등과 회충, 편충 등이 있으며 이러한 감염은 수질 오염으로 감염될 수 있다.

(3) 화학물질에 의한 중독

산업장에서 배출되는 유해물질(유기인, 페놀, 납, 수은, 카드뮴, 구리, 비소, 6가 크롬 등)의 오염에 의해 각종 중독성 질환 등 건강장해를 초래한다. 불소의 함량이 과량인 경우 반상치, 부족일 경우 충치를 발생시킨다.

(4) 기타

생활환경의 악화, 음용수와 공업용수로서 활용에 영향, 악취 및 가스발생, 해충의 서식 및 질병발생원으로 작용하며, 수도열의 원인이 되기도 한다.

5) 수질오염의 현상

(1) 부영양화

부영양화는 화학비료나 오수의 유입 등으로 물에 인과 질소와 같은 영양분이 과잉 공급되어 식물의 급속한 성장 또는 소멸을 유발하고 조류가 과도하게 번식하게 하여 하천이나 호소 심층수의 산소를 빼앗아 용존산소량을 감소시켜 생물을 죽게 하는 현상을 말한다. 일반적으로 화학비료 혹은 오수의 유입으로 생물이 죽으면, 그 생물이 부식되어가는 과정 속에서 또 한 번 영양분이 계속해서 과잉공급이 되어간다. 부영양화가 일어나게 되면 물의 맛과 냄새가 이상해진다. 부영양화를 방지하기 위한 대책으로는 인(P)과 질소(N)의 유입을 줄이는 방법을 사용하거나, 황산구리($CuSO_4$)를 살포하는 방법이 있다.

(2) 적조현상

적조현상이란 해양에서 서식하는 식물성 플랑크톤이나 그 외 박테리아나 미생물이 번식에 맞는 환경조건이 될 때 일시에 많은 양이 번식되거나 또는 생물·물리적 현상으로 바닷물의 색깔을 붉게 하는 현상을 말한다.

또한 물에서 고약한 냄새가 나고, 결국 산소부족으로 수중생물이나 어패류가 폐사하는 경우가 많이 발생한다.

(3) 녹조현상

녹조현상이란 영양염류의 과다로 호수에 녹조류가 대량으로 번식하여 물빛이 녹색으로 변화시키는 현상이다.

녹조현상을 막기 위해서는 생활하수를 충분히 정화하여 영양염류가 바다나 호수로 유입되지 않도록 해야 하며, 유입된 영양염류를 제거하기 위해서는 물가에 뿌리를 내리고 사는 풀이나 나무를 강가나 호숫가에 뿌리를 통해 물속의 영양염류를 흡수하게 해야 한다.

6) 수질환경기준

수질환경기준은 「환경정책기본법」에서 하천, 호소, 지하수로 나누어 그 기준을 제시하고 있다. 하천 생활환경 기준은 [표 10-13]과 같다.

표 10-13 하천 생활환경 기준

등 급	상태 (캐릭터)	기 준								
		수소이온 농도 (pH)	생물화학적 산소요구량 (BOD, mg/L)	화학적 산소요구량 (COD, mg/L)	총유기 탄소량 (TOC, mg/L)	부유 물질량 (SS, mg/L)	용존 산소량 (DO, mg/L)	총인 (total phosphorus, mg/L)	대장균군 (군수/100mL)	
									총 대장균군	분원성 대장균군
매우 좋음 Ia		6.5~8.5	1 이하	2 이하	2 이하	25 이하	7.5 이상	0.02 이하	50 이하	10 이하
좋음 Ib		6.5~8.5	2 이하	4 이하	3 이하	25 이하	5.0 이상	0.04 이하	500 이하	100 이하
약간 좋음 II		6.5~8.5	3 이하	5 이하	4 이하	25 이하	5.0 이상	0.1 이하	1,000 이하	200 이하
보통 III		6.5~8.5	5 이하	7 이하	5 이하	25 이하	5.0 이상	0.2 이하	5,000 이하	1,000 이하
약간 나쁨 IV		6.0~8.5	8 이하	9 이하	6 이하	100 이하	2.0 이상	0.3 이하		
나쁨 V		6.0~8.5	10 이하	11 이하	8 이하	쓰레기 등이 떠 있지 않을 것	2.0 이상	0.5 이하		
매우 나쁨 VI			10 초과	11 초과	8 초과		2.0 미만	0.5 초과		

비고

1. 등급별 수질 및 수생태계 상태
   - 가. 매우 좋음 : 용존산소(溶存酸素)가 풍부하고 오염물질이 없는 청정상태의 생태계로 여과·살균 등 간단한 정수처리 후 생활용수로 사용할 수 있음
   - 나. 좋음 : 용존산소가 많은 편이고 오염물질이 거의 없는 청정상태에 근접한 생태계로 여과·침전·살균 등 일반적인 정수처리 후 생활용수로 사용할 수 있음
   - 다. 약간 좋음 : 약간의 오염물질은 있으나 용존산소가 많은 상태의 다소 좋은 생태계로 여과·침전·살균 등 일반적인 정수처리 후 생활용수 또는 수영용수로 사용할 수 있음
   - 라. 보통 : 보통의 오염물질로 인하여 용존산소가 소모되는 일반 생태계로 여과, 침전, 활성탄 투입, 살균 등 고도의 정수처리 후 생활용수로 이용하거나 일반적 정수처리 후 공업용수로 사용할 수 있음
   - 마. 약간 나쁨 : 상당량의 오염물질로 인하여 용존산소가 소모되는 생태계로 농업용수로 사용하거나 여과, 침전, 활성탄 투입, 살균 등 고도의 정수처리 후 공업용수로 사용할 수 있음
   - 바. 나쁨 : 다량의 오염물질로 인하여 용존산소가 소모되는 생태계로 산책 등 국민의 일상생활에 불쾌감을 주지 않으며, 활성탄 투입, 역삼투압 공법 등 특수한 정수처리 후 공업용수로 사용할 수 있음
   - 사. 매우 나쁨 : 용존산소가 거의 없는 오염된 물로 물고기가 살기 어려움
   - 아. 용수는 해당 등급보다 낮은 등급의 용도로 사용할 수 있음
   - 자. 수소이온농도(pH) 등 각 기준항목에 대한 오염도 현황, 용수처리방법 등을 종합적으로 검토하여 그에 맞는 처리방법에 따라 용수를 처리하는 경우에는 해당 등급보다 높은 등급의 용도로도 사용할 수 있음

7) 하수

(1) 하수의 분류와 종류

가정이나 공장에서 배출되는 액체성인 폐기물을 총칭하여 하수라고 한다. 하수도 시설에는 사용수와 우수를 합류하는 합류식, 사용수와 우수의 하수를 분류하는 분류식, 분류식에 우수 일부를 혼합하는 혼합식이 있다.

도시 가정에서 배출되는 하수량은 1인 평균 150~400L이다. 도시의 하수천은 하수를 처리하는 시설을 두어 하천의 BOD와 세균수에 영향을 주지 않도록 정화처리를 하여 방류한다. 하수의 종류에는 가정하수(취사, 욕탕, 세척, 청소 등)와 수세식 변소로부터 나오는 분뇨, 공장폐수, 도로세정수, 관개수, 비나 눈, 지하의 배수 등이 있다. 비나 눈은 용존산소가 많으므로 하수처리에 좋은 영향을 준다.

(2) 하수처리

하수처리는 물과 폐기물의 분리 과정이라 할 수 있다. 하수처리는 예비처리, 본처리, 오니(찌꺼기)처리가 있다. 하수의 BOD와 세균수에 영향을 주지 않도록 하기 위해 물리적, 화학적, 생물학적 방법으로 하수를 일정하게 안정화하는 하수종말처리를 한다.

하수처리방식은 1차, 2차, 3차 처리로 분류되는데, 1차 처리는 하수 중의 부유물질이나 침강성 물질의 물리적 제거를 위한 방법이며(예비처리), 2차 처리는 하수 중의 유기물질과 1차 처리에서 처리되지 않은 유기성 고형물의 제거를 하기 위한 것이며(본처리), 3차 처리는 2차 처리에서 제거되지 않은 유기물 이외에 질소, 인과 같은 영양물질을 물리·화학·생물학적 방법을 이용하여 제거하는 고도의 처리과정이다. 오니처리는 해양투기, 매몰, 소각, 비료화, 소화법 등이다. 일반적으로 도시하수 처리에는 생물학적 2차 처리까지 사용되었으나, 최근 질소와 인을 제거할 수 있는 3차 처리 공정으로 바뀌고 있다[그림 10-9].

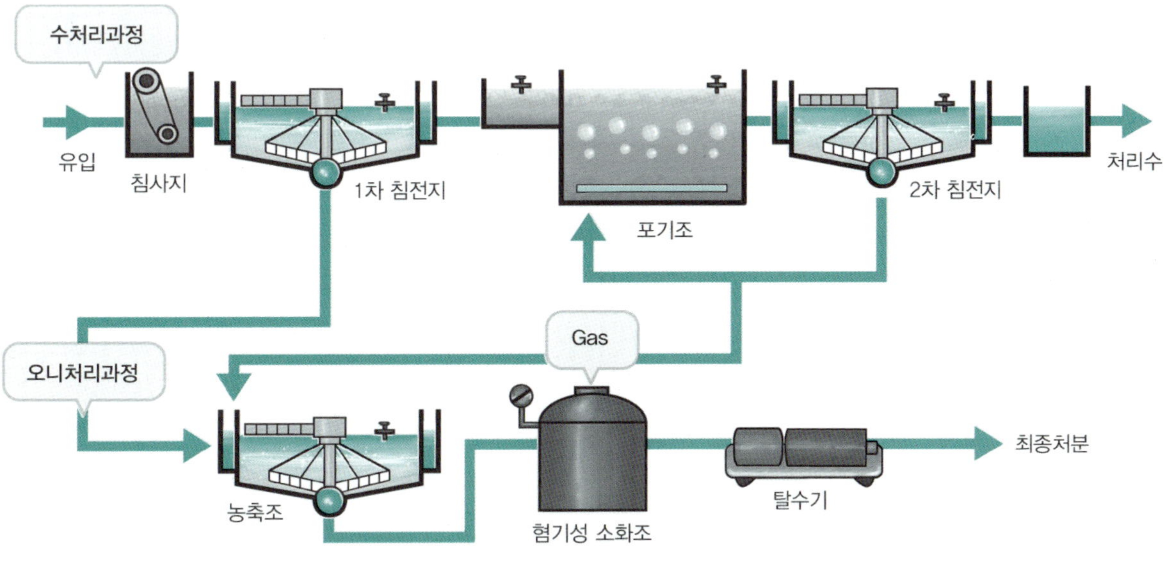

〈 자료원 : 수자원공사. http://www.kwater.or.kr 〉

그림 10-9 하수처리과정

① 예비처리

하수는 큰 부유물질을 제거하는 철책장치(screening)를 거쳐 침사조로 간다. 침사조(grit chamber)에서는 유속이 저하되어 토사 등이 침전되어 비중이 큰 물질을 가라앉히는 침사법, 보통침전과 약품침전을 불순물을 제거하는 과정이다. 보통침전은 하수의 흐름이 완만하거나 정지되어서 침전되도록 고안한 것이며, 약품침전법은 하수가 침전조로 흘러 들어가기 전에 약품 황산알루미늄[$Al_2(SO_4)_3$]을 사용하여 부유물의 80%를 4시간 정도로 제거하는 과정이다.

② 본처리

본처리는 미생물을 이용한 생물학적 처리법으로 혐기성 및 호기성 처리로 나눌 수 있다.

가. 혐기성 처리

혐기성(피산소성) 분해처리는 하수에 공기를 차단하여 혐기성균을 증식시킴으로써 탄소계 물질을 분해하여 메탄, 유기산을 생성하고, 단백질 등 질소계 물질을 분해하여 암모니아, 아미노산 등을 생성하는 과정을 말한다. 혐기성 처리방법으로 부패조와 임호프탱크를 이용하는 방법이 있다.

- **부패조**(Septic tank) : 단순한 탱크로서 하수의 부유물인 부사를 형성, 무산소상태를 만들어 혐기성(피산소성)균의 분해작용을 촉진시킴으로써 처리하는 방법이다. 부패조는 충분한 정화를 기대할 수 없을 뿐만 아니라 악취가 발생하고 유출수가 흑색인 결점이 있어 현재 폐수처리에는 거의 사용하지 않고 있으며, 분뇨처리에 적합하다.
- **임호프탱크**(Imhoff tank) : 1907년 Karl Imhoff가 고안한 것으로, 부패조의 결점을 보완하여 액체와 고체의 분리 및 부패작용을 이용하여 침전실과 오니소화실로 나누어 처리되도록 한 것이다. 가스출구에 검은 거품이 생겨 위생상 문제가 야기되므로 소규모 하수처리나 공장폐수처리법에 사용된다.

나. 호기성 처리

호기성(친산소성) 분해처리는 산소를 공급하여 호기성(친산소성)균에 의하여 처리하는 방식으로 활성오니법, 살수여상법, 산화지법 등이 있다.

- **활성오니법** : 호기성 처리의 가장 대표적인 것은 활성오니법으로 가장 발전된 하수처리방법으로 호기성(친산소성)세균이 풍부하게 함유된 활성오니를 하수량의 25% 정도 먼저 하수에 먼저 주입시킨 후 충분한 공기를 보내 교반작용을 일으킴으로써 호기성(친산소성)균의 활동을 촉진시켜 수중 유기물을 산화시키는 방법이다. 하수 중의 큰 부유물은 스크린에 의해 제거되고 나머지 하수 중의 토사성분은 침사지에서 침전되며 작은 부유물은 침전지에서 침전된 다음 폭기조를 거친다. 폭기법은 충분한 공기가 하수 중에 있는 유기물의 산화를 촉진시킨다. 침전된 오니는 펌프의 힘으로 부패조를 거쳐 오니건조장으로 가서 투기하거나 비료로 사용된다. 도시 하수의 처리에 주로 이용된다. 활성오니법의 장점으로는 대용량 규모의 폐수처리, 경제적이며 처리면적이 적어도 가능하며, 비교적 안정된 처리방법이다.
- **살수여상법** : 1차 처리된 하수를 자갈에 뿌려주는 것으로, 살수여상법은 통성혐기성(피산소성)처리라고도 하는데 주로 도시하수의 2차 처리를 위하여 사용되며, 1차 침전지 유출수를 미생물 점막으로 덮인 쇄석이나 기타 매개층 등 필터 위에 뿌려서 미생물막과 폐수 중의 유기물을 접촉시켜 처리하는 방법이다. 살수여상법의 장점으로 포기(공기공급)에 동력이 필요 없으며, 건설비와 유지비가 적고, 단점으로 여름철에 위생해충의 발생과 악취가 심하다. 주로 산업폐수, 분뇨처리에 많이 쓰인다.

- **산화지법** : 산화지법은 호기성(친산소성)균이 유기물을 분해하고 조류는 이들 유기물과 햇빛을 이용하여 광합성을 하여 산소를 방출하고, 세균은 방출된 산소를 이용하여 유기물을 분해하는 것을 이용한 방법이다. 하수를 연못이나 웅덩이에 저장하는 동안 자정작용에 의해 자연히 안정되어 가는 과정이다.

(3) 분뇨처리

대변의 1인 1일 배출량은 평균 100～160g이며, 소변은 1,000～1,500mL이다. 위생처리 하지 않은 생분(生糞)은 비료로 주는 경우에 기생충 감염, 장티푸스, 이질 등의 소화기 전염병의 지역적·폭발적 유행의 원인이 된다. 그러므로 전염병이나 기생충 감염의 예방을 위해 분뇨처리가 중요하다. 분뇨오염의 지표로는 대장균군(coli-form bacilli)의 경사가 일반적으로 이용된다.

일반적인 가정에서 생기는 분뇨는 가정 내 정화조나 오수처리시설을 거쳐 배출되게 된다. 정화조는 화장실 분뇨오수만 처리하고, 오수처리시설은 화장실 분뇨오수와 주방, 목욕 등 잡배수까지 모두 처리하는 시설이다. 정화조를 통해 처리되는 경우는 부패조와 폭기조, 침전조, 소포조, 소독조, 방류조를 거쳐 정화처리된 후 하수도로 방류된다.

오수처리시설을 통하는 경우는 일반하수와 함께 처리된다. 그 외 하수도에 방류되지 않아 분뇨를 수집 및 운반하는 경우에는 각 가정에 설치된 정화조나 재래식 화장실에서 탱크로리 차량을 이용하여 분뇨를 수거한다. 수거된 정화조오니와 분뇨는 하수종말처리장의 위생처리장의 투입동에서 정화조 처리기를 거쳐 수조에 일시 저장되고 농축조와 저류조를 거쳐 하루처리공정의 소화조에 투입되어 처리되게 된다.

3 식품과 건강

식품(food)은 인간이 먹기 위하여 요리하거나 또는 그대로 먹을 수 있는 모든 재료의 총칭이다. 영양소를 한 가지 또는 그 이상 함유하고 유해한 물질을 함유하지 않은 천연물 또는 가공품을 말한다. 그러나 좁은 의미에서는 어느 정도의 가공공정을 거쳐 직접 먹을 수 있는 상태가 된 것을 식품이라고 한다. 이에 비하여 직접 섭취할 수 없는 상태의 것을 식품재료 또는 식료품이라고 한다. 예를 들어, 쌀이나 배추는 식료품이고 밥이나 김치는 식품이라고 할 수 있으며, 우유나 과일 등은 식료품인 동시에 식품이라고 할 수 있다.

식품은 그 재료의 근원·형태 또는 목적에 따라 여러 가지 방법으로 분류된다. 예를 들어, 식물성 식품·동물성 식품 등, 곡류·감자류·두류·채소류·과일류·어패류·육류·우유류·해조류 등, 전분질 식품·단백질 식품·지방질 식품 등이 있다. 천연식품·가공식품·음료 등, 농산식품·축산식품·수산식품 등, 주식류·기호식품·조미료 등, 통조림식품·레토르트식품·즉석식품·건조식품·냉동식품·발효식품 등, 휴대식품·저장식품·비상식품·구황식품 등이 있다.

1) 식품위생의 정의

식품위생(food hygiene)이란 식품, 식품첨가물, 기구 또는 용기, 포장을 대상으로 하는 음식에 관한 위생을 말한다. 우리나라에서는 식품으로 인한 위생상의 위해를 방지하고 식품영양의 질적 향상을 도모하며 식품에 관한 올바른 정보를 제공함으로써 국민보건의 증진에 이바지함을 목적으로 「식품위생법」을 제정하여 시행하고 있다. 이 법에 따른 용어의 정의는 다음과 같다.

① '식품'이란 모든 음식물(의약으로 섭취하는 것은 제외한다)을 말한다.
② '식품첨가물'이란 식품을 제조·가공 또는 보존하는 과정에서 식품에 넣거나 섞는 물질 또는 식품을 적시는 등에 사용되는 물질을 말한다. 이 경우 기구(器具)·용기·포장을 살균·소독하는 데에 사용되어 간접적으로 식품으로 옮아갈 수 있는 물질을 포함한다.
③ '화학적 합성품'이란 화학적 수단으로 원소(元素) 또는 화합물에 분해 반응 외의 화학 반응을 일으켜서 얻은 물질을 말한다.
④ '위해'란 식품, 식품첨가물, 기구 또는 용기·포장에 존재하는 위험요소로서 인체의 건강을 해치거나 해칠 우려가 있는 것을 말한다.
⑤ '식품위생'이란 식품, 식품첨가물, 기구 또는 용기·포장을 대상으로 하는 음식에 관한 위생을 말한다.
⑥ '집단급식소'란 영리를 목적으로 하지 아니하면서 특정 다수인에게 계속하여 음식물을 공급하는 다음 각 목의 어느 하나에 해당하는 곳의 급식시설로서 대통령령으로 정하는 시설을 말한다.

- 기숙사
- 학교
- 병원
- 「사회복지사업법」
- 산업체
- 국가, 지방자치단체 및 공공기관
- 그 밖의 후생기관 등

⑦ '식품이력추적관리'란 식품을 제조·수입·가공단계부터 판매단계까지 각 단계별로 정보를 기록·관리하여 그 식품의 안전성 등에 문제가 발생할 경우 그 식품을 추적하여 원인을 규명하고 필요한 조치를 할 수 있도록 관리하는 것을 말한다.
⑧ '식중독'이란 식품 섭취로 인하여 인체에 유해한 미생물 또는 유독물질에 의하여 발생하였거나 발생한 것으로 판단되는 감염성 질환 또는 독소형 질환을 말한다.

2) 식품위해요소 중점관리기준(HACCP)

위해요소중점관리기준(Hazard Analysis and Critical Control Points) 또는 해썹(HACCP)은 생산－제조－유통의 전과정에서 식품의 위생에 해로운 영향을 미칠 수 있는 위해요소를 분석하고, 이러한 위해요소를 제거하거나 안전성을 확보할 수 있는 단계에 중요관리점을 설정하여 과학적이고 체계적으로 식품의 안전을 관리하는 제도이다. 위해요소 분석이란 '어떤 위해를 미리 예측하여 그 위해요인을 사전에 파악하는 것'을 의미하며, 중요관리점이란 '반드시 필수적으로 관리하여야 할 항목'이란 뜻을 내포하고 있다. 즉 해썹(HACCP)은 위해 방지를 위한 사전 예방적 식품안전관리체계를 말한다. 해썹(HACCP) 제도는 식품, 축산물, 사료 등을 만드는 과정에서 생물학적, 화학적, 물리적 위해요인들이 발생할 수 있는 상황을 과학적으로 분석하고 사전에 위해요인의 발생여건들을 차단하여 소비자에게 안전하고 깨끗한 제품을 공급하기 위한 시스템적인 규정을 말한다. HACCP관리는 전 세계 공통적으로 7원칙 12절차에 의한 체계적인 접근 방식을 적용하고 있다. HACCP 인증 7원칙 12절차는 [그림 10-10]과 같다.

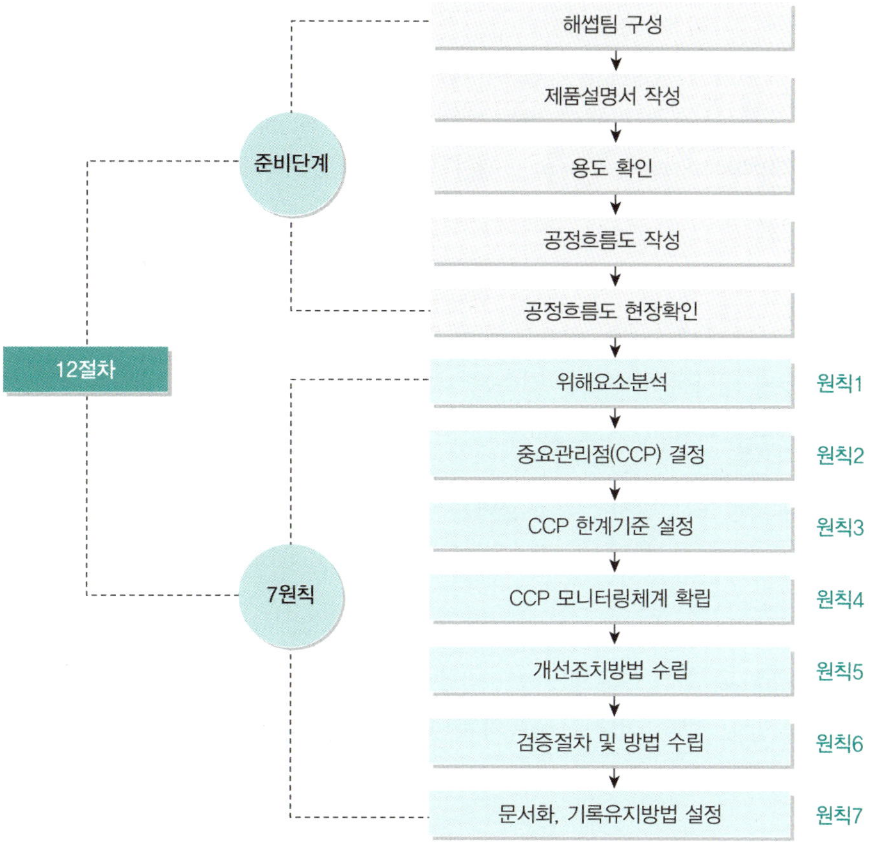

〈 자료원 : 한국식품안전관리인증원(2022). HACCP 7원칙 12절차 〉

그림 10-10 HACCP 인증 7원칙 12절차

3) 식품의 보존법

식품의 변질은 미생물의 번식과 직접적인 관련이 있다. 부패(腐敗, putrefaction)는 식품에 부착 또는 혼입된 미생물이 증식하여 식품 중의 질소를 함유한 유기화합물인 단백질을 분해하여 amino계 유효성물질이 생긴 상태를 말한다. 변패(變敗, fermentation)란 질소를 포함하지 않은 당질, 지질 같은 식품이 미생물의 번식으로 분해되어 변질하는 것을 말한다. 식품의 보존은 미생물의 생장번식에 필요한 조건(공기, 온도, 수분, 빛 등)을 물리·화학적으로 차단함으로써 미생물의 생장을 억제하는 방법이다.

(1) 물리적 보존법

① 건조법

세균은 수분 15% 이하의 환경에서 발육이 현저하게 억제된다. 따라서 식품은 건조하여 가용성 고형성분 농도를 증가시켜서 삼투압을 증가시키면 세균발육을 억제시킬 수 있다. 방법으로는 일광건조법과 인공건조법이 있으며 응용범위가 넓고 간단하여 과실, 어류, 곡류, 육류 등의 보존에 이용되고 있다.

② 냉동냉장법

10℃ 이하가 되면 세균의 발육이 억제되고 −5℃ 이하가 되면 대부분의 미생물의 발육이 억제된다. 냉장법으로는 움저장(감자, 고구마, 채소), 냉장(1∼4℃), 냉동(−10℃ 이하), 급랭법 등이 있다.

③ 가열법

끓이거나 삶는 방법에 의하여 식품에 부착된 미생물을 사멸시키고 조직 중의 각종 효소를 불활성해서 보존 목적을 달성하는 방법으로 보통 80℃에서 30분 이상이면 아포를 제외한 대부분의 세균이 사멸한다. 특히 우유의 경우 저온살균법(pasteurization, 63~65℃에서 30분간 또는 72~73℃에서 15초간 열처리 후 급히 냉각하는 방법)을 사용하고 있다.

④ 밀봉법

마른 식품이나 곡류는 대개 흡습성이 있으므로 공기 중에 방치하면 수일 내에 12~14%까지 흡습하게 되므로 이런 현상을 밀봉에 의하여 외기와의 접촉을 차단하여 흡습 및 충해를 방지하는 방법이다.

⑤ 자외선, 방사선이용법

2,500~2,700Å의 자외선 또는 방사선의 살균력을 이용하여 식품보존을 기대할 수 있으나 식품의 본질의 변화를 초래하는 단점을 가지고 있다.

⑥ 통조림법

일종의 밀봉법이며 깡통 속의 가스를 제거하고 밀봉한 후 다시 가열처리함으로써 흡습 및 충해방지는 물론 효소의 비활성화, 세균 발육, 번식 억제로 식품의 변질 없이 장기간 보존할 수 있는 특징을 가지고 있다.

(2) 화학적 보존법

① 지입법(漬入法)

가. 염지법(鹽漬法, Salting)

주로 해산물, 축산물, 야채류를 식염에 넣어 식품의 탈수화 및 세균의 원형질을 분리하여 부패를 막는다. 방법에는 염수법과 건조법이 있다.

나. 당장(糖醬)

당분이 50% 이상의 농도를 유지하게 되면 효모, 곰팡이 및 세균의 발육이 억제된다. 이 방법은 젤리, 잼, 가당연유, 과실 등에 많이 이용된다.

다. 산저장(Pickling)

pH가 낮은 초산을 써서 세균이나 곰팡이, 효모와 같은 미생물의 발육을 억제함으로써 부패를 막으며, 과실, 야채의 저장에 이용되고 있다.

② 훈연법(薰煙法)

매연 형성이 우수한 벚나무, 참나무 또는 떡갈나무를 불완전 연소시켜서 나오는 연기 중의 알데하이드, 석탄산 같은 물질을 어육류의 조직에 침투시켜서 건조와 살균작용을 도모하고 동시에 저장성과 향미를 증진하는 방법이다.

③ 가스저장법

CO_2, N_4 가스를 이용하여 호기성 부패세균의 번식을 억제하는 방법으로 어육류, 난류 또는 야채의 저장에 쓰이기도 한다.

④ 훈증법

훈증가스제로 곡류 등에 적용하여 충해, 기생충의 알 및 미생물이 사멸하는 방법인데 훈증제로 $CHCl_3$, NO_2 등이 흔히 사용된다.

⑤ 방부제

식염, 초산, 알코올 등의 정균작용에 의하여 방부목적을 달성하는 방법이다.

4) 식품이 건강에 미치는 영향

식품에 의한 건강장애는 식중독, 경구전염병, 인수 공동전염병, 기생충병, 원충병으로 구분할 수 있다. 식중독은 세균성, 화학성, 자연독으로 구분하며 세균성인 경우에는 세균자체로 인한 식중독(감염형)과 세균이 분비한 독소에 의한 식중독(독소형)으로 분류할 수 있다. 자연독인 경우에는 식물성인지 동물성인지에 따라 식중독을 분류한다. 화학성인 경우에는 유해한 식품 첨가물, 농약, 식품 변질, 사고로 인해 침입된 유해물질, 환경오염에 의한 식중독으로 분류할 수 있다[표 10-14].

(1) 식중독

식중독은 「식품위생법」 제2조 제14호에 따르면 식품 섭취로 인하여 인체에 유해한 미생물 또는 유독물질에 의하여 발생하였거나 발생한 것으로 판단되는 감염성 질환 또는 독소형 질환을 말한다. WHO는 '식품 또는 물의 섭취에 의해 발생되었거나 발생된 것으로 생각되는 감염성 또는 독소형 질환'으로 규정하고 있다. '장염'이라는 말은 소장이나 대장에 염증이 생긴 상태를 말하며 대부분 음식 섭취와 관련이 있고 증상이

표 10-14 식중독의 분류

대분류	중분류	소분류	원인균 및 물질
미생물	세균성	독소형	황색포도상구균, 클로스트리디움 보툴리늄, 클로스트리디움 퍼프린제스 등
		감염형	살모넬라, 장염비브리오균, 병원성대장균, 캠필로박터, 여시니아, 리스테리아 도노사이토제네스, 바실러스 세레우스
	바이러스성	공기, 접촉, 물 등의 경로로 전염	노로바이러스, 로타바이러스, 아스트로바이러스, 장관아데노바이러스, 간염 A 바이러스, 간염 E 바이러스 등
화학물질	자연독	동물성 자연독에 의한 중독	복어독, 시가테라독
		식물성 자연독에 의한 중독	감자독, 버섯독
		곰팡이 독소에 의한 중독	황변미독, 맥가독, 아플라톡신 등
	인공화합물	고의 또는 오용으로 첨가되는 유해물질	식품첨가물
		본의 아니게 잔류, 혼입되는 유해물질	잔류농약, 유해성 금속화합물
		제조·가공·저장 중에 생성되는 유해물질	지질의 산화생성물, 니트로소아민
		기타 물질에 의한 중독	메탄올 등
		조리기구·포장에 의한 중독	녹청(구리), 납, 비소 등

〈 자료원 : 질병관리청 국가건강정보포털(2022). 식중독의 분류 〉

	미생물		오염원
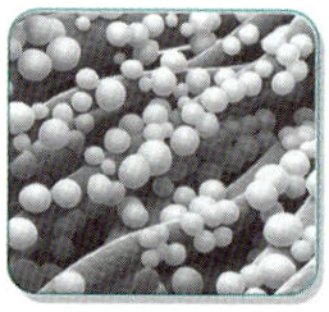	**황색포도상구균** • 독소를 생성하여 식중독 유발 • 독소가 생성되면 가열(100℃)하여도 파괴되지 않음 • 건조한 상태에서도 생존		• 사람 또는 동물의 피부, 점막에 널리 분포 • 화농성 질환자가 취급, 준비한 음식물
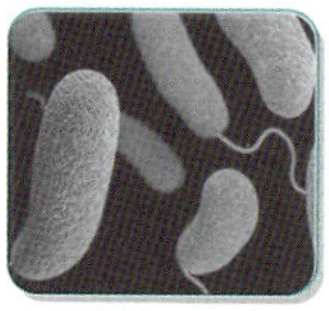	**장염비브리오** • 해수온도 15℃ 이상에서 증식 • 2~5%의 염도에서 잘 자라고, 열에 약함 • 주로 6~10월 사이에 급증	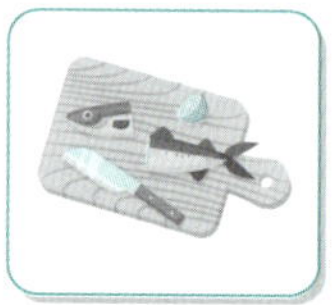	• 여름철 연안에서 채취한 어패류 및 생선회 등 • 오염된 어패류를 취급한 칼, 도마 등 기구류
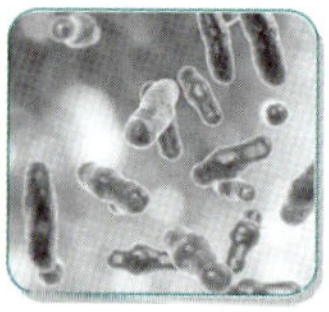	**클로스트리디움 퍼프린젠스** • 포자를 형성하는 균으로 가열하여도 생존 가능 • 산소가 없는 환경에서도 생장 가능		• 동물 분변, 토양 등에 존재 • 대형 용기에서 조리된 스프, 국, 카레 등을 방치할 경우
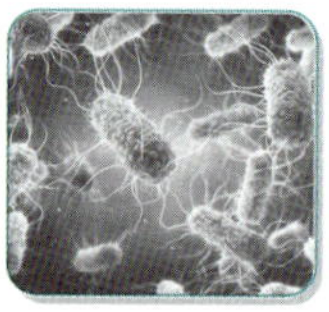	**살모넬라** • 토양이나 물에서 장기간 생존 가능 • 건조한 상태에서도 생존	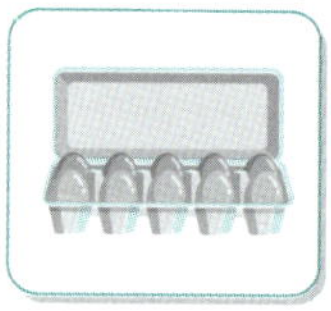	• 사람, 가축분변, 곤충 등에 널리 분포 • 계란, 식육류와 그 가공품 • 분변에 직·간접적으로 오염된 식품
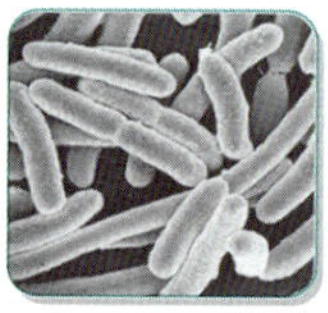	**병원성대장균 O157** • 소량(10~100마리)으로 식중독 유발 • 베로독소를 생산하여 식중독 유발 • 심한 경우 용혈성요독증으로 사망 유발		• 환자나 동물의 분변에 직·간접적으로 오염된 식품 • 오염된 칼·도마 등에 의해 다져진 음식물
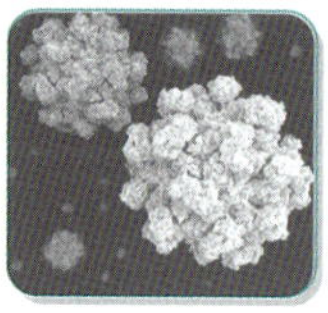	**노로바이러스** • 사람 장관에서만 증식 • 자연환경에서 장기간 생존 가능		• 사람의 분변에 오염된 물이나 식품 • 노로바이러스에 감염된 사람에 의한 2차 감염 • 겨울철에 많이 발생

〈 자료원 : 질병관리청 국가건강정보포털(2022). 식중독 〉

그림 10-11 식중독을 일으키는 대표적인 원인균

유사하기 때문에 식중독과 비슷한 의미로 사용된다. 집단식중독은 식품 섭취로 인하여 2인 이상의 사람에서 감염성 또는 독소형 질환을 일으킨 경우를 말한다[그림 10-11].

① 세균성 식중독(Bacterial food poisoning)

세균으로 인한 감염형 식중독과 감염된 세균이 분비하는 독소에 의한 독소형 식중독으로 분류한다.

가. 감염형 세균성 식중독

감염형 세균성 식중독은 섭취된 세균이 장내에서 증식하여 장내에서 장독소를 생성하여 식중독을 일으키는 경우와 세균이 직접 장점막 표면에 침습을 하여 증상을 야기하는 경우로 나뉜다. 장독소에 의한 경우는 주로 비염증성·수양성 설사를 야기하며, 세균 자체에 의한 것은 주로 염증성 설사를 야기 한다.

A. 장염비브리오 식중독(호염균식중독)

- 원인균 : 장염비브리오(Vibrio parahaemolyticus) 그람 음성의 통성혐기성 간균이다.
- 감염경로 : 발병은 주로 여름철에 많으며 원인식품으로는 어패류, 생선회, 수산식품(게장, 생선회, 오징

어무침) 특히 어패류의 체표와 내장 등에 부착되어 있다가 이를 조리한 사람의 손과 기구로부터 다른 식품에 2차 오염되어 식중독을 발생시킨다.

- 증상 : 복통, 설사, 구토, 발열
- 예방 : 이 균은 열에 약하고, 담수(fresh water)에 의해서 사멸하므로 식품의 가열, 수돗물에 의한 세정이 효과적이다. 어패류는 수돗물로 잘 씻고 횟감용 칼, 도마는 구분하여 사용하여야 한다.

B. 병원성 대장균 식중독(0–157)

- 원인균 : 장내세균(E-coli), 0-157은 설사, 장염을 일으키는 대장균이며, 그람 음성 간균으로 소량으로도 식중독을 유발한다.
- 감염경로 : 사람 및 동물의 대장 내에 분포되어 있는 균으로 식품에서 대장균이 검출되었다는 것은 사람이나 동물의 분변에 오염되었음을 암시한다.
- 증상 : 복통, 설사, 구토, 발열, 급성 장염증세, 심한 경우 용혈성 요독증으로 사망할 수도 있다.
- 예방 : 칼, 도마 등 조리 기구는 구분하여 사용하여 2차 오염을 방지하며 생육과 조리된 음식은 구분 보관한다.

C. 살모넬라 식중독(Salmonella food poisoning)

- 원인균 : 2,000여 종에 이르는 다양한 subtype이 존재하나 크게 두 군으로 분류가 가능하다. 장티푸스, 파라티푸스를 일으키는 S. typhi, S. paratyphi들이 속하는 티푸스(typhoidal) 군과 급성 위장관염의 식중독을 일으키는 S. enteritidis, S. typhimurium, S. newport, S. panama, S. muenchen, S. anatum, S. heidelberg, S. london들이 속하는 비－티푸스(non-typhoidal) 군이 있다.
- 감염경로 : 주로 여름에서 가을에 많이 발생하며 직접 오염원으로는 사람 외에 쥐, 개나 고양이 등이며, 감염된 사람 또는 동물의 분변이 식품, 물, 또는 직접 접촉을 통해 전파되는 인수공통질환이다.
- 증상 : 복통, 설사, 발열, 전신권태, 식욕감퇴, 구토, 현기증 등을 동반한다.
- 예방 : 조리 후 식품을 가능한 신속히 섭취하도록 하며 남은 음식은 5℃ 이하 저온 보관해야 한다. 계란이나 고기 등을 만진 후에는 비누로 손을 씻는다. 조리에 사용된 기구 등은 세척, 소독하여 2차 오염을 방지해야 한다.

D. 캠필로박터균(Campylobacter) 식중독

- 원인 식품 : 캠필로박터는 사람, 가축, 애완동물, 야생동물, 어패류 및 하천 등 자연환경에 널리 분포하는 균이다. 가축의 보균율은 소에서는 20%, 돼지에서는 30～70%, 닭에서는 20～50%로 살모넬라보다도 높으며, 야생 조류에도 분포되어 있다. 따라서 동물의 분뇨가 우유, 하천수, 우물 등을 오염시키거나 가축, 가금류의 도살, 해체 시에 식육에 오염되어 이를 섭취한 사람이 식중독에 걸리게 된다. 시판되는 생육 중에는 살모넬라와 같은 정도로 캠필로박터가 오염되어 있다.
- 증상 : 설사, 열, 매스꺼움, 복통 및 구토
- 예방 : 생균의 감염에 의해 발생하므로 식품을 충분히 가열하여 균을 사멸시켜야 한다. 오염량이 많은 생고기도 중심부까지 74℃에서 1분 이상 충분한 가열을 하면 균이 사멸된다. 물에서도 장기간 생존이 가능하므로 지하수나 우물물 등은 충분히 끓여 마셔야 한다. 일반적으로 식육에 많이 오염되어 있으므로 식육으로부터의 기타 식품으로의 교차 오염 방지에 특히 주의하여야 한다. 특히, 식육을 냉장 보관할 경우 육즙이 다른 식품에 스며들거나 떨어지는 일이 없도록 반드시 용기나 포장비닐에 넣어 보관하여야 한다.

나. 독소형 세균성 식중독

독소형 세균성 식중독은 오염된 식품 내에서 세균이 독소를 생성하고 이러한 독소를 섭취하였을 때 유발되는 식중독으로 섭취한 독소에 따라 다양한 증상을 야기한다. 이러한 독소형 세균성 식중독에는 황색포도상구균 식중독, 보툴리누스 식중독 등이 있다. 이러한 독소로 인하여 식중독은 잠복기가 짧고 인간과 인간 사이에 전염은 없으며 오염된 음식으로부터 분리가 다른 사람에게로 전파를 차단하는 중요한 역할을 한다.

A. 황색포도상구균에 의한 식중독(Staphylococcal food poisoning)

- 원인균 : 포도상구균(staphylococcs aureus)
- 원인식품 : 육류 및 그 가공식품과 우유, 버터, 치즈 등과 이들을 재료로 한 과자류와 유제품, 밥, 김밥, 도시락, 두부 등과 복합조리 식품과 크림, 소스, 어육 연제품 등이다.
- 증상 : 급성 위장염, 오심, 구토, 설사, 복통, 심한 설사나 구토로 탈수증상을 일으킨다.
- 예방 : 식품 취급자는 손을 청결히 하며 손에 창상 또는 화농이 있거나 신체 다른 부위에 화농이 있으면 식품을 취급해서는 안 된다.

B. 보툴리누스 식중독(신경증상을 일으키는 식중독, Botulinum food poisoning)

- 원인균 : Clostridium botulinum
- 원인식품 : 통조림, 병조림, 레토르트 식품, 햄, 소시지, 밀봉 식품 등이 있다.
- 증상 : 신경계의 증상이 주 증상으로 시력저하, 복시, 변비, 복부팽만 및 호흡 곤란 등을 나타낸다.
- 예방 : 채소와 곡물을 반드시 깨끗이 세척하고 생선 등 어류는 신선한 것으로 조리해야 한다.

C. 웰치균에 의한 식중독(Welchii food poisoning)

- 원인균 : 웰치균(Welch's bacillus)
- 원인식품 : 육류, 집단 급식 시설 등 다수인의 식사를 조리할 경우 발생하기 쉽다.
- 증상 : 복통, 설사
- 예방 : 가정에서는 육류를 가열조리한 후 빨리 먹기 때문에 위험은 없지만, 단체급식 등 대량조리의 경우에는 시간이 경과하면서 조리식품의 내부에서 웰치균이 증식할 수 있으므로 빨리 냉각시키는 것이 좋다. 집단 급식의 경우, 대형기기의 조리시설과 이상적인 냉장·가열 시설을 갖추어야 한다.

② 자연독에 의한 식중독(Natural food poisoning)

자연독이란 동·식물에 자연적으로 생성되거나 축적된 유독·유해성분을 말하며, 이를 섭취함으로서 식중독이 발생한다. 자연독의 생성시기와 함유량은 계절과 환경의 영향을 받는다. 따라서 자연독 식중독을 예방하기 위해서는 독이 생성되는 시기와 독성이 있는 식품을 구별할 수 있는 지식을 알아두어 독이 형성되는 시기를 피해서 섭취하도록 해야 한다.

복어중독의 원인독은 tetrodotoxin으로 복어의 내장, 난소, 알, 간장, 고환, 위장 등에 많이 함유되어 있으며, 일반적으로 봄에 독력이 강해지기 시작하여 5~6월에 최고에 달한다. 중독증상은 섭취 후 30분에서 5시간 내에 나타나며, 심한 경우에는 증상 1시간 이내에 사망하고, 중독시간이 8시간 경과해도 사망하지 않는 경우에는 대체로 회복되지만 근육마비현상은 며칠간 지속된다. 복어중독은 일종의 신경독으로 지각이상, 위장장애, 호흡장애, 운동장애, 혈액장애 등으로 구분한다. 예방으로 내장, 난소, 간, 피부 등을 먹지 않도록 유의하며 반드시 복어요리 전문가가 조리한 것을 섭취한다. 조개류의 중독의 원인이 되는 독성물질은 일반적으로 조개의 체내에서 형성되는 것이 아니라 바닷속의 유독 플랑크톤에 의해 형성된 독소를 섭취하여 체내에 축적하는 것으로 알려져 있다. 조개류의 섭취로 인한 중독에는 베네루핀(venerupin) 중독으로 모시조개, 바지락, 굴 및 고동 등의 독성분으로 3~4월에 많이 발생한다. 조개류 중독의 증상은 발열, 오한, 두통, 비출혈, 자반증, 간비대 등이 나타난다. 독버섯의 대표적인 것은 파리버섯 중독인데 독성분은 muscarine을 함유하고 있어, 위장증상인 구토, 축동, 발한, 연동운동 항진이 나타날 수 있다. 홍합의 간 등에는 mytiloxin에 의한 패류중독으로 증상은 말초신경, 호흡마비를 초래할 수 있다. 감자는 감자의 발아부위와 녹색부위에 solanine이라는 배당체가 있는데 많이 섭취할 경우 수 시간 만에 복통, 허탈, 환각, 의식장애를 초래할 수 있다. 예방법으로 감자의 껍질을 발아부위까지 제거하거나 끓여먹어야 한다. 부패한 감자에는 sepsine이라는 독성물질이 있어 식중독을 일으킬 수 있고, 덜 익은 매실에 있는 독소에 의한 amygdaline의 청매중독, 우기에 맥류에 기생하는 ergotoxin의 맥각중독, 독미나리의 cicutoxin 중독 등이 있다.

③ 화학적 식중독(Chemical food poisoning)

화학성 식중독은 물이나 음식에 함유된 화학적 물질에 의해 발생하는 식중독으로 발생 원인에 따라 유독·유해한 화학물질에 의한 경우와 알레르기 형태의 식중독으로 분류된다. 화학물질에 의한 식중독의 원인으로는 식품 첨가물(타르 색소, 붕산 방부제, 아황산염 표백제, dulcin 감미료 등)의 부적절한 사용에 의한 경우, 환경오염에 의해 유해 중금속(수은, 방사성 물질 등)이 유입된 경우, 농약이나 세제 등이 우연 혹은 돌발적인 사고로 인해 식품 내 잔존하거나 유입된 경우, 기구나 용기, 포장 등에 사용되는 유해 중금속(주석, 아연, 구리, 카드뮴, 수은 등)이 식품에 유입된 경우로 나눌 수 있다. 이러한 화학적 식중독은 주로 집단으로 발생하며 식품에 함유된 화학물질의 종류에 따라 다양한 임상증상을 나타낸다.

알레르기 형태의 화학적 식중독은 식품 부패세균에 의해 생산된 유해 아민(histamine, tryamine, typtamine 등)에 의한 식중독으로 꽁치, 정어리, 고등어 등의 붉은살 생선 및 가공품에 많다. 이러한 오염된 식품을 섭취하면 30분~1시간 내에 안면 홍조, 두드러기, 발진, 두통, 발열 등의 일반 알레르기 반응과 유사하게 나타나며 치료로는 항히스타민을 투여하며, 대부분 24시간 내에 소실된다.

④ 바이러스성 식중독

A. 노로바이러스(Norovirus)

- **발생 원인** : 노로바이러스(Norovirus)는 급성 위장관염을 유발하는 원인 바이러스로 최근 식품매개 집단식중독의 가장 주요한 원인이다. 굴 등의 조개류에 의한 식중독으로 건조한 상태에서도 4℃에서는 8주 정도, 20℃에서 3~4주간 생존한다고 알려져 있다. 60℃에서 30분 동안 가열해도 전염성은 없어지지 않으며, 85℃ 이상에서 1분 이상 가열하면 감염성을 잃는다.
- **증상** : 잠복기는 24~48시간이며 갑작스러운 심한 구역질과 구토, 설사, 복통, 오한, 38℃ 정도의 발열과 구토 몇 시간 전 위의 팽만감 등이 있다. 연중 발생이 가능하나 10월~11월에 증가하고 다음 해 1월에 최고 정점에 이른다.
- **전파경로** : 바이러스가 축적된 식재료 및 바이러스로 오염된 식기를 사용했을 경우 경구감염과 분변-구강 혹은 구토에 의한 비말 형성경로로 일어난다.
- **예방** : 개인위생과 음식물에 대한 관리가 중요하며, 굴은 익혀서 먹어야 한다. 과일이나 채소류는 흐르는 물에서 깨끗이 씻어서 섭취한다.

(2) 경구전염병

음식물이 관여해서 일어나는 전염병인 경구전염병(또는 소화기계 전염병)에는 이질, 장티푸스, 콜레라, 성홍열, 디프테리아, 급성회백수염(polio), 전염성 하리(설사), 선열(izmi fever), 전염성 간염, echo 바이러스증 등이 있다.

세균성 질환인 이질, 장티푸스, 콜레라는 환자와 보균자의 장관으로부터 대변으로 배출되어 식품, 식사, 술, 옷 등에 오염되어 또는 매개체를 통해 경구적으로 전염된다.

급성회백수염은 경구 침입되어 장관에서 증식한 후 혈류를 따라 중추신경계에 손상을 주어 운동신경마비를 일으킨다.

선열은 일본에서 보고된 바이러스에 의한 경구감염으로 발생하며 발열, 발진, 소화기 증상 등 성홍열과 유사한 증상이 나타난다.

(3) 음식물에 의한 기생충 감염

야채류는 회충, 십이지장충, 편충, 동양모양선충 감염을 일으키고, 우육류와 돈육류는 유구조충 감염, 염수어류는 간디스토마(간흡충) 감염, 가재는 폐디스토마(폐흡충) 감염을 일으킨다.

식품오염은 일차오염과 이차오염에 의해 발생하며 일차오염은 식품 자체, 동문 자체에 오염된 것을 말하고 이차오염은 식품 취급 중 사람이나 동물의 사용수에 오염되어 생긴다.

4 주거환경과 건강

주택은 인간을 비와 바람이나 추위 또는 더위와 같은 자연적 피해와 도난·파괴와 같은 사회적 침해로부터 보호하기 위한 건물이다. 이와 동시에 인간의 생리적 욕구인 식사, 배설, 수면 등을 해결하고, 재창조를 위한 휴식과 문화생활을 담는 그릇이기도 한다. 그러므로 주택이란 외부로부터 적당히 차폐된 공간을 건축적으로 해결한 것이라고 할 수 있다. 그러나 이 사생활에 대한 욕구는 적절한 사회적 관계, 즉 공동적 취락관계를 벗어나서 형성되지는 않는다.

주거환경은 주생활(住生活)과 밀접한 관계가 있는 환경이다. 주거환경에서는 휴양·수면·식사·가사·육아 등이 안전·쾌적·능률적으로 이루어져야만 한다. 그것은 건강을 위한 모든 서비스·시설·설비를 포함한다.

세계보건기구의 주거의 공중위생적 관점에 관한 전문위원회 보고에서는, 건강한 주거환경 기초로서 좋은 주거와 건강한 생활을 가능하게 하는 주변의 지역적·사회적 조건을 들고 있다. 전자의 요건으로서, 주거의 적절한 규모, 사생활의 확보, 충분한 침실, 적절한 급배수, 폐기물의 위생적 처리, 세탁과 욕실시설, 조리와 식사시설, 식품 등의 저장시설, 실온조절, 방습, 방음, 환기와 맑은 실내공기의 유지, 적절한 채광과 조명 등을 제안하고 있다. 후자의 요건으로는 상수도·하수도, 폐기물 처리, 맑은 공기, 경찰과 소방, 교통과 여러 가지 사회적 시설, 각종 재해로부터의 안전 등에 대해서 제안하고 있다.

1) 주택의 기본조건

주택은 습도가 낮은 조건을 가지고 있는 것이 중요하므로 방수 처리되어 있어야 한다. 실내공기 중 이산화탄소의 보건학적 한계는 0.1% 이하, 먼지는 0.1mg/m^3 이하, 세균수는 30 이하이다. 실온은 바닥으로부터 45cm 정도의 높이에서 벽체, 난방장치 등의 복사열을 직접 받지 않는 위치에서 보건학적 범위는 16~20℃에 있다. 천장의 재료는 열 차단효과가 큰 것을 선택한다. 여름철 냉방기준은 외기에 비하여 실온이 5~8℃ 이상 낮아지지 않도록 유의함이 좋다.

유리창의 채광 차단효과는 10%이며, 닦지 않으면 40%, 1개월이 지나면 조도가 80%로 감소하게 된다. 창을 통과한 광선의 진입조건은 입사각이 25~28도, 개각이 45도 이상이 되어야 한다.

집안에 햇빛이 들어오는 시간은 최소한 4시간 이상 되어야 한다. 일반작업 시 필요한 조도는 100~200Lux, 독서 시 300Lux, 정밀작업 시 300~500Lux가 필요하다. 채광효과를 크게 하려면 양각은 27도, 개각 5도 이상이어야 한다. 이중창의 간격은 5cm, 개각을 증가시킬수록 실내밝기가 증가한다. 환기는 1시간에 한 번씩 1~2분 정도 문을 완전히 개방하도록 한다.

전용주거지역의 소음환경기준(환경정책기본법)은 일반지역의 경우 낮에는 50dB이고 밤에는 40dB이어야 하며, 도로변지역의 경우 낮에는 65dB, 밤에는 55dB이어야 한다.

2) 주거환경이 건강에 미치는 영향

(1) 군집독(Crowd poisoning)

군집독이란 많은 사람이 환기가 불량한 실내에 장시간 있으면 불쾌하게 되고, 권태감, 두통, 구역, 구토, 현기증, 실신 등의 증상이 나타나는 현상이다. 군집독은 실내온도 상승, 습도 증가, 기류 부족을 수반한 체열 방산의 저해에 기인하므로 군집독의 예방으로 가장 중요하고 필요한 것은 적절한 환기이다.

(2) 일산화탄소 중독(CO poisoning)

일산화탄소의 발생원인은 유기물이 불완전연소가 되어 생기며, 일상생활에서 일산화탄소 중독의 대표적인 것은 연탄가스 중독이다. 일산화탄소의 중독 기전은 일산화탄소가 흡입되어 혈액으로 가면 헤모글로빈과 결합하여 헤모글로빈의 산소결합능력을 방해하므로 혈중 산소농도가 저하되고, 조직의 저산소증을 초래한다. 이는 인체에 심한 독성 기체로 작용하므로 내질식(internal asphysia) 상태가 일어나 중추신경계통의 장애를 초래한다. 일산화탄소는 산소운반장애와 산소해리장애 작용의 이중작용으로 생체조직의 산소결핍증을 일으킨다.

① 증상

급성중독 증상으로는 중추신경계의 영향을 받아 두통, 현기증, 구역, 구토, 시청각의 감퇴 등이 주로 나타나며, 중증일 때 의식혼탁, 혼수상태가 온다.

② 예방과 치료

일산화탄소 중독의 예방으로는 일반가정에서 환기설비와 가스누설방지가 필요하고, 환자가 발생했을 때 환자를 신선한 공기가 있는 곳으로 옮겨서 안정과 보온을 하는 것이 중요하다. 치료는 인공호흡, 산소흡입 및 고압산소요법을 사용한다.

(3) 빌딩증후군(Sick building syndrome)

빌딩증후군은 실내공기가 오염되어 건물 안에서는 머리가 아프고, 어지러우며, 쉽게 피로하고, 나른하며, 눈이나 목이 따갑고, 소화가 잘 되지 않고 메스꺼운 증상을 보이다가 건물 밖으로 나가면 증상이 없어진다고 해서 붙여졌다. 실내공기의 오염물질로 알레르기를 일으키는 곰팡이나 먼지, 담배연기에서 나오는 일산화탄소, 건축자재에서 나오는 벤젠, 솔벤트 등 화학물질, 냉방병을 일으키는 레지오넬라균 등 미생물 등이 원인이다.

(4) 새집증후군(Sick house syndrome)

새집증후군은 새로 지은 아파트나 주택 또는 신축건물 등에서 인체에 해로운 화학물질이 발생하여 입주자가 피부염, 두통, 어지러움, 천식, 불면, 불안, 초조 등 신경성 질병에 시달리게 되는 것을 말한다. 또한 리모델링이나 도배를 했을 때, 가구, 카펫 등을 교체했을 때도 이러한 증상들이 유발될 수 있다. 인체에 독성이 강한 포름알데히드, 톨루엔, 벤젠, 방향제, 염화메틸렌, 클로로포름이 주원인이다. 주방에서 나오는 프로판가스는 기관지 점막에 손상을 주고, 우울증이나 아토피를 유발할 수 있다. 새집증후군을 예방하기 위해서는 수시로 집안을 환기하는 것이 중요하다.

3) 생활환경이 건강에 미치는 영향

(1) 미세먼지

미세먼지란 공기 중에 건강에 해로운 작은 입자의 먼지이다. 작은 입자를 뜻하는 PM(Particle Matter)과 알갱이 지름이 10μm(1μm는 1000분의 1mm)보다 작다는 뜻으로 PM-10으로 나타낸다. 대기환경(PM-10)으로 표시된 PM-10은 머리카락 굵기의 10분의 1 정도로 작은 먼지이다. 미세먼지는 우리가 호흡할 때 코털이나 점막에 걸러지지만, 초미세먼지란 코털이나 점막에 걸러지지 않고 호흡과 함께 폐 속으로 흡입되어 건강에 악영향을 미치는 먼지를 말한다. 미세먼지는 석탄, 석유 등 화석연료가 연소될 때 또는 제조업·자동차 매연 등의 배출 가스에서 나오며, 기관지를 거쳐서 흡착되어 각종 폐질환을 유발한다. 오랫동안 미세먼지에 노출될 경우에 면역력이 급격하게 저하되어 감기나 천식, 기관지염 등의 호흡기 질환을 비롯하여 심혈관 질환, 안구질환(안구건조증, 결막염 등), 피부질환 등 각종 질병에 노출될 위험성이 높아진다. 또한 미세먼지 속에는 1등급 발암물질인 탄소나 벤조피렌, 납과 같은 중금속 등 유해화학물질이 들어 있다. 환경부에서는 대기오염으로 인한 국민건강 피해를 최소화하기 위해 미세먼지 농도를 하루 4번 예보하고 있으며, 예보 등급을 좋음, 보통, 나쁨, 매우 나쁨의 네 단계로 구분하고 있다[그림 10-12].

2022년 사회조사 결과에 따르면, 환경 문제 중 사람들이 불안감을 느끼는 부문에서 13세 인구 5명 중 3명이 미세먼지에 대하여 불안감을 느끼고 있다. 미세먼지(64.6%), 기후변화(45.9%), 방사능(43.4%), 유해 화학물질(42.5%) 등의 순으로 마음껏 숨 쉴 수 있는 기본 권리, 환경권에 대한 국민의 바람과 요구가 나타나는 조사결과이다.

(2) 라돈

라돈(^{222}Rn)은 암석, 토양 등에 자연적으로 존재하는 우라늄(^{238}U)이 몇 단계 방사성붕괴를 거듭한 후 생성되는 무색·무취의 기체로 지구상 어디에나 존재하는 자연방사성 물질이다.

사람이 연간 노출되는 방사선의 85%는 자연방사선에 의한 것이고 그 중 약 50%는 라돈에 의한 것으로 알

좋음	보통	나쁨	매우 나쁨
PM_{10} 0~30(μg/m²) $PM_{2.5}$ 0~15(μg/m²)	PM_{10} 31~80(μg/m²) $PM_{2.5}$ 16~35(μg/m²)	PM_{10} 81~150(μg/m²) $PM_{2.5}$ 36~75(μg/m²)	PM_{10} 151(μg/m²) 이상 $PM_{2.5}$ 76(μg/m²) 이상
대기오염 관련 질환자군에서도 영향이 유발되지 않을 수준	환자군에서 만성 노출시 경미한 영향이 유발될 수 있는 수준	환자군 및 민감군(어린이, 노약자 등)에게 유해한 영향 유발, 일반인도 건강상 불쾌감을 경험할 수 있는 수준	환자군 및 민감군에게 급성 노출시 심각한 영향 유발, 일반인도 약한 영향이 유발될 수 있는 수준

그림 10-12 미세먼지 농도별 예보 등급

려져 있다. 세계보건기구는 전 세계 폐암 발생의 3～14%가 라돈에 의한 것이며 라돈을 흡연에 이은 폐암 발병 주요 원인물질로 규정하고 있다. 이러한 라돈의 위해성 때문에 세계보건기구는 실내공기 중 라돈 농도의 관리를 권고하고 있다.

라돈은 대부분의 국가에서 자연 방사선원으로부터의 전리 방사선 피폭 중 가장 큰 부분을 차지한다. 특정 그룹에서 직업적인 라돈 피폭이 큰 위험이지만, 일반 집단에서는 대부분의 피폭이 실내, 특히 주거공간과 같은 작은 건물에서 발생한다.

라돈의 전체 인체 노출경로 중 약 95%가 실내공기를 호흡할 때 노출되는 것이며, 이 밖에 라돈이 들어있는 지하수를 사용할 때 노출될 수 있다. 라돈은 가스이기 때문에 그 자체가 인체에 영향을 미치지는 않지만 호흡을 통해 체내에 흡수된다. 호흡에 의해 폐에 들어오면 그 딸 핵종은 기관지나 폐포에 침착하고, α선을 계속 방출하기 때문에 세포 중의 염색체에 돌연변이를 일으켜 폐암이 생길 가능성이 있다.

고도의 라돈 피폭에 의한 주된 건강피해는 폐암이 증가하는 것이다. 이는 우라늄 광산 근로자에 대한 연구에서 밝혀졌다. 이들 연구를 바탕으로 WHO의 암에 관한 전문기관인 국제암연구기구(International Agency for Research on Cancer; IARC)와 미국국가독성평가프로그램(US National Toxicology Programme; NTP)은 라돈을 인간에 대한 발암성 물질로 분류하고 있다. 이 분류 범주에는 흡연, 석면, 벤젠 등도 같이 분류되어 있다. 라돈의 유해성은 농도의 문제로 농도에 따라서 다르다. 그래서 라돈 농도가 현저하게 높은 경우에는 유해하지만 주거 환경의 농도가 낮은 경우는 유해하다고 할 수 없다. 대기 중에서 라돈 농도는 희석되기 때문에 보통은 매우 낮다. 라돈 농도는 실내에서 더 높고, 탄광·동굴·수도시설 내 등의 장소 등 밀폐된 곳에서는 더 높은 농도가 검출된다. 대부분의 사람들이 라돈에 가장 빈번하게 노출되는 장소는 토양에 노출되는 거주 공간으로 알려져 있다.

(3) 생활소음

생활소음은 주민의 정온한 생활환경을 유지하기 위하여 사업장 및 공사장 등에서 발생되는 소음 및 진동을 규제한다. 규제대상은 확성기에 의한 소음, 공사장, 사업장 또는 소방설비를 제외한 건축 설비에서 발생하는 소음 등이다(소음·진동규제법시행규칙 제29조의2 제2항)[표 10-15].

표 10-15 생활소음 규제기준 [단위 : dB(A)]

대상 지역	소음원 \ 시간대별		아침, 저녁 (05:00~07:00, 18:00~22:00)	주간 (07:00~18:00)	야간 (22:00~05:00)
가. 주거지역, 녹지지역, 관리지역 중 취락지구·주거개발진흥지구 및 관광·휴양개발진흥지구, 자연환경보전지역, 그밖의 지역에 있는 학교·종합병원·공공도서관	확성기	옥외설치	60 이하	65 이하	60 이하
		옥내에서 옥외로 소음이 나오는 경우	50 이하	55 이하	45 이하
	공장		50 이하	55 이하	45 이하
	사업장	동일 건물	45 이하	50 이하	40 이하
		기타	50 이하	55 이하	45 이하
	공사장		60 이하	65 이하	50 이하
나. 그 밖의 지역	확성기	옥외설치	65 이하	70 이하	60 이하
		옥내에서 옥외로 소음이 나오는 경우	60 이하	65 이하	55 이하
	공장		60 이하	65 이하	55 이하
	사업장	동일 건물	50 이하	55 이하	45 이하
		기타	60 이하	65 이하	55 이하
	공사장		65 이하	70 이하	50 이하

〈 자료원 : 법제처(2022). 진공관리법 시행규칙, 생활소음·진동의 규제기준(제20조 제3항 관련), 별표8 〉

생활소음 배출원은 확성기 소음, 건설공사장 작업소음, 소규모 공장 작업소음, 유흥업소 심야소음 등 매우 다양하다. 최근 인구증가와 더불어 도시화, 산업화 등으로 생활소음 배출원이 급격히 증가하고 있는 한편, 생활수준의 향상에 따라 정온한 생활환경에 대한 욕구 또한 증가하고 있다.

소음·진동 민원건수는 2011년부터 2017년(14만 3327건)까지 꾸준히 증가하다 2018년 13만 9288건으로 소폭 줄었다. 반면 2019년 14만 3138건, 2020년 16만 9679건으로 증가하였으며, 소음·진동의 주요 발생원은 공사장 소음 77.4%(13만 1345건), 사업장 소음 10.7%(1만 8150건), 확성기 3.6%(6059건) 순으로 대다수가 생활소음진동 규제대상이다.

(4) 빛공해

「인공조명에 의한 빛공해 방지법」 제2조 제1항에 따르면 빛공해는 "인공조명의 부적절한 사용으로 인한 과도한 빛 또는 비추고자 하는 조명영역 밖으로 누출되는 빛이 국민의 건강하고 쾌적한 생활을 방해하거나 환경에 피해를 주는 상태"라고 정의하고 있다. 여기서 빛공해는 인공조명에 의한 피해만을 범주로 하며, 태양 등의 자연광에 의한 피해는 「빛공해 방지법」에 포함되지 않는다. 또한 여기서 말하는 인공조명에는 「빛공해 방지법」 제2조(조명기구의 범위)에 해당하는 가로등, 형광등, 보안등, 광고조명, 장식조명 등의 조명기구가 포함된다. 이러한 조명기구의 조명영역 밖으로 누출되는 빛, 필요한 밝기 이상의 빛 또는 필요한 개수 이상으로 설치된 인공조명으로 인한 빛공해는 국민건강 및 생태계에 피해를 줄 뿐만 아니라 에너지 낭비, 쾌적한 야간 활동과 천체관측 방해, 도시품격 저하 등을 유발한다[그림 10-13].

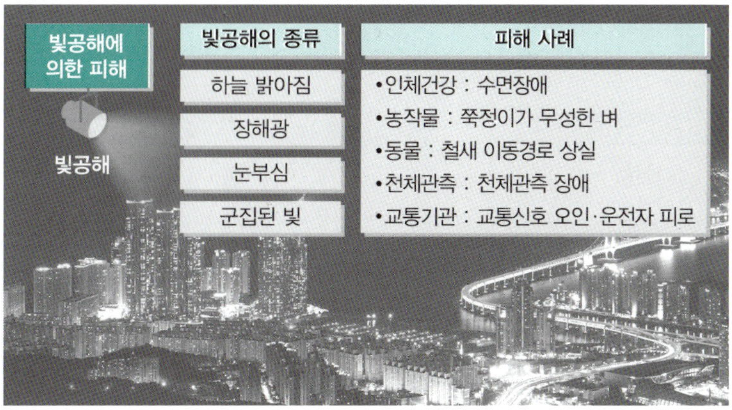

〈 자료원 : https://www.khan.co.kr/article/201105162059005 〉

그림 10-13 빛공해에 의한 피해

따라서 우리 생활에 필요한 빛은 충분히 확보하되, 불필요한 빛은 최소한으로 줄인다면, 주변 환경이나 경관과 조화로운 좋은 빛 환경이 조성될 수 있다.

빛공해가 인체건강 및 활동에 미치는 영향으로 멜라토닌 생성억제로 생체리듬이 변화하여 불면증, 몸의 피로, 스트레스와 불안 등이 나타날 뿐만 아니라 암의 발생확률이 증가한다. 고령자는 젊은 층에 비해 글레어를 강하게 느끼며, 야간에 과다한 빛에 노출된 지역의 여성들이 그렇지 않은 지역보다 유방암 발생비율이 73% 높게 나타났다.

4) 생활공감 환경보건기술개발(R&D) 사업

환경부는 아토피 새집증후군 등 국민들이 생활 속에서 겪는 환경문제로 인한 건강피해를 예방하고 환경보건정책을 과학적으로 뒷받침하기 위해 2012년부터 '생활공감 환경보건' 기술개발사업'('12～'21, 총 1,792억원)을 추진하였다.

동 사업은 생활환경 유해인자 위해관리 기술, 환경성질환 대응 기술, 유해화학물질 위해관리 기술, 환경호르몬 통합위해관리 기술 등 4개 분야로 구성되어 있다[표 10-16, 그림 10-14].

표 10-16 생활공감 환경보건 R&D 사업 분야

분야	생활환경 유해인자 위해관리 기술	환경성질환 대응 기술	유해화학물질 위해관리 기술	환경호르몬 통합위해관리 기술
주요 내용	① 라돈 등 실내환경유해 인자 위해관리 ② 소음, 전자파 등 물리적 건강 위해 대응	③ 아토피 등 환경유해인자로 인한 환경성질환 예방관리	④ 화학물질의 용도별 노출에 따른 위해관리 ⑤ 유해중금속 위해관리 ⑥ POPs, EDCs 대응	⑦ EDCs 등 환경호르몬 저감 및 통합 위해관리

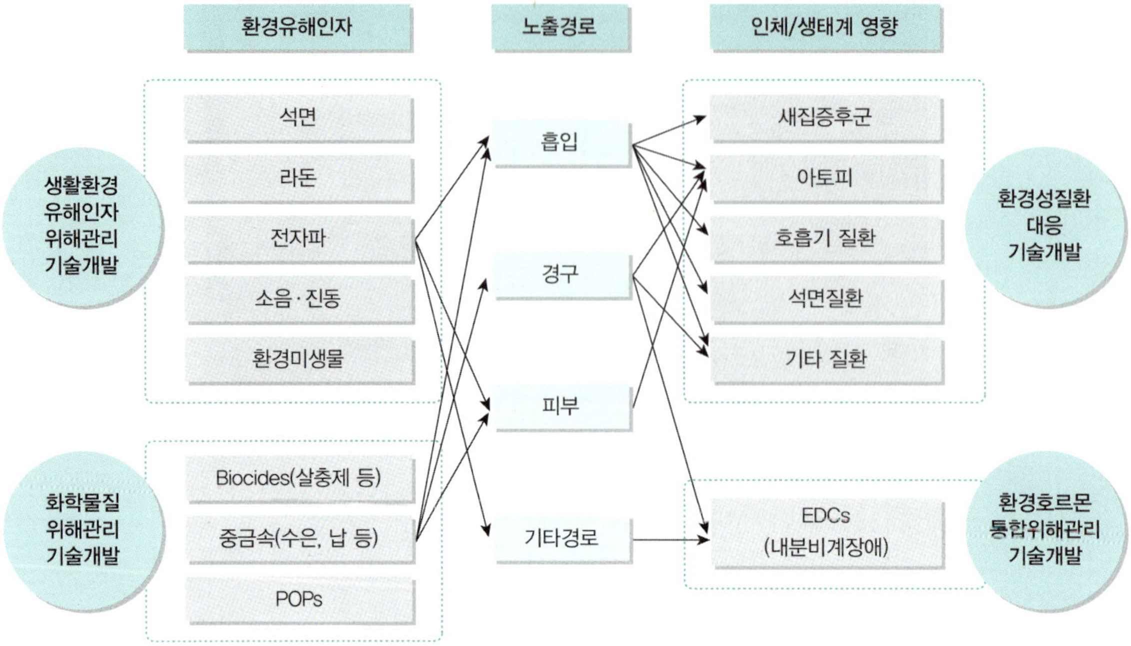

〈 자료원 : 환경부(2022). 2021 환경백서 〉

그림 10-14 주요 기술개발 분야

5 폐기물 처리와 건강

1) 폐기물의 정의

폐기물이란 쓰레기, 연소재, 오니, 폐유, 폐산, 폐알칼리 및 동물의 사체 등으로서 사람의 생활이나 사업활동에 필요하지 아니하게 된 물질을 말한다(폐기물관리법, 2015). 이러한 폐기물은 적절하게 관리하지 않으면 자연 생태계를 파괴하고 전염병의 매체 또는 발생지가 되어 인간의 생활과 건강에 큰 위협이 된다.

우리나라 「폐기물관리법」에서는 폐기물을 일상생활에서 생기는 생활폐기물과 사업장에서 배출되는 사업장폐기물로 구분한다[표 10-17].

그리고 사업장폐기물 중 폐유·폐산 등 주변 환경을 오염시킬 수 있거나 의료폐기물 등 인체에 위해를 줄 수 있는 해로운 물질은 지정폐기물이라고 하며 대표적인 지정폐기물은 폐산, 폐알칼리, 폐유기용제, 폐석면 등이다.

의료폐기물이란 보건·의료기관, 동물병원, 시험·검사기관 등에서 배출되는 폐기물 중 인체에 감염 등 위해를 줄 우려가 있는 폐기물과 인체 조직 등 적출물, 실험 동물의 사체 등 보건·환경보호 상 특별한 관리가 필요하다고 인정되는 폐기물이다(폐기물관리법 제2조)[표 10-18].

표 10-17 폐기물의 분류

<table>
<tr><th>폐기물</th><th colspan="3">생활폐기물</th></tr>
<tr><td rowspan="11">'쓰레기·연소재·오니·폐유·폐산·폐알카리·동물의 사체 등으로서 사람의 생활이나 사업활동에 필요하지 아니하게 된 물질'</td><td colspan="3">'생활폐기물'이란 사업장폐기물 외의 폐기물</td></tr>
<tr><th>사업장폐기물</th><th>사업장일반폐기물</th><th>사업장생활계폐기물</th></tr>
<tr><td rowspan="9">'「대기환경보전법」, 「물환경보전법」 또는 「소음·진동관리법」에 따라 배출시설을 설치·운영하는 사업장이나 그 밖에 대통령령으로 정하는 사업장에서 발생하는 폐기물'</td><td rowspan="3">사업장폐기물로서 지정폐기물과 건설폐기물을 제외한 폐기물</td><td>폐기물을 1일 평균 300kg 이상 배출하는 사업장, 일련의 공사(건설공사는 제외) 또는 작업으로 폐기물을 5톤(공사를 착공하거나 작업을 시작할 때부터 마칠 때까지 발생하는 폐기물의 양을 말한다) 이상 배출하는 사업장에 발생하는 폐기물</td></tr>
<tr><th>사업장폐기물</th></tr>
<tr><td>'「대기환경보전법」, 「물환경보전법」 또는 「소음·진동관리법」에 따라 배출시설을 설치·운영하는 사업장이나 그 밖에 대통령령으로 정하는 사업장에 발생하는 폐기물'</td></tr>
<tr><th>지정폐기물</th><td rowspan="2">특정시설에서 발생되는 폐기물, 부식성 폐기물, 유해물질함유 폐기물, 폐유기용제, 폐페인트 및 폐래커, 폐유, 폐석면, 폴리클로리네이티드비페닐 함유 폐기물, 폐유독물, 의료폐기물</td></tr>
<tr><td rowspan="3">사업장폐기물 중 폐유·폐산 등 주변환경을 오염시킬 수 있거나 의료폐기물 등 인체에 위해를 줄 수 있는 유해한 물질로서 대통령령으로 정하는 폐기물</td></tr>
<tr><th>의료폐기물</th></tr>
<tr><td>보건·의료기관, 동물병원, 시험·검사기관 등에서 배출되는 폐기물 중 인체에 감염 등 위해를 줄 우려가 있는 폐기물과 인체조직 등 적출물, 실험동물의 사체 등 보건·환경보호상 특별한 관리가 필요하다고 인정되는 폐기물로서 대통령령으로 정하는 폐기물</td></tr>
<tr><th colspan="2">건설폐기물</th></tr>
<tr><td colspan="2">「건설산업기본법」 제2조 제4호에 해당하는 건설공사로 인하여 건설현장에서 발생하는 5톤 이상의 폐기물(공사를 시작할 때부터 완료할 때까지 발생하는 것만 해당한다)로서 대통령령으로 정하는 것</td></tr>
</table>

〈 자료원 : 환경부(2022). 2021 환경백서 〉

표 10-18 의료폐기물의 종류

<table>
<tr><th colspan="3">구 분</th><th>내 용</th></tr>
<tr><td rowspan="7">의료 폐기물</td><td colspan="2">격리의료폐기물</td><td>전염병으로 격리된 사람의 의료행위에서 발생한 폐기물</td></tr>
<tr><td rowspan="5">위해 의료 폐기물</td><td>조직물류</td><td>인체·동물의 조직, 장기, 기관, 신체의 일부, 동물의 사체 등</td></tr>
<tr><td>병리계</td><td>시험, 검사 등에 사용된 배양액, 배양용기, 폐시험관</td></tr>
<tr><td>손상성</td><td>주사바늘, 봉합바늘, 수술용 칼날 등</td></tr>
<tr><td>생물화학</td><td>폐백신, 폐항암제 등</td></tr>
<tr><td>혈액오염</td><td>폐혈액백, 혈액투석 시 사용된 폐기물 등</td></tr>
<tr><td colspan="2">일반의료폐기물</td><td>혈액, 체액, 분비물, 배설물이 함유되어 있는 탈지면, 붕대, 거즈, 일회용 기저귀, 생리대, 일회용 주사기, 수액세트</td></tr>
</table>

〈 자료원 : 환경부(2022). 폐자원관리과. 의료폐기물 분류·관리방법 안내 〉

2) 폐기물 처리방법 및 관리정책

폐기물 처리란 폐기물의 소각·중화·파쇄·고형화 등의 중간처리와 매립하거나 해역으로 배출하는 등의 최종처리를 말한다.

(1) 폐기물 처리방법

① 파쇄

유리 같은 폐기물은 파쇄처리를 하게 되는데 파쇄는 폐기물의 크기를 원래 형태보다 작게 함으로써 폐기물을 비교적 균일한 형태로 만드는 방법이다.

② 압축

음료수 캔 등은 압축 처리하는데 이는 폐기물의 밀도를 증가시켜 효율적으로 저장 및 운반될 수 있도록 처리하는 방법이다.

③ 열처리

폐타이어 같은 폐고무는 열처리를 하여 경질오일로 만들게 되는데 이러한 열처리는 고온에서 폐기물을 가스상, 액상, 고체상 물질로 전환하는 방법이다. 이렇게 함으로써 폐기물의 부피를 감소시키고 에너지를 회수할 수 있다.

④ 고화처리

고농도의 중금속 폐기물 같은 경우는 고화처리하게 되는데 고화처리는 폐기물을 고체 형태로 고정하는 물질과 혼합함으로써 고체 구조 내에 폐기물을 물리적으로 고정하고 화학적으로 안정화하는 처리방법이다. 이 방법은 자연계로의 유출이 매우 느려지므로 환경오염 가능성이 그만큼 낮다. 그러나 단점은 폐기물의 부피나 무게가 증가하여 운반비용이 증가한다는 것이다. 대표적인 고화처리는 시멘트 기초법, 석회 기초법, 열가소성 플라스틱법, 유기중합체법, 피막형성법, 자가시멘트화법 등의 방법이 있다.

⑤ 투기법

폐기물을 육상, 해상에 내다버리는 방법인데, 파리, 쥐의 발생원이 되어 비위생적이며 환경오염을 일으킬 가능성이 높다.

⑥ 퇴비법

유기물을 퇴적 호기성 미생물에 의해 산화, 발효시킨다. 심부의 온도가 60~70℃ 이상이어야 한다. 약 4주에 이르면 분해·촉진되어 흑갈색 퇴비로 생성된다. 30~40일이 소요되며 도시에 부적합하고 농촌에 적합하다.

⑦ 소각법

폐기물 발생량이 많아지면서 매립장의 확보와 재이용이 어려운 경우, 고체 폐기물을 연소시켜 그 양을 줄이고 발생된 잔여물은 매립 처리하는 방법이다. 소각과정에서 발생되는 폐열을 재이용하여 발전, 난방, 수영장 또는 채소 재배 등에 이용하기도 하여 유리하나 건성비와 운전관리비가 비싸고, 고도의 기술이 요구되며 대기오염의 원인으로 지목되기도 한다.

⑧ 매립법

생활폐기물의 최종처리 방법으로 저지대에 폐기물 매립지역을 선정 후 쓰레기를 투입하고 압축한 후 흙으로 덮는 방법이다. 토층은 15～30cm가 적당하며 최상 복토의 두께는 60～100cm로 하고 매립은 처리비용이 가장 낮으며 공정이 간단하여 전 세계 고형 폐기물의 90% 이상이 이 방법으로 처리되고 있다.

환경오염의 주원인은 매립한 폐기물의 방출에 의한 것이며, 방출에 따른 오염에는 침출수에 의한 지하수 오염, 강수유출에 의한 지표수 오염, 병원균 매개체로 파리, 모기, 쥐, 새 서식, 종이들의 흩날림, 악취, 먼지, 매립지, 분해가스, 유해가스 등이 있다.

(2) 폐기물관리정책

폐기물관리정책은 자원을 효율적으로 이용함으로써 자연채취의 최소화와 동시에 폐기물을 최소화하여 자연환경을 보존하고 사람의 건강을 보존하는 것이다. 따라서 폐기물관리정책은 과거 청소의 개념에서 재활용의 개념으로 전환되었고, 최근에는 폐기물 최소화의 개념이 그 핵심을 이루고 있다.

① 포장폐기물 발생억제제도

폐기물의 원천적 감량정책의 하나인 포장폐기물 발생억제정책은 폐기물관리정책의 우선순위 상 최상위 정책이다. 선진국의 경우, 폐기물관리정책의 중심이 원천적 감량화로 전환되고 있어 자원이 부족한 반면, 국토 면적당 폐기물 부하량이 큰 우리나라 여건을 감안할 때 최우선으로 추진해야 할 정책이다. 양적 감량화 정책과 함께 유해성 감소 및 재활용성 제고 등 질적인 감량화 정책을 병행하여 추진하여야 한다.

② 쓰레기 종량제도 개선

1995년 1월부터 도입된 쓰레기 종량제는 쓰레기량을 줄이고, 재활용품의 분리 배출을 촉진하기 위하여 가정별로 쓰레기를 봉투에 담아 배출하도록 한 제도이다. 쓰레기 종량제 시행결과 생활폐기물이 2002년 1인당 1.04kg/일에서 2007년에는 1.02kg/일로 감소하였고 이는 OECD 평균인 1.56kg/일보다 낮다. 쓰레기 종량제 시행 이후 10년간 성과를 분석한 결과, 1인당 쓰레기 발생률은 종량제 시행 전에 비해 23%가 감소하였고 재활용률은 175%가 증가하였다. 2017년 쓰레기 수수료 종량제 실시지역은 전국 3,500개 읍·면·동 중 3,496개 지역으로 전체 행정구역의 99.9%가 실시하고 있으며, 전체 21,633천 가구 중 21,616천 가구에서 종량제를 실시하고 있다. 2011년 11월 '쓰레기 수수료 시행지침'을 개정하여, 저용량 일반 종량제봉투 제작·판매 활성화를 위한 규격을 추가하였고 대형 유통마트 인접 타 시·도 지자체의 재사용 종량제봉투 판매를 허용하였다. 2019년 4월 '쓰레기 수수료 종량제 시행지침'을 개정하여 공사장 생활폐기물의 공공관리강화, 종량제봉투를 판매하는 소상공인·자영업자에 대한 판매수수료 요율 하한(9%) 적용, 종량제봉투 제작·구매 시 재활용제품(EL766, 폐합성수지 40% 포함) 우선 사용, 저소득층 수수료 경감 대상에 「한부모가족지원법」에 따른 저소득 모·부자 가정 추가 등의 사항을 개선하였다.

이렇듯 생활폐기물이 소득 및 소비 수준의 증가에도 불구하고 일정수준을 유지하고 있는 것은 쓰레기 종량제의 시행 및 제도의 정착 등으로 인한 결과로 볼 수 있다. 2010년부터 도입된 음식물 쓰레기 종량제는 배출자가 음식물 쓰레기를 버린 양만큼 비용을 부담하는 제도로 2017년 음식물류 폐기물 발생량은 1일 15,903톤으로 전체 생활폐기물 발생량(53,490톤/일)의 약 29.7%로, 2008년 29%로 정점을 나타낸 이후에 점차 감소하다가 2014년부터 다시 증가 추세를 보였다. 특히 2012년부터는 RFID기반 음식물류 폐기물 종량제 방식을 본격적으로 도입·추진하여 161개 시·군·구에서 RFID방식을 시행 중이다. RFID기반 음식물쓰레기 관리시스템은 공동주택 내 설치된 장비나 차량에 RFID태그를 인식 후 음식물쓰레기를 배출하면 배출자, 배출량(무게), 시간 정보가 중앙시스템으로 전송되어 수수료를 부과하고 발생량과 감량 등 통계 데이터를 관리할 수 있도록 선진화된 음식물쓰레기 종량제를 지원한다.

③ 폐기물 수출입제도

폐기물 수출입 허가제도는 유해폐기물의 국가 간 이동 및 그 처리의 통제에 관한 바젤협약과 OECD 규정에 따라 유해폐기물의 수출입을 규제함으로써 폐기물의 국가 간 이동으로 인한 환경오염을 방지하고 국제협력을 증진하고자 하는 제도이다. 폐기물의 수출입은 1992년 5월에 발효된 유해폐기물의 국가 간 이동규제에 관한 바젤협약을 국내법으로 수용한 「폐기물의 국가 간 이동 및 그 처리에 관한 법률」에 의하여 관리되고 있다. 1993년에 도입된 후 부과대상, 산출기준 등이 변경되어 왔으며, 살충제·유독물제품 용기, 부동액, 껌, 1회용 기저귀, 담배, 플라스틱제품 등 6개 품목에 대하여 폐기물부담금을 부과하고 있다.

통제대상 폐기물은 환경부장관(지방환경관서의 장)의 허가를 얻어야만 수출이나 수입이 가능하며, 폐기물의 유해성 정도에 따라 적색 폐기물과 황색 폐기물로 구분하여 통제절차를 달리하도록 함으로써 유해폐기물의 적정처리를 유도하고 있다.

3) 폐기물이 건강에 미치는 영향

(1) 소각처리와 다이옥신

1977년 Olie 등이 도시 쓰레기 소각로의 비산재 중에 다이옥신(dioxin)류가 포함되어 있다고 발표한 이후 캐나다, 미국, 유럽 등에서 활발한 조사가 진행되어 도시 쓰레기 소각로 이외에도 각종 연소시설로부터 다이옥신류가 배출되고 있다는 것이 확인되었다. 일본에서는 1990년에 '다이옥신류 발생방지 등에 관한 가이드라인'을 제정·발표하였다.

(2) 다이옥신이 건강에 미치는 영향

다이옥신은 청산가리(KCN)에 비해 10,000배나 급성 독성이 강하기 때문에 인간이 만들어낸 물질 중 가장 독성이 강한 물질로 알려져 있다. 1일 섭취 허용량(tolerable daily intake; TDI)은 사람이 이용량을 한 평생(70년) 섭취하는 경우 나쁜 영향을 나타내지 않는 양을 말하는 것으로, WHO 자료에 의한 1일 최대 허용섭취량은 1～4pg/kg이며 도시 정상인의 몸무게 kg당 1일 섭취량은 2～4pg이다.

인체에 미치는 장애로는 간장애, 피부장애, 기형아 발생, 발암작용 등이다.

6 토양과 건강

토양은 물, 공기와 함께 가장 기본적인 환경의 구성요소이다. 토양은 생물존재의 기반으로서 그리고 물질 순환의 매체로서 매우 중요하고 다양한 역할을 수행하고 있다. 그러나 토양이 유해물질에 의해 오염되면 생물존재 기반으로서의 본래 기능이 훼손되고 물질의 이동성이 나빠 장기간에 걸쳐 작물오염 및 지하수 등의 수질환경 오염을 유발시켜 생태계는 물론 사람의 건강 및 생활환경에 여러 가지 악영향을 끼치게 된다. 토양이 오염되면 자연정화가 불가능해 반영구적으로 오염물질이 토양에 존재해 농축산물을 통해 인체에 농축되고 각종 만성적 질병을 유발시키므로 토양오염은 예방대책이 매우 중요하다.

1) 토양오염물질과 토양오염기준

토양오염이란 사업 활동이나 그 밖의 사람의 활동에 의하여 토양이 오염되는 것으로 사람의 건강 및 재산이나 환경에 피해를 주는 상태를 말한다(토양환경보전법 제2조).

토양오염물질은 토양 중에서 분해되지 않고 잔류성이 강한 물질로 농작물의 생육과 사람의 건강에 악영향을 미치는 물질이다. 가정에서 배출되는 생활폐기물, 산업활동에서 비롯되는 산업폐기물, 농경지나 산림지역에 살포되는 비료나 살충제와 같은 화학물질, 빗물에 용해되어 내리는 대기오염물질 등이 토양오염물질이다.

오염원에서 배출된 유해물질은 기체, 액체, 고체상태로 토양 내에 유입된다. 대기 중의 오염물질은 빗물에 용해되거나 낙진의 형태로 유입되며, 액체 상태의 유해물질은 육수나 관개를 통해 유입된다.

현재 「토양환경보전법」상 카드뮴, 구리, 비소, 수은, 유류, 유기용제 등 토양오염의 원인이 되는 21개 물질을 규제대상 토양오염물질로 규정하고 있으며, 각각의 물질에 대하여 사람의 건강 및 재산 동·식물의 생육에 지장을 초래할 우려가 있는 정도의 토양오염인 '토양오염우려기준'과 우려기준을 초과하여 사람의 건강 및 재산, 동·식물의 생육에 지장을 주어 토양오염에 대한 대책을 필요로 하는 '토양오염대책'기준을 정하고 있다. 우려기준과 대책기준은 각각 지목을 기준으로 1지역, 2지역, 3지역에 따라 차등 적용한다. 1지역은 전·답·과수원·목장용지·대(주거용)·학교용지·구거·공원과 어린이 놀이시설이며, 2지역은 임야·염전·대(주거용 외)·창고·하천·유지·체육용지·유원지 및 잡종지, 3지역은 공장용지·주유소용지·도로·주차장·철도용지 등과 국방·군사시설이다.

2) 토양오염의 원인과 대책

농약, 중금속에 의한 오염, 방사성 물질에 의한 오염, 대기오염 물질, 수질오염물질, 고형 폐기물, 각종 쓰레기로 플라스틱, 비닐, 음식물 등이 원인이 된다.

토양오염은 다른 환경오염과 달리 쉽게 눈에 보이지 않는다는 특성을 가진다. 따라서 토양오염이 상당히 진전될 때까지는 인식하기가 어렵고 대부분은 피해를 입은 후에야 토양오염 사실을 알게 되므로 피해를 면하기가 어렵게 된다. 토양오염은 주로 토양에 서식하는 생물체와 지하수 오염을 통해서 사람에게 피해를 유발하므로 오염행위와 피해발생 간에 상당한 시차가 발생하고 그 피해는 장기간에 걸쳐 나타난다. 토양오염은 대부분의 환경오염처럼 한번 오염되면 개선이 어려우며 수질오염에 비해 훨씬 더 많은 시간과 비용을 필요로 한다는 특징을 가지고 있다.

오염원 인자에 대한 책임소재를 명확히 하고, 사전오염 예방체계를 확립하기 위해 「토양환경보전법」이 개정되었다. 상시측정이나 토양정밀 조사결과 토양오염 우려기준을 초과했을 경우 행정기관은 오염원인자에 대해 시설의 이전이나 사용 제한, 방지시설의 설치 등과 같은 토양오염 방지조치를 명할 수 있다.

토양에 혼입된 오염물질은 제거하기 어려울 뿐 아니라, 오랫동안 잔류하기 때문에 토양오염이 일어나지 않도록 예방하는 것이 중요하다. 산업활동이나 일상생활에서 배출되는 폐기물은 철저히 관리되어야 하며, 폐기물 처리장의 입지 선정에서부터 시공, 사후 이용과정에 이르기까지 세심하게 관리해야 하고 처리내용을 자세히 기록하는 것이 중요하다.

농약과 비료를 사용할 때에도 토양오염이 최소화하도록 노력해야 한다. 농약은 적절한 시기에 적당량을 사용하고, 특히 유기연소제나 유기수은제 농약, 비산연과 같이 오랫동안 토양이나 생물체에 잔류하거나 생물체에 커다란 해를 주는 맹독성 농약은 사용을 자제하도록 한다. 최근에는 토양을 보존하기 위해 농약과 화학비료 대신에 천적을 이용하고 유기질 비료를 사용하는 유기농업이 전파되고 있다. 이런 농업은 적합한 종자를 개발하고 지력을 회복할 때까지 많은 노력이 들지만 깨끗한 농산물을 생산하고 환경보존에 유익하기 때문에 커다란 호응을 얻고 있다.

전국의 토양오염 실태파악을 위해 토양 측정망을 지속적으로 운영하고 있다. 유류 저장시설 등 토양오염 유발시설에 대한 관리체계 확립, 폐금속 광산지역 오염실태 정밀조사 및 오염방지사업 추진, 폐기물 매립지 등 토양오염 우려지역에 대한 조사강화를 통해 오염 토양을 색출해서 개선하고 있다.

오염형태별 관리법령은 「토양환경보전법」, 「대기환경보전법」, 「수질환경보전법」, 「폐기물관리법」 등이 있다. 토양오염은 다양한 오염경로를 통해 오염이 이루어지는 만큼 토양오염 관리행정은 수질, 대기, 폐기물관리 행정과 연계적으로 추진되어야 한다.

3) 토양오염이 건강에 미치는 영향

토양의 오염은 식물의 생육을 저해하거나 유독한 식물을 길러 모든 생물의 생존을 위협한다. 토양오염의 영향으로서 현재까지 남아 있는 것은 일시 대량으로 사용된 합성 농약의 잔류와 거기서 자라난 식물이 인체에 미치는 영향이다.

DDT(dichloro-diphenyl-trichloroethane)는 유기염소계열의 살충제인 농약이며, 만성적으로는 간이나 뇌의 장애를, 급성으로는 떨림이나 마비를 일으킨다. 대부분의 농약은 이로운 벌레와 균을 함께 죽이기 때문에 해충의 친척들까지 피해를 입게 되어 해충들이 오히려 더욱 번성하고 이에 따라서 농작물에 피해를 주게 된다. 수은은 유기, 무기를 불문하고 모든 식물에 흡수되고 독성을 나타내며 분해 및 소실되지 않는다.

7 방사능과 건강

1) 방사능의 개요

지구상에서 살아가는 보통 사람들은 일반적인 상태에서도 자연 방사능에 노출이 되어 있다. 자연 방사능은 빛, 태양열, 우주에서 지구로 끊임없이 내려오는 높은 에너지 입자인 우주선 등이 그 예로, 1년 동안 이런 자연 방사능에 평균적으로 2.4mSv 정도 노출이 된다. 자연 방사능과 의료 목적의 방사능 치료를 제외하고 일반적인 피폭 허용치는 1년에 1mSv이다. 흉부 X-선 촬영 시 1회 당 0.1~0.3mSv, CT 촬영 시는 8~10mSv 정도 노출이 된다. 방사능은 항암치료와 예술품 복원, 화재 탐지기, 고고학과 지질학에서 탄소연대 측정, 각종 생물·해류의 추적 장치, 우주탐사를 위한 에너지원 등 실생활에서도 유용하게 사용되기도 한다. 그러나 1986년 체르노빌 원자력 발전소 폭발사고로 인하여 7천 명이 넘는 사람들이 사망하였고, 20만 명이 방사능 피해를 입은 채 각종 암과 기형아 출산 등으로 고통 속에서 살아가고 있다. 2011년 일본 후쿠시마 원전 사고로 인하여 방사능 노출에 대한 위험은 우리 생활에 산재되고 있다.

2) 방사능이 건강에 미치는 영향

방사능은 500mSv까지는 건강에 큰 이상이 없지만, 1Sv(1시버트)에서 구토나 메스꺼움이 나타날 수 있고, 4Sv에서는 50%의 사람들이 30일 내에 사망하게 된다. 5~10Sv에서 조혈기의 장애를 일으켜 고도의 백혈구, 혈소판 등이 감소하여 4~6주 후에 사망의 가능성이 높으며, 10~15Sv에서 소화기 장애가 발생하여 2주 후 장염과 쇼크로 사망한다. 50Sv 이상일 경우 중추신경장애로 오심과 구토 등이 일어나며 피폭 몇 시간 후 뇌부종으로 사망하게 된다. 방사선이 인체에 치명적인 것은 방사선을 쪼이면 방사선의 강한 전리작용에 의해 세포핵 속의 유전물질 또는 유전자가 돌연변이를 일으키거나 파괴되어 암이나 기형아 출산, 유전병이 나타나게 된다는 것이다.

1987년의 어느 날, 브라질의 한 시골마을 보건소에서 비싼 의료기 한 대를 도난당하였다. 도둑들은 이 의료기를 해체하여 고철로 팔았는데, 이 고철을 사들인 고물상 주인은 어두운 곳에 놓인 고철덩어리 안에서 푸른빛이 나는 돌조각들을 발견했다. 고물상 주인은 푸른빛이 나는 돌의 일부는 자신이 갖고 나머지는 주변 사람들에게 나누어 주었다. 그런데 며칠이 지나지 않아 이 돌조각을 가지고 간 사람들이 소화불량과 두통에 시달리게 되었고, 급기야는 쓰러지는 사람도 나타났다. 결국 4명이 사망하였고 200명이 넘는 사람들이 평생 후유증을 겪으며 살게 된 이 사건의 주범은 푸른빛이 나는 돌, 방사선을 배출하는 방사능 물질인 세슘-137이었던 것이다.

예방책으로 방사선 최대 노출 시간을 줄이고 오염물로부터 멀리 떨어지도록 하며, 방사능에 오염된 것으로 추정되는 부위를 깨끗이 씻어야 하며, 호흡이나 구강섭취에 의해 인체 내부에 유입됐을 경우 방사선 물질을 몸 밖으로 배출하기 위한 약품인 요오드화칼륨을 섭취하도록 한다.

제3절 + 환경보건과 간호사의 역할

Keywords

• 환경정의 • 환경성질환 • 화학물질관리 • 위험 의사소통

1 환경정의(Environmental justice) 실현

1) 환경정의의 개념

환경정의(environmental justice)는 사회정의 개념과 밀접하게 관계되어 있나(Low, 2000). 우리의 생활환경은 삶의 질을 결정하는 데 있어서 핵심적인 요소 중의 하나이기 때문에 경제 생산활동에 따른 위험과 비용에 특정집단의 국민들이 과도하게 노출되는 것은 정의롭지 못하며 공평하지 않기 때문이다. 즉, 환경적으로 정의롭지 못한 사회적인 자원 이용 양태는 사회적으로는 당연히 정의롭지 못하다. 반면에 사회적으로 정의롭다고 하여서 환경적으로 정의로운 것은 아닐 것이다. 그러므로 환경정의의 개념은 사회정의 개념보다는 포괄적인 개념이다.

환경정의라는 개념은 다양한 측면에서 파악될 수 있다. 그러나 일반적으로 '자연자원은 다른 이용자의 필요는 물론 현 세대와 미래세대의 수요를 고려하여 공평한 방식으로 할당되고 사용되어야 한다'는 의미로 파악할 수 있을 것이다. 환경정의의 개념은 본질적으로 환경적 위해성과 관계되어 있다. 사회가 처한 환경적 위해성과 관련된 편익과 비용분배의 불균형 문제를 다루려는 시도이기 때문이다. 환경정의는 환경피해의 역진성은 물론 환경개선을 위한 비용부담의 역진성과도 관계된다. 결국 환경정의 문제는 환경에 대한 의사결정과 관련하여 영향력의 불균형 된 분포와도 관련된 문제라고 할 수 있다.

환경위기의 원인은 다양한 측면에서 파악해 볼 수 있다. 그러나 철학적인 관점에서 보았을 때 무엇보다도 중요한 것은 역시 자연을 자원으로만 파악하는 산업주의에서 그 뿌리를 찾을 수 있다. 자연을 인간의 이용 대상으로만 파악하는 서양의 과학기술 문명의지에서 환경위기가 발생하였다는 진단 하에서 환경윤리이론이 다양하게 발달하였다. 그 가운데 주목할 만한 것은 Peter Wenz(1988)의 동심원 환경정의론(co-centric circle)이다. Peter Wenz는 '환경정의는 배분적 정의의 문제로서 인간의 욕구나 수요에 비해서 편익은 희소한데 부담은 과대하게 존재하는 세계에서 편익과 부담을 배분하는 방법에 관한 이론'이라고 하였다. 그리하여 우선 고도 과학기술 사회에서 개인이 당할 수 있는 예기치 않는 피해에 대해 국가가 속수무책일 수 있음을 들어 자유주의적인 정의관의 한계를 지적한다. 그리고 사람이 취해야 할 도덕적 의무의 대상범위에 자국 내의 사회적 약자, 제3세계의 민중, 그리고 미래세대 인간까지를 포함시킨다. 그리고 권리의 개념을 소극적 권리와 적극적 권리로 구분하여 동물에게도 소극적인 권리를 부여한다. 이어 자신의 다원적 정의론의 지침을 제안한 바 있다.

또한 환경정의의 개념은 보다 포괄적으로 이해하는 경향이 있다. 예를 들어 Richard Hofrichter는 환경정의의 구성요소로서 다음을 열거하였다.

- 미래세대의 환경권을 저해하지 않는 지속가능한 경제(경제성장주의의 극복 등)
- 환경권의 공평한 향수

- 건강이나 자원이용에 있어서 특권이나 착취의 제거
- 계급이나 인종 등과 관련된 환경파괴의 역진적 영향(예 유해폐기물 처분장 입지에서 나타나는 환경인종차별 등)의 시정
- 지속가능한 지역사회의 형성을 가능하게 하는 민주주의의 충실화
- 자본주의와 국가주의의 변혁

반면에 환경정의 개념에 생태적인 요소를 포함시켜서 파악하려는 시도도 있다. 즉 인간 이외의 생태계 구성인자들을 권리나 도덕적인 주체로 파악하여 인간과 인간 간의 관계에 대한 환경재(environment goods) 이용과 배분과 관련된 문제와 구별하자는 것이다. 이에 의하면 환경정의는 정의의 개념이 인간간의 자연환경 이용에 따른 문제를 포괄하는 개념으로 보나, 생태정의는 인간사회와 자연환경과의 관계를 내포하는 개념으로 파악한다(Low, 2000). 즉 논점이 환경적 선이나 환경적 해악을 시간과 공간에 걸친 인간 간의 관계를 다룰 때는 환경정의라는 개념으로 파악하여 인간과 자연과의 관계를 분리하자는 것이다. 때로는 환경정의의 개념을 내용적인 측면과 절차적인 측면으로 나누어 파악하기도 한다. 일예로 미국 연방환경처에서는 환경정의의 개념에서 '공정한 대우(fair treatment)'와 '의미 있는 참여(meaningful participation)'를 핵심내용으로 하고 있다.

2) 환경오염 피해

환경오염 피해는 피해의 공간적 범위, 피해함수의 특성, 피해의 불가역성 등의 다양한 측면에서 분석해 볼 수 있다.

(1) 환경오염 피해의 공간적 범위

환경오염 피해는 피해의 공간적 범위에 따라 제1세대와 제2세대로 나눌 수 있다. 제1세대 환경문제는 빈곤과 저개발에 관련된 산업활동으로부터 발생하는 수질, 대기, 토양오염문제이다. 제1세대 환경문제는 환경오염물질의 지역적인 집중에 의해 국지적인 환경오염과 자연파괴를 초래하는 경우이다. 제1세대 환경문제는 공해방지기술의 발달에 따라 선진국에서는 다소 극복되고 있는 상황이나 이제 경제개발에 착수한 후진국에서는 심각한 문제로 대두되고 있다. 거주 이전이 자유로운 부유한 계층은 환경오염 피해를 쉽게 피할 수 있다는 점에서 제1세대 환경문제는 사회정의 문제와도 밀접하게 관련되어 있다. 제2세대 환경문제는 범지구적 또는 지역적 생태계 파괴위협을 지칭한다. 산성비, 오존 고갈, 지구온난화, 산림벌채와 황폐화, 생물종다양성, 유해폐기물의 국가 간 이전 등이 이에 속하는 문제로서 지구적 공공재의 파괴와 고갈에 대한 문제이다. 지구적 공평성의 문제를 제기하는 사항으로 지구환경 파괴를 초래한 경제성장의 선발국이자 현재의 과소비국가인 선진국의 책임문제와 관련되어 있다.

(2) 환경오염 피해함수의 형태

환경오염에 따른 피해는 오염물질의 피해함수 형태, 즉 임계치(threshold effects)의 유무에 따라 나누어볼 수 있다.

첫째, 임계치 효과가 뚜렷한 오염물질의 경우이다. 독극물, 유해화학물질 등의 피해는 특정 농도를 넘어서면 즉각적이고 급격한 피해를 초래한다. 이 같은 임계치가 있는 오염물질의 국지적인 집중은 사회경제적 영향력

의 차이 정도와 무관하게 심각한 피해를 초래한다. 때문에 각국은 환경기준을 설정하거나 토지이용 규제를 통해서 적극적으로 관리하여야 한다. 임계치 효과가 뚜렷한 물질에 대한 관리 소홀은 사회정의와 관계되는 문제이기도 하다.

둘째, 임계치 효과가 미약한 오염물질의 경우이다. 이런 오염물질이 초래하는 피해는 그 피해가 농도에 비례하여 증가하며 완만하며 장기적인 누적에 의해 피해가 발생한다. 이러한 오염물질은 그 피해를 즉각적으로 느끼지 못하기 때문에 정책적인 관심도가 낮아 특히 저소득층이나 미래세대에 그 피해가 집중될 가능성이 높다. 예를 들어 환경호르몬물질과 같은 경우에는 임계치 효과는 낮으나 소량의 오염물질이 장기간 축적되어 그 피해가 후세대에 나타나기 때문에 세대 간의 정의 논쟁을 불러올 수 있다.

(3) 환경파괴의 복구 가능성

환경오염이나 자연훼손을 사후에 복원할 수 있느냐 여부의 측면에서도 살펴볼 수 있다.

첫째, 환경오염이나 자연파괴가 있어도 사후에 그 피해의 복구 또는 복원이 가능한 환경오염이나 자연파괴이다. 복원이 가능한 환경오염이나 자연파괴는 경제적 자원배분 상의 효율성 문제로 접근하는 것이 정의 측면에서의 문제해결을 보다 용이하게 하는 측면이 있다. 이러한 문제의 경우에는 정의 측면에서 부담이 다소 적으며 경제적 효율성을 기준으로 파악할 수 있다. 최근에는 생태효율(eco-efficiency)의 개념으로 이러한 문제를 접근하고 있다.

둘째, 희귀생물종의 멸종, 수려한 경승지의 파괴 등 일단 피해나 훼손이 있으면 복구나 복원이 불가능한 환경파괴도 있다. 이러한 경우에는 의사결정이 잘못되었을 경우에는 그 손실비용이 막대하기 때문에 세대 간의 정의문제를 심각하게 야기 할 우려가 있다. 통상 이러한 경우에는 예방적 조치의 원칙(precautionary principle) 준수를 요구하게 마련이다. 생물종과 관련하여서는 생태정의의 문제를 야기하게 된다. 인간이 자신의 활동에 의해 특정 생물종의 멸종을 초래하는 것은 정의롭지 못하다는 것이다.

2 화학물질관리

1) 화학물질관리의 중요성

현재 전 세계적으로 유통되고 있는 화학물질의 수는 12만여 종에 이르며, 매년 2천여 종의 새로운 화학물질이 개발되어 상품화되고 있고, 향후에도 화학산업의 지속적인 성장이 예상되고 있다. 국내에는 4만 4천 종 이상의 화학물질이 유통되고 있고, 매년 300여 종 이상이 새로이 국내시장에 진입되는 등 화학물질의 사용이 꾸준히 증가하고 있다. 또한 화학산업은 다른 분야에 비해 빠르게 성장하여 국내 제조업 생산액의 14%, 고용의 9%를 차지하고 있고, 에틸렌 생산량 규모가 세계 3위에 이르는 등 국제적으로도 큰 비중을 차지하고 있다. 이에 따라 다양한 화학물질에 대한 안전관리가 중요한 과제로 대두되고 있다. 화학물질은 경제활동의 기본물질이면서 현재생활에서 없어서는 안 될 매우 중요한 요소이다. 세제, 비누, 각종 생활용품 등 오늘날 우리의 생활은 화학물질을 떼어 놓고는 상상할 수 없을 정도이다. 또한 화학물질은 환경오염의 원인이 되는 물질이다. 우리가 일상적으로 경험하고 있는 물, 공기, 토양오염의 근원에는 화학물질이 있는 경우가 대부분이다.

환경부는 유해 화학물질로부터 국민 건강과 환경을 사전 예방적으로 보호하고, 화학산업의 경쟁력을 강화하기 위해 2010년 말부터 「화학물질 등록 및 평가 등에 관한 법률」(이하 「화평법」) 제정을 추진하여 2013년에 제정·공포하였다. 2015년 1월 1일 시행된 「화평법」의 주요내용은 화학물질 제조·수입·판매자는 매년 제조량, 용도 등을 보고하도록 하고 있다. 화학물질을 제조·수입하려는 자는 등록 신청자료를 제출하여 관리당국에 등록토록 하되 등록된 화학물질에 대하여 유해성 심사 및 위해성평가를 실시하여 유해성 및 위해성이 확인된 경우 유독물질, 하가물질, 제한·금지물질로 지정토록 하고 있다. 이러한 화학물질의 양면성을 단적으로 보여주는 물질이 바로 DDT(dichloro-diphenyl-trichloroethane)라는 물질이다. 1940년대 DDT는 놀라운 효능으로 기적의 농약으로 불리며 노벨상 수상자까지 탄생시킨 화학물질로 전 세계적으로 다량으로 사용되었다. 그러나 1960년대 미국의 여류학자 칼슨에 의해 DDT는 환경에 잘 분해되지 않고 생물에 농축되는 등 그 해악이 밝혀지기 시작하였으며, 결국에는 1970년대 개발 30여 년 만에 그 사용이 금지되었다. 이러한 사례를 통하여 화학물질이 인간 사회에 미치는 편익과 해악을 극명하게 이해할 수 있다.

최근 2018년 3월에 제정('19년 시행)된 「생활화학제품 및 살생물제의 안전관리에 관한 법」에서는 살생물제품에 나노물질이 함유된 경우 등록 시 자료제출 및 표시 등의 의무를 포함하고 있다.

인간은 생활의 편리함을 위하여 화학물질을 사용해 왔으며 끊임없이 새로운 화학물질을 개발하고 있다. 화학물질은 인간의 삶의 질을 높여 주는 데 꼭 필요한 요소로 자리를 잡았지만, 그 종류에 따라 치명적인 독성을 가질 수도 있다. 구성성분, 화학적 구조, 취급량, 취급방법, 노출실태 등에 따라 이롭게 사용할 수도 있고 매우 유해한 독성물질이 될 수 있는 것이 화학물질이다.

2016년 1월~2월 사이에 인천 및 부천 소재의 핸드폰 부품을 생산하는 제조업체 3개소에서 근로자 5명이 CNC(Computer numerical control) 절삭 작업과 검사 작업을 수행하면서 고농도의 메틸알코올(Methyl alcohol, Methanol, CH_3OH, CAS No.67-56-1)에 노출되어 시력이 손상(3명 실명, 2명 시력손상 및 시야결손)되는 급성중독 사고가 발생하였다. 메틸알코올은 우리 생활환경과 산업체에서 광범위하게 사용되는 화학물질이며, 고인화성 액체 및 증기형태로, 눈에 심한 자극을 주어 시신경손상과 호흡기계 자극 및 중추신경계 손상을 일으키는 물질이다.

2011년 이후 시작된 국내 가습기 살균제에 의한 임산부 및 영유아 140여 명이 사망사건은 현재 사회적 문제로 확산되고 있다. 일반 소비자들이 주로 생활용으로 사용하는 생활화학제품인 가습기 살균제, 방향제, 탈취제 등은 제품 내 화학물질 성분과 함유량 및 사용(노출)방법에 따라 독성이 있을 수 있어 소비자들의 안전을 위협할 수 있다.

세계 대부분의 국가는 화학물질의 이러한 속성을 깊이 인식하고 화학물질로 인한 건강과 환경에 미치는 영향을 최소화하기 위하여 다양한 정책을 추진하고 있다.

2) 우리나라의 화학물질 안전관리 현황

우리나라는 보다 효과적인 화학물질 안전관리를 위하여 그 이용목적 및 성상 등에 따라 7개 부처의 14개 법률에 의하여 관리되고 있다. 또한 화학물질 안전관리정책 추진을 위하여 유해화학물질관리 기본계획을 수립하고 이에 따라 종합적인 화학물질관리를 수행해 나가고 있다.

화학물질은 전 생애, 즉 생산부터 폐기의 모든 단계에서 적절하게 관리되어야 하며, 이를 위하여 새로운 화학물질이 개발되거나 수입되어 경제활동에 이용되기 전단계인 시장진입단계, 경제활동에 실제 이용되는 시장유통단계, 환경에 배출되는 배출단계로 나누어 필요한 시책을 추진하고 있다.

국내의 화학물질관리는 화학물질이 국내시장에 유통되기 전에 사전관리를 위한 유해성 심사를 하고, 심사결과 유독물 등으로 지정된 물질의 취급 시는 영업등록 또는 허가를 받도록 하고 있다. 취급과정에서의 안전을 위하여 유독물의 표시, 취급 시의 시설관리 및 주의사항 등에 대한 관리기준을 정하여 이를 준수하게 하도록 한고 있다. 한편, 배출량 조사와 유통량 조사를 통하여 환경 중에서 누출·유출되는 화학물질의 종류와 양을 관리하고 저감할 수 있는 정책을 추진하고, 국제적인 흐름에 맞추어 OECD 등 화학물질관련 국제지구의 활동에 적극 참여하고 있다. 화학물질의 국제교역의 증가와 환경 중에서 국경을 넘어 이동하여 오염을 광역화시키는 화학물질의 문제는 화학물질관리의 문제가 국제적인 문제임을 보여주고 있으며, 이에 따라 우리나라는 화학물질관리를 위한 각종 국제활동에 적극 참여하고 있다. 아울러 최근 전 인류의 관심사로 대두된 내분비계 장애물질에 대한 정책을 수립하여 적극 추진하고 있다.

3) 유해화학물질 대표적 사례

가습기살균제 사고, 구미 불화수소 누출사고 등을 계기로 화학제품·화학물질 관리 및 화학사고 대응에 한계가 있다는 등 국민적 불안이 가중되고 경각심이 높아지고 있으며, 이에 따라 체계적인 화학제품 화학물질의 안전관리와 화학사고의 예방을 통해 국민의 건강 및 환경을 보호하고 국민이 안심할 수 있는 화학안전사회 구축을 위해 노력하고 있다.

현재 전 세계적으로 유통되고 있는 화학물질의 수는 20만여 종에 이르며 매년 3천여 종의 새로운 화학물질이 개발되어 상품화되고 있고 향후에도 화학산업의 지속적인 성장이 예상되고 있다.

국내에는 4만 4천 종 이상의 화학물질이 유통되고 있고 매년 2,000여 종이 새로이 국내시장에 진입되는 등 화학물질의 사용이 꾸준히 증가하고 있다 또한 화학산업은 다른 분야에 비해 빠르게 성장하며 우리나라는 세계 5위의 화학산업국가로 국제적으로도 큰 비중을 차지하고 있다 이에 따라 다양한 화학물질에 대한 안전관리가 중요한 과제로 대두되고 있다.

대표적으로 가습기살균제는 가습기 내의 물에 첨가하여 미생물 번식과 물때 발생을 예방할 목적으로 1994년 최초 출시되어 연간 약 20여 종의 제품, 60여 만 개가 판매된 것으로 추정된다.

당초 카페트 항균제 등의 용도로 사용된 화학물질(PGH, PHMG 등)이 용도를 바꾸어 가습기살균제 원료물질로 사용된 것이다. 2009년부터 2011년 가습기살균제 소비가 증가하면서 다수의 인명피해가 발생하였다.

환경부는 가습기살균제 건강피해 대상질환 확대를 위해 지속적으로 연구를 진행하고 있으며, 2020년 3월 「가습기살균제 피해구제를 위한 특별법」 개정('20.9.25. 시행)으로 질환 구분 없이 건강피해를 포괄적으로 인정하게 됨에 따라 가습기살균제 건강피해의 범위가 확대되었다.

2020년 3월에는 「가습기살균제 피해구제를 위한 특별법」이 개정('20.9.25. 시행)되어 구제급여와 특별구제계정으로 구분되어 있던 재원이 피해구제자금(사업자분담금, 정부출연금)으로 통합되었고, 장해급여 신설 및 특별유족조위금(약 4천만 원 → 약 1억 원), 요양생활수당 1.2배 상향 등 지원을 대폭 강화하였다. 2021년말 기준 가습기살균제 피해인정 신청자 7,642명 중 피해 인정자는 4,274명이며 지원금액은 총 1,121억원이다 [표 10-19].

표 10-19 가습기살균제 피해구제 현황

기준시점	신청자	피해인정자수	지원액(억원)
'17년말	5,955명	534명	83
'18년말	6,246명	2,577명	263
'19년말	6,697명	2,793명	506
'20년말	7,116명	4,114명	780
'21년말	7,642명	4,274명	1,121

〈 자료원 : 환경부(2022). 2021 환경백서 〉

3 위험 의사소통(Risk communication)

최근 우리사회가 직면한 위험(risk)은 보다 더 새롭고, 폭 넓고, 훨씬 더 다양해지고 있다. 위험의 복잡성과 불확실성이 날로 증가되고 있는 것이다. 기후변화로 인해 전통적인 재해인 수해와 가뭄의 정도와 양상이 달라지고, 전통적인 전염병이 창궐하는 횟수가 증가하고 기간이 길어지며, 새로운 전염병이 나타나기도 한다. 이러한 재해 양상의 변화는 수십 년의 재난관리의 정책적 경험을 벗어난 것이었다. 그리고 과학기술과 관련하여 우리나라는 그동안 미래 성장 동력으로서의 과학기술의 장밋빛 미래만을 부각시킨 나머지, 과학기술의 불확실성과 위험에 대해서는 크게 고민하지 않았다. 하지만 광우병, 멜라민, 유전자조작식물, 줄기세포 등의 과학기술의 위험 및 윤리 관련 사회적 논란을 계기로 정부와 전문가의 의견에 대한 시민들의 불신이 점차 증가되어 왔다. 기존의 전통적인 재해 관리의 경험만 가진 정부로서는 이러한 새로운 형태의 사회적 논란에 당황하지 않을 수 없다.

위험(risk) 상황으로는 자연현상으로 홍수, 혹한, 태풍과 같은 것, 인간에 의한 사고로 교통사고, 유해화학물질에 의한 피해, 질병 및 감염으로 인한 고통 발현, 또한 전쟁, 테러, 산업에 의한 위해로 포함될 것이며, 폭동, 강도, 사기 등도 넓은 의미의 위해 범주에 든다. 다른 분야로는 소득 감소, 경기후퇴, 공기 오염, 환경피해 등도 위해의 요소가 될 수 있다. 따라서 위험이란 식품을 포함하여 인간에게 일어날 수 있는 모든 희망하지 않은 사건이 일어날 확률의 개념으로 받아들일 수 있다. 이러한 리스크의 결과로는 개인에게는 부상, 질병, 재산 손실, 환경 파괴, 정신적 피해를 불러올 수 있으며, 최악의 경우 죽음까지도 불러올 수 있다. 국가적으로는 국력의 감퇴, 국가 신인도의 하락, 정부에 대한 국민의 신뢰도 하락 등과 직접적 관계가 있다. 특히, 국민들 사이에 정부 조치에 대한 뿌리 깊은 불신이 만연해 있는 이유는 물론 여러 가지가 있겠지만 그 중 주요한 부분은 정부와 국민 및 이해관계자들과의 소통이 부족하기 때문이다. 국민들이나 전문가가 참여할 수 있는 소통의 장을 열어놓고 실질적인 소통이 이루어질 수 있게 한다면 불신의 수준은 상당히 완화될 것이다.

현대사회에서 개인과 조직은 외부로부터 기인되는 다양한 종류의 리스크에 대해 끊임없이 도전을 받고 있다. 우리는 이러한 리스크에 일상적으로 노출되어 있으며, 이러한 리스크를 완전히 제거하는 것은 불가능한 일이라는 사실을 인정할 수밖에 없다. 따라서 어떤 조직이든지 리스크를 방치함으로써 발생할 수 있는 위기를 사전에 예방하기 위한 적절한 리스크 매니지먼트를 일상적으로 수행해야 한다.

1) 위험 의사소통의 정의와 절차

(1) 위험 의사소통의 정의

WHO는 위험 의사소통(리스크 커뮤니케이션, Risk communication)을 '위험평가자, 위험 관리자, 소비자와 기타 이해관계자들 간의 위험에 대한 의견 교류과정'으로 정의하고 있다. 위험 의사소통은 위험성 평가와 관리에 있어서 핵심적이며 지속적인 부분으로서, 이상적으로는 위험성 관리의 시작부터 전 과정에 이르기까지 모든 이해관계자들이 참여하는 것이 바람직하다. 또한 위험 의사소통은 모든 이해관계자들에게 리스크 관리 과정의 각 단계를 이해하게 하고 리스크 평가의 논리, 결과, 중요성 및 한계를 분명하게 알 수 있게 해준다. 이러한 과정적 측면에서 위험 의사소통은 사회적 리스크가 발생하였을 때 그 리스크 분석 절차에서 개인, 집단, 그리고 기관들 사이의 정보 및 의견 교환의 상호작용 과정(interactive process)으로 정의되기도 한다.

또한 위험 의사소통이란 '리스크와 관련된 이해관계자들 사이의 상호 이해를 돕기 위한 지속적인 상호 의견 교환의 과정'이라고 정의하기도 한다(이재은, 2013). 이는 우선, 리스크가 발생하기 이전부터 발생한 이후까지의 리스크를 전제로 하는 것이다.

- 리스크 발생 이후만을 대상으로 하는 것이 아니라 발생하기 이전의 잠재적이거나 혹은 예측하기 어려운 리스크를 포함하는 것이다.
- 위험 의사소통에서의 이해관계자에는 국내뿐만 아니라 국제사회의 범주 안에서 리스크를 유발시킨 당사자인 개인이나 기업, 피해자인 국민 또는 소비자를 포함하는 동시에 관리 책임이 있는 정부기관, 그리고 정보를 전달하는 언론 매체까지도 포함한다.
- 위험 의사소통의 목적은 정확하고 적시·적절한 정보를 기반으로 한 이해관계자들 사이의 상호이해를 목적으로 한다. 갈등을 유발하기 위한 것이 아니라 상호이해를 통한 문제 해결을 위한 것이기 때문이다.
- 위험 의사소통은 상호 의견교환의 과정이 지속적으로 이루어져야 한다. 따라서 리스크가 발생한 순간의 일시적이거나 사전적 또는 사후적 의견교환이 이루어지는 것은 진정한 의미의 위험 의사소통이 이루어졌다고 보기 어렵다.
- 위험 의사소통은 상호간에 의견교환이 이루어져야 한다. 이해관계자들 사이에서 어느 한쪽 편만이 일방적으로 정보와 의견을 제시하는 것은 위험 의사소통이 이루어졌다고 보기 어렵다. 관련된 이해관계자들이 동등한 관계에서 서로의 정확하고 적절한 정보를 제공하고 받아들이는 교환이 이루어져야 한다.
- 위험 의사소통은 정보와 의견이 서로 공유되는 교환이 이루어져야 한다. 일방적인 주입이나 일방적인 거부가 아니라 상대방의 입장을 이해하고 받아들이기 위해 노력하는 교환이 이루어져야 한다.
- 위험 의사소통은 의견교환이 이루어지는 과정이다. 특정한 시점에서 이루어지는 것이 아니라 리스크 발생 이전부터 발생 이후까지의 관련된 이해관계자들이 관심과 주의를 갖고 정보와 의견을 지니는 전체 기간 동안 이루어지는 것으로 볼 수 있다. 특정 시점에서 잠시 의견교환이 이루어지지 않는다고 해서 위험 의사소통이 중단된 것은 아니다. 오히려 지속적인 과정의 관점에서 위험 의사소통을 보는 것이 적절하다.

(2) 위험 의사소통 절차

위험 의사소통은 이해관계자 간의 의사소통이 원활하지 못할 때 정보 공유 및 의사소통을 위해 수행되는 과정 또는 체계로 국내외 정부와 국제기구 차원에서 강조되고 있다. 위험 의사소통 프로그램 구성절차는 다음과 같다.

① 위험상황 분석 이론 탐색

1단계로 강점, 약점, 기회요인 위험요인 등의 위험한 상황을 분석하는 것이다.

② 목표 및 관련 대상자 설정단계

2단계로 위험 의사소통을 통해서 해결하고자 하는 목표를 설정하고 위험 의사소통의 대상인 목표 대상을 선정하는 것이다.

③ 이론적용 및 의사소통 실행단계

3단계는 이론을 토대로 실제 의사소통을 실행하는 단계로 가장 최선의 의사소통 실행계획을 설정하고 시행하는 것이다.

④ 평가 및 학습단계

4단계는 프로그램을 조사, 기획, 실행하는 과정과 영향력을 측정하여 평가하고 교육, 훈련을 통한 학습을 포함한다.

⑤ 대상자와의 관계를 유지하는 단계

5단계는 대상자와 양방향의사소통을 통해 이해하며, 개방성을 가지고 의무를 분담하는 것을 포함한다.

2) 위험 의사소통의 필요성과 원칙

(1) 위험 의사소통의 필요성

Lundgren과 McMakin(2009)은 위험 의사소통은 일상적인 리스크 전달과 비상 시의 리스크 전달을 구분하고, 위험 의사소통의 형태에 따라 목적이 달라진다는 것을 전제로 하고 있다. 즉 위험 의사소통의 주요 목적은 정보 전달(inform)이나 설득(persuade)을 통해 태도 변화를 끌어내겠다는 일방성을 지니기 보다는 쌍방과의 지속적인 관심이나 주의(care)와 합의(consensus) 등에 중점을 둠으로써 리스크 관련자들의 동참 속에 이루어지는 커뮤니케이션을 강조하고 있다는 것이다.

위험 의사소통은 일반 커뮤니케이션과 마찬가지로 다양한 목적을 달성하기 위해 이루어진다. 위험 의사소통의 목적은 정보공개, 정보전달, 정보수집·의견청취, 참가와 상호이해 촉진, 정책합의와 파트너십 구축 등으로 구분할 수 있다. 이러한 목적은 다양한 수단과 방법을 통해 달성되는데, 사실상 특정 사안에 대한 위험 의사소통의 수단과 방법은 위험 의사소통의 목적과 역할에 따라 좌우되며, 리스크의 속성도 중요한 영향을 미친다. 예를 들어, 정보공개를 위해서 특정 계층에 의한 광범위한 이용이 가능한 인터넷이 보편적으로 사용될 수 있다. 또는 정보전달을 위해 인터넷과 함께 TV, 라디오, 신문, 잡지 등 다양한 대중매체를 이용하거나 보고서 등을 발간하기도 한다. 정보 및 의견 수집, 교환을 위해서는 설명회, 간담회, 공개토론 등의 각종 모임의 형태가 유용하게 이용되며, 설문조사도 대표적인 의견수집 기능을 하는 커뮤니케이션 수단이다. 이 밖에 참가와 상호 이해촉진을 위해 다양한 계층의 시민패널이 참여하여 특정사안에 대해 토론을 하도록 하며, 정책 합의와 파트너십 구축을 위해서는 협의회, 워크숍 등을 이용하기도 한다.

우리 사회는 정보를 스스로 생산하거나 갖고 있는 사람과 그것을 필요로 하는 대중(수요자)이 공존하고 있다. 위험 의사소통은 위해의 정확한 종류와 그 위해 정도에 대한 정보를 갖고 있는 집단이 피해를 볼 수 있는 수요자에게 정보를 신속하고 정확하게 전달하는 수단이다. 이를 통해 불확실성을 제거하고 수요자에게 자기 보호수단을 강구할 수 있는 기회를 제공한다는 의미에서도 대단히 중요하다. 식품을 예로 들면, 식품 위생 및 안전성에 대한 이해 정도를 향상시킬 수 있으며, 사고 발생 시 정확한 정보 제공으로 대처방안을 강구하도록 하며 예방조치를 취함으로써 더 큰 사고를 미연에 방지할 수 있다. 또한 여러 확인되지 않은 루머를 통한 소비자의 불안을 해소시켜 사회적 긴장감을 완화시키는 데 기여하는 수단이 된다. 불확실성이 제거되고 위해의 원인에 대한 정확한 이해는 그 위해를 최소화하거나 미연에 방지하는 수단으로 사용될 수 있다. 국가는 식품위해뿐만 아니라 국민에게 일어날 수 있는 여러 형태의 위해를 정확하게 알림으로써 국가에 대한 믿음과 신뢰를 구축할 수 있고 옳고 빠른 정보 교류가 가능한 위험 의사소통 시스템이야말로 현대 국가가 구축해야 할 필수적인 국가사업의 하나이다. 근대사회에서는 소비자의 알 권리가 확대되면서 리스크에 대한 인식이 크게 고조되고 안정성에 대한 우려가 확대되면서, 이에 따른 불안감이 증폭되는 경우가 많으므로 정확하고 신속한 위험 의사소통의 중요성이 더욱 커지고 있다.

(2) 위험 의사소통의 원칙

위험 의사소통의 목표는 명확하고 이해하기 쉬운 용어를 사용하여 적절하고 정확한 정보를 제공하기 위함이다. 일반대중과의 위험에 대한 인식격차를 최소화하고 대중이 이해할 수 있는 명확한 정보 전달 및 기관역량과 책임감을 기반으로 한 정책신뢰성 구축 및 강화를 추구함이다. 위험 의사소통의 기본원칙은 다음과 같다.

① 신속성 : 최대한 빨리 대응한다.
② 개방성 : 최대한 정직하게 공개하고 공유한다.
③ 일관성 : 한 목소리로 말해야 한다.
④ 공감성 : 책임여부와 관계없이 희생자에 대한 적극적인 관심을 표명하고 대중에 대한 책임을 지는 것이다.
⑤ 신뢰성 : 신뢰할 수 있는 자료 제시를 통해 국민에게 신뢰감을 주어야 한다.

제 11 장

재난관리

COMMUNITY HEALTH NURSING

학·습·목·표

제1절 재난의 개요

1. 재난의 정의, 유형 및 대응체계를 설명한다.
2. 재난 시 공중보건의 역할을 설명한다.
3. 재난관리과정을 설명한다.
4. 취약인구집단(아동·여성·노인·만성질환자·장애인)의 재난관리에 협력한다.

제2절 재난예방과 대비

1. 재난의 일차·이차·삼차 예방을 설명한다.
2. 대상별(지역사회·병원·개인·가족) 재난대비에 협력한다.

제3절 재난대응 및 복구

1. 재난과 법적·윤리적 문제를 설명한다.
2. 재난의 심리·사회적 영향을 설명한다.
3. 위기 시 의사소통에 대해 설명한다.
4. 수용시설 관리에 대해 설명한다.
5. 재난간호에 대해 설명한다.

제4절 국제 재난구호 활동

1. 해외긴급구호 활동에 대해 설명한다.
2. 우리나라 및 해외 긴급구호기구에 대해 설명한다.
3. 국제 재난구호 활동 시 간호사의 역할을 설명한다.

제1절 + 재난의 개요

Keywords

- 재난 및 안전관리 기본법
- 재난
- 행정안전부
- 사회재난
- 해외재난
- 국가재난관리체계
- 응급의료체계
- 공중보건전문가
- 재난관리 기능모형
- 재난관리과정
- 재난완화
- 재난대비
- 재난대응
- 재난복구
- 재난역학
- 재난예방
- 생식보건키트
- 취약인구집단의 재난
- 재난가방

전 세계적으로 증가하고 있는 대형 재난에 대비하고 대응하기 위해서는 국가차원에서의 체계적인 재난관리와 국가 간의 협력, 개개인의 노력이 중요하다. 우리나라 역시 「재난 및 안전관리 기본법」을 토대로 국가차원에서의 재난관리 정책을 발전시키고, 기업과 시민들의 재난대비 의식을 강화시킴으로써 재난관리체계를 활성화시키고 있다.

1 재난의 개념

재해 또는 재난(disaster)이라는 용어의 어원을 살펴보면 dis는 불일치의 뜻이며, aster는 라틴어로 별(star)이라는 의미이므로 재해는 별의 배열이 맞지 않아 생기는 재앙(Calamity)이라는 뜻이다. 즉 광범위한 지역에 걸쳐 일어나는 자연재해를 지칭하는 것으로 현대사회로 전환되는 과정에서 점차 변화되어 인위적 사고가 재난의 개념에 포함되었다. 「재난 및 안전관리 기본법」 제3조에서는 재난을 국민의 생명, 신체 및 재산과 국가에 피해를 주거나 줄 수 있는 것으로 정의하고 있다.

재해는 '태풍'과 같은 자연현상 그 자체를 의미하지는 않으며, 국제적십자위원회(International Committee of the Red Cross; ICRC)가 제시한 재해성립공식(disaster formula)에 의하면 어떠한 위협이 인명과 재산에 피해를 주게 되었을 때 비로소 재해가 발생했다고 보는 것이다[그림 11-1].

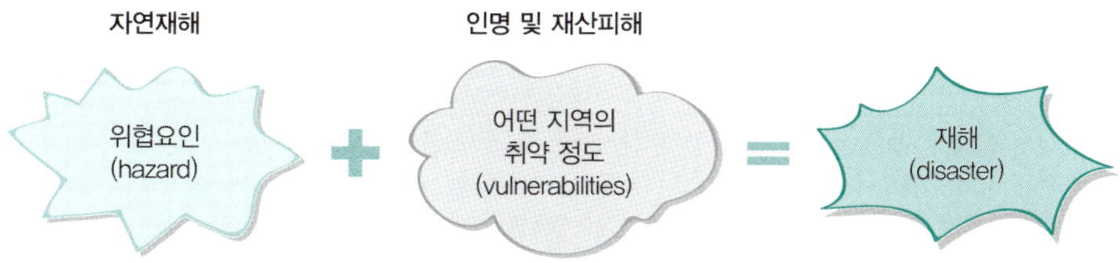

그림 11-1 재해성립공식(disaster formula)

즉 재난은 지역사회 전체에 사망, 손상, 질병 및 재산 피해의 결과를 가져오며, 이는 일상적인 절차나 자원을 이용해도 효과적으로 관리하지 못할 정도여서 외부지원을 반드시 필요로 하게 된다.

우리나라는 1975년 「민방위 기본법」을 제정하면서 국가가 직접 재난을 관리하기 시작하였으며, 이후 자연재해가 아닌 삼풍백화점 붕괴사고, 성수대교 붕괴, 대구지하철 가스폭발사고 등과 같은 인위적 원인으로 발생하는 대형사고로부터 국민의 생명과 재산을 보호하기 위해 2004년 3월 「재난 및 안전 관리 기본법」을 제정·시행하였다.

「재난 및 안전관리 기본법」이 시행됨에 따라 재난관리 전담기구인 소방방재청이 출범하였고, 「재난 및 안전관리 기본법」, 「소방 기본법」, 「민방위 기본법」 등이 신설 및 재정비되었다. 「재난 및 안전관리 기본법」은 과거 「재난 및 안전관리 기본법」과 「자연재해 대책법」의 일부를 통합 개정하면서 재난의 정의에 자연재난과 인적재난의 의미를 통합하고, 사회적 재난을 재난 범주에 포함시켰다. 또한 소방방재청과 행정자치부(현 행정안전부)의 재난관련 업무를 확립시켜 보다 체계적으로 재난에 대비하고 대응하기 위한 노력을 구체화하였다.

2014년 4월 세월호 사건으로 재난 및 안전에 관한 사회적 관심이 증가되면서 정부는 2014년 11월 7일 「정부조직법」을 개정하였다. 2017년 6월 행정자치부가 다시 행정부로 개편되면서 국민안전처가 폐지되었고 소방청과 해양경찰청이 외청으로 독립·분리되었다. 행정부장관이 재난안전관리본부를 총괄지휘하도록 하였다.

국민의 안전과 관련된 국가의 책무를 규정한 「헌법」 제34조 제6항은 '국가는 재해를 예방하고 그 위험으로부터 국민을 보호하기 위해 노력하여야 한다.'고 하였고, 「헌법」 제36조 제3항에도 '모든 국민은 보건에 관하여 국가의 보호를 받는다.'라고 기술함으로써 국민은 재난상황에서도 국가의 보호를 받을 수 있도록 명시하고 있다.

2 재난의 유형과 대응체계

1) 재난의 유형

「재난 및 안전관리 기본법」은 각종 재난으로부터 국토를 보존하고 국민의 생명·신체 및 재산을 보호하기 위하여 국가와 지방자치단체의 재난 및 안전관리체제를 확립하고, 재난의 예방·대응·복구와 안전문화활동, 그밖에 재난 및 안전관리에 필요한 사항을 규정하고 있으며(재난 및 안전관리 기본법 제1조), 재난의 종류를 [표 11-1]과 같이 구분한다.

표 11-1 재난의 종류

자연재난	태풍, 홍수, 호우, 강풍, 풍랑, 해일, 대설, 낙뢰, 가뭄, 지진, 황사, 조류 대발생, 조수, 화산활동, 그 밖에 이에 준하는 자연현상으로 인하여 발생하는 재해
사회재난	화재, 붕괴, 폭발, 교통사고(항공사고 및 해상사고 포함), 화생방사고, 환경오염사고 등으로 인하여 발생하는 대통령령으로 정하는 규모 이상의 피해와 에너지·통신·교통·금융·의료·수도 등 국가기반체계의 마비, 「감염병의 예방 및 관리에 관한 법률」에 따른 감염병 또는 「가축전염병예방법」에 따른 가축전염병의 확산 등으로 인한 피해
해외재난	대한민국의 영역 밖에서 대한민국 국민의 생명·신체 및 재산에 피해를 주거나 줄 수 있는 재난으로서 정부차원의 대처가 필요한 재난

〈 자료원 : 법제처(2022). 재난 및 안전관리 기본법 〉

2) 재난유형별 건강요구

WHO는 Emergency and Humanitarian Action Programme에서 재난상황에서 발생하는 특별한 건강요구인 보건문제는 많은 사상자, 주거지 상실, 질병과 신체장애 증가, 심리·사회적 행동장애 악화 및 사례 증가, 식량부족 및 영양부족, 환경보건 위협, 보건의료서비스 체계 붕괴 등이라고 하였고, 이 중 인명의 피해를 최소화시키려는 노력이 가장 우선시 되어야 함을 강조하였다. 이를 위해서는 효율적인 재난대응 및 재난간호에 있어서 재난의 유형과 예상되는 건강 요구에 대한 사전지식을 가지고 대비하는 것이 필요하다. 각 재난유형과 예상되는 건강 요구는 [표 11-2]와 같다.

표 11-2 재난유형별 건강요구

구분	유형	건강요구
자연재난	홍 수	• 익사(홍수로 인한 사망이나 실종의 주원인) / 저체온증 • 찰과상 열상 및 궤양(생존자들의 주요 건강문제로 감염증 빈발) • 독성이 높은 생물학적, 화학적 독극물에 의한 손상 • 수인성 감염병(렙토스피라증, 장티푸스, 파라티푸스, A형 간염, 살모넬라, 이질균, 대장균) • 오염된 물 접촉으로 인한 피부질환과 안질환 • 고인물에 번식하는 매개체로 인한 감염병(아보바이러스, 말라리아) • 감전사고
	열대성 저기압 (허리케인, 태풍, 사이클론)	• 재난초기 : 익사(사망 주원인의 90%), 연조직 손상 • 재난후반 : 재난복구 과정 시 감전과 같은 사고 • 수인성 감염병(설사, 콜레라) • 상처감염에 의한 질병 • 기아, 탈수 • 태풍증후군 : 가슴과 상지 및 대퇴부 안쪽 찰과상
	토네이도	• 두부손상(사망 주원인), 흉부와 몸체 손상
	지진	• 건물붕괴나 파편으로 인한 손상 • 머리와 가슴 등의 압좌손상, 외부출혈이나 내출혈로 인한 합병증(사망 주원인) • 구획증후군(횡문근변성이 발생하여 저혈성쇼크, 과칼륨증, 신부전증 및 부정맥 등 압좌증후군 발생) • 먼지의 흡입으로 인한 폐부종 • 석면이나 먼지 속에 포함된 여러 물질의 독성에 의해 피해자나 구조자 모두 아급성 또는 만성적인 폐질환 유발
	산사태	• 흙더미 밑에 깔려 질식사 • 기도폐쇄로 인한 호흡기 문제
사회재난	자동차 사고	• 차량전복이나 사고 시 대형폭발로 인한 화상 • 다발성 손상과 골절, 출혈성 쇼크 • 물에 빠진 경우 감전과 익수
	열차 사고	• 인후두 기능장애, 호흡기능장애, 저산소증으로 인한 후유증 • PTSD
	비행기 사고	• 다발성 손상, 압좌손상, 화상, 골절 • 유독가스로 인한 질식사
	선박 사고	• 익사, 저체온증 • 기름에 의한 오염 • 기아와 탈수
	가스폭발	• 화상, 질식, 압좌증후군, 고막천공
	건축물 붕괴	• 기도폐쇄에 의한 질식, 저체온증, 압좌증후군, 골절, PTSD

〈 자료원 : 교육부 재난 관련 자료 〉

3) 국가재난관리체계

우리나라 국가재난관리체계는 2014년 11월 이전에는 안전행정부장관이 중앙재난안전대책본부장으로서 재난관리를 총괄하고 있었으며, 그 아래 안전행정부와 소방방재청 양대 조직으로 이원화되어 재난행정이 운영되고 있었다. 즉 안전행정부는 국가의 재난관리를 총괄하고 사회 재난을 담당하며, 소방방재청은 자연재난을 담당하고 소방과 민방위 업무도 집행하고 있었다. 그러나 정부는 더욱 강력한 재난안전 컨트롤타워 구축을 통하여 종합적이고 신속한 재난안전 대응 및 수습체계를 마련하기 위해 2014년 11월에 국민안전처를 신설하였으나 2017년 7월 26일 행정자치부와 국민안전처가 통합되어 행정안전부로 개편되었고, 소방청과 해양경찰청이 신설되었다.

지방조직에는 시·도 안전관리 위원회, 시·군·구 안전관리위원회가 있으며, 각 위원회는 재난발생시 각각 중앙재난안전대책본부, 시·도 재난안전대책본부, 시·군·구 재난안전대책본부가 되어 재난상황을 관리하게 된다. 재난현장의 관리는 육상재난의 경우, 중앙에는 소방청장을 단장으로 한 중앙긴급구조통제단, 시·도 긴급구조통제단, 시·군·구 긴급구조통제단이 현장을 지휘하며, 해상재난의 경우에는 중앙에는 해양경찰청장을 본부장으로 한 중앙구조본부, 광역구조본부, 지역구조본부에서 현장을 지휘하게 된다.

각 기구들의 기능은 「재난 및 안전관리기본법 및 시행령, 시행규칙」에 제시되어 있으며[표 11-3], 재난 및 사고유형별 재난관리주관기관은 [표 11-4]와 같다.

표 11-3 국가재난관리기구

조직 구성	기 능
중앙대책본부 • 본부장 : 행정안전부장관 • 차 장 : 행정안전부 재난안전관리본부장	• 재난예방대책에 관한 사항 • 재난응급대책에 관한 사항 • 국고지원 및 예비비 사용에 관한 사항 • 그 밖에 중앙대책본부장이 회의에 부치는 사항 「재난안전법」 제14조 및 동법 시행령
시·도 안전관리위원회 • 위원장 : 시·도지사(시·도) **시·군·구 안전관리위원회** • 위원장 : 시장·군수·구청장	• 해당 지역에서의 안전관리정책의 심의 및 총괄·조정 • 해당 지역에서의 안전관리계획안의 심의 • 해당 지역을 관할하는 재난관리책임기관이 수행하는 안전관리 업무 협의·조정 • 다른 법령이나 조례에 따라 해당 지역위원회의 권한에 속하는 사항의 처리 • 그 밖에 위원장이 회의에 부치는 사항의 심의 「재난안전법」 제11조
지역재난안전대책본부 • 본부장 : 시·도지사(시·도 대책본부) 시장·군수·구청장(시·군·구 대책본부)	• 관할 구역의 재난관리에 관한 사항을 총괄, 조정, 조치 • 지역재난본부의 구성과 운영에 필요한 사항 「재난안전법」 제16조 및 동법 시행령
중앙긴급구조통제단 • 단 장 : 소방청장	• 국가긴급구조대책의 총괄 조정 • 긴급구조활동의 지휘, 통제 • 긴급구조지원기관들의 역할 분담 등 긴급구조를 위한 현장활동계획의 수립 • 긴급구조대응계획의 집행 • 그밖에 중앙통제단장이 필요하다고 인정하는 사항 「재난안전법」 제49조 및 동법 시행령
지역긴급구조통제단 • 단 장 : 소방본부장(시·도 통제단) 소방서장(시·군·구 통제단)	• 중앙통제단의 기능 준용 「재난안전법」 제50조 및 동법 시행령

〈 자료원 : 법제처(2022). 재난 및 안전관리 기본법 〉

표 11-4 재난 및 사고유형별 재난관리주관기관

재난 및 사고유형별 재난관리주관기관(제3조의2 관련)

재난관리주관기관	재난 및 사고의 유형	
교육부	학교 및 학교시설에서 발생한 사고	
과학기술정보통신부	1. 우주전파 재난 2. 정보통신 사고	3. 위성항법장치(GPS) 전파혼신 4. 자연우주물체의 추락·충돌
외교부	해외에서 발생한 재난	
법무부	법무시설에서 발생한 사고	
국방부	국방시설에서 발생한 사고	
행정안전부	1. 정부중요시설 사고 2. 공동구 재난(국토교통부가 관장하는 공동구는 제외한다) 3. 내륙에서 발생한 유도선 등의 수난 사고 4. 풍수해(조수는 제외한다)·지진·화산·낙뢰·가뭄·한파·폭염으로 인한 재난 및 사고로서 다른 재난관리주관기관에 속하지 아니하는 재난 및 사고	
문화체육관광부	경기장 및 공연장에서 발생한 사고	
농림축산식품부	1. 가축 질병	2. 저수지 사고
산업통상자원부	1. 가스 수급 및 누출 사고 2. 원유수급 사고 3. 원자력안전 사고(파업에 따른 가동중단으로 한정한다)	4. 전력 사고 5. 전력생산용 댐의 사고
보건복지부	보건의료 사고	
보건복지부 질병관리청	감염병 재난	
환경부	1. 수질분야 대규모 환경오염 사고 2. 식용수 사고 3. 유해화학물질 유출 사고 4. 조류(藻類) 대발생(녹조에 한정한다)	5. 황사 6. 환경부가 관장하는 댐의 사고 7. 미세먼지
고용노동부	사업장에서 발생한 대규모 인적 사고	
국토교통부	1. 국토교통부가 관장하는 공동구 재난 2. 고속철도 사고 3. 삭제 〈2019. 8. 27.〉 4. 도로터널 사고 5. 삭제 〈2019. 8. 27.〉 6. 육상화물운송 사고	7. 도시철도 사고 8. 항공기 사고 9. 항공운송 마비 및 항행안전시설 장애 10. 다중밀집건축물 붕괴 대형사고로서 다른 재난관리주관기관에 속하지 아니하는 재난 및 사고
해양수산부	1. 조류 대발생(적조에 한정한다) 2. 조수(潮水)	3. 해양 분야 환경오염 사고 4. 해양 선박 사고
금융위원회	금융 전산 및 시설 사고	
원자력안전위원회	1. 원자력안전 사고(파업에 따른 가동중단은 제외한다) 2. 인접국가 방사능 누출 사고	

표 11-4 재난 및 사고유형별 재난관리주관기관 (계속)

재난관리주관기관	재난 및 사고의 유형	
소방청	1. 화재·위험물 사고	2. 다중 밀집시설 대형화재
문화재청	문화재 시설 사고	
산림청	1. 산불	2. 산사태
해양경찰청	해양에서 발생한 유도선 등의 수난 사고	

비고 : 1. 재난관리주관기관이 지정되지 않았거나 분명하지 않은 경우에는 행정안전부장관이 「정부조직법」에 따른 관장 사무와 피해 시설의 기능 또는 재난 및 사고 유형 등을 고려하여 재난관리주관기관을 정한다.
2. 감염병 재난 발생 시 중앙사고수습본부는 법 제34조의5제1항제1호에 따른 위기관리 표준매뉴얼에 따라 설치·운영 한다.

〈 자료원 : 법제처(2022). 재난 및 안전관리 기본법 시행령 〉

이러한 재난관리체계와 연계하여 전국 어디서나 30분 이내에 현장에 도착할 수 있는 재난대응체계를 갖추기 위해 육상과 해상 모두의 재난안전 현장기능을 대폭 보강했다. 그리고 중앙부처, 지자체를 비롯하여 공공기관·단체 등이 보유하고 있는 재난관리자원을 통합관리하는 '재난관리자원 공동활용시스템(DRSS)' 구축을 완료하여 2015년 5월부터 공식 운영하고 있다[그림 11-2].

재난에 대비하는 보건의료인력은 국가 재난관리체계와 더불어 응급의료체계, 응급의료체계의 필수 구성요소를 이해함으로써 국가 재난대비·대응 능력 향상에 기여해야 한다. 또한 재난 발견자는 긴급구조기관, 관계 행정기관, 해양경비안전서정, 시·군·구청장에게 신고할 의무가 부여된다.

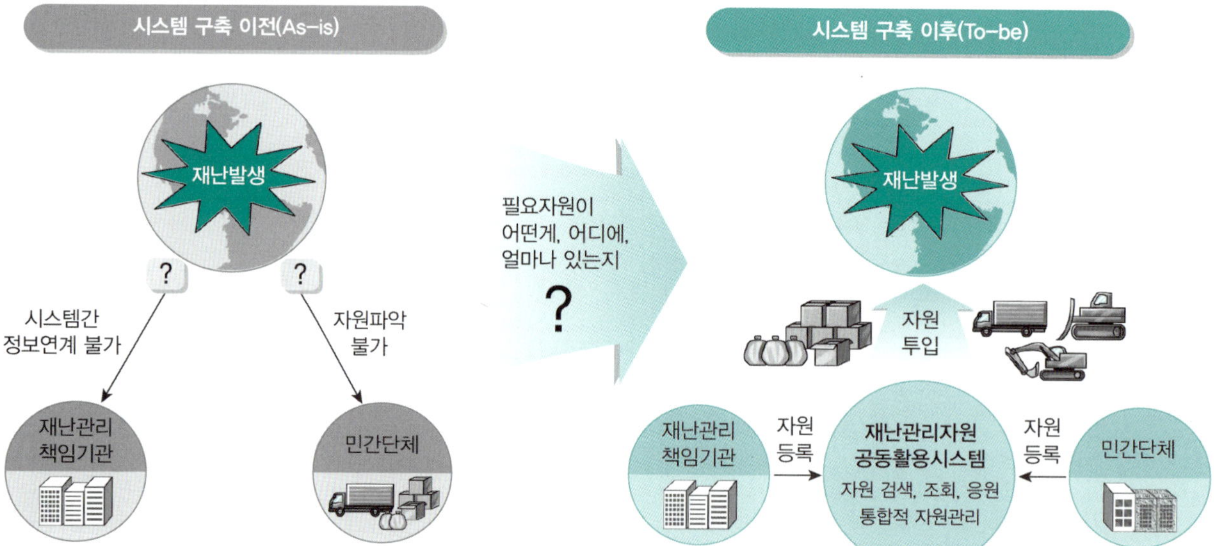

〈 자료원 : 행정안전부(2022) 〉

그림 11-2 재난관리자원 공동활용시스템

4) 국가 재난·안전관리 단계별 대응방법

행정안전부는 재난·안전관리를 위한 단계별 대응방법을 긴급신고, 상황전파, 예방교육, 대응훈련, 복구지원의 5단계로 제시하고 있다. 구체적인 내용은 [그림 11-3]과 같다.

〈 자료원 : 행정안전부(2022) 〉

그림 11-3 재난·안전관리 단계별 대응방법

5) 응급의료체계

응급의료체계(Emergency Medical Service System; EMSS)란 적정규모의 지역에서 응급상황이 발생한 경우, 효과적이고 신속하게 의료를 제공하기 위해 인력, 시설, 장비를 유기적으로 운용할 수 있도록 재배치하는 것을 말한다.

(1) 응급의료체계의 운용

응급의료체계는 응급의료서비스가 제공되는 장소에 따라 병원 전 단계와 병원 단계로 구분될 수 있다. 병원 전 단계의 활동은 환자발생 신고와 구급차 출동, 구급차가 현장에 도착하기 전까지 전화 상담원에 의해 이루어지는 응급처치 요령의 지도, 119구급대(응급구조사, 구급대원)에 의한 현장 응급처치, 정보/통신체계를 이용한 구급차-병원-119 응급의료정보센터 간의 정보교환으로 이송병원 결정, 현장에서 병원까지 이송 중에 이루어지는 이송처치가 있다.

병원 단계에서의 활동은 현장 처치의 검토 및 연속적인 응급처치, 진단을 위한 적절한 검사, 입원치료 혹은 응급수술 결정, 환자의 응급처치에 필수적인 의료진이나 시설, 장비가 준비된 전문응급센터나 응급의료기관으로 전원여부의 결정과 전원병원 결정 등이다.

(2) 응급의료체계 구성요소

응급의료체계 구성요소는 필요나 의료환경의 변화에 따라 가감될 수 있으며 운용에 대한 평가 및 분석을 위해 특정 구성요소를 보강하거나 강조할 수 있다. 현대에는 전문화된 양질의 응급의료에 대한 요구도가 높아졌으며 현재 우리나라는 응급의료체계의 구축 단계를 벗어나 각 구성요소에 대한 평가와 취약요소에 대한 보강이 이루어지고 있는 단계라고 할 수 있다.

① 인력

응급의료인력의 주요업무는 다음과 같다. 각 분야별 응급의료종사자들에 대한 근무지 제한은 없기 때문에 응급의학의사나 응급전문간호사가 병원 전 단계 분야에서 활동할 수 있으며 반대로 응급구조사가 응급의료센터에서 근무할 수도 있다[표 11-5].

표 11-5 응급의료인력의 주요 업무

분 류		주요업무
병원전단계	최초 반응자	• 응급구조사 도착 전까지 응급처치 수행 • 응급의료관련 단체가 제공하는 1차 응급처치 과정 이수자
	1급 응급구조사	• 신고접수 및 전화상담, 현장처치 • 이송업무
	2급 응급구조사	
병원단계	응급전문간호사	• 중증도 판정, 전원관련 서류준비 등
	응급의학 의사	• 환자진료, 의료지도, 교육, 연구, 평가관리 등의 업무
	응급의료센터 의료진	• 응급검사, 시술보조 등

〈 자료원 : 유명란(2012). 의료인을 위한 재난관리의 실제 〉

② 신고접수 및 반응

응급의료체계 이용을 위한 접근방법은 신고이며 전화로 접수된다. 신고에 대한 반응은 119구급대 출동지시, 병원알선, 응급처치에 대한 상담이나 119구급대 도착 전까지의 행동요령을 지도하는 의료지도 업무이다. 우리나라의 경우에는 구급대·응급의료정보센터 119번, 경찰 112번에서 신고접수를 받고 있다.

③ 교육 및 훈련

환자를 처음 접하는 사람들은 대부분 환자 가족으로 이들 일반인을 위한 기본 소생술 교육에서부터 응급의료관련 업무에 종사하는 공무원(경찰, 구급대·응급의료정보센터 및 보건직 종사자 등), 전문응급 의료인력들을 양성하는 교육과정 및 보수교육들이 효율적으로 이루어져야 한다. 또 시행한 교육에 대한 적정성은 수시로 평가하고 그 결과를 분석하여 개선할 사항을 환류함으로써 기대치에 도달하도록 노력해야 한다.

④ 정보/통신체계

양질의 응급의료서비스 제공을 위해 응급의료체계의 각 구성요소와 관리자들을 하나로 완전한 유기체로 만들어주어야 하는데 정보/통신망이 그 역할을 담당한다. 응급의료서비스를 위한 통신체계의 구성요소는 접근, 신고접수 및 전화상담, 의료지도이다. 전산통신망을 이용한 정보시스템의 구축은 연구 및 평가자료, 의료지도에 활용할 수 있어 응급의료서비스의 질을 한 차원 높일 수 있다.

우리나라의 응급의료정보/통신망은 1339 응급의료정보센터를 중심으로 소방의 119구급대와 응급의료기관이 연계되어 구축되어 있다. 응급의료정보/통신망의 구축, 관리 및 운용에 대한 지도 및 감독은 중앙응급의료센터가 담당한다.

⑤ 이송체계

응급환자 이송은 병원 전, 병원 간 이송으로 구분할 수 있다. 이송수단은 육로이송(구급차), 항공이송(항공기, 헬기), 해상(구급보트) 등을 들 수 있다. 병원 전 단계의 환자이송은 119구급대가 전담하고 병원 간 이송은 대부분 병원 자체의 구급차나 민간이송업체에서 유료로 운행하는 구급차를 이용하고 있다. 이송병원의 결정은 평가된 환자의 중증도에 따라 응급처치에 적합한 가장 가까운 기관을 선택해야 한다. 응급 수술이나 심장-뇌혈관조영술 같은 전문시술이 요구되는 경우에는 이와 같은 시술이 가능한 응급의료기관으로 이송해야 한다.

⑥ 응급의료기관

응급의료기관의 응급실은 기본적으로 24시간 응급환자를 진료할 수 있는 인력과 시설 및 장비를 갖추어야 하며 이 외에도 구급차, 응급의료정보센터와 공유할 수 있는 정보/통신 장비 등을 구비해야 한다. 또한 중증도 분류 판정실, 소생실 등 응급의료수행에 적합한 구조로 설계되어 있어야 한다.

응급실의 가용자원이나 특수처치 이용 가능성에 따라 응급의료기관을 등급화 한다. 국가에서는 각 병원의 응급실을 규정에 따라 평가하여 응급의료기관으로 지정하고 여기에 지역의 인구나 인근지역과의 균형 등을 고려하여 등급과 함께 합당한 업무를 부여한다. 현재 우리나라에서는 응급의학 전문의 진료체계 완비, 응급실 근무인력의 고급화, 시설/장비의 선진화를 위해 중장기 계획을 수립하여 매년 응급의료기관을 평가하고 그 결과에 따라 재정지원을 하고 있다.

⑦ 전문 응급의료시설

전문 응급의료시설은 사전에 지역별 환자의 발생빈도나 사망률에 대한 조사를 실시하여 발생빈도가 높고 접근성이 좋은 지역에 설립해야 하고 표준화된 현장 혹은 이송 지침서가 개발되어 있어야 효율적인 운용이 가능하다. 우리나라는 현재 3개의 전문 응급의료센터가 운용되고 있으며 향후 지속적으로 늘어날 전망이다.

⑧ 대중교육 및 정보제공

응급의료체계에 대한 대중의 응급의료교육(일차응급처치, 기본소생술 등)을 활성화시키고 예방이 가능한 외상이나 질병에 대해서는 정부가 언론매체(텔레비전, 라디오, 신문 등)를 통해 예방법(안전띠, 안전모 착용 등)이나 응급의료관련정보를 대중에게 홍보하는 것이 바람직한 방법이다.

⑨ 감독 및 질 개선

응급의료체계를 발전시키기 위해서는 모든 구성요소에 대한 응급의료수행의 의무와 적절성, 그리고 비용 대비 효율성에 대한 질 평가 및 질 개선활동이 상시 정기적으로 이루어져야 한다.

⑩ 업무지침

응급의료의 업무지침은 특수한 상황에서 필수적으로 수행되어야 할 표준을 설정하는 것이다. 만약 현장 응급의료 제공자가 지도의와 통신이 두절된 상황에서 프로토콜이나 현장응급처치 수행 지침서에 따른 단계별 응급처치를 스스로 판단해서 즉시 수행할 수 있도록 하는 것이다. 이런 권한은 법으로 보장되어 있어야 한다.

⑪ 의료지도

의료지도는 법의 테두리 내에서 일정한 권한과 책임을 부여받아 응급의료의 질을 향상시기기 위해 수행되는 업무이다. 응급의료체계에서의 의료지도는 초기의 현장응급처치에 대한 지도 및 교육에서 응급의료체계 전반에 대한 관리, 응급의료수행 평가, 지침서 개발 등 복잡 다양해져 왔다.

⑫ 재정

응급의료체계의 개선 및 발전을 위해서는 다양한 사업을 추진해야 하고 이에 사용할 가용자금이 있어야 한다. 자금의 확보는 보통 세제를 기초로 하거나 응급의료서비스에 대한 이용료 징수, 기부금 모금 등의 방법으로 한다. 자금의 조성방법과 운용은 대개 법으로 규정하고 있으며, 우리나라에서는 「응급의료에 관한 법률」 제20조에 의거하여 재원을 확보하고 있다.

⑬ 상호지원체계

한 지역의 응급의료자원으로 해결할 수 없는 재해나 대형사고 발생시, 또는 응급구조에 필요한 특수장비가 없거나 부족할 때 인접한 지역의 인적 / 물적 자원을 지원받을 수 있는 상호협조체계가 갖추어져 있어야 한다.

⑭ 재난대책과의 연계

대부분의 재난이나 대형사고는 많은 사상자를 동반하므로 재난대책에 인명구호 계획을 수립하는 것은 필수적이다. 그 지역의 특수성을 고려하여 그 지역의 응급의료체계를 기초로 재난대책과 연계하여 국가나 지역의 전체적인 재난대비책이 마련된다.

(3) 응급의료정보센터

우리나라는 소방서의 119구급대와 병원 응급실이 응급의료체계에서 주된 역할을 수행한다. 따라서 이들의 유기적인 협조체계는 우리나라 응급의료체계가 효율적으로 가능하게 하는 중요한 요소가 되며 이를 가능하게 하는 것이 응급의료정보센터이다. 응급의료정보센터의 역할은 다음과 같다.

- 119구급대와 병원 응급실 간 유기적인 협조체계 유지
- 일반인에 대한 병원 안내 및 질병 상담 실시(119구급대 보완)
- 이송 중인 환자에 대한 응급처치 지도

- 응급전원을 위한 병원정보 제공
- 응급처치 전산망의 관리 및 운영

(4) 재난 시 의료지원 체계

의료지원은 중앙(또는 지역) 재난안전대책본부에서 필요시 보건복지부 산하 시·도 보건위생과와 보건소가 출동하도록 지시를 내린다. 또한 현장응급의료소를 전개하는 데 필요한 각종 인력, 시설, 물자 등은 평소에 패키지화되어 응급의료센터에서 보관·관리하고 있으므로, 보건복지부는 중앙응급의료센터에 연락하여 산하 권역응급의료센터 및 지역응급의료센터, 응급의료기관에 출동을 지시한다.

이러한 신고, 보고 및 출동 지시를 내리는 의사소통 채널은 다양한 경로를 통해 쌍방향 및 복합적으로 소통되어야 하며 각 유관기관은 긴밀한 상호협조체계가 요구된다. 또한 재난이 발생하면 어느 한 분야의 노력만으로는 대응이 불가하며 각각의 상황마다 관련기관의 효율적인 대처가 필요하다.

3 재난과 공중보건

재난은 물리적 환경을 파괴하고 통합성을 저해하며 근본적으로 인구집단의 건강상태를 악화시킨다. 재난이 발생하기 전에 공중보건 분야의 기본적인 기능을 확인한다면 주요 재난상황이 닥쳤을 때 어떤 개념을 적용하고 어떤 서비스를 제공해야 하는지 이해가 쉬울 것이다. 신속한 환경평가는 재난이 발생한 지역사회의 인구집단에 대한 건강요구 자료를 수집하는 방법이다.

1) 공중보건의 역할

공중보건은 지역사회에 관심을 두며 필수적인 서비스는 건강증진과 질병예방이다.

간호사는 공중보건 전문가로서 재난대비와 대응에 있어서 지역사회 보건을 책임져야 한다. 재난대비와 대응 시 공중보건당국의 책임은 일상적인 활동보다 복잡하다. 대비 활동에서 공중보건 전문가들은 공중보건에 대해서는 잘 알지 못하는 구성원이 있는 다기관 지원팀의 일원으로 참여해야 한다. 공중보건과 그 외 사회복지 관련 부서(노인, 장애 및 정신보건 등)는 보통 별도의 정부기관으로 조직되어 있다. 이에 대비하기 위해 신중하게 사전에 협조하여 지역사회 계획을 세우는 것이 가장 중요한 부분이다.

공중보건 전문가는 진단 및 역학적 연구를 하고, 자료분석을 토대로 적절한 권장사항을 작성하고 이행하기도 한다. 따라서 재난이 발생하기 전에 자료를 수집하는 것이 중요하다. 그래야 재난 계획을 세울 때 재난이 사회에 미칠만한 영향을 제대로 다룰 수 있으며, 그 지역사회에서 요구하는 응급의료, 공중보건 및 정신보건을 충족시킬 수 있기 때문이다. 특히 노인, 만성질환자, 장기요양시설에 있는 사람을 대상으로 계속 진료를 제공해야 한다. 손상 예방, 식품 및 물의 안전, 재난관련 주의사항 등에 대한 보건권고를 사전에 개발해서 필요할 때 즉시 배포할 수 있어야 한다. 공중보건 공무원은 해당 지역사회에 닥칠 재난이 미칠 영향에 관해 정기적으로 선출직 공무원들과 연락을 취하고, 재난으로 인한 사망 및 질병을 예방하거나 줄여줄 정책과 규정을 마련하는 데 도움을 주어야 한다.

재난 시 공중보건의 역할은 다음과 같다.

- 재난의 물리적, 사회적 및 심리사회적 영향에 대처할 수 있는 지역사회자원을 확인한다.
- 재난 시 가장 위험한 집단을 확인한다(즉 어린이, 노인, 노숙자, 만성질환자, 와병환자, 신체장애자, 정신장애자).
- 사전(재난으로 예상할 수 있는 일) 및 사후(재난의 영향을 어떻게 다룰 것인가)에 재난교육을 실시한다.
- 재난이 지나간 다음 지역사회 보건에 대한 책임을 진다.
- 재난 후 사망과 질병의 발생을 제한하기 위해 권장사항을 만들고 이를 시행하도록 진단, 역학, 자료분석 등의 자원을 활용한다.
- 재난 계획에서 일차보건의료, 공중보건, 정신보건 및 사회적 영향 등을 충분히 다룰 수 있도록 광범위한 지역사회 기관들과 협력한다.
- 손상 예방, 식품과 물의 안전, 매개체 통제 등에 관한 보건권고사항을 제공하여 질병을 예방한다.
- 급성기 진료, 진료의 연속성, 일차진료, 응급진료 등 보건서비스가 재난 후에도 이어지도록 보장한다.
- 적십자 대피소와 급식 운영 실태를 점검한다.
- 의료 및 간호 인력을 보충하도록 적십자사에 자원봉사자를 요청한다.
- 잠재적인 재난이 공중보건에 미치는 영향에 관해 공무원들과 연락을 주고받으며, 재난 이후에 전문 지원을 한다.
- 다른 보건 및 사회복지 전문가들과 협력하여 중재의 결과를 엄격하게 평가한다.

2) 재난관리 기능모형

재난관리 기능모형은 지역사회로 하여금 위험에 대한 취약성을 감소시키고 지역사회가 재난에 대처할 수 있도록 기본적인 틀을 제공하여 위험과 재해에 대처하는 능력을 보유하고, 보다 안전한 지역사회를 구축하려는 것이다. 또한 위협에 노출되었거나 실제로 발생한 자연재해, 테러리즘, 기타 인적재난을 경감시키고 대비하며 대응 및 복구하기 위해 재난관리 역량을 구축하고 유지·개선하는 데 필요한 모든 활동을 조정하고 통합함으로써 지역사회를 보호하는 것이다. 이러한 과정은 재난발생 요소를 사전에 예방하거나 대비책을 마련하게 하며 재난이 발생할 경우에는 피해를 최소화할 수 있는 다양한 대응방안을 강구하게 하고, 재난 후에는 가능한 빨리 일상생활에 복귀할 수 있도록 즉각적이고 지속적인 복구를 실시하는 것을 포함한다.

재해관리의 과정을 보는 시각에 따라 다르게 분류하기도 하지만 일반적으로 재해발생 시점이나 관리시기를 기준으로 구분한다. 따라서 재난관리과정은 재난이 진행되는 과정에 따라 재난발생 이전과 이후로 구분될 수 있다. 즉 재해관리를 사전재해관리와 사후재해관리로 나눈 뒤 시계열적으로 재해완화와 예방, 재해에서의 대비와 계획, 재해에의 대응, 재해 복구의 4단계로 설명하고 있다. 즉 재난발생 이전에는 예방단계, 대비단계, 재난발생 이후에는 대응 및 복구 단계로 구분할 수 있다[그림 11-4].

(1) 재난예방 단계

재난이 실제로 발생하기 전에 재난요인을 미리 제거하거나 재난요인이 가급적 표출되지 않도록 억제 또는 예방하는 활동을 의미한다. 우리나라에서의 재난예방단계(prevention & mitigation)는 예방과 완화의 의미를 동시에 지니고 있으며 재난관리 계획을 총괄 및 조정하거나 안전점검 체계를 개선하고, 전문연구기능을 강화

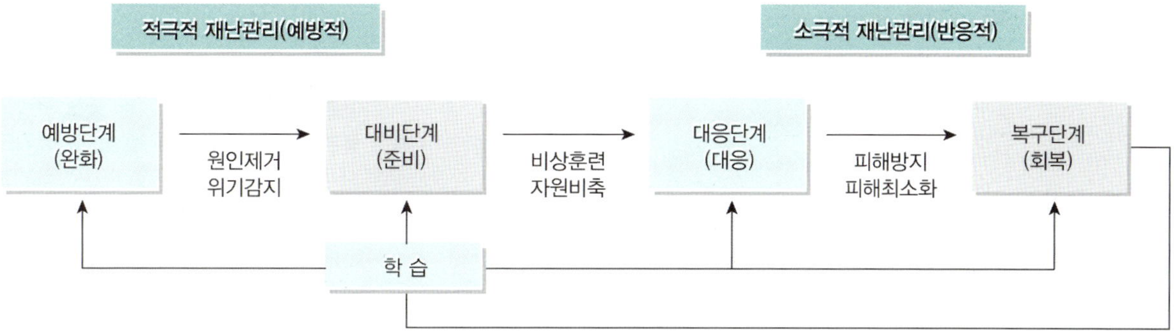

〈 자료원 : 행정안전부(2022) 〉

그림 11-4 재난관리과정

시키는 단계이다. 또한 위기 발생 전 위기촉발 요인을 제거하거나 억제하기 위한 활동과 인간 생명과 재산 위험 정도를 감소시키기 위한 장기적인 정책으로 이루어진다.

예방 단계에서 구체적인 활동은 시민, 기업, 정부가 안전문화 정착에 노력하고 시민들은 스스로 안전감시 활동에 앞장서고, 기업은 안전수칙을 준수하는 것이다. 정부는 안전법규를 제정하고 방재관련 연구를 실시하며 다중이용시설에 대한 합동안전점검을 실시하면서 공영방송을 통한 안전의식 고취를 강조하는 활동 역시 이 단계에서의 주요 활동이다.

(2) 재난대비 단계

대비(preparedness)는 재난이 발생할 경우에 재난대응을 위한 운영능력을 개발하고 향상시키려는 활동으로 정의된다. 대비 단계에서 구체적인 활동은 민－관 공동 재난대응계획을 수립하고 협의체를 통한 교육 및 훈련을 실시한다. 시민들은 구호물자를 확보하고 취약층 구호프로그램을 개발하며 기업은 방재자원을 확보하고 조직원들을 훈련시키며 시설을 점검한다. 정부는 구호기금 마련 및 장비물자 비축, 방재시설 점검 등의 활동을 한다.

(3) 재난대응 단계

대응(response)은 실제로 재난이 발생한 경우 재난관리 기관이 수행해야 할 각종 임무 및 기능을 적용하는 활동 과정이다. 예방 단계, 대비 단계와 상호 연계하여 제2의 손실이 발생할 가능성을 감소시키고 복구 단계에서 발생할 수 있는 문제들을 최소화시키는 재난관리 실제 활동 국면을 의미한다.

재난 현장에서 가장 우선시 되어야 하는 것은 인명구조이며 응급환자 분류표(triage tag)를 사용하여 표시한다[표 11-6].

대응 단계에서 구체적인 활동은 민－관 합동 재난상황실을 운영하여 재해정보와 자원현황을 교류한다. 시민은 봉사센터를 통한 구호서비스를 제공하고 기업은 봉사자에게 구호물자를 제공하며 재정을 지원한다. 정부는 주민센터와 소방, 치안, 교통대책 및 긴급하게 수리해야 할 부분을 해결해준다.

표 11-6 재난부상자의 중증도 분류(triage)

중증도		색깔구분	내 용	
1순위	immediate (긴급)	적색 (빨강)	• 가장 중증상태 • 수 분 이내 응급처치 필요	기도·호흡·심장이상, 조절 안 되는 출혈, 개방성 흉부 복부 손상, 심각한 두부 손상, 쇼크, 기도 화상, 내과적 이상
2순위	delayed (응급)	황색 (노랑)	• 비교적 중증이며 수술을 요하는 경우 • 수 시간 내에 응급처치를 필요로 하는 환자	척추손상, 다발성 주요 골절, 중증의 화상, 단순 두부 손상
3순위	minor (비응급)	녹색 (초록)	• 비응급, 경증 • 수 시간 또는 수 일 내 치료해도 지장이 없는 환자	경상의 합병증 없는 골절, 외상, 손상, 화상, 소량의 출혈, 정신과적인 문제
4순위	deceased (지연)	흑색 (검정)	• 사망 또는 현장에서 사망으로 예상되는 자	사망자, 20분 이상 맥박이 없는 경우, 화재로 인한 완전 화상환자, 두부나 몸통이 절단된 자 등 심폐소생술로 소생 불가능한 자(생존불능)

〈 자료원 : 이옥철 외(2019). 응급 및 재난간호 〉

(4) 재난복구 단계

복구(recovery)는 피해 지역이 재난이 발생한 직후부터 재난이 발생하기 이전의 상태로 회복될 때까지, 장기적인 활동 과정이다. 초기 회복 기간으로부터 그 지역이 정상적인 상태로 돌아올 때까지 지원을 제공하는 지속적인 활동이다. 복구 단계에서 구체적인 활동은 이재민의 생활회복과 지역경제 재건을 위한 공동 노력, 시민들의 저소득층 자활 지원활동과 특별 구호활동, 기업의 지역공동체 재건을 위한 재정지원, 정부의 도로, 교량, 공공시설 복구 및 이재민 생활안정을 위한 위로금 및 긴급 생계금 지원 등이다.

한편 재해간호영역에서는 간호서비스 제공의 시점과 전략에 중점을 두어 pre-impact, impact, post-impact phase로 구분하기도 한다. 재해관리유형은 주민중심체계(civil defense system)와 응급의료중심체계(emergency medical service system)로 구분된다.

재해복구에 중점을 둔 주민중심체계는 미리 훈련된 전문인력 부재로 임기응변적이고 비효율적이며 혼란스럽다. 그러나 운영비용 측면에서는 대규모 인원동원이 가능하며, 비교적 적은 비용으로 유지되는 장점이 있다.

미국, 프랑스 등에서 취하고 있는 응급의료중심체계는 재해현장에서의 구조와 응급으로 제공에 중점을 두어 신속하고 체계적인 환자관리가 가능하나 대규모 재해발생 시 구조인력 동원에 한계가 있으며, 평상시 전문인력 양성과 유지에 비용이 많이 드는 단점이 있다.

3) 재난역학과 질병감시

역학은 재난으로 인한 공공보건 및 의료 관련 조사를 시행할 때 사용된다. 재난역학의 목적은 자연에 의한 위협이나 기술적인 유해요인으로부터 생긴 급성 및 만성적인 건강문제를 예방하기 위한 전략을 알아내는 것이다. 1차 예방은 질병과 관련된 사망과 손상, 혹은 질병이 발생하기 전에 이를 예방하고자 하는 것이다. 예를 들면 허리케인이 상륙하기 전에 주민들을 대피시키는 것이다. 2차 예방은 회복 및 복구기간에 손상을 예방하는 방법을 교육하는 등, 재난으로 인한 건강문제를 완화하는 것이다. 3차 예방은 이미 질병이 발생한 사람들의 경우에, 질병으로 인한 영향과 장애를 최소화하는 것이다. 일반적으로 의료시설이 파괴되었을 때, 만성질환자가 짧은 기간이지만 약물치료를 지속할 수 있도록 건강평가 기구를 설치하는 것을 예로 들 수 있다. 재난역학에는 신속한 요구도 평가, 질병 통제 전략, 보건의료서비스의 이용 및 이용가능성의 평가, 질병과 손상의 서술적·분석적 조사를 위한 감시 체계, 질병이나 손상 혹은 사망에 영향을 미치는 위험요인에 관한 연구 등이 포함된다.

간호사는 질병 패턴을 모니터함으로써 질병수준 및 사망률을 낮추고 건강증진을 도모하기 위해 지속적으로 감시 활동을 실시할 수 있다. 또한, 간호사들은 인구집단의 건강 요구를 평가하고 우선순위를 설정하며 건강 요구를 다루기 위한 공중보건서비스와 임상서비스를 계획하기 위해 감시 데이터를 사용한다. 뿐만 아니라 공중보건 프로그램의 효과성을 평가하기 위해서도 감시 데이터를 사용한다. 따라서 감시 활동은 지역사회 보건 간호사의 중요 활동분야이며, 간호사의 포괄적인 관점 및 감시체계에 관한 지식은 지역사회 서비스, 커뮤니티 활동 및 공중보건 프로그램을 결정하는 데 요구되는 조사 및 자료수집 활동의 질적 향상에 기여할 것이다.

미네소타 주의 공중보건 중재모델은 보건간호사의 실무활동에서 감시는 보건간호실무와 관련된 중재 중 하나라고 제안하며 다음과 같이 간호사가 준수해야 하는 감시 7단계를 제시한다.

- **1단계** : 감시가 그 상황을 해결하기 위한 중재로 감시활동이 적합한지 고려한다.
- **2단계** : 발생한 문제가 자연적인 과정인지 또는 결과가 어떠한 지에 대한 지식을 조직화한다.
- **3단계** : 사건을 구성하기 위한 기준을 명확히 한다.
- **4단계** : 다양하고, 유용한 자원으로부터 적절한 자료를 수집한다.
- **5단계** : 정보를 분석한다.
- **6단계** : 정보를 해석하고, 결정원인의 범위를 규명한다.
- **7단계** : 감시체계 영향을 평가한다.

4) 재난과 관련된 감염성질환의 유행요인

재난은 직업 환경이나 일상 속의 물리적인 환경을 파괴한다. 재난은 급격히 발생해서 광범위하게 영향을 미치고 감염성질환 발생 및 사망 위험이 증가한다. 재난대응의 첫 번째 목적은 가능한 한 빨리 위생과 관련된 안전성을 확보하는 것이다. 다음으로는 인구집단의 기본적인 신체적 욕구를 해결하는 것이다. 물, 음식, 쓰레기 제거, 매개체 통제, 대피소, 안전에 대한 인구집단 요구를 충족시켜 줄 수 있는 자원을 제공해주기 위한 전략들은 미리 계획되어야 한다. 재난 이후에 지속적으로 환경을 모니터함으로써 재난 이후의 잠재적인 위험성을 즉시 해결할 수 있을 것이다.

감염성질환의 발병은 가뭄이나 기근, 사람들이 많이 모이는 곳에서 증가한다. 위생체계, 물공급, 식품 자원, 곤충 매개체 통제 프로그램, 예방접종 등의 일차 보건의료의 접근 등의 지역사회 공중보건 기반시설들을 파괴하는 재난은 감염성 질병을 유행시키는 계기가 될 수 있다. 공중보건 시설의 파괴는 감염성질환의 전파 증가, 재난생존자들의 유기 생물체에 대한 감수성의 증가, 가끔 재난지역에 구호인력으로 파견되었던 인력에 의해 새로이 나타나는 유기체 등의 증가를 유발하기도 한다. 수인성, 공기매개, 매개곤충에 의한 질병 전파는 재난 상황으로 인해 더욱 활성화된다.

대규모 인구집단의 영양부족, 대피소나 캠프의 인구과잉, 개방성 상처, 스트레스, 극심한 추위나 더위에의 노출 등으로 인해 재난피해 인구집단은 질병 감수성이 높아지게 된다. 널리 퍼지거나 잠복기가 짧은 질병은 재난발생 초기 단계에 발생할 것이다. 홍역, 설사 질환, 호흡기 감염 등이 재난 이후에 대규모로 나타나는 주요 질병이며, 이들은 모두 예방 가능하다. 재난 이후에 질병이 발생하면 질병조사 및 자료수집과 위험평가 등의 상황에 대한 전체적인 평가가 즉시 이루어져야 한다.

5) 인구집단 건강요구

(1) 공중보건에서의 최소 표준

1997년 Sphere Project에 의해 인도주의 원조의 핵심영역으로 건강한 공중보건을 위해 최소한 제공되어야 할 표준 세트가 개발되었다. 이러한 기준은 재난간호의 예방활동을 위한 전략적 근거로 활용될 수 있다. Sphere 프로젝트는 SCHR(Steering Committee for Humanitarian Response)의 프로그램으로 재난복구 노력에서 인도주의 체계의 책무를 높이고 재난으로 피해를 입은 사람들을 위한 원조의 질을 향상시키고자 함이다. 다음에 제시되는 최소한의 표준은 환경 유해물로부터의 보호, 인구집단의 보건의료서비스, 구호소, 음식, 영양, 물 등의 필수요건에 대한 요구를 고려하여 필요한 양을 정하는 것을 목표로 한다.

(2) 물

물은 지구생태계의 적정 기능을 위해 필요한 역할을 하며, 생명을 유지하는 데 필수적이다. 적정한 양의 안전한 물은 수인성 질환의 위험을 줄이고, 개인적이고 지역적인 위생의 필수조건이다. 또한 음식 조리를 위해 소모되며, 탈수로 인한 사망을 예방하기 위해 필수적이다. Sphere 프로젝트는 물은 재난구호 노력을 제공하기 위해 다음의 최소한의 표준을 제안한다.

① 물 공급과 접근성

모든 사람들은 가사와 개인의 위생, 음식 조리, 마시기 위한 충분한 물의 양을 접근하기에 안전해야 한다. 물 공급을 담당하는 공공기관은 각 가정에서 최소한의 물을 사용하도록 하고 이에 대해 충분히 관심을 가지도록 해야 한다.

② 물의 질

이동 가능한 구호소에서 짧은 기간 동안 사용하는 물은 방사능이나 화학적 오염, 수인성 질환 등의 주요 건강위험 없이 개인과 가정에서 사용할 수 있어야 한다.

③ 시설 및 제품

사람들이 충분히 사용할 수 있도록 보장하고, 개인위생과 요리, 음용수로 충분히 사용하고, 저장, 수집하기 위해 적절한 시설과 판매되는 형태의 제품이 있어야 한다.

(3) 하수시설

재난 상황에서 하수처리 시스템은 파손될 수 있고 막히거나 넘칠 수 있기 때문에 사람들은 다양한 위험에 노출될 수 있다. 하수처리 시스템의 목적은 하수가 주변 환경에 흘러들어 설사병이 퍼지는 것을 예방하기 위해 배변 시 인간의 배설물을 담아두는 것이다. 인간 배설물의 안전한 처리는 직접, 간접적인 오염원의 전파를 감소시켜 배설물과 관련된 질환에 대해 첫 번째 장벽을 만들어준다. 배설에 대한 적절한 시설의 보호는 사람들의 위험성, 안전성, 건강과 웰빙을 위한 응급 대응에 필수적인 요소 중 하나이다. 하수시설의 재건은 재난 후에 고려해야 할 가장 중요한 보호시설에 해당한다. 재난 복구 시 배설물 처리를 위해 다음과 같은 최소한의 조건을 충족해야 한다.

- **화장실의 수와 위치** : 적절한 수의 화장실, 주야간에 모두 적절하고 안전하고 신속하게 접근할 수 있도록 사람들의 거주지에 충분히 가까워야 한다.
- **설계와 구조** : 편안하고 위생적이며 사용하기에 안전한 방법으로 화장실이 유지되도록 구조적으로 설계되어야 한다.

4 취약인구집단의 재난

재난으로 피해를 입은 지역주민들 모두 어려움을 경험하게 되지만 특히 육체적으로 취약하거나 사회적으로 위기에 처해 있는 소수 집단은 더욱 큰 어려움에 직면하게 된다. 재난발생 후 복구 단계에서 생활에 어려움이 가중될 수 있는 인구집단을 취약계층이라 부르며 아동과 여성 및 노약자, 만성질환자, 장애인 등이 속한다.

보건의료지원은 취약계층에 대한 세심한 평가와 함께 기존 지역사회 의료수준을 고려한 지원활동을 계획하고 수행해야 한다. 개인별, 집단별 취약성은 재난상황에서의 생존능력에 영향을 주므로 현장에서의 지속적인 평가는 매우 중요하다. 그러므로 반드시 재난대비, 대응, 복구 모든 단계에서 취약계층에 대한 고려를 해야 하며 이들의 다양한 신체적, 정신적 요구에 관심을 가지고 취약계층을 위한 적절한 서비스를 마련해야 한다.

1) 아동과 여성의 재난

재난으로 아동과 청소년은 영양실조, 착취, 유괴, 성폭력, 의사결정 참여 제한 등으로 더 심각한 희생자가 될 수 있다. 특히 아동이 보건의료지원에서 소외될 경우 치명적인 결과를 유발할 수 있으므로 아동의 올바른 성장을 위해서는 성인의 보호와 지속적인 관리가 이루어져야 한다.

(1) 아동과 재난

① 특성 및 주요 손상

아동은 호흡수가 빨라 성인보다 공기 중 독성물질에 매우 취약하고, 성인과 비교하여 체중에 비해 체표면적이 넓어 화학물질의 피부 흡수 및 감염의 위험이 높다. 또한 체온 변화와 열손실 역시 빠르게 발생하여 고체온증 또는 저체온증에 빠지기 쉽다. 따라서 보호자가 없는 재난상황에서는 온도에 대한 고려가 반드시 필요하다.

아동의 머리는 성인과 비교해서 무게 및 크기가 불균형적으로 큰 특징이 있어 두부손상의 위험이 크며 2차 뇌손상으로 인한 손상이 증가하므로 성인에 비해 적극적인 치료가 필요하다.

또한 아동은 성인에 비해 흉골과 늑골이 연골성향이 있어 유연하여 강한 충격을 받으면 흉부 및 심장 손상이 많이 발생하고 혈관손상이 자주 발생한다. 늑골골절 시에는 내부 장기의 손상도 입을 수 있다. 근골격계에서는 장골 골절은 아동이 성인보다 덜 발생되지만 성장판이 손상되었을 경우에는 성장 시 문제 발생 가능성이 높아진다.

아동에게 빈번하게 발생할 수 있는 비외상성 질환 중 하나는 탈수이다. 아동은 성인에 비해 체중대비 탈수에 더 잘 견딜 수 있으나 신체 보상기전이 원활히 작동하지 않을 경우에는 급속히 증상이 진행되어 치료가 힘든 경우가 발생하므로 적극적인 수액요법이 중요하다.

또한 영양불균형 문제도 쉽게 발생할 수 있는데 아동은 균형 잡힌 영양을 섭취하지 못할 경우 영양실조, 발달지체와 질병감염률이 높아지고, 심할 경우 사망에 이를 수 있다.

한편 식량위기와 관련된 영양 불균형으로 인해 아동이 구걸이나 노동을 시작하기도 하며 이 과정에서 아동학대와 노동착취의 위협이 있을 수 있다.

재난 발생 시 반드시 고려해야 할 영역은 아동의 심리상태에 대한 부분이다. 재난상황 시 아동은 상당한 불안, 두려움, 스트레스와 마주하게 된다. 정신적 충격을 받은 아동은 일상생활에 무관심해지며 장기간의 우울상태, 수면장애, 식욕감퇴, 혼자 있는 상태를 병적으로 두려워하거나 기대연령에 미치지 못하는 신체 활동, 죽은 사람에 대한 심한 모방, 친구 관계의 위축, 학교적응능력의 급격한 감소 또는 학교 가기 싫어하는 증상 등을 보인다. 따라서 아동을 위한 적절한 심리중재 및 치료 등의 개입이 필요하다.

기타 고려해야 할 질환은 재난 후 호발하는 감염성질환이다. 장염은 후진국 및 개발도상국에서 재난 이후 가장 많이 발생하는 질환으로 주로 물과 관련되어 있다. 감염 발생 시 아동은 수분 및 전해질 평형상태를 잘 유지하지 못하므로 탈수 방지를 위한 충분한 양의 수액제제 및 전해질 준비가 필요하다. 홍역은 높은 사망률과 직결되는 감염성질환으로 재난과 같이 혼잡한 응급상황이나 대규모 인구 이동, 영양실조의 가능성이 높을 때 발병률이 높아질 수 있다. 따라서 조기에 대규모 홍역 예방접종이 최고 우선순위가 되어야 하며 이에 필요한 인력, 백신, 저온 유통 장비 및 예방접종을 위해 필요한 기타 공급물자를 가능한 빨리 확보해야 한다.

② 관리

모든 재난현장에서 가장 취약한 계층은 아동이다. 재난발생 후 24시간은 아동의 생존에 있어 가장 중요한 시간이고 72시간이 지날 경우 아동의 생존율은 10% 미만으로 급감하게 된다. 특히 재난 발생 시 5세 이하 아동의 사망률이 증가하는 것으로 보고되고 있다. 따라서 아동의 신체적, 정신적 외상에 대한 관리가 필요하며 이와 함께 아동의 가정을 대상으로 피해복구, 재활재건 및 심리프로그램, 교육 등의 제공이 요구된다. 또한 재난으로 부모와 헤어진 아동의 경우, 부모를 찾아주거나 보호자가 없을 경우 위탁 기관 보호기관에 연계하여 아동이 추가적인 손상을 받지 않도록 해야 한다. 이와 더불어 정부 및 지역사회, 구호단체의 긴밀한 협력을 통해 아동에 대한 통합적인 관리체계가 이루어져야 할 것이다.

(2) 여성과 재난

다양한 형태의 난민집단에서 약 50% 정도가 여성과 소녀들이다. 가정과 정부, 가족체제가 제공하는 보호를 받지 못한 여성들은 더욱 취약한 상황에 처하게 되어 공식적인 성희롱이나 무관심, 빈번한 성적 학대에 처하게 될 수 있다. 반면 여성들은 적극적이고 긍정적인 변화를 이끌 수 있어 적절한 지원이 주어지게 되면 자신뿐 아니라 자녀, 가족, 지역사회의 삶의 질을 개선할 수 있는 능력이 있다.

① 임신과 외상

재난상황에서 임산부 손상에 대한 이해도 필요하다. 임신 중 외상으로 인한 둔상은 대상자에게 외상성 태반조기박리나 태아-모체 간 출혈 위험을 증가시키고 관통상은 모체 쇼크, 자궁태반 손상, 혹은 태아 손상 위험을 야기한다. 외상을 입은 임신 여성의 치료우선순위는 ABCs를 따르며 비임신여성과 동일하나 좌측위나 우측위 자세를 취해야 한다.

임신한 여성에 대한 일반적 중재로는 태반에서 태아로 가는 적절한 산소 공급을 유지하기 위해 마스크로 10~15L/min의 속도로 산소를 투여하여 산소포화도 92% 이상 유지하는 것이 중요하다. 똑바로 눕는 체위는 저혈압을 유발하여 태아에게 가는 산소량을 감소시킬 수 있으므로 혈류가 최고로 유지되는 좌측위가 가장 좋고 우측위도 가능하다. 만약 산모가 똑바로 누워야 한다면 상대정맥에 가해지는 압력을 줄이고 자궁 변위를 돕기 위해 베개를 사용한다. 심폐소생술이 필요한 경우에도 자궁이 대동맥을 누르지 않도록 우측에 베개를 고여 준다.

임신 여성은 항공이송이 제한될 수도 있다. 보통 국외 비행은 임신 32주까지 국내 비행은 임신 36주까지로 제한하고 있다. 항공이송 결정에 관련되어서는 항공의와 상의해야 하며 의사결정시 고려사항은 산소분압의 감소, 기압변화, 소음, 진동, 습도 감소, 피로, 중력 등이 있다.

② 관리

'생식보건(reproductive health)'은 임신, 출산, 성병, HIV/AIDS, 인공임신중절, 성 및 생식과 관련된 영역에 해당되며 '생식계통과 그 기능 그리고 생식기전과 관련하여 질병이나 상해가 없을 뿐 아니라 신체적, 정신적 그리고 사회적으로 안녕한 상태'라고 세계보건기구는 정의한다. 특히 재난 시 임신과 출산, 성폭력 피해에 노출되어 있는 여성에게 생식보건은 매우 중요한 의미를 가지므로 재난상황에서 필요한 생식보건을 관리하기 위한 다양한 방안이 모색되어야 한다.

③ 생식보건키트(Reproductive health kit)

생식보건키트는 응급상황에 대비한 것으로 유엔 인구기금(UNFPA)이 다른 조직들과 협력하여 개발한 것이다. 재난으로 인한 난민을 위해 사용하도록 제공하고 있으며 응급상황 초기 상황 시 사용하는 것이 목적이다. 상황이 안정되면 약물 공급 및 다른 건강 프로그램과 더불어 생식보건에 필요한 물품 및 구성품들을 추가적으로 조달받아야 한다.

④ 성관련 폭력 관리

여성의 성관련 폭력(Gender-Based Violence; GBV)은 다양한 응급상황 및 자연재난에서 공통적으로 나타나는 현상으로 강간, 가정폭력, 성 착취, 강제결혼, 강제 매춘, 인신매매, 납치 등이 포함된다. 이를 관리하고 방지하기 위해 지역사회 구성원 간 혹은 보건기관 간 조율과 협조가 요구되고 성폭력 피해자를 위한 의료관리, 비밀 상담, 상위 의료시설로 이송할 수 있는 의료서비스가 마련되어야 한다. 그리고 구호 요원, 군인 및 영향력 있는 자에 의한 피해자(특히, 여성과 어린이)의 성 착취를 적극적으로 방지하고 관리해야 하며 이러한 위반을 규제하기 위한 행동 강령 및 제재 조치가 마련되어야 한다.

⑤ 응급 산과 처치(Emergency obstetric care)

재난 시 여성 가운데 임신 여성의 약 15%는 임신 관련 합병증으로 기본적으로 산과치료를 요하며 약 5%의 임신 여성은 제왕절개술을 포함한 수술의 필요성을 가진다. 포괄적 필수 산과 처치는 가능한 신속하게 이송 병원에서 적용 가능해야 하고 제왕절개수술, 개복수술, 자궁경부 및 질의 3도 열상, 위험한 낙태시술에 대한 합병증 치료와 안전한 수혈 등의 의료서비스를 포함해야 한다.

2) 노인과 만성질환자의 재난

노인들은 신체적인 기력이 상대적으로 부족하기 때문에 재난으로 손상 받게 되면 빠르게 회복하는 것이 힘들다. 재난상황에서 노인들을 가장 취약하게 만드는 것은 바로 고립이다. 생계수단 및 가정, 사회적 지지구조의 파괴와 함께 고립은 만성질환, 거동 및 잠재적, 정신적 문제 등으로 이미 존재하고 있는 노인들의 취약성을 악화시킨다. 그러나 노인은 약간의 도움만 있으면 문화, 사회적 정체성 보존 및 갈등 해결을 위해 지역사회 대처 전략에 그들의 지식과 경험을 활용할 수 있고, 타인을 돌보고 자원을 관리하며 수입을 창출할 수 있는 능력을 가지고 있다.

(1) 노인과 재난

가장 먼저 고려해야 할 요소는 노인이 자립적으로 활동을 할 수 있는지를 평가하는 것이다. 만약 노인이 직접 자가 간호를 수행할 수 있다면 재난상황에서 이들에게는 정보와 교육만 제공하면 된다. 그러나 일상생활에서도 불편을 느끼는 노인들은 재난이 일어날 경우 느끼는 불편함은 배가 되므로 다른 간호중재가 요구된다.

재난상황에서 필요한 중재를 제공하기 위해 노인을 대상으로 실시해야 할 포괄적인 평가내용은 기능적 상태, 신체적, 정신적, 경제적, 인지적, 문화적, 영적 상태, 환경, 건강력, 질병력, 처방된 약물, 자가 투약, 대체요법, 민간요법, 과거와 현재의 생활방식, 개인적인 적응기전 등이다. 따라서 일반적으로 증상을 완화시키는 방법, 약물, 식단 등에 대해 노인대상자에게 교육을 실시하며 재난이 발생할 경우 대피에 관한 교육도 실시해야 한다.

대피상황에서 노인 대상자들을 효율적으로 관리하기 위해 고령자에게 호발될 수 있는 저혈당증, 고혈당증, 호흡부전, 뇌졸중 등의 증상이나 징후에 대해 알고 있어야 한다. 또한 고령자들을 진정시킬 수 있는 정신건강기술을 익히고 고령자들에게 나타날 수 있는 투약상황과 관련된 문제들에 대해 알고 있어야 한다(고령자들은 적은 용량에도 심각한 부작용을 일으킬 수 있다).

(2) 만성질환자와 재난

재난상황에서 고혈압, 당뇨병, 암 등 만성질환을 앓고 있거나 이러한 질환들을 치료하는 과정 중에 면역이 손상된 대상자들이 재난상황에 놓이게 되면 정상인보다 훨씬 높은 사망률을 나타낼 수 있다. 특히 만성질환자에 대한 적절한 중재를 위해서는 투약일지, 약물리스트(부작용 포함), 의료보험 정보, 알러지 관련 사항, 혈액형, 치료 스케줄, 비상연락망 등과 같은 정보를 미리 확인해야 한다.

만성질환자를 간호하는 간호사는 대상자들이 평소에 복용하는 약물을 항상 지참하도록 교육해야 하며, 면역력이 저하된 환자들을 돌보는 경우에는 일반적인 예방책 이외에도 재난 응급상황에 대비한 특별 예방책을 마련해 놓아야 한다.

또한 만성질환자들이 재난에 대비하여 준비할 때 가장 중요한 것 중 하나는 감염 방지다. 감염을 예방하기 위해 환자들에게 미리 깨끗한 식수를 물병에 담아 준비하도록 하고 정전이 된 경우 냉장고에 있는 음식을 섭취할 때 조심하도록 교육한다.

많은 사람들이 간과하는 또 하나의 위험 요소는 평상시의 상태로 복구하기 위해 급하게 작업을 수행하다가 발생될 수 있는 안전사고이다. 일반적인 사람들에게 가벼운 상처는 문제없이 회복되지만 만성질환자들에게는 심각한 문제가 될 수 있다.

만성질환으로 높은 사망률을 보이는 집단에서는 사망률을 감소시키기 위한 기초적인 치료를 제공하는데 투석에 의존해야 하는 신장질환자, 인슐린 공급에 의존하는 당뇨병환자, 아동암 등 만성질환에 대한 지속적인 치료를 제공하고 기존의 의약품 제공 중단으로 인한 사망 가능성이 있는 사람들을 우선 처치한다.

재난상황에서 만성질환을 위한 프로그램은 생명유지를 위해 진행되는 치료의 연속선으로 보고 기초 의약품 목록상의 의약품을 이용한 기초보건시스템을 통해 지속적이고 정기적인 관리가 이루어지도록 한다.

3) 장애인과 재난

미국 장애인협회(National Organization on Disability)는 장애인을 주요 일상활동에 지장을 줄 정도로 신체적 및 정신적 장애가 있는 사람, 또는 진행 중이거나 만성적인 신체적 또는 정신적인 질환을 앓고 있거나 이런 상태가 아니더라도 지역사회에서 장애인으로 간주하는 자로 정의한다.

재난대비에서는 직장과 지역사회에서 이들 인구집단의 안전을 보장하도록 별도의 안전장치가 있어야 한다. 이상적으로 크게는 지역사회 차원에서 작게는 건물 차원에서 장애인을 위한 계획을 마련하여야 한다. 지역사회 계획의 일환으로 장애인을 위한 재난계획협의회를 조직하는 것도 하나의 전략이다. 응급관리와 맞물려 장애인을 대표하는 조직에게까지 공중보건이 이루어질 수 있도록 해야 한다.

특히 재난 시 장애가 있는 사람이 평소 일상생활을 잘 하였다고 하더라도 재난 시에는 문제가 생길 수 있으므로 응급상황 시 이들의 상태를 확인하고 도움을 줄 수 있는 친척이나 지인 및 동료로 이루어진 네트워크를 형성하도록 권장해야 한다. 장애인은 스스로 '재난가방(Go Pack)'을 준비하고, 대피할 장소나 교통, 지원 서비스가 필요할 때 어디로 가야 하는지 알아두어야 하며 필요한 보조기기와 장비를 주변에 두고, 대피 방법이 무엇인지 알아두고 반복적으로 자신의 계획을 연습해야 한다.

① 재난가방(Go Pack)

재난가방은 사전에 준비하는 개별 휴대용 키트(방수가 되는 플라스틱 상자에 보관)이다. 약물치료를 받는 사람의 경우, 권장온도에서 보관할 경우, 최소 7일분의 약이 포함되며, 이 약은 유효기간을 넘지 않도록 매주 바꿔준다. 그 외의 경우에는 여분의 지팡이, 보청기 전지, 보행보조기, 산소 호흡기, 가벼운 비상대피용 의자, 보완통신장비, 인슐린 용품, 안내견 사료와 물 등이 들어갈 수도 있다.

② 응급건강정보(Emergency health information)

갑작스런 응급치료가 필요할 가능성이 있는 진단을 받은 사람은 자신의 건강문제와 비상 연락처에 관한 정보를 항상 지니고 다니도록 하고 매년 두 번씩 그 정보를 확인하며 가족이나 친구, 이웃에게 그 사본을 준다. 어떤 사람이 정보를 제공할 수 없는 상태라면 응급건강정보를 통해 다른 사람들이 그 사람의 의학적 상태 또는 장애에 대해 알 수 있다. 장애인의 경우 보청기 전지와 같이 사용하고 있는 특수장비와 용품에 대해서도 상세하게 기록하며 최근 처방받은 약물의 약명과 복용량 반감기와 보관 온도 등 처방에 관한 내용도 자세하게 설명하고 의사와 약사의 이름, 주소, 전화번호 등도 기입한다[표 11-7].

③ 통신

지역사회 비상계획의 일환으로 방송사에서는 청각장애인이나 시각장애인이 지역 긴급정보를 접할 수 있도록 해야 한다. 즉 TV 방송국은 모든 시청자에게 문자와 소리로 긴급정보를 방송하도록 한다.

표 11-7 응급건강정보

응급건강정보		**날짜 :**	**갱신일 :**
이름 :			
주소 :			우편번호 :
연락처	집 :	직장 :	
	이동전화 :	팩스 :	이메일 :
생년월일 :	혈액형 :	사회보장번호 :	
비상연락처			
이름 :			
주소 :			우편번호 :
연락처	집 :	직장 :	
	이동전화 :	팩스 :	이메일 :
주치의			
주소 :			우편번호 :
연락처	집 :	직장 :	
	이동전화 :	팩스 :	이메일 :
장애 / 상태 :			
복용약 :			
알레르기 :			
예방접종		**날짜**	
통신 / 장치 / 장비 / 기타 :			

〈 자료원 : Linda Y. Landesman(2005). Public health management of disaster: The Practice Guide(2nd Ed.). American Public Health Association 〉

제2절 + 재난예방과 대비

Keywords

- 재난예방
- 일차예방
- 이차예방
- 삼차예방
- 재난대비
- 지역사회 재난대비
- 병원 재난대비
- 개인과 가족의 재난대비

포괄적인 재난관리를 위해서는 완화·예방 – 대비·준비 – 대응 – 복구·평가 4가지 영역을 모두 다루어야 한다. 완화·예방 단계의 활동은 우리사회에서 발생할 수 있는 위험요소들에 대해 어떻게 예방해야 할 것인가를 결정하고, 위험요소를 감소시키는 단계이다. 대응과 복구활동 단계가 재난관리의 대부분을 차지했던 과거에 비해 현대사회의 재난관리는 예방활동 단계에 많은 비중을 두고 있다. 이것은 과거에 경험했던 각종 재난에 대한 학습효과로 보다 장기적인 관점에서 예방활동을 진행시켜서 일반적인 위험요소들을 감소시킬 수 있기 때문이다.

1 재난예방

1) 일차예방(재난 발생 전)

- 예방접종
- 재난 발생을 통제 / 예방한다.
- 유해요소, 취약성, 요구도 평가 당시 확인된 위험으로부터 보호한다.
- 응급처치, 개인위생, 손상 예방에 관해 지역사회 교육을 실시한다.
- 안전한 음식과 물을 보장 및 배분한다.
- 위생체계(sanitation systems)를 지키거나 재확립한다.

2) 이차예방(재난대응)

- 피해자를 찾아서 구출한다.
- 응급의료서비스를 제공한다.
- 의료서비스 및 치료를 조직화한다.
- 사례를 찾아내고 감시한다.
- 감염성질환을 통제한다.
- 단기 상담 / 중재
- 구경꾼 효과(bystander response)를 관리한다.

3) 삼차예방(재난 후 복구)

- 장기 상담 및 정신건강 중재
- 응급서비스 관리
- 부상 및 정화 활동 관리
- 보건서비스 재확립
- 실천계획을 다시 세운다.

2 재난대비

대비단계의 활동은 사전에 대비하기 위한 대응능력 개발활동으로 시선훈련 및 협조체계 유지, 대응자원의 확보 및 비축, 재난경보체계의 구축이 있다. 지역사회 및 병원, 개인과 가족의 재난대비에 대해 알아본다.

1) 지역사회의 재난대비

지역사회의 잠재적 위험요소를 확인하기 위해 지역사회의 취약성 범주에 관한 기초자료를 수집한다. 수집된 기초자료를 이용해 기존의 위험요소와 잠재적 위험요소의 위치를 지도에 나타내어(mapping) 계획을 세우는 데 도움이 되는 가상 시나리오를 만들 수 있다.

지역사회 재난계획은 지역사회를 기반으로 여러 하부조직과 조화를 이룰 수 있도록 수립하며 또한 법적으로 충분한 지지를 받을 수 있어야 한다. 지역사회 구성원 개개인의 권리를 존중할 수 있도록 수립한다. 뿐만 아니라 재난발생 전·중·후 기간 내내 명확한 의사소통 채널 유지도 포함되어야 한다.

지역사회 재난계획 수립 시 지리적 요소뿐 아니라 지역사회 내의 행정구역 및 리더, 지형정보, 주거형태, 사회기반 시설, 산업형태, 문화 등을 포함한 기타 결정적인 영향요소를 명확히 규명한다. 또한 지역사회 주요 기관인 소방서, 경찰서, 보건의료기관, 학교, 기업체, 종교단체, 봉사단체 등을 확인하고 재난과 관련된 기관별 활동을 포함시켜야 한다. 뿐만 아니라 지역사회에 있는 화학공장, 운송시설, 운동경기장, 대형박물관, 공원 등의 위험을 평가하고 분석해서 재난계획 수립 시 고려해야 한다.

지역사회 재난계획에서는 재난발생시 지역사회 주민이 대피하는 데 필요한 이재민 수용시설과 대피로를 사전에 지정해두고 훈련을 실시함으로서 효과적인 재난대비훈련이 될 수 있다.

(1) 이재민 수용시설 지정 시 고려해야 할 사항

- 공공건물, 학교, 교회, 마을회관 등 수용 가능한 건물로 지정한다.
- 역별 최근 10년간 이재민 발생 수, 과거 자연재난 발생 빈도, 지역여건 등을 감안하여 수용시설의 규모와 장소 지정을 한다.
- 급식 및 부대시설이 잘 갖추어지고, 구호차량 진입이 용이한 학교 등을 우선 지정한다.
- 건물 소유주와 사전 협의 하에 지정 및 이재민 수용계획을 수립한다.
- 화장실, 간이목욕실, 급수시설 설치 및 급수차량 운영계획을 수립한다.

- 환기, 조명, 보온 등 생활환경을 양호하게 유지하기 위한 설비를 확보한다.
- 수용시설 면적인 1인 1평(3.305m^2) 이상을 기준으로 한다.

(2) 대피로 지정 시 고려해야 할 사항

- 대피로는 사전에 점검하여 2차 피해가 발생하지 않을 안전한 곳으로 지정
- 누구나 신속한 대피가 가능하도록 경사가 급하지 않은 넓은 도로로 지정
- 고립 예상지구 등 대피시간이 많이 소요되는 지역은 사전에 예비 대피로 확보

2) 병원의 재난대비

병원의 재난대비는 보통 병원의 응급 부서에서 이뤄지며, 응급의료를 전문으로 하는 응급의학 전공의와 간호사가 행하는 최종진료가 있다. 공중보건담당부서와 마찬가지로, 지역사회의 사고지휘체계 내로 통합될 때 병원도 몇 가지 문제에 마주하게 된다.

미국에서는 재난대응에 맞추어 병원재난지휘체계(Hospital Incident Command System; HICS)라고 하는 재구성된 체계를 적용하고자 노력한다. 병원재난지휘체계는 한 명의 책임자를 두고 명령체계를 만들어 사전에 규정한 책임이 적힌 작업액션시트(job action sheets)를 이용해서 병원을 내부적으로 조직화하는 데 중점을 둔다. 병원재난지휘체계의 특징은 다음과 같다.

(1) 예상 가능한, 책임 중심의 지휘체계

오직 1명의 재난대책본부장(Incident Commander; IC)이 있으며 재난대책본부장은 재난대응에 전반적인 책임이 있고 각각의 직원들은 누가 자신들에게 보고해야 하는지 자신들이 누구에게 보고해야 하는지 알고 있다. 자원과 모든 정보요청은 지휘체계 흐름도를 따라 실시한다.

(2) 공통된 명칭사용

병원재난지휘체계(HICS)를 활용하는 모든 기관은 동일한 직책명과 직책명에 따른 동일한 임무를 수행함으로 인해 타 기관과 원활한 의사소통이 가능하다.

(3) 단위별, 유동적인 구조

재난의 크기에 따라 더 크게 또는 더 작게 구성할 수 있어 자원활용에 효과적이다.

(4) 통합된 지휘구조

재난과 관련된 모든 기관이 일치된 재난대응의 방향과 전략을 구축함으로써 노력과 협력을 조정하고 통합할 수 있다.

(5) 재난활동계획(Incident Action Plan; IAP)

다양한 기관이 재난에 대응할 때를 위해 개발된 계획으로 모든 기관이 같은 목표를 향해 협력하도록 한다.

(6) 기관 활동계획(Facility Action Plan; FAP)

병원대응을 위해 목적, 목표, 구체적 방향을 서술한 것으로 병원의 모든 근무자들은 같은 목표와 방향으로 일한다.

(7) 일관성 있는 지휘체계

각 개인은 오직 한 명에게만 보고한다.

(8) 통제관리

통상 5~7명 당 1명의 감독자가 할당된다. 근무자들이 능숙하고 경험이 많다면 1명의 감독자는 7명 이상 감독할 수 있다.

(9) 임무수행 표 이용(Job Action Sheet; JAS)

임무수행 표는 재난대응 시 근무자들 각자의 기능역할을 기술하고 있다. 이는 특정직책을 수행할 경우 고려해야 할 활동들을 정리해둔 것이다. 병원 재난지휘체계(HICS)에서는 78가지의 임무수행 표를 제공하고 있는데 이는 최소한의 고려사항으로 적용할 병원의 크기, 가용자원 또는 대응 필요성에 따라 다양한 다른 고려사항을 포함할 수 있다. 따라서 각 병원은 임무수행 표(JAS)를 준비하고 있어야 하며 필요하다면 수정하고 또는 병원재난지휘체계에서 제시한 표본을 이용하여 자신의 것을 정교하게 만들 수 있어야 한다.

임무수행 표(JAS)는 일정한 형식이 있으며, 직책과 임무, 기본정보로 누가 직책을 맡게 되는지, 직책을 맡은 사람의 위치, 기본 연락처가 포함되어 있다. 활동 시 고려할 사항이 즉각(0~2시간), 중간(2~12시간), 장기간(12시간 이상), 복원/시스템 복구로 시간대별로 구성되어 있다.

병원 지휘체계의 의사소통은 재난대응체계에서 가장 흔한 문제는 의사결정과 의사소통으로, 재난지휘체계를 활용함으로써 해결할 수 있다. 대부분 재난 시 병원은 다양한 기관, 예를 들면 병원 내, 병원(기관)간, 대중매체 또는 지역사회, 심지어 근무자와 그들의 가족과 의사소통해야 한다. 지휘체계에서 기관 간의 소통은 연락관을 통해서, 지역사회 시민들과 대중매체와의 의사소통은 공보관을 통해 실시한다. 재난관리자는 대중매체가 대중들이 병원의 재난대응방법을 인지하는 데 큰 영향을 미친다는 점에 주목해야 하며 그래서 이런 문제를 전담하는 근무자가 필요하다. 또한 모든 근무자는 대중매체, 일반대중, 또는 다른 대응기관에 정보를 제공할 때 해당 규정을 인지하고 있어야 한다.

병원재난지휘체계의 양식은 재난대응자들이 재난대응 시 기록해야 하는 양식들이다. 양식을 명료하게 기록하고 가능한 완전히 기록하는 것이 중요하며 완성된 양식은 팩스, 직접 전달 등의 가능한 수단으로 신속히 지정된 사람에게 전달되도록 한다.

병원 재난계획은 의료시스템의 원활한 기능을 유지하고 가능한 많은 인명을 구할 수 있도록 적절한 의료서비스를 제공하기 위해 필요하다. 재난 시 병원대응의 문제점은 혼란, 계획의 부족, 재난관리 원칙 훈련의 부족, 실무 훈련의 부족 등이다. 이 중에서도 병원 재난계획의 부족은 보고(notification)의 지연과 오류, 지휘체계의 부실, 과부하 또는 단절된 의사 소통망, 환자 신원확인의 지연과 오류, 의료 장비와 물자의 부족, 외부와의 연계부족 등과 관련된 것이다.

병원재난은 단순한 응급상황의 확장이 아닌 독특한 상황이며, 재난으로 인해 환자의 수와 질환의 형태가 영향을 많이 받고, 재난으로 인해 교통, 통신 등 지원시설이 파괴될 경우에 병원운영에도 큰 영향을 미치기 때문에 병원의 재난계획 수립은 필수적이다. 병원 재난계획 수립은 행정가들뿐만 아니라 간호사와 의사를 포함한 모든 의료진들의 책임이다.

3) 개인과 가족의 재난대비

일본의 고베 지진 때 구출자의 34.9%는 자력으로, 31.9%는 가족에 의해, 28.1%는 친구와 이웃에 의해, 2.6%는 통행인에 의해 구출 받았다고 하여, 구출자의 95%가 일반인에 의해 구출된 것으로 조사된 바 있다. 즉, 재난발생 유형의 다양화, 복잡화로 공공 서비스를 통한 방재효과는 한계가 있으며, 자율방재조직에 의한 재난관리가 세계적으로 확대되는 추세이다.

즉, 인명구조를 위한 초동조치에서 자원봉사자의 역할이 중요하므로 재난발생시 119 소방대 구급대원의 구조훈련 뿐만 아니라 평상시 지역사회 주민들 스스로가 재난예방 교육을 받고 재난에 대처하는 능력을 배양해야 할 필요가 있음을 알게 해준다.

초기대응자를 대상으로 실시하는 재난대비를 위한 교육내용에는 환자상태 평가법, 기도유지, 심폐소생술, 경추고정, 지혈, 환자 이송 등이 있다.

지역사회주민을 대상으로 실시하는 재난대비 교육에는 재난이나 대형사고 발생 시 신고방법, 심폐소생술, 기본 응급처치, 재난 시 행동요령, 가족의 재난대비계획(family disaster plan) 등이다. 가족의 재난대비계획은 크게 4가지 요소로 구성되어 있다.

첫째, 가족들이 재난에 대비해서 물품을 준비하는 것이다. 가정용 재난생존키트(disaster supply kit, home supply kit)는 재난이 발생하여 대피할 때 즉시 가지고 갈 수 있도록 미리 챙겨두어야 한다[표 11-8, 11-9].

둘째, 가족구성원들 모두 같이 재난계획을 수립해야 하며, 계획 수립 시 고려해야 할 사항은 다음과 같다.

- 모든 가족구성원 소집하기
- 재난으로 인해 동네 전체가 파괴되었을 때 동네 밖에서 만날 장소 선정하기
- 재난으로 인해 집이 파손되거나 집에 갈 수 없을 때 집 주변의 만남의 장소 정하기
- 가족 간의 의사소통 수단 마련하기

표 11-8 가정용 재난생존키트(Home supply kit) 목록

- 3일간 필요물품 유지
- 물(1인당 약 3.78L)
- 즉시 먹을 수 있는 음식(컵라면, 초코바 등)
- 조리기구
- 응급처치 물품들
- 갈아입을 옷
- 응급상황에 사용할 도구들(손전등, 건전지 등)
- 담요
- 유아용품(기저귀), 노인용품, 여성용품, 개인위생용품
- 약품
- 화장지, 종이타월
- 액체로 된 손 소독제
- 개인위생(변기대용) 목적으로 사용할 플라스틱 쓰레기 봉투, 끈
- 소독제
- 물품들을 담을 수 있는 뚜껑 있는 플라스틱 통
- 우의
- 튼튼한 신발, 장화
- 중요한 서류

〈 자료원 : https://www.redcross.org/search/index.jsp?_DARGS=/jspf/modules/nav/primary-navtemp.jsp 〉

표 11-9 가족 재난계획 수립 시 물품준비

• 가전설비(수도, 전기, 가스 등) 차단장치 위치 및 방법 숙지 • 소화기의 올바른 사용법 및 위치 숙지 • 연기 감지장치의 충전 및 체크방법 숙지 • 전화기 옆에 응급상황 시 필요한 전화번호 붙여놓기 • 언제 응급전화(119)를 해야 할지에 대한 가족교육	• 각종 재난형태에 따라 집안에서 가장 안전한 곳 확인 • 응급처치 및 CPR 교육받기 • 가정의 위험요인 규명 • 응급물품 비축 • 가정용 재난생존키트 꾸리기

〈 자료원 : https://www.redcross.org/search/index.jsp?_DARGS=/jspf/modules/nav/primary-navtemp.jsp 〉

- 대피소 및 안전장소 선정하기
- 장애인 가족이나 특별한 돌봄이 필요한 가족을 위한 대책 마련하기
- 애완동물에 대한 계획 수립하기

셋째, 가족재난계획 수립을 위한 정보수집이다. 가족이 살고 있는 지역사회의 위험요소, 지역사회 재난계획, 지역사회 재난경보 시스템, 비상연락망 관련 자료이다.

넷째, 가족재난계획과 가정용 물품세트를 지속적으로 유지하고 필요시 변경하는 것이다.

제3절 + 재난대응 및 복구

Keywords

- 3Rs
- 위험 의사소통의 원칙
- 이재민 건강관리
- 급성스트레스장애
- 수용시설
- 재난간호
- 외상 후 스트레스장애

1 재난과 법적 · 윤리적 문제

재난과 같은 위기상황에서 인간의 생명과 건강을 다루는 간호 활동은 법적·윤리적 제약을 받게 된다. 의료인은 재난상황에서 제공되는 의료서비스와 관련된 법적·윤리적 의무를 알고 의료 제공을 하는 동시에 법적 책임을 감소시키기 위해 노력해야 한다.

재난상황에서 의료서비스는 일상적으로 제공하는 의료 서비스와 차이가 있다. 평소에는 비윤리적인 것이 재난상황에서는 윤리적이 될 수도 있어 의료인은 심각한 윤리적 딜레마를 겪을 수 있다. 따라서 재난피해자의 손상 정도에 따라 응급 의료 제공 여부를 판단할 때에는 의학적 지식뿐 아니라 현행법과 전문직 윤리체계 내에서 판단 근거가 제시되어야 한다. 하지만 법과 윤리 체계에서도 명확한 판단이 서지 않는 경우가 종종 발생한다. 일반적으로 자원이 부족한 상황에서의 환자 중증도 분류, 소생술 시작과 종료, 응급 환자의 자기결정권 보장, 환자 사생활 보호 등의 문제가 이에 해당된다.

응급의료종사자의 신체적, 심리적 부담이 많이 발생하는 극한의 재난상황에서 윤리적 갈등 상황을 인지하고 실정법을 고려하여 의사결정을 하기는 쉽지 않다. 모든 의료 인력들은 평소 응급의료 재난과 관련된 법적·윤리적 논점 이해를 위한 교육과 지침을 마련하여 실제상황에서 타당한 의사결정을 할 수 있도록 노력해야 한다.

1) 간호사의 법적 의무

간호사는 의료서비스 전문가로서 간호업무 수행과 관련된 다양한 법적 의무를 가진다.

첫째, 간호사는 주의 의무를 가진다. 주의 의무는 유해한 결과가 발생되지 않도록 의식을 집중할 의무이다. 주의를 소홀히 하여 타인의 생명과 신체에 손해를 가해서는 안된다.

둘째, 간호사는 확인 의무를 가진다. 동료 의료인과 간호 보조인력, 의료장비 및 재료, 의약품의 사용과정 등 간호의 모든 면을 확인해야 한다.

셋째, 간호사는 설명 및 동의의 의무를 가진다. 즉 간호사는 환자의 알권리를 충족하고 자율권을 보장해야 한다.

넷째, 간호사는 환자의 비밀을 유지해야 한다. 이는 환자의 사생활을 보호하기 위함이다.

이러한 의무를 위반하는 경우 간호사는 법적 책임을 진다.

재난과 같은 특수 상황에서는 응급환자 처치가 촌각을 다투며 진행되고 부족한 자원과 개방된 장소에서의 처치 제공으로 윤리적 딜레마가 많이 발생할 수 있다. 따라서 윤리적 딜레마 상황에서 참고할 수 있는 윤리 원칙과 규칙, 윤리적 의사결정을 위한 윤리 기본 개념 등에 대한 이해는 매우 중요하다.

2) 간호사의 윤리원칙

간호사가 직면하는 윤리적 딜레마 상황에서 의사결정을 도울 수 있는 윤리원칙 네 가지가 있다. 자율성 존중, 악행금지, 선행, 정의의 원칙이다. 자율성 존중의 원칙은 대상자가 정확한 정보에 의해 의사결정을 하거나 제공되는 간호를 선택하고 거부할 권리가 있음을 존중하는 것이다. 악행금지의 원칙은 남에게 고의로 해를 가하는 것을 피하거나 해가 될 위험을 피하는 것이다. 선행의 원칙은 남을 이롭게 하는 행위를 행하라는 것으로, 항상 선을 행하고 증진해야 한다. 마지막으로 정의의 원칙은 분배적 원칙의 다른 말로 '한 사회에서 희소하게 존재하는 자원을 어떻게 배분하는 것이 타당한가'라는 문제를 다룬다.

윤리원칙의 하부개념인 윤리 규칙으로는 정직, 신의, 성실의 규칙이 있다. 정직은 진실을 말해야 하는 의무이고, 신의는 개인의 의료 비밀을 보장하기 위해 최선을 다해야 하는 의무이며, 성실은 약속을 이행해야 한다는 것을 말한다.

간호사가 재난에 대응하면서 맞닥뜨리는 문제는 크게 3Rs로 대표된다. 즉 배분(rationing), 격리(restriction), 책임(responsibilities)이다. 배분은 백신이나 의약품 등 부족한 자원을 어떻게 배분하느냐의 문제이다. 격리는 의료서비스에의 접근이나 의료서비스 이용에 대한 개인의 자유를 통제하는 측면으로 주로 감염병과 관련된 격리의 문제에 해당된다. 마지막으로 책임은 간호사 자신이나 가족, 다른 이들을 재난과 관련된 위험에 처하게 할 수도 있지만 어떠한 상황에서도 간호서비스를 제공하는 간호사가 가져야 하는 책임을 말한다. 대상자뿐 아니라 자신까지 돌보아야 하는 상황은 윤리적 갈등을 유발할 수 있다. 재난대비에서 간호 활동 시 발생할 수 있는 법적·윤리적 쟁점에 대해 알아본다.

3) 재난간호의 법적·윤리적 쟁점

(1) 질병 보고에 따른 개인 정보 누출

간호사들은 환자들의 사생활을 보호하고 비밀을 지킬 법적, 윤리적 의무를 갖는다. 이러한 비밀 준수와 사생활 보호 의무를 위반했을 경우 환자-간호사 관계를 위협하고 환자에게 위험을 가져올 수 있다. 하지만 이러한 의무는 때에 따라서 공중보건의 목적에 의해 시행되지 않기도 한다. 생화학 테러 등의 재난으로 공중보건 문제가 발생할 경우 보고해야 할 의무로 사생활 보호와 비밀 유지의 의무를 지키지 못하는 경우도 있다.

「감염병의 예방 및 관리에 관한 법률」에 따르면, 간호사는 감염병의 발생 감시 및 예방 관리, 역학 조사 업무에 적극 협조하여야 한다. 콜레라, 홍역, 말라리아, 생물테러 감염병을 포함한 각종 감염병 의심 사례가 발생하거나 기관 또는 단체를 대상으로 감염병 발생을 감시하게 되는 경우 환자 정보와 함께 사실을 즉각적으로 보고 해야 한다.

(2) 예방 접종과 관련된 개인의 자율권 침해

정부는 시민들이 질병에 대한 백신을 맞도록 할 권한이 있다. 「감염병의 예방 및 관리에 관한 법률」에 따르면 예방접종이 필요하다고 생각되는 질병에 대해 정부는 보건소를 통하여 예방접종을 하여야 한다. 그러나 의무적인 예방 접종은 개인이 자신의 건강관리를 직접 선택할 수 있는 자유와 충돌한다. 개인의 자율성을 보호해야 하는 의무를 가진 간호사는 의무적인 예방접종을 실시할 때 윤리적 갈등을 겪을 수 있다. 또한 백신에 부작용을 일으키는 개인들에게도 의무적인 예방접종을 해야 할 것인가에 대한 문제에 봉착하게 된다. 이는 악행을 금지하고 선행을 행하여 하는 의무에 위반된다.

(3) 검역, 격리, 시민 구류에 따른 개인의 자유 제한, 자율권 침해

생물테러로 인해 감염병환자가 대량으로 발생하는 재난이나 재난발생 후 집단생활을 하면서 재난피해자들이 감염성질환에 이환될 대 전통적으로 사용하는 공중보건적 조치는 검역, 격리, 시민 구류가 있다. 검역은 감염성 질병에 노출된 것으로 판단되는 건강한 사람을 잠복기가 지날 때까지 격리하는 것을 의미한다. 격리는 감염병에 걸린 사람을 질병이 감염되지 않는 기간까지 격리하는 것을 의미한다. 시민구류는 오늘날 정신적으로 이상이 있으며 본인과 타인에게 위험이 되는 사람들을 강제로 격리시키는 정신 건강 체계의 절차와 관련된다. 공중보건에서는 더 광범위하게 시민 구류를 '관리와 치료의 목적으로 (병원 혹은 기타 특수시설에) 격리시키는 것'을 의미한다.

「검역법」, 「감염병의 예방 및 관리에 관한 법률」 등에서는 전파 위험이 높은 감염병의 경우에는 관리기관으로 지정된 곳에서 수용치료를 받아야 한다. 이러한 조치는 감염성질환 전파방지를 위한 것이나, 개인의 자유에 대해 제한을 야기할 수 있고 치료의 방향을 결정하는 자율권을 침해할 수 있다는 점에서 유의해야 한다.

환자의 동의 없이 감염병 검사를 시행하고 치료를 시작하는 것 또한 윤리적으로 옳은가에 대한 문제가 대두된다. 환자는 자율권에 따라 치료와 검사를 거부할 권리가 있다. 따라서 병원들은 검역과 격리, 격리치료를 시행 전 법이 정한 절차를 따라야 하며 이를 통해 정당성을 확보해야 한다.

(4) 재난 시 간호사의 전문성 인정 제한/응급처치 결과에 따른 전문가 책임

간호사를 포함한 모든 건강관리 전문가들은 규정에서 벗어난 건강관리를 제공할 때 법적 책임을 진다. 응급상황도 예외는 아니다. 간호사가 다른 전문가가 제공했을 때보다 결과가 좋지 못한 전문적 응급 치료를 제공했다면 법적 책임을 질 수도 잇다.

하지만 '착한 사마리아법(Good Samaritan Law)'은 응급처치 결과를 우려해 응급처치 제공을 주저하지 않도록 면책 범위를 제공하고 있다. 「응급의료에 관한 법률」 제5조에서도 비 응급의료종사자가 실시한 응급 처치, 업무 수행 중이 아닐 때 자신의 면허, 자격 범위 내에서 응급의료종사자가 행한 응급의료에 의해 발생한 재산상 손해와 사상에 대하여 고의 또는 중대한 과실이 없는 경우 민사 책임과 상해에 대한 형사 책임을 지지 아니하며 사망에 대한 형사 책임은 감면한다고 제시되어 있다.

재난상황에서 간호사가 할 수 있는 업무에 대해 명확한 지침이 없기 때문에 자신의 업무 범위 밖의 일을 하는 것은 복잡한 딜레마를 야기한다. 특히 재난 상황과 같은 특수한 경우에 벌어진 응급상황을 방치하는 것은 윤리적으로 정당하지 않다. 「응급의료에 관한 법률」에서 응급의료종사자는 업무 중 응급의료를 요청받거나 응급환자를 발견하면 즉시 응급의료를 하여야 하며 정당한 사유 없이 이를 거부하거나 기피해서는 안 된다고 제시한다. 이러한 법 규정에 의해 간호사는 재난상황 시 적극적인 응급처치를 제공하도록 요구받게 된다.

(5) 부족한 자원의 분배

재난에 대비 했음에도 불구하고, 대량 사상자가 발생하는 재난상황에서는 자원을 효과적으로 분배해야 하는 문제가 있다. 자원으로는 의료 물자, 항생제, 항독소, 진통제, 백신, 인력 등이 포함된다.

환자 중증도 분류는 응급상황에서 희소 자원을 분배하기 위해 사용되는 한 가지 방법이다. 재난 상황에서 부상자는 오직 의료 요구도와 의료적 유용성에 따라서 분류된다. 응급실의 치료 순서는 의료 요구도와 의료적 유용성에 따라서 정해지기 때문에 경미한 부상자들은 늦게 치료를 받게 된다. 하지만 이는 단순하지 않다. 다수의 사람에게 환자 중증도 분류를 적용하여 치료를 제공하는 것은 윤리적 문제가 야기된다.

(6) 재난위험에 따른 의료인의 직업적 사명

재난이 발생했을 때 간호사를 비롯한 전문 의료인의 부족이 예상된다. 병원은 응급 시 간호사의 출근을 강제할 수도 있고 근무 시간을 조정할 수도 있다. 하지만 재난이 가져오는 위험 상황에 스스로를 노출시키고 감염병이 만연한 경우 내 가족까지 위험에 빠뜨릴 수 있음을 각오하고 병원으로 출근하거나 재난현장으로 출동해야 하느냐라는 윤리적 물음을 던질 수 있다. 전문적 가치와 개인적 가치가 충돌을 일으키는 것이다.

고용주는 간호사를 비롯한 고용자들의 안전과 건강을 보호 할 윤리적 의무를 갖는다. 각종 테러 및 감염병으로부터 고용자를 보호할 수 있도록 건물 안전성 평가와 개선을 위한 특별 지침을 마련해야 한다.

(7) 응급의료 시 설명, 동의의 의무 준수 제한

재난 시 응급 의료를 제공함에 있어 극히 제한적인 경우를 제외하고, 시간이 제한되는 응급 환자에게도 충분히 설명하고 동의를 구해야만 의료행위의 정당성을 확보하게 된다. 설명의 의무는 「민법」 제683조에 의거하여 의료인이 처리 상황에 대해 보고해야 할 의무가 있음에 근거를 둔다. 동의 확보는 「헌법」 제10조에서 말하는 인격권의 한 내용으로 환자의 신체에 대한 자기 결정권을 존중하는 차원에서 강조되며 간호 윤리 원칙의 하나인 자율성의 원칙에도 그 바탕이 있다. 그러나 응급의료 특성상 예외적으로 응급환자가 의사결정 능력이 없거나 설명·동의 절차로 응급 의료가 지체되면 환자의 생명이 위험해지거나 심신상의 중대한 장애를 가져오는 경우 응급환자나 보호자의 동의 없이 응급 진료가 행해져야 하는 경우도 있다.

2 재난의 심리 · 사회적 영향

1) 재난 국면에 따른 심리적 현상

재난은 매우 스트레스가 많고 파괴적인 경험으로 인생이 바뀔 수도 있다. 그렇지만 인간은 일반적으로 비상상황이 발생하면 그에 적응하여 즉각적으로 대응하기 때문에 재난에 대처하는 자체로는 개인과 지역사회 모두 긍정적으로 대응할 수 있다. 주민들은 보통 삶과 지역사회를 재건하면서 협력해서 서로를 돕는다. 피해지역 주민들은 친사회적 행동을 보이며 사건의 영향을 개선하는 데 주도적이며, 서로의 회복을 돕고자 한다. 재난 발생 시에 자원봉사 활동은 증가하며 재난 이후에도 이어진다.

재난이 사회 및 심리사회적으로 미치는 충격은 신체적인 부상보다 상당히 클 가능성이 있다. 재난의 사회 및 심리사회적인 영향은 몇 개월, 몇 년, 심지어는 평생 이어지기도 한다.

보통 슬픔이나 스트레스 반응 등 재난 이후에 사람들이 경험하는 일시적인 반응은 매우 비정상적인 상황에서 당연히 나타나는 정상적인 반응이다. 심각한 스트레스를 받았으며 정서적 긴장감의 징후를 보일 수도 있는 재난의 피해자는 실질적으로 제 역할을 할 수 있는 정상인이다. 응급상황 시와 재난 직후 생존자, 가족, 지역사회 구성원, 구조요원에게 경증내지 중증도의 스트레스 반응은 일반적으로 나타난다. 어떤 사람들은 극도의 스트레스 징후를 보이지만, 이러한 반응은 보통 만성적인 문제가 되지는 않는다. 그러나 공중보건 전문가는 스트레스 반응을 그냥 넘겨서는 안 되며 정상적인 반응에 관하여 알려주고 이러한 반응에 대처하는 방법을 피해자들에게 가르쳐줌으로서 회복을 가속화하고 장기적인 문제를 예방하는 데 도움을 주어야 한다.

어떤 사람들은 더욱 심각하고 지속적인 증후군을 겪기도 한다. 우울증, 알코올 중독, 불안, 신체화(somatization), 가정폭력, 일상생활 곤란, 외상 후 스트레스장애(Post-traumatic stress disorder; PTSD) 등 고질적인 반응을 야기할 수 있다. 또는 불면증과 불안감을 경험할 수 있다.

재난으로 인해 심각한 정신문제를 나타낼 수 있는 인구집단은 아동 및 노약자, 심각한 정신질환이 있는 대상자, 노약자, 난민 또는 이민자, 발달장애가 있는 대상자 등이다. 재난에 다른 심리사회적 충격에 취약한 계층을 인지하고 재난 시 이들에 대해 심리지원의 우선순위를 두고 그들의 특성과 요구에 맞는 조력을 제공하여야 한다.

2) 재난에 대한 인간의 반응과 정신장애

가장 흔히 보고되는 정신장애는 급성스트레스장애, 외상 후 스트레스장애, 주요우울장애, 범불안장애, 물질남용, 애도 및 사별, 지연된 대인관계 어려움, 정신적 요인으로 발생된 신체질환 등이 있다.

(1) 급성스트레스장애(Acute Stress Disorder; ASD)

불안장애의 일종으로 외상 후 첫 4주 동안 나타나는 급성 스트레스 반응이다. 진단기준은 외상을 경험한 후 해리, 재경험, 회피, 과도 각성 등의 증상을 최소 2일에서 최대 4주 동안 나타내야 하며, 이로 인한 심각한 기능 손상을 보이는 것이다. 증상을 경험하는 대부분의 사람들은 특별한 치료 없이 지지적 중재(심리적 응급처치 등)만으로 회복될 수 있다. 하지만 특히 해리증상이 있는 경우, PTSD로 발전될 가능성이 높다.

(2) 외상 후 스트레스장애(Post Traumatic Stress Disorder; PTSD)

불안장애의 일종으로 외상사건 경험 후 지속적인 불안반응이 나타나는 것이다. 대표적인 증상은 다음과 같으며, 진단을 내리기 위해 이러한 증상은 적어도 1개월 이상 지속되어야 하고 기능손상을 초래할 정도로 심각해야 한다.

① 외상에 대한 재경험(사건에 대한 지속적 생각, 악몽, 플래시백)
② 회피(외상과 연관된 활동, 장소, 물건 등을 피하려는 뚜렷한 노력)
③ 과도 각성(집중곤란, 불면증, 과장된 놀람반사)

3 위험 의사소통

모든 의사소통은 사회, 문화 또는 상황적 맥락에서 이루어지며, 각각의 목적, 기능과 파급효과 등을 연계하여 정의되고 이해된다. 위험 의사소통 도한 이러한 맥락에서의 개념 정립이 필요하며, 위기라는 상황적 특수성에 대한 이해가 선행되어야 한다. 위기란 예기치 못한 해로운 상황 또는 사건으로 정의되며, 위험 의사소통(Risk communication)이란 이러한 상황 또는 사건을 예측할 수 있는 것으로 전환시킴으로써 대응 가능하게 하는 중요한 역할을 한다. Regina & Andrea(2004)는 위험 의사소통을 위험 또는 위해에 직면하여 이를 해소하기 위해 정보를 공유하는 의사소통이라고 정의하고 있다.

특히 재난위기 시 수행되는 의사소통은 일반 주민들의 대응을 돕고, 삶의 질서와 이해의 기준을 다시 정립할 수 있도록 하는 것이 핵심목표이다. 이것은 위기 시 발생할 수 있다고 알려진 인간의 공포, 불안, 절망감 등의 감정과 유해행동(불필요한 치료요구, 도둑질 약탈 등의 무질서 단체행동, 뇌물 및 사기, 특별한 관계에 대한 의존, 알코올과 담배 사용 등)을 예방하거나 중재하는 것으로부터 시작된다. 재난관리의 중요한 부분인 공중보건 측면의 의사소통 목적은 효율적이고 효과적으로 질병과 상해를 예방하고, 감소시키며, 개인과 지역사회를 정상으로 복구시키는 데 있다. 효과적인 의사소통은 해로운 인간 행동의 경향을 감소시킬 수 있으며, 공중보건의 부정적인 대응을 예방할 수 있다. 따라서 위기 상황 시 효과적인 의사소통은 반드시 필요한 요소이며, 정보를 요구하는 주민을 지지하고 상호 협력하는 데 도구로 활용될 수 있다.

1) 위험 의사소통과 대상자의 심리

재난은 대표적인 위기 사건으로, 위험 의사소통 대상자의 내재된 심리를 설명할 수 있는 가장 좋은 상황이라고 할 수 있다. 재난 시 인간은 평상시와 다른 많은 감정들을 느낄 수 있으며, 사람마다 지각하는 감정의 범위와 수준은 다를 수 있지만 그 감정들의 패턴은 비슷하다. 따라서 위기관리자들은 이러한 감정들을 예측하고, 위험 의사소통이 일반 의사소통과 왜 다른지 이해해야 한다. 아래의 진술된 심리적 감정들은 재난피해자들과 협력하면서 위기를 대응하는 데 방해가 될 수 있는 심리적인 장애물이다.

(1) 공포, 불안, 혼돈과 두려움

위기에 직면한 사람이 일반적으로 느끼는 감정이다. 이러한 감정들을 중재하는 의사소통의 초점은 그 감정들을 없애는 것이 아니라, 공감의 표현을 통해 그 감정들을 인정하는 것이다. 예를 들어 "우리는 지금까지 한 번도 이 같은 위기를 직면한 적이 없습니다. 이 재난은 우리를 두려움에 떨게 할 수 있습니다."라고 주민과 공감의 의사소통을 해야 한다.

(2) 절망과 무력감

재난피해자들이 가질 수 있는 절망과 무력감을 중재하는 것은 위기 시 의사소통의 가장 중요한 목표이다. 만약 위기 시 주민들의 공포, 불안, 혼돈과 두려움의 감정들이 해결되지 못하고 계속 커져간다면, 주민들은 절망과 무력감을 느끼기 시작할 것이라고 정신과 전문의들은 말한다.

중재의 초점은 감정을 제거하려는 노력 대신, 주민들의 공포에 대해 지역사회 또는 개인이 스스로 행동하게 만드는 데 있다. 즉, 그들에게 직면한 위기와 밀접한 관련이 있고, 건설적이며, 적합하고 실천 가능한 행동들을 가능한 많이 부여하여 적극적으로 행동하도록 만들어야 한다. 이러한 행동으로 불안 등의 감정은 감소되고, 통제감이 회복될 수 있다.

그들에게 행동을 지시할 때는, '만약 ~하면, ~해라(If~then)'라는 간단한 형식을 사용해야 한다. 예를 들면 "가서 구할 수 있는 만큼 강력 접착테이프와 비닐 시트를 사 오십시오. 그리고 만약 ~이 발생하면, ~하십시오."라고 말한다.

(3) 불확실성

'좋지 않은 결과를 알고 대처하는 것'이 '결과에 대해 미리 알 수 없는 것'보다 낫다. 사람들은 불확실한 것을 싫어하는데 이러한 불확실성은 대부분의 위기 시 존재한다. 특히 위기 상황 초기에는 '대답'보다 '질문'이 더욱 많으며, 문제를 완전히 해결할 수 있는지도 알 수 없다. 게다가 그 재난의 원인조차 알 수 없을지 모르며, 자신을 보호하기 위해 무엇을 해야 하는지도 확실히 알 수 없다.

불확실성의 중재를 위한 의사소통의 초점은, 능력 이상의 해결책을 제시하는 충동적 약속이 아니라, 주민과 함께 문제 해결을 위해 진행될 과정들을 공유하는 것이다. 예를 들어, "우리는 지금 왜 사람들이 갑자기 죽어가고 있는지 여러분에게 말씀드릴 수 없습니다. 하지만 우리가 이것을 해결하기 위해 무엇을 할 것인지 말씀드리고자 합니다. 첫 번째 단계는 ~입니다."라고 말한다. 즉, '현재 아는 것'과 '현재 알지 못하는 것'에 대해 정직하게 말하고, 위기 상황 극복을 위해 시도될 과정과 주민들의 질문에 해결책을 주기 위해 앞으로 진행할 과정에 초점을 두어 의사소통해야 한다.

(4) 투쟁과 도피 연장선상의 심리 상태

위기상황에서 대다수의 사람들은 흔히 알고 있는 '투쟁 또는 도피(fight or flight)'와 같은 극단적인 선택이 아니라 그 사이의 연장선 어딘가에 위치하고 있다고 간주하는 것이 좋다. 이러한 사람들의 욕구를 확인하고, 신속히 그들에게 취해야 할 행동들을 지시해야 하며, 동시에 어떤 행동을 왜 하지 말아야 하는지를 설명해야 한다. 주민들에게 공동체 의식을 강조하여 개인적 안위에만 치중하지 않도록 이끌어야 한다. 위기를 극복하기 위해 정보를 찾고 있는 주민들은 두려움을 가지고는 있더라도 공황상태는 아니다. 단지 투쟁과 도피의 연장선상의 심리상태를 보이는 것이다.

2) 위험 의사소통의 원칙

(1) 성공적인 의사소통 5단계

주민들은 위기관리자가 알고 있는 정보에 대해 알기를 원한다. 이 정보를 통해 주민들은 직면한 위험으로부터 자신과 가족을 보호하고, 직면한 문제를 잘 알고 결정을 내리며, 위기대응과 복구과정에 능동적으로 참여하려고 한다. 뿐만 아니라 공공자원은 물론, 경제적 안전을 포함한 안녕 상태를 보존하거나 회복하고자 한다. 다음의 위험 의사소통 5단계는 이러한 목표를 성공적으로 성취할 수 있도록 돕는 열쇠가 된다.

① 의사소통 계획수립

위기 시 의사소통 계획을 가지고 대응하는 것은 주민과 빠르고 일관된 의사소통을 가능하게 하므로 매우 중요하다. 이것은 주민들이 위기관리자에 대한 인식을 긍정적으로 바꾸게 하는 큰 핵심이며 위기관리자에게는 위기 순간에 실행해야 할 의사소통에 대해 의사결정의 빈도를 최소화할 수 있고, 필요한 자원들을 미리 확보할 수 있기 때문이다.

② 정보의 출처 역할

위기관리자는 위기 상황에서 정보를 제공하는 첫 번째 출처가 되기 위해 노력해야 한다. 그렇게 해야 하는 중요한 이유는 첫째, 주민은 정보 흐름의 속도를 위기관리자의 준비된 상태를 측정하는 지표로 사용하기 때문이다. 둘째, 인간의 심리적 특성 때문이다. 사람들은 그들이 알지 못하는 것에 대한 정보를 찾고 있을 때, 첫 번째로 받게 되는 정보에 보다 큰 비중을 두는 경향이 있기 때문이다.

③ 공감 표현

공감은 효과적인 위험 의사소통을 위한 가장 중요한 개념이다. 공감(empathy)이란 다른 사람이 느끼는 감정을 자신이 느껴야 한다는 것을 의미하는 것이 아니라 상대방이 무슨 감정을 느끼고 있는지에 대해 이해하는 능력을 말한다. 위기 상황 시, 가장 좋은 형태의 공감은 상대방을 피해자, 사상자, 난민 또는 주민으로서 인식하는 것이 아니라 신체적, 정서적으로 고통 받고 있는 동료로서 인식하고 마음으로부터 말하는 것이다. 주민들은 위기관리자들이 두렵고, 불안하며, 혼돈 상태에 있는 자신들에 대해 이해하고 있는지 궁금해 한다. 의사소통 초기의 진실된 공감의 표현은 주민들 마음속에 내재된 어려움을 진정시키고, 위기관리자들의 말에 집중하도록 이끄는 핵심이 된다.

④ 위기관리자의 역량과 전문성 표출

위기관리자는 주민들과 의사소통 시 자신의 직책이나 부서명을 제시해야 한다. 이는 주민들로 하여금 우리가 위기 대응에 충분히 능숙할 것이라고 믿을 수 있게 한다.

⑤ 정직과 열린 마음

만약 의사소통의 주체가 정부 공무원이라면, 의사소통을 시작하기도 전에 대부분의 주민들은 그들이 정보를 숨기고 있다고 생각한다. 정보를 제공하지 않은 것이 주민을 보호할 수 있다고 생각할 수 있지만 그 결과는 반대일 수 있다. 모든 정보는 주민들에게 부정적일지라도 불확실한 것보다는 문제 해결에 더욱 큰 도움을 준다는 것을 명심한다. 즉 아는 것이 알지 못하는 것보다 낫다. 따라서 정보를 쥐고 망설이기보다는 열린 마음으로 정직하게 정보를 제공함으로써 함께 대처해 나가야 한다.

(2) 위기 대응을 저해할 의사소통 실수

① 일관되지 않는 정보

위기 상황에서 주민들은 많은 정보 중에 단순히 하나를 선택하는 것을 원하지 않는다. 그들이 원하는 것은 따를 수 있는 정확한 하나의 정보다. 새로운 위기에 직면할 때, 주민들은 대응을 위한 일관되고 간단한 권고사항을 원한다.

② 지연된 정보제공

위기 시 주민들이 필요로 하는 정보를 적시에 줄 수 없다면, 기타 다른 사람들이 정보를 제공할 수 있는데, 이는 최선의 것, 바른 정보가 아닐 수 있다. 정보제공의 지연은 주민들을 허위자료에 노출시킬 수 있다.

③ 온정주의적 태도

'주민은 지적인 성인이고, 지적인 성인처럼 행동할 것이다'라고 생각해야 한다. 위기관리자는 주민들의 리더이지 그들의 부모가 아님을 명심한다. 절대로 주민들에게 "걱정하지 마세요."라고 말하지 않는다. 위기관리자는 위기관리를 위한 결론에 도달하기 위해 배웠던 것, 알고 있는 정보들을 주민과 그대로 나눔으로써 주민 또한 같은 결론에 도달할 수 있도록 도와야 한다.

④ 루머에 바로 대응하지 못하는 것

위기 대응 동안 대응과정과 관련된 루머가 발생하면 대응이 성공적으로 진행되기 어렵다. 따라서 주민과 미디어에 의해 무슨 말들이 나오고 있는지를 감시하고, 잘못된 정보에 대응하기 위한 시스템을 가지고 있어야 한다.

(3) 위기상황 시 초기 정보 제공

위기 시 주민에게 전파되는 모든 정보는 STARC의 원리가 적용되어야 한다. STARC는 간단한(Simple), 적시에(Timely), 정확한(Accurate), 적절한(Relevant), 신뢰할 수 있는(Credible), 일관된(Consistent)의 영문 약자다. 두려움에 사로잡힌 주민들은 허풍이나 거창한 말과 같은 과장된 말을 듣기 싫어하며, 즉시 행동하기 위한 정보를 원한다. 또한 위기에 직면하여 위기 반응을 겪는 주민들과의 의사소통은 우회적 표현이 아닌, 직접적인 표현으로 정확히 의사가 전달되는 것이 무엇보다 중요하다.

주민의 질문에 적절한 대답과 행동 단계를 제시해야 하고, 늘 공감과 열린 마음으로 신뢰를 잃지 않도록 노력해야 한다. 정보의 작은 변화도 주민들을 언짢게 하고 분개하게 할 수 있으므로 늘 일관된 정보를 주도록 한다. 특히나 첫 번째 정보는 주민들에게 보다 큰 의미로 받아들여지는 경향이 있기 때문에 더욱 주의를 기울여야 한다. 주민은 사실에 입각한 정보를 듣고, 위기 대처를 위한 행동 권고사항을 듣기 원할 것이다. 따라서 올바른 사실을 입수하고, 그것을 일관되게 반복해야 하며, 자원의 모든 출처에서 일관된 사실들을 제시하고 있는지 확인해야 한다. 일관된 정보가 핵심이다. 일관되지 않은 정보는 주민의 불안을 증가시키고, 전문가의 신뢰성을 한순간에 떨어뜨릴 수 있다. 미디어 또는 직접적으로 주민에게 전달할 첫 번째 공식 정보에는 6가지 요소가 반드시 포함되어 있어야 한다.

① 가장 먼저 제시되어야 하는 것은 '공감의 표현'이며, 이는 30초 안에 이루어질 것을 권장한다.
② 확인된 사실과 단계별 행동을 전달한다. 확인된 사실은 육하원칙(누가, 언제, 어디서, 어떻게, 무엇을, 왜)에 의거하며, 단계별 행동은 앞으로 진행될 모든 것을 알고 제시할 필요는 없으며 단지 현 시점에서 강구된 것을 전한다.
③ 이 상황에 대해 '우리가 알지 못하는 것'이 제시된다.
④ 해결책을 찾기 위해 취할 과정들을 선포한다.
⑤ 공약을 진술한다. 이 단계에서는 자신의 능력과 통제 안에서 할 수 있는 것을 진술하게 되며, 명심할 것은 통제 영역 밖에 있는 것들에 대해 충동적 약속을 해서는 안 된다.
⑥ 부가적인 정보의 출처에 대해 제시한다. 보다 많은 정보 제공을 위해 관련부서의 직통 전화번호나 인터넷 홈페이지에 대한 정보를 준다. 2006년 미국 질병관리본부에서 리더가 사용할 수 있도록 제시한 위기 시 초기 정보 양식은 [표 11-10]과 같다.

표 11-10 위기 시 초기 정보 양식(Centers for Disease Control and Prevention, 2006)

위기관리자 : 첫 번째 정보

다음 6가지 응급 정보 구성요소로 신뢰관계를 구축한다.

1. 공감표현
2. 사실해명(확인된 사실만 기록하고, 불분명하다면 기록하지 않음)
   - 누가 :
   - 무엇을(행동) :
   - 어디서 :
   - 언제 :
   - 왜 :
   - 어떻게 :
3. 우리가 모르는 것
4. 해결책을 찾기 위해 취할 과정들
5. 공약 진술
6. 의뢰(준비되어 있지 않다면 포함하지 않는다)
   - 더 필요한 정보를 위하여 :
   - 다음에 계획된 업데이트 :

마지막으로, 정보에 대해 다음사항을 점검한다.

- 긍정문 형태의 행동 단계
- 진실되고 개방된 톤
- '나'가 아닌 '우리'라고 표현
- 성급한 약속에 주의
- 은어사용을 피함
- 판단적 언어 사용을 피함
- 유머를 피함
- 지나친 추측을 피함

발표자 : 일시 :

〈 자료원 : Phillip L. Currance(2005). Medical responses to weapons mass destruction. Elsevire, Inc 〉

(4) 청중을 움직이게 하는 정보 원칙

청중으로 하여금 정보에 주목하게 하고, 행동하게 하기 위해서는 정보를 통한 의사소통 시 다음을 고려해야 한다.

① 육하원칙에 의거 간결하게 발표한다.

불안과 공포가 고조된 상태에 있는 주민들은 많은 양의 정보를 취하는 것이 어렵다.

② 바로 본론으로 들어간다.

정보의 배경 설명으로 시작해서는 안 되며, 단지 현재 의미 있는 적절한 정보의 핵심을 먼저 제시해야 한다. 또한 정보를 전달자 또는 그의 조직에 대해 밝히는 데 많은 시간을 할애해서는 안 된다.

③ 긍정문의 형태로 행동 단계를 제시한다.

행동 단계를 제시할 때 부정적인 문장(예 화재 시 엘리베이터를 이용하지 마라)이 아닌 긍정적인 문장(예 화재 시 계단을 이용해라)으로 제시해야 한다.

④ 정보를 반복한다.

반복은 지속성과 신뢰감을 줄 수 있다. 많은 사람들이 그 정보에 노출될수록(범위가 넓어질수록), 각각의 사람들이 그 정보에 더 많이 노출될수록(빈도가 많아질수록) 주민들은 그 정보를 더욱 잘 인지하고 그에 따라 행동한다.

⑤ 3단계로 행동 단계, 약어를 만들어 제시한다.

'3'은 사람들이 기억하고 회상하기에 가장 적합한 숫자이다. 위기 상황 시 그들이 잘 기억하도록 3가지의 간단한 행동 지시를 제시해야 한다. 예를 들어, "멈춰라! 바닥에 누워라! 그리고 굴러라!"라고 지시한다. 또는 이것을 더욱 잘 기억하기 위해 각 문장의 앞 글자만을 이용하여 축약된 언어를 만들어 제시하는 것도 효과적이다.

⑥ 조직을 지칭하는 인칭 대명사를 사용한다.

'나는'이라는 일인칭 대명사를 쓰지 말고, '우리는'이라는 조직을 지칭하는 대명사를 사용해야 한다. 정보를 전파할 때 전문용어나 특수용어의 사용, 지나친 겸손, 비판적인 표현, 공격적인 표현, 충동적 약속, 대응 시 드는 비용에 대한 논의, 유머 등이 포함된 의사소통은 반드시 피해야 한다.

(5) 대중매체와 협력하기

위기 시 대중매체와 협력해야 하는 두 가지 이유가 있다. 첫 번째 이유는 지역사회에 빠르게 공공 안전 정보를 줄 수 있는 주요 도구이기 때문이다. 두 번째 이유는 위기관리자인 우리보다 주민을 더 잘 알고 있기 때문이다. 이는 우리의 정보를 주민이 이해할 수 있는 틀로 전환하기도 한다는 것을 의미한다. 위기 상황 동안 대중매체의 개입은 필수적이며, 우리의 의지와 대중매체의 선호와는 무관하게 위기에 관련된 뉴스 수집을 위해 몰려들 것이다. 따라서 위기 시 대중매체의 요구와 변화를 이해하고, 이를 바탕으로 한 의사소통이 이루어져야 한다.

① 위기에 의해 영향 받는 대중매체

많은 재난상황을 경험하면서 지역사회의 한 부분으로서 대중매체 또한 위기에 의해 영향 받게 된다는 것이 확인되었다. 대중매체는 정보의 사실을 확인하고자 하고, 불확실함이 존재하는 위기 초기에는 정부와의 대립관계가 아닌 우호적인 관계로 돌아서게 되며, 대부분의 대중매체 관계자들은 과학적 전문성이 부족하게 된다. 따라서 위기관리자들은 대중매체와의 의사소통 시 이러한 변화를 예측할 수 있어야 한다.

② 정보의 사실관계 검증

한 연구에 따르면 주요 뉴스의 초기 보도에는 거의 오류가 있다고 한다. 이 현상이 일어나는 이유는 정보가 여러 출처로부터 빠르게 유입되면서, 불확실한 정보가 여과 없이 보도되기 때문이다. 사실 기자들은 서로 다른 두 개의 독립적인 제보가 동일한 정보로 확인되어야, 그 정보를 뉴스로 보도할 수 있다는 원칙을 교육받는다. 그러나 오늘날 인터넷과 같은 신속한 매체의 등장으로 이러한 개념은 특히 위기관리 보도에서 너무 뒤떨어진 방식이 되었다. 실제로 전문적인 대중매체 관련자들은 오히려 위기 상황에서 원칙적으로 보도하지 않으며, 반대로 뉴스를 수집하는 방법으로 보도한다. 즉 기자들은 뉴스를 이용하여 주민들이 정보를 수집하고자 유도하고, 이렇게 얻어진 다소 애매모한 정보를 여과 없이 보도하면서, 동시에 이 정보들이 사실인지 아닌지를 확인하려 한다. 설령 이런 정보들이 오류가 있다고 해도 이에 대해 잘못을 사과하지 않는다. 따라서 위기관리자는 대중매체가 정보를 수집하는 이 과정을 유심히 지켜보고, 수집한 정보가 제대로 여과되어 보도되는 것인지, 아니면 사실과는 다르게 변형되었는지 검증할 수 있어야 한다. 때문에 위기 시에 공식적이고 정확한 정보를 빠르게 확보하기 위한 의사소통 계획을 적절하게 세우는 것이 중요하다.

③ 우호적 역할

위기가 아닌 평상시 대중매체는 정부를 향해 다소 대립적인 견해를 가지고 있다. 이는 정부에 대해 심문하고, 진실을 캐는 지속적인 과정을 통해 민주주의를 보존하기 위한 대중매체의 역할이다. 하지만 위기 초기, 놀랍게도 대중매체가 지역사회에 도움이 된다는 것을 알 수 있게 된다. 대답할 수 있는 것보다 질문이 더욱 많은 위기 초기에는 '무슨 일이 발생할까'에 대한 불확실성이 누구에게나 큰 불안을 야기할 수 있다. 대중매체도 이러한 불안을 함께 겪으며, 주민들과 동일한 것을 알기 원한다. 위기 초기에는 위기 대응 정부, 주민, 대중매체 모두가 같은 것에 초점을 두고 있다. 의도적이든 아니든지 간에 대중매체는 공중안전을 위해 일하고, 재난지휘본부에서 나오는 모든 말들을 보도하게 된다. 이러한 시너지효과는 관련된 모두에게 유리하게 작용한다. 하지만 상황이 예측가능해지고 불확실성이 줄어드는 순간, 대중매체는 재빨리 평상시대로 변하게 되고 대립적인 역할로 다시 돌아오게 된다.

④ 대중매체 교육시키기

기자들이 정보를 많이 가지고 있을수록 대중매체의 보도는 더욱 사실적이 되며, 정보를 적게 가지고 있을수록 보도는 더욱 해석적으로 된다. 따라서 기자들이 보도할 만한 정보를 제공해야 한다. 대중매체는 24시간 방송을 채우기 위해 일한다. 그들이 무엇으로 24시간 방송을 채울 수 있을지에 대하여 고려해야 한다. 대중매체와 공유하는 정보 모두가 사건 중심의 정보가 될 필요는 없으며, 그 대신 정보의 배경에 대해 대중매체를 교육하는 것을 고려해야 한다. 그 상황을 돕기 위해 대중매체가 알기 원하는 것을 교육함으로써 그들을 그 주제에 관해 전문가로 만들 수 있다. 예를 들어 전염병의 확산 시 기자들이 질병의 진단을 위해 시행되는 병리검사에 대한 새로운 정보를 얻었다면, 이 병리검사법이 질병 확산의 위기와 관련된 뉴스는 아니나, 위기 상황 해결에 도움이 되는 정보라면 이것을 대중매체와 공유한다. 이것은 그들에게 새로운 정보로 인식되기 때문에 뉴스처럼 느끼게 되어 보도하게 되고, 주민들 또한 그 정보를 통해 대처해나갈 수 있는 정보를 얻게 된다. 위기 시 대중매체에 관련 기자 다수가 그 분야에 비전문가일 것이며, 그들은 배울 필요를 느낄 것이다. 따라서 대중매체 관련자들을 교육할 때 위기관리자인 우리가 알고 있는 것을 그들이 알고 있을 것이라고 가정해서는 안 되며, 이에 따른 계획을 세워야 한다.

(6) 성공적인 기자회견

기자회견을 성공적으로 이끌기 위해서는 철저한 준비가 필요하며, 공보 담당관과 협의 내용을 고려하여 기자회견 요청을 결정해야 한다. 위기 시 가장 어려운 결정 중 하나는 기자회견 시점을 결정하는 것이다. 기자회견 일정을 정한 후 두 번째로 어려운 결정은 얼마나 자주 업데이트를 해야 할 것인지에 대한 것이다. 만약 주민을 위한 새로운 소식이나 중요한 정보가 있다면 기자회견을 보류하지 말아야 한다. 뿐만 아니라 위기관리자인 우리가 기자회견을 약속했다면 그 곳에 참석하게 될 모든 부서들이 '취재 시 다루어질 사안'과 '누가 어떤 질문에 대답할 것인지'에 대해 사전에 동의해야 한다. 명확하지 않은 부분이 있다면 비계획적이고 혼란스럽게 비칠 수 있으므로 기자회견을 보류해야 한다. 주민들은 위기 동안 혼란스럽게 보이는 담당자를 좋아하지 않는다. 위기관리자들은 주민과 대중매체에 전달할 것이 무엇인지에 따라 기자회견장의 설정을 고려해야 한다. 만약 공유할 정보가 충분히 많고 기자들의 질문에 30분씩의 긴 답변을 준비했다면, 테이블에 관련 전문가들을 일렬로 앉히고, 모든 사람은 앉도록 해야 한다. 반면에 공유할 충분한 정보가 없고, 질문이 없도록 계획한 기자 회견이라면 화자가 사용할 마이크 하나를 단상에 준비하고, 모두가 선 자세로 진행할 수 있도록 설정해야 한다.

(7) 주민과의 의사소통

위기 시에는 주민 포럼과 같은 지역사회 주민들과의 만남이 위기관리자에게 가장 힘든 의사소통이 될 수 있다. 그러나 이를 회피해서는 안 되며, 주민들이 정부 담당자와 의사소통 할 수 있는 기회를 주어야 한다. 주민과의 만남에 참석한 주민들은 대개 분노로 가득 차 있거나 통제감을 상실할 만큼 심한 두려움에 사로잡혀 있을 수 있다. 그러나 모임에 참석한 주민들이 지역사회 주민 전체의 모습이라 단정 지어서는 안 되며, 성공적인 미팅을 위한 몇 가지 기본 원칙들을 준수해야 한다.

첫째, 주민들이 말할 수 있도록 해야 한다. 주민들이 말을 많이 할수록 그들은 그 미팅이 더욱 성공적이었다고 판단할 것이다. 일방적인 강의는 청중들을 사로잡을 수 없고, 감정을 환기시켜 줄 수 없다. 주민들은 듣는 것보다는 원하는 것을 말하고 싶어 한다. 따라서 위기관리자들은 말을 최소로 제한해야 한다.

둘째, 청중들이 대답을 찾기 위해 적절한 질문을 하도록 돕는 것이다. 질문하는 것은 신중하고 계획적인 행위로, 말하는 것보다 질문하는 것이 더 어렵다. 주민들에게 하게 되는 질문은 그들이 그 질문에 대답하기 전 멈추어 생각하게 하고, 진정시키는 과정을 겪게 한다. 어떤 행동을 취하도록 그룹이나 개인을 설득하는 노력 대신 자아 발견 과정을 통해 자기 스스로를 설득하도록 허용해야 한다. 주민들이 자기 스스로를 설득하도록 돕는 질문법은 다음과 같다.

- 광범위하며 개방형 질문으로 시작해라.
- 청중의 요구, 욕구, 솔직히 원하는 것들을 발견하도록 질문해라.
- 청중들이 현재 직면한 상황에 대한 보다 특정한 질문을 해라.
- 어떤 행동을 취함으로써 그들이 기대하는 이득을 진술하도록 격려하는 질문을 해라.
- 청중들이 그 이득을 표현하는 순간 위기관리자들이 이끌 행동의 전략이 어떻게 그 문제를 해결할 수 있는지 시연하기가 쉬워질 것이다.

문제에 대한 해결책을 제공하기보다는 청중들이 해결책을 찾아가도록 돕는 것이 중요한 열쇠이다. 주민들 또한 위기관리자들이 생각한 해결책을 찾게 될 것이다.

셋째, 모든 주민의 의견을 존중해야 한다. 주민들은 의견을 제시하려고 노력할 것이므로, 참여자들을 낙담시킬 수 있는 언행은 삼가야 한다.

넷째, 진실을 말해야 한다. 우리가 어떤 것에 대해 알지 못할 때는 그것을 그대로 인정해야 하며, 주민들이 알고 싶은 정보를 줄 수 있도록 후속조치를 취해야 한다.

마지막으로, 화를 내지 말아야 한다. 주민들이 감정적으로든 신체적으로든 상처를 받았거나, 통제할 수 없을 정도의 위기에 의해 위협감을 느끼고, 또는 존중받고 있다고 느끼지 못한다면 대게 화를 낼 것이다. 따라서 주민들에게 맞서 화를 내는 것을 찾고, 그들의 감정을 이해하려고 노력해야 한다.

4 수용시설 관리

재난 이후에 질병을 예방하기 위해서는 환경보건을 반드시 유지해야 한다. 환경 문제가 복잡하기 때문에 재난 이후에 발생하는 모든 환경문제를 한 사람의 환경보건전문가가 책임지는 경우는 거의 없다. 도시 지역과 복잡한 대규모 재난지역에서는 수많은 정부기관과 자문위원들이 협력하여 환경대응을 하는 것이 일반적이다.

재난으로 인해 개인과 가족이 집을 떠나게 되면, 안전한 피난처 찾기와 각종 위해요소로부터의 보호가 가장 중요해진다. 지리적 위치에 따른 기후의 다양성과 재난 후 기상학적 조건은 더위와 추위 노출로 인한 건강문제를 발생시킨다. 본 장에서는 수용시설과 이재민의 건강관리에 대해 알아본다.

1) 수용시설 관리 개요

이재민 수용시설은 수백 명에서 수천 명이 거주할 수 있는 공간으로서 재난이 발생하기 직전이나 발생 이후 특정 장소를 선택하여 지정하게 된다. 재난이후 충분한 수용시설의 제공은 날씨 상황에 따른 저체온증, 동상, 불안감, 열사병, 탈수 등을 예방할 수 있다.

여기에서 중요한 것은 의료구역을 편성하고 환자들을 등록하고 관리하는 것이다. 환자 관리를 위해서는 등록 및 기록이 필수적인데, 환자 등록을 위해 등록 양식을 작성하여 이재민 중 건강문제가 있는 사람들, 특히 노약자를 대상으로 이름, 나이, 주소, 기존 질환 등을 작성한다. 재난지역에서 대피한 이재민의 주요 만성질환은 당뇨병과 고혈압이다. 등록 양식은 환자들의 경향을 파악하고, 상태를 추적하며, 전반적인 인구집단의 건강상태를 감시하기 위해 필요하다.

또한 수용시설에서는 개인사생활이 없다. 사생활 보장이 되지 않는 공간에 밀집된 인구집단에 존재할 수 있는 위험요인을 빨리 파악해야 한다. 특히 설사, 결핵이나 A형 간염 같은 감염성질환, 불명열, 새롭게 발현된 당뇨증상, 정신질환 및 스트레스성 질환 등을 파악하여 보건당국에 보고할 수 있도록 하며 이때 임산부나 신생아 역시 파악하도록 한다. 수용시설에서 가장 가까운 병원을 파악하여 35주 이상의 임산부의 경우 분만 가능성을 대비하여 병원으로의 이송 및 이송수단을 고려하는 것이 바람직하다.

이외에도 공중보건 및 감염관리의 기본인 손 씻기와 개인위생을 위한 시설과 화장실을 마련하는 것이 중요하다. 화장실에는 반드시 손 씻기를 위한 시설이나 소독제가 마련되어야 한다. 화장실과 더불어 의료구역, 식당구역, 부엌 및 배선실, 화장실 근처, 모든 업무 데스크 등에도 손소독제가 마련되어야 한다. 또한 집단으로 생활하므로 식품안전을 위한 관리가 집중적으로 이루어져야 할 것이다. 특히 날씨가 덥고 습한 경우라면 더욱 주의하여 식품 관리가 이루어져야 한다.

(1) 개인위생

재난 상황에서 공중보건 응급 시 건강증진은 매우 중요한 요소이며 또한 가장 어려운 행위이다. 개인 건강 습관은 문화적, 종교적 신념에 깊이 뿌리내리고 있으며 인구집단별로 차이가 있을 수 있다. 직접접촉 질환(fecaloral illness)의 방지수단으로서 비누와 손 씻기는 매우 중요하다. 비누는 질환으로부터 보호를 제공하며, 비누와 물은 모든 재난피해자와 대응자들에게 제공되어야 한다. 교육, 격려, 평가 역시 개인위생 행위 증진을 위해 설계된 효과적인 건강증진 캠페인의 요소들이다. 교육은 단독으로 행위를 변화시키지 못하므로 간호사들은 재난피해자와 대응자들이 보유하고 있는 자원(비눗물, 대야, 수건, 알코올 함유 손세정제)을 유지하고 사용하도록 계속 강조해야 한다.

(2) 매개체 통제

매개체 통제는 전염병 예방에서 늘 중요하지만, 재난 발생 후 환경 통제가 되지 않아 질병이 확산될 가능성이 있을 때에 더욱 중요하다. 매개체감염 질환을 통제하는 가장 효과적인 방법은 가능한 한 빨리 폐기물을 위생 처분하는 것이다. 매개체감염 질환이 유행병으로 알려진 경우에는 재난 직후 통제를 더욱 빨리 해야 한다. 병해충종합관리의 원칙은 번식지를 제거하고, 먹이를 없애며, 병해충이 살만한 곳을 통제하는 것이다. 지역사회의 매개체 통제 프로그램에는 다음과 같이 몇 가지 구성요소가 포함된다.

- 가능한 한 신속하게 쓰레기를 모아서 처리한다.
- 쥐와 모기 통제방법에 대해 대중을 교육한다.
- 그릇을 뒤집고, 수영장을 덮어놓으며, 고여 있는 물을 퍼내거나 덮어두어 모기의 번식지를 없앤다.
- 벽장을 닫아두고 쥐를 쫓도록 고양이를 키워서 쥐의 번식을 줄인다.
- 사방이 막힌 곳에 식품을 보관한다.

2) 이재민 건강관리

(1) 대규모 이재민을 위한 급식

식품이 얼마나 필요한지는 재난이 식품공급에 미치는 영향과 음식이 없는 사람의 수를 사정하여 추정할 수 있다. 계절적 변동도 식품의 이용가능성에 영향을 줄 수 있다. 필요한 식품의 양은 일주일 및 한 달 단위로 계산한다. 대규모 난민에게 음식을 제공하는 데 필요한 요소들은 [표 11-11]과 같다.

표 11-11 대형급식소에 필요한 요소

- 물 공급
- 직원용 및 시민용 화장실 – 최소 50명당 1개의 화장실
- 세면대 – 식품을 조리하는 곳과 화장실 근처
- 주방에서 액상 쓰레기를 버리는 시설 – 기름 막는 장치, 즉 거름망이 반드시 있어야 한다.
- 주방에서 고형 쓰레기를 버리는 시설 – 뚜껑이 있는 실내용 쓰레기통에 버린다.
- 큰 그릇, 조리대, 도마 – 식사 후에는 강력한 염소 용액으로 철저하게 소독한다.
- 개수대 – 씻는 그릇, 먹는 그릇, 요리하는 그릇을 구분한다.
- 조리/냉장에 적합한 재료 – 한 끼 식사에 충분한 음식을 준비한다.
- 교차오염을 방지하기 위한 배치 – 원재료와 육가공품을 위한 적절한 공간을 마련하고 따로 분리해둔다.
- 적합한 식사용 그릇 – 깨끗하게 그릇을 씻고 헹굴 곳이 없으면 일회용을 사용한다.
- 설치류와 다른 해충의 통제 – 파리끈끈이를 달아두고, 주방을 가려주며, 쓰레기를 버린다. 음식을 준비하는 곳에 절대 쥐약을 놓지 않는다.
- 식품안전정보 – 음식을 준비하는 곳에 식품안전정보를 붙여놓는다.

〈 자료원 : http://www.mpss.go.kr/main/main.html, http://www.moe.go.kr/main.do 자료 〉

(2) 식중독

식중독은 보통 감염성이거나 독성이 있는 질환으로, 식품의 소화과정에서 몸에 유입되는 병원소에 의해 유발되는 질환이다. 모든 사람이 식중독의 위험에 처해 있다. 식중독은 세균, 미세동식물 같이 질환을 유발하는 유기물(병원소)을 섭취한 결과이다.

재난발생시 식중독의 관리가 중요한 이유는 다음과 같다.

- 식품공급의 지구촌화
- 새로운 지역으로의 우연한 병원소의 유입
- 해외에 머무르는 여행자, 피난민, 이민자 등의 식중독 노출
- 미생물의 변화
- 인구 집단의 변화(노령화)
- 식품 준비에서의 안전
- 재난상황
- 국가의 식량 공급의 취약성

5 재난간호

최근 빈번한 재난과 대형사고의 발생은 재난간호의 영역을 구분하고, 재난관리 차원에서 공조체제의 구축과 분명한 역할분담을 요구하고 있다. 재난간호는 일반적인 임상간호나 지역사회간호와는 환경적 상황이 매우 달라 재난의 유형 및 이에 대처하는 재난관리체계에 따라 다루어지는 비중도 각기 다르다.

재난간호는 '재난으로 인하여 변화된 환경에서 스스로 문제를 해결할 수 없는 대상자를 돕기 위해 재난의 발달단계별 간호를 제공하는 것'이다.

재난간호의 대상자는 재난피해자, 피해자의 가족, 그리고 재난구호요원 모두가 포함되며, 간호제공단위는 개인·가족·집단 및 지역사회 등 다양하다. 또한 재난간호 대상자는 건강문제와 연령층이 다양하여 아동, 노인, 그리고 임산부에 대한 간호는 물론 정신적인 문제 등에 직면하게 되므로 재난간호제공 간호사는 한 영역에 전문적인 간호능력보다는 일반적이고 다양한 요구를 수용할 수 있는 간호능력이 요구된다.

재난간호수행을 위해 간호사가 갖춰야 할 능력으로는 다음과 같다.

- 통합적이고 상호협력적 마인드를 갖춘다.
- 재난간호를 제공할 지식과 능력을 갖춘다.
- 리더로서의 자질을 발휘한다.

재난간호제공을 위해 지켜야 할 수칙은 다음과 같다.

- 자신의 안전을 최우선으로 한다.
- 대상자의 건강요구의 우선순위를 안다.
- 의료관련법(「의료법」, 「응급의료법」 등)을 안다.

- 공조체계 내에서 지시에 따른다.
- 대다수를 위해 최선을 다한다.
- 경고신호의 의미를 알고 자신 및 대상자의 안전을 확보한다.
- 필요시 리더십을 발휘한다.
- 필요시 적절한 기관에 의뢰한다.
- 이용 가능한 의료자원과 인력을 이용한다.
- 건강의 위협을 감소시키기 위한 환경과 조직활동의 변화를 관찰해야 한다.

제4절 + 국제 재난구호 활동

Keywords
• 해외긴급구호기구 • 국제인도법 • 공적개발원조

1 해외긴급구호 활동

대형 재난의 경우, 이미 재난정보를 파악할 수 있는 교통 통신 등 사회기반 시설이 붕괴되고 재난을 당한 국가는 위기관리를 할 능력이 상실하게 된다. 따라서 이를 해외의 지원을 받아 처리하고 이러한 상황을 국제적으로 지원하여 재난을 수습하고 빠른 시일 내에 일상생활로 복귀할 수 있도록 주로 초기에 피해국을 지원하는 것이 필요하다. 해외긴급구호란 해외재난에 의하여 발생한 피해의 감소 또는 복구 등 피해국을 긴급히 지원하는 모든 활동을 말한다.

1) 해외재난복구의 주체

해외재난 시 재난복구의 주체는 크게 피해 당사국, 국제기구 및 공여국, 국제개발 비정부기구(NGO) 등으로 나눌 수 있다. 먼저, 피해 당사국은 영토 내에 있는 이재민 및 난민 등에 대한 신변 안전 및 보호 대책을 시행하고, 재난복구에 수반되는 인적, 물적 비용 및 수단을 국제사회에 요청하게 된다. 자국의 재난에 대응하는 1차적 책임은 그 나라 자신에 있다. UN과 같은 국제기구 및 지원국인 해외재난지역 내 이재민 및 난민의 보호와 긴급 필요 물품 등을 가장 효율적이고 적정하게 지원하여 재난당사국의 자조가 가능하도록 돕는다. 이에 더불어 국제개발기구, NGO 역시 국제기구 및 정부차원의 재난구조 지원과 상호보완적 관계로 재난 및 재건 복구 지원을 수행하는 형태를 보인다.

2) 해외긴급구호기관 간 관계

많은 국가 및 기관이 참여하게 되는 해외긴급구호는 피해 당사국과 국제 사회의 상호 공조를 통해 인적, 물적 손실을 일으키고 정상적인 국가 운영을 방해하는 재난에 대해, 그리고 재난에 특히 취약한 개발도상국이 재난으로부터 빨리 회복될 수 있도록 돕는 데 그 의의가 있다.

해외재난 시 피해 당사국의 주체적인 역량과 기반을 중심으로 대응을 촉진함과 동시에 피해 당사국과 국제사회의 파트너십이 중요하다. 즉 각국 정부와 국제기구, 비정부기관이 협력하여 피해 확대의 최소화를 위해 동원 가능한 인적, 물적 자원을 신속하고 정확하게 활용하는 것이 강조되고 있다.

3) 이념적 기반

(1) 인도주의

해외재난시 각국 정부 및 기관이 협력하게 되는 이념적 기반은 인도주의이다. 즉, 모든 인간은 인간이라는 이유만으로 동등한 자격을 갖추고 있다는 기본 개념 아래 인류의 공존을 꾀하고 복지를 실현시키고자 한다. 인간의 존엄성 및 기본 권리에 대한 이념을 바탕으로 각국 정부 및 기관이 국적, 정치, 종교를 초월하여 협력하고 있다.

특히 도와주는 국가, 즉 경제적 능력이 있는 원조 공여국의 경우 원조로부터 이득이 없다할지라도, 인도주의 이념, 빈곤 감소, 개발도상국의 성장이 선진국의 책임이라는 것을 통감하여, 국제사회 원조를 통해 인류의 공조를 꾀하고 있다.

(2) 국제인도법

인간 존엄의 인도주의를 준수하기 위한 「국제인도법」이 제정되어 있다. 즉 국제적, 비국제적 무력 충돌시 부상자, 포로, 의무요원 등 전투 능력을 상실하였거나 적대 행위에 가담하지 않은 사람에 대해 차별 없이 생명을 보호하고 전쟁의 수단과 방법을 금지, 제한함으로써 무력 충돌의 영향을 최소화하기 위한 국제법이다. 이러한 국제법에는 「제네바법(Geneva convention)」, 「헤이그법(Hegue convention)」 등이 있다.

그 중 핵심이 되는 것은 「제네바법」이다. 19세기 솔페리노 전쟁 당시 앙리 뒤낭이 전쟁 피해자들에 대한 인도주의적 활동이 필요하다고 깨닫고 뜻을 같이 하는 사람을 모아, 1864년, 16개국에 의해 선언된 「제네바법」은 수년간 많은 조항들이 추가되면서 변화를 겪어 왔지만 주요 개념은 항상 일정하게 제시되어 왔다. 전쟁에서의 부상자 및 병자, 포로, 민간인, 국제적·비국제적 무력 충돌에서의 희생자 보호 등이 그 주요 개념이다. 국제적십자사가 제네바 조약의 수호자(가디언, guardian)처럼 인식되고 있다.

2 해외긴급구호기구

해외긴급구호기구는 크게 세 가지, 정부, UN기구, 비정부기관으로 구분할 수 있다. 정부는 각국 정부 차원에서의 구호를 의미한다. 다음에서는 UN기구와 비정부기관에 대해 알아본다.

1) 국제연합기구

해외재난상황에 즉각적으로 반응하게 되는 UN기구에는 WHO, IASC, OCHA 등이 있다.

(1) 세계보건기구

세계보건기구(World Health Organization; WHO)는 1948년 국제보건사업의 지도적·조정적 기구로 설립된 UN전문기구로서, 그 목적은 세계 인류가 신체적, 정신적으로 최고의 건강수준에 도달하는 것이다. 특히 전 세계적으로 발생하고 있는 재난 및 응급상황 아래, 의료 측면에서 중요한 역할을 담당하고 인도주의 운동의 주요 멤버이며, Health Cluster의 리더로 활동하고 있다.

(2) WHO 내의 HAC 프로그램

HAC(Health Action in Crises)는 WHO가 운영하고 있는 재난관련 프로그램으로서 자연재해 및 경제적 위기 등 각종 위기에 취약하거나 위기를 입은 나라에서 생명 손실을 예방하고 질병과 불구 감소 노력을 기울이고자 설립되었다. 재난상황에서 재난대비, 대응, 복구에 참여하고 있다.

(3) Health cluster

인도주의 구호활동에는 다양한 기관이 참여하게 되는데, 때로는 그 노력이 중복되거나 부족한 부분이 발생하게 되었다. 이에 다양한 구호 노력을 보다 효과적, 효율적으로 통합하기 위해 health cluster를 조직하게 되었다. Health cluster는 UN기구뿐 아니라 비 UN기구, 국제적십자사기구도 포함되며, 각 기구의 역할은 [표 11-12]와 같다.

표 11-12 Health cluster 각 기구의 역할

기 구	역 할	기 구	역 할
FAO	농업	WFP	비상 통신, 식량, 물류
IOM	난민촌 조율 및 관리	WHO/PAHO	보건
UNDP	조기 복구	UNICEF	영양
UNICEF/SC	교육	UNHCR/DPC	보호
UNHCHR/IFRC	응급, 비식량 지원	UNICEF/DINEPA	수질 및 위생

〈 자료원 : http://www.who.int/en/ 〉

(4) 기관 간 상임조정위원회

기관 간 상임조정위원회(Inter-agency Standing Committee; IASC)는 UN 산하기관으로, Health Cluster에 포함된 UN 및 비UN인도주의 기구들 간의 협력을 주제하여 체계적인 인도주의 활동을 시행하고자 1992년에 설립되었다. 여러 기구의 상호간 인도주의 활동에 대한 결정을 할 수 있도록 돕고 관련 정책을 개발하는 것을 그 목적으로 한다.

(5) 국제연합 인도지원조정국

국제연합 인도지원조정국(United Nations Office for the Coordination of Humanitarian Affairs; UNOCHA)은 유엔 정기 총회에서 1991년 12월 결의돼 발족된 특별 기구이다. 전 세계의 재난 상황이나 내전 등이 복합적으로 발발함에 따라 그 규모가 더욱 커지고 중요성도 높아졌다. 긴급 구호와 정책 제시, 인도주의적인 활동 또한 가장 중요한 과제가 됐다.

일부 직원이 뉴욕 시와 제네바에 상주하고 있으며 주요 사무소는 부룬디, 중앙아프리카공화국, 차드, 콜롬비아, 수단, 기니, 코트디부아르, 팔레스타인 등 여러 인재나 자연재해가 많은 곳에 위치한다.

(6) 국제연합 재난평가조정팀

국제연합 재난평가조정팀(United Nations Disaster Assessment and Coordination; UNDAC)은 세계 각처에서 발생하는 대형재난에 대한 재해상황 및 피해상황의 조사, 평가와 필요물자 및 주민요구를 파악한다. 재난현장에서의 국제구조 및 구호활동을 위한 유엔 주도의 재난대응시스템으로 국제연합 인도지원 조정국(UN OCHA)의 유엔 인도지원 분야 현장활동 조정업무의 지원을 위해 1993년 설립되었다.

(7) 현장구호활동 조정센터

현장구호활동 조정센터(Onsite Operation and Coordination Centre; OSSOC)는 UN OCHA의 DAC팀에서 재난현장에 설치하는 기구로, 재난현장에서 전 세계의 인도주의적 구호 활동을 조정하여 재난국의 현지 관할 기관에 협력하게 된다. 즉 각국의 구호팀은 OSSOC을 통해 그 활동을 조정 받게 된다. 또한 재난국 현지 응급상황 관리국(local emergency management agency)과 해외 단체들 간의 의사소통 창구와 지원자로서의 역할을 수행한다. OSSOC은 재난발생 후 구호팀이나 UNDAC팀이 현지에 도착하고 난 뒤 즉시 설치된다.

(8) 국제연합아동기금

국제연합아동기금(UN International Children's Emergency Fund; UNICEF)은 1946년 전쟁 피해 아동의 구호를 위해 설립된 이후, 현재까지 총 182개국이 가입되어 있다. UNICEF는 아동구호사업과 관련된 식수, 보건위생 시스템과 교육, 기본적인 의약품 등을 확보하는 것을 주요 사업으로 삼고 있다. 특히 UNICEF는 교육훈련 프로그램을 개발하여 해당국의 면역체계 확립, 출산 여성과 어린이에 대한 주요 보호활동 지침 마련, 보건 관련 의사와 요원 훈련 등 다방면에 걸친 사업을 전개하여 왔다.

(9) 유엔 난민 고등판무관 사무소

유엔 난민 고등판무관 사무소(Office of UN High Commissioner for Refugees; UNHCR)는 세계 난민 문제 해결을 위해 설립된 UN 보조기관으로 난민들이 새로운 체재국의 국적을 획득할 때까지 이들의 정치적, 법적 보호를 책임지는 유엔 소속 기구이다. 현재 113개국이 가입되어 인도주의에 입각한 난민에 대한 법적, 물질적 구호 사업, 난민의 귀국, 재정착, 이산가족 상봉 지원 등 난민의 안전 확보와 정착, 권리 및 복지 보호를 목표로 활동하고 있으며, 세부 활동 내용으로는 난민의 보호, 귀환 및 재정착, 가족 재결합 사업을 지원하고 긴급 구호 업무 등이 있다.

2) 비정부기구

다양한 국내, 국제적인 비정부기구가 조직되어 해외긴급구호활동을 펼치고 있는데, 대표적인 비정부기구로 적십자기구가 있다.

(1) 국제적십자사 운동

솔페리노 전쟁 당시 앙리 뒤낭이 전쟁 피해자들에 대한 인도주의적 활동이 필요하다고 깨닫고 뜻을 같이 하는 사람을 모아 제네바 협약을 채택, 조인하면서 국제적십자사 운동이 시작되었다. 국제적십자사 운동의 7가지 기본원칙은 인도주의, 공평, 중립, 독립, 자발적 봉사, 단일, 보편이다[표 11-13].

표 11-13 국제적십자가 운동의 기본원칙

기본원칙	설 명
인도(humanity)	• 생명과 건강을 보호 • 인간 존엄성을 존중 및 보장 • 모든 사람을 이해하고 우정, 협력 및 항구적 평화를 증진
공평(impartiality)	• 국적, 인종, 종교적 신념, 계급, 정치적 입장이 다르다고 차별하지 않음
중립(neutrality)	• 적대적 행위가 있을 때 어느 편에도 가담하지 않음 • 어떤 경우에도 정치적, 인종적, 종교적, 이념적 성격을 띤 논쟁에 개입하지 않음
독립(independence)	• 적십자 원칙에 따라 행동하는 자율성을 보장 받음
자발적 봉사(voluntary service)	• 자발적 구호 운동으로서 어떤 이익도 추구하지 않음
단일(unity)	• 한 나라에는 하나의 적십자사만 존재함 • 적십자사는 모든 사람에게 개방되어 있어야 하며, 그 나라 영토 전역에서 인도주의 사업을 수행함
보편(universality)	• 각 나라의 적십자사들이 동등한 지위와 책임, 의무를 가지고 서로 돕는 범세계적인 운동을 추구함

〈 자료원 : http://www.ifrc.org/ 〉

(2) 국제적십자기구

국제적십자기구는 크게 3가지로 국제적십자위원회, 국제적십자연맹, 각국 적십자사 및 적신월사가 있다.

① 국제적십자위원회

스위스 제네바에 본부를 두고 국제적으로 활동하는 스위스의 민간 기구이다. 제네바 협약 및 관습법 규칙에 따라 전쟁, 내란 등의 국제적 혹은 비국제적 무력분쟁에서 전상자, 포로, 실향민, 민간인 등의 희생자를 보호하기 위해 설립된 인도주의 단체이다. 1963년, 국제적십자위원회(International Committee of the Red Cross; ICRC)의 국제부상자 구호위원회가 창설된 이후, 무력 충돌 및 폭력 상황에서의 희생자의 생명과 존엄성을 보호하고 도움을 제공해 왔다. 또한, 유사 시 각국의 적십자사 및 적신월사와 연맹의 기능을 조정하는 역할을 하게 된다. 본부는 스위스 제네바에 위치하며, 80여개 나라에서 활동하고 있다. 주요 기능은 예방, 지원, 보호, 기타 활동으로 나눌 수 있다[표 11-14].

표 11-14 국제적십자위원회 활동

활 동	내 용
예방 활동	• 국제적십자 운동 기본원칙 유지 및 보급 • 국제인도법 보급 및 이행 감독 • 무력 충돌 대비, 각국의 군, 민간 의료기관과 협력하여 의료요원 훈련 및 활동 • 청소년 대상 인도법 탐구 보급
지원 활동	• 무력 충돌 희생자에게 식량, 의약품 지원 • 무기 피해자에게 정형외과 활동
보호 활동	• 제네바 협약이 부과한 임무 수행 • 무력 충돌에 적용되는 국제인도법의 충실한 적용 및 활동 • 이산가족 찾기 및 연계 활동 • 제네바 협약에 따른 구금자 처우 여부 점검, 권고
기타 활동	• 적십자사, 적신월사 승인 및 지원

〈 자료원 : http://www.ifrc.org/ 〉

세계에서 가장 오랜 역사를 가지고 있는, 특히 최근 100년간의 각종 전쟁터에서 활동을 펼친 대표적인 인도적 구호기관으로서, 1917년과 1944년, 1963년 세 차례에 걸쳐 노벨 평화상을 수상하기도 했다.

② 국제적십자연맹

제1차 세계대전 이후 전쟁 복구, 재난대비 및 대응, 취약 계층 지원을 위해 각국 적십자사가 협력할 수 있는 기반 필요성이 대두되어, 1919년 당시 미국 적십자사 총재가 주창하여 설립되었다. 사무국은 스위스 제네바에 소재하고 있으며 186개 적십자사 및 적신월사가 가입하여 활동하고 있다.

국제적십자연맹(International Federation of Red Cross and Red Crescent Societies)은 각국의 적십자사 및 적신월사가 인도주의 활동을 수행함에 있어 구호활동을 조정하고, 조직하며 이끌고 있다. 세부 기능은 다음과 같다.

- 회원사 간의 연락, 조정, 연구, 외부지원이 필요한 회원사 도움
- 가능한 모든 수단을 강구하여 재난희생자들을 구호
- 회원사가 관계 당국과 협력하여 공중보건 보호와 사회복지 촉진 활동 지원
- 각국에 독립적이고 정당하게 승인된 적십자사 설립, 발전 촉진
- 회원사의 재정적, 조직적 역량 강화 도모 및 기술적 지원
- 청소년 대상의 인도주의 이념과 원칙 교육, 훈련 장려

③ 각국 적십자사 및 적신월사

적십자사 또는 적신월사(Red Cross and Red Crescent Societies)는 각국에 1개씩만 설치 가능하며, 현재 전 세계적으로 186곳의 적십자사 및 적신월사가 설립되어 있고 계속 형성 중이다. 한국에는 대한적십자사가 있다. 그 설립 역사를 보면, 1903년 대한제국 당시 제네바 협약에 가입하였고, 1905년 대한적십자사 규칙을 제정하였으며, 1949년 「대한적십자사 조직법」을 공포하여 적십자사를 국가 차원으로 설치하기에 이르렀다. 각국의 적십자사 및 적신월사는 세계적 응급상황 및 자국 상황에 따른 활동을 벌이고 있다. 세부 활동은 다음과 같다.

적십자사 및 적신월사의 세부 활동

① 자국 내에서의 적십자사 사업 전개
- 구호
- 사회봉사, 지역보건, 안전, 청소년 사업
- 이산가족 찾기, 북한 동포 돕기, 국제 협력, 재외 동포 지원
- 혈액 사업, 의료 사업, 특수 복지 활동

② 국제 지원 : 긴급재난 구호, 저개발국 발전 지원 사업

③ 연맹, 위원회의 보조자 역할

각국 정부 및 국제기구에 비해 적십자의 재난지원 활동은 보충적, 보조적인 역할이나 현 상황이 적십자의 도움을 필요로 하며, 적십자가 활동을 위한 필수적인 재원과 수단을 확보할 수 있다는 확신이 있는 경우 장기적인 재난지원 프로그램을 실시할 수 있다.

3 우리나라의 해외긴급구호

'해외재난'은 대한민국의 영역 밖에서 대한민국 국민의 생명·신체 및 재산에 피해를 주거나 줄 수 있는 재난으로서 정부차원의 대처가 필요한 재난이라고 「재난관리법」 제3조 제2호에 명시되어 있다. 한편, 「해외긴급구호에 관한 법률」 제2조 제1항에서는 '해외재난'을 대한민국의 영역 밖에서 발생한 천재지변·대형사고 그 밖의 재해 또는 사고로 인한 신체 및 재산상의 대규모 피해를 말한다. 또한 '해외긴급구호'는 해외재난에 의하여 발생한 피해의 감소 또는 복구 등 정부차원에서 피해국을 긴급히 지원하는 모든 활동으로 정의하고 있다.

국외에서 화재, 재난, 재해 그 밖의 위급한 상황이 발생한 경우에 재외 국민의 보호나 국제협력이 필요한 경우 국제사회의 책임 있는 일원으로서 피해국에 대하여 긴급구호대의 파견과 긴급구호의 물품 지원, 임시 재해 복구 지원 등을 신속하고 즉각적으로 제공함으로써 인도주의에 입각하여 피해국 정부의 요청과 우리나라의 국제적이고 경제적인 위상을 고려하여 피해국 및 국제기구와 긴밀한 협력 하에 적절하게 해외긴급구호를 수행하여 인도주의와 인류애를 실현하고 국가이미지 제고를 목적으로 해외긴급구호활동을 하고 있다.

우리나라는 한국전쟁으로 입은 인적·물적 피해들을 해외 여러 나라의 127억 달러에 달하는 해외원조를 통해 극복해 나갈 수 있었다. 그간 경제발전을 통해 이제는 원조를 받는 수여국에서 벗어나 우방 개발도상국에 개발 원조를 제공하는 원조국이 되었다.

1991년 한국국제협력단(KOICA)을 설립하게 되면서 각 정부 부처에서 산발적으로 실시하던 기술원조 및 인적 교류 사업을 통합·관리하는 공적개발원조(Official Development Assistant; ODA) 체계를 구축하였다. 우리나라 정부의 해외긴급구호가 한국국제협력단을 중심으로 이루어지게 되면서, 산발적으로 이루어지던 여러 분야의 구호, 원조 활동을 통합, 관리하는 체계를 구축하는 계기가 되었다. 또한 한국국제보건의료재단은 우리나라의 해외긴급구호팀 구성 시 의료진을 지원하는 책임을 지고 있다.

우리나라 정부가 해외긴급구호를 시행할 수 있는 법적 기반으로는, 2007년에 제정된 「해외긴급구호에 관한 법률 및 시행령」과 2009년에 제정된 「국제개발협력기본법」이 있다.

1) 해외긴급구호대 구성

우리나라는 「해외긴급구호에 관한 법률」에 근거하여 국제재난이 발생하여 재난 발생국의 요청이 있을 때 피해 규모에 따른 지원 수요, 피해국의 복구 능력, 국제사회 지원동향, 양국 관계에 따라 해외긴급구호협의회의 의결을 거쳐 외교부장관은 관련 단체 또는 사람들로 해외긴급구호대를 편성하여 해외에 파견하게 되었다.

2) 한국국제협력단

한국국제협력단(Korea International Cooperation Agency; KOICA)은 외교통상부 산하 기관으로 개발도상국가에 대한 정부 차원의 대외무상협력 사업 전담 기관이다. 해외재난 발생 시에 외교통상부 및 대외기관과 업무를 협의하고 구호물자 및 예산 등의 전반적인 지원 관련 업무를 총괄한다. 해외긴급구호대의 파견 계획 수립 관련, 여행사를 지정하여 민간항공기의 항공권을 예약하고 해외긴급구호대의 파견 경비를 집행하고 구호장비 및 의약품과 식품 등의 수화물 운송을 지원하고 해외긴급구호대의 출정식과 해단식을 실시한다.

한국국제협력단의 해외재난구호 실적으로는 2010년 아이티 지진, 2009년 인도네시아 지진, 2008년 중국 쓰촨성 지진, 2008년 미얀마 사이클론, 2006년 자카르타 지진 피해 등 대부분의 대규모 해외재난에 참가하였다.

3) 한국국제보건의료재단

한국국제보건의료재단(Korean Foundation for International Healthcare; KOFIH)은 해외긴급구호대 중 의료지원팀 편성에 관여하는 기관이다. 보건복지부 산하 특별 법인으로 개발도상국, 북한, 재외동포, 외국인 근로자 등에 대한 보건의료지원사업을 수행하여 국제 협력을 증진시키고 긴급구호 사업에도 관여하여 인도주의 실현에 기여하고자 한다. 법적 기반은 「한국국제보건의료재단법」이다.

4 국제 재난구호 활동 시 간호사의 역할

해외긴급구호는 특수 환경에서 이루어진다. 역사적으로 플로렌스 나이팅게일은 크리미아 전쟁에서 재해간호를 시작하였다. 간호사는 재난현장에서 다양한 책임과 업무를 담당해야 하며 그 업무는 어렵고 힘들다. 또한 민감하고 긴장되며 위험한 환경, 공격성이 많은 환경에 노출된다. 따라서 구호자 개개인은 특수 환경에서도 업무를 수행할 수 있는 역량을 갖추도록 강조되고 있다.

국제적십자사의 경우, 전문지식을 가지고 강인함, 융통성, 신중함 등의 개인적 특성을 가진 사람으로서 헌신하고 적십자정신을 준수할 수 있는 역량을 강조하고 있으며, 이러한 역량 배양을 위한 프로그램을 운영한다. 또한 간호사의 재난대비 및 대응에 대해 연구하는 기관인 INCMCE(International Nursing Coalition for Mass Casualty Education)에서는 대량 사상자 발생 시 초급 간호사가 갖추어야 할 역량을 제시하였다(Veenema, 2007).

해외긴급구호에 참여하는 간호사는 다음과 같은 역량을 갖추어야 한다.

(1) 비판적 사고

윤리적이고 타당한 틀을 이용하여 의사결정을 하고 문제의 우선순위를 판단해야 하며, 임상적 판단과 의사결정 기술을 사용하여 환자를 사정하고 간호를 제공한다.

(2) 대상자 사정

재난환경에서 대상자 및 자신, 대응팀 요원의 안전문제를 사정하고, 건강 문제를 규명해야 한다. 또한 생물테러와 같이 대량 사상자가 발생하는 상황을 인지할 수 있어야 하며, 재난에 취약한 인구집단에 대한 이해를 높여야 한다.

(3) 기술

안전한 약물 주입 및 예방접종을 시행하고, 프로토콜을 근거로 각종 응급처치와 침습적 중재, 수액 및 영양요법을 위한 간호기술, 환자 이송, 이송을 올바르게 시행해야 한다. 화생방 및 핵폭발 물질과 관련하여 격리와 제독을 실시하고 개인보호장비를 사용할 수 있어야 한다. 또한 응급 시 의사소통을 위한 장비 사용 및 정보관리 기술을 적절히 발휘해야 한다.

(4) 의료정보 및 의사소통

보건관련 정보를 의사소통하기 위한 컴퓨터를 원활히 사용해야 하며, 지역 응급지휘체계와 의사소통 하는 방법 및 역할을 명확히 인지해야 한다. 환자 및 대외 기관으로부터 정보 제공을 요청받았을 때 어디로 문의해야 하는지 알고, 위험 의사소통 원칙에 대해 인식해야 한다. 또한 간호 사정, 중재, 결과 기록을 올바르게 시행하며, 재난상황에서 대상자 및 가족, 대응자들이 보일 수 있는 두려움, 스트레스 등의 반응을 알아차릴 수 있어야 한다.

(5) 질병 관리

해당 지역의 보건 관할 기관과 질병관리본부 등의 유관기관과 협력하여 지역사회의 질병을 모니터링하기 위한 활동을 수행한다.

(6) 윤리적 태도

의료 전문가적인 태도를 견지하고 대상자의 정보를 보호하도록 노력해야 한다.

또한 리더십 등의 관리자적 기술, 보건의료체계 및 의료 정책에 대한 지식, 다양성에 대한 이해도 필요하다.

이옥철 등(2015)은 재난간호란 '재해로 인하여 변화된 환경에서 스스로 문제를 해결할 수 없는 대상자를 돕기 위해 발달 단계별 간호를 제공하는 것'이라고 정의하였다. 또한 재난간호의 대상자는 재난피해자, 피해자의 가족, 재난구호요원이며, 재난간호 제공단위는 개인·가족·집단 및 지역사회이고, 재난상황에서 간호사에게 요구되는 능력은 한 영역에 국한되는 전문적인 간호보다는 일반적이고 다양한 요구를 수용할 수 있는 간호능력이라고 하였다.

재난간호를 실제적으로 수행하기 위해 간호사는 평소에도 최소한의 건강요구 사정(assecssment), 적응력(adaptability), 융통성(flexibility), 창의성(creativity) 등을 길러야 하며, 재난상황에 대한 통합적이고 상호협력적인 마인드와 재난간호를 제공할 지식과 능력을 갖추고 리더로서의 자질을 발휘할 수 있는 구비조건을 갖추어야 한다.

① 재난상황에서 간호 제공시 지켜야 할 원칙

- 자신의 안전을 최우선으로 한다.
- 대상자의 건강요구와 우선순위를 안다.
- 의료관련법(「의료법」, 「응급의료법」 등)을 따른다.
- 공조체계 내에서 지시에 따른다.
- 대다수를 위해 최선을 다한다.
- 경고 신호의 의미를 알고 자신 및 대상자의 안전을 확보한다.
- 필요시 리더십을 발휘한다.
- 필요시 적절한 기관에 의뢰한다.
- 이용 가능한 의료자원과 인력을 활용한다.
- 건강의 위험을 감소시키기 위한 환경과 조직 활동의 변화를 관찰한다.

② 재난상황에서 요구되는 간호사의 핵심 역량

세계보건기구(WHO)에서는 재난상황에서 요구되는 간호사의 핵심 역량에 대해 다음과 같이 8가지를 제시한다.

- 윤리적, 법적인 쟁점에 대한 의사결정
- 치료 원칙
- 간호 제공
- 요구 사정과 계획
- 안전과 보호
- 의사소통과 대인 관계
- 공중 건강
- 응급상황에서 건강관리 체계와 정책

COMMUNITY HEALTH NURSING

부록

1 한국형 가족 간호진단

1) 윤순녕 등의 한국가족문제분류

가족현상	가족특성
1. 지역사회와의 상호작용 부족	• 친한 이웃이 적다. • 친구간의 접촉빈도가 낮다.
2. 사회적 고립감	• 이웃과 왕래가 없다. • 거의 모든 시간을 집에서 보낸다. • 친구가 없다.
3. 지역사회 지지체계 부족	• 지역사회 도움을 청할 기관이 부족하다. • 지역사회에 도움을 청할 사람이 부족하다. • 자원 이용에 대한 지불 능력이 없다. • 지역사회 자원에 대한 정보가 부족하다.
4. 부모역할 장애	• 자녀의 생활에 대해 무관심하다. • 부 또는 모가 이혼, 별거, 가출 중에 있다. • 전반적인 자녀 양육을 방치한다. • 비행 자녀가 있다.
5. 부부역할 장애	• 부부간에 잦은 욕, 공격적이고 비꼬는 말투를 사용한다. • 부부간의 대화가 결여되어 있다.
6. 성생활의 불만족	• 남편 또는 아내의 외도가 있다. • 성생활이 원만치 못하다.
7. 의사소통 장애	• 가족구성원들이 각자의 의견만 일방적으로 주장한다. • 가장이 폐쇄적인 의사소통 양상을 보인다. • 가족들이 모여 대화할 수 있는 기회가 드물다. • 세대 간 사고방식의 차이가 있다. • 가족 내 의사결정이 비민주적이다.
8. 부적절한 가족기대치	• 가족구성원의 스트레스가 과다하다.
9. 가족의 친밀감 부족	• 가족구성원들 간의 불만이 높다.
10. 부적절한 권력구조	• 특정 구성원에게 권한이 집중되어 있다. • 어른들의 지도력이 없다. • 가장의 권위의식이 강하다. • 부인이 남편의 결정을 완전히 무시한다. • 가장이 가족에 대해 지나치게 엄격하다.
11. 가족학대	• 부모가 자녀를 구타한다. • 부모가 자녀를 무시한다. • 부모가 구타한다. • 부모를 무시한다. • 남편(아내)에 대한 아내(남편)의 구타가 있다. • 남편(아내)이 아내(남편)를 무시한다. • 남편이 아내를 하인 취급한다.

(계속)

가족현상	가족특성
12. 부적절한 생활양식	• 가족 구성원이 비만이 심하다. • 예방접종이 부적절하다. • 식습관이 불규칙하다. • 수면이 부적절하다. • 운동이 부적절하다. • 가족구성원 중 흡연자가 있다. • 가족구성원이 과다한 음주를 한다. • 여가활동이 부족하다. • 정기적 검진을 하지 않는다. • 건강관리에 대한 지식이 부족하다.
13. 비효율적 재정관리	• 지출이 과다하다. • 수입이 일정하지 않다. • 실직한 상태이다. • 재정관리가 부적절하다. • 과도한 의료비가 부담된다. • 수입원이 감소된 상태이다.
14. 부적절한 질병관리	• 가족구성원의 치료지시를 이행하지 않는다. • 가족구성원의 질병인식이 부족하다. • 가족구성원 간의 돌봐주는 것이 부족하다. • 보건의료 자원의 활용이 부족하다. • 가족구성원의 질병지식이 부족하다.
15. 부적절한 주위환경	• 주변에 악취가 난다. • 출입구 계단고가 높고 가파르다. • 쓰레기 수거가 제때에 이루어지지 않고 있다. • 골목에 안전시설(난간)이 없고 비탈지다.
16. 부적절한 가정위생관리	• 화장실이 비위생적이다. • 바퀴벌레, 쥐 등이 발견된다. • 분리수거를 하지 않는다.
17. 부적절한 주거관리	• 집안이 정리정돈이 안되어 있다. • 공간관리가 부적절하다. • 가족 수에 비하여 공간이 부족하다. • 난방이 제대로 안 된다. • 채광이 안 좋아 낮에도 조명이 필요하다. • 통풍이 안 되어 습하다.

2) 김의숙의 한국가족진단

가족현상	문제영역	가족문제(진단)
1. 가족구조/발달주기	1) 가족형태	• 불완전한 가족구조, 시댁식구와 동거, 친정식구와 동거, 아들이 없음, 자녀가 없음
	2) 발달주기와 발달과업	• 가족발달 과업의 미완 • 가족발달과업의 인식부족 • 고3/재수생의 존재
2. 가족체계 유지	1) 재정	• 부족한 수입 • 적합한 수입원의 발견 능력 • 지출의 불균형(학비의 과도한 지출)
	2) 관습과 가치관	• 가족 구성원 간 관습의 부조화 • 부조화된 가치관
	3) 자존감	• 가족성장을 위한 목표의 부재 • 부적절한 목표 • 낮은 삶의 만족감/삶의 질 • 가족에 대한 존중감의 부족
	4) 가족규칙	• 비일관적인 가족규칙 • 가족규칙의 부족 • 비실용적/비현실적 가족규칙 • 자율권의 부족
3. 상호작용 및 교류	1) 의사소통	• 부적합한 의사소통 기술 • 부적합한 의사소통 방법의 사용 • 의사소통의 부재
	2) 역할	• 지위, 역할에 따른 책임감의 부재 • 연령/성별에 따른 고정화된 역할 기대 • 역할변화에 따른 갈등/적응의 부족 • 부적당한 역할분담, 역할편중 • 역할인식의 부족 • 역할 갈등 • 역할수행 장애
	3) 사회화와 양육	• 부적절한 자녀교육 • 아들, 딸의 차별 • 일관성 없는 훈육 방법 • 가정교육의 부재 • 학업성취에 대한 과도한 가치
	4) 의사결정과 권위	• 비적절한 권위의 사용 • 가족 내 권위자의 부재 • 권위의 불균형 • 체면의 과도한 강조 • 권력 구조 변화 • 과도한 자기방어력 사용 • 비민주적 의사결정 방법의 사용 • 가족의사결정의 부재

(계속)

가족현상	문제영역	가족문제(진단)
3. 상호작용 및 교류	5) 사회참여와 교류	• 가족 내 과도한 집착 • 외부 자극의 부족 • 관계성립의 무능력 • 사회적 고립 • 가족경계선의 비유연성 • 시댁 가족과의 갈등 • 친척과의 적은 접촉, 친척과의 갈등 • 이웃과의 갈등 • 부적당한/비적합한 사회참여
4. 지지	1) 경제적 협동	• 경제적 활동의 부재 • 경제활동의 비참여
	2) 정서적, 영적지지	• 정서적 지지/안정을 위한 능력 부족 • 영적 신념이나 종교의 갈등 • 애정/돌봄의 부족 • 가구원간의 친밀감의 부족 • 애착의 불균형, 부부만족감 낮음 • 희생양의 존재, 부모자녀 갈등 • 가족 결손력의 부족 • 고부 간의 갈등, 친척 간의 갈등
	3) 지지자원	• 지지자원 부족 • 지지자원의 활용 부족
5. 대처/적응	1) 문제해결	• 문제를 인식하는 능력의 부족 • 문제해결방법의 부적당한 사용 • 부적당한 대처기전의 사용 • 적절한 시기에 대처하는 능력의 부족 • 문제 우선순위의 능력 부족
	2) 생활의 변화	• 과도한 생활변화 • 생활사건에 대한 부적응 • 변화에 대한 불합리한 거부
6. 건강관리	1) 가족건강력	• 위험질병력이 있는 가족 • 가족질병력에 대한 인식 부족
	2) 생활방식	• 부적절한 일상생활 방식(식습관, 휴식, 수면, 영양, 운동, 흡연, 음주 등)
	3) 자가간호능력	• 안전수칙의 불이행 • 자가간호능력의 결핍
	4) 건강관리 행위	• 부적절한 질병관리, 비과학적 질병관리 • 부적절한 추후관리, 불이행 • 예방행위 부족, 약물남용 • 부적당한 건강증진 행위 • 의료 추구행위의 지연

(계속)

가족현상	문제영역	가족문제(진단)
7. 주거환경	1) 주거지역	• 질병의 심각성에 대한 부적절한 인식 • 부적합한 주거환경 • 높은 범죄율 • 위험물질의 노출(공해, 다스, 페인트, 가구)
	2) 안전	• 생활 보장의 부족 • 부적당한 해충 관리
	3) 생활공간	• 사고의 위험성의 높음 • 주택의 불안전한 구조(난방, 환기, 계단, 출입구) • 부적당한 가정관리/정의
	4) 위생	• 생활공간의 부족 • 부적당한 생활공간의 활용 • 부적당한 위생관리 • 부적당한 저장 • 부적당한 식수사용 • 부적당한 쓰레기 처리 • 부적당한 하수처리

2 보건실 기록 양식

1) 보건일지 예시

보 건 일 지		결재	계	부장	교감
20 년 월 일 요일, 날씨 :				전결	
학교 및 보건행사					
보건교육					
병원치료					

처 치 현 황

순	학 반	성 명	성 별	건강 문제	처 치
1					
2					
3					
4					
5					
6					
7					
8					
9					
10					
11					
12					
13					
14					
15					
…					

학 생 이 용 현 황

구 분 / 계		외상	두통	호흡기	소화기	근골격	구강 치아	이비인 후과	안과	비뇨 생식	순환기	피부	기타	감염병	계
일계	남														
	여														
누계	남														
	여														

2) 학생건강기록부

학 생 건 강 기 록 부

1. 인적사항

성명		성별		주민등록번호	-	혈액형	형 Rh(　　)	보호자	

학교	학년	반(이수과정/학과)	번호	담임 성명

2. 전염병 예방접종

가. 취학 전 예방접종

대상전염병	접종여부					비고
	1차	2차	3차	4차	5차	
디프테리아						
백일해						
파상풍						
홍 역						
유행성이하선염						
풍 진						
폴리오						
결 핵						
일본뇌염						
수 두						
B형 간염						

나. 취학 후 예방접종

대상 전염병	학교/학년	접종일자	대상 전염병	학교/학년	접종일자
일본뇌염					
디프테리아					
파상풍					

(계속)

3. 건강검사실시현황

가. 신체의 발달사항

<table>
<tr><th colspan="2" rowspan="2">구분</th><th colspan="6">초등학교</th><th colspan="3">중학교</th><th colspan="3">고등학교</th></tr>
<tr><th>1</th><th>2</th><th>3</th><th>4</th><th>5</th><th>6</th><th>1</th><th>2</th><th>3</th><th>1</th><th>2</th><th>3</th></tr>
<tr><td colspan="2">키(cm)</td><td></td><td></td><td></td><td></td><td></td><td></td><td></td><td></td><td></td><td></td><td></td><td></td></tr>
<tr><td colspan="2">몸무게(kg)</td><td></td><td></td><td></td><td></td><td></td><td></td><td></td><td></td><td></td><td></td><td></td><td></td></tr>
<tr><td rowspan="2">비만도</td><td>체질량지수</td><td></td><td></td><td></td><td></td><td></td><td></td><td></td><td></td><td></td><td></td><td></td><td></td></tr>
<tr><td>상대체중</td><td></td><td></td><td></td><td></td><td></td><td></td><td></td><td></td><td></td><td></td><td></td><td></td></tr>
</table>

나. 신체의 능력

<table>
<tr><th colspan="2" rowspan="2">구분</th><th rowspan="2">단위</th><th colspan="3">초등학교</th><th colspan="3">중학교</th><th colspan="3">고등학교</th></tr>
<tr><th>4</th><th>5</th><th>6</th><th>1</th><th>2</th><th>3</th><th>1</th><th>2</th><th>3</th></tr>
<tr><td colspan="2">왕복 오래달리기</td><td>회</td><td></td><td></td><td></td><td></td><td></td><td></td><td></td><td></td><td></td></tr>
<tr><td rowspan="3">오래
달리기－걷기
(초5～고3)</td><td>1,000m(초등)</td><td>분:초</td><td>공란</td><td></td><td></td><td></td><td></td><td></td><td></td><td></td><td></td></tr>
<tr><td>1,600m(중·고/남)</td><td>분:초</td><td colspan="3">공란</td><td></td><td></td><td></td><td></td><td></td><td></td></tr>
<tr><td>1,200m(중·고/여)</td><td>분:초</td><td colspan="3">공란</td><td></td><td></td><td></td><td></td><td></td><td></td></tr>
<tr><td colspan="2">스텝검사</td><td>PEI</td><td>공란</td><td></td><td></td><td></td><td></td><td></td><td></td><td></td><td></td></tr>
<tr><td colspan="2">앉아윗몸앞으로굽히기</td><td>cm</td><td>공란</td><td></td><td></td><td></td><td></td><td></td><td></td><td></td><td></td></tr>
<tr><td colspan="2">종합유연성</td><td>점</td><td></td><td></td><td></td><td></td><td></td><td></td><td></td><td></td><td></td></tr>
<tr><td colspan="2">(무릎대고)팔굽혀펴기(중·고)</td><td>회</td><td colspan="3">공란</td><td></td><td></td><td></td><td></td><td></td><td></td></tr>
<tr><td colspan="2">윗몸말아올리기</td><td>회</td><td></td><td></td><td></td><td></td><td></td><td></td><td></td><td></td><td></td></tr>
<tr><td colspan="2">악력</td><td>kg</td><td></td><td></td><td></td><td></td><td></td><td></td><td></td><td></td><td></td></tr>
<tr><td colspan="2">50m 달리기</td><td>초</td><td></td><td></td><td></td><td></td><td></td><td></td><td></td><td></td><td></td></tr>
<tr><td colspan="2">제자리멀리뛰기</td><td>cm</td><td></td><td></td><td></td><td></td><td></td><td></td><td></td><td></td><td></td></tr>
<tr><td colspan="2">체지방률</td><td>%</td><td></td><td></td><td></td><td></td><td></td><td></td><td></td><td></td><td></td></tr>
<tr><td colspan="2">신체의 능력점수</td><td>점</td><td></td><td></td><td></td><td></td><td></td><td></td><td></td><td></td><td></td></tr>
<tr><td colspan="2">신체의 능력등급</td><td>등급</td><td></td><td></td><td></td><td></td><td></td><td></td><td></td><td></td><td></td></tr>
</table>

다. 건강검진 현황

<table>
<tr><th colspan="2" rowspan="2">구분</th><th colspan="6">초등학교</th><th rowspan="2">중학교
(1학년)</th><th rowspan="2">고등학교
(1학년)</th></tr>
<tr><th>1학년</th><th>2학년</th><th>3학년</th><th>4학년</th><th>5학년</th><th>6학년</th></tr>
<tr><td rowspan="2">건강
검진</td><td>검진일자</td><td></td><td colspan="2">공란</td><td></td><td colspan="2">공란</td><td></td><td></td></tr>
<tr><td>검진기관</td><td></td><td colspan="2">공란</td><td></td><td colspan="2">공란</td><td></td><td></td></tr>
<tr><td rowspan="2">구강
검진</td><td>검진일자</td><td></td><td></td><td></td><td></td><td></td><td></td><td></td><td></td></tr>
<tr><td>검진기관</td><td></td><td></td><td></td><td></td><td></td><td></td><td></td><td></td></tr>
</table>

라. 별도검사 현황

<table>
<tr><th>검사일자</th><td></td><td></td><td></td><td></td><td></td><td></td><td></td><td></td><td></td><td></td><td></td><td></td></tr>
<tr><th>검사명</th><td></td><td></td><td></td><td></td><td></td><td></td><td></td><td></td><td></td><td></td><td></td><td></td></tr>
<tr><th>검사기관</th><td></td><td></td><td></td><td></td><td></td><td></td><td></td><td></td><td></td><td></td><td></td><td></td></tr>
</table>

210mm×297mm(일반용지 60g/m^2(재활용품))

3) Td 예방접종 안내 가정통신문

교표	○ ○ 통 신 문	제20○ ○ - 호
	대상 : 6학년	20○○. ○. ○.

Td(파상풍, 디프테리아) 예방접종 안내

안녕하십니까? 국가 필수예방접종인 Td(파상풍, 디프테리아) 예방접종에 대하여 안내말씀 드리고자 합니다.

금년 초등학교 6학년 학생은『표준예방접종 지침』에 의거 Td예방접종 대상자입니다.

○○구 보건소에서 무료 예방접종을 실시하오니 다음의 안내를 참고하시어 학생들이 해당일에 접종을 받지 않아 전염병에 걸리는 등의 불이익이 발생하지 않도록 협조하여 주시기 바라니다. 또한, 병·의원에서는 유료접종으로 실시하오니 참고하시어 원하시는 기관에서 접종을 받으시기 바랍니다.

아울러 접종 다음날 하단의 예방접종 확인서를 담임선생님께 제출하여 주시기 바랍니다.

- 아 래 -

1. 접종대상 : 초등학교 6학년 학생 (본교 : ○○○명)
2. 접종일 : 20○○. ○. ○. ~ ○. ○. (○일간) – 해당일 3학교 배정받음
3. 접종시간 : 오전 9시~오후 5시(점심시간 : 12시~1시)
4. 접종장소 : ○○구 보건소 2층 예방접종실
5. 학부모 참고 및 협조사항 (뒷면에 접종 후 주의사항 있음)

1) ○○구 보건지소(○○동 소재)에서는 접종하지 않습니다.
2) Td예방접종 기간 중에는 일본뇌염 예방접종 사업 일시 중지합니다.
3) 보호자 동반이 원칙이므로 아동 혼자 방문시 접종이 불가합니다.
4) 학교별 접종일정을 준수하여 주시기 바랍니다.
5) 기간 중 미접종자 추가 접종기간 : 20○○. ○. ○~○. ○.
6) 사전에 배부된 예진표를 미리 작성하여 오시면 빠른 접종을 받으실 수 있습니다.
7) 기타문의 사항 : ○○구 보건소 (☏ ○○○-○○○○)

○○○○. ○. ○.

○ ○ 초 등 학 교 장

---------- 절 취 선 ----------

Td 예방접종 확인서

제 학년 반 번 이름 : ( )

예방접종명	접종일자	보건소, 병의원 명
	20○○. ○. ○.	

○ ○ 초등학교장 귀하

3 유해환경과 직업병 관리

1) 물리적 요인

종 류	원 인	증 상	예 방
소음	우리나라 소음허용기준을(8시간 동안 90dB~15분 동안 115dB) 초과하게 되거나, 4,000Hz(진동수 단위)에서 가장 많이 발생	• 생리적 증상 : 맥박 증가, 혈압 상승, 근육 긴장 등의 자율신경계 증상 • 심리적 증상 : 불쾌감, 수면 방해, 집중력 방해, 초조감	소음원을 격리 및 차단, 시설의 변경, 보호구(귀마개, 귀덮개) 사용
진동	진동을 야기하는 작업: 교통수단 운전자, 기중기, 분쇄기, 연마기, 자동식 톱 등	말초혈관 수축으로 혈압 상승, 맥박 증가, 발한, 내장하수, 월경장애, Raynaud증	작업 시 진동 감소 조치, 진동경로 차단, 작업자세 변경, 작업시간 단축, 장갑착용
이상 기압	위험대상직업 : 교각, 굴뚝 기초공사, 광산, 지하실, 댐, 지하철, 해저터널작업, 고공비행 등	• 고압 : 귀, 부비강, 치아조직손상 • 2기압 이상 산소분압에서는 수지·족지의 작열통, 시력장애, 오심 등의 산소중독증세, 질소가스의 마취 작용으로 작업력 저하, 이산화탄소는 산소와 질소가스 독성을 증강시키므로 0.2%를 초과해서는 안 됨 • 감압폐포 : 파열, 기흉, 혈액과 조직에 융해된 질소가 기포 형성	작업시간 및 휴식시간, 감압기준 실천, 고령·비만·심장질환·이비인후과 근로자 제외
저산소	건설, 화학공업, 지하실 작업 등에서 환기가 안 되거나 연소기구 사용	산소농도가 12% 이하일 경우 대뇌피질 기능 및 중추성기능장애	작업장 내 산소농도 18%가 하한선, 환기산소농도 측정, 보호구, 구급요원/피난용구 비치
온도	• 고온 : 고온다습한 작업 환경으로 인한 탈수와 염분 손실 • 저온 : 저온물체 취급업무, 한랭(영하 10도 이하) 작업으로 말초혈관 수축	• 고온 : 피부혈관 확장과 발한 – 수분과 염분 부족 – 심혈관·신장·신경계 장애 – 열실신(hear syncope) – 열피로(heat exhaustion) – 열경련(heat clamp) – 열사병(heat stroke) • 저온 : 피부혈관 수축 – 참호족(trench foot) – 침수족(immersion foot) – 동상(frostbite)	• 고온 : 발생원에서의 열 제어, 환기, 작업 경감과 합리화, 고혈압·소화궤양·심장질환·내분비질환·무한증·신염 유병 근로자는 가급적 근무 제외 • 저온 : 실내작업온도 18도 이상 유지, 통기성과 함기성 의복착용, 신발은 발 압박, 습도금지, 고혈압·심장혈관·간·위장·신장 장애자는 가급적 근무 제외
전리방사선	엑스선, 감마선, 베타선, 알파선, 중성자선 등의 전리방사선은 생체에 파괴적으로 작용하며 염색체, 세포 및 조직의 파괴와 사멸을 초래한다.	전리방사선의 투과력, 전리작용, 피폭방법, 피폭선량, 조직의 감수성 등에 따라 다르며, 가장 영향을 받기 쉬운 조직은 골수와 림프조직 등의 조혈기와 생식선 등이다. • 피폭자의 신체장애 : 급성방사선증, 급성방사선피부염, 만성빈혈증, 난치성 궤양성 피부염, 라듐중독, 악성신생물, 백내장, 노화촉진 등 • 후세대적 장애 : 태아장애, 기형발생, 유전상 장애 등	차폐물 설치, 원격조작, 조사시간의 단축과 피폭량의 측정, 국소배기시설 등의 설치로 노출 방지, 흡연과 식사 전에는 반드시 세수하고 정기건강진단을 실시

(계속)

종 류	원 인	증 상	예 방
비전리 방사선 (유해광선)	• 자외선(100~400nm) : 옥외 작업이나 인공광원인 수은등, 수은아크등, 헬륨방전관 사용 • 가시광선(400~760nm) : 보석세공사, 품질관리감독원, 시계제작공, 제도사, 전자기구 조립공 등 근거리 정밀작업자 • 적외선(760~6,000)nm : 광물, 금속 등의 용해작업이나 제강작업	• 자외선 : 2~3시간의 조사는 비타민D 형성과 살균작용. 과도한 조사 후 모세혈관투과성 증가, 조직부종과 수포, 급성 각막염, 안검부종과 안검경련 • 가시광선 – 조명부족 시 : 눈 피로, 두통, 안구 진탕증 등 – 조명과잉 시 : 시력장애, 시력협착, 망막변성, 암점(scotoma) • 적외선 : 혈관확장, 피부홍반, 피부암성 변화, 각막손상, 적외선 백내장, 열사병	• 적외선 : 방열장치, 방열복, 보호안경이나 모자 등의 보호구 착용

2) 화학적 요인

(1) 유기용제

종 류		원 인	증 상	예 방
방향족 탄화수소	벤젠	스타이렌, 시클로핵산, 페놀 등의 화학물질 제조	조혈장애, 허약, 체온상승, 잇몸출혈, 빈형, 백혈병	• 임상검사 – 전기생리학적 검사 : 말초신경장애에 대한 신경전달속도 검사 – 혈액검사 : 조혈장애 – 간기능검사 : 간장애검사 – 신경행동학적 검사 : 중추신경장애로 지남력 작업능력저하 검사 • 응급처치 – 용제로부터 멀리 대상자 이동 – 무호흡 시 인공호흡 – 용제 묻은 의복 제거 – 보온과 안정 – 의식 있을 시 온수나 커피 제공
	톨루엔	TDI, 페놀, 사카린 합성	피로감, 두통, 현기증 등의 중추신경억제증상	
지방족 탄화수소	할로겐화 탄화수소	냉각제, 금속세척, 플라스틱과 고무의 용제, 살균제, 염색, 세탁 등	• 중추신경억제증상 • 간·신장·폐의 장애	
	불화수소 (프레온)	냉각제, 분무제, 전기기구 세척, 플라스틱의 팽창제	• 공기보다 가벼워 오존층 파괴 • 마취작용 • 간·신장 독성 • 부정맥·발암성	

(2) 중금속

종 류	원 인	증 상	예 방
카드뮴 (cadmium)	• 아연, 납, 구리 광석 등의 용광 및 제련과정의 부산물 • 호흡기로 주로 흡수	• 급성 : 구토, 설사, 위장염, 두통, 체중감소, 착색뇨, 간·신장기능장애 • 만성 : 신장장애, 만성호흡기질환, 골격계장애, 심혈관계장애 • 단백뇨 검사로 발견	• 공정의 밀폐 • 독소배기시설 • 보호구 착용
크롬 (chromium)	• 자동차·가내도구·기계·전기기구 등의 크롬코팅, 부식예방, 윤나는 장식철 • 호흡기가 주요 침입로	• 비중격천공이나 궤양, 피부염, 신장기능장애, 호흡기능장애, 위장장애	• 금연 • 개인위생 향상 • 피부염 발생 예방
납 (lead)	• 자동차 배출 가스, 석탄 연소가스로 배출 • 충전지·전기용접에 사용, 페인트·플라스틱에 사용 • 호흡기 흡수가 대부분	• 치아착색, 구강점막의 적반상 • 간기능장애, 빈혈, 위통증 • 피부창백, 손마비 • 요중 porphyrin 증가 : 500㎍/L (납에 의한 혈구파괴 증상) • 150㎍/100mL혈액 납 증가	• 식사 – 청결장소 • 작업복 세탁격리 • 작업장의 납 표준기준 준수 • 혈중 납수치 50ug/dL 이하 시 작업 복귀 가능
망간 (manganese)	• 건전지에 각극제로 사용 • 화학산업에 산화제 사용 • 성냥, 페인트, 살충제 제조 • 호흡기 흡수가 대부분	• 무력증, 식욕감퇴, 두통, 현기증, 무관심, 정서장애 • 80%에서 성적 흥분기 나타낸 후 성욕감퇴 • 만성증상 : 파킨슨증후군	• 밀폐체계 사용 • 국소배기장치 • 보호구 착용
수은 (mercury)	• 건전지에서 각극제로 사용 • 화학산업에 산화제 사용 • 성냥, 페인트, 살충제 제조 • 호흡기 흡수가 대부분	• 구내염, 근육진전, 정신증상 • 진단기준 –혈액 : 2㎍/100mL –소변 : 300㎍/100mL	• 적절한 배기 • 보호구 착용 • 공장배출가스 통제
베릴륨 (beryllium)	• 우주항공산업, 정밀기계 제작, 컴퓨터 제작 • 형광등, 네온사인 제조 • 합금, 도자기 제조업, 원자력공업 공정	• Neighborhood cases : 베닐륨 취급자 옷을 세탁하다가 노출되어 만성폐육아종에 이환 • 진단 : 흉부X–선 소견과 20㎍/L 요중농도	• 환기장치 • 보호구 착용 • 공정농도 : 2㎍/m^3 이하로 유지 • 오염작업복 갈아입기

(3) 기타

종 류	원 인	증 상	예 방
분 진	• 조선소, 도자기, 주물업, 유리제품, 연탄, 보석가공, 전기제품 제조업 근로자 • 0.5㎛ 크기 분진 : 진폐증 유발	호흡곤란, 지속적 기침, 담액과다 – 배출곤란, 흉통 등의 진폐성 증후군	• 밀폐와 국소배기 • 작업장 공기 희석 • 습식작업으로 공기 중 분진발생 예방

〈 자료원 : 이정렬(2014). 지역사회간호학 이론과 실제. 제2판 〉

- 지역사회 통합건강증진사업 4분기 시도·시도지원단 워크숍자료.
- 강경숙 외(2022). 보건교육학. 정문각.
- 강수진 외(2013). 응급처치 매뉴얼. 수문사.
- 경기도교육청(2022). 행복한 학교를 위한 보건실무 매뉴얼.
- 고용노동부(2020). 화학물질 및 물리적 인자의 노출기준.
- 고용노동부(2020). 화학물질의 분류·표시 및 물질안전보건자료에 관한 기준.
- 고용노동부(2022). 근로자 건강진단 실시기준.
- 교육부(2020). 교육통계연보.
- 교육부(2022). 학생 감염병 예방·위기대응 매뉴얼.
- 국립암센터(2022). 국가암검진사업.
- 국립암센터(2022). 암환자의료비지원사업.
- 국민건강보험공단(2019). 건강관리 업무처리 지침.
- 국민건강보험공단(2021). 2021 노인장기요양보험 통계연보.
- 국민건강보험공단(2022). 건강검진 실시안내.
- 국민건강보험공단(2022). 과다의료이용자 사례관리 시범운영 매뉴얼.
- 국민건강보험공단(2022). 노인장기요양보험.
- 권수자 외(2017). 학교보건. 수문사.
- 김동진 외(2014). 한국의 건강불평등 지표와 정책과제. 통계집 I. 한국보건사회연구원, 연구보고서 2014-3.
- 김순아(2012). 의료급여 관리사가 수행한 사례관리 중재 효과 : 만성질환을 가진 의료급여수급자 중심으로. 한양대학교 임상간호정보대학원 석사학위 논문.
- 김정순(2014). 역학원론. 신광출판사.
- 김춘미 외(2022). 지역사회보건간호학. 수문사.
- 김혜련(2013). 다문화가족의 건강문제와 정책과제. 보건복지 이슈와 포커스, 185.
- 김화중 외(1999). 학교보건과 간호. 수문사.
- 남철현 외(2021). 에센스 보건교육학. 메디시언.
- 노인숙 외(2012). 다문화사회와 건강간호. 현문사.
- 대한민국정부(2022). 제4차 저출산·고령사회 기본계획.
- 대한심폐소생술협회(2020). New Science New Guidelines. 2020 한국심폐소생술 가이드라인.
- 대한예방의학회(2021). 예방의학과 공중보건학. 계축문화사.
- 류황건 외(2017). 알기쉬운 공중보건학. 수문사.
- 문재우 외(2021). 보건행정학. 계축문화사.
- 물질안전보건자료시스템(2022). MSDS 작성.
- 박인혜, 강경숙 외 공역(2018). 오마하체계 입문. 현문사.
- 배상수 외(2010). 보건소 기능 개편방안. 의료정책연구소 연구 보고서.
- 배상수(2012). 건강증진의 이론과 접근방법. 계축문화사.
- 배상수(2015). 보건사업기획. 제3판. 계축문화사.
- 법무부(2022). 출입국 외국인정책 통계연보

- 보건복지부(2010). 의료기관 가정간호사업 업무편람.
- 보건복지부(2011). 제3차 국민건강증진종합 계획.
- 보건복지부(2013). 제5기 지역보건의료계획 시행결과 및 시행수립 안내.
- 보건복지부(2016). 제4차 국민건강증진종합계획.
- 보건복지부(2019). 지역사회 통합돌봄(커뮤니티케어) 선도사업 추진계획
- 보건복지부(2020). 지역사회 통합돌봄 자체추진 가이드 북.
- 보건복지부(2021). 2021년 치매검진사업
- 보건복지부(2021). 공공부문 사례관리 연계·협력 업무안내.
- 보건복지부(2021). 일차의료 만성질환관리 시범사업 안내 지침.
- 보건복지부(2021). 제5차 국민건강증진종합계획.
- 보건복지부(2022). 건강생활지원센터사업 안내.
- 보건복지부(2022). 2021년 노인복지시설 현황.
- 보건복지부(2022). 2022년 난임부부 시술비지원사업.
- 보건복지부(2022). 2022년 난청조기진단사업.
- 보건복지부(2022). 2022년 노인보건복지사업.
- 보건복지부(2022). 2022년 미숙아 및 선천성이상아 등록관리사업.
- 보건복지부(2022). 2022년 지역사회중심재활 사업지침 안내.
- 보건복지부(2022). 2022년 청소년산모 임신·출산 의료비 지원사업.
- 보건복지부(2022). 보건복지통계연보.
- 보건복지부(2022). 우리나라 국민건강보험제도 연혁.
- 보건복지부(2022). 의료급여사업 안내.
- 보건복지부(2022). 장애인등록현황.
- 보건복지부(2022). 제4차 저출산 고령사회 기본계획.
- 보건복지부(2022). 치매정책사업안내.
- 보건복지부(2022). 희망복지지원단 업무 안내.
- 보건복지부. 사회보장정보원(2017). 2017 지역보건의료정보시스템 활용안내.
- 보건복지부. 한국건강증진개발원(2020). 2020년 지역사회통합건강증진사업 안내.
- 보건복지부. 한국건강증진개발원(2022). 2021년 보건소 모바일 헬스케어사업 결과보고서.
- 보건복지부. 한국건강증진개발원(2022). 2022년 지역사회통합건강증진사업 안내.
- 보건복지부. 한국건강증진개발원(2022). 제8기 지역보건의료계획 수립 안내.
- 보건복지부. 한국건강증진재단(2018). 제7기 지역보건의료계획 수립안내.
- 사회보장정보원(2022). 지역보건의료 정보시스템.
- 산업안전공단(2022). 감정노동 종사자 건강보호 가이드.
- 서울특별시(2022). 서울특별시 제7기 지역보건의료계획(2019～2022).
- 서울특별시 성동구(2022). 서울특별시 성동구 제7기 지역보건의료계획(2019～2022).
- 선우성(2003). 외국의 학교보건(School Health Program : International Trend). 대한의사협회, 116-123.
- 송명경 외(2015). 의료급여 관리사의 개인적 특성 및 자기효능감, 소속 보장기관의 조직특성이 업무수행능력에 미치

는 영향. 보건사회연구.
- 신영석 외(2008). 의료급여 사례관리 및 효과분석Ⅱ. 보건사회연구.
- 양숙자 외(2020). 지역사회간호학1. 현문사.
- 심문숙 외(2020). 지역사회간호학2. 현문사.
- 안전보건공단(2022). 산업재해 기록·분류에 관한 지침.
- 안전보건공단(2017). 건설업 보건관리자 실무가이드.
- 안전보건공단(2020). 공단의 30년사.
- 안전보건공단(2022). 2021년 산업재해현황.
- 안전보건공단(2022). 2021년도 산업재해분석.
- 양경희 외(2019). 학교보건의 이론과 실제. 현문사.
- 여나금·이재은(2022). 주요국의 보건의료 정책 개혁 동향. 보건복지포럼.
- 여성가족부(2019). 2018년 전국 다문화가족 실태조사 연구.
- 연정운(2009). 방문건강관리사업 허약노인 사례관리 효과. 한양대학교 임상간호정보 대학원 석사학위논문.
- 오영호(2012). 2012년 보건의료정책의 변화와 전망. 보건복지포럼.
- 유명란 외(2012). 의료인을 위한 재난관리의 실제. 수문사.
- 유영주 외(1991). 가족발달학. 교문사.
- 유영주(1988). 신가족관계학. 교문사.
- 소애영 외(2020). 지역사회간호학Ⅰ, Ⅱ. 제6판. 수문사.
- 이주열(2021). 보건프로그램 개발 및 평가. 계축문화사.
- 윤순녕(2011). 지역사회간호개념재정립. 지역사회간호학회 창립 40주년 기념학술대회.
- 이규식(2013). 의료보장과 의료체계. 계축문화사.
- 이승욱(2008). 통계학의 이해. 자유아카데미.
- 이영란 외(2021). 보건교육학. 수문사.
- 이옥철 외(2019). 응급 및 재난간호. 현문사.
- 이은현 외(2006). 보건통계분석. 군자출판사.
- 이정렬(2014). 지역사회간호학 이론과 실제. 제2판. 현문사.
- 이종태(2021). 환경보건종합계획을 통해 살펴본 환경보건정책. 지난 10년과 향후 10년.
- 이주열 외(2011). 보건사업관리. 군자출판사.
- 이한기 외(2013). 공중보건학. 현문사.
- 전경자 외(2000). 간호대상자로서의 지역사회 개념 및 지역사회 간호사정에 관한 문헌분석. 지역사회간호학회지, 11(1), 3-20.
- 지역사회보건간호학 편찬위원회 편(2022). 최신 지역사회보건간호학 1, 2. 수문사.
- 질병관리청 국가건강정보포털(2022). 식중독.
- 질병관리청 국가건강정보포털(2022). 식중독의 분류.
- 질병관리청(2021). 2021년도 감염병 관리사업 안내.
- 질병관리청(2021). 2021년도 예방접종 후 이상반응 관리지침.
- 질병관리청(2021). 감염병위기대응.

- 질병관리청(2022). 2021 감염병 감시연보.
- 질병관리청(2022). 2021년 결핵환자 신고현황 연보.
- 질병관리청(2022). 2022 국가결핵관리지침.
- 질병관리청(2022). 2022년도 감염병 관리사업 안내.
- 질병관리청(2022). 코로나바이러스감염증-19.
- 차경미 외(2017). 지역사회보건 간호학 Ⅰ, Ⅱ. 정문각.
- 채수미 외(2021). 미래 환경변화에 대응하기 위한 보건정책 방향, 건강과 질병, 14(38).
- 최은숙 외(2019). 보건교육학. 정담미디어.
- 통계청·한국은행·금융감독원(2021). 가계금융복지조사.
- 안전보건공단(2017). 근골격계 질환 예방을 위한 작업환경개선 지침.
- 안전보건공단(2021). 감정노동 종사자 건강보호 가이드.
- 안전보건공단(2022). 2021.12월 산업재해현황.
- 한국식품안전관리인증원(2022). HACCP 7원칙 12절차.
- 한국전문간호사협회(2020). 전문간호사 정의와 자격, 교육과정.
- 한국직업건강간호학회(2014). 지역사회간호학교수 산업간호연수강좌.
- 행정안전부(2022). 2021 지방자치단체 외국인 주민현황.
- 환경부(2009). 환경성 질환의 이해와 국내 동향.
- 환경부(2022). 2021 환경백서.
- 환경부(2022). 제5차 국가환경종합계획 2020-2040.
- 환경부(2022). 폐자원관리과. 의료폐기물 분류·관리방법 안내.

- Ainsworth, B.E., Haskell, W.L., Whitt, M.C., Irwin, M.L., Swartz, A.M., Strath, S.J., ... & Jacobs, D.R.(2000). Compendium of physical activities: an update of activity codes and MET intensities. Medicine and science in sports and exercise, 32(9; SUPP/1), S498-S504.
- Ajzen(1988). Attitudes personality and behavior.
- American Nurse' Association(1980). A conceptual model of community health nursing, pub No C-10. Kansas city, MO.
- American Nurse' Association(2002). A conceptual model of community health nursing.
- Anderson, E.T., & McFarlane, H.(1994). Community as partner : Theory and practice in nursing(2nd Ed,). Lippincott-Raven.
- Anderson, J.E.(1984). Public Policy Making, 3rd ed. New York: Holt, Rinehart and Winston.
- B. G. Simons-Morton et al.(1995). Reprinted by permission of Waveland Press, Inc. from B. G. Simons-Morton, W. H. Greene, and N. H. Gottlieb, Introduction to health education and promotion, 2nd ed. Long Grove, IL: Waveland Press, Inc., 1995, All rights reserved.
- Bergen, A.(1992). Case management in community care: concepts, practices, and implications for nursing. Journal of Advanced Nursing, 17, 1106-1113.
- Beveridge, W.(1942). Social Insurance and Allied Services.
- Brown, R., Peikes, D., Chen, A., Ng, J., Schore, J., & Soh, C.(2007). The evaluation of the Medicare coordinated

care demonstration: Findings for the first two years. *Princeton, NJ : Mathematica Policy Research, Inc.*

- Burgel, B.J.(2011). The Future of nursing-opportunities for occupational health nursing. AAOHN Journal, 59(5), 207-211.
- Case Management Society of America(CMSA)(2002). Stadard of practice for case management. Little Rock, AR: CMSA.
- Centers for Disease Control and prevention(2003). Planed Approach to Community Health.
- Challis, D.(1993). Case management in social and health care: Lessons from a United Kingdom program. *Journal of Case Management*, 2, 79-90.
- Clark, M.J.(1999). Nursing in the community. Appleton & Lange.
- Clark, M.J.(2008). Community health nursing. 5th Ed. New Jersey: Pearson Prentice Hall.
- Clemen, S.A., Eigsti, D.G., & MaGuire, S.L.(1981). *Comprehensive family and community health nursing*. McGraw-Hill.
- Collins, M., & Sykes, W.(1999). Extending the Definition of Survey Quality. Journal of Official Statistics, 15(1), 57-66.
- Critchley, M.(1978). Butterworth's medical dictionary. London, Butterworth.
- Dave, R.(1967). Psychomotor domain. Berlin: International Conference of Educational Testing. Huitt, W.(2003). The psychomotor domain. Educational Psychology Interactive. Valdosta, GA: Valdosta State University. Retrieved [date], from http://www.edpsycinteractive.org/topics/behavior/psymtr.html
- Dochterman, J.M., & Bulechek., G.M.(2004). *Nursing interventions classification(NIC)*(4th ed.). St. Louis, MO: Mosby.
- Duhh, L.A.(2000). A Short History and Some Acknowledgement.
- Duvall, E.M.(1977). *Marriage and family development(5th ed.)*. Lippincott.
- Facione P.A.(2011). Critical thinking : What it is and why it counts Retrieved from http://www.student.uwa.edu.au/data/assets/pdf_file/0003/1922502/Critical-Thinking-What-it-is-and-why-it-counts.pdf.
- Forchuk, C., Ouwerkerk, A., Yamashita, M., & Martin, M.L.(2002). Mental health case management in Canada: Job description analyses. *Issues in Mental Health Nursing*, 23, 477-496.
- Freshman, R.P.(1979). Community health nursing. Duxbury Press.
- Friedman, G.D.(1974). Primer of Epidemiology. New York: McGraw-Hill.
- Gebbie, K.M., & Lavin, M.A.(1974). Classifying nursing diagnoses. American Journal of Nursing, 74, 250-253.
- Gillespie, David F.(2015). 재난의 개념과 이슈. 박영사.
- Gillis, C.L.(1991). Family nursing research, theory and practice. *Image*, *Journal of Nursing Scholarship*, 23(1).
- Girade, N.(1994). The case management model of patient care delivery. *Association of Perioperative Registered Nurse Journal*, 60(3), 403-415.
- Glanz, K., Rimer, B.K. & Lewis, F.M.(2002). Health Behavior and Health Education; Theory, Research and Practice(3rd Ed.). San Francisco; Jossey-Bass.
- Glanz, Rimer & Viswanath(2008). Health Behavior and Education. Jossey-Bass.
- Goeppinger, J., Lassiter, P.G., & Wicox, B.(1982). Community Health is Community Competence. Nursingoutlook, 30(8), 464.

- Gordis, L.(2008). Epidemiology(4th Ed.). Elsevier.
- Gordon, M.(1976). Nursing diagnosis and the diagnotic process. American Journal of Nursing, 76(8), 1298-1300.
- Green, L. & Kreuter, M.(1999). Health Promotion Planning: An Educational and Ecological Approach, 3rd ed.
- Green, L. & Kreuter, M.(2005). Health Program Planning: An Educational and Ecological Approach, 4th ed.
- Green, L.(2009). Health Promotion Planning: An Educational and Ecological Approach.
- Harrow, A.(1972). A taxonomy of the psychomotor domain. A guide for developing behavioral objectives. New York: McKay.
- Institution of Medicine.(1988). The future of public health. National Academy Press. Washington, D.C.
- Jason S. Palmer.(1998). Prioritization in Community Health Planning: Combining Methods to Achieve Implementable Priorities. Journal of Health and Human Services Administration. Vol. 21, No. 1(SUMMER), 109-134
- Karen Glanz, Barbara K. Rimer, & K. Viswanath.(2015). Health Behavior: Theory, Research, and Practice, 5th Edition, Jossey-Bass.
- Keller, J.M.(1984). The use of the ARCS model of motivation in teacher training. In K. Shaw & A.J. Trott(Eds.), Aspects of Educational Technology Volume XVII: staff Development and Career Updating. London; Kogan Page.
- Kersbergen, A.L.(1996). Case management: A rich history of coordinating care to control costs. Nursing outlook, 44(4), 169–172.
- Kleczkowski, B.M., Roemer, M.I., & Albert Van Der Werff(1984). National health systems and their reorientation towards health for all. Geneva, WHO.
- Koplan, J.P., Bond, T.C., Merson, M.H., Reddy, K.S., Rodriguez, M.H., Sewankamlbo, N.K., & Wasserheit, J.N.(2009). Toward a common definition of global health. *Lancet*, 373(9679), 1993-1995.
- K.W. Thomas, WH Schmidt(1976). A survey of managerial interests with respect to conflict. Academy of Management journal.
- Leavell, H.R., & Clark, E.G.(1965). Preventive Medicine for the Doctor in His Community: An Epidemiologic Approach, 3rd ed. McGraw-Hill.
- Leininger, M.M.(1997). Overview of the Theory of Culture Care with the Ethnonursing research method. Journal of Transcultural Nursing, 8(2). 32-52.
- Linda Y. Landesman.(2005). *Public health management of disasters: The Practice Guide(2nd Ed.)*. American Public Health Association.
- Lundgren, R.E., & McMakin, A.H.(2009). Risk Communication; A Handbook for Communicating Environmental, Safety, and Health Risks, Fourth Edition.
- L.W. Geen, M.W. Kreuter(1999). Health Promotion Planning: An Educational and Ecological Approach, 3rd ed.
- Lyon, J.C.(1993). Models of nursing care delivery and case management: Clarification of terms. *Nursing Economics*, 11(3), 163-168.
- Martin, S. K.(2005). The Omaha system, 2nd ed. St. Louis: Mosby.
- Martinez, M.E., Zammitti, E.P., Cohen, R.A.(2018). Health Insurance Coverage: Early Release of Estimates From the National Health Interview Survey, January–June 2018, National Center for Health Statistics.
- Miller, M.A & Rahe, R.H.(1997). Life change scaling for the 1990's. Journal of Psychosomatic Research, 43(3),

279-292.

- Novick, L.F., Morrow, C.B., & Mays, G.P.(2007). Public Health Administration: Principles For Population-Based Management. Jones and Bartlett Publishers.
- Offerdy, M. Bunn, F., & Morgan, J.(2009). Case managemenr in long term condition: An inconsistent journey? *British Journal of Community Nursing*, 14(6), 252-257.
- Pender et al.(2006). Health promotion in nursing practice.
- Phillip, L. Currance.(2005). *Medical responses to weapons of mass destruction*. Elsevire, Inc.
- Pickett, G., & Hanlon, J.J.(1990). Public Health: Administration and Practice. 9th ed. St. Louis, MO: Times Mirror/Mosby College Publishing.
- Poland, B.(2007). Settings for health promotion: Promising directions in unpacking and addressing how place matters. Presented at Canadian/International Symposium on Settings for Health and Learning, June 2-4.
- Powell, S.K., & Tahan, H.A.(2008). Core curriculum for case management(2nd ed). Little Rock, AR: CMSA.
- Prochaska & Velicer.(1997). The transheoretical model of health behavior change.
- Public Health Functions Steering Committee(1994). U.S. Public Health Service. Public Health in America. Washington, DC.
- Rakel, R.E.(1984). Textbook of Family Practice, Philadelpia, WB Saunder Co, 190-197.
- Roemer, M.I.(1992). *National Health Systems of the World*. Oxford University Press.
- Rothman, J.(1991). A model of care management: Toward empirically based practice. *Social Work*, 36(6). 36.
- Sallis, j., Owen, N., & Fisher, E.(2008). Ecological Models of Health Behavior. In Glanz K., Rimer B., Viswanath K.(eds.). Health Behavior and Health Education(4th Ed.). San Francisco; Jossey-Bass.
- Simpson, E.(1972). The classification of educational objectives in the psychomotor domain: The psychomotor domain. Vol. 3. Washington, DC: Gryphon House. Modification of Simpson by the University of Mississippi School of Education.
- Smilkstein, G., Ashworth, C., & Montano, D. (1982). Validity and reliability of the family APGAR as a test of family function. J Fam Pract, 15(2), 303-311.
- Smillie, I.(1993). Changing partners: Northern NGOs, Northern governments. Paris: OECD.
- Smillie, I., & Helmich, H.(1993). Non-governmental organizations and governments:Stakeholders for development. Paris: OECD.
- Smith, J.A.(1981). The idea of health: A philosophy inquiry. *Advances in Nursing Science*, 3, 43-50.
- Spradely, B.W.(1985). Community health nursing. Little Brown Company.
- Stanhope, M., & Lancaster, J.(2004). Community health nursing. 6th ed. St. Louis : Mosby.
- Stanhope, M., & Lancaster, J.(2012). Public Health Nursing: Population-centered health care in the community (8th ed.). Philadelphia; Mosby, 12-17.
- Stanhope, M., & Lancaster, J.(2013). (Eds). Public Health Nursing: Population-centered health care in the community(7th ed.). St Louis, MO: Elsevier Mosby.
- Steinberg, R.M., & Carter, G.W.(1983). *Case management and the eldery*. Lexington Books.
- Stevens, B.J.(1979). What is nursing theory, nursing theory. Little Brown Company, 1-17.

- Takano, T.(2003). Healthy cities and Urban Policy Research, London: Spon Press Talor & Francis Books.
- Tannahill A.(1985). What is health promotion? Health Education Journal 44(4):167-8.
- Terry Mahan Buttaro, Joanne Trybulski, Patricia Polgar Bailey, Joanne Sandberg-Cook(2013). Primary Care: A Collaborative Practice, 4th ed. by Mosby Elsvior.
- Tomey, A.M. & Alligood, M.R.(1998). Nursing theorists and their work(4th ed.). St. Louis; Mosby.
- Virginia K. Saba, Alan E. Zuckerman(1994). Home Health Care Classification(HCC) System. Proc Annu Symp Comput Appl Med Care. p1046, Washington, DC.
- Warhola, C.F.R.(1980). Planning for home health services: A resource handbook. US Department of Health and Human Services, Public Health Service, Health Resources Administration, Bureau of Health Planning.
- Whall, A.L.(1986). The family as the unit of care in nursing: A historical review. *Public Health Nursing*, 3, 240-249.
- Whitehead, M.(1992). The concepts and principles of equity and health. *International Journal of Health Services*, 22(3), 429-445.
- Whitelaw, S., Baxendale, A., Bryce, C., Machady, L., Young, I., & Witney, E.(2001). 'Settings' based health promotion: a review. *Health Promotion Internationa*, 16(4), 339-353.
- WHO(2009). ICN Framework of Disaster Nursing Competencies.
- WHO(2014). Twelfth General Programme of Work: Not Merely the Absence of Disease.
- WHO. Regional office for Europe(1997). Twenty Steps for developing a Healthy Cities Project.
- Winslow CEA(1920). The untilled fields of public health. Science, 51(1306), 23-33.

[사이트]

- 가정간호사회 http://www.hcna.or.kr
- 건강보험심사평가원 http://www.hira.or.kr
- 경상북도교육청 http://www.kbe.go.kr
- 교육부 http://www.moe.go.kr
- 교육환경보호구역 https://cleanupzone.edumac.kr/institution/info.do
- 국가 수자원관리 종합정보시스템 http://www.wamis.go.kr
- 국가통계포털 http://www.kosis.kr
- 국립국어원 표준국어대사전 http://stdweb2.korean.go.kr
- 국립암센터 http://www.ncc.re.kr
- 국립재활원 http://www.nrc.go.kr
- 국민건강가정센터 https://www.familynet.or.kr/web/index.do
- 국민건강보험공단 http://www.nhic.or.kr
- 국토교통부 http://www.molit.go.kr
- 노인장기요양보험 http://www.longtermcare.or.kr
- 대한민국건강도시협의회 http://www.khcp.kr
- 방역연계 범부처 감염병 연구개발 사업단 https://www.gfid.or.kr
- 법제처, 국가법령정보센터 https://www.law.go.kr

- 보건복지부 http://www.mohw.go.kr
- 안전보건연구원 http://oshri.kosha.or.kr
- 생활환경정보센터 https://iaqinfo.nier.go.kr/leinfo/light_influence.do
- 서울특별시 학교보건진흥원 http://www.bogunseoul.kr
- 세계보건기구 http://www.who.int
- 식품의약품안전처 http://www.mfds.go.kr/index.jsp
- 아이사랑 http://www.childcare.go.kr
- 안전보건공단 http://www.kosha.or.kr
- 유니세프한국위원회 http://www.unicef.or.kr
- 질병관리청 http://www.kdca.go.kr
- 한국건강증진개발원 https://khealth.or.kr
- 한국건강증진개발원 모바일 헬스케어 사업안내 https://www.khealth.or.kr:8090/mhcOpenAPI/pageNavi.do?menuCd=OCM210
- 한국국제보건의료재단 https://www.kofih.org
- 한국국제협력단 https://koica.go.kr
- 한국전문간호사협회 http://www.kaapn.or.kr
- 행정안전부 http://www.mpss.go.kr
- KOICA ODA 교육원 https://oda.koica.go.kr
- 수자원공사 http://kwater.or.kr
- 오마하협회 http://omahasystempartnership.org/international-conference-on-research-methods-for-standardized-terminologies
- UN http://unstats.un.org
- 미국 보건복지부 http://www.health.gov
- 적신월사연맹 http://www.ifrc.org
- 김해시청 https://www.gimhae.go.kr
- 미국 지방보건공무원협회 http://www.naccho.org
- WHO https://extranet.who.int/nhptool/
- NANDA Nursing Diagnosis List https://health-conditions.com
- UN 경제사회부 https://sdgs.un.org/goals
- https://www.khan.co.kr/article/201105162059005
- https://www.ksa.hs.kr/Home/Sub/188
- 교육부 https://www.moe.go.kr
- 미국 적십자 https://www.redcross.org

COMMUNITY HEALTH NURSING

Community Health Nursing

INDEX

가

아

차

카

타

파

하

II

V·O·L·U·M·E

5th EDITION

성과기반

지역사회간호학

COMMUNITY HEALTH NURSING

초판 발행 2015년 3월 5일
5판 발행 2023년 2월 20일

저 자 강경숙, 조명숙, 류화라, 장윤경, 송명경, 김형선
정미라, 이원유, 김미정, 김경숙, 이영희, 오수현
김성민, 홍시명, 김유리

고 문 오미성

발행인 최 명 희
발행처 퍼시픽북
서울시 중구 충무로 29 아시아미디어타워 503호
TEL. 02-2272-7766(代) / FAX. 02-2272-7166
www.papu.co.kr

ISBN 979-11-5814-420-3
set ISBN 979-11-5814-421-0

정가 40,000원

COMMUNITY HEALTH NURSING

COMMUNITY HEALTH NURSING